HIGH TOP

하이탑

과학 고수들의 필독서

자연계를 선택할 학생이라면, 단연 하이탑!!

하이탑은 '과학'을 잘하고 싶고, '과학'으로 대학을 가려는 학생들이
30년 동안 변함없이 선택해 왔던 믿음직한 과학 전문 브랜드입니다.

HIGH TOP ——— 과학으로 대학 가려면 꼭 봐야 하는 30년 역사의
과학 전문 대표 브랜드

중 1~3 / 통합과학 / 물리학 Ⅰ, Ⅱ / 화학 Ⅰ, Ⅱ / 생명과학 Ⅰ, Ⅱ / 지구과학 Ⅰ, Ⅱ

 ——— 과학을 어려워하는 이들을 위한 과학 내신 기본서!

중 1~3 / 통합과학

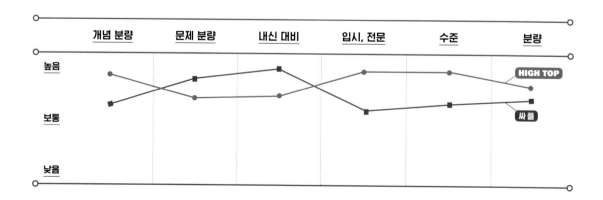

1권

중학교 과학 2

HIGH TOP

HIGH TOP의 구성과 특징

지금부터 **HIGH TOP**이 이끄는 대로 한 단계 한 단계 따라와 보세요.
자신도 모르는 사이에 과학 우등생이 되어 있을 것입니다.

1 단계

본문 개념 학습

- **학습 내용 설명** 학습 내용을 차근차근 설명하여 과학 원리를 체계적으로 이해할 수 있다.
- **자료 더하기** 개념 이해에 도움이 되는 추가 자료를 통해 더욱 정확하게 이해할 수 있다.
- **탐구 더하기** 5종 교과서에서 다루고 있는 다양한 탐구를 빠짐없이 학습할 수 있다.
- **학습 내용 CHECK** 학습한 내용 중 핵심만 바로바로 확인할 수 있다.

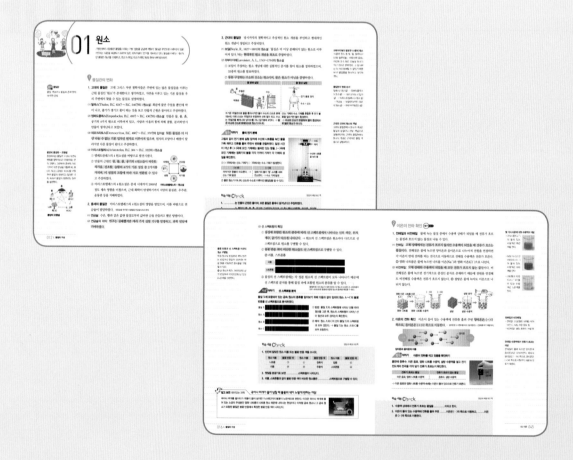

2 단계

탐구 실제로 활동을 하는 것처럼 자세한 과정과 정확한 분석으로 탐구 능력과 사고력을 기를 수 있다.

집중 분석 꼭 알아야 할 중요한 주제를 체계적으로 분석하여 내용을 더욱 완벽하게 이해할 수 있다.

심화 다른 교재에서는 접할 수 없는 높은 수준의 내용을 학습하여 과학 고수에 도전할 수 있다.

중단원 핵심 정리 본격적으로 문제를 풀기 전에 학습 내용을 핵심만 콕콕 집어 정리할 수 있다.

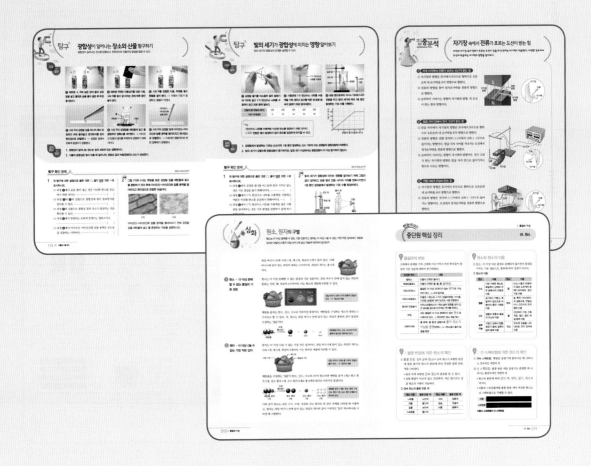

Structure HIGH TOP으로 공부하면 나도 과학 고수가 될 수 있다!

3 단계

개념 확인 문제 학교 시험에 자주 출제되는 문제로 구성하였으므로, 문제를 풀어 본 후 틀린 문제는 본문 개념 학습의 내용을 찾아 왜 틀렸는지 확실하게 알아 둔다.

실력 강화 문제 개념 확인 문제보다 수준 높은 문제로 구성하였으므로, 과학 고수라면 한 문제 한 문제 풀어 내야 한다.

서술형 문제 출제 의도에 따른 답변 전략을 Keyword로 정리한 후 논리적으로 서술할 수 있다.

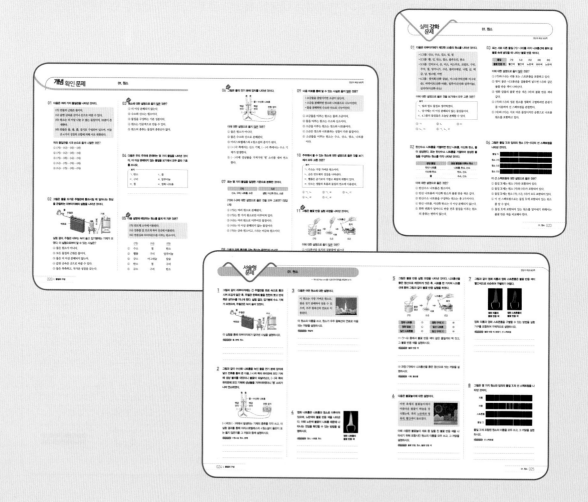

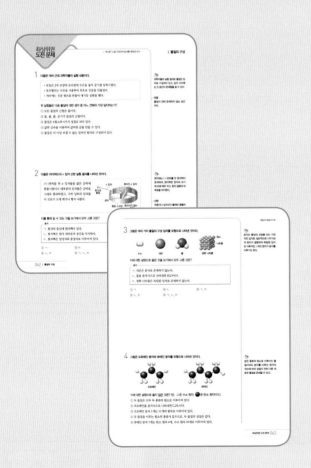

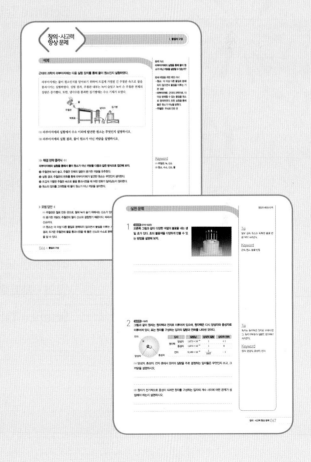

HIGH TOP만의 특별한 부록!
과학 용어 사전과 찾아보기가 수록되어 있습니다.

4 단계

최상위권 도전 문제 대단원 내의 학습 내용과 심화 내용을 응용하거나 융합한 문제로 구성하였다. 최상위권에 도전하기 위해 꼭 알아 두어야 할 수준 높은 문제를 풀어 보면서 진정한 과학 고수로 성장할 수 있다.

5 단계

창의·사고력 향상 문제 과학적 호기심을 충족시킬 수 있는 창의적인 문제, 과학적 사고력을 향상시킬 수 있는 문제로 구성하였다. 혼자서 문제를 해결하기 어려울 때에는 Tip과 Keyword를 참고할 수 있다.

Contents
HIGH TOP의 차례 1권

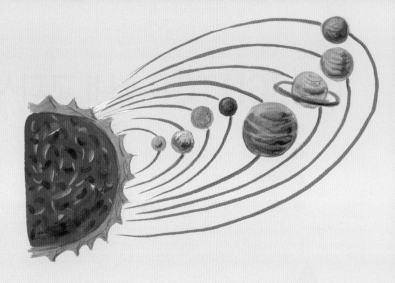

IV

식물과 에너지

부록

V. 동물과 에너지 / VI. 물질의 특성 / VII. 수권과 해수의 순환 / VIII. 열과 우리 생활 / IX. 재해·재난과 안전은 **2권**에 있습니다.

HIGH TOP과 내 교과서 비교하기

활용 방법

❶ 내가 배우는 교과서의 출판사 이름을 찾는다.

❷ 출판사 이름에서 아래쪽으로 내려가면서 공부할 내용과 해당하는 쪽수를 찾는다.

❸ 찾은 쪽수에 해당하는 **HIGH TOP**은 몇 쪽인지 확인한다.

1권

HIGH TOP 학습 계획 활용 방법
① 나의 성적과 학습 방법에 따라 **HIGH TOP** 학습 계획을 세운다.
② 학습 계획에 따라 실천하고, 그 결과를 기록한다.
③ 계획을 달성하지 못한 경우에는 그 원인을 기록한다. 이때 계획을 수정하거나 보완
할 것인지, 언제 보충하여 학습할 것인지 등을 특이 사항에 기록한다.

천재교육	YBM
013~017	014~017
018~028	018~027
031~038	030~035
047~051	048~051
052~062	052~063
065~072	066~073
081~083, 086~089	086~087, 090~093
084~085, 090~096	088~089, 094~097
099~112	100~113
123~136	126~139
139~146	142~145

HIGH TOP 중단원	HIGH TOP 학습 계획		
	학습 날짜	실천 결과	특이 사항
01. 원소	월　일		
02. 원자와 분자	월　일		
03. 이온	월　일		
01. 정전기와 정전기 유도	월　일		
02. 전압과 전류	월　일		
03. 자기	월　일		
01. 지구의 크기와 운동	월　일		
02. 달의 크기와 운동	월　일		
03. 태양계의 구성	월　일		
01. 광합성	월　일		
02. 식물의 호흡	월　일		

I

물질의 구성

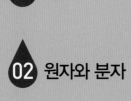

우리 주위의 모든 물질은 원소로 이루어져 있다. 이 단원에서는 원소, 원자, 분자의 개념과 이를 나타내는 방법을 알아보고, 물질을 이루는 원소의 종류를 구별하는 방법을 확인해 보자. 또, 원자가 전하를 띠게 되어 형성된 이온과 앙금 생성 반응을 이용한 이온의 검출에 대해서 알아보자.

01 원소

기원전부터 사람들은 물질을 이루는 기본 성분을 궁금해 해왔다. '물질은 무엇으로 이루어져 있을까?'라는 의문을 해결하기 위하여 많은 과학자들이 연구를 계속하고 있다. 물질을 이루는 기본적인 물질인 원소를 이해하고, 원소의 특징, 원소의 확인 방법 등에 대해 알아보자.

1 물질관의 변화

용어 물질관
물질 개념이나 물질의 존재 형태에 대한 견해

1. **고대의 물질관**   고대 그리스 자연 철학자들은 주변에 있는 많은 물질들을 이루는 근원 물질인 '원소'가 존재한다고 생각하였고, 자연을 이루고 있는 기본 물질을 우리 주변에서 찾을 수 있는 물질로 설명하였다.

(1) **탈레스(Thales, B.C. 624? ~ B.C. 546?)의 1 원소설:** 화분에 물만 주었을 뿐인데 싹이 나고, 줄기가 생기고 꽃이 피는 것을 보고 만물의 근원은 물이라고 주장하였다.

(2) **엠페도클레스(Empedocles, B.C. 490? ~ B.C. 430?)의 4 원소설:** 만물은 물, 불, 흙, 공기의 4가지 원소로 이루어져 있고, 사랑과 미움의 힘에 의해 결합, 분리하면서 만물이 생겨난다고 보았다.

(3) **데모크리토스((Democritos, B.C. 460? ~ B.C. 370?)의 입자설:** 모든 물질은 더 이상 나눌 수 없는 기본 입자인 원자로 이루어져 있으며, 원자의 모양이나 배열이 달라지면 다른 물질이 된다고 주장하였다.

(4) **아리스토텔레스(Aristoteles, B.C. 384 ~ B.C. 322)의 4 원소설**

① 엠페도클레스의 4 원소설을 바탕으로 발전시켰다.

② 만물의 근원인 물, 불, 흙, 공기의 4 원소들이 따뜻함, 차가움, 건조함, 습함의 4가지 기본 성질 중 2가지를 가지며, 이 성질의 조합에 따라 서로 변환될 수 있다고 주장하였다.

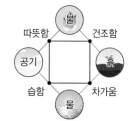

아리스토텔레스의 4 원소설

③ 아리스토텔레스의 4 원소설은 중세 시대까지 2000년 정도 계속 영향을 미쳤으며, 근대 화학이 탄생하기까지 서양의 물질관, 우주관, 운동관 등을 지배하였다.

동양의 물질관 – 오행설
동양에서는 물질의 구성과 자연의 변화를 철학적으로 이해하려는 면이 강했다. 고대부터 중세에 이르기까지 자연 현상을 5행(목(木), 화(火), 토(土), 금(金), 수(水)을 이용하여 물질이 생성되고 일정한 규칙 속에서 물질이 변화되는 원리를 설명했다.

동양의 오행설

2. **중세의 물질관**   아리스토텔레스의 4 원소설의 영향을 받았으며, 이를 바탕으로 연금술이 발달하였다.   연금술을 연구한 사람들을 연금술사라고 한다.

(1) **연금술:** 수은, 황과 같은 값싼 물질로부터 값비싼 금을 만들려고 했던 방법이다.

(2) **연금술의 의의:** 연구는 실패했지만 여러 가지 실험 기구를 발명하고, 과학 발달에 기여하였다.

3. 근대의 물질관 당시까지의 철학적이고 추상적인 원소 개념을 부인하고 현대적인 원소 개념이 정립되고 주장되었다.

(1) 보일(Boyle, R., 1627~1691)의 원소설: '물질은 더 이상 분해되지 않는 원소로 이루어져 있다.'라는 현대적인 원소 개념을 최초로 주장하였다.

(2) 라부아지에(Lavoisier, A. L., 1743~1794)의 원소설

① 보일이 주장하는 원소 개념에 대한 실험적인 증거를 찾아 원소를 정의하였으며, 33종의 원소를 발표하였다.

② 물을 구성하는 수소와 산소는 원소이며, 물은 원소가 아님을 증명하였다.

물 분해 실험	물 합성 실험
뜨거운 주철관으로 물을 통과시키면 물이 수소와 산소로 분해되는데, 이때 산소는 주철관과 반응하여 산화 철이 되고, 수소는 주철관을 빠져나와 냉각수를 지나 집기병에 모인다. → 물은 수소와 산소로 분해되므로 원소가 아니다.	산소 기체와 수소 기체를 혼합한 후 전기 불꽃을 일으키면 물이 합성된다. → 수소와 산소가 반응하여 물이 합성되므로 물은 원소가 아니다.

탐구 더하기 **물의 전기 분해**

그림과 같이 전기 분해 실험 장치에 수산화 나트륨을 녹인 물을 가득 채우고 전류를 흘려 주면서 변화를 관찰하였다. 일정 시간이 지난 후 (+)극에 모인 기체에는 불씨만 있는 향을, (−)극에 모인 기체에는 점화기의 불을 각각 가까이 가져가 각 기체의 성질을 확인한다.

① (+)극에서는 산소 기체가, (−)극에서는 수소 기체가 발생한다.

(+)극	(−)극
꺼져가던 향불이 타오른다. → 산소 기체 발생	점화기의 불이 '펑' 소리를 내며 연소한다. → 수소 기체 발생

② 물은 원소가 아니며, 산소와 수소로 이루어진 물질임을 알 수 있다.

학습 내용 Check

정답과 해설 002쪽

1. _____는 만물의 근원은 물이며, 모든 물질은 물에서 생겨났다고 주장하였다.

2. _____는 물질이 물, 불, 흙, 공기로 구성되어 있으며, 이 원소들이 따뜻함, 차가움, 건조함, 습함의 4가지 기본 성질의 변화로 서로 다른 원소로 변환될 수 있음을 주장하였다.

3. _____은 수은, 황과 같은 값싼 물질로부터 값비싼 금을 만들려고 했던 방법이다.

4. _____는 33종의 원소를 발표하였으며, 물을 수소와 산소로 분해함으로써 물은 원소가 아님을 밝혔다.

라부아지에가 발표한 33종의 원소
33종의 원소 중 빛, 열, 알루미나(산화 알루미늄), 석회(산화 칼슘), 이산화 규소 등은 오늘날 원소가 아닌 것으로 밝혀졌다. 그 당시에는 더 이상 분해할 수 없었기 때문에 이 물질들을 원소라고 생각하였다.

물질관의 변화 순서
탈레스(1 원소설) → 엠페도클레스(4 원소설) → 데모크리토스(입자설) → 아리스토텔레스(4 원소설) → 연금술 → 보일(현대적인 최초의 원소설) → 라부아지에(원소설)

고대와 근대의 원소의 개념
고대의 물질관에서 원소의 개념은 물질의 성질이나 성분 개념으로 설명되었지만, 근대의 물질관에서 원소의 개념은 구체적인 물질 개념으로 설명되었다.

② 원소와 원소의 이용

1. 원소 수소, 산소와 같이 더 이상 다른 물질로 분해되지 않으면서 물질을 이루는 기본 성분을 원소라고 한다. 〈과학 용어 사전 230쪽〉

(1) 원소는 종류에 따라 성질이 다르며, 화학 변화가 일어나도 원소는 변하지 않는다.

(2) 현재까지 알려진 원소는 118가지이며, 이 중 90여 가지는 자연에서 발견된 것이다. 〈나머지 20여 가지는 인공적으로 만들어 낸 것이다.〉

(3) 원소는 크게 금속 원소와 비금속 원소로 나눌 수 있으며, 탄소, 수소, 산소, 질소 등의 비금속 원소는 22종이고, 나머지는 모두 금속 원소이다.

(4) 한 가지 원소로 이루어진 물질도 있고, 여러 가지 원소로 이루어진 물질도 있다.

2. 원소의 이용 원소들은 성질에 따라 일상생활에서 다양하게 이용되고 있다.

수소	헬륨	산소
가장 가벼운 원소로, 폭발력이 강하며 우주 왕복선의 연료로 이용된다.	공기보다 가볍고, 폭발하지 않으므로 비행선의 충전 기체로 이용된다.	공기 중 약 21 %를 차지한다. 생물의 호흡과 물질의 연소에 이용된다.

탄소	알루미늄	금
숯, 흑연, 다이아몬드의 성분으로, 연필심이나 건전지의 전극 등에 이용된다.	가볍고 강하기 때문에 창틀이나 항공기 몸체, 알루미늄박 등의 재료로 이용된다.	산소나 물과 반응하지 않아 노란색의 광택이 유지되며, 장신구로 이용된다.

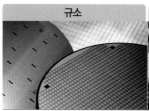  

규소	철	구리
반도체의 성질을 나타내므로 각종 전자 장치에 이용된다.	지구에 많이 존재하는 금속 중 하나로, 단단하여 기계, 건축 재료, 철근, 철도 레일 등에 이용된다.	전류가 잘 흐르므로 전선으로 이용되며, 열을 잘 전달하므로 각종 조리 기구와 보일러 관 등에 이용된다.

학습 내용 Check

정답과 해설 002쪽

1. 더 이상 다른 물질로 분해되지 않는, 물질을 이루는 기본 성분을 _____라고 한다.

2. 원소는 종류에 따라 _____이 다르다.

3. 원소 중에 가장 가벼운 원소로, 우주 왕복선의 연료로 이용되는 것은 _____이다.

[용어] 금속 원소

철, 구리, 금, 알루미늄, 납 등이 있으며, 이들은 특유의 광택이 있고 전류가 잘 흐르며 열을 잘 전달한다. 또한, 힘을 가하면 늘어나거나 펴지는 성질이 있고, 수은을 제외한 금속은 실온에서 고체로 존재한다.

홑원소 물질과 화합물

• 홑원소 물질: 한 가지 원소로만 이루어진 물질이다. ⑩ 흑연, 다이아몬드, 금, 은, 헬륨, 오존, 산소 등
• 화합물: 서로 다른 두 가지 이상의 원소로 이루어진 순수한 물질이다. 화합물은 성분 원소의 성질을 갖지 않으며, 열이나 전기를 가하는 방법 등을 이용하여 성분 원소로 분해할 수 있다. ⑩ 물, 이산화 탄소, 플라스틱, 설탕, 염화 나트륨, 포도당, 메테인 등

그 밖의 원소의 이용

• 질소: 공기 중 약 78 %를 차지하며, 다른 물질과 거의 반응하지 않아 과자 봉지의 충전 기체로 이용된다.
• 수은: 실온에서 액체로 존재하는 금속으로, 온도계나 수은 등에 이용되며, 인체에 독성을 나타낸다.
• 염소: 독성이 강하지만 물에 녹아 표백 및 살균 작용을 하므로 옷감을 희게하는 표백제나 수영장의 소독에 이용된다.

[용어] 반도체

평소에는 전류가 흐르지 않다가 특정한 조건에서 전류가 흐르는 물질이다.

③ 원소의 확인

1. 불꽃 반응에 의한 원소의 확인 (탐구 017쪽)

(1) **불꽃 반응**: 금속 원소나 금속 원소가 포함된 물질에 불을 붙이면 원소의 종류에 따라 특정한 불꽃 반응 색을 나타내는 현상이다. (과학 용어 사전 230쪽)

(2) **불꽃 반응 색과 원소의 확인**

① 성분 원소 중 불꽃 반응 색을 나타내는 일부 금속 원소의 종류를 확인할 수 있다.

리튬	나트륨	칼륨	칼슘	스트론튬	구리	바륨
빨간색	노란색	보라색	주황색	빨간색	청록색	황록색

여러 가지 금속 원소의 불꽃 반응 색

② 비금속 원소는 불꽃 반응으로 확인할 수 없다.

(3) **불꽃 반응의 특징**

① 실험 방법이 비교적 쉽고 간단하다.

② 물질의 양이 적어도 물질을 구성하는 금속 원소의 종류를 확인할 수 있다.

③ 물질의 종류가 달라도 포함된 금속 원소의 종류가 같으면 같은 불꽃 반응 색을 나타낸다. 📌 염화 나트륨과 질산 나트륨은 서로 다른 물질이지만, 나트륨을 공통으로 포함하고 있으므로 나트륨의 불꽃 반응 색인 노란색이 나타난다.

2. 선 스펙트럼에 의한 원소의 확인

(1) **스펙트럼**: 빛을 분광기에 통과시킬 때 빛이 분산되어 나타나는 여러 가지 색깔의 띠이다.

① **연속 스펙트럼**: 햇빛을 분광기로 관찰할 때 나타나는 연속적인 색깔의 띠이다. 📌 햇빛은 많은 색의 빛이 섞여 있기 때문에 분광기를 통해 보면 여러 색깔의 띠가 연속적으로 보인다.

햇빛의 연속 스펙트럼

② **선 스펙트럼**: 금속 원소가 포함된 물질의 불꽃 반응 색을 분광기로 관찰할 때 나타나는 선 모양의 불연속적인 색깔의 띠이다. 📌 나트륨의 불꽃은 노란색 띠만 선 스펙트럼으로 나타난다.

나트륨의 선 스펙트럼

과학 용어 사전 230쪽

불꽃놀이

불꽃놀이는 불꽃 반응을 이용한 것이다.

용어 분광기

빛을 파장에 따라 분리하는 기구이다. 금속 원소의 불꽃 반응을 분광기로 관찰하면 여러 가지 색의 띠(선 스펙트럼)를 관찰할 수 있다.

분광기

화학 변화 전후 원소의 불꽃 반응 색과 선 스펙트럼

어떤 물질이 화학 변화하여 다른 물질로 변해도 변하기 전후의 불꽃 반응 색이나 선 스펙트럼은 변하지 않고 그대로 나타난다. 따라서 물질이 변화를 일으켜도 그 물질을 구성하는 원소가 다른 원소로 변하거나 없어지지 않는다는 것을 알 수 있다.

(2) 선 스펙트럼의 특징

① 물질에 포함된 원소의 종류에 따라 선 스펙트럼에서 나타나는 선의 색깔, 위치, 개수, 굵기가 다르게 나타난다. → 원소의 선 스펙트럼은 원소마다 다르므로 선 스펙트럼으로 원소를 구별할 수 있다.

② 불꽃 반응 색이 비슷한 원소들도 선 스펙트럼으로 구별할 수 있다.

예 리튬, 스트론튬

③ 물질의 선 스펙트럼에는 각 성분 원소의 선 스펙트럼이 모두 나타나기 때문에 선 스펙트럼 분석을 통해 물질 속에 포함된 원소의 종류를 알 수 있다. ─┐
　　　　　　　　　　　　　　　　　　　　　　물질에 몇 가지 원소가 섞여 있어도 각 원소의 고유한 선 스펙트럼이 모두 나타나므로 물질에 포함된 원소의 종류를 확인할 수 있다.

자료+ 더하기　　선 스펙트럼 분석

물질 X에 포함되어 있는 금속 원소의 종류를 알아보기 위해 다음과 같이 임의의 원소 A~C의 불꽃 반응을 선 스펙트럼으로 분석하였다.

① 방법: 물질 X의 스펙트럼에 나타난 선을 따라 점선을 그은 후, 원소의 스펙트럼이 나타난 선이 점선과 모두 겹치는지 확인한다.

② 해석: 원소 A와 C의 선이 물질 X의 스펙트럼과 모두 겹친다. → 물질 X는 원소 A와 C를 모두 포함한다.

학습 내용 Check　　　　　　　　　　　　　　　　정답과 해설 002쪽

1. 빈칸에 알맞은 원소 이름 또는 불꽃 반응 색을 쓰시오.

원소 이름	불꽃 반응 색	원소 이름	불꽃 반응 색	원소 이름	불꽃 반응 색
나트륨	㉠	㉡	청록색	칼륨	㉢
리튬	㉣	㉤	주황색	스트론튬	㉥

2. 햇빛을 분광기로 보면 _____ 스펙트럼이 나타난다.

3. 리튬, 스트론튬과 같이 불꽃 반응 색이 비슷한 원소들은 _____ 스펙트럼으로 구별할 수 있다.

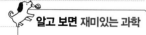**알고 보면 재미있는 과학**　**국이나 찌개가 끓어 넘칠 때 불꽃의 색이 노랗게 변하는 까닭**

국이나 찌개를 끓이다가 국물이 끓어 넘치면 가스레인지의 불꽃이 노란색으로 변한다. 이것은 국이나 찌개에 들어 있는 소금의 주성분인 염화 나트륨의 나트륨 원소 때문에 나타나는 현상이다. 이처럼 금속 원소나 그 금속 원소가 포함된 물질은 불꽃 반응에서 특정한 불꽃 반응 색이 나타난다.

불꽃 반응과 선 스펙트럼 이외의 원소 구별법

특정 원소와 반응하여 색이 변하는 반응이나 앙금이 생성되는 반응 등을 이용하면 원소들을 구별할 수 있다.

예 납 원소의 확인: 아이오딘은 납과 반응하여 아이오딘화 납 앙금(노란색)을 생성한다.

탐구 불꽃 반응을 이용한 원소 구별하기

불꽃 반응 실험을 통해 물질에 포함된 원소의 종류를 구별할 수 있다.

과정 및 결과

❶ 알루미늄 접시에 작은 솜을 놓고, 솜 위에 준비한 물질을 각각 올린다.

❷ 각 알루미늄 접시에 솜이 젖을 만큼만 에탄올을 떨어뜨린다.

❸ 각 물질을 올린 솜에 불을 붙여 물질의 불꽃 반응 색을 관찰한다.

물질	염화 나트륨	질산 나트륨	염화 스트론튬	질산 스트론튬
불꽃 반응 색	노란색	노란색	빨간색	빨간색
물질	염화 구리(II)	질산 구리(II)	염화 칼륨	질산 칼륨
불꽃 반응 색	청록색	청록색	보라색	보라색

결과 해석 및 정리

1. 물질을 구성하는 금속 원소의 종류에 따라 불꽃 반응 색이 다르게 나타난다.
2. 물질이 다르더라도 같은 종류의 금속 원소가 포함되어 있으면 불꽃 반응 색이 같다.

(같은 주제 다른 탐구)

니크롬선을 이용하여 물질의 불꽃 반응 색을 알 수 있다.

┌ 니크롬선을 사용하는 까닭: 니크롬선은 불꽃 반응 색이 나타나지 않기 때문이다.

과정 및 결과
❶ 니크롬선을 묽은 염산에 넣어 니크롬선에 묻은 불순물을 제거한 후 증류수로 헹군다.
　┌ 겉불꽃은 산소 공급이 잘 되어 온도가 높고, 무색이므로 불꽃 반응 색을 잘 관찰할 수 있다.
❷ 니크롬선을 토치의 겉불꽃에 넣고 다른 색깔이 나타나지 않는지 확인한다.
❸ 각 물질의 수용액을 니크롬선에 묻혀 토치의 겉불꽃에 넣었을 때 나타나는 불꽃 반응 색을 관찰한 뒤, 다른 물질에 대해서도 과정 ❶~❸을 반복한다.

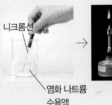
니크롬선

염화 나트륨 수용액

정리 물질의 종류가 달라도 같은 종류의 금속 원소를 포함하고 있으면 불꽃 반응 색이 같다.

탐구 확인 문제

정답과 해설 002쪽

1 다음 물질들의 불꽃 반응 색을 관찰할 때 나타나지 <u>않는</u> 불꽃 반응 색은?

• 질산 구리(II)	• 염화 리튬	• 황산 바륨
• 황산 칼슘	• 염화 칼슘	• 염화 스트론튬

① 청록색　　　② 빨간색　　　③ 황록색
④ 주황색　　　⑤ 보라색

2 적용 불꽃 반응에 대한 설명으로 옳지 <u>않은</u> 것은?
① 실험 방법이 간단하다.
② 염화 칼륨과 질산 칼륨의 불꽃 반응 색은 같다.
③ 시료 속에 포함된 모든 원소를 구별할 수 있다.
④ 금속 원소의 종류가 같으면 불꽃 반응 색이 같다.
⑤ 다른 종류의 원소라도 불꽃 반응 색이 비슷할 수 있다.

심화 원소, 원자의 구별

원소는 더 이상 분해할 수 없는 기본 성분이고, 원자는 더 이상 나눌 수 없는 가장 작은 입자이다. 성분과 입자는 어떻게 다른지 과일 바구니에 담긴 과일에 비유하여 알아보자.

과일 바구니 안에 사과 1개, 배 2개, 복숭아 2개가 들어 있다. 이때 바구니에 들어 있는 과일의 종류는 3가지이며, 과일의 개수는 총 5개이다.

① 원소 – 더 이상 분해할 수 없는 물질의 기본 성분

원소는 더 이상 분해할 수 없는 물질의 기본 성분이다. 과일 바구니 안에 담겨 있는 과일의 종류는 사과, 배, 복숭아 3가지이며, 이는 원소의 개념에 비유할 수 있다.

> 과일 바구니 안에 3가지 종류의 과일이 있다. → 원소의 개념

에탄올 분자는 탄소, 산소, 수소로 이루어진 물질이다. 에탄올을 구성하는 원소의 종류는 3가지라고 할 수 있다. 즉, 원소는 과일 바구니 안에 담겨 있는 과일의 종류와 같이 물질을 구성하는 '성분'이다.

> 에탄올은 탄소, 산소, 수소의 3가지 종류의 원소로 이루어져 있다.

② 원자 – 더 이상 나눌 수 없는 가장 작은 입자

원자는 더 이상 나눌 수 없는 가장 작은 입자이다. 과일 바구니에 들어 있는 과일의 개수는 사과 1개, 배 2개, 복숭아 2개이며, 이는 원자의 개념에 비유할 수 있다.

> 과일 바구니 안에 총 5개의 과일이 들어 있다. → 원자의 개념

에탄올을 구성하는 '성분'이 탄소, 산소, 수소의 3가지 원소라면 에탄올 분자 1개는 탄소 원자 2개, 산소 원자 1개, 수소 원자 6개로 총 9개의 원자로 이루어진 물질이다.

> 에탄올 분자 1개는 탄소 원자 2개, 산소 원자 1개, 수소 원자 6개로 이루어져 있다.

이와 같이 원소는 같은 크기, 모양, 성질을 갖는 원자로 된 집단 전체를 나타낼 때 사용하고, 원자는 과일 바구니 안에 담겨 있는 과일의 개수와 같이 구체적인 '입자' 하나하나를 나타낼 때 사용한다.

중단원 핵심 정리

한눈에보는

1 물질관의 변화

고대에서 중세를 거쳐 근대에 이르기까지 여러 학자들이 물질의 기본 성분에 대하여 연구하였다.

주장한 학자	내용
탈레스	만물의 근원은 물이다.
엠페도클레스	만물의 근원은 물, 불, 흙, 공기이다.
데모크리토스	물질은 더 이상 쪼개지지 않는 **원자**로 구성되어 있다. → 고대 입자설
아리스토텔레스	만물은 4원소와 4가지 성질(따뜻함, 차가움, 건조함, 습함)로 되어 있으며, 서로 변환된다.
연금술사	아리스토텔레스의 4원소설에 영향을 받아 값싼 금속을 금으로 바꾸려는 연구를 하였다.
보일	모든 물질은 더 이상 분해되지 않는 **원소**로 이루어져 있다. → 현대적인 원소 개념 제시
라부아지에	물 분해, 물 합성 실험으로 **물이 원소가 아님을 증명**하였다. → 4원소설이 옳지 않음을 증명

2 원소와 원소의 이용

① **원소**: 더 이상 다른 물질로 분해되지 않으면서 물질을 이루는 기본 성분으로, 종류에 따라 성질이 다르다.

② 원소의 이용

원소	이용	원소	이용
수소	가장 가벼운 원소로, 폭발력이 강하며 우주 왕복선의 연료로 이용	금	산소나 물과 반응하지 않아 노란색의 광택이 유지되며, 장신구로 이용
헬륨	공기보다 가볍고, 폭발하지 않으므로 비행선의 충전 기체로 이용	탄소	숯, 흑연, 다이아몬드의 성분으로, 연필심이나 건전지의 전극 등에 이용
산소	생물의 호흡과 물질의 연소에 이용	철	단단하여 기계, 건축 재료, 철근, 철도 레일 등에 이용
알루미늄	가볍고 강해서 창틀, 항공기 몸체, 알루미늄박 등에 이용	규소	반도체 성질을 나타내므로, 전자 장치에 이용

3-1 불꽃 반응에 의한 원소의 확인

① **불꽃 반응**: 일부 **금속 원소**나 금속 원소가 포함된 물질에 불을 붙이면 원소의 종류에 따라 특정한 불꽃 반응 색을 나타낸다.
- 물질 속에 포함된 **금속 원소**의 종류를 알 수 있다.
- 실험 방법이 비교적 쉽고 간단하며, 적은 양으로도 성분 원소의 구별이 가능하다.

② 금속 원소의 불꽃 반응 색

원소 이름	불꽃 반응 색	원소 이름	불꽃 반응 색
나트륨	노란색	구리	청록색
리튬	빨간색	칼슘	주황색
칼륨	보라색	바륨	황록색
스트론튬	빨간색		

3-2 선 스펙트럼에 의한 원소의 확인

① **연속 스펙트럼**: 햇빛을 분광기에 통과시킬 때 나타나는 연속적인 색깔의 띠

② **선 스펙트럼**: 불꽃 반응 색을 분광기로 관찰할 때 나타나는 불연속적인 색깔의 띠
- 원소의 종류에 따라 **선의 색, 위치, 굵기, 개수**가 다르다.
- 리튬과 스트론튬처럼 불꽃 반응 색이 비슷한 원소는 선 스펙트럼으로 구별할 수 있다.

리튬과 스트론튬의 선 스펙트럼

01 다음은 여러 가지 물질관을 나타낸 것이다.

> (가) 만물의 근원은 물이다.
> (나) 값싼 금속을 금이나 은으로 바꿀 수 있다.
> (다) 원소는 더 이상 나눌 수 없는 물질이며, 33종이 존재한다.
> (라) 만물은 물, 불, 흙, 공기로 구성되어 있으며, 이들은 4가지 성질의 조합에 의해 서로 변환된다.

위의 물질관을 시대 순으로 옳게 나열한 것은?

① (가)-(나)-(다)-(라)
② (가)-(나)-(라)-(다)
③ (가)-(라)-(나)-(다)
④ (나)-(가)-(다)-(라)
⑤ (나)-(가)-(라)-(다)

02 그림은 물을 뜨거운 주철관에 통과시킬 때 일어나는 현상을 관찰하는 라부아지에의 실험을 나타낸 것이다.

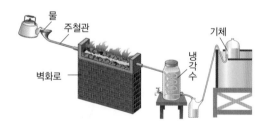

실험 결과, 주철관 내부는 녹이 슬고 집기병에는 기체가 모였다. 이 실험으로부터 알 수 있는 사실은?

① 물은 원소가 아니다.
② 모든 물질의 근원은 물이다.
③ 물은 더 이상 분해되지 않는다.
④ 값싼 금속은 금으로 바꿀 수 있다.
⑤ 물은 축축하고, 차가운 성질을 갖는다.

03 원소에 대한 설명으로 옳지 <u>않은</u> 것은?

① 더 이상 분해되지 않는다.
② 수소와 산소는 원소이다.
③ 물질을 구성하는 기본 성분이다.
④ 원소는 인공적으로 만들 수 있다.
⑤ 원소의 종류는 물질의 종류보다 많다.

04 다음은 우리 주위에 존재하는 몇 가지 물질을 나타낸 것이다. 더 이상 분해되지 않는 물질을 보기에서 모두 골라 기호를 쓰시오.

> **보기**
> ㄱ. 탄소　　　　　ㄴ. 물
> ㄷ. 구리　　　　　ㄹ. 알루미늄
> ㅁ. 철　　　　　　ㅂ. 염화 나트륨

05 다음 설명에 해당하는 원소를 옳게 짝 지은 것은?

> (가) 반도체 소자에 이용된다.
> (나) 전류를 잘 흐르게 하여 전선에 이용된다.
> (다) 연필심과 다이아몬드를 이루는 원소이다.

	(가)	(나)	(다)
①	수소	철	탄소
②	헬륨	구리	알루미늄
③	규소	마그네슘	칼슘
④	탄소	철	구리
⑤	규소	구리	탄소

06 그림은 물의 전기 분해 장치를 나타낸 것이다.

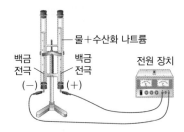

물＋수산화 나트륨
백금 전극
백금 전극
전원 장치
(−) (＋)

이에 대한 설명으로 옳지 <u>않은</u> 것은?

① 물은 원소가 아니다.

② 물은 수소와 산소로 분해된다.

③ 아리스토텔레스의 4 원소설의 증거가 된다.

④ (＋)극 쪽에서는 산소 기체, (−)극 쪽에서는 수소 기체가 발생한다.

⑤ (−)극에 성냥불을 가져가면 '펑' 소리를 내며 연소한다.

07 표는 몇 가지 물질을 일정한 기준으로 분류한 것이다.

(가)	(나)
산소, 구리, 나트륨, 수은	설탕, 이산화 탄소, 소금

(가)와 (나)에 대한 설명으로 옳은 것을 모두 고르면? (정답 2개)

① (가)는 여러 원소로 분해된다.

② (가)는 한 가지 원소로만 이루어져 있다.

③ (나)는 여러 원소로 이루어진 물질이다.

④ (나)는 더 이상 분해되지 않는 물질이다.

⑤ (가)는 금속 원소이고, (나)는 비금속 원소이다.

08 다음과 같은 특징을 갖는 원소는 무엇인지 쓰시오.

• 과자 봉지의 충전 기체로 이용된다.
• 공기의 대부분을 차지하는 기체이다.

09 다음 자료를 통해 알 수 있는 사실로 옳지 <u>않은</u> 것은?

• 소금물을 증발시키면 소금이 남는다.
• 소금을 분해하면 염소와 나트륨으로 나누어진다.
• 물을 분해하면 수소와 산소로 나누어진다.

① 소금물을 이루는 원소는 물과 소금이다.

② 물을 이루는 원소는 수소와 산소이다.

③ 소금을 이루는 원소는 염소와 나트륨이다.

④ 소금은 염소와 나트륨과는 성질이 다른 물질이다.

⑤ 소금물을 이루는 원소는 수소, 산소, 염소, 나트륨이다.

10 주위에서 볼 수 있는 원소에 대한 설명으로 옳은 것을 보기에서 모두 고른 것은?

보기
ㄱ. 수소는 가장 가벼운 원소이다.
ㄴ. 금은 반도체의 성질을 나타낸다.
ㄷ. 헬륨은 공기보다 가볍고 폭발의 위험이 있다.
ㄹ. 산소는 생물의 호흡과 물질의 연소에 이용된다.

① ㄱ, ㄴ　　　② ㄱ, ㄹ　　　③ ㄴ, ㄷ

④ ㄴ, ㄹ　　　⑤ ㄷ, ㄹ

11 그림은 불꽃 반응 실험 과정을 나타낸 것이다.

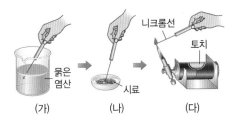

니크롬선
토치
묽은 염산
시료
(가) (나) (다)

이에 대한 설명으로 옳지 <u>않은</u> 것은?

① 니크롬선을 토치의 겉불꽃에 넣는다.

② 니크롬선 대신 구리 선을 이용해도 된다.

③ (가)는 불순물을 제거하기 위한 과정이다.

④ 시료를 바꿀 때마다 (가) 과정을 반복한다.

⑤ 니크롬선 자체는 불꽃 반응 색이 나타나지 않는다.

12 불꽃 반응에 대한 설명으로 옳지 <u>않은</u> 것은?

① 실험 방법이 비교적 간단하다.

② 적은 양의 시료로도 성분 원소를 확인할 수 있다.

③ 금속 원소의 종류에 따라 독특한 불꽃 반응 색을 나타낸다.

④ 물질을 이루고 있는 모든 성분 원소의 종류를 확인할 수 있다.

⑤ 같은 금속 원소를 포함한 물질은 같은 불꽃 반응 색을 나타낸다.

13 불꽃 반응 색이 같은 물질을 옳게 짝 지은 것은?

① 염화 구리(Ⅱ), 염화 칼륨

② 탄산 칼슘, 염화 바륨

③ 질산 칼륨, 염화 칼륨

④ 질산 바륨, 황산 구리(Ⅱ)

⑤ 염화 나트륨, 염화 스트론튬

14 그림은 세 가지 물질의 불꽃 반응 색을 나타낸 것이다.

    (가)   (나)   (다)

(가)~(다)의 물질로 가능한 것을 옳게 짝 지은 것은?

	<u>(가)</u>	<u>(나)</u>	<u>(다)</u>
①	탄산 칼슘	염화 리튬	염화 나트륨
②	질산 칼륨	염화 리튬	염화 칼슘
③	염화 구리(Ⅱ)	질산 나트륨	황산 바륨
④	질산 구리(Ⅱ)	염화 칼륨	탄산 나트륨
⑤	염화 칼륨	염화 스트론튬	질산 나트륨

15 염화 바륨을 니크롬선에 묻혀 불꽃 반응 색을 관찰하면 황록색이 나타난다. 이 불꽃 반응 색이 염소 원소에 의한 것이 아니라 바륨 원소에 의한 것이라는 사실을 확인할 수 있는 방법을 모두 고르면? (정답 2개)

① 황산 바륨의 불꽃 반응 색을 관찰한다.

② 황산 구리(Ⅱ)의 불꽃 반응 색을 관찰한다.

③ 염화 나트륨의 불꽃 반응 색을 관찰한다.

④ 질산 나트륨의 불꽃 반응 색을 관찰한다.

⑤ 수산화 칼륨의 불꽃 반응 색을 관찰한다.

16 스펙트럼에 대한 설명으로 옳지 <u>않은</u> 것은?

① 분광기에 의해 빛이 나누어진 것이다.

② 나트륨의 불꽃 반응 색을 분광기로 보면 선 스펙트럼이 나타난다.

③ 햇빛을 분광기로 보면 연속 스펙트럼이 나타난다.

④ 불꽃 반응 색이 서로 비슷한 원소들은 선 스펙트럼이 같게 나타난다.

⑤ 선 스펙트럼에 나타나는 선의 색깔, 위치, 개수, 굵기는 원소의 종류에 따라 다르다.

17 그림은 임의의 원소 A, B와 물질 (가)~(라)의 선 스펙트럼을 나타낸 것이다.

이에 대한 설명으로 옳은 것은?

① 물질 (가)에 원소 A만 포함되어 있다.

② 물질 (나)에 원소 B가 포함되어 있다.

③ 물질 (다)에 원소 A, B가 모두 포함되어 있다.

④ 물질 (라)에 원소 A, B가 모두 포함되어 있다.

⑤ 물질 (가)와 (다)는 같은 물질이다.

정답과 해설 003쪽

01 다음은 라부아지에가 제안한 33종의 원소를 나타낸 것이다.

- 1그룹: 산소, 수소, 질소, 빛, 열
- 2그룹: 황, 인, 탄소, 염소, 플루오린, 붕소
- 3그룹: 안티모니, 은, 비소, 비스무트, 코발트, 구리, 주석, 철, 망가니즈, 수은, 몰리브데넘, 니켈, 금, 백금, 납, 텅스텐, 아연
- 4그룹: 생석회(산화 칼슘), 마그네시아(산화 마그네슘), 바라이트(산화 바륨), 알루미나(산화 알루미늄), 실리카(이산화 규소)

이에 대한 설명으로 옳은 것을 보기에서 모두 고른 것은?

> **보기**
> ㄱ. 빛과 열도 물질로 생각하였다.
> ㄴ. 당시에는 더 이상 분해되지 않는 물질들이다.
> ㄷ. 4그룹의 물질들은 오늘날 분해할 수 있다.

① ㄱ   ② ㄴ   ③ ㄷ
④ ㄴ, ㄷ   ⑤ ㄱ, ㄴ, ㄷ

02 탄산수소 나트륨을 가열하면 탄산 나트륨, 이산화 탄소, 물이 생성된다. 표는 탄산수소 나트륨을 가열하여 생성된 물질을 구성하는 원소를 각각 나타낸 것이다.

생성 물질	생성 물질을 이루는 원소
탄산 나트륨	나트륨, 탄소, 산소
이산화 탄소	탄소, 산소
물	수소, 산소

이에 대한 설명으로 옳은 것은?
① 탄산수소 나트륨은 원소이다.
② 탄산 나트륨과 이산화 탄소의 불꽃 반응 색은 같다.
③ 탄산수소 나트륨을 구성하는 원소는 총 3가지이다.
④ 탄산 나트륨, 이산화 탄소는 더 이상 분해되지 않는다.
⑤ 화학 변화가 일어나도 반응 전후 물질을 이루는 원소의 종류는 변하지 않는다.

03 표는 서로 다른 물질 (가)~(마)를 각각 니크롬선에 묻혀 겉불꽃 속에 넣었을 때 나타난 불꽃 반응 색이다.

물질	(가)	(나)	(다)	(라)	(마)
불꽃 반응 색	빨간색	빨간색	노란색	보라색	노란색

이에 대한 설명으로 옳지 않은 것은?
① (가)와 (나)는 리튬 또는 스트론튬을 포함하고 있다.
② 땀이 묻은 니크롬선을 겉불꽃에 넣으면 (나)와 같은 불꽃 반응 색이 나타난다.
③ 염화 칼륨의 불꽃 반응 색은 (라)의 불꽃 반응 색과 같다.
④ (가)와 (나)의 성분 원소를 정확히 구별하려면 분광기를 이용하여 선 스펙트럼을 관찰한다.
⑤ (다)와 (마)는 서로 다른 물질이지만 공통으로 나트륨 원소를 포함하고 있다.

04 그림은 물질 X와 임의의 원소 (가)~(다)의 선 스펙트럼을 나타낸 것이다.

이 선 스펙트럼에 대한 설명으로 옳은 것은?
① 물질 X에는 원소 (가)만 포함되어 있다.
② 물질 X에는 원소 (가)와 (다)가 포함되어 있다.
③ 물질 X에는 원소 (가), (나), (다)가 모두 포함되어 있다.
④ 이 선 스펙트럼으로는 물질 X에 포함되어 있는 원소를 알 수 없다.
⑤ 물질 X에 포함되어 있는 원소를 알아내기 위해서는 불꽃 반응 색을 비교해야 한다.

☞ 제시된 Keyword를 이용하여 문제를 해결해 보자.

1 그림과 같이 라부아지에는 긴 주철관을 화로 속으로 통과시켜 뜨겁게 달군 후, 주철관 한쪽에 물을 천천히 붓고 반대쪽은 냉각수를 지나게 했다. 실험 결과, 집기병에 수소 기체가 모였으며, 주철관은 녹이 슬어 있었다.

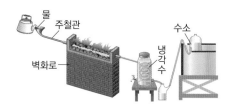

이 실험을 통해 라부아지에가 알아낸 사실을 설명하시오.

Keyword 물, 분해, 원소

_____

_____

_____

2 그림과 같이 수산화 나트륨을 녹인 물을 전기 분해 장치에 넣고 전류를 흘려 준 다음, (+)극 쪽의 유리관에 모인 기체에 성냥 불씨를 대었더니 불꽃이 되살아났고, (−)극 쪽의 유리관에 모인 기체에 성냥불을 가까이하였더니 '펑' 소리가 나며 연소하였다.

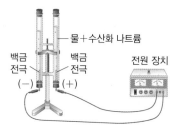

(+)극과 (−)극에서 발생하는 기체의 종류를 각각 쓰고, 이 실험 결과를 통해 아리스토텔레스의 4 원소설이 옳은지 또는 옳지 않은지를 그 까닭과 함께 설명하시오.

Keyword 4 원소설, 원소, 분해

_____

_____

_____

3 다음은 어떤 원소에 대한 설명이다.

이 원소는 가장 가벼운 원소로, 물을 전기 분해하여 얻을 수 있으며, 우주 왕복선의 연료로 이용된다.

이 원소의 이름을 쓰고, 원소가 우주 왕복선의 연료로 이용되는 까닭을 설명하시오.

Keyword 폭발력

_____

_____

_____

_____

4 염화 나트륨은 나트륨과 염소로 이루어져 있으며, 노란색의 불꽃 반응 색을 나타낸다. 이때 노란색 불꽃이 나트륨 때문에 나타나는 것임을 확인할 수 있는 방법을 설명하시오.

염화 나트륨의 불꽃 반응 색

Keyword 염소, 나트륨, 원소

_____

_____

_____

5 그림은 불꽃 반응 실험 과정을 나타낸 것이다. 니크롬선을 묽은 염산으로 깨끗하게 씻은 후, 시료를 한 가지씩 니크롬선에 묻혀 그림과 같이 불꽃 반응 실험을 하였다.

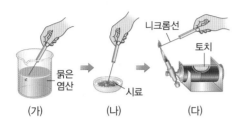

(가)   (나)   (다)

염화 나트륨	㉠	염화 구리(Ⅱ)	㉣
염화 칼슘	㉡	질산 나트륨	㉤
질산 스트론튬	㉢	질산 구리(Ⅱ)	㉥

(1) ㉠~㉥ 중에서 불꽃 반응 색이 같은 물질끼리 짝 짓고, 그 불꽃 반응 색을 설명하시오.

Keyword 불꽃 반응 색

(2) 과정 (가)에서 니크롬선을 묽은 염산으로 씻는 까닭을 설명하시오.

Keyword 시료, 불순물

6 다음은 불꽃놀이에 대한 설명이다.

어떤 축제의 불꽃놀이에서 아름다운 불꽃이 하늘을 장식했는데, 특히 노란색과 청록색, 빨간색이 돋보였다.

이때 사용된 불꽃놀이 재료 중 밑줄 친 불꽃 반응 색을 나타내기 위해 포함시킨 원소의 이름을 모두 쓰고, 그 까닭을 설명하시오.

Keyword 불꽃 반응, 원소, 불꽃 반응 색

7 그림과 같이 염화 리튬과 염화 스트론튬은 불꽃 반응 색이 빨간색으로 비슷하여 구별하기 어렵다.

염화 리튬의 불꽃 반응 색   **염화 스트론튬의 불꽃 반응 색**

염화 리튬과 염화 스트론튬을 구별할 수 있는 방법을 실험 기구를 포함하여 구체적으로 설명하시오.

Keyword 불꽃 반응 색, 분광기, 선 스펙트럼

8 그림은 몇 가지 원소와 임의의 물질 X의 선 스펙트럼을 나타낸 것이다.

리튬

바륨

스트론튬

물질 X

물질 X에 포함된 원소의 이름을 모두 쓰고, 그 까닭을 설명하시오.

Keyword 선 스펙트럼

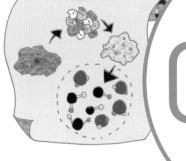

02 원자와 분자

돌을 쪼개면 크기가 점점 작아지다가 가루가 된다. 가루가 된 돌을 더 쪼개면 어떻게 될까? 이 단원에서는 물질을 구성하는 기본 입자와 물질의 성질을 나타내는 가장 작은 입자에 대해 알아보자.

입자설의 증거가 되는 현상
· 물 50 mL와 에탄올 50 mL를 섞으면 전체 부피가 100 mL보다 작아진다.
· 금속박을 무한히 얇게 만들거나 비눗방울을 무한히 얇고 크게 만들 수는 없다.

보일의 J자관 실험
짧은 쪽의 끝은 막혀 있고, 긴 쪽의 끝은 열려 있는 J자 모양의 유리관에 수은을 넣었더니 막힌 쪽에 공기가 가두어졌다. 유리관에 수은을 더 넣으면 막힌 쪽 유리관에 갇힌 공기의 부피가 감소한다.

입자 사이의 공간이 줄어들어 공기의 부피가 감소한다.

돌턴의 원자설에서 수정되어야 할 부분
· ❶번: 원자는 원자핵(양성자, 중성자)과 전자로 이루어져 있으며, 핵분열로 원자가 쪼개질 수 있다.
· ❷번: 수소, 중수소, 삼중수소와 같이 같은 종류의 원자라도 질량이 다른 동위 원소가 존재한다.
· ❸번: 원자는 핵반응에 의해 다른 원자로 바뀔 수 있다. 단, 핵반응은 일반적인 화학 반응에 속하지 않기 때문에 돌턴의 원자설을 수정할 필요가 없다는 견해가 우세하다.

---

① 물질을 구성하는 입자

1. 입자설과 연속설

데모크리토스의 입자설	아리스토텔레스의 연속설
물질을 계속 쪼개면 더 이상 쪼갤 수 없는 입자에 도달하며, 입자들 사이에는 빈 공간(진공)이 존재한다.	물질은 연속적이어서 계속 쪼갤 수 있고, 무한히 쪼개면 없어지며, 빈 공간(진공)은 존재하지 않는다.

2. 원자설의 등장(입자설의 재발견)

(1) 보일(Boyle, R., 1627∼1691): J자관 실험을 바탕으로 '공기는 입자와 그 입자가 운동할 수 있는 빈 공간으로 이루어져 있다.'라고 주장하여 입자설을 부활시켰다.

(2) 돌턴(Dalton, J., 1766∼1844): 물질의 가장 작은 입자인 원자의 존재를 가정하였으며, '모든 물질은 더 이상 나눌 수 없는 가장 작은 입자인 원자로 이루어져 있다.'는 원자설을 제안하였다. 고대에서 중세까지 아리스토텔레스의 연속설이 우세했지만, 근대의 여러 과학자들에 의해 물질은 입자로 이루어져 있다는 사실이 밝혀졌으며, 영국의 과학자 돌턴은 원자설을 주장하였다.

❶ 물질은 더 이상 쪼갤 수 없는 원자로 이루어져 있다.

❷ 원자의 종류가 같으면 그 크기와 질량이 같고, 원자의 종류가 다르면 그 크기와 질량이 다르다.

❸ 원자는 새로 생기거나 없어지지 않으며, 다른 종류의 원자로 변하지 않는다.

❹ 서로 다른 원자들이 일정한 비율로 결합하면 새로운 물질이 만들어진다.

학습 내용 Check

정답과 해설 004쪽

1. 데모크리토스는 물질을 쪼개면 더 이상 쪼갤 수 없는 입자에 도달한다는 _____을 주장하였다.

2. 돌턴은 물질은 더 이상 나눌 수 없는 가장 작은 입자인 _____로 이루어져 있다고 주장했다.

② 원자 <small>과학 용어 사전 231쪽</small>

1. 원자 물질을 구성하는 기본 입자이다. → 물질의 표면을 고성능 현미경으로 확대하면 작은 입자가 배열되어 있는 것을 볼 수 있는데, 이 작은 입자가 원자이다.

고성능 현미경으로 관찰한 구리 표면

2. 원자의 구조 원자는 원자핵과 전자로 이루어져 있다.

(1) 원자핵: 원자의 중심에 있으며, (+)전하를 띠는 입자이다.

(2) 전자: 원자핵 주위를 움직이며, (−)전하를 띠는 입자이다.

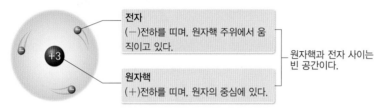

> **전자**
> (−)전하를 띠며, 원자핵 주위에서 움직이고 있다.
>
> **원자핵**
> (+)전하를 띠며, 원자의 중심에 있다.
>
> 원자핵과 전자 사이는 빈 공간이다.

원자의 구조

3. 원자의 특징

(1) 원자의 크기

① 원자핵 주위에서 전자가 움직이고 있는 공간의 크기를 의미하며, 원자의 종류에 따라 크기가 다르다. └ 원자핵과 전자의 크기는 원자에 비해 매우 작으며, 원자의 내부는 대부분 빈 공간이다.

② 가장 작은 수소 원자의 크기는 수소 원자 1억 개를 일렬로 놓았을 때 그 길이가 1 cm 밖에 되지 않을 정도로 매우 작다.

수소 원자 1억 개

수소 원자의 크기를 비유한 모형

③ 원자핵은 원자에 비해 훨씬 작다. 원자핵의 크기는 원자 크기의 $\frac{1}{100000}$~ $\frac{1}{10000}$ 정도이다. 원자의 크기를 지름이 200 m 정도인 야구장의 크기에 비유하면 원자핵은 야구장 한 가운데에 있는 작은 구슬 정도의 크기에 불과하다.

(2) 원자의 질량

① 원자 질량의 대부분은 원자핵이 차지한다.

② 전자는 그 질량이 너무 작아서 거의 무시할 수 있다. → 원자의 질량은 원자핵의 질량과 거의 같다.

양성자와 중성자

원자핵은 (+)전하를 띠는 양성자와 전하를 띠지 않는 중성자가 강하게 결합되어 있는 구조이다. 양성자 1개는 (+1)의 전하량을 갖는다.

> 양성자
> 중성자

원자핵 전자

구분	상대적 전하량
양성자	+1
중성자	0
전자	−1

원자의 크기 비유

원자를 탁구공 크기로 확대한 비율로 탁구공을 확대하면 탁구공이 지구 크기만큼 커질 것이다.

 :

원자 : 탁구공 = 탁구공 : 지구

전하

물체가 띠는 전기적 성질을 전하라고 하며, 전하는 (+)전하와 (−)전하로 구분된다.

 전하량

어떤 물체 또는 입자가 띠는 전하의 양을 전하량이라고 한다.

전하와 전하량은 1권 074쪽~076쪽을 보면 자세히 알 수 있어요.

(3) **원자의 전하:** 원자핵의 (+)전하량의 크기와 전자의 총 (−)전하량의 크기가 같으므로 전기적으로 중성이다.

> 원자의 전하 = 원자핵의 (+)전하량 + 전자의 총 (−)전하량 = 0

① 전자 1개의 전하량은 (−1)이다. → 전자의 총 (−)전하량의 크기가 원자핵의 (+)전하량의 크기와 같아지는 개수만큼 전자가 존재한다.

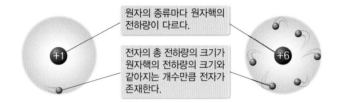

원자의 종류마다 원자핵의 전하량이 다르다.

전자의 총 전하량의 크기가 원자핵의 전하량의 크기와 같아지는 개수만큼 전자가 존재한다.

원자핵의 전하량: (+1)　➡ 중성
전자의 총 전하량: (−1)×1개=(−1)

원자핵의 전하량: (+6)　➡ 중성
전자의 총 전하량: (−1)×6개=(−6)

② 원자의 종류에 따라 원자핵의 전하량과 전자의 수가 다르다.

구분	리튬(Li)	산소(O)	플루오린(F)	나트륨(Na)
원자 모형	+3	+8	+9	+11
원자핵의 (+)전하량	+3	+8	+9	+11
전자의 수(개)	3	8	9	11
전자의 총 (−)전하량	−3	−8	−9	−11
원자의 전하	0	0	0	0

원자 모형 나타내기

원자 모형을 나타낼 때에는 원자의 중심에 원자핵을 표시하고, 그 주위에 전자를 표시한다.

4. **원자 모형**　원자는 크기가 너무 작아서 눈으로 볼 수 없기 때문에 원자의 성질을 이해하거나 쉽게 설명하기 위하여 원자 모형을 사용한다.

학습 내용 Check

정답과 해설 004쪽

1. 물질을 구성하는 기본 단위 입자를 _____라고 한다.

2. 원자는 중심에 _____이 있고, 그 주위를 _____가 움직이고 있다.

3. 빈칸에 알맞은 원자핵의 (+)전하량이나 전자 수를 쓰시오.

원자	헬륨	탄소	질소	마그네슘
원자핵의 (+)전하량	+2	㉠	+7	㉡
전자 수(개)	㉢	6	㉣	12

③ 분자 과학 용어 사전 231쪽

얼음, 물, 수증기는 모두 물 분자로 이루어진 물질이며, 물 분자는 수소 원자 2개와 산소 원자 1개로 이루어져 있다.

1. 분자 물질의 상태가 변할 때는 물질을 이루는 입자의 배열이 달라질 뿐 입자의 종류는 변하지 않으므로 물질의 성질도 변하지 않는다. 이때 독립된 입자로 존재하여 물질의 성질을 나타내는 가장 작은 입자를 분자라고 한다.

(1) 분자의 종류: 보통 2개 이상의 원자들이 모여서 이루어지지만 1개의 원자로 이루어진 분자도 있다.

수소 분자	산소 분자	질소 분자	물 분자	이산화 탄소 분자	암모니아 분자	염화 수소 분자	메테인 분자
수소 원자 2개	산소 원자 2개	질소 원자 2개	수소 원자 2개 산소 원자 1개	산소 원자 2개 탄소 원자 1개	수소 원자 3개 질소 원자 1개	수소 원자 1개 염소 원자 1개	수소 원자 4개 탄소 원자 1개

여러 가지 분자의 종류와 분자 모형

(2) 같은 종류의 원자로 이루어진 다른 분자: 같은 종류의 원자로 이루어져 있어도 분자를 이루는 원자 수나 배열이 다르면 서로 다른 물질이다.

① **산소 분자와 오존 분자:** 산소 원자로만 이루어진 물질들이다. 산소 분자는 물질이 연소하거나 생물이 호흡하는 데 필요하지만, 오존 분자는 산소 분자와는 다른 성질을 가지고 있다.

② **물 분자와 과산화 수소 분자:** 산소 원자와 수소 원자로 이루어진 물질들이다. 물은 생명체의 생명 활동에 필요한 물질이지만, 과산화 수소는 표백제, 소독약 등의 원료로 이용된다.

③ **일산화 탄소 분자와 이산화 탄소 분자:** 탄소 원자와 산소 원자로 이루어진 물질들이다. 일산화 탄소는 공기보다 가볍고 산소와 결합하려는 성질이 있다. 이산화 탄소는 공기보다 무겁고 불에 타지 않는 성질이 있다.

산소 분자	오존 분자	물 분자	과산화 수소 분자	일산화 탄소 분자	이산화 탄소 분자

같은 종류의 원자로 이루어진 다른 분자

1개의 원자로 이루어진 분자
헬륨, 네온, 아르곤과 같이 원자 하나로 물질의 성질을 나타내는 물질도 있다. → 이러한 분자를 일원자 분자 또는 단원자 분자라고 한다.

용어 분자 모형
원자 모형을 이용하여 분자를 구성하는 원자의 종류와 개수, 배열 상태를 나타낸 것으로 분자를 이루고 있는 원자의 공간 배열을 알 수 있다.

학습 내용 Check

정답과 해설 004쪽

1. 물질의 성질을 나타내는 가장 작은 입자를 _____라고 한다.
2. 물 분자 1개는 수소 원자 _____개, 산소 원자 _____개로 이루어져 있다.
3. 같은 종류의 원자로 이루어져 있어도 분자를 이루는 원자 수나 배열이 다르면 서로 (같은, 다른) 물질이다.

④ 물질의 표현

1. 원소 기호   여러 가지 원소를 그림이나 알아보기 쉬운 기호로 나타내면 편리한데, 원소를 간단한 기호로 나타낸 것을 원소 기호라고 한다.

(1) 원소 기호의 변천

① 중세의 연금술사: 일부 사람들만 알아볼 수 있는 그림으로 원소를 나타내었다.

② 돌턴: 원소의 종류를 원과 기호를 사용하여 더 단순하게 나타내었다. 그러나 원소들이 추가로 발견되면서 점점 더 복잡해지고 기억하기 어려워졌다.

③ 베르셀리우스: 원소의 이름에서 따온 알파벳을 이용하여 만든 원소 기호를 제안하였다.

원소 이름	금	은	구리	황
연금술사	⊙	☽	♀	△
돌턴	Ⓖ	Ⓢ	Ⓒ	⊕
베르셀리우스	Au	Ag	Cu	S

(2) 원소 기호를 나타내는 방법: 현재는 베르셀리우스가 제안한 방법을 사용한다.

① 오래 전에 발견된 원소들은 그리스어와 라틴어로 된 원소 이름을 사용하여 나타내며, 최근에 발견된 원소들은 대부분 영어의 알파벳 이름에서 따온 기호를 사용한다.

② 원소 기호를 나타내는 방법

> ❶ 그리스어, 라틴어, 영어로 된 원소 이름의 첫 글자를 대문자로 표현한다.
> ❷ 첫 글자가 같을 때는 중간 글자를 택하여 첫 글자 다음에 소문자로 나타낸다.
>
> 탄소: Carboneum → C   염소: Chlorum → Cl
>   라틴어   라틴어

(3) 여러 가지 원소 기호

나트륨은 소듐으로 부르기도 한다.

원소 이름	원소 기호	원소 이름	원소 기호	원소 이름	원소 기호
수소	H	염소	Cl	나트륨	Na
헬륨	He	플루오린	F	아이오딘	I
산소	O	아연	Zn	알루미늄	Al
탄소	C	철	Fe	황	S
질소	N	마그네슘	Mg	구리	Cu
네온	Ne	금	Au	칼륨	K
리튬	Li	납	Pb	칼슘	Ca

칼륨은 포타슘으로 부르기도 한다.

원소 기호의 변천 까닭

원소의 종류가 많아지면서 원소를 그림으로 나타내는 것이 어려워지고, 새롭게 원소를 나타내는 방법이 필요하게 되었다.

첫 글자가 같은 원소의 원소 기호를 나타내는 방법

① 첫 글자가 C로 시작하는 원소
· 탄소(Carbon): C ┐
                    └ 영어식 표기
· 칼슘(Calcium): Ca
· 염소(Chlorine): Cl ┐
                     └ 영어식 표기
· 크로뮴(Chromium): Cr
② 첫 글자가 N으로 시작하는 원소
· 질소(Nitrogen): N
· 네온(Neon): Ne
· 니켈(Nickel): Ni
· 나트륨(Natrium): Na

원소 이름의 유래

지명, 인명, 행성 이름 등을 따서 사용한 원소 이름도 있다.
· 지명: 저마늄(Ge, 독일)
· 인명: 퀴륨(Cm, Marie Curie)
· 행성 이름: 우라늄(U, 천왕성)

2. **분자식** 물질을 이루는 성분 원소의 원소 기호와 숫자를 이용하여 물질을 표현한 것을 화학식이라고 하며, 이중에서 원소 기호를 사용하여 분자를 이루는 원자의 종류와 수를 나타낸 것을 분자식이라고 한다.

(1) 분자식을 나타내는 방법

> ❶ 물질을 이루는 원자의 종류를 원소 기호로 나타낸다.
> 　📖 물 분자는 수소와 산소로 이루어져 있으므로, H와 O로 나타낸다.
> ❷ 물질의 이루는 원자의 수를 원소 기호의 오른쪽 아래에 작은 숫자로 표시한다. (단, 1은 생략한다.)
> 　📖 물 분자 1개는 수소 원자 2개와 산소 원자 1개로 이루어진다. 이때 산소 원자의 개수 1은 생략하므로 분자식은 H_2O로 나타낸다.

수소와 산소의 원소 기호 / 산소의 원자 수 (1은 생략) / 수소의 원자 수

> ❸ 분자의 수는 화학식 앞에 숫자로 표시한다. (단, 1은 생략한다.)
> 　📖 물 분자가 총 2개라면 분자식 앞에 분자의 개수인 2를 함께 나타낸다.

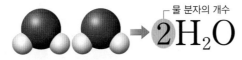

물 분자의 개수

(2) **분자식으로 나타내면 편리한 점**: 분자를 이루는 원자의 종류와 수를 쉽게 알 수 있고, 물질의 종류를 구별할 수 있어 편리하다.

(3) 여러 가지 물질의 분자식

물질	분자식	물질	분자식	물질	분자식
수소	H_2	염화 수소	HCl	이산화 탄소	CO_2
산소	O_2	물	H_2O	암모니아	NH_3
질소	N_2	황산	H_2SO_4	메테인	CH_4

화학식과 분자식
화학식은 모든 물질을 표현하는 식을 의미하고, 분자식은 분자로 이루어진 물질을 표현하는 식이다. 즉, 분자식은 화학식의 종류이다.

분자가 아닌 물질의 화학식
· 한 종류의 원자가 끊임없이 연속적으로 반복하여 배열된 물질은 원소 기호로 나타낸다.
　📖 철(Fe), 구리(Cu), 마그네슘(Mg), 다이아몬드(C), 흑연(C)

구리

· 두 종류 이상의 원자가 끊임없이 연속적으로 반복하여 배열된 물질은 물질을 이루는 원자의 종류와 개수비로 나타낸다.
　📖 염화 나트륨($NaCl$), 산화 구리(II)(CuO), 염화 마그네슘($MgCl_2$)

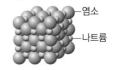

염소 / 나트륨

염화 나트륨

분자식으로 알 수 있는 것
분자의 종류, 분자의 총 개수, 분자를 이루는 원자의 종류, 분자 1개를 이루는 원자의 수, 분자를 이루는 원자의 총 개수 등

학습 내용 Check

정답과 해설 004 쪽

1. 빈칸에 알맞은 원소 이름이나 원소 기호를 쓰시오.

원소 이름	원소 기호	원소 이름	원소 기호	원소 이름	원소 기호
산소	㉠	㉡	Mg	㉢	S
염소	㉣	구리	㉤	㉥	Ca

2. 원소 기호를 사용하여 분자를 이루는 원자의 종류와 수를 나타낸 것을 _____이라고 한다.

3. 물의 분자식 $2H_2O$에서 물 분자의 개수는 _____개, 수소 원자의 개수는 총 _____개, 산소 원자의 개수는 총 _____개이다.

심화 원자 모형의 변천 과정

과학이 발전함에 따라 원자에 대한 새로운 사실들이 발견되면서 원자의 모형도 시간에 따라 달라져 왔다. 근대의 돌턴의 원자 모형에서부터 현대의 원자 모형에 이르기까지 원자의 구조에 대한 새로운 사실을 발견함에 따라 원자 모형이 어떻게 변해 왔는지 알아보자.

❶ 돌턴의 원자 모형 (1807년) – 공 모형

돌턴(Dalton, J., 1766~1844)은 원자는 더 이상 쪼갤 수 없는 가장 작은 입자라고 주장하였으며, 원자는 속이 가득 찬 단단한 '공 모양'이라고 주장하였다.

❷ 톰슨의 전자 발견과 원자 모형(1897년) – 푸딩 모형

톰슨(Thomson, J. J., 1856~1940)은 진공 상태로 만든 유리관의 양 끝에 전극을 설치하고, 높은 전압을 걸어 주었을 때 나타나는 음극선을 통해 원자에 (−)전하를 띠는 전자가 존재하는 것을 발견하였다. 음극선 실험 결과를 통해서 톰슨은 전자의 존재를 설명하기 위해 원자는 단단한 구가 아니라 (+)전하를 띤 공 모양의 물질에 (−)전하를 띤 전자가 박혀 있다고 주장하였다. 이와 같은 톰슨의 원자 모형을 '푸딩 모형'이라고 한다.

장애물을 놓았을 때 (+)극 쪽에 그림자가 생긴다. 즉, 음극선은 직진하는 (−)전하를 띤 작은 입자의 흐름이다.

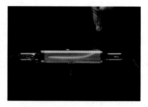

자석을 대었을 때 음극선이 휘어진다. 즉, 음극선은 전하를 띤 입자이다.

바람개비를 설치했을 때 바람개비가 회전한다. 즉, 음극선은 질량을 가진 입자이다.

❸ 러더퍼드의 원자핵 발견과 원자 모형 (1911년) – 행성 모형

러더퍼드(Rutherford, E., 1871~1937)는 얇은 금박에 (+)전하를 띤 알파(α) 입자를 쪼이는 실험을 한 결과 일부의 알파(α) 입자가 튕겨 나오는 것으로부터 원자에는 (+)전하를 띤 원자핵이 존재하며, 원자핵은 원자의 크기에 비해 매우 작고, 원자 질량의 대부분을 차지한다는 것을 밝혔다.

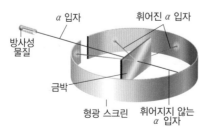
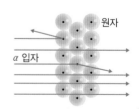

러더퍼드의 α 입자 산란 실험

이를 설명하기 위해 러더퍼드가 제안한 원자 모형은 태양을 중심으로 행성들이 움직이는 것과 같이 원자핵을 중심으로 전자들이 배치되어 움직인다는 '행성 모형'이다.

> **중성자의 발견**
> 원자핵 속에 전하를 띠지 않는 입자가 존재할 것이라는 것이 러더퍼드에 의해 예견되었으나 전하를 띠지 않는 중성자의 존재를 알아내는 것은 어려웠다. 1932년 영국의 과학자 채드윅(Chadwick, J., 1891~1974)이 실험을 통해 중성자를 발견했으며, 이로써 원자는 양성자와 중성자로 된 원자핵과 전자로 이루어져 있음을 알게 되었다.

④ 보어의 원자 모형 (1913년) – 궤도 모형

보어(Bohr, N. H. D., 1885~1962)는 수소 원자의 선 스펙트럼이 불연속적으로 띄엄띄엄 존재한다는 연구를 통해 전자가 모두 동일한 궤도를 운동하는 것이 아니라 원자핵을 중심으로 특정한 에너지를 지닌 궤도들을 따라 원 운동을 하며, 이 에너지 궤도는 불연속적이라고 주장하였다. 이와 같은 보어의 원자 모형을 '궤도 모형'이라고 한다.

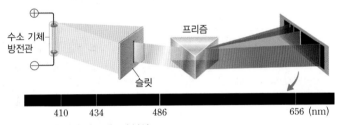

수소 기체 방전관 / 프리즘 / 슬릿

410   434   486   656 (nm)

보어의 수소 원자의 선 스펙트럼 분석

⑤ 현대의 원자 모형 – 전자 구름 모형

슈뢰딩거(Schrödinger, E., 1887~1961)나 하이젠베르크(Heisenberg, W. K., 1901~1976)를 비롯한 여러 과학자들의 연구 결과, 원자 내에서 전자의 정확한 위치와 운동은 알 수 없고, 단지 원자핵 주위에 전자가 존재하는 확률만 알 수 있음이 밝혀졌다. 따라서 현대의 원자 모형은 원자핵 주위에 전자가 존재할 확률을 점으로 표시하여 나타내며, 이를 '전자 구름 모형'이라고 한다.

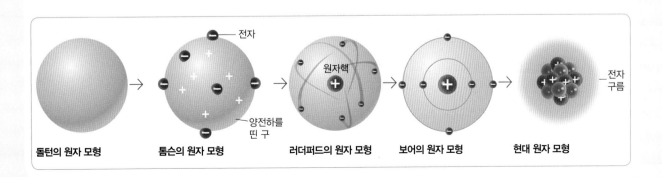

전자 / 양전하를 띤 구 / 원자핵 / 전자 구름

돌턴의 원자 모형   톰슨의 원자 모형   러더퍼드의 원자 모형   보어의 원자 모형   현대 원자 모형

심화 분자가 아닌 여러 가지 물질의 모형과 화학식

우리 주위의 물질 중에는 분자로 이루어지지 않은 물질도 존재한다. 이렇게 분자가 아닌 물질을 원소 기호로 표현하는 것을 화학식이라고 한다. 분자가 아닌 물질의 예를 모형을 통해 확인해 보고, 이 물질들의 화학식은 어떻게 나타내는지 알아보자.

① 한 종류의 원자가 연속적으로 배열된 물질의 화학식

금속 원소인 구리로 이루어진 전선은 수많은 구리 원자로 이루어져 있고, 철로 이루어진 철근은 수많은 철 원자로 이루어져 있다. 이때 구리 원자나 철 원자는 독립적으로 존재하지 못하고 이웃 원자들과 연속적으로 결합되어 있어 분자식으로 표현할 수 없으므로, 구리는 원소 기호인 Cu, 철은 원소 기호인 Fe로 나타낸다.

구리

철

또한, 다이아몬드나 흑연과 같은 물질은 분자를 형성하지 않으며, 수많은 탄소 원자가 이웃한 탄소 원자들과 연속적으로 결합되어 있다. 따라서 다이아몬드나 흑연을 나타낼 때는 원소 기호인 C로 나타낸다. 탄소로만 이루어진 다이아몬드, 흑연, 풀러렌, 탄소 나노 튜브처럼 같은 종류의 원소로 되어 있지만 성질이 서로 다른 물질을 동소체라고 한다.

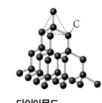
다이아몬드

흑연

풀러렌

탄소 나노 튜브

이처럼 한 종류의 원자들이 연속적으로 결합되어 있어 구성 단위인 원자가 독립적으로 존재하지 못하는 물질의 경우에는 물질을 이루는 원자의 원소 기호로 화학식을 나타낸다.
⑩ 철(Fe), 구리(Cu), 다이아몬드(C), 흑연(C), 풀러렌(C), 탄소 나노 튜브(C) 등

② 두 종류 이상의 원자가 연속적으로 배열된 물질의 화학식

염화 나트륨은 염소 원자와 나트륨 원자가 1 : 1의 개수비로 연속적으로 배열되어 있기 때문에 분자 단위를 만들지 못한다. 이처럼 두 종류 이상의 원자가 끊임없이 연속적으로 배열된 물질은 물질을 이루는 원자의 원소 기호와 결합 개수비로 화학식을 나타낸다. 수정은 규소 원자와 산소 원자가 1 : 2의 개수비로 연속적으로 결합되어 있으므로 규소와 산소의 가장 간단한 결합 개수인 SiO_2로 나타낸다.

수정

염화 나트륨
— 염소
— 나트륨

이처럼 두 종류 이상의 원자가 끊임없이 연속적으로 반복하여 배열된 물질은 물질을 이루는 원자의 종류와 개수비로 나타낸다.
⑩ 염화 나트륨(NaCl), 산화 구리(Ⅱ)(CuO), 염화 마그네슘($MgCl_2$) 등

중단원 핵심 정리

①-1 고대의 입자설과 연속설

① 데모크리토스의 **입자설**: 물질을 계속 쪼개면 **더 이상 쪼갤 수 없는 입자**에 도달한다.

② 아리스토텔레스의 **연속설**: 물질은 연속적이어서 계속 쪼갤 수 있고, 무한히 쪼개면 **없어진다**.

①-2 근대의 원자설 등장

① 보일: '공기는 **입자**와 그 입자가 운동할 수 있는 **빈 공간**으로 이루어져 있다.'라고 주장하였다.

② 돌턴: '모든 물질은 더 이상 나눌 수 없는 가장 작은 입자인 **원자**로 이루어져 있다.'는 원자설을 제안하였다.

② 원자

① **원자**: 물질을 구성하는 **기본 입자**

② **원자의 구조**: (+)전하를 띠는 **원자핵**과 (−)전하를 띠는 **전자**로 이루어져 있다.

원자핵

전자

③ 원자의 특징

- 원자의 크기는 원자핵 주위에서 전자가 움직이는 공간의 크기이다.
- 원자 질량의 대부분은 **원자핵이 차지**한다.
- 원자핵의 (+)전하량과 전자의 총 (−)전하량이 같으므로 원자는 전기적으로 **중성**이다.

③ 분자

① **분자**: 독립된 입자로 존재하여 **물질의 성질**을 나타내는 가장 작은 입자

② 분자의 특징

- 보통 2개 이상의 원자들이 모여서 이루어지지만 1개의 원자로 이루어진 분자도 있다.
- 같은 종류의 원자로 이루어져 있어도 분자를 이루는 원자 수나 배열이 다르면 서로 다른 물질이다.

수소 분자	산소 분자	물 분자	이산화 탄소 분자
수소 원자 2개	산소 원자 2개	수소 원자 2개 산소 원자 1개	산소 원자 2개 탄소 원자 1개

④-1 원소 기호

① **원소 기호**: 원소를 나타내는 간단한 기호

② 원소 기호로 나타내는 방법

❶ 그리스어, 라틴어, 영어로 된 원소 이름의 첫 글자를 대문자로 표현한다.

❷ 첫 글자가 같을 때는 중간 글자를 택하여 첫 글자 다음에 소문자로 나타낸다.

탄소: Carboneum → C   염소: Chlorum → Cl
　　　라틴어　　　　　　　　라틴어

④-2 분자식

① **분자식**: 원소 기호를 사용하여 분자를 이루는 원자의 종류와 수를 나타낸 식

② 분자식을 나타내는 방법

❶ 물질을 이루는 원자의 종류를 원소 기호로 나타낸다.

❷ 물질의 이루는 원자의 수를 원소 기호의 오른쪽 아래에 작은 숫자로 표시한다. (단, 1은 생략한다.) 예 H_2O

❸ 분자의 수는 화학식 앞에 숫자로 표시한다. (단, 1은 생략한다.) 예 $2H_2O$

01 그림 (가)와 (나)는 물질을 구성하는 입자에 대한 두 가지 견해를 나타낸 것이다.

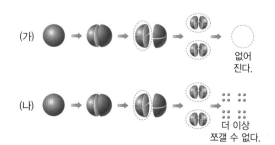

이에 대한 설명으로 옳지 <u>않은</u> 것은?

① (가)는 아리스토텔레스의 물질관을 나타낸 것이다.

② (가)에서는 자연에 빈 공간(진공)이 존재한다고 주장하였다.

③ (나)는 돌턴의 원자설에 영향을 주었다.

④ (나)에서는 입자 사이에 빈 공간(진공)이 존재한다고 주장하였다.

⑤ 보일은 J자관 실험을 통해 (나)의 물질관이 타당함을 증명하였다.

02 그림은 보일의 J자관 실험 장치를 나타낸 것이다. 보일은 유리로 된 J자관에 수은을 넣을수록 막힌 쪽 유리관의 공기가 압축되어 부피가 감소한다는 사실을 알아내었다.

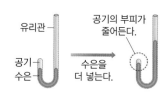

이를 통해 보일이 밝혀낸 사실로 옳은 것은?

① 물질은 연속적이다.

② 공기는 원소 중의 하나이다.

③ 물질을 계속 쪼개면 없어진다.

④ 공기 입자 사이에는 빈 공간이 존재한다.

⑤ 수은을 계속 넣어주면 공기가 압축되어 물로 된다.

03 돌턴의 원자설에 대한 내용으로 옳지 <u>않은</u> 것은?

① 원자는 더 이상 쪼개지지 않는다.

② 같은 종류의 원자는 크기, 질량, 성질이 같다.

③ 화학 변화가 일어날 때 원자의 종류가 변한다.

④ 서로 다른 원자들이 일정한 비율로 모여 새로운 물질을 만든다.

⑤ 원자는 화학 변화가 있어도 없어지거나 새로 생기지 않는다.

04 원자에 대한 설명으로 옳지 <u>않은</u> 것은?

① 원자는 전기적으로 중성이다.

② 원자핵은 (+)전하를 띠고 있다.

③ 원자핵과 전자 사이에는 빈 공간이 존재한다.

④ 전자는 (−)전하를 띠며, 원자핵 주위를 움직이고 있다.

⑤ 원자핵의 (+)전하량의 크기와 전자의 총 (−)전하량의 크기는 서로 다르다.

05 빈칸에 알맞은 말을 옳게 짝 지은 것은?

- (㉠)는 구성 성분의 종류이다.
- 물 분자 1개는 수소 (㉡) 2개와 산소 (㉢) 1개로 이루어져 있다.

	㉠	㉡	㉢
①	원소	원소	원소
②	원소	원자	원자
③	원소	원자	원소
④	원자	원소	원소
⑤	원자	원자	원자

[06~07] 그림은 원자의 구조를 나타낸 것이다.

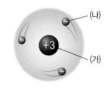

06 이에 대한 설명으로 옳지 <u>않은</u> 것은?

① (가)는 원자핵, (나)는 전자이다.

② (가)는 (+)전하, (나)는 (−)전하를 띤다.

③ (가) 주위를 (나)가 움직이고 있다.

④ (가)는 (나)에 비해 질량이 매우 작다.

⑤ (나) 입자 1개의 전하량은 (−1)이다.

07 이 원자 모형에서 전자의 총 전하량, 원자의 전하량을 각각 쓰시오.

---

08 원자핵의 전하량이 +12인 마그네슘 원자에 대한 설명으로 옳은 것을 보기에서 모두 고른 것은?

보기

ㄱ. (+)전하를 띤다.

ㄴ. 전자의 수는 12개이다.

ㄷ. 원자핵의 (+)전하량과 전자의 총 (−)전하량을 더하면 0이 된다.

① ㄱ   ② ㄷ   ③ ㄱ, ㄴ

④ ㄱ, ㄷ   ⑤ ㄴ, ㄷ

09 원자를 원자 모형을 나타낸 것으로 옳지 <u>않은</u> 것은?

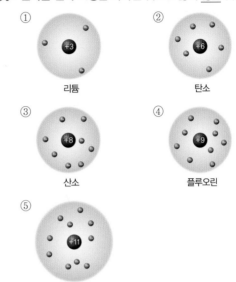

10 오른쪽 그림은 어떤 물질의 분자 모형을 나타낸 것이다. 이에 대한 설명으로 옳은 것은?

① 분자의 수는 4개이다.

② 메테인의 분자 모형이다.

③ 원자 1개로 이루어진 물질이다.

④ 수소 원소, 질소 원소로 구성되었다.

⑤ 분자를 이루는 수소 원자와 질소 원자의 개수는 같다.

11 3HCl을 나타내는 모형으로 가장 적당한 것은?

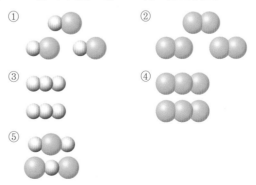

12 다음에서 원소 이름은 원소 기호로, 원소 기호는 원소 이름으로 순서대로 옳게 나타낸 것은?

> Cu − 금 − N − 수소 − Ca − 리튬

① 구리 − Au − 네온 − H − 칼슘 − L
② 구리 − Au − 네온 − He − 탄소 − L
③ 탄소 − Hg − 질소 − H − 칼륨 − Li
④ 구리 − Au − 질소 − H − 칼슘 − Li
⑤ 구리 − Ag − 질소 − He − 칼슘 − Li

13 다음에서 설명하는 원소의 원소 기호를 옳게 짝 지은 것은?

> (가) 물에 녹아 표백 및 살균 작용을 하므로 수영장을 소독할 때 사용한다.
> (나) 지구에 많이 존재하는 금속으로 기계, 철근, 건축 재료 등에 이용된다.
> (다) 노란색의 광택이 있고, 장신구로 주로 이용된다.

	(가)	(나)	(다)		(가)	(나)	(다)
①	Cl	Fe	Hg	②	Cl	F	Hg
③	C	F	Au	④	Cl	Fe	Au
⑤	C	He	Ag				

14 다음 분자식에 대한 설명으로 옳지 <u>않은</u> 것은?

$$3NH_3$$

① 수소 원자는 총 9개이다.
② $3NH_3$는 총 원자 수가 6개이다.
③ 암모니아는 2가지 원소로 이루어져 있다.
④ NH_3 앞의 3은 암모니아의 분자 수이다.
⑤ 암모니아 분자 1개는 4개의 원자로 이루어져 있다.

15 오른쪽 그림은 밀폐된 용기에 수소 분자와 산소 분자가 들어 있는 모습을 나타낸 것이다. 용기 안에 있는 수소 분자 수, 산소 분자 수, 수소 원자 수, 산소 원자 수를 각각 쓰시오.

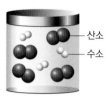
산소
수소

• 수소 분자 수: _____
• 산소 분자 수: _____
• 수소 원자 수: _____
• 산소 원자 수: _____

16 그림은 산소 기체와 오존 기체의 분자 모형이다.

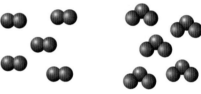

(가) 산소 기체   (나) 오존 기체

두 기체는 모두 산소 원자로 이루어져 있지만 성질은 서로 다르다. 그 까닭으로 옳은 것은?
① (가)와 (나) 모두 구성하는 원소가 같기 때문
② (가)와 (나)에서 분자를 이루는 원자가 같기 때문
③ (가)와 (나)에서 분자를 이루는 원자의 수와 배열이 다르기 때문
④ (가)와 (나)에서 분자의 수가 같기 때문
⑤ (가)와 (나)의 물질의 상태가 다르기 때문

17 분자식과 물질의 이름을 옳게 짝 지은 것은?

	분자식	물질의 이름
①	He	수소
②	N_2	산소
③	HCl	염화 수소
④	CO_2	산화 탄소
⑤	H_2O	산화 이수소

01 다음은 닫힌 공간에서 공기의 부피 변화에 대한 생각을 정리한 것이다.

> 주사기의 피스톤을 누르면 공기 입자 사이의 거리가 가까워지기 때문에 공기의 부피가 감소한다.

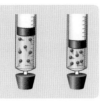

위와 같은 입장에서 물질에 대하여 설명한 내용으로 옳은 것을 모두 고르면? (정답 2개)

① 공기는 입자와 빈 공간으로 이루어져 있다.
② 물질을 계속 쪼개다 보면 무한히 쪼갤 수 있다.
③ 모든 물질은 물, 불, 흙, 공기의 4원소로 이루어져 있다.
④ 모든 물질은 더 이상 쪼갤 수 없는 입자로 이루어져 있다.
⑤ 물질 사이에는 공기가 가득 차 있으므로 빈 공간은 존재하지 않는다.

02 그림은 몇 가지 물질의 분자 모형을 나타낸 것이다.

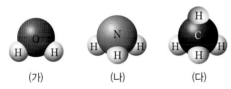

(가)   (나)   (다)

이에 대한 설명으로 옳지 않은 것은?

① (가)~(다)는 모두 수소 원소가 포함되어 있다.
② (가)는 물 분자이다.
③ (나)는 2종류의 원소로 이루어져 있다.
④ (다)는 분자식으로 C_4H이다.
⑤ (다)는 5개의 원자로 이루어져 있다.

03 오른쪽 그림은 어떤 원자의 구조를 나타낸 것이다. 이에 대한 설명으로 옳지 않은 것은?

원자핵
전자

① 원자는 전기적으로 중성이다.
② 원자핵의 (+)전하량은 +3이다.
③ 전자는 원자핵 주위를 움직인다.
④ 원자의 종류에 따라 전자 수는 달라진다.
⑤ 모든 원자는 원자핵의 전하량과 전자의 총 전하량의 합이 −2이다.

04 그림은 몇 가지 원자 모형을 나타낸 것이다.

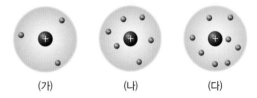

(가)   (나)   (다)

이 원자 모형에 대한 설명으로 옳은 것을 보기에서 모두 고른 것은?

> **보기**
> ㄱ. 원자는 전기적으로 중성이다.
> ㄴ. 원자의 종류에 따라 전자 수는 다르다.
> ㄷ. 원자핵의 전하량 크기는 (가)>(나)>(다) 순이다.

① ㄱ   ② ㄷ   ③ ㄱ, ㄴ
④ ㄱ, ㄷ   ⑤ ㄴ, ㄷ

05 다음에서 설명하는 분자의 이름과 분자식을 각각 쓰시오.

> • 구성 원소는 수소와 산소이다.
> • 물질을 구성하는 수소 원자와 산소 원자의 개수비는 1 : 1이다.
> • 분자 1개를 구성하는 원자의 총 개수는 4개이다.

02. 원자와 분자

☞ 제시된 Keyword를 이용하여 문제를 해결해 보자.

1 그림은 보일의 J자관 실험 장치를 나타낸 것이다. 보일은 유리로 된 J자관에 수은을 넣을수록 공기가 압축되어 부피가 감소한다는 사실을 알아냈다.

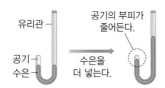

이와 같은 현상이 나타나는 까닭을 입자와 관련지어 설명하시오.

Keyword 공기 입자, 빈 공간, 부피 감소

_____

_____

2 다음은 밀폐된 주사기의 피스톤을 눌렀을 때와 손을 떼었을 때의 변화를 설명한 두 가지 견해이다.

(가) 주사기 안은 공기가 가득 차 빈 공간이 없다. 피스톤을 누르면 공기가 압축되면서 농도가 짙어지고, 피스톤에서 손을 떼면 공기가 원래대로 되돌아오면서 옅어진다.
(나) 주사기 안의 공기는 작은 입자로 이루어져 있고, 입자 사이에는 빈 공간이 있다. 피스톤을 누르면 입자가 서로 가까워지면서 부피가 줄어들고, 피스톤에서 손을 떼면 입자가 서로 멀어지면서 부피가 늘어난다.

물 50 mL와 에탄올 50 mL를 섞으면 약 98 mL가 된다. (가)와 (나) 중 이와 같은 현상을 설명할 수 있는 것을 고르고, 그 까닭을 설명하시오.

Keyword 입자 크기, 빈 공간, 부피

_____

_____

3 다음은 돌턴의 원자설 중 일부를 나타낸 것이다.

(가) 물질은 더 이상 쪼갤 수 없는 작은 입자인 원자로 이루어져 있다.
(나) 같은 종류의 원자는 크기와 질량이 같다.
(다) 두 종류 이상의 원자들이 일정한 비율로 결합하면 새로운 물질이 만들어진다.

(가)~(다) 중 현재에는 수정되어야 할 내용을 모두 고르고, 그 까닭을 설명하시오.

Keyword 원자, 양성자, 중성자, 동위 원소

_____

_____

_____

4 그림은 원자의 구조를 나타낸 것이다.

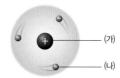

(가), (나)의 이름을 각각 쓰고, 원자가 전기적으로 중성을 띠는 까닭을 설명하시오.

Keyword 원자, 원자핵, 전자, 중성

_____

_____

5 그림은 몇 가지 원자 모형의 일부를 나타낸 것이다.

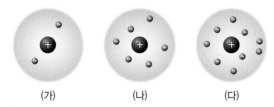

(가)   (나)   (다)

이 원자 모형에서 원자핵의 전하량이 큰 순서대로 기호를 나열하고, 그 까닭을 설명하시오.

Keyword 원자, 원자핵, 전자, 중성

_____

_____

_____

6 오른쪽 그림은 수소 원자의 구조를 모형으로 나타낸 것이다. 이를 참고하여 원자핵의 전하량이 +11인 나트륨과 원자핵의 전하량이 +2인 헬륨의 원자 모형을 완성하고, 그 까닭을 설명하시오.

전자

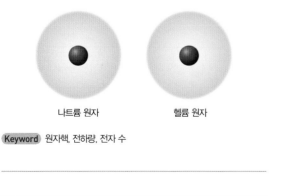

나트륨 원자   헬륨 원자

Keyword 원자핵, 전하량, 전자 수

_____

_____

_____

7 그림은 물과 과산화 수소의 분자 모형을 나타낸 것이다.

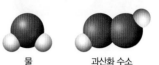

물   과산화 수소

물과 과산화 수소가 같은 종류의 원자로 이루어져 있지만 성질이 다른 까닭을 설명하시오.

Keyword 분자, 원자 수, 원자 배열

_____

_____

8 다음 암모니아 분자식을 보고 알 수 있는 사실을 두 가지 설명하시오.

$$NH_3$$

Keyword 질소, 수소, 원자

_____

_____

_____

9 그림은 이산화 탄소의 분자 모형을 나타낸 것이다.

산소

탄소

이산화 탄소를 이루는 원소의 종류와 원자의 총 개수를 설명하시오.

Keyword 원소, 원자, 분자

_____

_____

_____

03 이온

우리 주위에서 전하를 띠는 이온은 이온 음료, 바닷물, 탄산음료와 같이 대부분 물에 녹아 존재하는데, 크기가 매우 작아서 눈에 보이지 않는다. 이 단원에서는 이온의 종류와 이온이 전하를 띠고 있다는 사실은 어떻게 확인할 수 있는지를 알아보자.

1 이온 〔과학 용어 사전 231쪽〕

1. 이온 원자핵 주위에서 운동하고 있는 전자들 중 일부는 다른 원자로 쉽게 이동할 수 있다. 이와 같이 전기적으로 중성인 원자가 (−)전하를 띤 전자를 잃거나 얻어서 전하를 띠게 된 입자를 이온이라고 하며, 전하의 종류에 따라 양이온과 음이온으로 구분한다.

(1) **양이온**: 중성의 원자가 전자를 잃어서 (+)전하를 띠는 입자이다.

① 양이온의 형성: 중성인 원자가 전자를 잃으면 상대적으로 원자핵의 (+)전하량이 전자들의 총 (−)전하량보다 커지므로, (+)전하를 띠는 양이온이 된다.

> 원자핵의 전하량 > 전자의 총 전하량

② 전자 1개를 잃으면 +1의 양이온, 전자 2개를 잃으면 +2의 양이온이 생성된다.

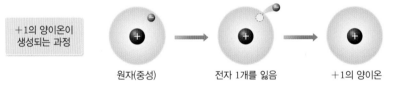

+1의 양이온이 생성되는 과정

원자(중성)　　　전자 1개를 잃음　　　+1의 양이온

③ 양이온의 예: 11개의 전자를 가진 나트륨 원자는 전자 1개를 잃어 +1의 양이온이 되며, 12개의 전자를 가진 마그네슘 원자는 전자 2개를 잃어 +2의 양이온이 된다.

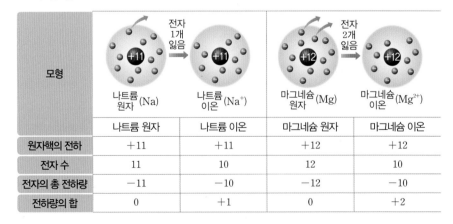

모형	나트륨 원자 (Na) → 나트륨 이온 (Na⁺)		마그네슘 원자 (Mg) → 마그네슘 이온 (Mg²⁺)	
	나트륨 원자	나트륨 이온	마그네슘 원자	마그네슘 이온
원자핵의 전하	$+11$	$+11$	$+12$	$+12$
전자 수	11	10	12	10
전자의 총 전하량	-11	-10	-12	-10
전하량의 합	0	$+1$	0	$+2$

이온으로 이루어진 물질
이온들로 이루어진 물질들은 양이온과 음이온이 끊임없이 연속적으로 반복하여 결합되어 있는 이온 결정 구조를 이루고 있다.

염화 나트륨 결정

이온의 생성 과정을 나타낸 식
전자는 ⊖(또는 e^-)로 나타내고, 화살표(⟶)를 기준으로 왼쪽에는 원자, 오른쪽에는 이온을 표시한다. 이때 잃은 전자는 화살표 오른쪽의 이온 뒤에 '이온 + 전자'로 나타내고, 얻은 전자는 화살표 왼쪽의 원자 뒤에 '원자 + 전자'로 나타낸다.
예 $H \longrightarrow H^+ + \ominus$
　　$Cl + \ominus \longrightarrow Cl^-$

나트륨과 나트륨 이온의 차이
나트륨은 찬물과 격렬하게 반응하지만, 물속에 녹아 있는 나트륨 이온은 물과 반응하지 않는다. 즉, 나트륨과 나트륨 이온은 성질이 전혀 다르다.

(2) **음이온**: 중성의 원자가 전자를 얻어서 (−)전하를 띠는 입자이다.

① **음이온의 형성**: 중성인 원자가 전자를 얻으면 원자핵의 (+)전하량보다 전자들의 총 (−)전하량이 커지므로 (−)전하를 띠는 음이온이 된다.

$$원자핵의 \ 전하량 < 전자의 \ 총 \ 전하량$$

전하량과 전자
중성인 원자가 전자를 잃으면 (+)전하량은 변하지 않지만 (−)전하량이 감소하기 때문에 (+)전하를 띠게 되고, 전자를 얻으면 (+)전하량은 변하지 않지만 (−)전하량이 증가하기 때문에 (−)전하를 띠게 된다.

② 전자 1개를 얻으면 −1의 음이온, 전자 2개를 얻으면 −2의 음이온이 생성된다.

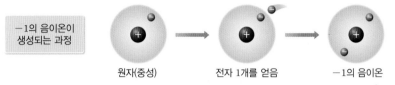

−1의 음이온이
생성되는 과정

원자(중성)   전자 1개를 얻음   −1의 음이온

③ **음이온의 예**: 9개의 전자를 가진 플루오린 원자는 전자 1개를 얻어 −1의 음이온이 되며, 8개의 전자를 가진 산소 원자는 전자 2개를 얻어 −2의 음이온이 된다.

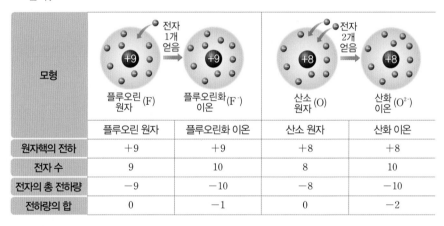

모형			
	플루오린 원자 (F) → 플루오린화 이온 (F⁻)		산소 원자 (O) → 산화 이온 (O²⁻)	
	플루오린 원자	플루오린화 이온	산소 원자	산화 이온
원자핵의 전하	$+9$	$+9$	$+8$	$+8$
전자 수	9	10	8	10
전자의 총 전하량	-9	-10	-8	-10
전하량의 합	0	-1	0	-2

이온이 될 때 변하는 것과 변하지 않는 것
• 변하는 것: 전자를 잃거나 얻으므로 전자의 수가 달라진다. 또, 양이온은 원래의 원자보다 크기가 작아지고, 음이온은 원래의 원자보다 크기가 커진다.
• 변하지 않는 것: 원소의 종류, 원자핵의 전하량, 질량은 변하지 않는다.

2. 이온의 표시와 이름

(1) **이온식**: 이온은 원소 기호를 이용하여 나타낼 수 있는데, 이온이 띠는 전하의 크기 및 종류를 함께 표시한 것을 이온식이라고 한다.

(2) **양이온의 표시와 이름**

① 양이온이 된 원자의 원소 기호를 쓰고, 원소 기호의 오른쪽 위에 잃은 전자 수와 이온이 띠고 있는 (+)전하를 함께 나타낸다.

② 전자를 1개 잃으면 '+', 전자를 2개 잃으면 '2+', 전자를 3개 잃으면 '3+'로 나타낸다.

③ 양이온의 이름은 원소 이름 뒤에 '~이온'을 붙인다.

예 Li^+(리튬 이온), Mg^{2+}(마그네슘 이온)

Li^+ ← 전하의 종류 / 잃은 전자의 개수 (1은 생략함) / 원소 기호

Mg^{2+} ← 전하의 종류 / 잃은 전자의 개수 / 원소 기호

(3) 음이온의 표시와 이름

① 음이온이 된 원자의 원소 기호를 쓰고, 원소 기호의 오른쪽 위에 얻은 전자 수와 이온이 띠고 있는 (−)전하를 함께 나타낸다.

② 전자를 1개 얻으면 '−', 전자를 2개 얻으면 '2−', 전자를 3개 얻으면 '3−'로 나타낸다.

③ 음이온의 이름은 원소 이름 뒤에 '∼화 이온'을 붙인다. 이때 원소 이름이 '∼소'로 끝나는 경우에는 '소'를 생략하고 '∼화 이온'을 붙인다.

　例 F^-(플루오린화 이온), O^{2-}(산화 이온)

(4) 여러 가지 이온의 이름과 이온식: 이온 중에는 한 개의 원자로 이루어진 것도 있고, 여러 개의 원자로 이루어진 것도 있다. 〔여러 개의 원자로 이루어진 이온을 다원자 이온이라고 한다. 다원자 이온은 원소 기호의 오른쪽 위에 전체 전하를 표시한다.〕

□ : 다원자 이온(원자단 이온)

양이온				음이온			
이온 이름	이온식	이온 이름	이온식	이온 이름	이온식	이온 이름	이온식
수소 이온	H^+	바륨 이온	Ba^{2+}	염화 이온	Cl^-	탄산 이온	CO_3^{2-}
나트륨 이온	Na^+	철(Ⅱ) 이온	Fe^{2+}	브로민화 이온	Br^-	인산 이온	PO_4^{3-}
칼륨 이온	K^+	구리 이온	Cu^{2+}	아이오딘화 이온	I^-	질산 이온	NO_3^-
은 이온	Ag^+	아연 이온	Zn^{2+}	황화 이온	S^{2-}	황산 이온	SO_4^{2-}
마그네슘 이온	Mg^{2+}	알루미늄 이온	Al^{3+}	산화 이온	O^{2-}	과망가니즈산이온	MnO_4^-
칼슘 이온	Ca^{2+}	암모늄 이온	NH_4^+	수산화 이온	OH^-	아세트산 이온	CH_3COO^-

3. 이온으로 이루어진 물질의 화학식 주위의 물질 중에는 양이온과 음이온이 규칙적으로 배열되어 결정을 이루는 것도 있다. → 이온으로 이루어진 물질은 성분 원소의 원소 기호와 이온의 결합 개수비로 표현할 수 있다.

❶ 양이온의 원소 기호를 먼저 쓰고, 그 뒤에 음이온의 원소 기호를 쓴다.

❷ (+)전하와 (−)전하의 총합이 0이 되도록 결합하는 양이온과 음이온의 개수비를 구한다.

❸ 각 이온의 결합 개수비를 원소 기호의 오른쪽 아래에 작은 숫자로 표시한다.(단, 1은 생략한다.)

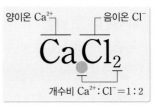

이온으로 이루어진 물질의 이름
① 음이온의 이름을 먼저 읽고, 양이온의 이름을 나중에 읽는다.
② 다원자 이온이 포함된 경우에는 다원자 이온의 이름을 그대로 읽는다.
　例 NaCl (염화 나트륨), MgO (산화 마그네슘), $NaNO_3$ (질산 나트륨)

$CaCl_2$
칼슘 이온　염화 이온
↓　　　↓
염화 칼슘

이온의 결합 개수비를 구하는 식
'(양이온의 수×양이온의 전하)+(음이온의 수×음이온의 전하)=총 (+)전하량+총 (−)전하량=0'이 되도록 한다. 이때 양이온의 수와 음이온의 수의 비가 결합 개수비와 같다.

학습 내용 Check

정답과 해설 007쪽

1. 원자가 전자를 _____면 양이온이 되고, 전자를 _____면 음이온이 된다.

2. 이온의 이름이나 이온식을 쓰시오.

　(1) Li^+ : _____　　(2) I^- : _____　　(3) OH^- : _____

　(4) 칼슘 이온: _____　(5) 산화 이온: _____　(6) 질산 이온: _____

② 이온의 전하 확인 탐구 049쪽

1. 전해질과 비전해질 물에 녹는 물질 중에서 수용액 상태가 되었을 때 전류가 흐르는 물질과 흐르지 않는 물질로 나눌 수 있다.

(1) **전해질**: 고체 상태에서는 전류가 흐르지 않지만 수용액이 되었을 때 전류가 흐르는 물질이다. 전해질은 물에 녹으면 양이온과 음이온으로 나누어져 전원을 연결하면 각 이온이 반대 전하를 띠는 전극으로 이동하므로 전해질 수용액은 전류가 흐른다. **예** 염화 나트륨은 물에 녹으면 나트륨 이온(Na^+)과 염화 이온(Cl^-)으로 나뉜다.

(2) **비전해질**: 고체 상태와 수용액이 되었을 때 모두 전류가 흐르지 않는 물질이다. 비전해질은 물에 녹으면 전기적으로 중성인 분자로 존재하기 때문에 전원을 연결해도 비전해질 수용액은 전류가 흐르지 않는다. **예** 설탕은 물에 녹아도 이온으로 나뉘지 않는다.

2. 이온의 전하 확인 이온이 들어 있는 수용액에 전류를 흘려 주면 양이온은 (−)극 쪽으로, 음이온은 (+)극 쪽으로 이동한다. — 양이온은 (+)전하를 띠고, 음이온은 (−)전하를 띠기 때문이다.

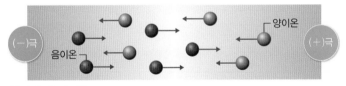

양이온과 음이온의 이동

탐구 더하기 이온이 전하를 띠고 있음을 확인하기

홈판에 증류수, 이온 음료, 염화 나트륨 수용액, 설탕 수용액을 넣고 전기 전도계의 전극을 각각 담가 전류가 흐르는지 확인한다.

전기 전도계

전류가 흐르는 물질	전류가 흐르지 않는 물질
이온 음료, 염화 나트륨 수용액	증류수, 설탕 수용액

→ 이온 음료와 염화 나트륨 수용액 속에는 이온이 들어 있으므로 전류가 흐른다.

학습 내용 Check
정답과 해설 007쪽

1. 수용액 상태에서 전류가 흐르는 물질을 _____이라고 한다.

2. 이온이 들어 있는 수용액에 전류를 흘려 주면 _____이온은 (−)극 쪽으로 이동하고, _____이온은 (+)극 쪽으로 이동한다.

몇 가지 이온에 의한 수용액의 색깔

- 구리 이온(Cu^{2+})이 들어 있는 수용액은 파란색을 띤다.

- 과망가니즈산 이온(MnO_4^-)이 들어 있는 수용액은 보라색을 띤다.

- 크로뮴산 이온(CrO_4^{2-})이 들어 있는 수용액은 노란색을 띤다.

전해질과 비전해질
- 전해질: 소금(염화 나트륨), 바이타민 C, 식초, 이온 음료 등
- 비전해질: 설탕, 증류수, 녹말 등

전해질 수용액에서 전류가 흐르는 까닭
전해질이 물에 녹으면 양이온과 음이온으로 나누어진다. 따라서 양이온은 (−)극 쪽으로, 음이온은 (+)극 쪽으로 이동하기 때문에 전류가 흐른다.

③ 앙금 생성 반응 (탐구 050쪽)

1. 이온 사이의 반응 서로 다른 수용액을 혼합하면 수용액에 녹아 있는 이온 중에서 서로 반응하는 이온과 서로 반응하지 않는 이온이 있다.

(1) 앙금 생성 반응: 이온이 들어 있는 두 가지 수용액을 섞었을 때 각 수용액에 존재하는 이온들이 서로 반응하여 앙금을 생성하는 반응이다. → 앙금 생성 반응을 이용하면 수용액에 들어 있는 이온을 확인할 수 있다.

① 알짜 이온과 구경꾼 이온: 실제로 반응에 참여하는 이온은 알짜 이온, 반응에 참여하지 않는 이온은 구경꾼 이온이다.

② 알짜 이온 반응식: 실제 앙금 생성 반응에 참여한 이온만으로 나타낸 반응식이다.

자료⁺ 더하기   염화 나트륨 수용액과 질산 은 수용액의 반응

염화 나트륨 수용액과 질산 은 수용액을 섞으면 흰색 앙금이 생긴다.
→ 염화 나트륨($NaCl$) 수용액에 들어 있는 염화 이온(Cl^-)과 질산 은 ($AgNO_3$) 수용액에 들어 있는 은 이온(Ag^+)이 결합하여 흰색 앙금인 염화 은($AgCl$)을 생성한다.

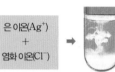

은 이온(Ag^+)
+
염화 이온(Cl^-)

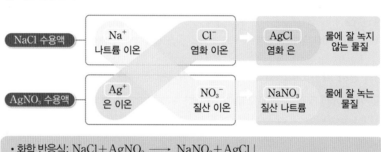

- 화학 반응식: $NaCl + AgNO_3 \longrightarrow NaNO_3 + AgCl\downarrow$
- 알짜 이온: Ag^+, Cl^- · 구경꾼 이온: Na^+, NO_3^-
- 알짜 이온 반응식: $Ag^+ + Cl^- \longrightarrow AgCl$(흰색 앙금)

(2) 앙금 생성 반응이 일어나지 않는 경우: 앙금 생성 반응이 일어나려면 특정한 양이온과 음이온이 만나야 하며, 그렇지 않을 경우 이온 사이의 반응이 일어나지 않는다.

예 $NaCl$ 수용액 $+ Na_2CO_3$ 수용액 $\longrightarrow$

$NaNO_3$ 수용액 $+ AgNO_3$ 수용액 $\longrightarrow$

$NaNO_3$ 수용액 $+ Na_2CO_3$ 수용액 $\longrightarrow$

$Ca(NO_3)_2$ 수용액 $+ AgNO_3$ 수용액 $\longrightarrow$

앙금이 생성되지 않는다.

2. 여러 가지 앙금 생성 반응

탄산 나트륨 수용액과 염화 칼슘 수용액의 반응

- 흰색의 탄산 칼슘($CaCO_3$) 앙금 생성
- 화학 반응식: $Na_2CO_3 + CaCl_2 \longrightarrow 2NaCl + CaCO_3$
- 알짜 이온: Ca^{2+}, CO_3^{2-}
- 구경꾼 이온: Na^+, Cl^-
- 알짜 이온 반응식: $Ca^{2+} + CO_3^{2-} \longrightarrow CaCO_3\downarrow$

염화 바륨 수용액과 황산 나트륨 수용액의 반응

- 흰색의 황산 바륨($BaSO_4$) 앙금 생성
- 화학 반응식: $BaCl_2 + Na_2SO_4 \longrightarrow 2NaCl + BaSO_4$
- 알짜 이온: Ba^{2+}, SO_4^{2-}
- 구경꾼 이온: Na^+, Cl^-
- 알짜 이온 반응식: $Ba^{2+} + SO_4^{2-} \longrightarrow BaSO_4\downarrow$

염화 칼슘 수용액과 황산 나트륨 수용액의 반응

- 흰색의 황산 칼슘($CaSO_4$) 앙금 생성
- 화학 반응식: $CaCl_2 + Na_2SO_4 \longrightarrow 2NaCl + CaSO_4$
- 알짜 이온: Ca^{2+}, SO_4^{2-}
- 구경꾼 이온: Na^+, Cl^-
- 알짜 이온 반응식: $Ca^{2+} + SO_4^{2-} \longrightarrow CaSO_4\downarrow$

질산 납 수용액과 아이오딘화 칼륨 수용액의 반응

- 노란색의 아이오딘화 납(PbI_2) 앙금 생성
- 화학 반응식: $Pb(NO_3)_2 + 2KI \longrightarrow 2KNO_3 + PbI_2$
- 알짜 이온: Pb^{2+}, I^-
- 구경꾼 이온: K^+, NO_3^-
- 알짜 이온 반응식: $Pb^{2+} + 2I^- \longrightarrow PbI_2\downarrow$

3. 앙금 생성 반응을 이용한 이온의 검출

이온이 들어 있는 수용액을 혼합하면 수용액 속의 이온들이 항상 반응하여 앙금을 생성하는 것이 아니라 특별한 이온들이 서로 만나 앙금을 생성한다. 이때 어떤 경우에는 독특한 색의 앙금을 생성하므로 앙금 생성 여부와 생성된 앙금의 색을 이용하여 수용액 속에 들어 있는 이온을 검출하거나 확인할 수 있다.

탐구 더하기   **앙금 생성 반응으로 염화 이온 확인하기**

미지의 수용액 A, B, C, D를 시험관에 넣고, 각 시험관에 질산 은 수용액을 떨어뜨렸을 때 앙금 생성 여부와 앙금의 색깔을 관찰한다.

① 수용액 B와 D에서 흰색 앙금이 생겼다. → 질산 은 수용액의 은 이온(Ag^+)과 염화 이온(Cl^-)이 반응하면 흰색 앙금($AgCl$)이 생기므로 수용액 B와 D에 염화 이온이 들어 있다.

② 알짜 이온 반응식은 $Ag^+ + Cl^- \longrightarrow AgCl$이다.

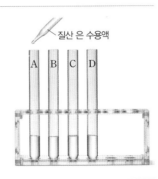
질산 은 수용액

은수저가 검게 변하는 까닭

집에서 오랫동안 사용하지 않은 은수저에는 검게 녹이 슬어 있는 것을 볼 수 있다. 이것은 은이 황과 반응하여 검은색 고체인 황화 은(Ag_2S)를 생성하기 때문이다. 과거 우리 선조들은 이 반응을 이용하여 황이 포함된 독이 음식물 속에 들어 있는지를 확인하기도 하였다.

황화 은이 생긴 은수저

이온의 검출 방법

이온이 들어 있는 수용액은 일반적으로 색깔이 없고 투명하므로 눈으로 보아서는 구별할 수 없으며, 함부로 맛을 보거나 손을 대어서도 안 된다. 전해질 수용액에 들어 있는 이온을 검출하기 위해서는 여러 가지 방법이 사용되는데, 주로 앙금 생성 반응과 불꽃 반응을 이용한다.

중금속 이온의 검출
황화 이온(S^{2-})은 대부분의 중금속 이온과 반응하여 보통 검은색 앙금을 만든다. 따라서 물속에 들어 있는 중금속 이온들은 황화 수소(H_2S) 기체를 통과시켜 황 화합물을 만들어 검출한다.

생활 속 앙금 생성 반응
• 수도관 속에 쌓여 생긴 관석: 지하수에 녹아 있는 칼슘 이온(Ca^{2+})이 공기 중의 이산화 탄소가 녹아 생긴 탄산 이온(CO_3^{2-})과 반응하여 탄산 칼슘($CaCO_3$)이 생성되어 관 속에 쌓인 것이 관석이다.

관석

• 조개 껍데기의 생성: 조개는 바닷물 속에 녹아 있는 탄산 이온(CO_3^{2-})을 몸속에 녹아 있는 칼슘 이온(Ca^{2+})과 반응시켜 껍데기를 만든다.

• X선 촬영 시 조영제의 사용: 환자의 위와 장을 촬영할 때 황산 바륨($BaSO_4$)을 주로 조영제로 사용한다.

---

(1) 앙금을 생성하지 않는 이온과 생성하는 이온

① 앙금을 생성하지 않는 이온: 일반적으로 다른 이온과 만났을 때 앙금을 생성하지 않는 이온으로는 나트륨 이온(Na^+), 칼륨 이온(K^+), 암모늄 이온(NH_4^+), 질산 이온(NO_3^-) 등이 있다.

② 앙금을 생성하는 이온: 일반적으로 다른 이온과 만났을 때 주로 앙금을 생성하는 이온으로는 칼슘 이온(Ca^{2+}), 바륨 이온(Ba^{2+}), 은 이온(Ag^+), 납 이온(Pb^{2+}), 황산 이온(SO_4^{2-}), 탄산 이온(CO_3^{2-}) 등이 있다.

양이온	+	음이온	⟶	앙금(색깔)
Ag^+		$Cl^-, Br^-, I^-,$ SO_4^{2-}, CO_3^{2-}		$AgCl$(흰색), $AgBr$(연노란색), AgI(노란색), Ag_2SO_4(흰색), Ag_2CO_3(흰색)
Ca^{2+}		SO_4^{2-}, CO_3^{2-}		$CaSO_4$(흰색), $CaCO_3$(흰색)
Ba^{2+}		SO_4^{2-}, CO_3^{2-}		$BaSO_4$(흰색), $BaCO_3$(흰색)
Mg^{2+}		CO_3^{2-}		$MgCO_3$(흰색)
Pb^{2+}		I^-, S^{2-}		PbI_2(노란색), PbS(검은색)
$Cu^{2+}, Cd^{2+}, Zn^{2+}$		S^{2-}		CuS(검은색), CdS(노란색), ZnS(흰색)

(2) 대표적 이온의 검출 방법: 생활 속에서 앙금 생성 반응을 이용하여 이온을 확인할 수 있다.

이온	이용하는 이온	원리
수돗물 속의 염화 이온(Cl^-)	은 이온(Ag^+)	$Ag^+ + Cl^- \longrightarrow AgCl$(흰색 앙금)
폐수 속의 납 이온(Pb^{2+})	황화 이온(S^{2-}), 아이오딘화 이온(I^-)	$Pb^{2+} + S^{2-} \longrightarrow PbS$(검은색 앙금) $Pb^{2+} + 2I^- \longrightarrow PbI_2$(노란색 앙금)
폐수 속의 카드뮴 이온(Cd^{2+})	황화 이온(S^{2-})	$Cd^{2+} + S^{2-} \longrightarrow CdS$(노란색 앙금)

학습 내용 Check

정답과 해설 007쪽

1. 두 이온이 서로 반응하여 앙금을 생성하는 경우에는 ○, 앙금을 생성하지 않는 경우에는 ×로 표시하시오.
   (1) K^+, NO_3^- _____
   (2) Cd^{2+}, S^{2-} _____
   (3) Ca^{2+}, CO_3^{2-} _____
   (4) Ba^{2+}, SO_4^{2-} _____

2. $NaCl$ 수용액에 $AgNO_3$ 수용액을 떨어뜨릴 때 생성되는 앙금의 이름은 _____이다.

알고 보면 재미있는 과학 〉 **음식에도 궁합이 있다고?**

음식물에는 여러 가지 영양소가 들어 있다. 그런데 음식물을 먹어도 영양소가 몸속에 제대로 흡수되지 않을 수 있다. 두부와 시금치를 함께 먹는 경우가 바로 그러한 예이다. 두부에는 칼슘이 들어 있고, 시금치에는 떫은맛을 내는 옥살산이 들어 있다. 두부에 들어 있는 칼슘 이온이 시금치에 들어 있는 옥살산 이온과 반응하면 옥살산 칼슘이라는 앙금이 생성되므로 몸속에 잘 흡수되지 않는다.

시금치

두부

탐구 이온이 전하를 띠고 있음을 확인하기

전해질 수용액 속 이온의 이동으로 이온이 전하를 띠고 있음을 확인할 수 있다.

과정 및 결과

❶ 흰 종이에 '+'를 표시하고, 페트리 접시 중앙이 '+' 표시의 정중앙에 오도록 페트리 접시를 흰 종이 위에 올려놓는다.

❷ 페트리 접시 양쪽 끝에 금속판을 고정한 다음, 페트리 접시에 질산 칼륨 수용액을 넣는다.

 유의점 용액에 전류가 잘 흐르게 하기 위해 질산 칼륨 수용액을 넣어 준다.

❸ 그림과 같이 장치하고 전류를 흘려 준 다음, 페트리 접시 가운데에 과망가니즈산 칼륨 수용액을 떨어뜨리고 변화를 관찰한다.

→ 시간이 흐를수록 보라색이 (+)극 쪽으로 이동한다.

❹ 과망가니즈산 칼륨 수용액 대신 황산 구리(Ⅱ) 수용액으로 과정 ❶~❸을 반복한다.

→ 시간이 흐를수록 파란색이 (−)극 쪽으로 이동한다.

> **Tip** 과망가니즈산 칼륨 수용액과 황산 구리(Ⅱ) 수용액의 색깔
> 과망가니즈산 칼륨($KMnO_4$) 수용액은 과망가니즈산 이온(MnO_4^-)에 의해 보라색을 나타내고, 황산 구리(Ⅱ) ($CuSO_4$) 수용액은 구리 이온(Cu^{2+})에 의해 파란색을 나타낸다.
>
>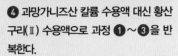
> K^+ MnO_4^- SO_4^{2-} Cu^{2+}

결과 해석 및 정리

1 과정 ❸에서 보라색의 과망가니즈산 이온(MnO_4^-)은 (+)극 쪽으로 이동하고, 무색의 칼륨 이온(K^+)은 (−)극 쪽으로 이동한다. — 무색의 질산 이온(NO_3^-)은 (+)극 쪽으로 이동한다.

2 과정 ❹에서 파란색의 구리 이온(Cu^{2+})은 (−)극 쪽으로 이동하고, 무색의 황산 이온(SO_4^{2-})은 (+)극 쪽으로 이동한다. — 무색의 칼륨 이온(K^+)은 (−)극 쪽으로, 무색의 질산 이온(NO_3^-)은 (+)극 쪽으로 이동한다.

3 (−)전하를 띠는 음이온은 (+)극 쪽으로, (+)전하를 띠는 양이온은 (−)극 쪽으로 이동한다.

● K^+ ● MnO_4^- ● NO_3^- ● Cu^{2+} ● SO_4^{2-}

탐구 확인 문제

정답과 해설 007쪽

1 위 탐구에 대한 설명으로 옳지 **않은** 것은?

① 황산 구리(Ⅱ)와 과망가니즈산 칼륨은 물에 녹으면 양이온과 음이온으로 나누어진다.

② 황산 구리(Ⅱ) 수용액의 파란색 물질은 구리 이온이다.

③ 황산 구리(Ⅱ) 수용액의 황산 이온은 이동하지 않는다.

④ 과망가니즈산 칼륨 수용액의 보라색 물질은 (−)전하를 띤다.

⑤ 전극을 바꾸어 연결하면 색을 띠는 이온들의 이동 방향이 반대가 된다.

2 ^{적용} 그림과 같이 장치한 후 전원을 연결하였다.

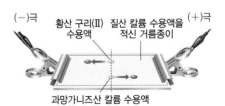

이 실험에서 (+)극 쪽으로 이동하는 이온과 (−)극 쪽으로 이동하는 이온을 이온식으로 모두 쓰시오.

탐구 앙금 생성 반응으로 염화 이온 확인하기

미지의 수용액에 염화 이온이 있는지 앙금 생성 반응을 이용하여 확인할 수 있다.

 과정

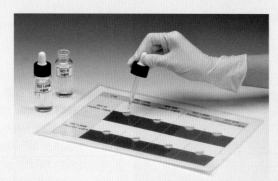

❶ 코팅을 하거나 비닐을 씌운 반응판 위의 가로줄 2개에 염화 나트륨, 염화 칼슘, 질산 나트륨, 질산 칼슘 수용액을 각각 한 방울씩 떨어뜨린다.

❷ 첫 번째 가로줄 수용액 위에 질산 은 수용액을 1∼2방울 떨어뜨리고 앙금 생성 여부를 관찰한다.

❸ 두 번째 가로줄 수용액 위에 탄산 나트륨 수용액을 1∼2방울 떨어뜨리고 앙금 생성 여부를 관찰한다.

 결과 및 정리

1 앙금 생성 여부 및 생성된 앙금 색깔은 오른쪽과 같다.

2 나트륨 이온(Na^+), 질산 이온(NO_3^-)은 앙금을 잘 생성하지 않는다.

3 $AgCl$, $CaCO_3$은 흰색 앙금이므로 염화 이온(Cl^-)은 $AgNO_3$ 수용액으로, 칼슘 이온(Ca^{2+})은 Na_2CO_3 수용액으로 검출할 수 있다.

구분	염화 나트륨 (NaCl) 수용액	염화 칼슘 (CaCl₂) 수용액	질산 나트륨 (NaNO₃) 수용액	질산 칼슘 (Ca(NO₃)₂) 수용액
질산 은 (AgNO₃) 수용액	흰색 앙금 (AgCl)	흰색 앙금 (AgCl)	변화 없음	변화 없음
탄산 나트륨 (Na₂CO₃) 수용액	변화 없음	흰색 앙금 (CaCO₃)	변화 없음	흰색 앙금 (CaCO₃)

탐구 확인 문제

정답과 해설 007쪽

1 위 탐구에 대한 설명으로 옳지 않은 것은?

① 탐구에 사용한 물질들은 모두 물에 녹으면 전류가 흐른다.

② Ag^+과 Cl^-이 만나면 앙금을 생성한다.

③ Na^+과 Cl^-이 만나면 앙금을 생성하지 않는다.

④ 탄산 나트륨 수용액은 염화 칼슘 수용액과 혼합하면 앙금이 생성된다.

⑤ 탄산 나트륨 수용액과 염화 칼슘 수용액의 반응에서 알짜 이온 반응식은 $Na^+ + Cl^- \longrightarrow NaCl$이다.

2 다음 물질을 각각 물에 녹여 수용액 상태를 만든 후 염화 칼슘($CaCl_2$) 수용액을 넣었을 때, 앙금이 생성되는 물질을 모두 쓰시오.

$$AgNO_3 \qquad Na_2CO_3 \qquad KNO_3$$

 3 두 이온이 만나 앙금을 생성하는 경우가 아닌 것은?

① Ag^+, Cl^- 　　② Na^+, NO_3^-

③ Ca^{2+}, SO_4^{2-} 　　④ Ca^{2+}, CO_3^{2-}

⑤ Ba^{2+}, SO_4^{2-}

심화 전해질의 이온화

염화 나트륨, 수산화 나트륨과 같은 물질은 고체 상태에서는 전류가 흐르지 않다가 물에 녹으면 전류가 흐른다. 물에 녹아 전류가 흐르는 물질의 특징은 무엇일까? 또 물에 녹아 전류가 흐를 때 어떤 현상이 나타날지 알아보자.

1 전해질의 이온화와 이온화식

전해질은 고체 상태에서는 전류가 흐르지 않지만 수용액 상태에서는 전류가 흐르는 물질이다. 전해질이 물에 녹아 양이온과 음이온으로 나누어지는 현상을 이온화라고 하며, 이를 이온식을 이용하여 나타낸 것을 이온화식이라고 한다. 이때 생성된 양이온과 음이온 전하의 총합은 항상 0이 된다. 염화 나트륨($NaCl$)의 이온화 과정을 이온화식으로 나타내면 다음과 같다.

❶ 화살표(———)의 왼쪽에는 물질의 화학식을, 오른쪽에는 생성되는 이온의 이온식을 쓴다.

❷ 양이온과 음이온의 전하의 총합이 0이 되도록 이온식 앞에 숫자(계수)를 쓴다. (단, 1은 생략)

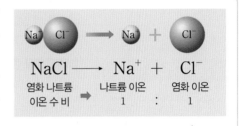

$$NaCl \longrightarrow Na^+ + Cl^-$$
염화 나트륨 ⟶ 나트륨 이온 : 염화 이온
이온 수 비 ⟶ 1 : 1

2 전해질 수용액에 전류를 흘려 줄 때 전극에서 일어나는 변화

전해질 수용액에 탄소 전극이나 백금 전극을 담근 후 전류를 흘려 주면, 각 전극으로 이동한 이온이 전자를 잃거나 얻는 현상이 일어난다. 예를 들어 염화 구리(Ⅱ) 수용액에 연필심을 이용한 탄소 전극을 담근 후 전류를 흘려 주면 다음과 같은 현상이 나타난다.

(−)극
$$Cu^{2+} + 2\ominus \longrightarrow Cu\downarrow$$
구리 이온　전자　구리(붉은색)

(+)극
$$2Cl^- \longrightarrow Cl_2\uparrow + 2\ominus$$
염화 이온　염소(황록색)　전자

이를 이온화 모형으로 나타내면 다음과 같다.

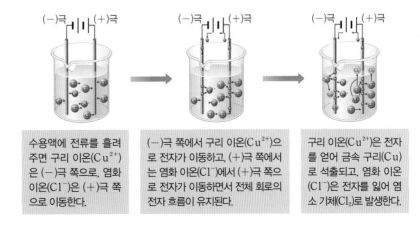

| 수용액에 전류를 흘려 주면 구리 이온(Cu^{2+})은 (−)극 쪽으로, 염화 이온(Cl^-)은 (+)극 쪽으로 이동한다. | (−)극 쪽에서 구리 이온(Cu^{2+})으로 전자가 이동하고, (+)극 쪽에서는 염화 이온(Cl^-)에서 (+)극 쪽으로 전자가 이동하면서 전체 회로의 전자 흐름이 유지된다. | 구리 이온(Cu^{2+})은 전자를 얻어 금속 구리(Cu)로 석출되고, 염화 이온(Cl^-)은 전자를 잃어 염소 기체(Cl_2)로 발생한다. |

심화 앙금 생성 반응에서 이온 수의 변화

두 수용액을 섞었을 때 혼합 용액 안의 이온 사이에 앙금 생성 반응이 일어나기도 한다. 이때 혼합 용액 속의 이온 수는 어떻게 변할까? 어떤 수용액에 다른 수용액을 섞어 앙금 생성 반응이 일어날 때 이온 수 변화를 그래프를 통하여 알아보자.

① 앙금 생성 반응에서 이온 수의 변화를 구하는 방법

두 수용액을 섞은 혼합 용액에서 앙금 생성 반응이 일어났을 때는 먼저 두 수용액에 들어 있는 이온의 종류를 파악한 후, 앙금 생성 반응에 참여한 알짜 이온과 반응에 참여하지 않은 구경꾼 이온을 구분해야 한다.

[1단계] 앙금 생성 반응에서 알짜 이온을 안다.

① 처음 있었던 전해질 수용액의 알짜 이온은 이온 수가 점점 감소하다가 반응이 끝나면 존재하지 않는다.

② 가해 주는 전해질 수용액의 알짜 이온은 존재하지 않다가 반응이 끝난 이후부터 증가한다.

[2단계] 앙금 생성 반응에서 구경꾼 이온을 안다.

① 처음 있었던 전해질 수용액의 구경꾼 이온은 이온 수가 일정하다.

② 가해 주는 전해질 수용액의 구경꾼 이온은 이온 수가 계속 증가한다.

② 일정량의 염화 나트륨 수용액에 질산 은 수용액을 가할 때 이온 수의 변화

일정량의 염화 나트륨($NaCl$) 수용액에 질산 은($AgNO_3$) 수용액을 가하면 흰색의 염화 은($AgCl$) 앙금이 석출된다.

질산 은 수용액

염화 나트륨 수용액 → 혼합 용액 → 혼합 용액

이때 앙금 생성 반응에 참여한 알짜 이온은 염화 이온(Cl^-)과 은 이온(Ag^+)이며, 반응에 참여하지 않은 구경꾼 이온은 나트륨 이온(Na^+)과 질산 이온(NO_3^-)이다. 혼합 용액에서 앙금이 석출될 때 각 이온 수를 그래프로 나타내면 다음과 같다.

알짜 이온		구경꾼 이온	
염화 이온(Cl^-)	은 이온(Ag^+)	나트륨 이온(Na^+)	질산 이온(NO_3^-)
Cl^-의 수 / O $AgNO_3$의 부피	Ag^+의 수 / O $AgNO_3$의 부피	Na^+의 수 / O $AgNO_3$의 부피	NO_3^-의 수 / O $AgNO_3$의 부피
가해 준 Ag^+과 앙금을 생성하므로 점점 감소하다가 반응이 끝나면 존재하지 않는다.	가해 주는 대로 Cl^-과 앙금을 생성하므로 존재하지 않다가 반응이 끝난 이후부터 증가한다.	앙금 생성 반응에 참여하지 않으므로 이온 수가 일정하다.	앙금 생성 반응에 참여하지 않으므로 가해 주는 양만큼 이온 수가 계속 증가한다.

한눈에보는

중단원 핵심 정리

1 이온

구분	양이온	음이온
정의 및 모형	전기적으로 중성인 원자가 전자를 잃어서 (+)전하를 띠는 입자	전기적으로 중성인 원자가 전자를 얻어서 (−)전하를 띠는 입자
이온식	원소 기호의 오른쪽 위에 잃은 전자 수와 이온이 띠고 있는 (+)전하를 함께 나타낸다.	원소 기호의 오른쪽 위에 얻은 전자 수와 이온이 띠고 있는 (−)전하를 함께 나타낸다.
이름	원소 이름 뒤에 '〜이온'을 붙인다.	원소 이름 뒤에 '〜화 이온'을 붙인다. 이때 원소 이름이 '〜소'로 끝나는 경우에는 '소'를 생략하고 '〜화 이온'을 붙인다.

양이온 모형: 원자 → (전자를 잃음) → 이온
원자핵의 전하량 > 전자의 총 전하량

음이온 모형: 원자 → (전자를 얻음) → 이온
원자핵의 전하량 < 전자의 총 전하량

양이온 이온식: Li^+ ← 전하의 종류 / 잃은 전자의 개수 (1은 생략함) / 원소 기호

음이온 이온식: O^{2-} ← 전하의 종류 / 얻은 전자의 개수 / 원소 기호

2 이온의 전하 확인

이온이 들어 있는 수용액에 전류를 흘려 주면 양이온은 (−)극 쪽으로 이동하고, 음이온은 (+)극 쪽으로 이동한다.

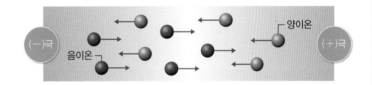

(−)극   음이온   양이온   (+)극

3-1 앙금 생성 반응

이온이 들어 있는 수용액을 섞었을 때 각 수용액에 존재하는 이온들이 서로 반응하여 앙금을 생성하는 반응이다.

- 화학 반응식: $NaCl + AgNO_3 \longrightarrow NaNO_3 + AgCl \downarrow$
- 알짜 이온: 실제 반응에 참여하는 이온 → Ag^+, Cl^-
- 구경꾼 이온: 반응에 참여하지 않는 이온 → Na^+, NO_3^-
- 알짜 이온 반응식: $Ag^+ + Cl^- \longrightarrow AgCl \downarrow$ (흰색)

3-2 이온의 검출

앙금 생성 반응을 이용하여 수용액 속의 이온을 검출할 수 있다.

양이온	음이온	앙금(색깔)
Ag^+	$Cl^-, Br^-, I^-,$ SO_4^{2-}, CO_3^{2-}	$AgCl$(흰색), $AgBr$(연노란색), AgI(노란색), Ag_2SO_4(흰색), Ag_2CO_3(흰색)
Ca^{2+}	SO_4^{2-}, CO_3^{2-}	$CaSO_4$(흰색), $CaCO_3$(흰색)
Ba^{2+}	SO_4^{2-}, CO_3^{2-}	$BaSO_4$(흰색), $BaCO_3$(흰색)
Mg^{2+}	CO_3^{2-}	$MgCO_3$(흰색)
Pb^{2+}	I^-, S^{2-}	PbI_2(노란색), PbS(검은색)
$Cu^{2+}, Cd^{2+},$ Zn^{2+}	S^{2-}	CuS(검은색), CdS(노란색), ZnS(흰색)

01 이온에 대한 설명으로 옳은 것을 보기에서 모두 고른 것은?

> 보기
> ㄱ. 전기적인 성질을 띤 입자이다.
> ㄴ. 원자가 전자를 얻으면 양이온이 된다.
> ㄷ. 음이온은 본래의 원자보다 전자가 더 많다.
> ㄹ. 이온 원자핵의 (+)전하량과 전자의 총 (−)전하량
> 　　은 같다.

① ㄱ, ㄷ　　　　② ㄱ, ㄹ　　　　③ ㄴ, ㄷ
④ ㄴ, ㄹ　　　　⑤ ㄱ, ㄴ, ㄷ

02 그림은 원자가 이온으로 변하는 과정을 모형으로 나타낸 것이다.

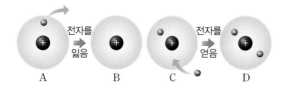

A　　　　　B　　　　　C　　　　　D

이에 대한 설명으로 옳은 것은?
① A는 (+)전하를 띤다.
② B는 A와 전자 수가 같다.
③ C는 양이온이다.
④ C와 D의 원자핵 전하량은 같다.
⑤ B와 D는 같은 종류의 전하를 띤다.

03 그림은 나트륨 이온이 형성되는 과정을 나타낸 것이다.

전자를 잃음

나트륨(Na) 원자

이에 대한 설명으로 옳지 않은 것은?
① 나트륨 이온은 양이온이다.
② 나트륨 이온은 Na^+로 나타낸다.
③ 이온이 형성될 때 원자핵은 이동하지 않는다.
④ 나트륨 이온의 전자의 총 (−)전하량은 원자핵의 (+)
　전하량보다 크다.
⑤ 나트륨 원자가 전자 1개를 잃으면 +1의 전하를 띤다.

04 오른쪽 그림이 나타내는 입자 모형에 대한 설명으로 옳은 것은?

① (+)전하를 띤 이온이다.
② 전기적으로 중성인 원자이다.
③ 원자가 전자를 잃어서 형성된다.
④ 원자가 전자를 얻어서 형성된다.
⑤ 원자핵의 (+)전하량이 전자의 총 (−)전하량보다 크다.

05 표는 A~D 이온의 원자핵의 전하량과 전자 수를 나타낸 것이다. (단, A~D는 임의의 원소 기호이다.)

이온	A	B	C	D
원자핵의 전하량	+11	+16	+17	+20
전자 수(개)	10	18	18	18

A~D 이온을 양이온과 음이온으로 구분하시오.

06 그림은 어떤 이온의 형성 과정을 나타낸 것이다.

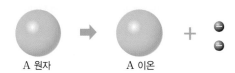

A 이온과 같은 과정을 거쳐 형성된 이온을 보기에서 모두 고른 것은?

보기

ㄱ. K^+ ㄴ. Mg^{2+} ㄷ. NH_4^+

ㄹ. Cl^- ㅁ. S^{2-} ㅂ. NO_3^-

① ㄴ   ② ㅁ   ③ ㄱ, ㄷ

④ ㄴ, ㅁ   ⑤ ㄹ, ㅂ

07 다음은 원자가 이온이 되는 과정을 나타낸 것이다.

$$Mg \longrightarrow Mg^{2+} + 2\ominus$$

이에 대한 설명으로 옳은 것은? (단, $\ominus$는 전자를 나타낸다.)

① 음이온이 형성되었다.

② 원자가 전자 2개를 얻었다.

③ Mg^{2+}은 $(-)$전하를 띠고 있다.

④ 형성된 이온의 이름은 마그네슘화 이온이다.

⑤ Mg^{2+}의 원자핵의 $(+)$전하량이 전자의 총 $(-)$전하량보다 크다.

08 다음은 여러 물질의 이온식을 나타낸 것이다.

(가) H^+ (나) Ca^{2+} (다) Cl^-

(라) O^{2-} (마) SO_4^{2-}

이 이온식에 대한 설명으로 옳지 않은 것은?

① (가)는 원자가 전자 1개를 잃고 형성된 이온이다.

② (나)는 양이온이다.

③ (다)는 원자가 전자 1개를 얻고 형성된 이온이다.

④ (라)는 원자핵의 $(+)$전하량보다 전자의 총 $(-)$전하량이 더 크다.

⑤ (마)는 여러 가지 원자들이 결합하여 이루어졌으며, 이온 전체가 $(+)$전하를 띤다.

09 오른쪽 그림은 이온으로 이루어진 염화 나트륨의 결정 구조를 모형으로 나타낸 것이다. 이에 대한 설명으로 옳은 것을 보기에서 모두 고른 것은?

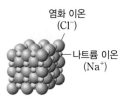

염화 이온 (Cl^-)
나트륨 이온 (Na^+)

보기

ㄱ. 화학식은 $NaCl$이다.

ㄴ. 나트륨 이온과 염화 이온이 끊임없이 연속적으로 배열되어 있다.

ㄷ. 염화 나트륨을 이루는 나트륨 이온과 염화 이온의 개수비는 $1:2$이다.

① ㄱ   ② ㄴ   ③ ㄷ

④ ㄱ, ㄴ   ⑤ ㄱ, ㄷ

10 이온식과 이온 이름을 옳게 짝 지은 것은?

① H^+ - 수화 이온   ② I^- - 아이오딘 이온

③ O^{2-} - 산소 이온   ④ Mg^{2+} - 마그네슘 이온

⑤ SO_4^{2-} - 황화 이온

11 오른쪽의 이온식에 대한 설명으로 옳지 않은 것은?

$$F^-$$

① 음이온이다.

② 플루오린 이온이다.

③ 원자가 전자 1개를 얻어 형성된 이온이다.

④ 원자핵의 $(+)$전하량보다 전자의 총 $(-)$전하량이 더 크다.

⑤ 원자일 때의 전자 수보다 이온일 때의 전자 수가 더 많다.

12 그림 (가)는 고체 A를, 그림 (나)는 고체 B를 물에 녹일 때 수용액에 존재하는 입자의 모형을 나타낸 것이다.

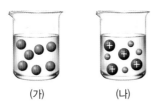

(가)   (나)

이에 대한 설명으로 옳은 것을 보기에서 모두 고른 것은?

> **보기**
> ㄱ. 고체 A는 전해질이고, 고체 B는 비전해질이다.
> ㄴ. 설탕물은 (나)와 같은 모형이다.
> ㄷ. (나) 수용액에서는 전류가 잘 흐른다.

① ㄱ   ② ㄴ   ③ ㄷ
④ ㄱ, ㄴ   ⑤ ㄱ, ㄴ, ㄷ

13 그림과 같이 순수한 물에 전극을 넣었을 때는 전구가 켜지지 않지만, 소금물에서는 전구에 불이 켜졌다.

물   소금물

그 까닭으로 옳은 것은?

① 소금은 물에 잘 녹지 않기 때문이다.
② 소금은 비전해질이기 때문이다.
③ 소금이 물에 녹을 때 분자가 많아졌기 때문이다.
④ 소금이 물에 녹으면 양이온과 음이온으로 나누어지기 때문이다.
⑤ 소금이 물과 반응하여 새로운 물질이 생성되기 때문이다.

[14~15] 그림과 같이 질산 칼륨 수용액이 들어 있는 페트리 접시의 중앙에 파란색인 황산 구리(Ⅱ) 수용액과 보라색인 과망가니즈산 칼륨 수용액을 각각 떨어뜨린 후 전원을 연결하였다.

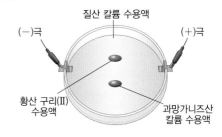

14 이에 대한 설명으로 옳지 <u>않은</u> 것은?

① 파란색이 (−)극 쪽으로 이동한다.
② 보라색이 (+)극 쪽으로 이동한다.
③ 파란색을 띠는 이온은 구리 이온이다.
④ 보라색을 띠는 이온은 과망가니즈산 이온이다.
⑤ 질산 칼륨 수용액 대신 설탕물을 사용해도 된다.

15 위 실험에서 (+)극과 (−)극 쪽으로 이동하는 이온을 모두 이온식으로 쓰시오.

• (+)극: _____   • (−)극: _____

16 두 물질의 수용액을 섞었을 때 앙금 생성 반응이 일어나는 것을 모두 고르면? (정답 2개)

① $CaCl_2 + KCl$ ② $NaOH + HCl$
③ $2KI + Pb(NO_3)_2$ ④ $K_2CO_3 + 2NaCl$
⑤ $CuCl_2 + H_2S$

17 그림은 두 가지 수용액을 섞을 때 앙금이 생성되는 반응을 나타낸 것이다.

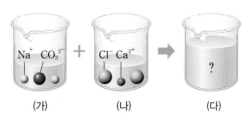

(가)　　　　(나)　　　　(다)

이에 대한 설명으로 옳지 <u>않은</u> 것은? (정답 2개)

① (가)는 탄산 나트륨 수용액이다.
② (나)에 전원 장치를 연결하면 전류가 흐른다.
③ (다)에서 흰색 앙금이 생성된다.
④ (다)에는 이온이 존재하지 않는다.
⑤ Na^+, Cl^-은 앙금 생성 반응에 참여하는 이온이다.

[19~20] 오른쪽 그림과 같이 염화 칼슘 $(CaCl_2)$ 수용액에 탄산 칼륨(K_2CO_3) 수용액을 떨어뜨렸다.

19 염화 칼슘 수용액에 탄산 칼슘 수용액을 조금씩 첨가할 때 증가하는 이온과 감소하는 이온을 옳게 짝 지은 것은?

	증가하는 이온	감소하는 이온
①	염화 이온	탄산 이온
②	염화 이온	칼슘 이온
③	칼륨 이온	탄산 이온
④	칼륨 이온	칼슘 이온
⑤	탄산 이온	칼슘 이온

20 위 반응에서 생성되는 앙금의 이름과 색깔을 쓰시오.

_____

18 질산 은$(AgNO_3)$ 수용액과 탄산 나트륨(Na_2CO_3) 수용액을 각각 물질 X의 수용액과 반응시켜 다음과 같은 결과를 얻었다.

구분	수용액	물질 X의 수용액과 반응
(가)	질산 은 수용액	흰색 앙금 생성
(나)	탄산 나트륨 수용액	흰색 앙금 생성

이에 대한 설명으로 옳은 것을 보기에서 모두 고른 것은?

┌ 보기 ─────────────────
ㄱ. (가)의 앙금으로 염화 은이 가능하다.
ㄴ. (나)에서 탄산 이온은 구경꾼 이온일 것이다.
ㄷ. 물질 X는 칼슘 이온을 포함할 수 있다.
ㄹ. 물질 X는 염화 이온을 포함할 수 있다.
└──────────────────────

① ㄱ, ㄹ　　　② ㄱ, ㄷ　　　③ ㄴ, ㄷ
④ ㄱ, ㄷ, ㄹ　　　⑤ ㄴ, ㄷ, ㄹ

21 3개의 시험관에 염화 칼슘 수용액, 질산 칼륨 수용액, 염화 칼륨 수용액이 각각 들어 있다. 이 3가지 수용액을 구별하기 위해 꼭 필요한 실험을 보기에서 모두 고른 것은?

┌ 보기 ─────────────────
ㄱ. 수용액에 전극을 담가 전류가 흐르는지 확인한다.
ㄴ. 니크롬선에 수용액을 묻혀서 불꽃 반응 색을 관찰한다.
ㄷ. 수용액에 질산 은 수용액을 몇 방울씩 떨어뜨려 본다.
ㄹ. 수용액에 질산 나트륨 수용액을 몇 방울씩 떨어뜨려 본다.
└──────────────────────

① ㄱ, ㄴ　　　② ㄱ, ㄷ　　　③ ㄴ, ㄷ
④ ㄴ, ㄹ　　　⑤ ㄷ, ㄹ

01 그림 (가)~(다)는 원자와 이온을 모형으로 나타낸 것이다.

이에 대한 설명으로 옳은 것을 모두 고르면? (정답 2개)

① (가)는 음이온이다.

② (나)는 중성 원자의 모형이다.

③ (다)는 원자가 전자 1개를 잃어 형성된다.

④ (가)는 (나)보다 원자핵의 전하량이 작다.

⑤ (가)와 (다)가 띠는 전하의 종류가 다르다.

02 다음은 칼슘 원자와 염소 원자로부터 각각의 이온이 생성되는 과정을 나타낸 것이다.

> • $Ca \longrightarrow Ca^{2+} + 2\ominus$
> • $Cl + \ominus \longrightarrow Cl^-$

이에 대한 설명으로 옳은 것을 보기에서 모두 고른 것은? (단, $\ominus$는 전자를 나타낸다.)

> ─ 보기 ─
> ㄱ. 칼슘 원자는 칼슘 이온보다 전자가 2개 더 많다.
> ㄴ. 염화 이온은 원자핵의 (+)전하량이 전자의 총 (−)전하량보다 크다.
> ㄷ. 칼슘과 염소로 이루어진 물질의 화학식은 $CaCl_2$이다.

① ㄴ   ② ㄷ   ③ ㄱ, ㄴ

④ ㄱ, ㄷ   ⑤ ㄱ, ㄴ, ㄷ

03 그림은 염화 칼륨 수용액과 에탄올 수용액에 각각 전극을 담갔을 때 일어나는 변화를 모형으로 나타낸 것이다.

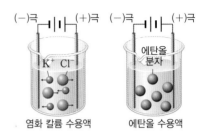

이에 대한 설명으로 옳은 것은?

① 염화 칼륨은 전해질이다.

② 에탄올은 물에 녹지 않는다.

③ 염화 칼륨은 고체 상태에서 전류가 흐른다.

④ 염화 칼륨 수용액에서 칼륨 이온은 (+)극 쪽으로 이동한다.

⑤ 염화 칼륨 수용액에서 염화 이온은 어느 전극으로도 이동하지 않는다.

04 다음은 어떤 물질 X를 확인하기 위한 실험과 그 결과이다.

> (가) X 수용액에 염화 바륨 수용액을 몇 방울 가하였더니 흰색 앙금이 생성되었다.
> (나) X 수용액의 불꽃 반응 색을 관찰하였더니 보라색이었다.

물질 X로 가능한 것은?

① 염화 칼륨   ② 황산 칼륨

③ 질산 나트륨   ④ 질산 칼슘

⑤ 황산 구리(Ⅱ)

05 이온이 들어 있는 수용액을 서로 섞어 앙금이 생성되는지 관찰하였더니 다음과 같았다.

수용액	NaCl	NaNO₃	CaCl₂	Ca(NO₃)₂
AgNO₃	앙금 A	×	앙금 B	×
Na₂CO₃	×	×	○	○

이에 대한 설명으로 옳지 <u>않은</u> 것은? (단, 앙금이 생성된 경우에는 ○, 앙금이 생성되지 않은 경우에는 ×로 표시하였다.)

① 앙금 A의 화학식은 AgCl이다.

② 앙금 A와 B는 같은 물질이며, 흰색이다.

③ AgNO₃ 수용액으로 Na^+과 Ca^{2+}을 구별할 수 있다.

④ AgNO₃ 수용액에 BaCl₂ 수용액을 가하면 앙금이 생성된다.

⑤ Na₂CO₃ 수용액에 Ca(OH)₂ 수용액을 가하면 앙금이 생성된다.

06 시험관 A~E에서 다음과 같이 특정 이온을 검출하고자 한다.

> • 시험관 A: 바닷물에서 나트륨 이온 검출
> • 시험관 B: 은 도금 공장 폐수에서 은 이온 검출
> • 시험관 C: 공장 폐수에서 납 이온 검출
> • 시험관 D: 지하수에서 칼슘 이온 검출
> • 시험관 E: 수돗물에 남아 있는 염화 이온 검출

이에 대한 설명으로 옳지 <u>않은</u> 것은?

① 시험관 A: 불꽃 반응 실험으로 확인한다.

② 시험관 B: 질산 나트륨 수용액을 떨어뜨려 흰색 앙금의 생성을 확인한다.

③ 시험관 C: 황화 수소와 반응시켜 검은색 앙금의 생성을 확인한다.

④ 시험관 D: 탄산 나트륨 수용액을 떨어뜨려 흰색 앙금의 생성을 확인한다.

⑤ 시험관 E: 질산 은 수용액을 떨어뜨려 흰색 앙금의 생성을 확인한다.

07 그림은 염화 나트륨(NaCl), 염화 칼슘(CaCl₂), 질산 바륨(Ba(NO₃)₂)을 구별하는 방법을 나타낸 것이다.

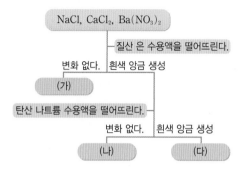

(가)~(다)에 대한 설명으로 옳은 것을 보기에서 모두 고른 것은?

> **보기**
> ㄱ. (가) 수용액의 불꽃 반응 색은 황록색이다.
> ㄴ. (나)는 바닷물에 많이 들어 있는 물질이다.
> ㄷ. (다) 수용액에 들어 있는 이온은 Ca^{2+}과 Cl^-이다.

① ㄱ　　　② ㄴ　　　③ ㄱ, ㄷ

④ ㄴ, ㄷ　　　⑤ ㄱ, ㄴ, ㄷ

08 그림은 일정량의 염화 나트륨(NaCl) 수용액에 질산 은(AgNO₃) 수용액을 조금씩 첨가할 때 혼합 용액 속에 존재하는 이온 A~D의 개수 변화를 나타낸 것이다.

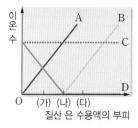

이에 대한 설명으로 옳은 것은?

① C에 해당하는 이온은 NO_3^-이다.

② 앙금 생성 반응에 참여하는 이온은 B와 D이다.

③ 생성된 앙금의 높이는 (나)<(다)이다.

④ 혼합 용액의 총 이온 수는 (가)<(나)이다.

⑤ 반응이 진행되면 노란색 앙금이 생성된다.

☞ 제시된 Keyword를 이용하여 문제를 해결해 보자.

1 다음은 원소와 원자의 차이를 알아보기 위한 것이다.

> • 지구 온난화를 일으키는 대표적인 물질은 이산화 탄소이다. 이산화 탄소는 탄소와 산소 두 종류의 (㉠)로 이루어져 있다.
> • 이산화 탄소 분자 1개는 탄소 (㉡) 1개와 산소 (㉡) 2개로 이루어져 있다.
>
>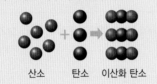
> 산소   탄소   이산화 탄소

㉠과 ㉡에 원소와 원자 중 알맞은 말을 쓰고, 원소와 원자의 차이점을 설명하시오.

Keyword 원소, 원자, 성분, 입자

—————————————————————
—————————————————————
—————————————————————

2 표는 어떤 입자의 원자핵의 전하량과 전자 수를 각각 나타낸 것이다.

입자	원자핵의 전하량	전자 수(개)
(가)	+4	2
(나)	+8	10
(다)	+9	9
(라)	+10	10
(마)	+11	10

(가)~(마)를 각각 원자, 양이온, 음이온으로 분류하고, 그 까닭을 설명하시오.

Keyword 원자핵, 전자, 전하량

—————————————————————
—————————————————————
—————————————————————

3 그림은 염화 구리(Ⅱ) 수용액에 두 전극을 넣었을 때, 수용액에 들어 있는 이온의 이동을 나타낸 것이다.

● 이온 A
○ 이온 B

이때 수용액 속 이온 A와 B에 해당하는 것을 각각 쓰고, 그 까닭을 설명하시오.

Keyword 양이온, 음이온, (+)극, (−)극

—————————————————————
—————————————————————
—————————————————————
—————————————————————

4 그림과 같이 염화 나트륨($NaCl$) 수용액과 묽은 염산(HCl)이 들어 있는 시험관에 질산 은($AgNO_3$) 수용액을 떨어뜨렸다.

질산 은 수용액
염화 나트륨 수용액   묽은 염산

이때 공통으로 일어나는 현상과 그 까닭을 설명하시오.

Keyword 흰색 앙금, 염화 이온, 은 이온

—————————————————————
—————————————————————
—————————————————————

5 그림은 질산 칼륨 수용액을 넣은 페트리 접시에 두 전극을 연결하고, 파란색의 황산 구리(Ⅱ)($CuSO_4$) 수용액을 떨어 뜨렸을 때의 변화를 나타낸 것이다.

위 실험 장치에서 황산 구리(Ⅱ) 수용액 중에서 (−)극과 (+)극 쪽으로 각각 이동하는 이온의 이온식을 쓰고, 이 실험을 통해 알 수 있는 사실을 설명하시오.

Keyword 이온, 전하

_____

_____

_____

6 어떤 물질을 물에 녹인 후 다음과 같은 실험을 하였다.

> • 질산 은 수용액과 반응시켰더니 흰색 앙금이 생성되었다.
> • 불꽃 반응 실험을 하였더니 불꽃 반응 색이 주황색이었다.

이 결과로 보아 물에 녹인 물질의 이름을 쓰고, 그 까닭을 설명하시오.

Keyword 앙금, 이온, 불꽃 반응 색

_____

_____

_____

7 그림은 일정한 양의 수돗물에 들어 있는 염화 이온을 확인하기 위해 질산 은($AgNO_3$) 수용액을 조금씩 가했을 때 혼합 용액 속에 존재하는 어떤 이온 수의 변화를 나타낸 것이다.

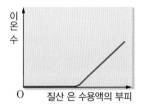

이 이온이 무엇인지 쓰고, 그 까닭을 설명하시오.

Keyword 은 이온, 염화 이온, 앙금 생성

_____

_____

_____

8 그림과 같이 수산화 칼슘($Ca(OH)_2$) 수용액인 석회수에 빨대로 날숨을 불어 넣으면 석회수가 뿌옇게 흐려진다.

이러한 현상이 일어나는 까닭을 앙금 생성과 관련지어 설명하시오.

Keyword 이산화 탄소, 탄산 칼슘, 앙금

_____

_____

_____

최상위권 도전 문제

1 다음은 여러 근대 과학자들의 실험 내용이다.

> • 보일은 J자 모양의 유리관에 수은을 넣어 공기를 압축시켰다.
> • 토리첼리는 수은을 사용하여 최초로 진공을 만들었다.
> • 게리케는 진공 펌프를 만들어 대기압 실험을 했다.

위 실험들은 다음 물질에 대한 생각 중 어느 견해와 가장 일치하는가?

① 모든 물질의 근원은 물이다.
② 물, 불, 흙, 공기가 물질의 근원이다.
③ 물질은 4원소와 4가지 성질로 되어 있다.
④ 값싼 금속을 이용하여 값비싼 금을 만들 수 있다.
⑤ 물질은 더 이상 쪼갤 수 없는 입자인 원자로 구성되어 있다.

Tip
과학자들의 실험 결과로 물질은 입자로 구성되어 있고, 입자 사이에는 빈 공간이 존재함을 알 수 있다.

진공
물질이 전혀 존재하지 않는 공간이다.

2 다음은 러더퍼드의 α 입자 산란 실험 결과를 나타낸 것이다.

> ($+$)전하를 띤 α 입자들을 얇은 금박에 충돌시켰더니 대부분의 입자들은 금박을 그대로 통과하였고, 극히 일부의 입자들이 진로가 크게 휘거나 튕겨 나왔다.

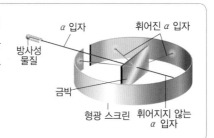

이를 통해 알 수 있는 것을 보기에서 모두 고른 것은?

보기
ㄱ. 원자의 중심에 원자핵이 있다.
ㄴ. 원자핵은 원자 대부분의 공간을 차지한다.
ㄷ. 원자핵은 양성자와 중성자로 이루어져 있다.

① ㄱ   ② ㄷ   ③ ㄱ, ㄴ
④ ㄴ, ㄷ   ⑤ ㄱ, ㄴ, ㄷ

Tip
원자에는 ($+$)전하를 띤 원자핵이 존재하며, 원자핵은 원자의 크기에 비해 매우 작고, 원자 질량의 대부분을 차지한다.

산란
파동이나 입자선이 물체와 충돌하여 여러 방향으로 흩어지는 현상이다.

3 그림은 여러 가지 물질의 구성 입자를 모형으로 나타낸 것이다.

| 수소 | 네온 | 물 | 염화 나트륨 |

이에 대한 설명으로 옳은 것을 보기에서 모두 고른 것은?

보기

ㄱ. 네온은 분자로 존재하지 않는다.

ㄴ. 물을 분자식으로 나타내면 H_2O이다.

ㄷ. 염화 나트륨은 독립된 입자로 존재하지 않는다.

① ㄱ ② ㄴ ③ ㄱ, ㄷ

④ ㄴ, ㄷ ⑤ ㄱ, ㄴ, ㄷ

> **Tip**
> 분자는 물질의 성질을 갖는 가장 작은 입자로, 일반적으로 2개 이상의 원자가 결합하여 독립된 입자를 이루지만, 1개의 원자가 분자를 이루기도 한다.

4 그림은 프로페인 분자와 뷰테인 분자를 모형으로 나타낸 것이다.

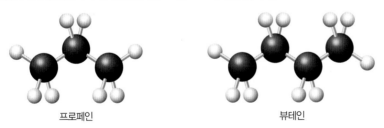

프로페인   뷰테인

이에 대한 설명으로 옳지 <u>않은</u> 것은? (단, ◯은 수소 원자, ●은 탄소 원자이다.)

① 두 물질은 모두 두 종류의 원소로 이루어져 있다.

② 프로페인을 분자식으로 나타내면 C_3H_8이다.

③ 프로페인 분자 1개는 11개의 원자로 이루어져 있다.

④ 두 물질을 이루는 원소의 종류가 같으므로, 두 물질의 성질은 같다.

⑤ 뷰테인 분자 1개는 탄소 원자 4개, 수소 원자 10개로 이루어져 있다.

> **Tip**
> 같은 종류의 원소로 이루어진 물질이라도 분자를 이루는 원자의 개수에 따라 성질이 전혀 다른 새로운 물질로 존재할 수 있다.

5 오른쪽 그림은 원자 A~D에서 전자가 출입하여 이온이 생성될 때, 각 원자에서 이동한 전자의 수를 나타낸 것이다. 이에 대한 설명으로 옳은 것을 보기에서 모두 고른 것은? (단, 그림에서 −는 전자를 잃은 것을 의미하며, A~D는 임의의 원소 기호이다.)

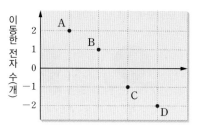

보기

ㄱ. 원자 A는 양이온, 원자 C는 음이온이 되었다.

ㄴ. 이온 A의 전하량의 크기는 이온 B의 전하량의 크기보다 작다.

ㄷ. 이온 D를 이온식으로 나타내면 D^{2+}이다.

ㄹ. 이온 A와 이온 C가 결합하여 물질이 생성된다면 A와 C는 1 : 2의 입자 수 비로 결합할 것이다.

① ㄱ, ㄴ   ② ㄱ, ㄹ   ③ ㄴ, ㄷ

④ ㄴ, ㄹ   ⑤ ㄷ, ㄹ

Tip
원자가 전자를 잃으면 양이온이 되고, 전자를 얻으면 음이온이 된다.

6 그림은 중성 원자 A~C로부터 각 이온이 형성되는 과정을 모형으로 나타낸 것이다.

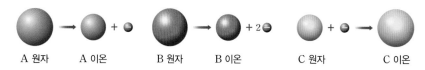

이에 대한 설명으로 옳은 것은? (단, A~C는 임의의 원소 기호이다.)

① A 이온은 음이온이다.

② B 이온이 녹아 있는 수용액에 전류를 흘려 주면 B 이온은 (+)극 쪽으로 이동한다.

③ 산화 이온(O^{2-})은 B 이온이 생성되는 과정과 같은 과정으로 형성된다.

④ C 이온은 C 원자보다 전자 1개가 더 적다.

⑤ A와 C로 이루어진 물질을 물에 녹일 때 형성되는 이온의 개수는 A 이온과 C 이온이 같다.

Tip
이온이 생성되는 과정을 모형으로 나타낼 때 화살표를 기준으로 전자가 오른쪽에 있으면 양이온이 형성되는 과정이고, 전자가 왼쪽에 있으면 음이온이 형성되는 과정이다.

7 그림 (가)는 A_2SO_4 수용액 10 mL에 들어 있는 이온의 종류와 비율을, 그림 (나)는 (가)의 A_2SO_4 수용액에 BCl_2 수용액 10 mL를 넣었을 때 혼합 용액에 들어 있는 이온의 종류와 비율을 원그래프로 나타낸 것이다.

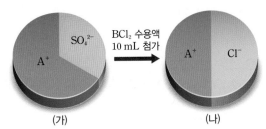

(가)　　　(나)

이에 대한 설명으로 옳은 것을 보기에서 모두 고른 것은? (단, A, B는 임의의 원소 기호이다.)

┌ 보기 ─────────────────────────────
ㄱ. A^+과 Cl^-은 구경꾼 이온이다.
ㄴ. 알짜 이온 반응식은 $B^{2+} + SO_4^{2-} \longrightarrow BSO_4$이다.
ㄷ. (가)와 (나) 수용액에 전극을 연결하면 (가) 수용액에서는 전류가 흐르지만, (나) 수용액에서는 전류가 흐르지 않는다.
└───────────────────────────────

① ㄱ　　　　　② ㄴ　　　　　③ ㄱ, ㄴ
④ ㄱ, ㄷ　　　　⑤ ㄴ, ㄷ

Tip
두 전해질 수용액을 혼합하여 앙금 생성 반응이 일어났을 때 알짜 이온이 모두 반응한 경우에는 혼합 용액 속에 남아 있는 이온은 구경꾼 이온이다.

8 오른쪽 그림은 일정량의 질산 납($Pb(NO_3)_2$) 수용액에 아이오딘화 칼륨(KI) 수용액을 조금씩 넣었을 때 혼합 용액 속 이온 A의 개수 변화를 나타낸 것이다. 두 수용액의 반응은 다음과 같다.

┌─────────────────────────────
$Pb(NO_3)_2 + 2KI \longrightarrow 2KNO_3 + PbI_2$
└─────────────────────────────

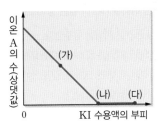

이에 대한 설명으로 옳은 것을 보기에서 모두 고른 것은?

┌ 보기 ─────────────────────────────
ㄱ. 이온 A는 Pb^{2+}이다.
ㄴ. 혼합 용액에 존재하는 총 이온 수는 (가)보다 (나)에서 더 많다.
ㄷ. 생성된 앙금의 양은 (나)보다 (다)에서 더 많다.
└───────────────────────────────

① ㄱ　　　　　② ㄷ　　　　　③ ㄱ, ㄴ
④ ㄴ, ㄷ　　　　⑤ ㄱ, ㄴ, ㄷ

Tip
이온이 들어 있는 두 수용액을 섞어 앙금이 생성될 때 알짜 이온 수는 점점 줄어들고, 구경꾼 이온 수는 증가한다.

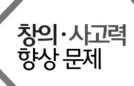

창의·사고력 향상 문제

예제

근대의 과학자 라부아지에는 다음 실험 장치를 통해 물이 원소인지 실험하였다.

라부아지에는 물이 원소인지를 알아보기 위하여 뜨겁게 가열된 긴 주철관 속으로 물을 통과시키는 실험하였다. 실험 결과, 주철관 내부는 녹이 슬었고 녹이 슨 주철관 전체의 질량은 증가했다. 또한, 냉각수를 통과한 집기병에는 수소 기체가 모였다.

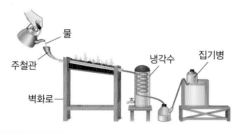

(1) 라부아지에의 실험에서 수소 이외에 발견한 원소는 무엇인지 설명하시오.

(2) 라부아지에의 실험 결과, 물이 원소가 아닌 까닭을 설명하시오.

▶▶ 해결 전략 클리닉 ◀◀

라부아지에의 실험을 통해서 물이 원소가 아닌 까닭을 다음과 같은 방식으로 접근해 보자.

❶ 주철관에 녹이 슬고, 주철관 전체의 질량이 증가한 까닭을 유추한다.

❷ 실험 결과, 주철관의 변화를 통해 라부아지에가 발견한 원소는 무엇인지 생각한다.

❸ 뜨겁게 가열된 주철관 속으로 물을 통과시켰을 때 어떤 변화가 일어났는지 정리한다.

❹ 원소의 정의를 고려했을 때 물이 원소가 아닌 까닭을 생각한다.

▶ 모범 답안 ◀

(1) 주철관은 철로 만든 관으로, 철에 녹이 슬기 위해서는 산소가 있어야 한다. 녹이 슨 주철관의 질량이 증가한 까닭도 주철관의 철이 산소와 결합했기 때문이다. 따라서 수소 기체 이외에 발견한 원소는 산소이다.

(2) 원소는 더 이상 다른 물질로 분해되지 않으면서 물질을 이루는 기본 성분이다. 라부아지에의 실험 결과, 뜨거운 주철관에 물을 통과시켰을 때 물은 산소와 수소로 분해되었다. 따라서 물은 원소가 아님을 알 수 있다.

출제 의도
라부아지에의 실험을 통해 물이 원소가 아닌 까닭을 설명할 수 있는가?

문제 해결을 위한 배경 지식
• **원소**: 더 이상 다른 물질로 분해되지 않으면서 물질을 이루는 기본 성분
• **라부아지에**: 근대의 과학자로, 더 이상 분해할 수 없는 물질을 원소로 정의하였다. 또한, 실험을 통해 물은 원소가 아님을 밝혔다.
• **주철관**: 무쇠로 만든 관

Keyword
(1) 주철관, 녹, 산소
(2) 원소, 수소, 산소, 물

완벽한 답안 작성을 위한 tip
(1) 주철관 내부가 녹슨 까닭을 산소의 특성과 연관지어 설명한다.
(2) 원소의 정의와 함께 물이 원소가 아닌 까닭을 실험 결과와 연관지어 설명한다.

실전 문제

1

창의적 문제 해결형

오른쪽 그림과 같이 다양한 색깔의 불꽃을 내는 생일 초가 있다. 초의 불꽃색을 다양하게 만들 수 있는 방법을 설명해 보자.

Tip
일부 금속 원소는 독특한 불꽃 반응 색이 나타난다.

Keyword
금속 원소, 불꽃 반응

2

논리적 서술형

그림과 같이 원자는 원자핵과 전자로 이루어져 있으며, 원자핵은 다시 양성자와 중성자로 이루어져 있다. 표는 원자를 구성하는 입자의 질량과 전하를 나타낸 것이다.

입자		질량(g)	상대적 질량	상대적 전하
원자핵	양성자	1.673×10^{-24}	1	$+1$
	중성자	1.673×10^{-24}	1	0
전자		9.109×10^{-28}	$\dfrac{1}{1837}$	-1

(1) 양성자, 중성자, 전자 중에서 원자의 질량을 주로 결정하는 입자들은 무엇인지 쓰고, 그 까닭을 설명하시오.

(2) 원자가 전기적으로 중성이 되려면 원자를 구성하는 입자의 개수 사이에 어떤 관계가 성립해야 하는지 설명하시오.

Tip
원자는 원자핵과 전자로 이루어졌고, 원자 대부분의 질량은 원자핵이 차지한다.

Keyword
원자, 양성자, 중성자, 전자

3

서술형

다음은 파란색의 황산 구리(Ⅱ) 수용액으로 실험한 결과를 나타낸 것이다.

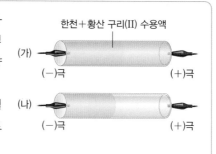

- 그림 (가)와 같이 황산 구리(Ⅱ) 수용액이 들어 있는 한천을 유리관에 넣고 응고시킨 후, 유리관 속 한천의 양쪽에 전극을 꽂는다.
- 전극에 전류를 흘려 주었더니 그림 (나)와 같이 파란색이 (−)극 쪽으로 이동한다.

(나)와 같이 파란색이 (−)극 쪽으로 이동하는 까닭을 설명하시오.

_____

_____

4

문제 해결형

다음과 같이 몇 가지 고체 물질들을 어떤 기준에 따라 (가)와 (나)로 분류하였다.

(가)	(나)
염화 칼슘, 황산 구리(Ⅱ)	포도당, 설탕

(1) 물질을 (가)와 (나)로 분류한 기준을 설명하시오.

_____

_____

(2) 어떤 고체 물질 X가 (가)와 (나) 중 어느 곳에 속하는지 알아보는 실험을 하려고 한다. 다음의 준비물을 이용하여 실험을 설계해 보자. (단, 고체 물질 X는 증류수에 잘 녹는다.)

증류수   전기 전도도 측정 장치

_____

_____

5 〔논리적〕 서술형

오른쪽 그림은 석회 동굴의 천장에 고드름처럼 매달린 종유석이다. 종유석을 구성하는 주성분이 무엇인지를 알아보는 실험을 한 결과 다음과 같은 특징을 얻었다.

- 물에 거의 녹지 않았다.
- 불꽃 반응 색은 주황색이었다.
- 염산을 떨어뜨렸더니 기체가 발생하며 격렬히 반응하였고, 이 기체를 석회수에 넣었더니 뿌옇게 흐려졌다.

종유석을 구성하는 주성분이 무엇인지 쓰고, 그 까닭을 설명하시오.

Tip

불꽃 반응 색을 통해 물질을 구성하는 양이온을 확인할 수 있고, 석회수가 뿌옇게 변한 것을 통해 물질을 구성하는 음이온을 확인할 수 있다.

Keyword

불꽃 반응, 앙금 생성 반응

6 〔단계적〕 문제 해결형

수돗물은 염소 기체로 소독하기 때문에 수돗물에는 염화 이온(Cl^-)이 남아 있는 경우가 있다.

(1) 수돗물에 염화 이온이 남아 있는지를 확인할 수 있는 물질을 고르고, 그 까닭을 설명하시오.

- 질산 은 수용액
- 염화 나트륨 수용액
- 염화 칼륨 수용액
- 질산 나트륨 수용액

(2) (1)에서 고른 물질과 수돗물 속의 염화 이온이 반응할 때 생성되는 물질을 알짜 이온 반응식으로 나타내시오.

Tip

염화 이온과 반응하여 앙금이 생성되는 이온을 생각해 본다.

Keyword

앙금 생성 반응

Sc!ence Talk

이온들이 만나 생성된

자연에서 볼 수 있는 앙금 생성 반응

물속, 땅속에는 다양한 종류의 이온들이 존재한다. 이 이온들은 서로 만나 앙금을 생성하기도 하는데, 오랜 시간 동안 천천히 앙금이 생기기 때문에 여러 외부 환경의 영향을 받으면서 귀한 보석이 되거나 멋진 자연경관이 만들어지기도 한다.

바다의 보석이라고 불리는 진주는 진주조개 속에서 발견되는 보석이다. 진주는 어떻게 생기는 것일까? 진주조개는 바닷물 속의 여러 가지 이온 중에서 탄산 이온을 몸 속의 칼슘 이온과 반응시켜 흰색의 탄산 칼슘을 생성한다. 조개 속에 이물질이 침입하면 그 자극으로 이상 분비가 생기고, 이 분비물이 이물질을 둘러싸는데, 이것이 진주이다. 즉, 진주는 사실 진주조개의 분비물로 만들어진 것이다.

탄산 칼슘은 진주뿐만 아니라 멋진 자연경관을 만들기도 한다. 우리나라에서도 종종 볼 수 있는 석회동굴은 석회암 지대에 주로 존재한다. 석회암의 주성분은 탄산 칼슘으로, 물에는 거의 녹지 않지만, 이산화 탄소가 녹아 있는 물에서는 물에 잘 녹는 탄산수소 칼슘이 된다. 오랜 시간 동안 석회암 지대에 이산화 탄소가 녹아 있는 빗물이 떨어지거나 이 빗물이 지하수가 되어 흐르면 탄산 칼슘이 녹으면서 석회동굴이 형성된다. 반대로 석회동굴 안의 석순, 종유석 등은 물에 녹아 있던 탄산수소 칼슘이 다시 물에 녹지 않는 탄산 칼슘이 되면서 생성된다.

석회 동굴 탄산 칼슘이 주성분인 석회암 지대에 빗물이나 지하수가 흐르면서 형성된 지형이다.

터키의 남서쪽에 있는 '파묵칼레(Pamukkale)'는 세계적인 명소로, 흰색의 테라스 및 솜털 같은 지형들이 아름다워 많은 관광객들이 찾는 명소이다. 이 지형도 물에 녹아 있는 탄산 이온과 칼슘 이온이 만나 탄산 칼슘을 생성한 결과로 만들어졌다. 오랜 시간을 거치면서 파묵칼레는 계곡 바닥 위로 100 m 높이에 2 km에 이르는 석회 고드름이 매달린 테라스가 펼쳐져 있으며, 이곳에 자연적으로 수조와 욕탕이 생겼다. 이러한 장관 때문에 파묵칼레는 유네스코에서 지정한 세계문화유산에 등재되어 있다.

터키의 파묵칼레 탄산 이온과 칼슘 이온이 만나 탄산 칼슘이 생성되면서 형성된 지형이다.

미국의 '화이트샌즈 국립기념지(White Sands National Monument)'는 석고질의 흰색 모래로 이뤄진 사막으로 유명한 곳이다. 석고질 모래의 주성분은 황산 칼슘으로, 황산 칼슘은 황산 이온과 칼슘 이온이 만나 생성되는 앙금이다. 화이트샌즈 국립기념지는 어떻게 생성된 곳일까? 이곳에는 약 2억 5천만 년 전 아주 넓지만 얕고 석회질이 많은 늪이 있었는데, 시간이 지나면서 이 석고는 점점 늪 바닥으로 가라앉아 단단한 바위로 서서히 굳어졌다. 나중에 늪의 물이 증발하면서 바위가 된 석고가 다시 표면으로 드러났고, 이 석고 층은 얼었다 녹고 젖었다 마르면서 모래알 크기로 작게 부서졌다. 모래알 크기의 석고가 바람에 날리면서 모래 언덕을 형성한 것이다.

이처럼 이온이 만나 생성된 앙금은 생각하지도 못한 멋진 결과물을 보여주기도 한다.

미국의 화이트샌즈 국립기념지 황산 칼슘이 주성분인 석고가 모래알 크기로 부서지면서 형성된 지형이다.

II

전기와 자기

우리는 주변에서 전기와 자기에 의해 생기는 다양한 현상들을 볼 수 있다. 이 단원에서는 정전기와 전기 회로의 구성 요소들에 대해 배우고, 전류에 의해 생기는 자기장에 대해 알아본다.

01 정전기와 정전기 유도

꽃가루는 벌의 몸에 난 털에 잘 달라붙는다. 꽃가루는 정전기에 의해 벌의 몸에 붙어 있을 수 있다. 물체를 달라붙게 만드는 정전기란 무엇일까?

용어 전하

전기 현상을 나타내는 근원으로 (+), (−) 두 종류가 있다.

① 전기의 발생

1. **원자** 모든 물질은 원자로 이루어져 있고, 원자는 원자핵과 전자로 이루어져 있다. 일반적으로 한 원자 안에서 원자핵의 전하량과 전자의 총 전하량의 크기가 서로 같으므로, 원자는 전기를 띠지 않고 원자로 이루어진 물체도 전기를 띠지 않는다.

(1) 원자핵: (+)전하를 띠고 있고, 원자 질량의 대부분을 차지하며, 마찰 과정에서 이동하지 않는다. 원자핵의 (+)전하량은 원자의 종류마다 다르다.

(2) 전자: (−)전하를 띤 작은 알갱이로, 매우 가벼워 마찰이나 충격에 의해 쉽게 이동할 수 있다. 원자에서 전자는 원자핵 주위를 돌고 있다.

자료⁺더하기 원자의 구조

원자는 물질을 이루는 가장 작은 입자로, 모든 물질은 원자로 되어 있다. 원자의 가운데에는 (+)전하를 띤 무거운 원자핵이 있고, (−)전하를 띤 전자가 원자핵 주위를 돌고 있다. 원자핵의 질량은 전자 질량의 수천 배 정도이며, 원자핵의 전하량에 따라 원자의 성질이 달라진다. 원자핵 주위를 도는 전자는 쉽게 이동할 수 있고, 전자의 수에 따라 원자가 다른 원자와 결합하는 성질이 달라진다.

(3) 전기의 발생: 원자핵 주위를 돌고 있는 가벼운 전자들이 마찰과 같은 충돌에 의해 이동하여 한 원자 안에서 원자핵의 (+)전하량과 전자의 총 (−)전하량이 달라지면 원자는 전하를 띤다.

(+)전하를 띠는 경우	(−)전하를 띠는 경우	전하를 띠지 않는 경우
원자가 전자를 잃어 (+)전하량이 (−)전하량보다 크면 (+)전하를 띠게 된다.	원자가 전자를 얻어 (+)전하량이 (−)전하량보다 작으면 (−)전하를 띠게 된다.	(+)전하량과 (−)전하량이 같으면 전하를 띠지 않는다. 즉, 원자는 전기적으로 중성이다.

2. 마찰 전기
서로 다른 두 물체를 마찰하면 마찰 전기가 발생하여 두 물체가 서로 다른 전하를 띠게 되는데, 이를 정전기라고도 한다. <u>마찰에 의해 발생한 전기는 다른 곳으로 흐르지 않고 발생한 자리에 그대로 머물러 있어서 정전기라고 한다.</u>

(1) **마찰 전기의 원인**: 마찰 전기는 마찰 과정에서 한 물체에서 다른 물체로 전자가 이동하기 때문에 생긴다. 전자가 이동하면 물체가 가지는 (+)전하량과 (−)전하량의 균형이 깨져 물체는 전하를 띠게 된다. _{과학 용어 사전 232쪽}

① 마찰한 두 물체는 서로 다른 종류의 전하를 띤다.

② 전자를 잃은 물체는 (+)전하를 띠고, 전자를 얻은 물체는 (−)전하를 띤다.

(2) **대전과 대전체**: 평상시 원자는 (+)전하량과 (−)전하량이 같아 전기적으로 중성이고, 이러한 원자로 이루어진 물체도 전하를 띠지 않지만, 대전된 물체는 (+)전하량이나 (−)전하량 중 어느 한쪽이 크므로 전하를 띤다. 이렇게 물체가 전하를 띠는 현상을 대전이라 하고, 전하를 띤 물체를 대전체라고 한다.

① (+)대전체: (+)전하량이 (−)전하량보다 큰 물체

② (−)대전체: (−)전하량이 (+)전하량보다 큰 물체

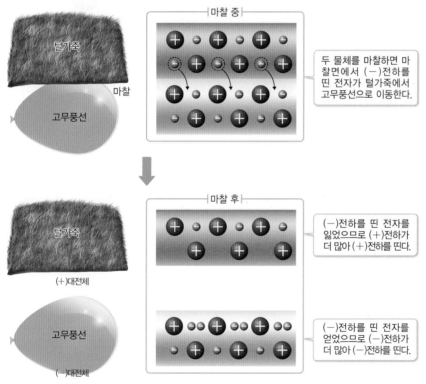

두 물체를 마찰하면 마찰면에서 (−)전하를 띤 전자가 털가죽에서 고무풍선으로 이동한다.

(−)전하를 띤 전자를 잃었으므로 (+)전하가 더 많아 (+)전하를 띤다.

(−)전하를 띤 전자를 얻었으므로 (−)전하가 더 많아 (−)전하를 띤다.

마찰에 의한 대전 고무풍선을 털가죽으로 문지르면 털가죽에서 고무풍선으로 전자가 이동하여 고무풍선은 (−)전하를 띠고, 털가죽은 (+)전하를 띤다.

(3) **마찰한 두 물체**: 두 물체를 마찰하면 물체는 대전된다. 이때 두 물체는 서로 끌어당긴다. <u>마찰에 의해 서로 다른 전하로 대전된 물체는 서로 잡아당기는 인력이 작용한다.</u>

3. 전기력
전하를 띤 물체 사이에 작용하는 힘을 전기력이라고 한다. 전기력에는 밀어내는 힘과 끌어당기는 힘이 존재한다. <u>이로부터 전기의 종류가 두 종류임을 알 수 있다.</u> _{과학 용어 사전 232쪽}

정전기가 잘 생기는 경우
비가 오거나 안개가 낀 날보다 건조한 날에 잘 생긴다. 우리나라에서는 대기가 건조하고 난방으로 실내 습도가 떨어지는 겨울철에 주로 잘 생긴다.

대전열
대전열은 여러 가지 물체를 마찰할 때 전자를 잃기 쉬운 순서대로 나열한 것을 말한다.

> (+) 털가죽 − 유리 − 명주 −
> 나무 − 고무 − 플라스틱 (−)

(+)쪽에 가까울수록 전자를 잃기 쉬우며, (−)쪽에 가까울수록 전자를 얻기 쉽다. 따라서 같은 물체라도 어떤 물체와 마찰하는지에 따라 물체가 대전되는 전하의 종류가 다르다. 또한 두 물체가 대전열에서 멀리 떨어져 있을수록 대전이 더 잘 된다.

방전
대전체가 전기적 성질을 잃는 현상으로, 공기 분자와 대전체 사이에 자연스럽게 전자의 이동이 일어나 전기적 균형을 이루는 과정이다.

정전기의 이용
자동차 도장, 레이저 프린터, 공기 청정기 등

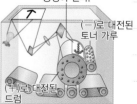

빛을 받은 곳은 중성이 된다.

(−)로 대전된 토너 가루

(+)로 대전된 드럼

정전기를 이용한 레이저 프린터

(1) **전기력의 방향**

　① 인력: 다른 전하를 띤 물체 사이에 작용하는 서로 끌어당기는 힘

　② 척력: 같은 전하를 띤 물체 사이에 작용하는 서로 밀어내는 힘

인력　　　　　　　　　척력

(2) **전기력의 크기**: 전하 사이의 거리와 전하량에 따라 정해진다.

　① 전하량이 일정한 경우: 전하 사이의 거리가 가까울수록 전기력이 크다.

　② 전하 사이의 거리가 일정한 경우: 전하량이 클수록 전기력이 크다.

거리에 따른 전기력의 크기　　　　　전하량에 따른 전기력의 크기

 더하기　　**전기력의 크기**

대전체 사이의 거리, 대전체의 전하량 등을 다르게 하고 대전체를 매단 실의 기울어진 각도를 비교하여 전기력의 크기를 비교해 본다.

① 거리에 따른 전기력의 크기: 전하량이 같은 두 대전체의 거리를 다르게 하면, 거리가 가까울수록 실의 기울어진 각도가 크다. → 두 대전체의 거리가 가까울수록 전기력이 크다.

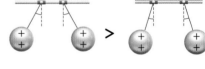

② 전하량에 따른 전기력의 크기: 전하량이 다른 두 대전체의 거리를 같게 하면, 전하량이 클수록 실의 기울어진 각도가 크다. → 두 대전체의 전하량이 클수록 전기력이 크다.

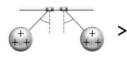

학습 내용 **Check**

정답과 해설 013쪽

1. 모든 물질은 _____로 이루어져 있으며, (+)전하를 띠는 _____과 (−)전하를 띠는 _____로 이루어져 있다.

2. 원자가 (+)전하를 띠는 까닭은 _____량이 _____량보다 크기 때문이다.

3. 물체가 전하를 띠는 현상을 _____이라 하고, 전하를 띤 물체를 _____라고 한다.

4. 서로 다른 물체를 마찰시키면 (−)전하를 띤 _____가 이동하여 물체가 전하를 띠게 된다.

5. 전기력에는 다른 전하를 띤 물체 사이에 잡아당기는 _____과, 같은 전하를 띤 물체 사이에 밀어내는 _____이 있다.

쿨롱 법칙

프랑스 과학자 쿨롱(Coulomb, C. A., 1736~1806)은 두 전하 사이에 작용하는 전기력을 측정하여 '두 전하 사이에 작용하는 힘은 두 전하량의 곱에 비례하고, 그들 사이의 거리의 제곱에 반비례한다.'는 쿨롱 법칙을 발견한다. 즉, 거리 r만큼 떨어진 두 전하 Q와 q 사이에 작용하는 전기력 F는 다음과 같다.

$$F = k\frac{Qq}{r^2}$$

2 정전기 유도

1. 정전기 유도 대전체를 물체에 가까이 하면 물체에서 대전체와 가까운 쪽에는 대전체와 다른 전하가 유도되고, 대전체와 먼 쪽에는 대전체와 같은 전하가 유도된다. 이러한 현상을 정전기 유도라고 한다.

(1) 도체와 부도체

    ① 도체: 전자의 이동이 자유로워 전류가 잘 흐르는 물질 **예** 구리, 철 등의 금속

    ② 부도체(절연체): 전자가 자유롭게 이동할 수 없어 전류가 흐르지 못하는 물질 **예** 나무, 종이, 고무, 플라스틱 등

(2) 도체에서 정전기 유도: 전기력에 의해 전자가 이동하여 도체가 전하를 띤다.

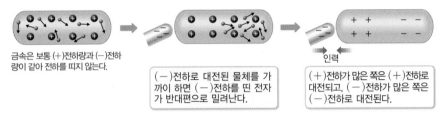

금속은 보통 (+)전하량과 (−)전하량이 같아 전하를 띠지 않는다.

(−)전하로 대전된 물체를 가까이 하면 (−)전하를 띤 전자가 반대편으로 밀려난다.

(+)전하가 많은 쪽은 (+)전하로 대전되고, (−)전하가 많은 쪽은 (−)전하로 대전된다.

인력

(3) 정전기 유도에 의한 대전: 정전기 유도의 원리를 이용하여 금속 구를 한 종류의 전하로 대전시킬 수 있다.

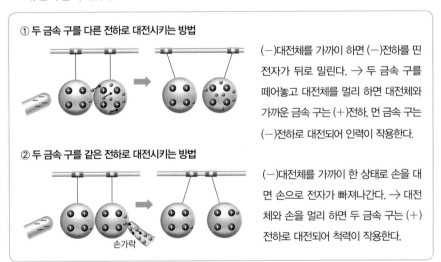

① 두 금속 구를 다른 전하로 대전시키는 방법

(−)대전체를 가까이 하면 (−)전하를 띤 전자가 뒤로 밀린다. → 두 금속 구를 떼어놓고 대전체를 멀리 하면 대전체와 가까운 금속 구는 (+)전하, 먼 금속 구는 (−)전하로 대전되어 인력이 작용한다.

② 두 금속 구를 같은 전하로 대전시키는 방법

(−)대전체를 가까이 한 상태로 손을 대면 손으로 전자가 빠져나간다. → 대전체와 손을 멀리 하면 두 금속 구는 (+)전하로 대전되어 척력이 작용한다.

손가락

(4) 부도체에서 정전기 유도: 부도체는 금속과 달리 전자가 물체 내에서 자유롭게 이동할 수 없다. 따라서 대전체를 가까이 하면 부도체 내에 고르게 분포해 있던 전자가 대전체의 전기력에 의해 재배치되어 전하를 띤다.

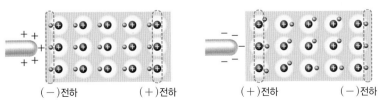

    (−)전하   (+)전하   (+)전하   (−)전하

부도체에서의 정전기 유도

유전 분극

금속의 자유 전자와 달리 부도체의 전자는 대부분 원자에 구속되어 있다. 그러나 표면에서는 대전체에 의해 전자가 재배치되어 정전기 유도가 일어난다. 이것을 유전 분극이라고 한다. 대전체에 의해 물줄기가 휘는 것이나 마찰된 빗에 머리카락이 달라붙는 것은 부도체의 유전 분극에 의해 나타나는 현상이다.

수돗물이 휘어지는 까닭

수돗물에 대전된 막대를 가까이 하면 수돗물이 휘어진다. 이는 정전기 유도로 인해 대전된 막대와 물 분자들 사이에 인력이 작용하기 때문이다.

대전된 막대

물줄기

2. 검전기   정전기 유도를 이용하여 물체의 대전 여부와 대전체가 띠는 전하량 등을 알아내는 데 이용하는 기구 (집중분석 080쪽)

(1) **검전기의 구조**: 검전기는 금속 막대의 끝에 매우 가벼운 금속박 두 장이 붙어 있다.

(2) **검전기의 원리**: 검전기의 금속판에 대전체를 가까이 하면 정전기 유도가 일어난다. 이때 대전체와 가까운 금속판에는 대전체와 다른 전하가, 대전체와 먼 금속박에는 대전체와 같은 전하가 유도되며, 얇은 금속박은 같은 전하를 띠므로 척력을 받아 벌어진다. (탐구 079쪽)

검전기의 구조

- 금속판
- 절연체
- 금속 막대
- 금속박
- 유리병

- (−)대전체를 금속판에 가까이 하면, (−)대전체와 금속판의 전자 사이에 척력이 작용한다.
- 금속판은 (+)전하를 띤다.
- 금속판의 전자가 금속박으로 이동한다.
- 금속박은 (−)전하를 띤다.
- 같은 전하로 대전된 두 금속박 사이에 척력이 작용하여 금속박이 벌어진다.

- 조금 벌어진다.
- 전하의 양이 적을 때
- 많이 벌어진다.
- 전하의 양이 많을 때

3. 정전기 유도에 의한 현상

(1) **대전체에 끌려오는 종잇조각**: 대전된 고무풍선을 종잇조각에 가까이 하면 종잇조각의 양 끝이 전하를 띠어 고무풍선에 달라붙는다.

(2) **번개**: 구름의 아랫부분에 정전기가 쌓이면 지표면에 전하가 유도되다가 어느 순간 전자가 이동하며 구름이 방전되는데, 이것이 번개이다. (과학 용어 사전 232쪽)

(3) **먼지떨이**: 솔을 문질러 먼지떨이를 대전시키면 주변의 먼지가 정전기 유도에 의해 솔에 달라붙는다.

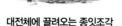
대전체에 끌려오는 종잇조각

번개

먼지떨이

학습 내용 Check

정답과 해설 013쪽

1. 대전되지 않은 금속 막대에 대전체를 가까이 할 때 금속 막대의 양 끝이 전하를 띠는 현상을 _____라고 한다.

2. 대전체를 물체에 가까이 하면 대전체와 가까운 쪽에는 대전체와 _____ 전하가, 대전체와 먼 쪽에는 대전체와 _____ 전하가 유도된다.

3. 중성인 검전기의 금속판에 (+)대전체를 가까이 하면 검전기의 금속판은 _____전하로, 금속박은 _____전하로 대전된다.

생활 속 정전기와 정전기 유도 현상의 예

- 걸을 때 치마가 다리에 달라붙는다.
- 스웨터를 벗을 때 바지직 소리가 난다.
- 머리를 빗을 때 머리카락이 빗에 달라붙는다.
- 자동차 손잡이를 잡을 때 찌릿한 느낌이 든다.
- 먼지떨이에 먼지가 잘 붙는다.
- 플라스틱 책받침을 문지르면 먼지가 잘 달라붙는다.

탐구 검전기에서 물체의 대전 여부 알아보기

대전된 물체를 검전기에 가까이 하였을 때 나타나는 현상을 관찰하고, 그 과정을 설명할 수 있다.

과정

❶ 검전기의 금속판에 손가락을 잠깐 대었다가 뗀다.

플라스틱 막대

털가죽

❷ 털가죽으로 문지른 플라스틱 막대를 검전기의 금속판에 가까이 한 채로 금속박의 모습을 관찰한다.

❸ 플라스틱 막대를 멀리 치우고 금속박의 모습을 관찰한다.

 유의점 ❶ 날씨가 흐릴 경우 헤어드라이어를 이용해 털가죽을 건조시킨 후 실험한다.
❷ 검전기의 금속박은 매우 얇아서 떨어지기 쉬우므로 검전기를 조심히 다루도록 한다.

결과 및 정리

1. 검전기에 대전체를 가까이 하면 금속박이 벌어진다.

→ 정전기 유도 현상이 일어나 금속판에는 대전체와 다른 전하가, 금속박에는 대전체와 같은 전하가 유도된다. 따라서 두 금속박은 서로 밀어내는 힘이 작용하여 벌어진다.

2. 검전기에 가까이 했던 대전체를 치우면 금속박은 다시 오므라든다.

→ 대전체가 금속판으로부터 멀어지면 정전기 유도 현상이 사라져 금속박이 전하를 띠지 않으므로 전기력이 작용하지 않는다.

탐구 확인 문제

정답과 해설 013쪽

1 빈칸에 알맞은 말을 쓰시오.

(1) 털가죽으로 플라스틱 막대를 문질렀을 때 털가죽이 (+)전하를 띠었다면 플라스틱 막대는 _____전하를 띤다.

(2) 대전된 플라스틱 막대를 검전기의 금속판에 가까이 하였을 때 금속박은 _____.

2 위 탐구에 대한 설명으로 옳은 것은 ○, 옳지 않은 것은 ×로 표시하시오.

(1) 대전된 막대를 검전기의 금속판에 가까이 하면 전자가 막대로부터 전기력을 받아 이동한다. ………… (   )

(2) 금속박이 벌어지는 것은 두 장의 금속박 사이에 전기력이 작용하기 때문이다. …………………… (   )

3 적용 오른쪽 그림과 같이 (−)대전체를 대전되지 않은 검전기의 금속판에 가까이 할 때, 금속판과 금속박에 유도되는 전하를 옳게 짝 지은 것은?

(−)대전체

	금속판	금속박
①	(+)전하	(+)전하
②	(+)전하	(−)전하
③	(−)전하	(+)전하
④	(−)전하	(−)전하
⑤	중성	중성

집중분석 〔 검전기

정전기 유도를 이용해 검전기로 물체의 대전 여부와 대전된 전하의 상대적인 양 등을 비교할 수 있다. 대전된 물체를 가까이 가져갔을 때 검전기에서 전하들의 분포를 알아보고, 검전기로 알 수 있는 사실과 검전기를 대전시키는 방법을 알아본다.

1 검전기의 원리

금속판에 대전된 물체를 가까이 가져가면 전자가 이동한다. 이때 같은 전하로 대전된 얇은 두 장의 금속박 사이에는 척력이 작용해 벌어진다. 이를 통해 물체의 대전 여부 등을 알 수 있다.

2 검전기로 알 수 있는 사실

(1) **물체의 대전 여부:** 대전체를 가까이 하면 금속박이 벌어진다.

(2) **대전된 전하량 비교:** 대전체의 전하량이 클수록 전기력이 커져 금속박이 많이 벌어진다.

많이 벌어진다.   조금 벌어진다.

(3) **대전된 전하의 종류:** 검전기와 같은 전하로 대전된 물체를 가까이 하면 금속박이 더 벌어지고, 다른 전하로 대전된 물체를 가까이 하면 금속박이 오므라든다.

금속박이 더 벌어진다.   금속박이 오므라든다.

3 검전기의 대전

(1) (+)전하로 대전시키는 방법

① (-)대전체를 가까이 한다.

② 금속판에 손을 접촉시키면 금속박에 있던 전자가 빠져나가면서 금속박이 오므라든다.

③ 대전체와 손을 동시에 치우면 검전기 전체가 (+)전하로 대전된다.

(2) (-)전하로 대전시키는 방법

① (+)대전체를 가까이 한다.

② 금속판에 손을 접촉시키면 손에서 금속박으로 전자가 이동하여 금속박이 오므라든다.

③ 대전체와 손을 동시에 치우면 검전기 전체가 (-)전하로 대전된다.

중단원 핵심 정리

01. 정전기와 정전기 유도

① 전기의 발생

① **마찰 전기**: 서로 다른 두 물체를 마찰할 때 두 물체가 전기를 띠는데, 마찰면에서 **전자의 이동**으로 대전된다.

- 마찰한 두 물체는 서로 다른 전하를 띤다.
- 전자를 잃은 물체는 (+)전하를 띠고, 전자를 얻은 물체는 (−)전하를 띤다.

전자를 잃은 쪽	(+)전하로 대전		두 물체를 마찰하면 마찰면에서 (−)전하를 띤 전자가 이동하여 전하를 띠게 된다.
전자를 얻은 쪽	(−)전하로 대전		

② **전기력**: 전하를 띤 물체 사이에 작용하는 힘

③ **전기력의 방향**

- **인력**: 다른 전하를 띤 물체 사이에 작용하는 서로 끌어당기는 힘
- **척력**: 같은 전하를 띤 물체 사이에 작용하는 서로 밀어내는 힘

④ **전기력의 크기**: 전하 사이의 거리가 가까울수록, 전하량이 클수록 전기력이 크다.

인력   척력

②-1 정전기 유도

- **정전기 유도**: 물체에서 대전체와 가까운 쪽에는 대전체와 다른 전하가, 먼 쪽에는 대전체와 같은 전하가 유도된다.

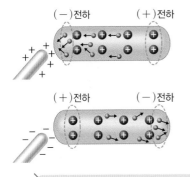

(−)전하   (+)전하

(+)전하   (−)전하

전자가 대전체와 전기력에 의해 끌려오거나 밀려나기 때문에 도체가 전하를 띤다.

②-2 검전기

① **검전기**: 정전기 유도를 이용하여 물체의 대전 여부 등을 알아내는 데 이용하는 기구

금속판
절연체
금속 막대
금속박
유리병

(−)전하를 끌어당김
전자가 이동
(+)전하끼리 밀어냄

② **원리**: 대전체를 금속판에 가까이 하면 정전기 유도가 일어나 금속박이 **척력을 받아 벌어진다**.

③ **검전기로 알 수 있는 사실**

- 물체의 대전 여부
- 대전된 물체의 전하량 비교
- 대전된 물체의 전하의 종류

01 오른쪽 그림은 원자의 구조를 나타낸 것이다. A와 B에 대한 설명으로 옳은 것을 보기에서 모두 고른 것은?

보기
ㄱ. A는 B보다 질량이 매우 작다.
ㄴ. A는 (+)전하, B는 (−)전하를 띤다.
ㄷ. 서로 다른 두 물체를 마찰하면 B가 이동하여 물체가 대전된다.

① ㄱ   ② ㄴ   ③ ㄷ
④ ㄱ, ㄴ   ⑤ ㄴ, ㄷ

02 그림 (가)는 원자의 구조를, (나)는 털가죽으로 에보나이트 막대를 문지르는 것을 나타낸 것이다.

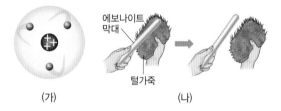

(가)   (나)

이에 대한 설명으로 옳지 <u>않은</u> 것은?
① 원자핵이 원자 가운데 있고, 그 주위를 전자가 돌고 있다.
② 원자는 항상 (+)전하량이 (−)전하량보다 커서 (+)전하를 띤다.
③ 마찰 후 에보나이트 막대와 털가죽은 서로 끌어당기는 힘이 작용한다.
④ 털가죽과 에보나이트를 마찰하는 동안 (−)전하를 띤 전자가 이동한다.
⑤ 한 물체를 마찰할 때 마찰하는 물체에 따라 물체에 대전되는 전하가 달라진다.

03 마찰 전기에 대한 설명으로 옳은 것은?
① 마찰 과정에서 원자핵이 이동한다.
② 전자를 잃은 물체는 (−)전하를 띤다.
③ 두 물체를 마찰하면 물체 사이에 척력이 작용한다.
④ 서로 다른 두 물체를 마찰하면 서로 같은 전하를 띤다.
⑤ 두 물체를 마찰하여 물체가 전하를 띠게 되더라도 두 물체의 전체 전하량은 달라지지 않고 보존된다.

[04~05] 그림은 두 물체 A와 B의 마찰 전과 후의 모습을 나타낸 것이다.

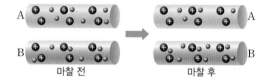

마찰 전   마찰 후

04 A와 B를 마찰했을 때 일어나는 상황에 대한 설명으로 옳은 것을 보기에서 모두 고른 것은?

보기
ㄱ. 마찰 과정에서 전자가 A에서 B로 이동한다.
ㄴ. 마찰 후 A는 (−)전하를 띠고, B는 (+)전하를 띤다.
ㄷ. 마찰 전후 A와 B의 전하량의 합은 변하지 않는다.

① ㄱ   ② ㄴ   ③ ㄷ
④ ㄱ, ㄷ   ⑤ ㄴ, ㄷ

05 마찰 후 A, B에 작용하는 힘과 그 까닭이 옳은 것은?
① 척력 − A와 B가 서로 같은 전하를 띠기 때문
② 척력 − A와 B가 서로 다른 전하를 띠기 때문
③ 인력 − A와 B가 서로 같은 전하를 띠기 때문
④ 인력 − A와 B가 서로 다른 전하를 띠기 때문
⑤ 아무런 힘도 작용하지 않는다. − A, B 모두 대전되지 않기 때문

06 그림은 대전된 고무풍선 A, B, C를 절연된 실에 매달아 2개씩 가까이 하였을 때의 모습을 나타낸 것이다.

이에 대한 설명으로 옳은 것을 보기에서 모두 고른 것은?

보기
ㄱ. A와 B는 같은 전하를 띤다.
ㄴ. A와 C는 다른 전하를 띤다.
ㄷ. B와 C를 서로 가까이 하면 척력이 작용한다.

① ㄱ   ② ㄴ   ③ ㄷ
④ ㄱ, ㄴ   ⑤ ㄴ, ㄷ

07 그림과 같이 미끄럼틀을 타고 내려오면 머리가 부스스해질 때가 있다.

이와 같은 원리에 의한 현상이 아닌 것은?
① 걸을 때 치마가 다리에 달라붙는다.
② 스웨터를 벗을 때 바지직 소리가 난다.
③ 옷에 문지른 고무풍선이 옷에 달라붙는다.
④ 머리를 빗을 때 머리카락이 빗에 달라붙는다.
⑤ 자석의 같은 극끼리는 밀어내고, 다른 극끼리는 끌어 당긴다.

[08~09] 그림은 대전되지 않은 금속 막대를 유리 비커 위에 올려놓고, (+)대전체를 금속 막대의 A에 가까이 한 것을 나타낸 것이다.

08 (+)대전체를 가까이 했을 때 금속 막대에 대한 설명으로 옳은 것은?
① A 부분은 (+)전하로 대전되었다.
② B 부분은 (−)전하로 대전되었다.
③ 전자가 A에서 B 쪽으로 이동하였다.
④ 원자핵이 A에서 B 쪽으로 이동하였다.
⑤ (+)대전체를 멀리 하면 금속 막대는 전하를 띠지 않는다.

09 (+)대전체를 A에 가까이 했을 때 금속 막대에서의 전하 분포를 가장 잘 나타낸 것은?

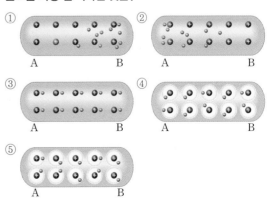

10 그림 (가)는 2개의 쇠구슬 A, B를 절연된 실에 매달아 서로 접촉시킨 상태에서 (+)대전체를 A에 가까이 한 것을 나타낸 것이고, (나)는 이 상태에서 A와 B를 떨어뜨린 후 (+)대전체를 멀리 한 것을 나타낸 것이다.

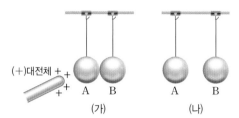

(가)   (나)

이에 대한 설명으로 옳은 것은?

① (가)에서 전자는 B로 이동한다.

② (가)에서 B는 (−)전하를 띤다.

③ (가)에서 정전기 유도가 일어난다.

④ (나)에서 A는 (+)전하를 띤다.

⑤ (나)에서 A와 B 사이에는 척력이 작용한다.

11 오른쪽 그림은 대전되지 않은 검전기의 금속판에 (+)전하로 대전된 대전체를 가까이 하였을 때 검전기의 금속박이 벌어진 것을 나타낸 것이다. 이때 검전기의 전하 분포로 옳은 것은?

①  ②   ③

④   ⑤

12 오른쪽 그림은 (+)전하로 대전된 검전기에 어떤 대전체를 가까이 하였을 때 금속박이 오므라드는 것을 나타낸 것이다. 이 대전체가 띠는 전하의 종류와 검전기에서 전자의 이동을 옳게 짝 지은 것은?

	대전체가 띤 전하	전자의 이동
①	(+)전하	A
②	(+)전하	B
③	(−)전하	A
④	(−)전하	B
⑤	중성	이동 안 함

13 그림 (가)는 전기적으로 중성인 두 금속 막대 P, Q를 붙여 놓은 후 (+)전하로 대전된 막대를 A에 가까이 한 것을 나타낸 것이고, (나)는 (가)에서 두 금속 막대를 떨어뜨려 놓은 후 대전된 막대를 멀리 한 것을 나타낸 것이다. A~F는 금속 막대의 한 지점을 나타낸 것이다.

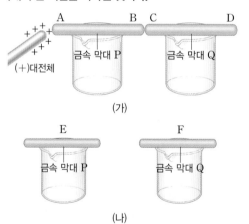

(가), (나)에서 A~F에 유도된 전하의 종류를 옳게 짝 지은 것은?

	A	B	C	D	E	F
①	(+)	(−)	(+)	(−)	(+)	(−)
②	(+)	중성	중성	(−)	(+)	(−)
③	(−)	(+)	(−)	(+)	중성	중성
④	(−)	중성	중성	(+)	(−)	(+)
⑤	(−)	중성	중성	(+)	(+)	(−)

01 그림은 비닐 끈을 털가죽으로 문질러 대전시킨 후, 명주 헝겊으로 문지른 PVC 막대를 이용해 공중에 띄우는 것을 나타낸 것이다.

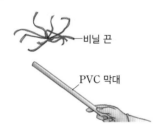

이에 대한 설명으로 옳은 것을 보기에서 모두 고른 것은?

┌─ 보기 ─────────────────────────────┐
ㄱ. 비닐 끈과 PVC 막대는 같은 전하를 띠고 있다.
ㄴ. 비닐 끈이 펼쳐지는 것은 비닐 끈 사이에 척력이 작용하기 때문이다.
ㄷ. 대전되지 않은 비닐 끈과 PVC 막대를 서로 마찰시킨 후 실험해도 공중에 비닐 끈을 띄울 수 있다.
└─────────────────────────────────┘

① ㄱ   ② ㄴ   ③ ㄷ
④ ㄱ, ㄴ   ⑤ ㄴ, ㄷ

02 오른쪽 그림은 (−)전하로 대전된 검전기에 대전체를 가까이 하였을 때 금속박이 처음보다 더 벌어진 것을 나타낸 것이다. 이에 대한 설명으로 옳은 것을 보기에서 모두 고른 것은?

┌─ 보기 ─────────────────────────────┐
ㄱ. 대전체는 (+)전하를 띠고 있다.
ㄴ. 금속판에 (−)전하가 더 모인다.
ㄷ. 전자가 금속판에서 금속박으로 이동하였다.
└─────────────────────────────────┘

① ㄱ   ② ㄴ   ③ ㄷ
④ ㄱ, ㄴ   ⑤ ㄴ, ㄷ

03 오른쪽 그림은 (−)대전체를 절연된 실에 매달린 금속 구에 가까이 한 후, 다른 금속 구에 손가락을 접촉시키는 것을 나타낸 것이다. 손가락과 (−)대전체를 동시에 치웠을 때, 금속 구에 대전된 전하와 금속 구의 모습을 옳게 나타낸 것은?

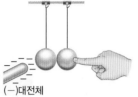

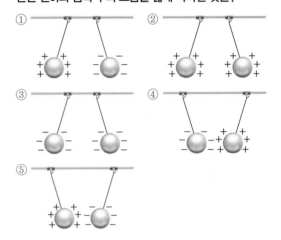

04 그림은 (−)전하로 대전된 플라스틱 막대를 금속 막대의 A에 가까이 하였을 때 금속 막대의 B 근처에 둔 검전기의 금속박이 벌어진 것을 나타낸 것이다.

A~D 부분에 유도된 전하의 종류를 옳게 짝 지은 것은?

	A	B	C	D
①	(+)	(−)	(+)	(−)
②	(+)	(+)	(−)	(−)
③	(−)	(+)	(−)	(+)
④	(−)	(−)	(+)	(+)
⑤	(−)	중성	중성	(+)

☞ 제시된 Keyword를 이용하여 문제를 해결해 보자.

1 그림은 고무풍선으로 머리카락을 문질렀을 때 머리카락이 고무풍선에 달라붙는 것을 나타낸 것이다.

고무풍선에 머리카락이 달라붙는 까닭을 설명하시오.

Keyword 마찰 전기, 전하, 인력

_____

_____

_____

2 표는 물체 A, B, C, D를 서로 마찰하였을 때, (+)전하를 띠는 물체와 (−)전하를 띠는 물체를 나타낸 것이다.

물체	(+)전하를 띠는 물체	(−)전하를 띠는 물체
A와 B	B	A
B와 C	B	C
A와 C	C	A
D와 A	A	D

A~D를 전자를 잘 잃는 순서대로 나열하고, 그 까닭을 설명하시오.

Keyword 마찰, 전자

_____

_____

_____

3 그림은 (−)전하로 대전된 금속 구와 대전되지 않은 금속 막대를 나타낸 것이다.

금속 구를 금속 막대에 가까이 한 후 접촉시킨다면 접촉시키기 전과 후의 금속 구의 움직임을 그 까닭과 함께 설명하시오.

Keyword 정전기 유도, (+)전하, (−)전하, 인력, 척력

_____

_____

_____

4 그림과 같이 현민이와 선우가 악수를 하려고 손을 잡았더니 손이 따끔하였다.

현민이의 몸이 (+)전하로 대전되어 있다고 할 때, 두 사람의 손 끝에서 일어나는 변화를 전자의 이동으로 설명하시오.

Keyword 정전기 유도, 전자, (+)전하, (−)전하

_____

_____

_____

5 오른쪽 그림은 (−)전하로 대전되어 있는 검전기를 나타낸 것이다.

(1) 검전기의 금속박을 더 벌어지게 하려면 어떤 대전체를 가까이 해야 하는지 그 까닭과 함께 설명하시오.

Keyword 척력, 전하량

_____

_____

(2) 검전기의 금속박을 오므라들게 하려면 어떤 대전체를 가까이 해야 하는지 그 까닭과 함께 설명하시오.

Keyword 인력, 전하량

_____

_____

6 그림과 같이 매달아 놓은 금속 막대의 한 쪽 끝에는 금속 조각을, 다른 쪽 끝에는 (−)대전체를 가까이 하였다.

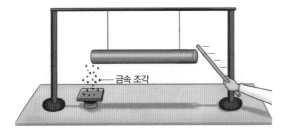

아래 그림에 전하의 분포를 그리고, 금속 막대에 금속 조각이 달라붙게 되는 까닭을 설명하시오.

Keyword 정전기 유도, 전하, 양 끝

_____

_____

_____

7 다음은 검전기를 대전시키는 실험이다.

(1) 그림 (가)와 같이 (−)대전체를 검전기의 금속판에 가까이 한다.

(2) 그림 (나)와 같이 금속판에 손가락을 댄다.

(3) 그림 (다)와 같이 (−)대전체와 손가락을 동시에 치운다.

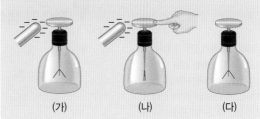

(가)   (나)   (다)

(다)에서 검전기에 대전된 전하의 종류를 쓰고, 그 까닭을 설명하시오.

Keyword 전하, (−)대전체, 전자

_____

_____

_____

8 그림은 대전되지 않은 금속 구 A, B를 전선으로 연결한 후 (+)전하로 대전된 금속 구 C를 가까이 한 것을 나타낸 것이다.

이후 동시에 전선과 C를 치울 때 A와 B의 대전 상태와 그 까닭을 설명하시오.

Keyword 정전기 유도, 대전

_____

_____

_____

02 전압과 전류

우리는 전기를 이용해 전등을 켜고 텔레비전을 본다. 그리고 흔히 '전류가 흘러서' 또는 '전류가 통해서' 불이 켜지거나 소리가 난다고 말한다. 여기서 말하는 전류란 무엇일까? 전류가 흐르기 위해서 어떤 것이 필요할까?

① 전류의 생성

1. 전류 정지한 전하를 뜻하는 정전기와 달리 **전류는 전하의 흐름**을 말한다.

(1) **전하의 이동**: (가)와 같이 한쪽만 대전된 두 금속 구를 (나)와 같이 구리선으로 연결하면 전하가 이동한다. 이때 두 금속 구의 전하량이 같아질 때까지 전하가 일시적으로 이동한다.

(2) **전류**: 도선을 통한 전하의 흐름을 전류라고 한다. 다른 전하를 띠고 있는 두 물체나 전하량이 다른 두 물체를 도선으로 연결하면 전하가 이동하여 전류가 흐르게 된다. 〔과학 용어 사전 233쪽〕

(3) **전기 회로**: 전류가 흐를 수 있도록 전기 기구들을 도선으로 연결한 것을 전기 회로, 전기 기구를 간단한 기호로 나타내어 선으로 연결한 것을 회로도라고 한다.

움직이지 않는 전하에 의한 정전기 현상

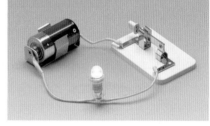

움직이는 전하에 의해 전류가 흐르는 전기 회로

(4) **물의 흐름과 전기 회로의 비유**: 펌프에 의해 물이 계속 흐르면서 물레방아를 돌리듯이 전지에 의해 전류가 계속 흐르면서 전구에 불을 켜는 일을 한다.

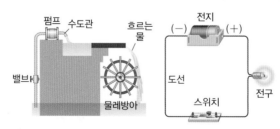

물의 흐름과 전기 회로의 비유

물의 흐름	전기 회로
펌프	전지
흐르는 물	전류
물레방아	전구(저항)
수도관(파이프)	도선
밸브	스위치

정전기 현상에서 전하가 일시적으로 흐르다가 멈추는 까닭

전하가 계속 흐르기 위해서는 전하들이 계속 공급되어야 한다. 정전기 현상에서 전하들은 계속 공급될 수 없으므로 일시적으로 흐르다가 멈추는 것이다.

전기 기호

전지	—┤├—
스위치	—◦╱◦—
전류계	—(A)—
전구	—(Ω)—
저항	—/\/\/—
전압계	—(V)—

2. 전류의 방향과 세기

(1) **전류의 방향**: 전지의 (+)극 → 전지의 (−)극

(2) **전자의 이동 방향**: 전지의 (−)극 → 전지의 (+)극

(3) **도선 속에서 전자의 이동**: 전류가 흐르지 않을 때
는 전자가 무질서하게 움직이지만, 전지를 연결
하면 전자는 전지의 (−)극에서 (+)극 방향의
일정한 방향으로 이동한다.

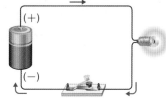

전류의 방향

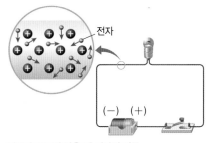

전류가 흐르지 않을 때 전자의 이동

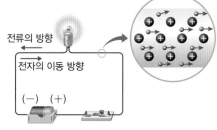

전류가 흐를 때 전자의 이동

(4) **전류의 세기**: 도선의 단면을 통해 단위 시간당 이동하는 전하량으로 나타낸다.

　① 전류의 단위: A(암페어) 또는 mA(밀리암페어)를 사용하며, $1\,mA = \dfrac{1}{1000}\,A$
　　이다.

　② 전기 회로에서 전류가 흐를 때 전자는 없어지거나 새로 생기지 않고 그 양이 일
　　정하게 유지된다.

자료 더하기　　전하량 보존 법칙

전하량은 어떤 물체가 지닌 전하의 양으로 전기 회로에서는 도선의
단면을 통해 일정한 시간 동안 통과한 전하의 총량을 의미한다.

> **전하량＝전류×시간**

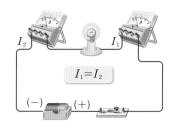

$$I_1 = I_2$$

도선에 전류가 흐르면 전하가 이동하여 전구에 불이 켜진다. 이때
도선의 중간에 끊어진 부분이나 합쳐지는 부분이 없다면 전하는 없
어지거나 새로 생겨나지 않고 그 수가 일정하게 유지된다. 즉, 전하
는 소모되거나 새로 생기지 않으며 항상 처음의 양이 그대로 보존되는데, 이것을 전하량 보존 법칙이라고
한다. 따라서 그림처럼 한 줄로 연결된 회로에서는 도선 어디에서나 같은 시간 동안 통과하는 전하량이 같
으므로 전류의 세기가 같다.

학습 내용 Check

정답과 해설 017 쪽

1. 전류는 _____의 흐름을 말하며, 전류가 흐르도록 도선으로 연결한 것을 _____라고 한다.
2. 전류는 전지의 _____극에서 _____극으로 흐르며, 전류의 방향은 전자의 이동 방향과
　　 _____이다.
3. 전류의 단위는 _____ 또는 mA(밀리암페어)를 사용하며, 1 mA는 _____A이다.

**전류의 방향과 전자의 이동 방향
이 반대인 까닭**

과학자들은 전류를 처음 발견했을
당시 전자의 존재를 알지 못했다.
그래서 전류를 전지의 (+)극에서
(−)극으로 이동하는 것으로 약속
하였고, 이후 전자가 발견되어 이
동 방향이 반대라는 것을 알게 되
었지만 전류의 방향은 그대로 사
용하기로 하였다.

1 A의 크기

1초 동안 도선의 단면을 통해 전
자 6.25×10^{18}개가 통과할 때의 전
류의 세기이다.

전류계의 연결

전류계는 회로에 직렬로 연결한다.

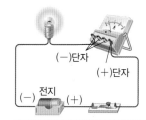

② 전압과 전류의 관계

1. 전압   회로에 전류를 흐르게 하는 능력을 전압이라고 한다. 물이 수압에 의해 흐르는 것처럼 전류도 전압에 의해 흐른다.

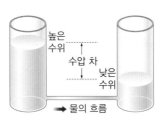

일시적인 물의 흐름   연속적인 물의 흐름

(1) 전압의 단위: V(볼트)를 사용한다.
(2) 회로에서 전압을 유지하는 전지: 물을 계속 흐르게 하기 위해서 펌프와 같이 물의 높이차를 계속 유지해 주는 장치가 있어야 한다. 회로에서도 전류를 흐르게 하기 위해서는 전압을 계속 유지해 주는 전지가 필요하다.

2. 전지의 연결
(1) **전지의 직렬연결**: 전지의 (+)극과 (−)극을 교대로 연결하는 방법이다.
(2) **전지의 병렬연결**: 전지의 (+)극은 (+)극끼리, (−)극은 (−)극끼리 연결하는 방법이다.

구분	전지의 직렬연결	전지의 병렬연결
물통의 연결에 비유	펌프를 위아래로 직렬연결하면 물의 높이가 높아져 수압이 커지므로 물레방아를 더 빠르게 돌릴 수 있다. 전지도 이처럼 직렬연결하면 전압이 커진다.	펌프를 가로로 병렬연결하면 물의 높이가 일정하므로 수압도 일정하다. 전지도 이처럼 병렬연결하면 전지 1개일 때와 같은 전압을 가진다.
전체 전압	전체 전압은 연결한 전지의 개수에 비례한다. 즉, 전지를 연결할수록 전압이 커진다. $$V = V_1 + V_2$$	전체 전압은 연결한 전지의 개수와 관계없이 항상 일정하다. 즉, 전지 1개의 전압과 같다. $$V = V_1 = V_2$$
특징	• 높은 전압을 얻을 수 있다. • 전지의 사용 시간은 1개일 때와 같다.	• 전압의 크기는 전지 1개일 때와 같다. • 전지를 연결한 수만큼 오래 사용할 수 있다.

V(볼트)

전압의 단위이다. 전압이 큰 전지일수록 전자가 전지를 지나며 더 많은 에너지를 얻는 것을 의미한다.

 전지

전지는 전하가 저항에서 일을 할 수 있도록 에너지를 공급하는 부분으로, 화학 에너지를 전기 에너지로 전환하는 장치이다. 전지는 연결 방법에 따라 전체 전압과 수명이 달라진다.

3. 전압과 전류의 관계 탐구 094쪽

그림 (가)와 같이 회로를 연결하고 전압을 조절하면서 니크롬선에 흐르는 전류를 측정하면, (나)와 같이 전압과 전류가 비례함을 알 수 있다. 이를 옴의 법칙이라고 한다.

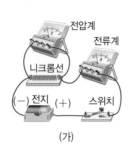
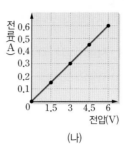

(가) (나)

(1) **저항**: 전류의 흐름을 방해하는 정도를 전기 저항 또는 저항이라고 한다.

① 저항의 단위: Ω(옴)을 사용한다.

② 1 Ω: 1 V의 전압을 걸었을 때 1 A의 전류가 흐르는 저항의 크기이다.

(2) **전류, 전압, 저항의 관계**: 저항에 흐르는 전류의 세기는 저항에 걸린 전압에 비례하고, 저항에 반비례한다. 과학 용어 사전 233쪽

$$전류 \propto 전압, \quad 전류 \propto \frac{1}{저항} \rightarrow 전류 = \frac{전압}{저항}, \quad I = \frac{V}{R}$$

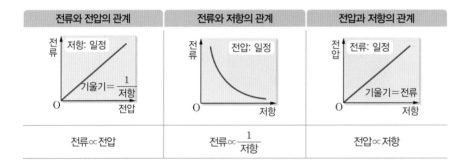

전류와 전압의 관계	전류와 저항의 관계	전압과 저항의 관계
저항: 일정 기울기 = $\frac{1}{저항}$	전압: 일정	전류: 일정 기울기 = 전류
전류 $\propto$ 전압	전류 $\propto \frac{1}{저항}$	전압 $\propto$ 저항

자료 더하기 그래프의 기울기와 저항

같은 회로에 짧은 니크롬선과 긴 니크롬선을 각각 연결하여 니크롬선에 걸리는 전압과 전류를 측정하면 오른쪽 그림과 같은 그래프를 얻는다. 이로부터 전기 저항이 일정함을 알 수 있고, 전류-전압 그래프에서 기울기는 $\frac{1}{저항}$과 같으므로 그래프의 기울기가 클수록 저항의 크기가 작다는 것을 알 수 있다.

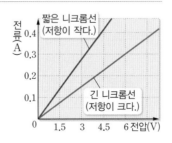

학습 내용 Check

정답과 해설 017 쪽

1. 회로에 전류를 흐르게 하는 능력을 _____이라고 하며, 단위는 _____를 사용한다.

2. 전류의 흐름을 방해하는 정도를 _____이라고 하며, 단위는 _____을 사용한다.

3. 저항에 흐르는 전류의 세기는 저항에 걸리는 _____에 비례한다. 이것을 _____이라고 한다.

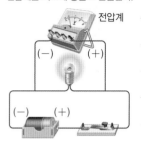

전압계 연결

전압계는 회로에 병렬로 연결한다.

전압계와 전류계 사용법

• 영점 조절 나사를 이용하여 영점을 조절하여 사용한다.

• 전류계와 전압계의 (+)단자는 전지의 (+)극 쪽에, (−)단자는 전지의 (−)극 쪽에 연결한다.

• 전류계와 전압계의 (−)단자에는 그 단자에 연결하여 측정할 수 있는 최댓값이 표시되어 있으므로 큰 값의 단자부터 차례로 연결한다.

• 전류계와 전압계의 눈금판에서 전류계와 전압계를 연결한 (−)단자에 해당하는 눈금을 읽는다.

③ 저항의 연결

1. 저항의 크기와 연결

(1) **저항의 크기**: 저항은 도선의 길이에 비례하고 단면적에 반비례한다.

① 도선의 길이와 저항: 도선의 길이가 길수록 저항이 크다.

② 도선의 단면적과 저항: 도선의 단면적이 작을수록 저항이 크다.

(2) **물질에 따른 저항의 크기**: 도선의 단면적과 길이가 같더라도 물질의 종류에 따라 저항이 다르다.

(3) **저항의 연결**: 저항의 연결 방법에 따라 저항에 걸리는 전압이나 전류의 세기가 달라진다. 따라서 저항을 연결할 때는 그 쓰임에 따라 연결 방법을 다르게 해야 한다.

2. 저항의 직렬연결

저항을 직렬연결하면 전류가 흐를 수 있는 길이 하나이므로 모든 저항에 흐르는 전류의 세기는 같다. 전류의 세기가 모두 같기 때문에 각 저항에 걸리는 전압은 저항에 비례한다. 그리고 저항들이 한 줄로 연결되어 있어서 각 저항에 걸리는 전압을 더한 것이 전체 전압이 된다.

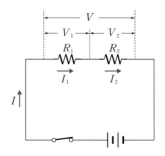

저항의 직렬연결 저항에 흐르는 전류의 세기가 같으므로 전구의 밝기가 같다.

저항을 직렬연결한 회로도

(1) **전류의 세기**: 각 저항에 흐르는 전류의 세기는 같다. → $I=I_1=I_2$

(2) **전압의 크기**: 전체 전압은 각 저항에 걸리는 전압의 합과 같다. → $V=V_1+V_2$

(3) **직렬 회로의 특징**

① 어느 한 전기 기구의 연결이 끊어지면 전체 회로가 작동하지 않는다.

② 직렬로 연결된 전기 기구에는 같은 세기의 전류가 흐른다.

⑩ 한 줄로 연결된 전구, 누전 차단기, 퓨즈 등

자료➕더하기　　**직렬연결에서 저항의 크기**

저항의 직렬연결에서 저항에 걸리는 전압의 합이 전체 전압이다. 여기에 옴의 법칙($V=IR$)을 적용하면

$$V=V_1+V_2 \implies IR=I_1R_1+I_2R_2$$

직렬연결에서는 전류가 모두 같다. 즉, $I=I_1=I_2$이므로

$$IR=I(R_1+R_2)$$

따라서 직렬연결에서 저항의 크기는 다음과 같다.

$$R=R_1+R_2$$

여러 가지 물질의 비저항

단면적과 길이를 일정하게 하여 비교한 저항값을 비저항이라고 한다. **과학 용어 사전 233쪽**

물질	비저항 $(\Omega \cdot m, 20\,^{\circ}C)$
은	1.6×10^{-8}
구리	1.7×10^{-8}
알루미늄	2.7×10^{-8}
텅스텐	5.6×10^{-8}
철	9.7×10^{-8}
저마늄(반도체)	0.6
규소(반도체)	2300
유리	$10^{10}\sim10^{14}$
고무	$10^{13}\sim10^{16}$
나무	$10^{8}\sim10^{11}$

직렬연결의 예

• 크리스마스트리의 동시에 반짝이는 전구들은 직렬연결되어 모든 전구가 함께 꺼지고 켜진다.

• 누전 차단기는 집 안의 전기 배선에 직렬연결되어 과도한 전류가 흐를 때 전류를 동시에 차단한다.

3. **저항의 병렬연결** 저항을 병렬연결하면 각 저항의 양쪽은 같은 점에 연결되어 있으므로 모든 저항에 걸리는 전압이 같다. 따라서 저항에 흐르는 전류는 각각의 저항에 반비례한다. 그리고 전지에서 나온 전류는 각 저항으로 나뉘어 흐르므로 전체 전류는 각 저항에 흐르는 전류의 합과 같다.

저항의 **병렬연결** 저항에 걸리는 전압이 같다. 이때 저항의 크기가 같으면 저항에 흐르는 전류의 세기도 같다.

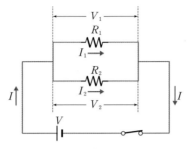

저항을 병렬연결한 회로도

(1) **전압의 크기**: 각 저항에 걸리는 전압은 같다. → $V=V_1=V_2$

(2) **전류의 세기**: 전체 전류는 각 저항에 흐르는 전류의 합과 같다. → $I=I_1+I_2$

(3) **병렬 회로의 특징**

    ① 어느 한 전기 기구의 연결이 끊어져도 다른 회로에 영향을 주지 않는다.

    ② 병렬로 연결된 모든 전기 기구에는 같은 전압이 걸린다.

      예 멀티탭, 가정용 전기 배선 등

자료⁺더하기   **병렬연결에서 저항의 크기**

저항의 병렬연결에서 저항에 흐르는 전류의 합이 전체 전류이다. 여기에 옴의 법칙($V=IR$)을 적용하면

$$I=I_1+I_2 \implies \frac{V}{R}=\frac{V_1}{R_1}+\frac{V_2}{R_2}$$

병렬연결에서는 전압이 모두 같다. 즉, $V=V_1=V_2$이므로

$$\frac{V}{R}=V\left(\frac{1}{R_1}+\frac{1}{R_2}\right)$$

따라서 병렬연결에서 저항의 크기는 다음과 같다.

$$\frac{1}{R}=\frac{1}{R_1}+\frac{1}{R_2}$$

병렬연결의 예

• 멀티탭에 연결된 전기 기구는 병렬연결되어 각각 따로 켜거나 끌 수 있다.

220 V   220 V   220 V

• 건물의 전기 배선은 병렬연결되어 모두 같은 전압이 걸리고, 따로 켜거나 끌 수 있다.

전등   냉장고   세탁기

학습 내용 Check   정답과 해설 017쪽

1. 저항의 크기는 도선의 길이에 _____하고, 도선의 단면적에 _____한다.

2. 직렬연결에서는 _____가 일정하고, 병렬연결에서는 _____이 일정하다.

3. 직렬연결에서는 각 저항에 걸리는 _____의 합이 전체 _____과 같다.

4. 병렬연결에서는 각 저항에 흐르는 _____의 합이 전체 _____와 같다.

탐구 전압과 전류의 관계 알아보기

저항에 걸린 전압과 전류 사이의 관계를 설명할 수 있다.

과정 및 결과

❶ 그림과 같이 니크롬선에 직류 전원 장치, 전류계, 전압계, 스위치를 연결한다.

❷ 직류 전원 장치를 켜고 전압이 1.5 V가 되게 조절한 후, 스위치를 닫아 니크롬선에 걸린 전압과 전류를 측정한다.

❸ 직류 전원 장치의 전압을 1.5 V씩 증가시키면서 니크롬선에 걸린 전압과 전류를 측정한다.

❹ 니크롬선을 길이가 다른 것으로 바꾸어 ❶~❸의 과정을 반복한다.

전압	짧은 니크롬선에 흐르는 전류	긴 니크롬선에 흐르는 전류
1.5 V	0.2 A	0.1 A
3 V	0.4 A	0.2 A
4.5 V	0.6 A	0.3 A
6 V	0.8 A	0.4 A

결과 해석 및 정리

1. 전압이 2배, 3배로 증가하면 전류의 세기도 2배, 3배로 증가한다. → 전압과 전류는 비례 관계이다.

2. 저항이 일정할 때 전류의 세기는 전압에 비례한다. → 전압과 전류의 비는 일정하며, 전류에 대한 전압의 비를 저항이라고 한다.

3. 저항의 길이가 길수록 저항의 크기가 크며, 짧은 니크롬선보다 긴 니크롬선에 흐르는 전류의 세기가 작다. → 전압이 일정할 때 전류는 저항에 반비례한다.

탐구 확인 문제

정답과 해설 017쪽

1 빈칸에 알맞은 말을 쓰시오.

(1) 전류계는 저항과 _____로 연결해야 한다.

(2) 전압계는 저항과 _____로 연결해야 한다.

2 위 탐구에 대한 설명으로 옳은 것은 ○, 옳지 않은 것은 ×로 표시하시오.

(1) 니크롬선에 걸리는 전압을 크게 하면 니크롬선에 흐르는 전류의 세기는 증가한다. ·························· ( )

(2) 전류에 대한 전압의 비를 저항이라고 한다. ······ ( )

(3) 더 긴 니크롬선으로 실험을 하면 전류의 세기가 크게 측정된다. ····························· ( )

3 ^{적용} 오른쪽 그림은 니크롬선 A, B를 사용하여 위 탐구와 같이 실험한 결과를 나타낸 것이다. 이에 대한 설명으로 옳은 것은?

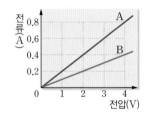

① 전류의 세기는 저항에 비례한다.

② 저항의 크기는 B가 A보다 크다.

③ 전류에 대한 전압의 비는 A와 B가 같다.

④ 전압이 같으면 모든 저항에 같은 세기의 전류가 흐른다.

⑤ 전류의 세기가 같으면 저항이 클수록 저항에 걸리는 전압이 작다.

중단원 핵심 정리

1 전류의 생성

① 전류: 전하의 흐름

② 전류의 방향

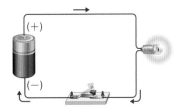

> • 전류의 방향: 전지의 $(+)$극 → $(-)$극
> • 전자의 이동 방향: 전지의 $(-)$극 → $(+)$극

→ 전류의 방향과 전자의 이동 방향은 서로 반대이다.

③ 전류의 세기: 단위 시간당 이동하는 전하량
- 단위: A(암페어) 또는 mA(밀리암페어)
- $1\,mA = \dfrac{1}{1000}\,A$

2 전압과 전류의 관계

① 전압: 회로에 전류를 흐르게 하는 능력

② 저항: 전류의 흐름을 방해하는 정도

③ 전압과 전류의 관계: 전류와 전압은 비례한다. 이를 옴의 법칙이라고 한다.

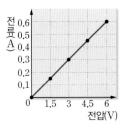

④ 전류, 전압, 저항 사이의 관계: 전류의 세기는 저항에 걸린 전압에 비례하고, 저항에 반비례한다.

> 전류∝전압, 전류∝$\dfrac{1}{저항}$ ➡ 전류=$\dfrac{전압}{저항}$, $I=\dfrac{V}{R}$

3-1 저항의 직렬연결

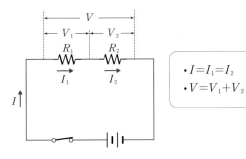

> • $I = I_1 = I_2$
> • $V = V_1 + V_2$

• 특징

> 전류가 일정하고 전체 전압은 저항에 걸리는 전압의 합과 같다.

• 예: 한 줄로 연결된 전구, 누전 차단기 등

3-2 저항의 병렬연결

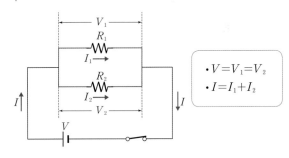

> • $V = V_1 = V_2$
> • $I = I_1 + I_2$

• 특징

> 전압이 일정하고 전체 전류는 각 저항에 흐르는 전류의 합과 같다.

• 예: 멀티탭, 가정용 배선 등

01 그림은 물의 흐름을 전기 회로에 비유한 것이다.

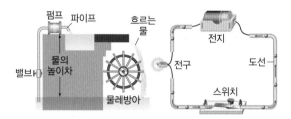

두 모형에서 역할이 비슷한 것을 옳게 짝 지은 것은?

① 펌프 — 전구
② 파이프 — 전지
③ 밸브 — 도선
④ 물레방아 — 스위치
⑤ 물의 높이차 — 전압

[02~03] 그림과 같이 전지에 전구를 연결한 후 스위치를 누르면 불이 켜진다.

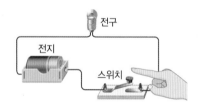

02 전기 회로에 전류가 흘러 전구에 불이 켜지는 까닭을 옳게 설명한 것은?

① 도선을 따라 전지에서 나온 빛이 흐르기 때문
② 도선을 따라 (+)전하를 띤 원자핵이 이동하기 때문
③ 도선을 따라 (−)전하를 띤 원자핵이 이동하기 때문
④ 도선을 따라 (−)전하를 띤 전자가 이동하기 때문
⑤ 도선을 따라 (+)전하를 띤 전자가 이동하기 때문

03 위 회로에서 전지가 하는 역할로 옳은 것은?

① 전자를 만들어 전구에 공급한다.
② 원자핵을 만들어 그 수를 늘린다.
③ 전자가 에너지를 갖고 흐르게 한다.
④ 회로에서 이동하는 전자의 수를 줄인다.
⑤ 원자핵이 이동할 수 있도록 에너지를 공급한다.

04 전기 회로에서 전기 기구의 기호를 옳게 나타낸 것은?

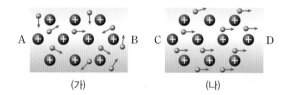

05 그림 (가), (나)는 도선에서 전자의 이동을 나타낸 것이다.

A (가) B   C (나) D

이에 대한 설명으로 옳은 것을 보기에서 모두 고른 것은?

보기
ㄱ. (가)에서 전류의 방향은 A → B 방향이다.
ㄴ. (나)에서 C 쪽은 전지의 (−)극과 연결되어 있다.
ㄷ. (가)는 전류가 흐르지 않는 상태, (나)는 전류가 흐르는 상태를 나타낸다.

① ㄱ   ② ㄴ   ③ ㄷ
④ ㄱ, ㄴ   ⑤ ㄴ, ㄷ

06 오른쪽 그림은 전지에 전구를 연결하여 전류를 흐르게 한 것을 나타낸 것이다. 이때 A와 B 방향으로 이동하는 것을 옳게 짝 지은 것은?

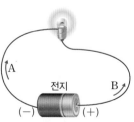

	A	B		A	B
①	전자	전류	④	전자	원자핵
②	전류	전자	⑤	전류	원자핵
③	원자핵	전류			

07 그림과 같이 동일한 전구 a, b를 직렬로 연결하고 전류계 1 ~3으로 전구를 지나기 전과 후의 전류의 세기를 측정하였다. 이때 전류계 1, 2, 3에서 측정한 전류의 세기는 A_1, A_2, A_3이다.

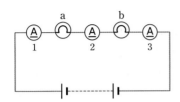

이에 대한 설명으로 옳은 것을 보기에서 모두 고른 것은? (단, 전류가 세게 흐를수록 전구의 밝기가 밝다.)

┌ 보기 ┐
ㄱ. a가 b보다 밝다.
ㄴ. 전류의 세기는 $A_1 < A_2 < A_3$이다.
ㄷ. 같은 시간 동안 전선의 단면을 지나는 전자들의 수는 모두 같다.

① ㄱ　　② ㄴ　　③ ㄷ
④ ㄱ, ㄷ　　⑤ ㄱ, ㄴ, ㄷ

08 저항에 흐르는 전류를 측정하기 위하여 회로에 전류계를 연결한 것으로 옳은 것은?

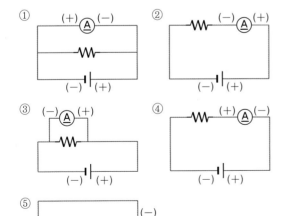

09 다음은 전압과 전류의 관계를 알아보는 실험이다.

(가) 그림의 회로도와 같이 연결한다.
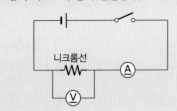

(나) 니크롬선에 걸리는 전압(V)과 흐르는 전류(I)의 세기를 측정한다.

위 실험의 결과로 가장 알맞은 그래프는?

① 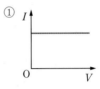　②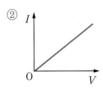

③ 　④

⑤

10 저항에 대한 설명으로 옳지 않은 것은?

① 단위로 Ω(옴)을 사용한다.
② 저항은 $\dfrac{전류}{전압}$의 값과 같다.
③ 전류의 흐름을 방해하는 정도를 의미한다.
④ 저항의 크기는 도선의 길이에 비례하고 단면적에 반비례한다.
⑤ 길이와 단면적이 같더라도 물질의 종류에 따라 전기저항이 다르다.

[11~12] 그림 (가)는 니크롬선 A, B에 각각 전압을 걸어 줄 때 전압에 따른 전류의 변화를 나타낸 것이고, (나)는 (가)의 니크롬선 A, B를 병렬연결한 회로를 나타낸 것이다.

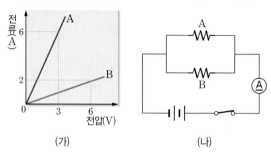

(가)　　　　　　　(나)

11 (가)에서 니크롬선 A와 B의 저항의 비($R_A : R_B$)는?

① 1 : 2　　　② 1 : 3　　　③ 1 : 6

④ 2 : 1　　　⑤ 6 : 1

12 (나)에서 니크롬선 A와 B에 흐르는 전류의 비($I_A : I_B$)와 전압의 비($V_A : V_B$)를 옳게 짝 지은 것은?

	$I_A : I_B$	$V_A : V_B$
①	1 : 1	1 : 1
②	1 : 2	2 : 1
③	3 : 1	6 : 1
④	6 : 1	1 : 1
⑤	6 : 1	1 : 6

13 그림에서 A, B, C의 저항값을 옳게 비교한 것은?

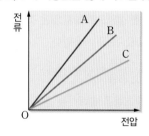

① A>B>C　　　　② A=B=C

③ B>A>C　　　　④ C>A>B

⑤ C>B>A

[14~15] 그림은 전구 2개를 병렬연결한 회로를 나타낸 것이다. 이때 a~d는 회로 내 전선의 한 지점이다.

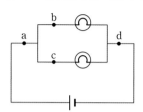

14 a에 흐르는 전류의 세기가 6 A이고, b에 흐르는 전류의 세기가 2 A라면, c와 d에 흐르는 전류의 세기는?

	c	d		c	d
①	2 A	4 A	②	2 A	6 A
③	3 A	6 A	④	4 A	6 A
⑤	4 A	8 A			

15 전류계 하나로 회로 전체에 흐르는 전류의 세기를 측정하려고 할 때, a~d 중 전류계의 연결이 가능한 지점을 모두 골라 쓰시오.

16 그림은 동일한 전구 3개를 연결한 전기 회로를 나타낸 것이다.

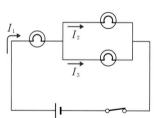

스위치를 닫았을 때, 각 전구에 흐르는 전류의 세기 I_1, I_2, I_3의 관계를 옳게 나타낸 것은?

① $I_1=I_2=I_3$　　　　② $I_1<I_2+I_3$

③ $I_1>I_2>I_3$　　　　④ $I_1=I_2+I_3$

⑤ $I_1+I_2=I_3$

[17~18] 저항값이 같은 두 저항을 그림 (가)는 직렬연결하였고, (나)는 병렬연결하였다. (단, $R_1 = R_2 = R_3 = R_4$이다.)

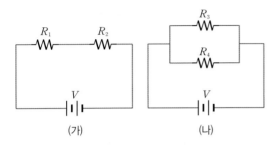

(가)   (나)

17 (가)와 (나)의 회로에 같은 전압 V를 걸어 주었을 때, 저항 R_1과 R_3에 걸리는 전압의 비($V_1 : V_3$)를 쓰시오.

18 (가)와 (나)의 연결 방법에 대한 설명으로 옳은 것을 보기에서 모두 고른 것은?

┌─ 보기 ─────────────────────────────
│ ㄱ. (가)에서 각 저항에 흐르는 전류의 세기가 같다.
│ ㄴ. (나)에서 각 저항에 걸리는 전압의 크기가 같다.
│ ㄷ. (나)에서 각 저항에 흐르는 전류의 합은 전체 전류
│   와 같다.
└──────────────────────────────────

① ㄱ   ② ㄴ   ③ ㄷ
④ ㄱ, ㄷ   ⑤ ㄱ, ㄴ, ㄷ

19 그림은 가정용 전기 배선에 연결된 전기 기구를 나타낸 것이다.

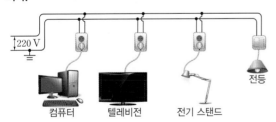

컴퓨터   텔레비전   전기 스탠드

이에 대한 설명으로 옳은 것은?
① 전기 기구는 직렬연결되어 있다.
② 모든 전기 기구에 흐르는 전류의 세기는 같다.
③ 모든 전기 기구에 같은 크기의 전압이 걸린다.
④ 전기 기구를 많이 사용할수록 전체 전류가 약하다.
⑤ 하나가 고장 나면 모든 전기 기구를 사용할 수 없다.

20 그림과 같이 $2\,\Omega$과 $3\,\Omega$의 저항을 직렬연결하였다.

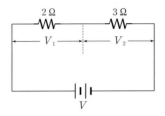

각각의 저항에 걸리는 전압의 비($V_1 : V_2$)는?
① 2 : 3   ② 3 : 2   ③ 6 : 1
④ 5 : 2   ⑤ 2 : 5

[21~22] 그림은 병렬연결한 두 저항 $1\,\Omega$과 $2\,\Omega$을 $9\,V$의 전원에 연결한 것을 나타낸 것이다.

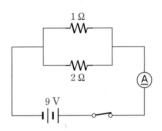

21 이에 대한 설명으로 옳은 것을 보기에서 모두 고른 것은?

┌─ 보기 ─────────────────────────────
│ ㄱ. $1\,\Omega$에 걸리는 전압은 $3\,V$이다.
│ ㄴ. $2\,\Omega$에 흐르는 전류는 $4.5\,A$이다.
│ ㄷ. 두 저항에 흐르는 전류의 세기는 같다.
└──────────────────────────────────

① ㄱ   ② ㄴ   ③ ㄷ
④ ㄱ, ㄷ   ⑤ ㄱ, ㄴ, ㄷ

22 $1\,\Omega$의 저항에 흐르는 전류와 전류계에 흐르는 전류를 각각 옳게 짝 지은 것은?

	$1\,\Omega$	전류계		$1\,\Omega$	전류계
①	$\frac{1}{9}\,A$	$\frac{1}{3}\,A$	②	$\frac{1}{9}\,A$	$\frac{5}{9}\,A$
③	$3\,A$	$9\,A$	④	$9\,A$	$9\,A$
⑤	$9\,A$	$13.5\,A$			

[01~02] 그림 (가)는 전구와 전류계를 연결한 회로를, (나)는 (가) 회로의 한 부분의 전류 흐름을 확대한 것을 나타낸 것이다.

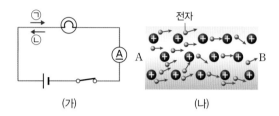

(가)   (나)

01 (가), (나)에서 전류의 방향을 옳게 짝 지은 것은?

① ㉠, A → B   ② ㉠, B → A

③ ㉡, A → B   ④ ㉡, B → A

⑤ 알 수 없다.

02 (가)에서 스위치를 열어 도선에 전류가 흐르지 않을 때 도선 내의 전자의 모형을 옳게 나타낸 것은?

①    ②

③    ④

⑤

03 전류와 전자의 이동 방향에 대한 설명으로 옳은 것을 보기에서 모두 고른 것은?

> **보기**
> ㄱ. 전자는 전지의 (+)극에서 (−)극으로 이동한다.
> ㄴ. 전류의 방향은 전자의 이동 방향과 반대 방향이다.
> ㄷ. 전류가 흐를 때 원자와 전자는 서로 반대 방향으로 이동한다.

① ㄱ   ② ㄴ   ③ ㄷ

④ ㄱ, ㄴ   ⑤ ㄴ, ㄷ

04 오른쪽 그림은 전지 4개를 병렬로 연결한 것을 나타낸 것이다. 이처럼 전지를 계속 병렬로 연결할 때 전지의 개수와 전체 전압 사이의 관계를 옳게 나타낸 그래프는?

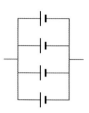

① 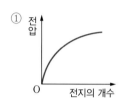   ②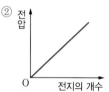

③ 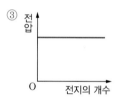   ④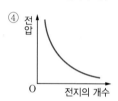

⑤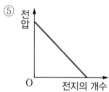

05 전류계와 전압계에 대한 설명으로 옳은 것을 보기에서 모두 고른 것은?

> **보기**
> ㄱ. 전압계의 (+)단자는 전지의 (−)극 쪽에 연결한다.
> ㄴ. 전류계는 회로에 직렬로 연결하고, 전압계는 회로에 병렬로 연결한다.
> ㄷ. 측정 전류의 세기를 예측할 수 없을 경우, (−)단자는 작은 값에서부터 연결하면서 크기를 찾는다.

① ㄱ   ② ㄴ   ③ ㄷ

④ ㄱ, ㄷ   ⑤ ㄱ, ㄴ, ㄷ

[06~07] 그림은 2개의 니크롬선 R_1과 R_2에 걸리는 전압에 따른 전류의 세기를 나타낸 것이다.

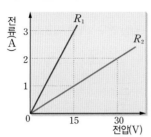

06 이에 대한 설명으로 옳은 것은 보기에서 모두 고른 것은?

┌─ 보기 ──────────────────────────
ㄱ. R_1의 저항값이 R_2의 저항값보다 작다.
ㄴ. R_1과 R_2의 저항을 직렬연결하면 전체 저항은 25 Ω 이다.
ㄷ. 두 니크롬선의 굵기가 같으면 R_2의 길이가 R_1의 길이의 3배이다.
└────────────────────────────────

① ㄱ   ② ㄴ   ③ ㄷ
④ ㄱ, ㄷ   ⑤ ㄱ, ㄴ, ㄷ

07 그림과 같이 R_1과 R_2의 저항을 병렬연결하여 30 V의 전원과 연결했을 때, R_1과 R_2에 각각 흐르는 전류 I_1, I_2의 값을 옳게 짝 지은 것은?

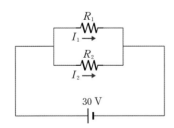

	I_1	I_2		I_1	I_2
①	2 A	6 A	②	2 A	10 A
③	3 A	10 A	④	6 A	2 A
⑤	15 A	15 A			

08 그림과 같이 저항값이 같은 전구 2개를 병렬로 연결하였다.

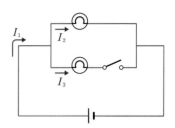

3초 후 스위치를 닫았을 때 I_1에 흐르는 전류의 변화를 그래프로 옳게 나타낸 것은?

① 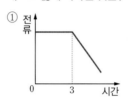   ②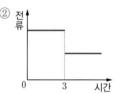

③ 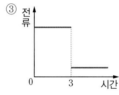   ④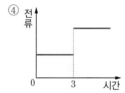

⑤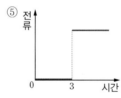

09 그림은 2개의 저항을 병렬연결한 회로를 나타낸 것이다. 전류계 ㉠, ㉡에 측정된 전류가 각각 3 A, 2 A였다.

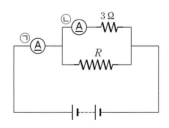

이때 저항 R는 몇 Ω인가?

① 1 Ω   ② 2 Ω   ③ 4 Ω
④ 5 Ω   ⑤ 6 Ω

1 그림은 펌프로 물을 끌어 올려 물레방아를 돌리는 물의 흐름 모형과 전기 회로를 비교한 것이다.

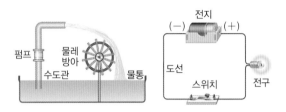

물의 흐름 모형	펌프	물레방아	수도관	물의 흐름
전기 회로	(가)	(나)	도선	전류

전기 회로에서 (가), (나)에 들어갈 회로 요소를 고르고, 그 까닭을 물 흐름 모형과 비교하여 설명하시오.

Keyword 펌프, 물레방아, 물의 흐름 모형

2 그림은 전류가 흐르지 않는 도선에서 전자의 움직임을 나타낸 것이다.

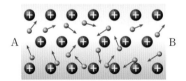

도선의 A에는 전지의 (+)극을 연결하고 B에는 (−)극을 연결할 때, 전자의 이동 방향을 쓰고 그 까닭을 설명하시오.

Keyword (+)극, (−)극, 전자

3 그림은 동일한 전구 2개를 직렬로 연결한 것이다.

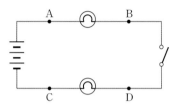

스위치를 닫고 네 지점 A~D 중 임의의 두 지점에 전압계를 연결했을 때, 전압계의 눈금이 0을 가리키는 두 지점을 찾고, 그 까닭을 설명하시오.

Keyword 전압, 저항

4 그림은 전구 2개를 병렬연결한 것을 나타낸 것이다. a~d는 도선 위의 지점을 나타낸다.

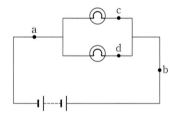

a점에 흐르는 전류의 세기가 0.7 A이고, c점에 흐르는 전류의 세기가 0.4 A일 때, b점과 d점에 흐르는 전류를 구하고, 그 까닭을 회로의 병렬연결의 특징을 이용하여 설명하시오.

Keyword 병렬연결, 전류

5 그림은 저항값이 6 Ω과 3 Ω인 저항 2개를 6 V의 전원과 병렬연결한 것을 나타낸 것이다.

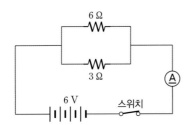

다음은 3 Ω의 저항에 흐르는 전류를 구하기 위한 과정을 서술한 것이다.

> (가) 병렬연결에서는 (a)이 일정하다.
> (나) 3 Ω과 6 Ω의 저항에 걸리는 전압은 (b) V이다.
> (다) 전압＝전류×저항이므로 3 Ω의 저항에 흐르는 전류는 (c) A이다.

빈칸 a~c에 들어갈 말을 쓰고, 같은 방법으로 6 Ω에 흐르는 전류를 그 까닭과 함께 구하시오.

Keyword 병렬연결, 전압

_____

_____

_____

6 그림은 동일한 전구 A, B, C를 직렬연결한 것이다.

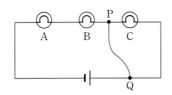

저항이 없는 도선으로 P점과 Q점을 연결할 때 A, B, C의 밝기 변화를 쓰고, 그 까닭을 설명하시오. (단, 전류가 세게 흐를수록 전구의 밝기가 밝다.)

Keyword 전압, 전류

_____

_____

_____

7 그림 (가)~(라)는 저항값이 같은 전구 2개와 전압이 같은 전지 2개를 이용해 전구가 켜지도록 만든 다양한 회로를 나타낸 것이다.

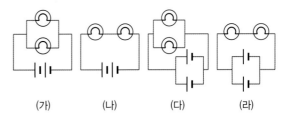

(가)　　　(나)　　　(다)　　　(라)

전구 하나에 가장 센 전류가 흐르는 회로를 고르고, 그 까닭을 저항과 전지의 직렬연결과 병렬연결의 특징을 이용하여 설명하시오.

Keyword 전지의 직렬, 병렬연결, 저항의 직렬연결, 병렬연결

_____

_____

_____

8 그림은 집 안의 전선에 너무 과도한 전류가 흐를 때 전류를 차단할 수 있는 누전 차단기를 나타낸 것이다.

누전 차단기가 집 안의 전선들과 직렬연결과 병렬연결 중 어떻게 연결되어 있는지 쓰고, 그 까닭을 설명하시오.

Keyword 전류, 차단

_____

_____

_____

03 자기

세탁기, 청소기, 엘리베이터 등 매일 사용하는 것들에는 전동기가 들어있다. 전동기는 자기장 속에서 도선에 전류가 흐를 때 도선이 받는 자기력을 이용한 것이다. 자기장 속에서 전류가 흐를 때 자기력은 어느 방향을 향할까?

① 전류에 의한 자기장

1. 자기력과 자기장

(1) **자기력**: 자석과 자석 또는 자석에 붙는 물체와 자석 사이에 작용하는 힘을 자기력이라고 한다. 이때 자석의 같은 극끼리는 미는 힘(척력)이, 다른 극 사이에는 당기는 힘(인력)이 작용한다.

(2) **자기장**: 자석 주위에 자기력이 작용하는 공간을 자기장이라고 하며, 자기력선을 이용하여 나타낼 수 있다.

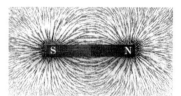

① 자석 주위에 철가루를 뿌리거나 작은 나침반을 놓으면 자기력이 작용하여 철가루나 나침반 바늘이 일정한 모양으로 배열된다. 이를 통해 자기장이 있음을 알 수 있다.

② 자기장의 방향: 자기장의 한 지점에 나침반을 놓았을 때 나침반 바늘의 N극이 가리키는 방향이 그 지점에서의 자기장의 방향이다.

(3) **자기력선**: 눈에 보이지 않는 자기장의 모양을 선으로 나타낸 것이다.

① 자기력선의 방향: 나침반 바늘의 N극이 향하는 방향이다.

② 자기력선의 특징

• 자기력선은 N극에서 나와 S극으로 들어간다.

• 자기력선은 도중에 끊어지거나 교차하지 않는다.

• 자기력선의 간격이 촘촘할수록 자기장의 세기가 세다.

> 자석의 N극과 N극 또는 자석의 S극과 S극 사이에는 서로 미는 힘이 작용하며, 자석의 N극과 S극 사이에는 서로 끌어당기는 힘이 작용한다.

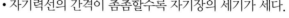

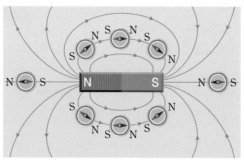

막대자석 주위의 자기장

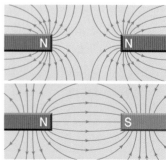

두 자석 사이의 자기장

자석 내부의 자기력선

자석 밖에서 자기력선은 N극에서 나와 S극으로 들어가지만 자기력선이 완전한 폐곡선을 이루므로 자석 내부에서 자기력선은 S극에서 N극을 향한다.

(4) **지구 자기장**: 나침반 바늘의 N극이 북쪽을 향하
는 것은 지구가 자기장을 만들기 때문이다. 지구
는 내부에 북쪽이 S극, 남쪽이 N극인 커다란
자석이 있는 것과 같은 모양의 자기장을 만든다.

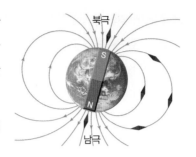

지구 자기장 지구는 북극에 S극, 남극에 N극이
있는 것처럼 지표 부근에 자기장을 형성한다.

2. 코일 주위에 생기는 자기장 (탐구 109쪽)

(1) **전류가 흐르는 도선 주위의 자기장**: 도선에 전류
를 흘려주면 도선 주위에 자기장이 만들어져
나침반 바늘이 움직인다.

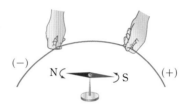

(2) **코일 주위의 자기장**: 코일은 전선을 원형으로 여러 번 감아 만든 것으로 코일에 전
류를 흘려주면 자기장이 만들어진다. 코일 주위에는 코일 한쪽에서 나와 다른 쪽
으로 들어가는 모양으로 자기장이 생기고, 코일 내부에는 축에 나란하고 균일한
자기장이 생긴다.

① **자기장의 방향**: 오른손의 네 손가락을 전류의 방향으로 감아쥐고 엄지손가락을
폈을 때, 엄지손가락이 가리키는 방향이 코일 내부에서 자기장의 방향이다.

코일 주위의 자기장 방향

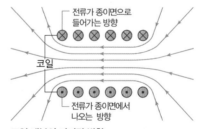

코일 내부의 자기장 방향

② **자기장의 세기**: 코일 주위의 자기장의 세기는 코일에 흐르는 전류가 셀수록, 코
일을 많이 감을수록 커진다. 코일이 매우 긴 경우 코일 내부에는 축에 나란하고
어디에서나 일정한 세기의 자기장이 만들어진다.

(3) **코일과 자석의 자기장 모양**: 코일과 자석 주위에는 비슷한 모양의 자기장이 생긴다.
따라서 코일에 전류를 흘려주면 자석과 같은 성질을 띤다.

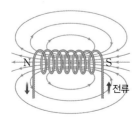

전류가 흐르는 코일 주위의 자기장

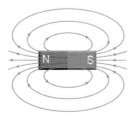

자석 주위의 자기장

지구 자기장의 역할

지구 자기장은 태양에서 오는 여
러 태양 입자들을 막아 주는 역할
을 한다. 따라서 지구 자기장은 지
구에 생명체가 존재하는 환경을
만드는 데 크게 기여하고 있다.

외르스테드와 자기력

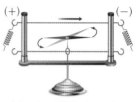

덴마크의 물리학자 외르스테드는
전기와 자기 사이에 아무런 관련
성이 없다는 것을 보이는 실험 강
의를 하던 중 공교롭게도 자기력
을 발견하게 된다. 이 발견은 현대
전자기학의 큰 변환점이 되었다.

코일 안에 철심을 넣으면 자기장이 강해지는 까닭

코일 안에 철심을 넣으면 철심 내부에 자기 구역들이 자기장의 방향으로 정렬해서 더욱 강한 자기장을 만들 수 있다.

철심 넣기 전   철심 넣은 후

자기 부상 열차

자기 부상 열차는 전기로 발생된 자기력으로 레일에서 낮은 높이로 열차를 띄워 바퀴를 사용하지 않고 직접 차량을 추진시켜 달리는 열차를 말한다. 바퀴가 없으므로 마찰에 의한 저항이 거의 없어 작은 동력으로도 높은 속도를 얻을 수 있다.

3. **전류에 의한 자기장의 이용**   코일에 전류가 흘러 생기는 자기장의 경우, 전류의 세기와 감은 수를 조절하여 자기장의 세기를 조절할 수 있으므로 다양한 분야에 이용된다.

(1) **전자석**: 철심을 넣은 코일에 전류가 흐를 때 매우 강한 자기장이 만들어지는데, 이 것을 전자석이라고 한다.

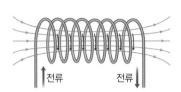 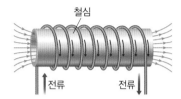

전류가 흐르는 코일 주위의 자기장   코일 안에 철심을 넣으면 넣기 전보다 더 강한 자기장이 생긴다.

(2) **전자석의 특징**

① 전류가 흐를 때만 자석이 된다.

② 매우 강력한 자석을 만들 수 있다.

③ 전류의 방향과 세기를 조절하여 전자석의 극과 세기를 바꿀 수 있다.

(3) **전자석의 이용**

① 금속을 당기는 성질: 자동문 개폐기, 고철 처리장의 전자석 기중기 등에 이용한다.

② 자석을 밀어내거나 당기는 성질: 전동기, 자기 부상 열차, 스피커 등에 이용한다.

③ 물질을 자화시키는 성질: 하드 디스크, 마그네틱 카드 등에 이용한다.

전자석 기중기   자기 부상 열차   마그네틱 카드

학습 내용 Check   정답과 해설 021쪽

1. 자기장은 _____을 이용해 나타내며, _____극에서 나와 _____극으로 들어가는 방향이다.

2. 코일 주위의 자기장의 세기는 코일에 흐르는 전류의 세기에 _____하고, 코일의 감은 수에 _____한다.

3. 전자석 기중기, 스피커, 마그네틱 카드 등에는 _____이 이용된다.

② 자기장 속에서 전류가 받는 힘

1. 자기력 전류가 흐르는 도선이 자기장 속에 놓여 있을 때 도선에 자기력이 작용한다. ^{집중분석} 111쪽

(1) **자기력의 방향:** 오른손을 펴서 엄지손가락을 전류의 방향으로, 네 손가락을 자기장의 방향으로 향하게 할 때 손바닥이 향하는 방향이 자기력의 방향이다. 이때 전류와 자기장, 그리고 자기력의 방향은 서로 수직을 이룬다. ^{탐구} 110쪽

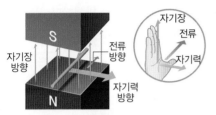

자기장 속에서 도선에 전류가 흐를 때 자기력의 방향

(2) **자기력의 크기:** 자기력의 크기는 도선에 흐르는 전류의 세기와 자기장의 세기에 비례한다. 또한 전류와 자기장이 이루는 각이 90°일 때 최대가 되며, 전류와 자기장의 방향이 나란할 때는 힘이 작용하지 않는다.

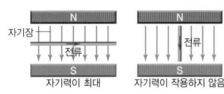

자기장 속에서 도선에 전류가 흐를 때 자기력의 크기

2. 전동기 전동기는 자석 사이에 놓인 코일에 전류가 흐를 때 코일이 회전하는 장치이다.

(1) **전동기의 원리:** 회전축과 연결된 코일이 자석 사이에 있을 때 양쪽 도선에 반대 방향의 전류가 흘러 반대 방향의 자기력이 작용하므로 코일이 회전한다. — 전기 에너지가 운동 에너지로 전환된다.

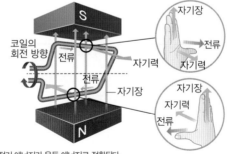

❶ 코일의 윗부분은 오른쪽으로 자기력을 받고, 아랫부분은 왼쪽으로 자기력을 받아 코일이 시계 방향으로 회전한다.

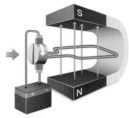

❷ 코일이 회전하여 정류자에 의해 전류가 잠시 끊어진 후 코일에 흐르는 전류의 방향이 반대가 된다.

❸ 다시 코일의 윗부분은 오른쪽으로, 아랫부분은 왼쪽으로 자기력을 받아 코일은 계속 같은 방향으로 회전한다.

자기력의 크기

자기장 속에서 전류가 흐르는 도선이 받는 자기력의 크기는 전류와 자기장의 크기에 각각 비례하며, 전류와 자기장이 수직에 가까울수록 크다.
$F=IBl\sin\theta$
(F: 자기력, I: 전류, B: 자기장, l: 도선의 길이, θ: 전류와 자기장이 이루는 각도)

전동기의 내부 모습

전동기 내부에는 회전하는 힘을 발생시키는 자석과 코일, 전류의 방향을 바꿔주는 정류자, 브러시 등이 있다.

간이 전동기와 회전 속력

코일, 자석, 전지, 구리판 등을 이용하여 간이 전동기를 만들 수 있다.

간이 전동기에서 회전 속력을 빠르게 하려면 전지의 수를 늘리거나(전류 증가), 자석을 코일과 가깝게 하거나(자기장 증가), 더 강한 자석을 사용하는(자기장 증가) 방법이 있다.

스피커의 구조

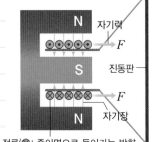

전류(⊗: 종이면으로 들어가는 방향,
⊙: 종이면에서 나오는 방향)

---

(2) **전동기의 회전 속력:** 강한 자기력을 받을수록 전동기의 회전 속력이 빨라진다.
 ① **전류의 세기가 셀수록** 자기력의 크기가 커진다.
 ② **코일을 많이 감을수록** 자기력의 크기가 커진다.
 ③ **강한 자석을 사용하면** 자기력의 크기가 커진다.

3. 자기력의 이용

(1) **스피커:** 스피커는 영구 자석과 코일, 진동판으로 구성되어 코일에 전류가 흐르면 진동판이 영구 자석에 의해 자기력을 받아 진동하면서 소리가 발생한다.

(2) **전류계:** 자기장 속에서 전류가 받는 힘이 전류의 세기에 비례하는 성질을 이용해 전류의 세기를 측정할 수 있다. 전류가 셀수록 바늘의 회전각이 커져 전류계의 눈금이 많이 움직이게 된다.

전류계

(3) **전동기:** 자기장 속에서 전류가 흐르는 도선이 자기력을 받아 회전한다. 세탁기, 선풍기, 전기 자동차, 드론, 전기 드릴 등 전기를 사용해 움직이는 대부분의 전기 기구에 전동기를 사용한다.

전기 자동차 과학 용어 사전 233쪽

드론

전기 드릴

자료⁺ 더하기   플레밍의 왼손 법칙

플레밍의 왼손 법칙을 이용하여 자기장 속에서 흐르는 전류가 받는 자기력의 방향을 알아볼 수 있다. 검지 손가락을 자기장의 방향으로 향하고 중지손가락을 전류의 방향으로 향할 때 엄지손가락이 향하는 방향이 자기력의 방향이다.

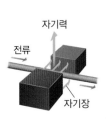

학습 내용 Check

1. 오른손의 엄지손가락을 _____의 방향으로 향하고, 네 손가락을 _____의 방향으로 향할 때 손바닥이 향하는 방향이 자기력의 방향이다.

2. 전동기는 _____을 이용하여 회전 운동을 만들어 낸다.

3. _____는 코일에 전류가 흐르면 진동판이 영구 자석에 의해 진동하면서 소리를 낸다.

탐구

전류가 흐르는 **코일** 주위에 생기는 **자기장** 관찰하기

전류가 흐르는 코일 주위에 생기는 자기장을 관찰할 수 있다.

과정 및 결과

❶ 전지나 볼펜 세 자루 정도를 쥐고 에나멜선을 감는다.

❷ 감은 에나멜선의 양 끝을 사포로 문질러 에나멜을 벗겨낸다.

❸ 에나멜선을 감아 만든 코일에 전류가 흐를 수 있도록 전지와 스위치를 연결한 후, 코일 주위에 나침반을 놓는다.

❹ 스위치를 닫은 후 나침반 바늘의 방향을 관찰한다.

❺ 전지의 극을 바꿔 연결한 후 나침반 바늘의 방향을 관찰한다.

결과 및 해석 정리

1 오른손의 네 손가락을 전류 방향으로 감아쥐었을 때 엄지손가락이 가리키는 방향이 N극 방향이다. → 자기장이 코일의 중심에서 나와 코일 바깥쪽을 지나서 코일의 중심으로 들어온다.

2 전류의 방향이 반대가 되면 나침반 바늘의 방향도 반대가 된다. → 코일 주위 자기장의 방향이 반대가 된다.

탐구 확인 문제

정답과 해설 021쪽

1 빈칸에 알맞은 말을 쓰시오.

(1) 코일 주위의 자기장 방향은 오른손의 _____을 전류의 방향으로 감아쥐었을 때 엄지손가락이 가리키는 방향이다.

(2) 코일 주위 자기장의 세기는 전류의 세기에 _____하고, 코일의 감은 수에 _____한다.

2 위 탐구에 대한 설명으로 옳은 것은 ○, 옳지 <u>않은</u> 것은 ×로 표시하시오.

(1) 전류가 흐르는 코일 주위에는 자기장이 생긴다. (   )

(2) 코일에 전류가 흐를 때 코일 주위에 생기는 자기장은 막대 자석이 만드는 자기장과 비슷하다. ········( )

3 ^{적용} 오른쪽 그림은 전류가 흐르는 코일 주위에 나침반을 놓은 것을 나타낸 것이다. 이에 대한 설명으로 옳은 것을 보기에서 모두 고른 것은?

> **보기**
> ㄱ. 코일의 감은 수를 늘리면 자기장의 세기가 세진다.
> ㄴ. 전류의 방향을 바꾸면 나침반 바늘의 방향이 바뀐다.
> ㄷ. 전지를 더 많이 연결하면 나침반 바늘의 방향이 반대가 된다.

① ㄱ   ② ㄴ   ③ ㄱ, ㄴ

④ ㄴ, ㄷ   ⑤ ㄱ, ㄴ, ㄷ

자기장 속에서 전류가 흐르는 도선이 받는 힘의 방향 관찰하기

자기장 속에서 전류가 흐르는 도선이 받는 자기력의 방향을 알 수 있다.

 과정

❶ 고무 자석에 구리 테이프를 나란하게 붙이고 구리 테이프에 전지를 연결한다.

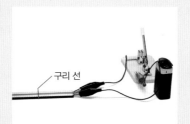

❷ 구리 테이프 위에 구리 선을 올리고 스위치를 닫은 후, 구리 선의 움직임을 관찰한다.

❸ 전지의 극이나 자기장의 방향을 바꾸어 과정 ❷를 반복한다.

결과 및 정리

1 전류가 흐르는 구리 선이 자석의 자기장 속에 있을 때 구리 선이 움직인다. → 자기장 속의 구리 선에 전류가 흐를 때 자기력이 작용한다.

2 전류의 방향이 반대가 되거나 자기장의 방향이 반대가 되면 구리 선이 반대 방향으로 움직인다. → 전류의 방향이 반대가 되거나 자기장의 방향이 반대가 되면 자기력의 방향도 반대가 된다.

탐구 확인 문제

정답과 해설 021쪽

1 빈칸에 알맞은 말을 쓰시오.

(1) 전류가 흐르는 도선은 자기장 속에서 _____을 받는다.

(2) 자기력의 크기는 자기장의 세기에 _____ 한다.

(3) 자기력의 방향은 전류의 방향과 자기장의 방향에 각각 _____이다.

2 위 탐구에 대한 설명으로 옳은 것은 ○, 옳지 <u>않은</u> 것은 ×로 표시하시오.

(1) 자기장의 방향을 바꾸면 구리 선의 움직임이 느려진다. ·································· (   )

(2) 전류의 방향을 바꾸면 구리 선의 이동 방향이 반대가 된다. ························· (   )

(3) 전류의 세기를 세게 하면 구리 선의 이동 방향이 반대가 된다. ····················· (   )

3 적용 그림은 전류가 흐르는 직선 도선이 자기장에 수직으로 놓여 있는 것을 나타낸 것이다.

이 도선이 받는 힘의 방향이 반대가 되는 경우를 보기에서 모두 고른 것은?

보기
ㄱ. 전류의 방향만 반대가 될 때
ㄴ. 자기장의 방향만 반대가 될 때
ㄷ. 전류와 자기장의 방향이 나란할 때

① ㄱ   ② ㄷ   ③ ㄱ, ㄴ
④ ㄱ, ㄷ   ⑤ ㄴ, ㄷ

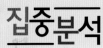

집중분석

자기장 속에서 전류가 흐르는 도선이 받는 힘

자석의 자기장 속에 전류가 흐르는 도선이 있을 때 도선에는 자기력이 작용한다. 다양한 경우에서 도선에 작용하는 자기력의 방향을 알아보자.

1 자석 사이에서 전류가 흐르는 도선이 받는 힘

① 자기장의 방향은 N극에서 S극으로 향하므로 오른손의 네 손가락을 S극 방향으로 향한다.

② 전류의 방향을 찾아 엄지손가락을 전류의 방향으로 향한다.

③ 손바닥이 가리키는 방향이 자기력의 방향, 즉 도선이 받는 힘의 방향이다.

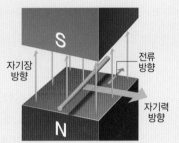

2 말굽 자석 안에서 전기 그네가 받는 힘

① 말굽 자석에서 자기장의 방향은 N극에서 S극으로 향하므로 오른손의 네 손가락을 S극 방향으로 향한다.

② 전류의 방향은 전원 장치의 (+)극에서 나와 (−)극으로 들어가는 방향이다. 말굽 자석 사이를 지나가는 도선에서 엄지손가락을 전류의 방향으로 향한다.

③ 손바닥이 가리키는 방향이 자기력의 방향이다. 전기 그네가 받는 자기력의 방향은 말굽 자석 안으로 들어가거나 밖으로 나오는 방향이다.

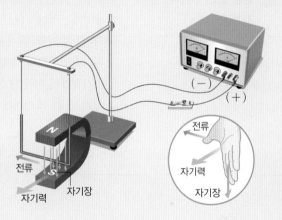

3 전동기에서 코일이 받는 힘

① 자기장의 방향은 N극에서 S극으로 향하므로 오른손의 네 손가락을 S극 방향으로 향한다.

② 전류의 방향은 전지의 (+)극에서 나와 (−)극으로 들어가는 방향이다. 도선에서 엄지손가락을 전류의 방향으로 향한다.

③ 손바닥이 가리키는 방향이 자기력의 방향이다. 코일에서 양쪽 도선에 흐르는 전류의 방향이 반대이므로 자기력의 방향도 반대이다. 따라서 코일이 한쪽 방향으로 회전한다.

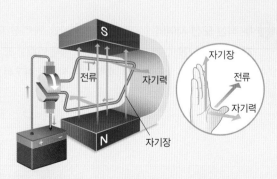

심화

전류 주위에 생기는 **자기장**

직선 도선과 원형 도선에 흐르는 전류 주위에 생기는 자기장의 모양과 방향을 알아보고, 두 직선 도선이 나란하게 놓여있을 때 두 도선 사이의 자기장에 대해 알아보자.

1 직선 도선 주위의 자기장

직선 도선 주위에 나침반을 놓고 전류가 흐르게 하면 나침반 바늘의 N극이 향하는 방향이 원을 이룬다. 즉, 직선 전류는 도선을 중심으로 동심원 모양의 자기장을 만든다.

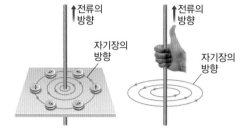

① 자기장의 방향: 오른손의 엄지손가락을 전류의 방향으로 향할 때, 네 손가락이 도선을 감아쥐는 방향이 자기장의 방향이다.

② 자기장의 세기: 전류의 세기에 비례하고, 도선으로부터 거리에 반비례한다.

2 원형 도선 주위의 자기장

원형 전류는 전류가 흐르는 직선 도선을 원형으로 구부린 경우로 생각할 수 있다. 원형 도선의 중심에는 직선 모양, 나머지 부분에는 곡선 모양의 자기장이 생긴다.

① 자기장의 방향: 오른손의 엄지손가락을 전류의 방향으로 향할 때, 네 손가락이 도선을 감아쥐는 방향이 자기장의 방향이다.

② 자기장의 세기: 원형 도선의 중심에서 자기장의 세기는 전류의 세기에 비례하고, 원형 도선의 반지름에 반비례한다.

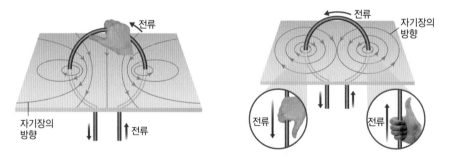

3 두 직선 도선 사이의 자기장과 자기력

나란하게 놓인 두 직선 도선에 전류가 흐를 때, 한쪽 도선에 흐르는 전류에 의해 만들어진 자기장에 의해 반대편 도선이 자기력을 받는다. 두 직선 도선에 전류가 서로 같은 방향으로 흐를 때는 인력이 작용하고, 서로 반대 방향으로 흐를 때는 척력이 작용한다.

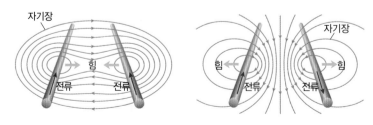

중단원 핵심 정리

03. 자기

①-1 자기력과 자기장

① **자기력**: 자석과 자석 또는 자석과 자석에 붙는 물체 사이에 작용하는 힘 → 인력과 척력이 있다.

② **자기장**: 자석 주위에 자기력이 작용하는 공간

③ **자기력선**: 나침반 바늘의 N극이 향하는 방향을 선으로 나타낸 것

④ **자기력선의 특징**
- 자기력선은 자석의 N극에서 나와서 S극으로 들어간다.
- 자기력선은 도중에 끊어지거나 교차하지 않는다.
- 자기력선의 간격이 촘촘할수록 자기장의 세기가 세다.

①-2 전류에 의한 자기장

① **코일 주위의 자기장**: 코일에 전류를 흘려주면 자석과 비슷한 모양의 자기장이 만들어진다.

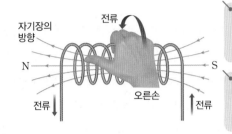

- **자기장의 방향**: 오른손의 엄지손가락이 가리키는 방향

- **자기장의 세기**: 전류와 감은 수에 비례

② **전자석**: 철심을 넣은 코일에 전류가 흐르게 하면 매우 강한 자기장이 생긴다.

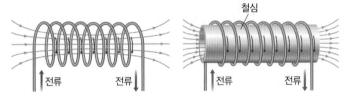

③ **전자석의 이용**: 자동문 개폐기, 전자석 기중기, 자기 부상 열차, 스피커, 마그네틱 카드 등에 이용한다.

② 자기장 속에서 전류가 받는 힘

① **자기장 속에서 전류가 받는 힘**: 자기장 속에서 전류가 흐르는 도선은 자기력을 받는다.

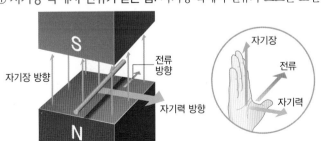

- **자기력의 방향**: 오른손 엄지손가락이 전류의 방향을 향하고, 네 손가락이 자기장의 방향을 향할 때 손바닥이 향하는 방향이 자기력의 방향이다.

- **자기력의 크기**: 전류의 세기와 자기장의 세기에 각각 비례한다.

② **전동기**: 자기장 속에서 코일에 전류가 흐를 때 코일이 받는 자기력을 이용해 회전한다.
　🅔 전기 자동차, 드론, 전기 드릴 등

01 자기장과 자기력에 대한 설명으로 옳은 것은?

① 자석 사이에는 인력만 작용한다.

② 자석에서 멀수록 자기장이 세다.

③ 자기력선의 개수가 적을수록 자기장이 세다.

④ 자기장은 자석 주위에 자기력이 작용하는 공간이다.

⑤ 자기장의 방향은 S극에서 나와 N극으로 들어가는 방향이다.

02 그림은 자석 주위의 자기력선을 나타낸 것이다.

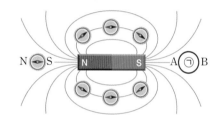

이에 대한 설명으로 옳은 것을 보기에서 모두 고른 것은?

┌ 보기 ┐
ㄱ. ㉠에서 나침반 바늘의 N극은 A를 향한다.

ㄴ. 자기력선은 끊어지거나 교차하지 않는다.

ㄷ. 자기력선의 방향은 나침반 바늘의 S극이 가리키는 방향이다.
└────┘

① ㄱ   ② ㄴ   ③ ㄷ

④ ㄱ, ㄴ   ⑤ ㄴ, ㄷ

03 오른쪽 그림은 지구 자기장을 나타낸 것이다. 이에 대한 설명으로 옳은 것은?

① 지구 자기장은 직선 모양이다.

② 지구의 북극은 자석의 N극에 해당한다.

③ 나침반 바늘의 N극은 지구의 남극을 가리킨다.

④ 지구 자기장은 북극에서 나와서 남극으로 들어간다.

⑤ 지구 자기장은 태양에서 오는 여러 태양 입자를 막아주는 역할을 한다.

[04~06] 그림 (가), (나)는 자석의 N극과 S극 주위의 자기력선의 모양을 나타낸 것이다.

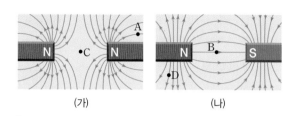

(가)   (나)

04 A, B 위치에 나침반을 놓을 때 나침반 바늘이 가리키는 방향을 옳게 짝 지은 것은? (단, N◀▬▬▶S이다.)

05 A~D 위치에서의 자기장에 대한 설명으로 옳은 것을 보기에서 모두 고른 것은?

┌ 보기 ┐
ㄱ. C에서 자기장의 세기는 0이다.

ㄴ. A~D 중 자기장의 세기가 가장 센 곳은 D이다.

ㄷ. 자기력선이 촘촘할수록 자기장의 세기는 약하다.
└────┘

① ㄱ   ② ㄴ   ③ ㄷ

④ ㄱ, ㄴ   ⑤ ㄴ, ㄷ

06 이에 대한 설명으로 옳지 않은 것은?

① (가)에는 인력이, (나)에는 척력이 작용한다.

② 자석 내부에서도 자기력선은 연결된다.

③ 자기장의 방향은 자기력선의 방향과 일치한다.

④ 자기장의 세기는 자기력선의 밀도에 비례한다.

⑤ 자기력선의 방향은 나침반 바늘의 N극이 가리키는 방향이다.

[07~08] 그림은 전류가 흐르는 코일 주위에 나침반을 놓은 것을 나타낸 것이다.

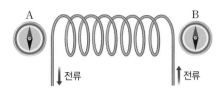

07 코일에 흐르는 전류가 만든 자기장에 대한 설명으로 옳은 것을 보기에서 모두 고른 것은?

> **보기**
> ㄱ. 코일을 중심으로 동심원을 그린다.
> ㄴ. 코일의 한쪽에서 나와서 다른 쪽으로 들어간다.
> ㄷ. 코일에 흐르는 전류를 세게 하면 자기장이 세진다.

① ㄱ ② ㄴ ③ ㄱ, ㄷ
④ ㄴ, ㄷ ⑤ ㄱ, ㄴ, ㄷ

08 코일에 전류가 흐를 때 나침반 A, B의 바늘의 방향을 옳게 짝 지은 것은? (단, NS 이다.)

09 코일에 의한 자기장을 이용하는 것을 보기에서 모두 고른 것은?

> **보기**
> ㄱ. 강한 자기장이 필요한 자기 부상 열차
> ㄴ. 자극을 수시로 바꿔야 하는 스피커
> ㄷ. 항상 작동되어야 하는 나침반

① ㄱ ② ㄴ ③ ㄷ
④ ㄱ, ㄴ ⑤ ㄴ, ㄷ

[10~11] 그림 (가)는 전류가 흐르는 코일에서 만들어진 자기장을, (나)는 자석에서 만들어진 자기장을 나타낸 것이다.

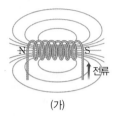 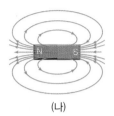

(가) (나)

10 (가)에 대한 설명으로 옳은 것을 보기에서 모두 고른 것은?

> **보기**
> ㄱ. (가)에서 자기장의 모양은 (나)에서와 비슷하다.
> ㄴ. 자기력선이 도중에 끊어지거나 교차되지 않는다.
> ㄷ. 코일에 흐르는 전류의 방향이 바뀌어도 자기장의 방향은 바뀌지 않는다.

① ㄱ ② ㄷ ③ ㄱ, ㄴ
④ ㄴ, ㄷ ⑤ ㄱ, ㄴ, ㄷ

11 (나)와 비교할 때 (가)의 장점으로 옳지 않은 것은?
① 항상 자기장의 세기가 세다.
② 전류가 흐를 때만 자석이 된다.
③ 자기장의 세기를 조절할 수 있다.
④ 자기장의 방향을 쉽게 바꿀 수 있다.
⑤ 코일 내부에 철심을 넣으면 자기장이 세진다.

12 오른쪽 그림은 전자석 위에 나침반을 두었을 때 바늘의 방향을 나타낸 것이다. 이에 대한 설명으로 옳은 것을 보기에서 모두 고른 것은?

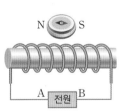

> **보기**
> ㄱ. 전원의 A는 (+)극이다.
> ㄴ. 전원의 극을 반대로 하면 바늘의 방향이 반대가 된다.
> ㄷ. 코일 내부에서 자기장과 외부 나침반 위치에서 자기장의 방향은 반대이다.

① ㄱ ② ㄴ ③ ㄷ
④ ㄴ, ㄷ ⑤ ㄱ, ㄴ, ㄷ

[13~14] 그림 (가)와 (나)는 전류가 흐르는 도선이 자기장 속에서 자기력을 받는 상황을 나타낸 것이다.

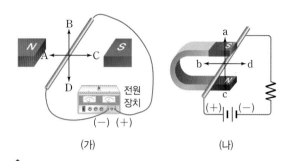

(가)   (나)

13 이에 대한 설명으로 옳은 것을 보기에서 모두 고른 것은?

보기
ㄱ. (가)에서 도선은 B 방향으로 힘을 받는다.
ㄴ. (나)에서 저항의 크기를 크게 하면 도선은 a 방향으로 힘을 받는다.
ㄷ. (나)에서 전류의 방향을 바꾸면 도선은 b 방향으로 힘을 받는다.

① ㄱ   ② ㄱ, ㄴ   ③ ㄱ, ㄷ
④ ㄴ, ㄷ   ⑤ ㄱ, ㄴ, ㄷ

14 (가), (나)에서 전류의 방향은 그대로 두고 자기장의 방향만을 바꿀 때, 도선이 받는 힘의 방향을 옳게 짝 지은 것은?

	(가)	(나)		(가)	(나)
①	A	c	②	A	d
③	C	d	④	D	a
⑤	D	b			

15 자기장 속에 놓인 도선에 전류가 흐를 때 전류에 작용하는 자기력의 방향이 변하지 않는 경우를 보기에서 모두 고른 것은?

보기
ㄱ. 전류의 방향을 반대로 한다.
ㄴ. 자기장의 방향을 반대로 한다.
ㄷ. 전류와 자기장의 방향을 모두 반대로 한다.

① ㄱ   ② ㄴ   ③ ㄷ
④ ㄴ, ㄷ   ⑤ ㄱ, ㄴ, ㄷ

[16~17] 그림은 전동기의 모습을 나타낸 것이다.

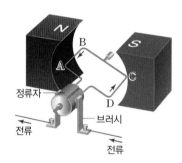

16 이때 도선 AB와 CD가 받는 힘의 방향을 옳게 짝 지은 것은?

	AB	CD		AB	CD
①	↑	↑	②	↑	↓
③	↓	→	④	↓	↑
⑤	←	→			

17 이에 대한 설명으로 옳은 것을 보기에서 모두 고른 것은?

보기
ㄱ. 코일은 시계 방향으로 회전한다.
ㄴ. 전류의 방향을 바꾸면 반대로 회전한다.
ㄷ. 자석의 극을 바꾸면 더 이상 회전하지 않는다.

① ㄱ   ② ㄴ   ③ ㄷ
④ ㄱ, ㄴ   ⑤ ㄱ, ㄴ, ㄷ

정답과 해설 023쪽

01 그림 (가)~(라)는 자석의 주위에 생기는 자기력선을 나타낸 것이다.

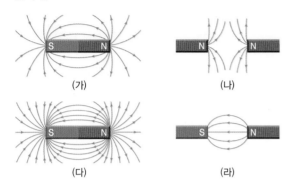

이에 대한 설명으로 옳은 것을 보기에서 모두 고른 것은?

보기
ㄱ. (가), (다)를 비교하면 자기력선의 밀도와 자기장 세기의 관계를 알 수 있다.
ㄴ. (나), (라)로부터 자기력에 인력과 척력이 있음을 알 수 있다.
ㄷ. (다), (라)로부터 자기력선은 양 극에서 끊어짐을 알 수 있다.

① ㄱ   ② ㄴ   ③ ㄷ
④ ㄱ, ㄴ   ⑤ ㄴ, ㄷ

02 그림과 같이 전자석에 전류가 흐르게 하고 자석을 가까이 하였다.

철심의 P 부분이 띠는 자석의 극(A)과 자석과 전자석 사이에 작용하는 힘의 종류(B)를 옳게 짝 지은 것은?

	A	B		A	B
①	N	인력	②	N	척력
③	S	인력	④	S	척력
⑤	S	작용 안 함			

[03~04] 그림은 자기장 속에서 전류가 흐르는 도선이 받는 힘을 관찰하기 위한 실험이다.

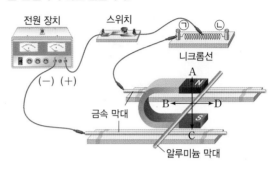

03 이 실험에 대한 설명으로 옳은 것을 보기에서 모두 고른 것은?

보기
ㄱ. 알루미늄 막대에서 자기장의 방향은 A 방향이다.
ㄴ. 전류의 방향을 반대로 하면 자기력의 방향은 B 방향이 된다.
ㄷ. 자기장의 방향을 반대로 하면 자기력의 방향은 D 방향이 된다.

① ㄱ   ② ㄴ   ③ ㄷ
④ ㄱ, ㄴ   ⑤ ㄴ, ㄷ

04 자기력을 크게 하는 방법에 대한 설명으로 옳은 것을 보기에서 모두 고른 것은?

보기
ㄱ. 전원 장치의 전압을 높인다.
ㄴ. 자석을 도선으로부터 멀리 한다.
ㄷ. 니크롬선에 연결한 집게를 ⓛ 쪽으로 이동한다.

① ㄱ   ② ㄴ   ③ ㄷ
④ ㄴ, ㄷ   ⑤ ㄱ, ㄴ, ㄷ

☞ 제시된 Keyword를 이용하여 문제를 해결해 보자.

1 그림은 자석 주위에 나침반을 놓았을 때 나침반 바늘이 가리키는 방향을 나타낸 것이다.

 N  ㄹ

자석 주위의 자기장 모양을 자기력선으로 표시하고, ㉠~㉢ 중 나침반 바늘이 가리키는 방향이 잘못된 것을 그 까닭과 함께 설명하시오.

Keyword 자석 주위 자기장, N극, S극

_____

_____

_____

2 그림은 덴마크의 물리학자 외르스테드가 전선에 전류를 흘려주었을 때 전선 주위의 나침반 바늘이 움직이는 것을 나타낸 것이다.

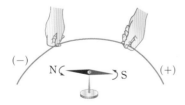

나침반 바늘이 움직이는 까닭을 설명하시오.

Keyword 전류, 자기장

_____

_____

_____

3 그림 (가)~(다)는 감은 수가 다른 코일에 각각 다른 전류를 흘려주는 것을 나타낸 것이다.

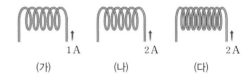

코일 주위에 생기는 자기장의 세기가 센 순서대로 나열하고 그 까닭을 설명하시오.

Keyword 코일이 만든 자기장, 감은 수, 전류

_____

_____

_____

4 그림 (가)는 막대자석을, (나)는 전선을 감은 코일 안에 쇠못을 넣은 전자석을 나타낸 것이다.

(가)에 비해 (나)가 가지는 장점을 세 가지 설명하시오.

Keyword 자석, 자석의 극, 자석의 세기

_____

_____

_____

5 나침반 양 쪽에 전자석 2개를 놓고 전자석에 그림과 같이 화살표 방향으로 전류가 흐르게 하였다.

나침반 바늘의 N극이 향하는 방향을 쓰고, 그 까닭을 설명하시오.

Keyword 전자석, 자기장의 방향

_____

_____

_____

6 그림은 자석 사이에서 전자가 운동하고 있는 것을 나타낸 것이다.

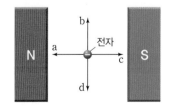

전자가 종이면에 수직으로 들어가는 방향으로 운동할 때 전자가 받는 힘의 방향을 쓰고, 그 까닭을 설명하시오.

Keyword 전자의 이동 방향, 전류의 방향, 자기력

_____

_____

_____

7 그림은 전동기의 회전 원리를 알아보기 위해 전동기의 구조를 나타낸 것이다.

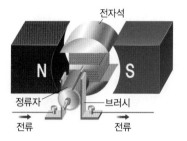

전동기의 회전 속력을 빠르게 하는 방법 두 가지를 설명하시오.

Keyword 전류의 세기, 자석, 코일

_____

_____

_____

8 그림은 스피커의 원리를 간단히 나타낸 것이다.

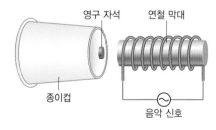

이를 이용하여 스피커에서 소리가 나는 원리를 설명하시오.

Keyword 전자석, 자기장, 전류, 자기력

_____

_____

_____

최상위권 도전 문제

1 그림 (가)는 은박지로 싼 가벼운 2개의 스타이로폼 공 A, B를 대전시킨 후 절연된 실에 매달았더니 기울어진 채 평형을 이루고 있는 것을 나타낸 것이다. 이때 A, B를 접촉시켰다가 놓았더니 그림 (나)와 같은 상태가 되었다.

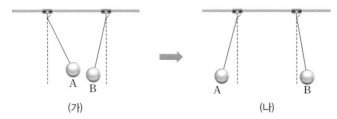

(가)　　　　　　(나)

이에 대한 설명으로 옳은 것을 보기에서 모두 고른 것은?

보기

ㄱ. A의 질량이 B의 질량보다 크다.

ㄴ. (가)에서 A와 B의 전하량의 크기가 다르다.

ㄷ. (나)에서 A, B는 서로 같은 전하를 띠고 있다.

① ㄱ　　　　　　② ㄴ　　　　　　③ ㄷ

④ ㄴ, ㄷ　　　　⑤ ㄱ, ㄴ, ㄷ

Tip

두 물체에 전기력이 작용할 때 전기력의 크기는 같다. 매달아 놓은 두 물체가 같은 크기의 전기력을 받을 때 질량이 작을수록 더 많이 기울어진다.

2 스타이로폼에 은박지를 입힌, 크기가 같고 매우 가벼운 공 A, B, C가 있다. 이때 A와 B는 같은 전하량으로 대전되어 있고, C는 대전되어 있지 않다. 그림 (가)와 같이 A와 B가 r만큼 떨어져 있을 때 A와 B 사이에 작용하는 힘이 F_1이었고, (나)와 같이 B와 C를 잠깐 접촉시켰다가 B와 C가 r만큼 떨어져 있게 놓았을 때 B와 C 사이에 작용하는 힘이 F_2이었다.

(가)　　　　　　(나)

이에 대한 설명으로 옳은 것을 보기에서 모두 고른 것은?

보기

ㄱ. (가)에서 A의 전하량은 (나)에서 B의 전하량의 2배이다.

ㄴ. (나)의 B와 C는 같은 전하로 대전되어 있다.

ㄷ. $F_1 : F_2 = 4 : 1$이다.

① ㄱ　　　　　　② ㄴ　　　　　　③ ㄱ, ㄷ

④ ㄴ, ㄷ　　　　⑤ ㄱ, ㄴ, ㄷ

Tip

두 대전체에 작용하는 전기력의 크기는 두 대전체의 전하량의 곱에 비례하고, 두 대전체 사이의 거리의 제곱에 반비례한다.

쿨롱 법칙

두 전하 사이에 작용하는 전기력은 거리의 제곱에 반비례하고 두 전하의 곱에 비례하는데, 이를 쿨롱 법칙이라고 한다.

3 다음은 검전기를 이용한 실험이다.

[실험 과정]

(가) 대전되지 않은 검전기에 (−)전하로 대전된 막대 A를 가까이 가져간다.

(나) 검전기의 금속판을 접지시킨다.

(다) 스위치 S를 열고 막대 A를 치운다.

(라) (+)전하로 대전된 막대 B를 검전기에 가까이 한다.

각 과정에서 검전기의 금속박의 상태와 대전된 전하를 쓰시오.

	금속박의 상태	금속박에 대전된 전하
(가)		
(나)		
(다)		
(라)		

Tip

검전기를 접지시키면 금속판은 대전된 막대가 가까이 있으므로 전하를 띠며, 금속 막대로 연결된 금속박은 전자의 이동으로 중성이 된다.

접지

물체를 커다란 도체와 연결시키는 것을 접지라고 한다. 도체는 전하량이 무한하여 접지시켰을 경우 전하가 이동하여 물체의 전하량이 0이 된다.

4 그림 (가)는 전기 회로에 원통형 저항을 연결해 전류를 측정하는 것을 나타낸 것이고, (나)는 (가)의 원통형 저항을 반으로 잘라 병렬로 연결하여 (가)의 회로와 같이 연결한 것이다.

이에 대한 설명으로 옳은 것을 보기에서 모두 고른 것은?

보기

ㄱ. (나)의 저항의 크기는 (가)의 $\frac{1}{4}$배이다.

ㄴ. (가)에서 측정한 전류의 세기는 (나)의 $\frac{1}{2}$배이다.

ㄷ. (나)의 저항에 걸리는 전압은 (가)의 2배이다.

① ㄱ   ② ㄴ   ③ ㄱ, ㄷ

④ ㄴ, ㄷ   ⑤ ㄱ, ㄴ, ㄷ

Tip

저항의 크기는 길이에 비례하고 단면적에 반비례한다. 저항을 반으로 잘라 병렬로 연결하면 저항의 길이가 $\frac{1}{2}$배가 되고 단면적은 2배가 된다.

5 저항 A와 B를 그림 (가)와 같이 병렬로 연결하고 B에 스위치를 직렬로 연결한 후 스위치를 열고 닫을 수 있도록 회로를 구성하였다. 전압을 증가시키면서 전류를 측정할 때 스위치를 열거나 닫아 전체 저항의 크기를 다르게 하였더니 전류계에 측정되는 결과가 그림 (나)와 같았다.

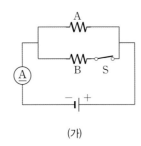

(가)

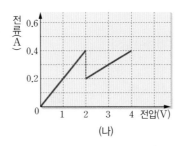

(나)

Tip

병렬연결된 저항은 모두 같은 전압이 걸리므로 병렬연결된 저항의 수를 늘리면 전체 전류가 커져 전체 저항이 작아진다. 이때 전체 저항의 역수는 병렬연결된 저항의 역수의 합과 같다.

이 실험에 대한 설명으로 옳은 것을 보기에서 모두 고른 것은?

> **보기**
>
> ㄱ. A와 B의 저항의 크기는 각각 10 Ω이다.
> ㄴ. (나)에서 실험 중간에 스위치를 닫았음을 알 수 있다.
> ㄷ. (나)에서 그래프의 기울기의 역수는 저항을 나타낸다.

① ㄱ   ② ㄴ   ③ ㄱ, ㄷ
④ ㄴ, ㄷ   ⑤ ㄱ, ㄴ, ㄷ

6 그림과 같이 니크롬선 a, b를 병렬로 연결하여 12 V의 전압을 걸어 주었더니 니크롬선 a에는 4 A, 니크롬선 b에는 2 A의 전류가 흘렀다.

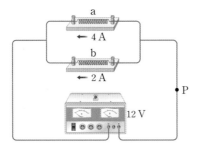

Tip

전류는 전압에 비례하고 저항에 반비례한다. 그리고 저항 2개를 병렬연결하면 각 저항에 걸리는 전압이 같고, 직렬연결하면 각 저항에 흐르는 전류가 같다.

이에 대한 설명으로 옳지 <u>않은</u> 것은?

① 니크롬선 a의 저항은 3 Ω이다.
② P점에 흐르는 전류의 세기는 6 A이다.
③ 니크롬선 b에 걸리는 전압은 12 V이다.
④ 니크롬선 a, b를 직렬로 연결하면 전체 저항은 9 Ω이다.
⑤ 니크롬선 a에 걸리는 전압은 니크롬선 b에 걸리는 전압의 2배이다.

[07~08] 그림 (가)는 자석 사이에 대전된 입자 Q가 왼쪽으로 이동할 때 입자가 받는 힘의 방향을 나타낸 것이고, (나)는 자석 사이에서 전류가 흐르는 도선이 받는 힘의 방향을 나타낸 것이다.

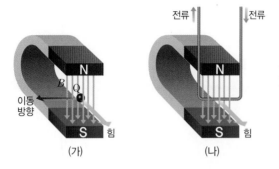

(가)   (나)

7 이 실험에 대한 설명으로 옳은 것을 보기에서 모두 고른 것은?

┌─ 보기 ───┐
ㄱ. (가)에서 Q의 이동 방향을 바꾸면 자기력의 방향도 바뀐다.
ㄴ. (가)에서 자기장의 방향을 반대로 해도 자기력의 방향은 변하지 않는다.
ㄷ. (나)에서 자기장의 방향과 전류의 방향을 모두 반대로 하면 자기력의 방향은 변하지
  않는다.
└──┘

① ㄱ   ② ㄴ   ③ ㄱ, ㄷ
④ ㄴ, ㄷ   ⑤ ㄱ, ㄴ, ㄷ

Tip
전류의 방향과 자기장의 방향에 따라 자기력의 방향이 정해진다.

8 (가)에서 입자 Q 대신 전자를 같은 방향으로 움직이게 하였다. 이에 대한 설명으로 옳은 것을 보기에서 모두 고른 것은?

┌─ 보기 ───┐
ㄱ. 전자의 속력이 빠를수록 자기력의 크기가 커진다.
ㄴ. 전자가 받는 자기력의 방향은 (나)에서와 반대이다.
ㄷ. 전자의 이동 방향을 반대로 하면 자기력의 방향은 (나)에서와 같다.
└──┘

① ㄱ   ② ㄴ   ③ ㄱ, ㄷ
④ ㄴ, ㄷ   ⑤ ㄱ, ㄴ, ㄷ

Tip
전류는 전하의 흐름으로 1초 동안 흐른 전하량을 뜻한다. 따라서 전자의 속력이 빠르면 전류의 세기도 세다.

창의·사고력 향상 문제

예제

그림은 우리 몸에 흐르는 전류와 시간에 따른 몸의 반응 정도를 나타낸 것이다.

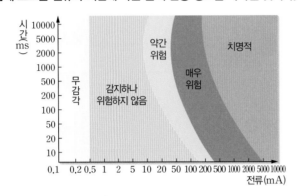

(1) 우리 몸에 흐르는 전류의 세기나 전류가 흐르는 시간에 따른 몸의 반응을 설명하시오.

(2) '높은 전압은 위험하다.'라는 말이 항상 옳지 않음을 위 그래프를 이용하여 설명하시오.

▶▶ 해결 전략 클리닉 ◀◀

전류가 약하다고 항상 위험하지 않다거나, 전류가 짧은 시간 동안 흘러도 위험할 수 있음을 그래프를 통해 알 수 있어야 한다.

❶ 같은 세기의 전류라도 시간에 따라 위험도에 차이가 있다.
❷ 위험한 정도는 전류의 세기와 접촉 시간에 대체적으로 비례한다.
❸ 저항이 일정할 때 전류의 세기는 전압에 비례한다.
❹ 고전압이라도 저항이 크면 전류의 세기가 작을 수 있다.

▶ 모범 답안 ◀

(1) 우리 몸에 흐르는 전류의 세기가 셀수록 위험하지만, 비교적 약한 세기의 전류라 할지라도 흐르는 시간이 길면 위험할 수 있다.

(2) 높은 전압이 걸려 있어도 저항이 커서 전류가 약하게 흐르면 위험하지 않을 수 있다. 또는 높은 전압이 걸려 있어도 전류가 흐르는 시간이 매우 짧으면 덜 위험할 수 있다.

출제 의도
전압과 전류의 관계를 이해하고 있는가?

문제 해결을 위한 배경 지식
• 감전: 인체가 전선과 접촉하여 상처를 입거나 충격을 받는 것
• 전류에 따른 감전: 우리 몸은 0.5 mA 이상의 전류를 감지하며, 약 200 mA 이상일 경우 위험하다.
• 저항과 감전: 손이 전선과 접촉하였을 때, 손이 건조하여 저항이 크면 상대적으로 피해가 작다. 하지만 물이나 땀으로 피부가 젖어 있다면 저항이 작아지므로 피해가 커질 수 있다.

Keyword
(1) 전류, 시간
(2) 전류, 전압, 저항

완벽한 답안 작성을 위한 tip
(1) 전류가 흐르는 시간이 길수록 위험하고, 전류가 셀수록 위험하다.
(2) 전압이 높으면 전류가 셀 수 있지만, 저항이 크다면 전류는 약하게 흐를 수 있다.

실전 문제

1 창의적 문제 해결형

다음의 자료를 이용하여 먼지가 낀 TV나 컴퓨터의 모니터 화면을 마른 수건이나 마른 걸레로 닦으면 안 되는 까닭과 먼지 제거를 위한 방법을 설명하시오.

(가) 대부분의 모니터는 자체적으로 어느 정도 대전되어 있다.
(나) 정전기 유도는 도체뿐만 아니라 부도체에서도 일어난다.
(다) 공기 중에 떠다니는 먼지 등은 부도체라고 볼 수 있다.
(라) 같은 전하끼리는 척력이 작용하고, 다른 전하끼리는 인력이 작용한다.
(마) 서로 마찰시켰을 때 두 물체는 다른 전하로 대전된다.

Tip

마른 수건으로 물체를 마찰시킬 경우 더 강하게 대전되어 더 많은 먼지를 끌어당길 수 있다는 것과 물기가 있으면 방전이 잘 된다는 것을 알아야 한다.

Keyword

마찰 전기, 정전기 유도, 방전

2 단계적 문제 해결형

그림은 (+)전하로 대전된 금속 구와 이 금속 구로부터 멀리 떨어진 곳에 놓인 작은 (+)전하를 나타낸 것이다.

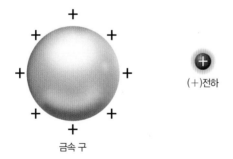

(+)전하

금속 구

(1) 작은 (+)전하를 금속 구 쪽으로 가까이 이동시킬 때, 작은 (+)전하에 작용하는 힘의 크기 변화와 힘의 방향에 대해 설명하시오.

(2) (+)전하를 금속 구에 매우 가까이 이동시킬 때, (+)전하와 금속 구 사이에 작용하는 힘과 그 까닭을 설명하시오.

Tip

전기력은 두 전하의 전하량의 곱에 비례하고 두 전하 사이 거리의 제곱에 반비례한다. 작은 (+)전하를 금속 구에 가까이 하면 척력이 작용하다가 거리가 매우 가까워지면 금속 구에는 작은 (+)전하에 의한 정전기 유도가 일어나 인력이 작용한다.

Keyword

(1) 거리, 전기력
(2) 정전기 유도

3 _{단계적} 문제 해결형

5개의 전구 A~E가 스위치 (가)~(다)에 연결되어 있다. 다음은 스위치를 열고 닫으면서 전구를 관찰한 결과를 나타낸 것이다.

> (1) 스위치 (가), (나)만을 닫았더니 전구 A, B, C가 켜졌다.
> (2) 스위치 (나), (다)만을 닫았더니 전구 B, D, E가 켜졌다.
> (3) 세 스위치를 연결한 상태에서 A를 소켓에서 분리했더니 전구 C도 꺼졌다.
> (4) 세 스위치를 연결한 상태에서 D를 소켓에서 분리했더니 전구 E도 꺼졌다.
> (5) 세 스위치를 연결한 상태에서 B를 소켓에서 분리했더니 나머지 전구는 변화가 없었다.

위와 같은 결과가 나오는 회로를 주어진 스위치 3개와, 전구 5개를 이용해 점선 안 (ㄱ), (ㄴ)단자에 연결되도록 그리시오.

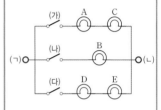

4 _{논리적} 서술형

그림 (가)와 같이 저항에 걸리는 전압과 흐르는 전류를 측정할 수 있는 회로에 재질이 다르고 길이와 단면적이 같은 세 저항 A, B, C를 각각 연결하여 전압과 전류를 측정하였더니 (나)와 같은 결과를 얻었다.

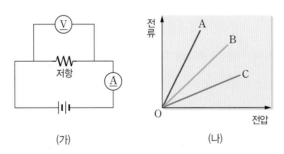

(가)   (나)

A, B, C의 저항의 크기를 비교하고, 이 실험에서 저항의 크기에 영향을 주는 것에 관해 설명하시오.

5 **(창의적)** 문제 해결형

그림은 전류가 흐르는 사각형 도선의 왼쪽 A 지점부터 오른쪽 E 지점까지 나침반을 옮기면서 나침반 바늘의 움직이는 모습을 관찰하는 실험을 나타낸 것이다. A, E에서는 나침반 바늘의 N극이 지구의 북극을 가리키고 있다.

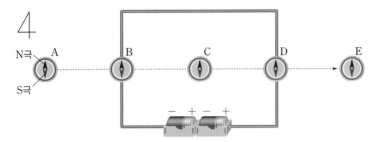
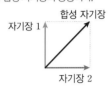

B, C, D의 위치에서 나침반 바늘의 N극이 가리키는 방향을 쓰고, 그 까닭을 설명하시오.

Tip

도선에 의해 생긴 자기장의 방향을 고려하여 지구 자기장과 합성해야 한다. 두 자기장의 방향을 향하는 화살표로 사각형을 만들 때 대각선이 합성 자기장의 방향이다.

Keyword

전류에 의한 자기장, 지구 자기장

6 **(단계적)** 문제 해결형

그림은 전기 자동차에서 어떤 기술자가 담당하는 부분을 나타낸 것이다.

좀 더 빠르게 달릴 수 있는 전기 자동차를 만들기 위한 방법을 기술자의 입장에서 설명하시오.

Tip

전기 자동차가 더 빠르게 달리기 위해 전동기의 회전수를 높이거나, 차체를 가볍게 하여 전동기의 회전수가 같아도 속도를 높일 수 있도록 한다.

Keyword

자기력의 크기, 차체의 무게

우리가 자주 사용하는 여러 기구의 원동력

건전지

전지는 전하가 저항에서 일을 할 수 있도록 에너지를 공급한다. 전지에는 건전지, 수은 전지, 리튬 전지 등의 한 번 사용하고 버리는 1차 전지와 리튬 이온 전지, 리튬 폴리머 전지, 축전기 등의 충전해서 다시 쓰는 2차 전지가 있다. 우리 주변에서 흔히 사용하는 여러 기구들에는 건전지가 사용된다. 예를 들어 원격 조정기(리모컨)에 들어가는 건전지는 AAA 건전지이고, 가스레인지에 들어가는 건전지는 D 건전지이다. 이렇게 여러 기구들에 사용되는 건전지의 종류는 다양하다. 이런 다양한 건전지들의 차이점은 무엇일까?

■ 건전지와 용량

건전지는 용량에 따라 여러 가지 종류가 있다. 이때 건전지의 용량은 전하량으로 정해진다.

$$전하량(mAh) = 전류(mA) \times 시간(h)$$

전류의 단위와 시간의 단위를 곱해 Ah 또는 mAh가 된다. 1 Ah=1000 mAh가 되어 1000 mA를 사용하는 전기 기구에 넣으면 한 시간 동안 사용할 수 있다. 하지만 이것은 이론적인 양으로 전지의 상태에 따라 다르며, 전압에 따라 다르다. AAA 건전지의 용량이 AA 건전지의 용량보다 작으며, AA 건전지보다 D 건전지의 용량이 크다.

AAA 건전지   AA 건전지   C 건전지   D 건전지   9 V 건전지

여러 가지 건전지

■ 종류가 다른 건전지의 비교

9 V 건전지는 AAA 건전지 6개를 직렬연결하여 만들어져 있다. 그 까닭은 AAA 건전지의 전압은 1.5 V인데 AAA 건전지 6개를 직렬 연결하면 9 V가 되기 때문이다. 또한, 전압이 1.5 V인 AA 건전지 3개를 병렬연결하면 용량이 다르고, 전압이 같은 1.5 V인 D 건전지 대신 사용할 수 있다.

■ 건전지가 전기 자동차를 움직인다고?

최근에는 AA 건전지보다 크고 더 많은 용량이 저장되는 18650 건전지를 많이 사용하고 있다. 18650 건전지는 3.7 V 전압으로 최대 3500 mAh의 용량을 가진다. 전압과 전류를 고려하면 에너지 밀도가 높은 편이다. 따라서 주로 노트북 컴퓨터의 배터리나 손전등에 사용되어 왔으며, 최근에는 일부 전기 자동차에도 사용되기 시작했다. 이 전기 자동차에는 18650 건전지 5000여 개가 직렬, 병렬로 연결되어 차량의 바닥에 빼곡히 들어차 있다. 직렬로만 연결시킬 경우 전지 하나가 고장이 나게 되면 전체 전원이 끊기므로 직렬과 병렬을 혼합해 사용 용량을 늘리고 전압을 높인다. 자동차 무게의 $\frac{1}{3}$ 이상을 배터리가 차지하므로 전기 자동차가 움직이는 것은 건전지 5천 개가 움직이는 것과 같은 셈이다.

충전 중인 전기 자동차

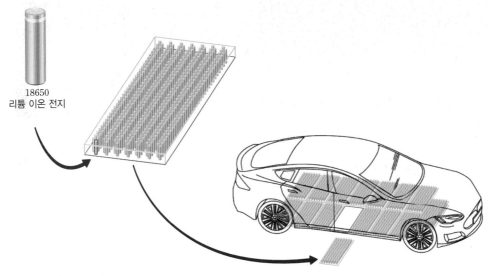

18650
리튬 이온 전지

전기 자동차에 이용되는 건전지

III

태양계

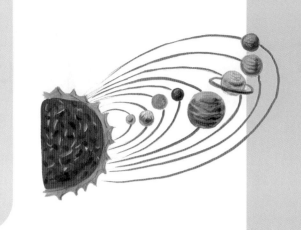

태양계는 중심 천체인 태양을 비롯하여 지구, 달, 행성 등의 여러 천체로 이루어져 있다. 그중 지구와 달의 크기를 구하고, 지구와 달의 운동으로 나타나는 현상을 이해해 보자. 또, 태양계 행성의 특징과 태양 활동이 지구에 주는 영향에 대해서 알아보자.

01 지구의 크기와 운동

태양은 아침에 동쪽에서 떠서 저녁에 서쪽으로 지고, 별은 밤에 동쪽 하늘에서 떠올라 새벽에 서쪽 하늘로 진다. 이러한 현상이 일어나는 까닭과 관련된 지구의 운동은 무엇일까? 이 단원에서는 지구의 크기 측정 원리를 알고, 지구의 자전과 공전으로 나타나는 현상을 알아보도록 하자.

에라토스테네스(Eratosthenes, B.C. 275?~B.C. 194?)
그리스의 수학자·천문학자·지리학자로, 알렉산드리아 도서관장으로 일하던 중 하짓날 정오에 시에네의 우물에는 그림자가 생기지 않는다는 글을 읽고 약 2200년 전에 지구의 크기를 최초로 측정하였다.

하지
24절기의 하나로, 북반구에서는 하지 때 태양의 남중 고도가 가장 높고 낮의 길이가 가장 길다.

1 지구의 크기

1. 에라토스테네스의 지구 크기 측정

(1) **관측 사실**: 에라토스테네스가 하짓날 정오에 거의 비슷한 경도상에 있는 시에네와 알렉산드리아에서 관측한 사실은 다음과 같다.

알렉산드리아에서는 태양이 하늘에서 가장 높은 곳까지 이르렀을 때 수직으로 세워진 신전 기둥에 그림자가 생겼다.

시에네에서는 태양이 하늘에서 가장 높은 곳까지 올라가자 햇빛이 우물 바닥을 수직으로 비추며 그림자가 생기지 않았다.

하짓날 정오에 알렉산드리아와 시에네에 비치는 햇빛

(2) **에라토스테네스의 가정**

① **지구는 완전한 구형**: 지구 크기 측정에 부채꼴의 호의 길이와 중심각의 크기가 비례한다는 원리를 이용하기 위해 지구가 완전한 구형이라고 가정하였다.

② **지표면에 들어오는 햇빛은 평행함**: 태양은 지구로부터 매우 멀리 떨어져 있고, 태양에 비해 지구의 크기가 매우 작으므로 지표면에 들어오는 햇빛은 평행하다고 가정하였다.

(3) **측정 원리**

① **엇각의 원리**: 평행선이 한 직선과 만났을 때 엇각의 크기는 같다.

② **부채꼴의 원리**: 호의 길이는 중심각의 크기에 비례한다.

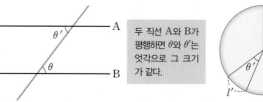

두 직선 A와 B가 평행하면 θ와 θ'는 엇각으로 그 크기가 같다.

엇각의 원리

원의 둘레 : 원의 중심각
=부채꼴 호의 길이 : 부채꼴 중심각
➡ $2\pi R : 360° = l : \theta$
$= l' : \theta'$

부채꼴의 원리

(4) **측정한 값**

① 시에네와 알렉산드리아 사이의 중심각: 햇빛이 평행하게 비친다면 알렉산드리아에 세운 막대와 그 그림자의 끝이 이루는 각도는 알렉산드리아와 시에네 사이의 중심각과 엇각으로 같다. 에라토스테네스는 하짓날 정오에 알렉산드리아에 세운 막대와 막대의 그림자 끝이 이루는 각도를 측정하여 약 7.2°라는 것을 알아내었다.

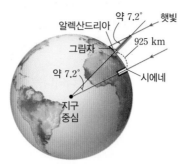

에라토스테네스의 지구 크기 측정

② 두 지점 사이의 거리: 시에네와 알렉산드리아 사이의 거리를 직접 측정하였더니, 그 길이가 약 5000 스타디아(약 925 km)였다.

(5) **지구의 크기 계산**: 시에네에서 알렉산드리아까지의 거리인 약 925 km는 지구의 중심각 7.2°에 해당하는 원호의 길이이므로, 에라토스테네스는 다음과 같은 비례식을 이용하여 지구의 둘레를 계산하였다. 탐구 138쪽 집중분석 139쪽

$$지구의\ 둘레(2\pi R):360°=925\ km:7.2°$$
$$지구의\ 둘레(2\pi R)\times 7.2°=360°\times 925\ km$$
$$지구의\ 둘레(2\pi R)=\frac{360°\times 925\ km}{7.2°}=46250\ km$$
$$지구의\ 반지름(R)=\frac{지구의\ 둘레}{2\pi}=\frac{46250\ km}{2\pi}≒7365\ km$$

→ 에라토스테네스가 계산한 지구의 둘레는 약 46250 km이고, 이로부터 구한 지구의 반지름은 약 7365 km였다. 이 값은 오늘날 인공위성으로 측정한 지구의 반지름인 약 6378 km와 비교했을 때 약 15 % 큰 값이지만, 기원전인 당시로서는 비교적 정확한 값으로 볼 수 있다.

2. 오차가 있는 까닭

(1) **두 지점의 거리 측정값**: 당시에는 발걸음으로 구한 거리이기 때문에 측정값에 오차가 있었다.

(2) **실제 지구의 모양**: 지구는 완전한 구형이 아니라 타원체이다. 실제 지구는 구형과 거의 유사한 모양이므로 이로 인한 오차의 정도는 크지 않았다.

에라토스테네스의 거리 측정
에라토스테네스는 사람을 시켜 알렉산드리아에서 시에네까지 발걸음 폭으로 거리를 측정하도록 하였는데, 그 거리가 약 5000 스타디아였다. 1 스타디아는 고대 그리스 올림픽 경기장 트랙의 길이로, 오늘날의 약 185 m에 해당한다.

비례식 계산
내항의 곱은 외항의 곱과 같으므로 다음과 같이 비례식을 풀 수 있다.
a : b = c : d
→a×d=b×c

학습 내용 Check

정답과 해설 027 쪽

1. 에라토스테네스는 지구의 크기를 측정하기 위해 지구는 완전한 _____이고, 지표면에 들어오는 햇빛은 _____하다고 가정하였다.

2. 에라토스테네스가 지구의 크기를 구하기 위해 실제로 측정한 값은 알렉산드리아의 막대와 막대의 그림자 끝이 이루는 _____와 시에네와 알렉산드리아 사이의 _____이다.

1. **지구의 자전**　지구가 자전축을 중심으로 하루에 한 바퀴씩 서에서 동으로 회전하는 운동

2. **지구의 자전으로 나타나는 현상**　지구는 하루에 한 바퀴씩 시계 반대 방향(서 → 동)으로 자전하고, 이에 따라 낮과 밤의 반복, 천체의 일주 운동 등이 나타난다.

(1) **낮과 밤의 반복**: 지구가 자전함에 따라 태양을 향하는 지역은 낮이 되고, 그 반대쪽은 밤이 된다.

(2) **천체의 일주 운동**: 지구가 자전함에 따라 천체들이 북극성을 중심으로 동에서 서로 하루에 한 바퀴씩 움직이는 겉보기 운동을 한다. 〔과학 용어 사전 234쪽〕

지구의 북극 상공에서 지구를 내려다 보면 지구는 시계 반대 방향으로 자전한다.

지구의 자전

3. **천구와 천체의 일주 운동**

(1) **천구**: 지구에서 하늘을 보면 별들이 무한히 넓은 구의 안쪽에 붙어 있는 것처럼 보이는데, 이러한 가상의 구를 천구라고 한다.

① 천구의 북극과 남극: 지구의 북극과 남극을 연장하여 천구와 만나는 지점을 각각 천구의 북극과 천구의 남극이라고 한다.

② 천구의 적도: 지구의 적도를 연장하여 천구와 만나는 선을 천구의 적도라고 한다.

③ 천정과 천저: 관측자의 머리 위와 아래

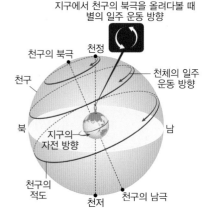

천구와 별의 일주 운동

가 천구와 만나는 점을 각각 천정과 천저라고 한다. 천정과 천저는 관측자의 위치에 따라 달라진다.

(2) **천체의 일주 운동 방향**: 지구가 자전하는 동안 지구상의 관측자에게는 천구가 지구의 자전 방향과 반대 방향으로 도는 것처럼 보인다. 즉, 지구가 자전하기 때문에 천체가 천구의 북극을 중심으로 시계 반대 방향으로 도는 것처럼 보인다.

⑩ 북쪽 하늘 별자리의 일주 운동: 북쪽 하늘에서 보이는 별자리는 천구의 북극(북극성 근처)을 중심으로 1시간에 15°씩 시계 반대 방향으로 회전한다.

3시간 간격으로 관측한 북두칠성의 위치

(3) 관측자의 위도에 따른 별의 일주 운동

① 극지방: 별이 일주 운동하는 경로가 지평선과 평행하다. _{보이는 별은 모두 지평선 아래로 지지 않는다.}

② 중위도 지방

- 일주 운동 경로: 별이 일주 운동하는 경로가 지평선에 비스듬하게 경사져 있다.
- 별의 출몰: 지평선 아래로 지지 않는 별과 지평선 위로 떠올랐다가 지평선 아래로 지는 별이 있다.

③ 적도 지방: 별이 일주 운동하는 경로가 지평선에 수직이며 모든 별이 지평선에 수직으로 뜨고 진다. 하늘의 북반구와 남반구에 있는 별들이 거의 대부분 관측되므로 다른 지방보다 관측되는 별의 수가 많다.

 일주권

천체들이 일주 운동하는 경로를 일주권(日週圈)이라고 한다. 일주권은 자전축에 대하여 수직이며, 천구의 적도와 나란하다.

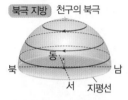
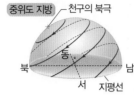
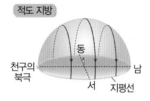

위도에 따른 별의 일주 운동

(4) 관측 방향에 따른 별의 일주 운동: 우리나라(중위도)에서 별의 일주 운동을 관측하면 방향에 따라 그 모습이 다르게 나타난다.

지평선에서 오른쪽으로 비스듬히 떠오른다.

지평선과 거의 나란하게 동쪽에서 서쪽으로 이동한다.

지평선에서 오른쪽으로 비스듬히 진다.

북극성을 중심으로 시계 반대 방향으로 회전한다.

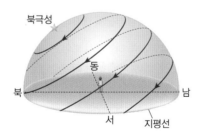

관측자의 방향에 따른 별의 일주 운동(북반구 중위도 지방)

북두칠성의 일주 운동

북두칠성은 북극성 주변에 위치하므로 북쪽 하늘에서 관측된다.
- 일주 운동 방향: 시계 반대 방향
- 일주 운동 속도: 지구가 24시간 동안 360°를 자전하므로 1시간에 15°씩 자전한다. → 북두칠성이 45°만큼 이동하였다면 3시간 동안 관측한 것이다.

학습 내용 Check

정답과 해설 027 쪽

1. 낮과 밤의 반복, 천체의 _____ 운동은 지구의 자전에 의해 나타나는 현상이다.

2. 지구가 자전함에 따라 천체들은 천구의 북극을 중심으로 하루에 한 바퀴씩 (시계, 시계 반대) 방향으로 움직이는 것처럼 보인다.

③ 지구의 공전

1. **지구의 공전** 지구가 태양을 중심으로 일 년에 한 바퀴씩 서에서 동으로 회전하는 운동

2. **지구의 공전으로 나타나는 현상** 지구의 공전으로 별과 태양의 연주 운동, 계절에 따른 별자리의 변화 등이 나타난다.

(1) **별의 연주 운동**: 매일 같은 시각에 별자리를 관측하면 별자리의 위치가 하루에 약 1°씩 동에서 서로 이동한다.

2019년 4월 1일   2019년 4월 16일   2019년 5월 1일

보름 간격으로 같은 시각에 관측한 별자리

(2) **태양의 연주 운동**: 같은 시각에 관측되는 별자리의 위치가 하루에 약 1°씩 동에서 서로 이동하는 까닭은 태양이 별자리를 배경으로 서에서 동으로 하루에 약 1°씩 이동하기 때문이다. 이처럼 지구가 공전함에 따라 태양이 하루에 약 1°씩 서에서 동으로 이동하여 일 년 후에는 처음의 위치로 돌아오는 현상을 태양의 연주 운동이라고 한다. → 태양의 연주 운동은 태양이 실제로 이동하는 것이 아니라 지구가 태양을 중심으로 공전하기 때문에 태양이 별자리 사이를 이동하는 것처럼 보이는 겉보기 운동이다. (과학 용어 사전 234쪽)

탐구⁺더하기   **태양 부근의 별자리 관측**

그림은 해가 진 직후 서쪽 하늘에서 보이는 별자리를 15일 간격으로 관측하여 나타낸 것이다.

① 투명 필름을 (가) 위에 대고 별자리를 그리고 태양의 위치를 표시한다.

② 투명 필름을 (나)와 (다) 위로 각각 옮겨 별자리의 모양을 맞춘 후 태양의 위치를 표시한다.

(가) 5월 1일   (나) 5월 16일   (다) 5월 31일

별의 연주 운동	태양의 연주 운동
별자리는 태양을 기준으로 하루에 약 1°씩 동에서 서로 이동한다. 	태양은 별자리를 기준으로 하루에 약 1°씩 서에서 동으로 이동한다. 

연주 운동의 속도
연주 운동은 지구 공전에 의한 겉보기 운동으로, 지구가 1년(365일) 동안 한 바퀴(360°) 공전하므로 연주 운동은 하루에 약 1°씩 회전하는 것처럼 보인다.

① 황도: 태양이 연주 운동하면서 천구상에서 별자리 사이를 이동해 가는 길을 황도라고 한다.

② 황도 12궁: 황도상에 있는 12개의 별자리를 황도 12궁이라고 한다. 매월 태양은 황도 12궁의 별자리를 하나씩 지나간다. 과학 용어 사전 234쪽

③ 지구의 공전에 따른 별자리 변화: 태양이 있는 쪽 별자리는 관측하기 어렵고, 태양의 반대쪽에 있는 별자리는 한밤중에 남쪽 하늘에서 보인다. → 지구가 공전하여 태양이 보이는 위치가 달라지면서 계절에 따라 밤하늘에 보이는 별자리도 달라진다.

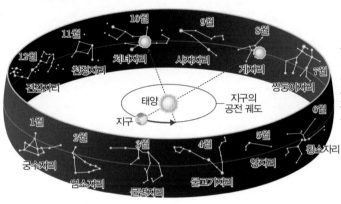

태양의 연주 운동과 황도 12궁 지구가 태양 주위를 공전하므로 태양을 바라볼 때 배경 별자리의 위치가 다르게 보인다. 그 결과 천구상에서 태양이 별자리 사이를 이동해 가는 것처럼 보인다.

지구의 공전에 따른 별자리 변화

구분	태양 쪽 별자리	한밤중 남쪽 하늘에서 보이는 별자리
3월	물병자리	사자자리
6월	황소자리	전갈자리
9월	사자자리	물병자리
12월	전갈자리	황소자리

(3) **천구의 적도와 황도**: 천구의 적도와 황도는 약 23.5°의 각을 이루며, 춘분점과 추분점에서 만난다. 태양은 황도상에서 춘분점 → 하지점 → 추분점 → 동지점 → 춘분점의 방향으로 연주 운동을 한다.

① 춘분점: 태양이 황도를 따라 남쪽에서 북쪽으로 천구의 적도를 지날 때 만나는 점

② 하지점: 태양이 황도상에서 가장 북쪽에 위치한 점

③ 추분점: 태양이 황도를 따라 북쪽에서 남쪽으로 천구의 적도를 지날 때 만나는 점

④ 동지점: 태양이 황도상에서 가장 남쪽에 위치한 점

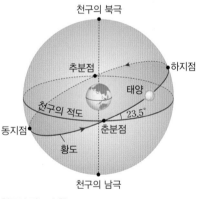

천구의 적도와 황도

절기에 따른 태양의 남중 고도

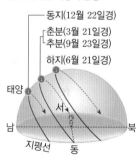

정답과 해설 027 쪽

학습 내용 Check

1. 계절에 따른 별자리의 변화, 태양의 연주 운동은 지구의 _____에 의해 나타나는 현상이다.

2. 천구상에서 태양이 지나가는 길을 _____라 하고, 이 길에 위치한 12개의 별자리를 _____이라고 한다.

 과정

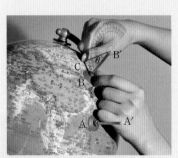

❶ 햇빛이 잘 비치는 곳에 지구 모형을 놓고 동일한 경도 위의 두 지점 A, B에 막대 2개를 설치한다. 이때 막대 AA′의 그림자가 생기지 않도록 지구 모형의 위치를 조정한다.

❷ 막대 A와 B 사이의 거리(l)를 줄자로 측정한다.

> 유의점 A와 B가 반드시 동일 경도상에 위치하도록 하고, A와 B 사이의 거리는 막대의 중심에서 중심까지의 거리를 잰다.

❸ 막대 BB′의 끝과 그림자의 끝 C를 실로 잇고, θ의 크기를 측정한다.

> **Tip** θ를 측정하는 까닭
> 두 막대 사이의 중심각은 직접 측정할 수 없기 때문에 엇각으로 크기가 같은 θ를 측정하여 중심각을 알아낸다.

❹ 측정한 막대 사이의 거리 l과 측정한 각 θ를 기록한다.
⑩ 막대 사이의 거리 $l=10$ cm, $\theta=20°$이다.

 결과 및 정리

1 막대 사이의 거리 l과 각 θ를 이용하여 지구 모형의 둘레(L)를 구하는 비례식을 세우고, 지구 모형의 둘레를 구해 보자.

$$\rightarrow L:360°=l:\theta \text{이므로 } L=\frac{l\times360°}{\theta}=\frac{10\text{ cm}\times360°}{20°}=180\text{ cm}$$

2 위에서 구한 지구의 둘레 L을 이용하여 지구 모형의 반지름(R)을 구해 보자.

$$\rightarrow L=2\pi R \text{이므로 } R=\frac{180\text{ cm}}{2\pi}≒28.7\text{ cm}$$

탐구 확인 문제

정답과 해설 027쪽

1 위 탐구에 대한 설명으로 옳은 것은 ○, 옳지 않은 것은 ×로 표시하시오.

(1) 에라토스테네스의 지구 크기 측정 방법을 이용하였다.
.... (　)

(2) 지구 모형에 들어오는 햇빛은 평행하다고 가정하였다.
.... (　)

(3) 두 막대 AA′과 BB′ 모두 그림자가 생기지 않아야 한다. .... (　)

(4) 실제로 측정해야 하는 값은 막대 사이의 거리 l과 각 θ이다. .... (　)

(5) 지구 모형에 두 막대를 세울 때 위도는 같고, 경도는 다르게 설치한다. .... (　)

2 적용 위 실험에서 측정값이 다음과 같을 때, 지구 모형의 반지름(R)을 구하시오.(단, $\pi=3$으로 계산한다.)

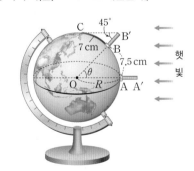

집중분석 (지구의 크기를 구하는 방법

지구의 크기를 측정하는 방법에는 에라토스테네스의 방법이나 인공위성을 이용한 방법 외에 어떤 것이 있는지 알아보자.

1 위도 차를 이용하는 방법

두 지점 A와 B의 경도가 같고 위도가 다르다면, 두 지점 사이의 중심각은 두 지점의 위도 차로 구할 수 있다. 즉, 큰 위도 값에서 작은 위도 값을 뺀 것이 두 지점 사이의 중심각이 된다. 경도가 같은 두 지점 A, B의 위도가 주어지고, 두 지점 사이의 거리를 l이라고 하면, 다음 비례식을 이용하여 지구의 둘레($2\pi R$)를 구할 수 있다.

> 중심각의 크기＝위도 차

$2\pi R : 360° = l :$ 위도 차

$\therefore 2\pi R = \dfrac{360° \times l}{\text{(B의 위도−A의 위도)}}$

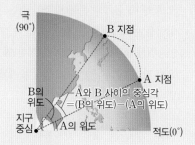

2 북극성의 고도 차를 이용하는 방법

어느 지역에서 북극성의 고도는 그 지역의 위도와 같다. 따라서 북극성의 고도를 이용하여 지구의 크기를 측정할 수도 있다. 북극성은 지구에서 멀리 떨어져 있기 때문에 북극성의 빛 역시 햇빛과 마찬가지로 지구에 평행하게 들어온다고 가정할 수 있다. 그러므로 같은 경도상의 서로 다른 두 지역에서 관측된 북극성의 고도가 주어진다면, 이 두 지역의 북극성의 고도 차는 두 지역 사이의 중심각과 같다.

만약 경도가 같은 두 지점 A, B에서 바라본 북극성의 고도를 각각 $A°$와 $B°$, 두 지점 사이의 거리를 l이라고 하면, 비례식을 이용하여 지구의 둘레($2\pi R$)를 구할 수 있다.

> 중심각의 크기＝북극성의 고도 차

$2\pi R : 360° = l : (B° − A°)$

$\therefore 2\pi R = \dfrac{360° \times l}{(B° − A°)}$

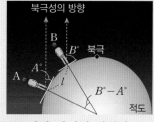

예를 들어, 같은 경도상에 위치한 A와 B 두 지역 사이의 거리가 2230 km이고 두 지역에서 관측한 북극성의 고도가 각각 30°, 50°라면 지구의 반지름(R)은 다음과 같이 구할 수 있다.

$2\pi R : 360° = l : \theta$

$2\pi R : 360° = 2230 \text{ km} : (50° − 30°)$

$\therefore R = \dfrac{2230 \text{ km} \times 360°}{2\pi \times (50° − 30°)} ≒ 6392 \text{ km}$

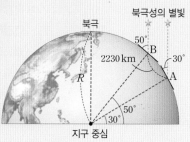

지구의 자전과 공전의 증거

지구의 자전과 공전으로 천체의 일주 운동 및 연주 운동이 나타난다. 그러나 이러한 현상은 지구가 아닌 다른 천체가 움직여도 같은 현상이 나타나기 때문에 지구의 운동을 증명할 수 있는 증거가 될 수 없다. 지구의 자전과 공전의 증거에는 어떤 것이 있는지 알아보자.

① 지구가 자전한다는 증거

⑴ **푸코 진자의 진동면 회전:** 푸코 진자의 진동면은 지구 밖에서 볼 때 항상 일정한 방향으로 진동하지만, 자전하는 지구상의 관측자가 보면 지표면에 대하여 AB 방향에서 CD 방향으로 회전하는 것처럼 보인다.

⑵ **코리올리 효과:** 지구 밖에서 볼 때 지구상의 물체는 직선으로 운동하지만, 지표면을 기준으로 볼 때 물체의 운동 방향이 휘는 것처럼 보인다. 지구 자전의 영향으로 물체의 운동 방향을 휘어지게 하는 것처럼 보이는 가상의 힘을 전향력이라고 한다.

⑶ **인공위성 궤도의 서편 현상:** 일정한 궤도로 공전하는 인공위성의 경우 지구가 서에서 동으로 자전하기 때문에 인공위성의 궤도가 점점 동에서 서(A → B)로 이동하는 것처럼 보인다.

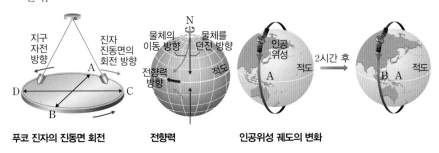

푸코 진자의 진동면 회전　　　**전향력**　　　**인공위성 궤도의 변화**

② 지구가 공전한다는 증거

⑴ **연주 시차:** 연주 시차는 태양을 중심으로 공전하는 지구에서 멀리 떨어진 별을 볼 때 발생하는 시차를 반으로 나눈 것이다. 만약 지구가 움직이지 않고 항상 같은 자리에 있다면 6개월을 기준으로 동일한 별을 관측할 때 시차는 발생하지 않을 것이다. 19세기 독일의 천문학자 베셀이 최초로 백조자리의 별에서 연주 시차를 측정하는 데 성공하여 오늘날 지구 공전의 확실한 증거로 인정받고 있다.

⑵ **광행차:** 18세기 영국의 과학자 브래들리가 연주 시차를 측정하려고 관측하던 중 발견한 현상으로, 지구의 공전 궤도면에 수직으로 입사하는 별빛이 공전하는 지구 위의 관측자에게는 실제보다 약간 앞쪽에서 오는 것처럼 보인다. 이처럼 별빛의 방향이 지구의 공전 때문에 기울어지는 각도(θ)를 광행차라고 하며, 지구 공전의 증거이다.

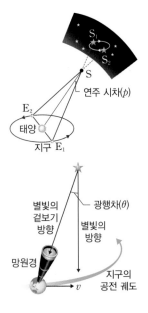

중단원 핵심 정리

① 지구의 크기

① 에라토스테네스의 지구 크기 측정

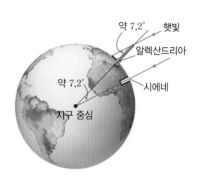

가정	• 지구는 완전한 구형이다. • 지표면에 들어오는 햇빛은 평행하다.
원리	부채꼴의 호의 길이는 중심각의 크기에 비례한다.
직접 측정한 값	• 시에네와 알렉산드리아 사이의 거리 → 약 925 km • 알렉산드리아에서 막대와 막대의 그림자 끝이 이루는 각도(두 지점 사이의 중심각) → 약 7.2°
지구 크기 계산	지구의 둘레(L) : 360°=925 km : 7.2° $L = \dfrac{360° \times 925 \text{ km}}{7.2°} = 46250$ km

② 오늘날 구한 지구 크기와 차이가 나는 까닭

• 두 지점 사이의 거리 측정값에 오차가 있었기 때문이다.

• 지구는 완전한 구형이 아니라 타원체이기 때문이다.

② 지구의 자전

① **지구의 자전**: 지구가 자전축을 중심으로 하루에 한 바퀴씩 서에서 동으로 회전한다.

② **천체의 일주 운동**: 지구가 자전함에 따라 **천체가 천구의 북극을 중심으로 하루에 한 바퀴씩 시계 반대 방향으로 회전하는 겉보기 운동**

• 일주 운동 방향: 동 → 서(지구 자전 방향과 반대)

• 일주 운동 속도: 1시간에 15°씩 이동(지구의 자전 속도와 같음)

③ 관측 방향에 따른 천체의 일주 운동(북반구 중위도)

| 북쪽 하늘 | 동쪽 하늘 | 남쪽 하늘 | 서쪽 하늘 |

③ 지구의 공전

① **지구의 공전**: 지구가 태양을 중심으로 1년에 한 바퀴씩 서에서 동으로 회전한다.

② **태양의 연주 운동**: 지구가 공전함에 따라 태양이 황도를 따라 하루에 약 1°씩 서에서 동으로 이동하는 것처럼 보이는 겉보기 운동

③ **황도 12궁**: 황도 주변에 위치한 12개의 별자리

[01~04] 그림은 에라토스테네스가 지구의 크기를 측정한 방법을 나타낸 것이다.

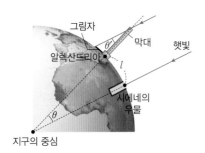

01 지구의 크기를 구하기 위해 에라토스테네스가 가정한 것으로 옳은 것을 보기에서 모두 고른 것은?

보기
ㄱ. 지구는 완전한 구형이다.
ㄴ. 햇빛은 지구에 평행하게 들어온다.
ㄷ. 시에네와 알렉산드리아는 같은 위도상에 있다.
ㄹ. 태양은 정오에 항상 시에네의 우물 위에 위치한다.

① ㄱ, ㄴ   ② ㄱ, ㄷ   ③ ㄴ, ㄷ
④ ㄴ, ㄹ   ⑤ ㄷ, ㄹ

02 위의 방법으로 지구의 크기를 구하기 위해 에라토스테네스가 직접 측정한 값을 보기에서 모두 고른 것은?

보기
ㄱ. 막대의 길이
ㄴ. 시에네 우물의 깊이
ㄷ. 알렉산드리아와 시에네 사이의 거리
ㄹ. 막대 끝과 막대의 그림자 끝이 이루는 각

① ㄱ, ㄴ   ② ㄴ, ㄷ   ③ ㄷ, ㄹ
④ ㄱ, ㄴ, ㄷ   ⑤ ㄴ, ㄷ, ㄹ

03 지구의 반지름(R)을 구하는 비례식으로 옳은 것은?
① $2\pi R : \theta = 360° : l$ ② $2\pi R : 360° = \theta : l$
③ $2\pi R : 360° = l : \theta$ ④ $\pi R : l = 360° : \theta$
⑤ $\pi R : \theta = 360° : l$

04 에라토스테네스가 구한 지구의 반지름이 실제 지구의 반지름과 차이가 나는 까닭을 보기에서 모두 고른 것은?

보기
ㄱ. 지구는 완전한 구형이 아니다.
ㄴ. 햇빛이 지구에 평행하게 들어오지 않았다.
ㄷ. 두 지점 사이의 거리 측정값이 정확하지 않았다.

① ㄴ   ② ㄷ   ③ ㄱ, ㄴ
④ ㄱ, ㄷ   ⑤ ㄱ, ㄴ, ㄷ

05 그림은 서울과 광주의 어느 두 지점 A와 B의 위도와 경도 및 두 지점 사이의 거리를 이용하여 지구의 반지름(R)을 측정하는 방법을 나타낸 것이다.

이에 대한 설명으로 옳은 것을 보기에서 모두 고른 것은?

보기
ㄱ. A와 B는 동일 경도상에 위치한다.
ㄴ. A와 B 사이의 중심각의 크기는 (37.5°+35°)로 구한다.
ㄷ. $2\pi R : 360° = 300\,\text{km} : 2.5°$의 비례식이 성립한다.

① ㄴ   ② ㄷ   ③ ㄱ, ㄴ
④ ㄱ, ㄷ   ⑤ ㄴ, ㄷ

06 그림은 우리나라의 어느 지방에서 밤하늘을 향해 카메라를 고정시키고 약 2시간 동안 별의 일주 운동을 촬영한 것이다.

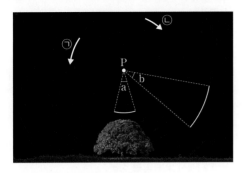

이에 대한 설명으로 옳지 <u>않은</u> 것은?

① P에 있는 별은 북극성이다.

② 북쪽 하늘을 촬영한 것이다.

③ 각 a와 b는 15°로 같다.

④ 별의 일주 운동 방향은 ㉠이다.

⑤ 지구의 자전 때문에 나타나는 현상이다.

[08~09] 그림은 어느 지방에서 관측한 별의 일주 운동을 나타낸 것이다.

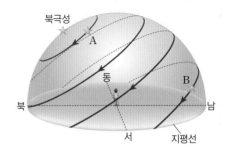

08 이에 대한 설명으로 옳은 것을 보기에서 모두 고른 것은?

보기

ㄱ. 관측자는 북반구 중위도에 위치한다.

ㄴ. 별 A는 항상 지평선 위에 위치한다.

ㄷ. 별 B는 지구의 북극에서는 관측할 수 없다.

① ㄱ   ② ㄷ   ③ ㄱ, ㄴ

④ ㄴ, ㄷ   ⑤ ㄱ, ㄴ, ㄷ

07 그림은 우리나라에서 관측한 북두칠성의 일주 운동을 나타낸 것이다.

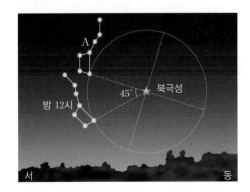

A를 관측한 시각으로 옳은 것은?

① 저녁 6시   ② 밤 9시   ③ 밤 10시

④ 새벽 2시   ⑤ 새벽 3시

09 이 지방의 동쪽 하늘을 관측했을 때 나타나는 별의 일주 운동 모습으로 옳은 것은?

①

②

③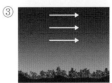

④

⑤

10 그림 (가)와 (나)는 각각 위도가 다른 지역의 관측자가 본 천체의 일주 운동 모습을 나타낸 것이다.

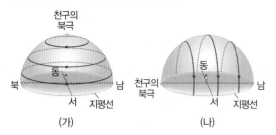

(가)   (나)

이에 대한 설명으로 옳은 것을 보기에서 모두 고른 것은?

> **보기**
> ㄱ. (가)는 북극, (나)는 적도에서 관측한 것이다.
> ㄴ. (나)보다 (가)에서 관측할 수 있는 별자리가 많다.
> ㄷ. (가)와 (나) 모두 별의 일주 운동의 주기는 24시간이다.

① ㄴ   ② ㄷ   ③ ㄱ, ㄴ
④ ㄱ, ㄷ   ⑤ ㄱ, ㄴ, ㄷ

[11~12] 그림은 해가 진 직후 서쪽 하늘의 별자리를 15일 간격으로 관측한 것이다.

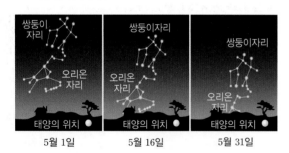

5월 1일   5월 16일   5월 31일

11 별자리를 배경으로 태양이 움직인 방향과 하루 동안 태양이 움직인 각도를 옳게 짝 지은 것은?

	방향	각도
①	동 → 서	약 1°
②	동 → 서	약 15°
③	동 → 서	약 30°
④	서 → 동	약 1°
⑤	서 → 동	약 15°

12 별자리의 변화에 대한 설명으로 옳은 것을 보기에서 모두 고르시오.

> **보기**
> ㄱ. 지구의 공전으로 나타나는 현상이다.
> ㄴ. 별자리는 하루에 약 15°씩 이동한다.
> ㄷ. 태양을 기준으로 별자리는 서에서 동으로 이동한다.

13 여러 가지 천체의 운동 중 지구의 공전에 의해 나타나는 현상을 보기에서 모두 고른 것은?

> **보기**
> ㄱ. 밤과 낮이 생긴다.
> ㄴ. 계절마다 별자리가 달라진다.
> ㄷ. 태양이 동쪽에서 떠서 서쪽으로 진다.
> ㄹ. 태양이 별자리를 배경으로 매일 위치가 달라진다.

① ㄱ, ㄴ   ② ㄴ, ㄷ   ③ ㄴ, ㄹ
④ ㄷ, ㄹ   ⑤ ㄱ, ㄴ, ㄹ

[14~15] 그림은 황도 근처에 있는 12개의 별자리를 나타낸 것이다.

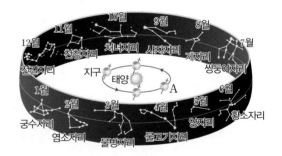

14 현재 지구가 A의 위치에 있다면 한밤중에 남쪽 하늘에서 볼 수 있는 별자리는?

① 전갈자리   ② 물병자리   ③ 황소자리
④ 사자자리   ⑤ 처녀자리

15 현재 위치(A)에서 3개월 후 태양이 지나는 곳에 위치한 별자리는?

① 전갈자리   ② 물병자리   ③ 황소자리
④ 사자자리   ⑤ 처녀자리

01 그림은 에라토스테네스의 방법으로 지구 모형의 크기를 측정하는 방법을 나타낸 것이다.

(가)   (나)   (다)

이에 대한 설명으로 옳은 것을 보기에서 모두 고른 것은? (단, 지구 모형은 완전한 구형이다.)

> **보기**
>
> ㄱ. (가)의 두 막대는 모두 그림자가 생기지 않아야 한다.
> ㄴ. (가)에서 두 막대의 길이는 같아야 한다.
> ㄷ. (나)에서 l은 두 막대의 중심 사이의 거리이다.
> ㄹ. (다)에서 측정한 θ는 두 지점의 위도 차와 같다.

① ㄱ, ㄴ   ② ㄴ, ㄷ   ③ ㄷ, ㄹ
④ ㄱ, ㄴ, ㄷ   ⑤ ㄴ, ㄷ, ㄹ

02 오른쪽 그림은 천구와 별의 일주 운동을 나타낸 것이다. 이에 대한 설명으로 옳지 <u>않은</u> 것은?

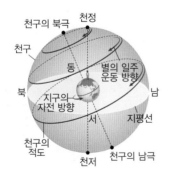

① 천정과 천저는 관측자의 위치에 따라 달라진다.
② 천구의 적도는 지구의 적도를 천구에 투영한 것이다.
③ 천구의 북극과 남극을 이은 선은 지구의 자전축과 일치한다.
④ 북반구에서 별의 일주 운동은 시계 방향으로 관측된다.
⑤ 별의 일주 운동은 지구의 자전에 의해 나타나는 겉보기 운동이다.

03 오른쪽 그림은 어느 날 우리나라 동해안에서 2일 동안 같은 시각에 20분 간격으로 태양의 위치를 관측하여 나타낸 것이다. 이에 대한 설명으로 옳은 것을 보기에서 모두 고른 것은?

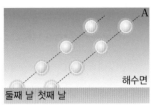

> **보기**
>
> ㄱ. 선 A는 천구의 적도와 평행하다.
> ㄴ. 해가 떠오를 때 동쪽 하늘에서 관측한 것이다.
> ㄷ. 첫째 날과 둘째 날 해수면에서 태양의 위치가 달라진 것은 지구의 자전 때문이다.

① ㄱ   ② ㄴ   ③ ㄷ   ④ ㄱ, ㄴ   ⑤ ㄴ, ㄷ

04 그림 (가)는 해가 진 직후 15일 간격으로 서쪽 하늘에서 관측한 사자자리를, (나)는 황도 12궁을 나타낸 것이다.

(가)

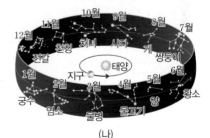

(나)

(가)를 관측한 시기와 같은 시각에 동쪽 지평선에 나타나는 별자리를 옳게 연결한 것은?

	관측 시기	별자리		관측 시기	별자리
①	3~4월	전갈자리	②	3~4월	물병자리
③	6~7월	황소자리	④	8~9월	전갈자리
⑤	8~9월	물병자리			

서술형 문제

01. 지구의 크기와 운동

☞ 제시된 Keyword를 이용하여 문제를 해결해 보자.

1 다음은 에라토스테네스가 지구의 크기를 측정하기 위해 세운 두 가지 가정을 나타낸 것이다.

- 지구는 완전한 구형이다.
- 햇빛은 지구에 평행하게 들어온다.

에라토스테네스가 두 가지 가정을 세운 까닭을 각각 설명하시오.

Keyword 비례식, 엇각

2 다음은 에라토스테네스의 지구 크기 측정 원리 및 오차 값을 설명한 것이다.

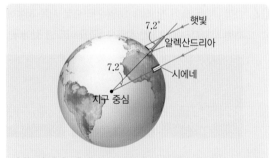

(가) 하짓날 정오에 시에네에는 그림자가 생기지 않지만, 알렉산드리아에는 그림자가 생긴다.
(나) 에라토스테네스가 구한 지구의 둘레는 실제 지구의 둘레보다 약 15 % 크게 측정되었다.

(1) (가)에서 하짓날 정오에 시에네에 그림자가 생기지 않는 것으로부터 알 수 있는 사실을 설명하시오.

Keyword 하짓날, 햇빛, 수직

(2) (나)에서 오차가 생긴 까닭 두 가지를 설명하시오.

Keyword 측정값, 지구의 모양

3 표는 두 지역 A, B의 경도와 위도 및 두 지역 사이의 직선 거리를 나타낸 것이다.

지역	경도	위도	직선 거리
A	127.5°E	37°N	330 km
B	127.5°E	34°N	

이를 이용하여 지구의 둘레는 몇 km인지 구하는 과정을 설명하고, 그 값을 쓰시오.

Keyword 위도 차, 비례식

4 다음은 별의 일주 운동을 관측한 사진이다.

별의 일주 운동은 지구의 자전에 의해 일어나는 현상이지만, 지구 자전의 증거는 될 수 없다. 그 까닭을 설명하시오.

Keyword 일주 운동, 지구의 자전

5 그림 (가)와 (나)는 6시간 간격으로 북두칠성을 찍은 사진을 순서 없이 나타낸 것이다.

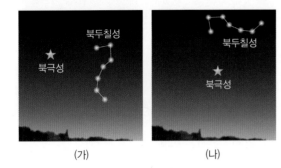

(가) (나)

(가)와 (나) 중 먼저 관측한 것을 쓰고, 그렇게 판단한 까닭을 설명하시오.

Keyword 일주 운동, 북극성

6 그림은 천구와 별 S의 위치를 나타낸 것이다.

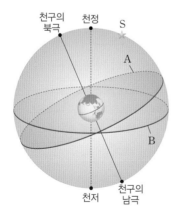

A와 B의 명칭을 쓰고, 별 S의 일주 운동은 A와 B 중 어떤 것에 평행하게 나타나는지와 그 까닭을 설명하시오.

Keyword 천구의 적도, 지평선, 자전축

7 그림의 (가)는 어느 날 해가 진 직후 관측한 별자리의 위치를 나타낸 것이다.

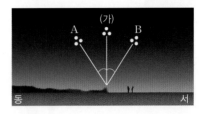

한 달이 지난 후 같은 시각에 이 별자리의 위치는 A와 B 중 어느 방향으로 몇 도(°) 이동하는지 쓰고, 이처럼 별자리가 이동하는 까닭은 무엇인지 설명하시오.

Keyword 지구, 공전

8 그림은 황도 12궁과 어느 날 지구의 위치(A)를 나타낸 것이다.

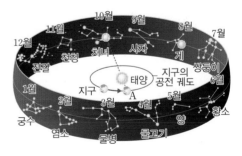

이날 해가 진 직후 동쪽 지평선에서 관측되는 별자리를 쓰고, 그 까닭을 설명하시오.

Keyword 지구, 방향, 자전

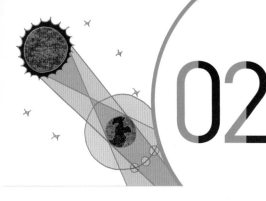

02 달의 크기와 운동

2018년 1월 31일 우리나라에서 개기 월식이 관측되었다. 보름달은 서서히 어두워지다가 붉은색으로 변하였다. 이러한 현상은 왜 일어나는 것일까? 이 단원에서는 달의 크기 측정 방법을 알고, 달의 자전과 공전으로 인한 현상 및 일식과 월식의 원리를 알아보도록 하자.

1 달의 크기

1. 삼각형의 닮음비를 이용한 크기 측정 동전을 이용하여 보름달과 같은 크기로 보일 때 동전과 관측자 사이의 거리를 측정하면, △AOB와 △A′OB′은 서로 닮은꼴이므로 두 삼각형의 닮음비를 이용하여 달의 크기를 구할 수 있다. 탐구 152쪽

서로 닮은 삼각형에서 관측자가 본 동전의 지름(d)과 달의 지름(D)의 비는 눈에서 동전까지의 거리(l)와 지구에서 달까지의 거리(L)의 비와 같다.

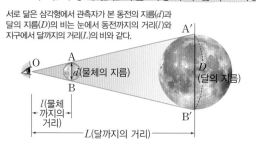

$$d : D = l : L$$
$$\therefore D = \frac{d \times L}{l}$$

달까지의 거리(L)는 약 3.8×10^5 km이므로, 눈에서 동전까지의 거리(l)와 동전의 지름(d)을 측정하면 달의 지름(D)을 계산할 수 있다.

2. 달의 각지름을 이용한 크기 측정 지구를 중심으로 하고 달까지의 거리(l)를 반지름으로 하는 원에서 달의 각지름($0.5°$)을 중심각으로 하는 부채꼴의 호의 길이는 달의 지름(D)에 해당하므로 다음 비례식으로 달의 지름을 구할 수 있다. 과학 용어 사전 235쪽

'원에서 호의 길이는 중심각의 크기에 비례한다.'는 원리를 이용하여 달의 크기를 측정한다.

$$360° : 2\pi l = 0.5° : D$$
$$\therefore D = \frac{0.5°}{360°} \times 2\pi l$$

3. 달과 지구의 크기 비교 달의 반지름은 약 1738 km이고, 지구의 반지름은 약 6400 km이므로, 달의 반지름은 지구 반지름의 약 $\frac{1}{4}$이다.

학습 내용 Check
정답과 해설 030쪽

1. 서로 닮은 두 삼각형에서 대응하는 변의 길이비는 (같다, 다르다).
2. 삼각형의 닮음비를 이용하여 달의 크기를 구하려면 동전이 보름달과 같은 크기로 보일 때 동전의 _____과 눈에서 동전까지의 _____를 측정해야 한다.

삼각형의 닮음비
서로 닮은 두 삼각형 △ABC와 △AB′C′에서 대응하는 변의 길이의 비는 일정하다.

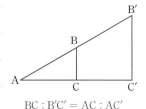

$$BC : B′C′ = AC : AC′$$

달까지의 거리
레이저 광선의 반사를 통해 빛이 달까지 왕복하는 데 걸리는 시간(약 2.5초)을 측정하여 달까지의 거리를 구할 수 있다. 이 방법으로 구한 달까지의 거리는 약 38만 km이다.

 용어 각지름
관측자의 눈과 천체 지름의 양끝이 이루는 각도로, 시지름 또는 시직경이라고도 한다. 크기가 매우 작기 때문에 각의 단위인 도(°), 분(′), 초(″) 등으로 나타낸다.

② 달의 운동

1. 달의 공전과 모양 변화 매일 같은 시각에 달을 관측하면 달이 떠 있는 위치와 모양이 달라진다. 달은 하루에 약 13°씩 서에서 동으로 이동하고, 달의 모양은 초승달에서 점점 보름달로, 또 보름달에서 그믐달로 변해간다.

$$\frac{360°}{27.3일} ≒ 13°/일$$

해가 진 직후 달의 위치와 모양

2. 달의 위상 변화

(1) **달의 공전과 위상 변화**: 달은 스스로 빛을 내지 못하기 때문에 햇빛을 반사하여 밝게 보인다. 달이 공전하면서 태양, 지구, 달의 위치 관계가 변하므로 지구에서 보이는 달의 모양이 달라진다. 우리 눈에 보이는 달의 모양을 달의 위상이라고 한다.

(2) **달의 위상 변화**: 달의 위상은 삭 → 초승달 → 상현달 → 보름달(망) → 하현달 → 그믐달 → 삭의 순서로 변한다.

① 삭: 달이 태양과 같은 방향에 위치하여 보이지 않을 때

② 망: 달이 태양의 반대 방향에 위치하여 보름달로 보일 때

③ 상현: 달이 삭과 망 사이에 위치하여 오른쪽 반원(상현달)으로 보일 때

④ 하현: 달이 망과 삭 사이에 위치하여 왼쪽 반원(하현달)으로 보일 때

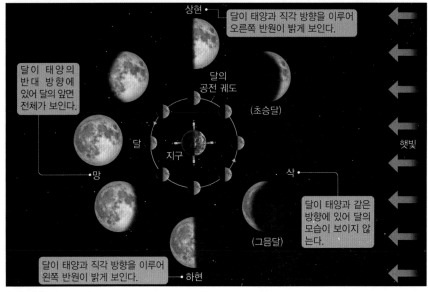

달의 공전과 위상 변화

정답과 해설 030쪽

학습 내용 Check

1. 달의 위상은 삭 → 초승달 → _____ → 보름달 → _____ → 그믐달 → 삭 순으로 변한다.

2. 달이 태양의 반대 방향에 위치하면 달의 위상은 _____로 보인다.

달이 뜨고 지는 시각

달의 위치와 모양에 따라 달이 뜨고 지는 시각과 남중하는 시각이 달라진다. 단, 낮에는 태양 빛이 밝기 때문에 달은 해가 진 후부터 해 뜨기 전까지 관측할 수 있다.

위상	뜨는 시각	남중 시각	지는 시각
삭	6시	12시	18시
상현달	12시	18시	24시
보름달	18시	24시	6시
하현달	24시	6시	12시

달이 뜨는 시각이 매일 약 50분씩 늦어지는 까닭

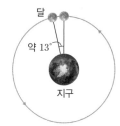

지구가 한 바퀴 자전하는 동안 달은 약 13°만큼 지구 주위를 공전한다. 따라서 지구가 약 50분 $\left(≒\frac{13°}{15°}×60분\right)$ 더 자전해야 달이 전날과 같은 위치에서 떠오르게 된다.

3 일식과 월식 _{탐구 153쪽} _{과학 용어 사전 235쪽}

1. 일식 달이 태양 앞으로 지나면서 태양의 일부 또는 전체를 가리는 현상

(1) **일식이 일어날 때 위치**: 태양 – 달 – 지구의 순으로 일직선상에 놓일 때 일어나며, 이때는 삭일 때이다.

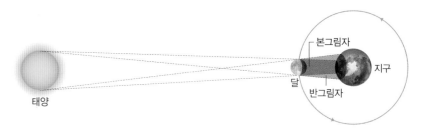

일식의 원리 달이 태양 쪽으로 이동하여 태양, 달, 지구 순서로 일직선을 이룰 때 일어난다.

(2) **일식의 종류**

① 개기 일식: 달이 태양을 완전히 가리는 현상으로, 달의 본그림자 속에 들어가는 지역에서 관측할 수 있으며, 태양 대기인 코로나, 채층 등을 관측할 수 있다.

② 부분 일식: 달이 태양의 일부를 가리는 현상으로, 달의 반그림자 속에 들어가는 지역에서 관측할 수 있다.

③ 금환식(금환 일식): 달이 태양을 완전히 가리지 못하여 태양의 가장자리가 반지 모양으로 보이는 현상이다. 지구와 달 사이의 거리가 멀어져 달의 겉보기 크기(시직경)가 태양보다 작을 때 일어난다.

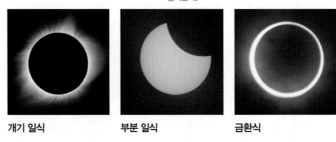

개기 일식　　　　**부분 일식**　　　　**금환식**

(3) **일식의 관측**: 지구에서 달의 그림자가 생기는 지역에서만 볼 수 있다.

2. 월식 달이 지구의 그림자 속으로 들어가 달의 일부가 보이지 않거나 전체가 가려지는 현상

(1) **월식이 일어나는 위치**: 태양 – 지구 – 달의 순으로 일직선상에 위치할 때 일어나며, 이때 달의 위상은 보름달(망)이다.

달이 반그림자 속에 있을 때는 달이 약간 어두워지는 현상만 있을 뿐 월식은 일어나지 않는다.

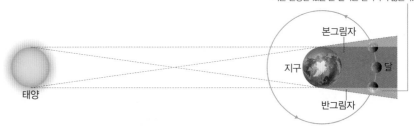

월식의 원리 달이 지구의 본그림자 속으로 들어가 태양, 지구, 달의 순서로 일직선을 이룰 때 일어난다.

금환식이 일어나는 원리
지구와 달의 공전 궤도는 모두 완전한 원이 아니라 타원이다. 그 결과 지구에서 달까지의 거리가 상대적으로 멀어질 때 일식이 일어나면 달이 태양을 완전히 가리지 못하여 태양의 가장자리 부분이 반지 모양으로 둥글게 보이는 금환식이 일어난다.

용어 본그림자와 반그림자
• 본그림자: 광원에서 오는 모든 빛이 차단되어 생기는 어두운 그림자이다.
• 반그림자: 광원에서 오는 빛의 일부가 차단되어 생기는 약간 어두운 그림자이다.

(2) 월식의 종류

① 개기 월식: 달이 지구의 본그림자
속으로 완전히 들어가 달 전체가
가려지는 현상이다.

② 부분 월식: 달의 일부가 지구의 본
그림자 속에 들어가 가려지는 현상
이다. 달이 지구의 본그림자와 반그림자의 경계에 위치할 때 나타난다.

개기 월식　　**부분 월식**

(3) 월식의 관측: 지구에서 달을 볼 수 있는 모든 지역에서 볼 수 있다.

3. 일식과 월식의 진행

(1) **일식의 진행**: 태양 방향을 기준으로 할 때 달이 태양의 오른쪽에서 왼쪽으로 진행
하면서 태양을 가리므로 일식은 태양의 오른쪽에서 왼쪽으로 일어난다.

(2) **월식의 진행**: 달이 지구의 본그림자 속의 오른쪽(서)에서 왼쪽(동) 방향으로 들어가
면서 월식이 일어나므로 달의 왼쪽부터 가려진다.

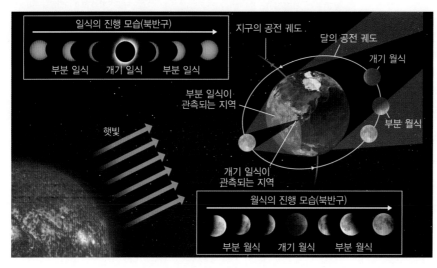

4. 일식과 월식이 삭과 망일 때마다 일어나지 않는 까닭
일식과 월식은 태양, 지구, 달
이 일직선상에 위치할 때 일어나므로 매달 삭과 망일 때마다 일식과 월식을 볼 수
있어야 한다. 그러나 달의 공전 궤도면이 지구의 공전 궤도면과 약 5° 기울어져 있
기 때문에 일식과 월식은 매달 일어나지 않는다.

학습 내용 Check
정답과 해설 030쪽

1. 달이 태양을 가리는 현상을 _____이라고 한다.

2. 달 전체가 지구의 (본그림자, 반그림자) 속에 들어갈 때 개기 월식을 관측할 수 있다.

3. 일식이 진행될 때는 태양의 (오른, 왼)쪽부터 가려지고, 월식이 진행될 때는 달의 (오른, 왼)
쪽부터 가려진다.

개기 월식 때 달이 붉게 보이는 까닭
지구의 대기에 의해 굴절된 약간
의 햇빛이 달을 비춰 어두운 붉은
색을 띤다.

일식과 월식의 지속 시간
일식의 지속 시간은 최대 약 8분,
월식의 지속 시간은 최대 약 1시간
40분이다. 월식의 지속 시간이 일
식의 지속 시간보다 긴 까닭은 지
구의 그림자가 달의 그림자보다
크기 때문이다.

달과 지구의 공전 궤도면

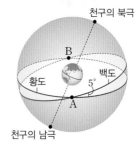

황도(지구의 공전 궤도면)와 백도
(달의 공전 궤도면)가 만나는 곳
(A, B)에서 삭과 망일 때에만 일식
과 월식이 일어난다.

탐구 달의 크기 측정하기

달의 크기를 구하는 원리를 이해하고 측정 장치를 만들어 달의 크기를 측정할 수 있다.

과정

❶ 두꺼운 종이의 가운데 윗부분에 구멍을 뚫은 후, 구멍의 지름을 잰다.

❷ 구멍을 뚫은 두꺼운 종이에 틈을 내 자를 끼우고, 벽으로부터 3 m 정도 떨어진 거리에 서서 보름달 사진을 본다.

❸ 종이를 앞뒤로 움직여 사진의 보름달이 구멍에 꽉 차게 보일 때 눈과 종이 사이의 거리를 측정한다.

  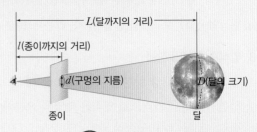

❹ 측정한 구멍의 지름(d)과 눈과 종이 사이의 거리(l)를 기록한다.

구멍의 지름(d)	0.5 cm	눈과 종이 사이의 거리(l)	55 cm

유의점 달 사진까지의 거리가 멀기 때문에 눈에서 종이까지의 거리와 구멍의 지름 측정값이 조금만 부정확해도 오차가 크게 나타남을 주의한다. 따라서 같은 측정을 5번 이상 반복하여 평균값을 구해 식에 대입하도록 한다.

결과 및 정리

1 달까지의 거리를 L이라고 할 때 삼각형의 닮음비를 이용하여 달의 지름(D)을 구하는 비례식을 세워 보자.

→ D(달의 지름) : L(달까지의 거리)=d(구멍의 지름) : l(눈과 종이 사이의 거리)이다.

2 지구에서 달까지의 거리(L)가 380000 km라고 할 때, 과정 ❹의 측정값을 이용하여 달의 지름(D)을 구해 보자.

→ $D = \dfrac{d \times L}{l} = \dfrac{0.5 \text{ cm} \times 380000 \text{ km}}{55 \text{ cm}} ≒ 3454.5 \text{ km}$이다.

탐구 확인 문제

정답과 해설 030쪽

1 위 실험에서 직접 측정해야 하는 값 두 가지를 쓰시오.

2 위 실험에서 달의 크기를 구하기 위해서 측정값 이외에 미리 알고 있어야 하는 물리량은?

① 달의 질량 ② 달의 밀도
③ 달의 밝기 ④ 달의 공전 주기
⑤ 지구와 달 사이의 거리

3 그림과 같이 동전을 이용하여 달의 지름을 구하려고 한다.

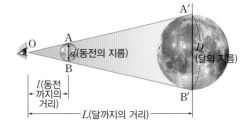

- 동전의 지름(d): 0.9 cm
- 눈과 동전 사이의 거리(l): 100 cm
- 지구에서 달까지의 거리(L): 380000 km

달의 지름(D)을 구하는 비례식을 세우고, 값을 구하시오.

탐구 일식과 월식의 원리 알아보기

모형실험을 통하여 일식과 월식이 일어나는 원리를 알 수 있다.

과정

❶ 그림과 같이 두 개의 종이컵에 철사를 꽂고 큰 스타이로폼 공과 작은 스타이로폼 공을 각각 끼운다.

❷ 어두운 방 안에서 전등을 켠 후 전등–작은 스타이로폼 공–큰 스타이로폼 공이 일직선이 되도록 놓아, 큰 스타이로폼 공을 중심으로 작은 스타이로폼 공을 시계 반대 방향으로 회전시키면서 큰 스타이로폼 공의 표면에 나타나는 작은 스타이로폼 공의 그림자를 관찰한다.

❸ 이번에는 전등–큰 스타이로폼 공–작은 스타이로폼 공을 일직선이 되도록 놓아, 작은 스타이로폼 공을 시계 반대 방향으로 회전시키면서 작은 스타이로폼 공이 큰 스타이로폼 공의 그림자에 가려지는 현상을 관찰한다.

 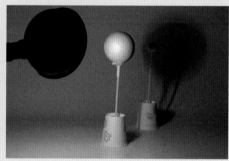

결과 해석 및 정리

1 이 실험에서 전등은 태양, 큰 스타이로폼 공은 지구, 작은 스타이로폼 공은 달에 비유할 수 있다.

2 전등–작은 스타이로폼 공–큰 스타이로폼 공 순서로 일직선을 이룰 때에는 작은 스타이로폼 공이 전등빛을 가려 큰 스타이로폼 공에 그림자가 생긴다. → 태양–달–지구의 순서로 일직선을 이루어 달이 태양을 가리는 일식에 해당한다.

3 전등–큰 스타이로폼 공–작은 스타이로폼 공 순서로 일직선을 이룰 때에는 작은 스타이로폼 공이 큰 스타이로폼 공의 그림자에 가려진다. → 태양–지구–달의 순서로 일직선을 이루어 달이 지구 그림자에 의해 가려지는 월식에 해당한다.

탐구 확인 문제

정답과 해설 030쪽

1 위 탐구에 대한 설명으로 옳은 것은 ○, 옳지 <u>않은</u> 것은 ×로 표시하시오.

(1) 일식은 삭일 때 일어난다. .... ( )

(2) 일식은 태양의 왼쪽부터 가려지면서 일어난다. .... ( )

(3) 월식은 태양 – 지구 – 달 순서로 일직선상에 놓였을 때 일어난다. .... ( )

(4) 부분 월식은 달의 일부가 지구의 반그림자에 들어갔을 때 일어난다. .... ( )

(5) 일식보다 월식을 관측할 수 있는 지역이 더 넓다. ( )

2 적용 그림은 전등, 큰 스타이로폼 공, 작은 스타이로폼 공 순서로 일직선이 되도록 한 후, 작은 스타이로폼 공을 시계 반대 방향으로 회전시키는 모습이다.

이를 바탕으로 월식이 진행될 때 달의 어느 쪽부터 가려지는지 쓰시오.

심화

달의 공전 주기와 자전 주기

우리가 사용하는 음력은 달의 위상 변화를 기준으로 정한 달의 공전 주기이다. 달의 공전 주기와 자전 주기에 대해 알아보고, 달의 표면 무늬가 항상 같은 까닭을 알아보자.

① 달의 공전 주기

달이 지구를 중심으로 공전하는 동안 지구도 태양 주위를 공전하기 때문에 달의 공전 주기는 기준점에 따라 달라진다.

- 항성월: 달이 천구상의 어느 별자리를 기준으로 제자리로 돌아오는 데 걸리는 시간으로, 약 27.3일이다. 항성월은 달의 실제 공전 주기에 해당한다.
- 삭망월: 달의 위상이 망에서 다음 망까지 또는 삭에서 다음 삭까지 되는 데 걸리는 시간으로, 약 29.5일이다. 삭망월은 음력 한 달을 의미한다.
- 항성월과 삭망월이 일치하지 않는 까닭: 항성월과 삭망월은 약 2.2일 차이가 나는데, 이것은 달이 지구 주위를 공전하는 동안 지구도 태양 주위를 공전하기 때문이다.

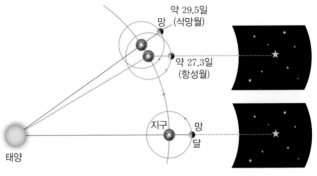

항성월과 삭망월

② 달의 자전 주기와 표면 무늬

달은 공전 주기와 자전 주기가 약 27.3일로 같다. 즉, 달은 한 바퀴 공전하는 동안 한 바퀴 자전하기 때문에 항상 같은 면이 지구를 향한다. 이로 인해 지구의 관측자는 항상 달의 같은 면만 볼 수 있다.

달의 표면 무늬 지구에서는 달의 한쪽 면만 볼 수 있기 때문에 달의 위상이 변해도 표면 무늬는 항상 같다.

중단원 핵심 정리

 달의 크기

삼각형의 닮음비를 이용하여 비례식을 세운다.

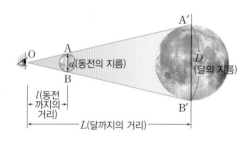

$$d : D = l : L \qquad \therefore D(달의\ 지름) = \frac{d \times L}{l}$$

 달의 운동

① 달의 공전: 달은 매일 약 13°씩 지구 주위를 서에서 동으로 공전한다.

② 달의 위상 변화: 삭 → 초승달 → 상현달 → 보름달 → 하현달 → 그믐달 → 삭

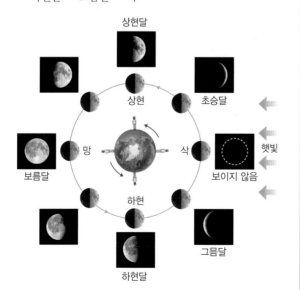

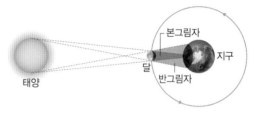 **일식과 월식**

① 일식: 달이 태양의 일부 또는 전체를 가리는 현상
- 일식의 원리: 태양 – 달 – 지구의 순으로 일직선상에 위치할 때 일어난다. → 삭일 때

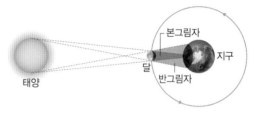

- 일식의 과정: 달이 태양의 오른쪽에서 왼쪽으로 진행하면서 태양을 가리므로 일식은 태양의 오른쪽부터 가려진다.
- 일식의 종류

개기 일식	달이 태양을 완전히 가리는 현상
부분 일식	달이 태양의 일부를 가리는 현상

② 월식: 달이 지구의 그림자 속으로 들어가 가려지는 현상
- 월식의 원리: 태양 – 지구 – 달의 순으로 일직선상에 위치할 때 일어난다. → 망일 때

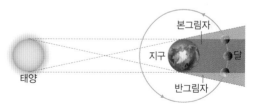

- 월식의 과정: 달이 지구의 본그림자의 오른쪽에서 왼쪽으로 들어가면서 월식이 일어나므로 달의 왼쪽부터 가려진다.
- 월식의 종류

개기 월식	지구의 본그림자에 달 전체가 가려지는 현상
부분 월식	지구의 본그림자에 달의 일부가 가려지는 현상

[01~03] 그림 (가)와 (나)는 달의 크기를 측정하는 서로 다른 방법을 나타낸 것이다.

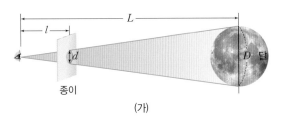

(가)

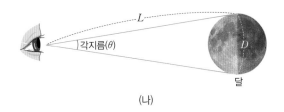

(나)

01 이에 대한 설명으로 옳지 <u>않은</u> 것은?

① (가)에서 종이의 구멍(d)이 클수록 l이 짧아진다.

② (가)에서 구멍에 달이 정확히 겹쳐지도록 l의 길이를 조절한다.

③ (가)에서 직접 측정해야 하는 값은 d와 l이다.

④ (나)에서 각지름은 D에 비례한다.

⑤ 달의 크기를 계산하기 위해서는 L을 알고 있어야 한다.

02 (가) 방법으로 달의 크기를 구하기 위한 비례식으로 옳은 것은?

① $d : D = l : L$　　　② $d : L = l : D$

③ $d : l = L : D$　　　④ $l : D = L : d$

⑤ $L : D = d : l$

03 (나) 방법으로 달의 크기(D)를 구하는 식으로 옳은 것은?

① $\dfrac{\theta}{360°} \times \pi L$　　　② $\dfrac{\theta}{360°} \times 2\pi L$

③ $\dfrac{\theta}{2\pi L} \times 360°$　　　④ $\dfrac{\theta}{2\pi} \times 360°$

⑤ $\dfrac{360°}{\theta} \times 2\pi L$

04 달의 공전에 대한 설명으로 옳지 <u>않은</u> 것은?

① 달은 하루에 약 1°씩 공전한다.

② 달의 공전 방향은 서에서 동이다.

③ 달은 자전 주기와 공전 주기가 같다.

④ 달은 스스로 빛을 내지 못하여 상대적인 위치에 따라 모양이 변한다.

⑤ 지구에서 보이는 달의 모양을 달의 위상이라고 한다.

[05~06] 그림은 해가 진 직후 관측한 달의 위치와 모양 변화를 나타낸 것이다.

05 이에 대한 설명으로 옳은 것을 보기에서 모두 고른 것은?

─ 보기 ─

ㄱ. 달은 매일 같은 시각에 뜬다.

ㄴ. 달의 공전에 의해 나타나는 현상이다.

ㄷ. 음력 7~8일경 해가 진 직후 동쪽 하늘에서 상현달을 볼 수 있다.

① ㄱ　　　② ㄴ　　　③ ㄱ, ㄷ

④ ㄴ, ㄷ　　　⑤ ㄱ, ㄴ, ㄷ

06 달을 가장 오랫동안 관측할 수 있는 때는 언제인가?

① 음력 2일경　　　② 음력 6일경

③ 음력 7~8일경　　　④ 음력 10일경

⑤ 음력 15일경

[07~09] 그림은 달의 공전 궤도를 나타낸 것이다.

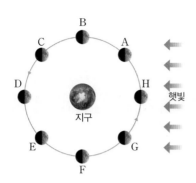

07 상현달의 위치와 관측일을 옳게 짝 지은 것은?

	위치	관측일
①	B	음력 2일경
②	B	음력 7~8일경
③	D	음력 15일경
④	F	음력 7~8일경
⑤	F	음력 22일경

08 해가 지면서 서쪽 하늘에 달이 그림과 같이 보였다면, 이때 달의 위치는?

① A   ② C   ③ E   ④ F   ⑤ G

09 달이 태양과 반대 방향에 위치하여 달의 앞면 전체가 밝게 보이는 위치와 이름을 옳게 짝 지은 것은?

① A, 삭   ② B, 상현달   ③ D, 보름달

④ D, 하현달   ⑤ H, 그믐달

10 오른쪽 그림은 우재가 어느 날 자정 무렵에 동쪽 하늘에서 본 달 M의 모습을 나타낸 것이다. 우재가 본 달의 모습으로 옳은 것은?

11 일식에 대한 설명으로 옳지 않은 것은?

① 달이 태양을 가리는 현상이다.

② 일식이 일어날 때 달은 삭의 위치에 있다.

③ 일식은 밤이 되는 모든 지역에서 볼 수 있다.

④ 일식이 일어나면 태양의 오른쪽부터 가려진다.

⑤ 태양-달-지구 순으로 일직선을 이룰 때 일어난다.

12 그림은 태양, 달, 지구의 위치를 나타낸 것이다.

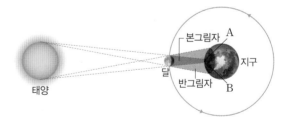

이에 대한 설명으로 옳은 것을 보기에서 모두 고른 것은?

> **보기**
>
> ㄱ. 일식이 일어나는 원리를 나타낸 것이다.
> ㄴ. A에서는 달이 태양을 완전히 가리는 현상이 관측된다.
> ㄷ. B에서는 부분 일식이 관측된다.

① ㄱ   ② ㄷ   ③ ㄱ, ㄴ

④ ㄱ, ㄷ   ⑤ ㄱ, ㄴ, ㄷ

13 그림은 태양의 테두리만 보이는 현상을 나타낸 사진이다.

이와 같은 현상을 무엇이라고 하는가?

① 개기 일식   ② 부분 일식   ③ 금환식

④ 개기 월식   ⑤ 부분 월식

14 그림은 태양, 달, 지구의 위치를 나타낸 것이다.

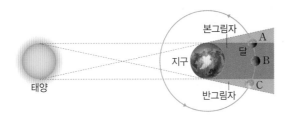

이에 대한 설명으로 옳은 것은?

① 이때는 삭일 때이다.

② 달이 A에 위치할 때 개기 월식이 일어난다.

③ 달이 B에 위치할 때 월식이 일어나지 않는다.

④ 달이 C에 위치할 때 부분 월식이 일어난다.

⑤ 월식이 진행되면 달의 왼쪽부터 가려지기 시작한다.

15 그림은 월식이 일어나는 과정에서 달의 모습의 일부를 순서 없이 나타낸 것이다.

     A   B   C

월식이 일어날 때 달의 모양 변화를 순서대로 옳게 나열한 것은?

① A → B → C   ② A → C → B

③ B → A → C   ④ B → C → A

⑤ C → A → B

16 그림은 개기 월식이 일어났을 때 찍은 사진이다.

일식과는 달리 월식일 때 달이 붉게 보이는 까닭은?

① 달이 반그림자에 있기 때문이다.

② 달이 스스로 빛을 내기 때문이다.

③ 달의 표면에 발광 물질이 있기 때문이다.

④ 지구 대기에서 굴절된 빛이 도달하기 때문이다.

⑤ 달−지구−태양 순으로 일직선을 이루지 않았기 때문이다.

17 매달 일식과 월식이 일어나지 않는 까닭은 무엇인가?

① 달과 지구 사이의 거리가 변하기 때문

② 달의 공전 주기가 일정하지 않기 때문

③ 달과 지구의 공전 주기가 다르기 때문

④ 달의 공전 주기와 자전 주기가 같기 때문

⑤ 지구와 달의 공전 궤도면이 일치하지 않기 때문

01 그림 (가)는 어느 해 9월에 3일 간격으로 같은 시각에 관측한 달의 모양과 위치를, (나)는 지구, 달, 태양의 상대적인 위치를 나타낸 것이다.

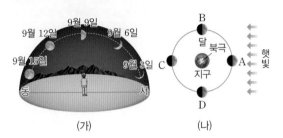

(가)   (나)

관측한 기간 동안 달이 공전한 구간으로 적절한 것을 그림 (나)에서 찾은 것은?

① A → B → C   ② B → C → D

③ C → D → A   ④ D → A → B

⑤ A → D → C

02 그림은 달이 공전하는 모습을 나타낸 것이다.

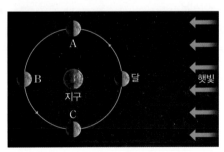

우재는 어느 맑은 날 밤 10시경에 반달을 보았다. 이때 (가) 달이 보이는 하늘과 (나) 달의 위치를 옳게 짝 지은 것은?

	(가)	(나)
①	남동쪽 하늘	A
②	남동쪽 하늘	B
③	남동쪽 하늘	C
④	남서쪽 하늘	A
⑤	남서쪽 하늘	C

03 그림 (가)와 (나)는 일식과 월식을 알아보기 위한 실험을 순서 없이 나타낸 것이다.

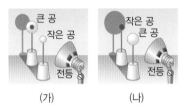

(가)   (나)

이에 대한 설명으로 옳은 것을 보기에서 모두 고르시오.

┌─ 보기 ──────────────────────────
ㄱ. (가)는 일식, (나)는 월식에 관한 실험이다.

ㄴ. (가)와 (나)에서 작은 공은 달, 큰 공은 지구, 전등은 태양에 해당한다.

ㄷ. 실제 지구에서는 (나)보다 (가) 현상을 더 넓은 지역에서 관측할 수 있다.
└──────────────────────────────

04 그림은 일식과 월식이 일어나는 과정을 나타낸 것이다.

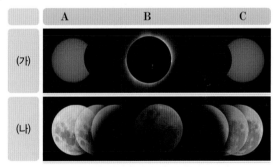

이에 대한 설명으로 옳은 것을 보기에서 모두 고르시오.

┌─ 보기 ──────────────────────────
ㄱ. (가)는 A→B→C, (나)는 C→B→A 순으로 일어난다.

ㄴ. B일 때 태양과 달 사이의 거리는 (가)보다 (나)일 때가 멀다.

ㄷ. B가 지속되는 시간은 (나)보다 (가)일 때가 더 길다.
└──────────────────────────────

서술형 문제

☞ 제시된 Keyword를 이용하여 문제를 해결해 보자.

1 달이 태양을 완전히 가리는 개기 일식이 일어나면 그림과 같이 달의 시직경과 태양의 시직경이 같다.

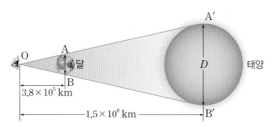

달의 지름(d)을 구하기 위한 비례식을 세우는 방법을 설명하고, 값을 구하시오. (단, 지구의 반지름은 6400 km이고, 태양의 반지름은 지구의 109 배이며, 계산값은 소수 첫째 자리에서 반올림하시오.)

Keyword 삼각형, 닮음비

2 그림은 각지름을 이용하여 달의 크기를 구하는 방법을 나타낸 것이다.

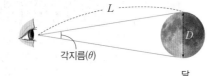

달의 지름(D)을 구하기 위한 비례식을 세우는 방법을 설명하고, 값을 구하시오. (단, $\theta=0.5°$이고, L은 380000 km이며, 계산값은 소수 첫째 자리에서 반올림하시오.)

Keyword 원, 각지름, 부채꼴

3 그림은 해가 진 직후 달의 위치와 모양을 나타낸 것이다.

(1) 시간에 따라 달의 위치가 달라진 까닭을 설명하시오.

Keyword 달, 공전

(2) (1)의 결과 달이 지는 시각은 매일 어떻게 달라지는지 설명하시오.

Keyword 달, 공전, 13°

(3) 보름달일 때 달을 관측할 수 있는 시간이 가장 길다. 하루 중 언제부터 언제까지 관측할 수 있는지 설명하시오.

Keyword 동쪽 하늘, 남중, 서쪽 하늘

4 그림은 달의 위상과 표면의 모습을 나타낸 것이다.

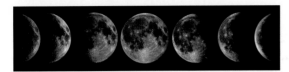

(1) 이를 통해서 알 수 있는 달의 자전 주기와 공전 주기의 관계를 설명하시오.

Keyword 자전 주기, 공전 주기

_____

_____

(2) 이로부터 나타나는 현상을 설명하시오.

Keyword 달의 모양, 표면 무늬

_____

_____

5 그림은 달의 그림자에 의해 일식이 일어나는 여러 가지 경우를 나타낸 것이다.

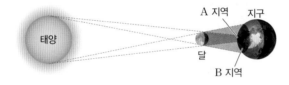

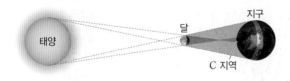

(1) A~C에서 관측되는 일식의 모습을 그리고, 일식의 종류를 쓰시오.

Keyword 개기 일식, 부분 일식, 금환식

_____

(2) C에서 관측되는 일식은 어떤 원리로 일어나는지 설명하시오.

Keyword 달의 공전 궤도, 타원

_____

_____

6 그림은 월식이 일어날 때 태양, 달, 지구의 위치 관계를 나타낸 것이다.

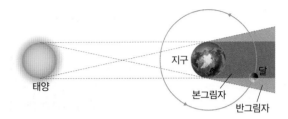

(1) 달이 지구의 반그림자 영역에 들어갔을 때 어떻게 보이는지 설명하시오.

Keyword 달, 반그림자

_____

_____

_____

(2) 부분 월식과 개기 월식이 나타나는 위치를 설명하시오.

Keyword 달, 지구, 본그림자

_____

_____

_____

7 달은 지구 주위를 음력 한 달을 주기로 공전하고 있지만 일식과 월식은 매달 일어나지 않는다.

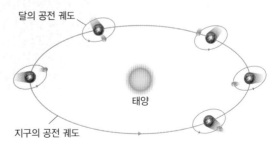

위 그림을 바탕으로 그 까닭을 설명하시오.

Keyword 달의 공전 궤도면, 지구의 공전 궤도면

_____

_____

03 태양계의 구성

금성은 초저녁 서쪽 하늘이나 새벽 동쪽 하늘에서 매우 밝게 보이기 때문에 샛별이라고도 불리는 친숙한 천체이다. 금성 외에 태양계에는 어떤 천체들이 있을까? 이 단원에서는 태양계 행성을 특징에 따라 분류하고, 태양의 특징과 태양 활동이 지구에 미치는 영향에 대해 알아보도록 하자.

① 행성의 분류

1. 태양계의 구성

(1) **태양**: 태양계에서 유일하게 스스로 빛을 내는 천체이다.

(2) **행성**: 태양 주위를 돌고 있는 8개의 천체로, 수성, 금성, 지구, 화성, 목성, 토성, 천왕성, 해왕성이 있다.

(3) **그 밖의 천체**: 행성 주위를 공전하는 천체인 위성, 화성과 목성 궤도 사이에서 태양을 중심으로 공전하는 작고 불규칙한 모양의 천체인 소행성, 긴 타원 궤도나 포물선 궤도로 태양 주위를 운동하며 길고 밝은 꼬리를 나타내는 혜성, 태양 주위를 공전하며 둥근 모양을 하고 있으나, 주변 천체들을 끌어당길 정도의 중력을 갖지 못한 천체인 왜소 행성 등이 있다. ⟨과학 용어 사전 235쪽⟩

2. 행성의 분류

(1) **내행성과 외행성**: 지구의 공전 궤도를 기준으로 지구보다 안쪽에서 공전하는 행성을 내행성, 지구보다 바깥쪽에서 공전하는 행성을 외행성이라고 한다.

① **내행성**: 내행성은 새벽에 동쪽 하늘에서 해가 뜨기 전까지 관측되거나, 저녁에 해가 진 후 서쪽 하늘에서 관측할 수 있다. 내행성은 지구에서 볼 때 태양의 반대쪽에 위치할 수 없으므로 한밤중이나 남쪽 하늘에서는 관측할 수 없다. → 수성, 금성

② **외행성**: 외행성은 내행성과 달리 태양의 반대편에 위치할 수 있다. 이때 외행성은 한밤중에 남쪽 하늘에서 보름달 모양으로 밝게 빛나며, 내행성과 달리 초저녁부터 새벽까지 관측할 수 있다. → 화성, 목성, 토성, 천왕성, 해왕성

용어 태양계
태양 주위를 공전하는 모든 천체 및 이들이 차지하는 공간

행성의 조건
태양 주위를 도는 둥근 천체로, 자신의 궤도 안에서 지배적인 역할을 하며 태양의 중력에 의해 일정한 궤도 운동을 하고 있다.

(2) **지구형 행성과 목성형 행성**: 크기나 질량, 구성 성분 등의 물리적 특성에 따라 지구형 행성과 목성형 행성으로 구분한다.

① **지구형 행성**: 크기와 질량이 작고 평균 밀도가 크며, 암석으로 이루어진 단단한 고체 표면(지각)이 있다. → 수성, 금성, 지구, 화성

② **목성형 행성**: 크기와 질량이 크고 평균 밀도가 작으며, 고체 표면이 없고 수소나 헬륨과 같은 가벼운 기체로 이루어져 있다. → 목성, 토성, 천왕성, 해왕성

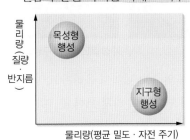
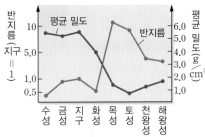

행성의 물리량

└─ 천체가 한 바퀴 회전하는 데 걸리는 시간

③ **지구형 행성과 목성형 행성의 물리량**

• **질량과 반지름**: 목성형 행성은 지구형 행성에 비하여 질량과 반지름이 크다.

• **평균 밀도**: 지구형 행성은 철, 규소, 마그네슘 등의 무거운 원소로 이루어져 있기 때문에 평균 밀도가 크고, 목성형 행성은 수소와 헬륨 등 가벼운 원소로 이루어져 있기 때문에 평균 밀도가 작다.

• **대기**: 지구형 행성 중 수성에는 대기가 없다. 대기가 있는 금성, 지구, 화성은 목성형 행성에 비해 대기층이 얇고, 대기 성분은 이산화 탄소, 질소, 산소 등 무거운 기체로 되어 있다. 목성형 행성은 대기층이 두껍고, 대기 성분은 수소, 헬륨, 메테인, 암모니아 등 가벼운 기체로 되어 있다.

• **고리의 존재**: 지구형 행성은 고리가 없고, 목성형 행성은 얼음과 암석 조각 등으로 이루어진 여러 겹의 고리가 있다.

• **위성의 수**: 수성과 금성은 위성이 없고, 지구는 1개, 화성은 2개의 위성을 가지고 있다. 반면, 목성형 행성은 많은 수의 위성을 가지고 있다.

• **자전 주기**: 지구형 행성의 자전 주기는 1일 이상으로 길고, 목성형 행성의 자전 주기는 1일 미만으로 짧다. ── 목성형 행성은 밤과 낮의 길이가 지구형 행성보다 짧다.

• **편평도**: 행성의 모양이 납작한 정도를 나타내는 값으로, 행성이 빠르게 자전할수록, 즉 자전 주기가 짧을수록 편평도가 크다. 따라서 자전 주기가 짧은 목성형 행성의 편평도가 지구형 행성의 편평도보다 크다. ⟨과학 용어 사전 236쪽⟩

학습 내용 Check

1. 지구의 공전 궤도를 기준으로 지구보다 안쪽에서 공전하는 행성을 _____이라고 한다.

2. 지구형 행성은 목성형 행성에 비해 평균 밀도가 _____고, 반지름은 _____다.

밀도의 개념은 **2권 080쪽~082쪽**을 보면 자세히 알 수 있어요.

행성이 대기를 가질 조건
행성에 대기가 존재하려면 행성의 중력이 크고, 표면 온도가 너무 높지 않아야 한다. 수성은 중력이 너무 작아 기체 분자를 끌어당기는 힘이 약하고, 표면 온도가 너무 높아 기체 분자가 쉽게 이탈하므로 대기가 존재하지 않는다. 금성은 표면 온도가 높지만 상대적으로 큰 중력에 의해 주로 이산화 탄소로 이루어진 두꺼운 대기를 가진다.

03. 태양계의 구성 163

1. 지구형 행성

(1) **수성**: 태양에서 가장 가깝고, 태양계 행성 중 크기가 가장 작아 지구의 위성인 달보다 약간 큰 정도이다. 대기와 물이 없고 자전 주기가 약 59일로 길기 때문

수성

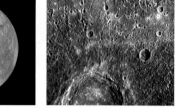
수성 표면의 운석 구덩이

에 밤낮의 온도 차가 매우 커서 낮에는 온도가 약 400 ℃까지 올라가고, 밤에는 약 −170 ℃까지 낮아진다. 운석 구덩이가 많아 달과 비슷하게 보이고, 표면에는 얕은 절벽이 많이 보이며 단층이 나타난다.

(2) **금성**: 지구와 가장 가까운 행성으로, 크기와 질량이 지구와 가장 비슷하다. 짙은 황산 구름으로 둘러싸여 있기 때문에 표면은 보이지 않지만, 황산 구름이 태양빛을 잘 반사하기 때문에 <mark>지구에서 관측할 때 행성 중 가장 밝게 보인다</mark>. 또한, 이산화 탄소로 이루어진 두꺼운 대기층 때문에 표면 기압이 약 90 기압으로 높고 이산화 탄소에 의한 온실 효과가 크게 나타나 표면 온도는 약 470 ℃로 매우 높다.

금성

레이더로 관측한 금성 표면

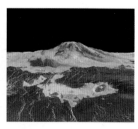
금성의 화산

(3) **화성**: 화성의 표면은 산화 철 성분이 많은 토양으로 이루어져 있어 붉게 보인다. 대기의 대부분이 이산화 탄소(약 95 %)이며, 전체 양은 희박하다. 따라서 기압이 낮고(0.007 기압), 밤낮의 온도 차(−140~20 ℃)가 크게 나타난다. 과거에 물이 흘렀던 것처럼 보이는 골짜기와 강의 흔적이 남아 있다. <mark>화성의 양극에는 드라이아이스와 얼음으로 이루어진 흰색의 극관이 있다.</mark> 화성은 자전축이 약 24.5° 기울어진 채 공전하므로 지구와 같은 계절 변화가 나타나는데, 극관은 여름에 작아지고 겨울에 커진다.

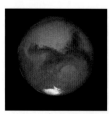
화성

화성의 표면

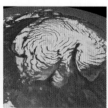
극관

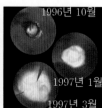
1996년 10월
1997년 1월
1997년 3월
극관의 크기 변화

수성 표면에 운석 구덩이가 많은 까닭
수성에는 대기가 없어 많은 유성체가 대기와의 마찰 없이 떨어지며, 풍화가 일어나지 않아 한 번 생긴 운석 구덩이가 그대로 남아 있기 때문이다.

용어 **온실 효과**
이산화 탄소와 같은 대기 중의 온실 기체가 지표면에서 방출되는 에너지 중 일부를 흡수하여 다시 지표면으로 방출함으로써 평균 기온이 높게 유지되는 현상

지구
액체 상태의 물이 존재하며, 인류를 비롯한 생명체가 살고 있는 행성이다. 바다가 있으므로 지구 바깥에서 보면 푸르게 보인다.

화성의 화산과 협곡
• 화산: 적도 부근에 위치한 올림 포스 화산은 태양계에서 가장 큰 화산이며, 화산 활동이 활발했음을 보여 준다.
• 협곡: 마리네리스 협곡의 길이는 미국 그랜드 캐니언 길이의 약 26배에 이르고 깊이는 그랜드 캐니언의 약 3배에 이르는 매우 깊고 긴 계곡으로, 화성의 적도 근처를 동서로 가로지르고 있다.

2. 목성형 행성

(1) **목성**: 태양계 행성 중 가장 크며, 대기는 대부분 수소와 헬륨으로 이루어져 있다. 빠른 자전으로 인한 가로줄 무늬와 대기의 소용돌이로 인한 거대한 붉은 점인 대적점(대적반)이 나타난다. 목성은 많은 위성을 거느리고 있는데, 그 중 이오에서는 화산 활동이 관측되었으며, 유로파의 표면에는 얼음이 있는 것으로 추정된다. 또, 강력한 자기장에 의하여 극지방에는 오로라가 나타난다.

갈릴레이 위성
목성의 위성 중 갈릴레이가 제작한 망원경으로 관측한 4개의 위성이다.

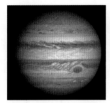 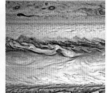  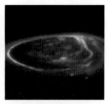

| 목성 | 가로줄 무늬 | 대적점 | 극지방의 오로라 |

(2) **토성**: 토성은 태양계 행성 중 목성 다음으로 큰 행성이다. 주로 수소로 이루어져 있어 평균 밀도(약 $0.7 \, \text{g/cm}^3$)가 가장 작다. 자전 주기가 매우 짧아 태양계 행성 중에서 편평도가 가장 크고, 납작한 모양이다. 얼음과 티끌로 구성된 여러 겹의 고리가 있다.

 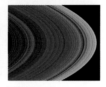

| 토성 | 토성의 고리 |

(3) **천왕성**: 목성이나 토성처럼 주로 수소로 이루어져 있다. 천왕성의 상층 대기에 포함된 메테인이 붉은빛을 흡수하여 청록색을 띤다. 자전축이 공전 궤도면과 거의 나란하다. 최근 탐사선이 천왕성에 가까이 접근하여 많은 위성과 고리를 발견했다.

(4) **해왕성**: 해왕성도 천왕성과 마찬가지로 메테인에 의해 푸른색으로 보인다. 해왕성의 표면에는 목성의 대적점처럼 대기의 소용돌이에 의해 생긴 대흑점이 있다.

천왕성의 궤도
천왕성의 자전축은 공전 궤도면에 거의 평행하게 나타난다.

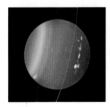 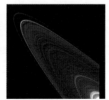 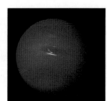 

| 천왕성 | 천왕성의 고리 | 해왕성 | 해왕성의 대흑점 |

학습 내용 Check

정답과 해설 033쪽

1. 태양계 행성 중 _____에는 대기가 없고, 표면에 운석 구덩이가 많이 있다.

2. 금성의 대기는 주로 _____로 이루어진 두꺼운 대기가 있어 표면 온도가 매우 높다.

3. 화성은 자전축이 기울어진 채로 공전하므로 _____ 변화가 나타나고, 양극에 분포하는 _____의 크기가 변한다.

4. _____은 태양계에서 가장 큰 행성으로, 빠른 자전에 의해 가로줄 무늬가 나타난다.

③ 태양

1. 태양의 표면(광구) 우리 눈에 밝고 둥글게 보이는 태양의 표면을 광구라고 한다. 광구에서는 쌀알 무늬와 흑점을 관찰할 수 있다. [집중분석 168쪽]

(1) **쌀알 무늬**: 광구에는 마치 쌀알을 뿌려놓은 것처럼 보이며 끊임없이 움직이는 것이 있는데, 이를 쌀알 무늬라고 한다. 쌀알 무늬는 지름이 보통 수백 km에 이르며, 광구 아래에서 일어나는 대류 때문에 나타난다.

쌀알 무늬

하강 기류   상승 기류

(2) **흑점**: 광구에서 나타나는 어두운 반점을 흑점이라고 한다. 흑점은 광구의 평균 온도인 약 6000 ℃보다 낮은 약 4000 ℃로, 온도가 주위보다 상대적으로 낮아 어둡게 보인다. 흑점은 크기와 모양이 다양하며, 수명은 수 일에서 수개월에 이르기까지 다양하다.

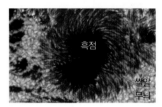

흑점

쌀알 무늬

흑점과 쌀알 무늬

① **흑점의 이동**: 지구(북반구)에서 볼 때 흑점의 위치가 동쪽에서 서쪽으로 이동하는데, 이처럼 흑점의 위치가 변하는 것은 태양이 자전하고 있기 때문이다.
└─ 자전 방향: 서→동

② **흑점의 이동 속도**: 태양의 위도에 따라 흑점의 이동 속도가 다르다. 태양의 자전 주기는 평균 27일이지만 위도에 따라 차이가 나는데, 양극 지역에서는 약 35일, 적도에서는 약 25일이다. 이로부터 태양 표면이 고체가 아님을 알 수 있다.

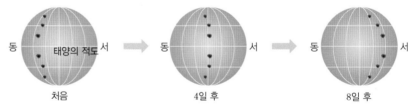

동   태양의 적도   서   동   서   동   서

처음   4일 후   8일 후

흑점의 이동 속도 흑점의 이동 속도가 위도에 따라 다른 것으로부터 태양 표면이 고체 상태가 아님을 알 수 있다.

2. 태양의 대기 태양의 대기는 매우 희박한 대기층으로, 광구에 비해 어둡기 때문에 평상시에는 볼 수 없으며, 개기 일식 때 볼 수 있다.

(1) **채층**: 광구 바로 위에 있는 얇은 대기층으로 붉은색을 띤다.

(2) **코로나**: 채층 바깥쪽으로 멀리까지 뻗어 있는 태양 대기층으로, 두께는 수십만~수백만 km에 이르며, 진주색으로 빛난다. 코로나의 대기는 희박하고, 온도는 100만 ℃ 이상으로 매우 높다.

태양 활동이 활발할 때   태양 활동이 적을 때

채층   **코로나**

(3) **홍염**: 주로 흑점 주변에서 발생하며 채층에서 코로나 영역
에 걸쳐 솟아오르는 고온의 가스 기둥이다. 홍염의 온도는
약 10000 ℃로, 광구나 채층보다 온도가 높고 코로나보다
는 온도가 낮다. 태양의 자기장 변화와 밀접한 관계가 있다.

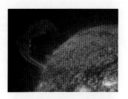

(4) **플레어**: 흑점 주변에서 짧은 시간 동안 많은 양의 물질과
에너지가 방출되는 폭발 현상이다. 플레어가 발생하면 흑
점 위 채층의 일부가 매우 밝아지며, 순간적으로 많은 양
의 대전 입자가 우주 공간으로 방출된다.
└─ 전기를 띠는 입자
과학 용어 사전 236쪽

3. 태양 활동이 지구에 미치는 영향

(1) **흑점 수의 변화**: 태양 광구에서 관측되는 흑점 수는 약 11년을 주기로 증가하였다
가 감소하는 현상이 반복된다. 태양의 흑점 수가 가장 많은 시기인 극대기에는 태
양 활동이 매우 활발해지고, 코로나의 크기도 최대로 커진다.

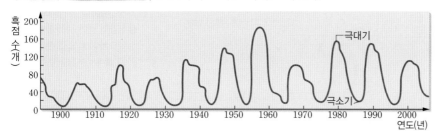

(2) **흑점 수의 극대기에 나타나는 현상**: 홍염과 플레어가 자주 나타나고 태양풍이 강해
지며, 지구에서는 델린저 현상, 오로라의 발생 횟수 증가, 자기 폭풍의 강화 현상
등이 나타난다.

① 델린저 현상: 태양으로부터 지구에 도달하는 대전 입자의 양이 많아지면 지구
자기장이 교란되어 무선 통신이 방해를 받거나 통신이 끊어지는 델린저 현상
이 일어난다.

② 인공위성 성능 저하: 지구 주변을 돌고 있는 인공위성이 고장 나거나 궤도를 이
탈하기도 하며, 수명이 단축된다.

③ 오로라: 극지방에서는 오로라가 자주 발생하며, 평소보다 낮은 위도에서 오로
라가 발생하기도 한다. 과학 용어 사전 236쪽

④ 정전: 자기 폭풍으로 과도한 전류가 흐르면 송전 시설이 고장 나 대규모 정전이
일어나거나 화재가 발생하기도 한다.

용어 태양풍

플레어가 많이 발생하면 높은 에
너지를 가진 고온의 입자들이 다
량 방출되어 지구에 도달하게 되
는데, 이러한 입자의 흐름을 태양
풍이라고 한다.

용어 자기 폭풍

지구 자기력이 미치는 공간을 지
구 자기장이라고 한다. 자기 폭풍
은 태양 흑점의 변화나 플레어 발
생 시 태양에서 방출되는 다량의
대전 입자에 의해 지구 자기장이
불규칙하게 변하는 현상이다.

용어 오로라

태양에서 날아와 지구 대기권으로
들어온 대전 입자가 상층 대기에
서 지구 대기와 충돌하여 빛을 내
는 현상이다.

학습 내용 Check

정답과 해설 033쪽

1. 태양의 표면을 _____라고 하며, 태양의 표면에서는 _____와 흑점이 나타난다.

2. 태양의 대기는 _____과 _____로 구분된다.

3. 흑점은 _____년을 주기로 증감하며, 태양 활동이 활발할 때 흑점의 수가 _____진다.

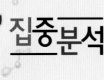

집중분석 (천체 망원경으로 천체 관측하기

천체 망원경은 천체의 빛을 모아 상을 만들고, 이를 확대하여 관측하는 기구이다. 행성과 별들은 대부분 거리가 매우 멀기 때문에 천체 망원경으로 관측하여 좀 더 세밀하게 볼 수 있다. 천체 망원경으로 천체를 관측하기 위해서는 먼저 망원경의 구조 및 설치 방법에 대해 알고 있어야 한다.

1 천체 망원경의 구조

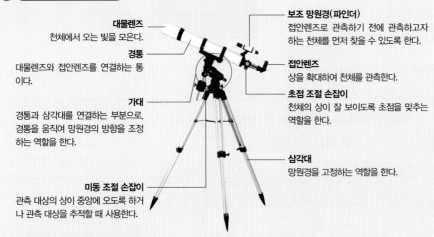

대물렌즈
천체에서 오는 빛을 모은다.

경통
대물렌즈와 접안렌즈를 연결하는 통이다.

가대
경통과 삼각대를 연결하는 부분으로, 경통을 움직여 망원경의 방향을 조정하는 역할을 한다.

미동 조절 손잡이
관측 대상의 상이 중앙에 오도록 하거나 관측 대상을 추적할 때 사용한다.

보조 망원경(파인더)
접안렌즈로 관측하기 전에 관측하고자 하는 천체를 먼저 찾을 수 있도록 한다.

접안렌즈
상을 확대하여 천체를 관측한다.

초점 조절 손잡이
천체의 상이 잘 보이도록 초점을 맞추는 역할을 한다.

삼각대
망원경을 고정하는 역할을 한다.

천체 망원경의 사용법

❶ 관측하고자 하는 물체를 향하도록 경통을 움직인다.
❷ 보조 망원경의 정중앙에 관측하고 싶은 물체가 오도록 망원경을 조정한다.
❸ 물체의 상이 접안렌즈의 정중앙에 오도록 미동 조절 손잡이를 조정한다.
❹ 물체의 상이 선명하게 보이도록 초점 조절 손잡이를 돌려서 초점을 맞춘다.

2 천체 망원경의 설치 방법

   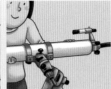 

① 평평한 지면 위에 삼각대를 설치하고 가대를 삼각대 위에 고정한다.

② 가대에 균형추를 부착한 다음, 경통을 가대에 고정한다.

③ 경통에 보조 망원경을 부착한 다음, 저배율의 접안렌즈를 끼운다.

④ 경통과 균형추를 움직여 망원경의 균형을 맞추고, 관측 천체를 향하도록 경통의 방향을 맞춘다.

⑤ 보조 망원경과 접안렌즈 시야의 중심이 일치하게 맞추고, 접안렌즈의 초점을 맞춘 후 관측한다.

3 태양 관측하기

① 맑은 날 태양이 잘 보이는 곳에 접안렌즈를 뺀 천체 망원경을 설치하고, 빛 가리개판과 모눈종이를 고정한 태양 투영판을 설치한다. 이때 경통 뚜껑은 닫아 둔다. → 태양은 너무 밝으므로, 접안렌즈로 태양을 직접 보지 않고, 태양 투영판에 맺힌 태양의 상을 관측해야 한다.

② 천체 망원경의 방향을 조정한 다음, 경통 뚜껑을 열고 태양의 상이 태양 투영판의 가운데에 위치하도록 한다.

③ 태양 투영판을 앞뒤로 움직여 태양의 상이 선명하게 맺히도록 한다.

④ 모눈종이에 비친 태양의 상을 관찰하고, 특징을 그린다.

⑤ 며칠 동안 같은 방향의 태양을 관측한다.

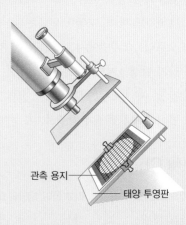

관측 용지
태양 투영판

중단원 핵심 정리

1 행성의 분류

① 내행성과 외행성: 지구 공전 궤도를 기준으로 내행성(수성, 금성)과 외행성(화성, 목성, 토성, 천왕성, 해왕성)으로 구분

② 지구형 행성과 목성형 행성: 물리적 특성을 기준으로 지구형 행성과 목성형 행성으로 구분

구분	지구형 행성	목성형 행성
행성	수성, 금성, 지구, 화성	목성, 토성, 천왕성, 해왕성
반지름, 질량	작다	크다
평균 밀도	크다	작다
위성 수	없거나 적다	많다
고리	없다	있다
표면 성분	단단한 암석	기체
자전 주기	길다	짧다

2 행성의 특징

① 수성: 낮과 밤의 표면 온도 차가 크고, 표면에 운석 구덩이가 많다.

② 금성: 이산화 탄소로 이루어진 두꺼운 대기 때문에 기압과 표면 온도가 높다.

③ 지구: 액체 상태의 물과 다양한 생명체가 존재한다.

④ 화성: 표면은 붉은색을 띠고, 극 지역에 극관이 있다.

⑤ 목성: 태양계 행성 중 크기가 가장 크고, 가로줄 무늬와 대적점이 있다.

⑥ 토성: 태양계 행성 중 평균 밀도가 가장 작고, 뚜렷한 고리가 있다.

⑦ 천왕성: 대기의 메테인 성분에 의해 청록색으로 보이고, 자전축이 공전 궤도면과 거의 나란하다.

⑧ 해왕성: 태양으로부터 가장 멀리 떨어져 있고, 대기의 소용돌이에 의한 대흑점이 있다.

3 태양

① 태양의 표면과 대기

태양의 표면	태양의 대기		태양의 대기에서 나타나는 현상	
흑점, 쌀알 무늬	채층	코로나	홍염	플레어

② 태양 활동이 활발할 때 나타나는 현상
- 태양에서는 흑점 수가 많아지고, 코로나의 크기가 커지며 홍염과 플레어가 자주 발생한다.
- 지구에서는 델린저 현상, 인공위성의 고장, 오로라 발생 횟수 증가, 대규모 정전 등이 일어난다.

01 태양계의 구성 천체가 <u>아닌</u> 것은?

① 행성 ② 위성 ③ 혜성

④ 은하 ⑤ 왜소 행성

02 태양계에서 내행성과 외행성에 대한 설명으로 옳지 <u>않은</u> 것은?

① 태양계에서 내행성에는 수성과 금성이 있다.

② 외행성은 지구보다 공전 궤도 반지름이 크다.

③ 지구보다 안쪽 궤도에서 공전하는 행성을 내행성이라고 한다.

④ 외행성은 지구를 기준으로 태양의 반대편에 위치할 수 없다.

⑤ 지구의 공전 궤도를 기준으로 어느 쪽에서 공전하는지에 따라 분류한 것이다.

03 (중요) 그림은 태양계 행성들을 질량과 반지름을 기준으로 하여 A, B 두 집단으로 분류하여 나타낸 것이다.

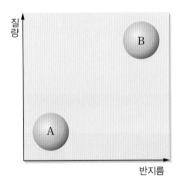

이에 대한 설명으로 옳은 것을 보기에서 모두 고른 것은?

> 보기
>
> ㄱ. 위성 수는 A가 B보다 많다.
> ㄴ. 평균 밀도는 A가 B보다 크다.
> ㄷ. 표면이 단단한 암석으로 이루어진 것은 A이다.

① ㄱ ② ㄷ ③ ㄱ, ㄴ

④ ㄴ, ㄷ ⑤ ㄱ, ㄴ, ㄷ

04 (중요) 그림은 태양계 행성들을 분류한 것이다.

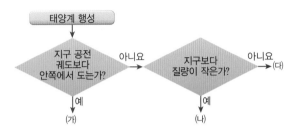

이에 대한 설명으로 옳은 것을 보기에서 모두 고른 것은?

> 보기
>
> ㄱ. (가)는 내행성이다.
> ㄴ. (나)는 화성이다.
> ㄷ. (다)는 고리를 가지고 있다.

① ㄱ ② ㄷ ③ ㄱ, ㄴ

④ ㄴ, ㄷ ⑤ ㄱ, ㄴ, ㄷ

05 표는 태양계 행성의 물리량을 나타낸 것이다.

물리량 \ 행성	수성	금성	지구	화성	목성	토성
태양으로부터의 거리(지구=1)	0.39	0.72	1.00	1.52	5.20	9.54
질량(지구=1)	0.06	0.82	1.00	0.11	318	95
평균 밀도(g/cm³)	5.4	5.2	5.5	3.9	1.3	0.7

이에 대한 설명으로 옳은 것을 보기에서 모두 고른 것은?

> 보기
>
> ㄱ. 행성의 질량이 클수록 평균 밀도가 크다.
> ㄴ. 화성의 물리량은 지구보다 목성과 비슷하다.
> ㄷ. 태양에서 멀어질수록 행성 사이의 거리는 더 멀어진다.

① ㄱ ② ㄷ ③ ㄱ, ㄴ

④ ㄴ, ㄷ ⑤ ㄱ, ㄴ, ㄷ

06 그림은 태양계 어느 행성의 모습을 나타낸 것이다.

이 행성의 특징으로 옳은 것은?

① 크고 아름다운 고리를 가지고 있다.

② 두꺼운 이산화 탄소 대기로 이루어져 있다.

③ 태양으로부터 가장 가까운 거리에 위치한다.

④ 빠른 자전으로 인해 가로줄 무늬가 나타난다.

⑤ 표면이 붉은색을 띠고, 물이 흘렀던 흔적이 있다.

07 그림은 태양계 행성의 공전 궤도를 나타낸 것이다.

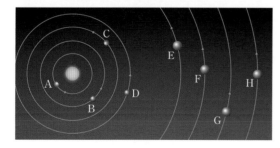

이에 대한 설명으로 옳지 <u>않은</u> 것은?

① A는 대기가 없으므로 일교차가 크게 나타난다.

② B는 지구와 크기가 가장 비슷하며, 표면 온도가 매우 높다.

③ E는 태양계 행성 중 크기가 가장 크다.

④ F는 태양계 행성 중 평균 밀도가 가장 작다.

⑤ H는 자전축이 공전 궤도면과 거의 나란하다.

08 표는 태양계에 속한 두 행성의 특징을 나타낸 것이다.

행성	A	B
특징	• 위성 수가 많다. • 가로줄 무늬가 나타난다. • 대기의 소용돌이인 대적점이 나타난다.	• 표면 온도의 일교차가 크다. • 운석 구덩이가 많다. • 대기와 물이 없다.

A와 B 두 행성의 이름을 옳게 짝 지은 것은?

	A	B
①	수성	화성
②	수성	금성
③	목성	수성
④	목성	금성
⑤	목성	화성

09 다음은 탐사선을 통해 알아낸 어떤 행성의 특징이다.

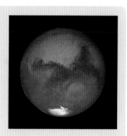

• 산화 철 성분이 많은 토양으로 이루어져 있다.

• 양극에 주로 드라이아이스로 이루어진 극관이 있다.

• 행성 표면에서 낮과 밤의 온도차가 크게 나타난다.

• 골짜기와 강의 흔적이 남아 있다.

이 행성에 대한 설명으로 옳은 것을 보기에서 모두 고른 것은?

보기
ㄱ. 과거에 물이 흘렀던 적이 있다.

ㄴ. 지구와 같은 계절 변화가 나타난다.

ㄷ. 표면에 대흑점이 나타나기도 한다.

① ㄱ　　　　② ㄷ　　　　③ ㄱ, ㄴ

④ ㄴ, ㄷ　　　⑤ ㄱ, ㄴ, ㄷ

10 태양에 대한 설명으로 옳지 <u>않은</u> 것은?

① 태양계에서 스스로 빛을 내는 유일한 천체이다.

② 흑점 수는 약 11년을 주기로 많아졌다 적어진다.

③ 태양의 대기는 밝기 때문에 평상시에도 잘 관측된다.

④ 우리 눈에 보이는 태양의 둥근 표면을 광구라고 한다.

⑤ 흑점 표면에서 짧은 시간 동안 많은 양의 에너지가 방출되는 폭발 현상을 플레어라고 한다.

11 다음은 태양의 대기 및 대기에서 나타나는 현상을 설명한 것이다.

> (가) 광구 바로 위로 뻗어 있는 붉은색을 띠는 얇은 대기층
> (나) 흑점 주변에서 발생하는 고온의 가스 기둥
> (다) 흑점 주변에서 많은 양의 에너지가 방출되는 폭발 현상

(가)~(다)의 이름을 옳게 짝 지은 것은?

	(가)	(나)	(다)
①	홍염	채층	코로나
②	코로나	채층	플레어
③	코로나	플레어	홍염
④	채층	홍염	플레어
⑤	채층	플레어	홍염

12 오른쪽 그림은 태양 표면인 광구의 모습을 나타낸 것이다. 이에 대한 설명으로 옳은 것을 보기에서 모두 고른 것은?

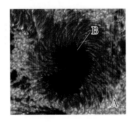

> **보기**
> ㄱ. A는 대류에 의해 나타난다.
> ㄴ. B는 주위보다 온도가 낮은 곳이다.
> ㄷ. B의 개수는 태양 활동이 활발해지면 감소한다.

① ㄱ   ② ㄴ   ③ ㄱ, ㄴ

④ ㄴ, ㄷ   ⑤ ㄱ, ㄴ, ㄷ

13 그림은 4일 간격으로 태양의 흑점을 관찰하여 나타낸 것이다.

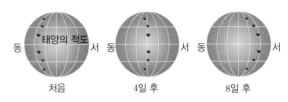

흑점의 이동으로 알 수 있는 사실을 보기에서 모두 고른 것은?

> **보기**
> ㄱ. 태양이 자전한다.
> ㄴ. 흑점은 스스로 이동한다.
> ㄷ. 태양의 표면은 고체 상태이다.

① ㄱ   ② ㄷ   ③ ㄱ, ㄴ

④ ㄴ, ㄷ   ⑤ ㄱ, ㄴ, ㄷ

14 오른쪽 그림은 태양의 대기를 나타낸 것이다. 이에 대한 설명으로 옳은 것을 보기에서 모두 고른 것은?

> **보기**
> ㄱ. 개기 일식 때 관측할 수 있다.
> ㄴ. 온도가 100만 ℃ 이상으로 높다.
> ㄷ. 태양 활동이 활발해지면 크기가 증가한다.

① ㄱ   ② ㄷ   ③ ㄱ, ㄴ

④ ㄱ, ㄷ   ⑤ ㄱ, ㄴ, ㄷ

15 태양 흑점 수가 많을 때 지구에서 나타날 수 있는 현상으로 옳지 <u>않은</u> 것은?

① 자기 폭풍이 발생한다.

② 대규모 정전 사태가 발생한다.

③ 인공위성이 고장 나기도 한다.

④ 무선 통신이 끊어지는 델린저 현상이 나타난다.

⑤ 평소보다 더 좁은 지역에서만 오로라가 발생한다.

01 표는 태양계를 구성하는 행성 A~D의 물리량을 나타낸 것이다.

행성	태양으로부터 거리(지구=1)	반지름 (km)	평균 밀도 (g/cm^3)	대기 구성 성분	대기압 (기압)
A	0.39	2439	5.43	없음	0.00
B	0.72	6052	5.24	CO_2	90.00
C	1.52	3397	3.93	CO_2	0.007
D	5.20	71398	1.33	H_2 He	—

이에 대한 설명으로 옳지 <u>않은</u> 것은?

① A, B, C는 지구형 행성, D는 목성형 행성이다.

② A와 B는 초저녁이나 새벽에만 관측할 수 있다.

③ B는 온실 효과로 인해 표면 온도가 높고 일교차가 작다.

④ C는 지구에서 가장 밝게 보인다.

⑤ D는 빠른 자전에 의해 대기의 가로줄 무늬가 나타난다.

02 그림은 금성, 지구, 화성의 대기를 구성하는 성분과 비율을 나타낸 것이다.

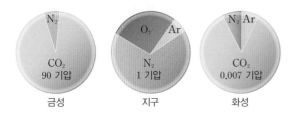

금성   지구   화성

이로부터 알 수 있는 사실로 옳은 것을 보기에서 모두 고른 것은?

보기

ㄱ. 대기의 밀도가 가장 큰 행성은 금성이다.

ㄴ. 밤낮의 기온 차가 가장 큰 행성은 화성이다.

ㄷ. 대기의 온실 효과가 가장 큰 행성은 지구이다.

① ㄱ   ② ㄷ   ③ ㄱ, ㄴ

④ ㄱ, ㄷ   ⑤ ㄴ, ㄷ

03 그림 (가)~(라)는 태양계 여러 행성의 모습이다.

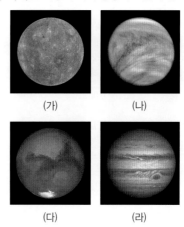

(가)   (나)

(다)   (라)

이에 대한 설명으로 옳은 것은?

① (가), (나), (다)는 내행성이다.

② (다)와 (라)는 목성형 행성에 속한다.

③ (가)는 (나)보다 표면 온도가 높다.

④ (다)의 양극에는 액체로 된 물이 있다.

⑤ (라)의 대기는 빠르게 회전하고 있다.

04 그림 (가)~(다)는 태양에서 나타나는 여러 현상이다.

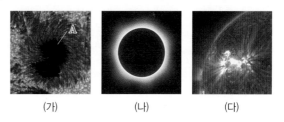

(가)   (나)   (다)

이에 대한 설명으로 옳은 것을 보기에서 모두 고른 것은?

보기

ㄱ. (가)의 A는 태양 자기장의 변화에 의해 생성된다.

ㄴ. (나)와 (다)는 A의 수가 많아지는 시기에 크기가 커지고, 활발해진다.

ㄷ. (다)는 흑점 주변에서 주로 발생한다.

① ㄱ   ② ㄷ   ③ ㄱ, ㄴ

④ ㄴ, ㄷ   ⑤ ㄱ, ㄴ, ㄷ

☞ 제시된 Keyword를 이용하여 문제를 해결해 보자.

1 표는 금성, 지구, 화성의 표면 기압과 주요 대기 성분을 나타낸 것이다.

행성	표면 기압(기압)	주요 대기 성분
금성	90	CO_2
지구	1	N_2, O_2
화성	0.007	CO_2

태양계 행성 중 금성의 표면 온도가 가장 높은 까닭을 설명하시오.

Keyword 기압, 이산화 탄소, 대기

2 표는 지구형 행성과 목성형 행성의 질량, 반지름, 자전 주기를 나타낸 것이다.

행성	질량(지구=1)	반지름(지구=1)	자전 주기
수성	0.06	0.38	59일
금성	0.82	0.95	245일
지구	1.00	1.00	1일
화성	0.11	0.53	1,026일
목성	317.83	11.21	0.41일
토성	95.16	9.45	0.426일
천왕성	14.54	4.01	0.45일
해왕성	17.15	3.88	0.58일

(1) 목성형 행성은 지구형 행성과 비교했을 때 평균 밀도가 어떻게 나타나는지 쓰고, 그 까닭을 설명하시오.

Keyword 질량, 원소, 평균 밀도

(2) 자전 주기로부터 알 수 있는 목성형 행성의 특징을 설명하시오.

Keyword 자전 주기, 자전 속도, 밤과 낮의 길이

3 그림은 수성의 모습을 나타낸 것이다.

수성의 표면에는 달의 표면처럼 운석 구덩이가 많이 분포한다. 그 까닭을 설명하시오.

Keyword 대기, 풍화

4 다음은 목성의 특징을 설명한 것이다.

태양계에서 가장 큰 행성으로, 표면에 적도와 나란한 (가) 줄무늬가 나타나고, (나) 대적점이 나타난다.

(1) (가)의 줄무늬가 나타나는 까닭을 설명하시오.

Keyword 줄무늬, 자전 속도

(2) (나)의 대적점은 어떤 작용으로 생기는지 설명하시오.

Keyword 대기, 소용돌이

5 그림 (가)는 태양을 관측하는 장치이고, 그림 (나)는 어느 해 3월 3일부터 3월 14일까지 매일 같은 시각에 태양의 중위도에 나타난 흑점을 관찰하여 며칠 간격으로 나타낸 것이다.

(가)

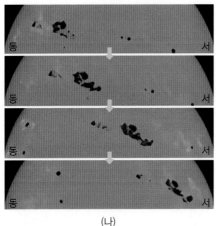

(나)

(1) (가)의 실험 장치에서 태양 투영판을 사용하는 까닭을 설명하시오.

Keyword 투영판, 태양의 상

(2) (나)의 관측 결과에서 흑점이 이동하는 사실과 흑점의 이동 속도가 위도에 따라 다르다는 사실로부터 알 수 있는 태양의 특징 두 가지를 설명하시오.

Keyword 태양, 자전, 태양 표면

6 그림은 1950년부터 현재까지 흑점이 태양의 표면에 대해 차지하는 평균 면적비를 나타낸 것이다.

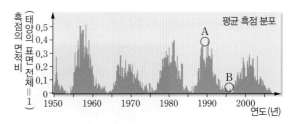

(1) A와 B 중 태양 활동이 더 활발한 때는 언제인지 그 까닭과 함께 설명하시오.

Keyword 흑점 수, 태양 활동

(2) 델린저 현상이란 무엇인지 설명하고, 이 현상이 일어날 가능성이 큰 해는 A와 B 중 언제인지 설명하시오.

Keyword 태양 활동, 무선 통신

7 그림은 개기 일식 때 관측된 태양의 대기를 나타낸 것이다.

이를 무엇이라고 하며, 평소에 관측되지 않는 까닭을 설명하시오.

Keyword 태양의 대기, 광구

최상위권 도전 문제

☞ 제시된 Tip을 이용하여 문제를 해결해 보자.

1

그림은 우리나라에서 추분날 오리온자리 부근의 별들을 1시간 동안 고정 촬영한 사진이다.

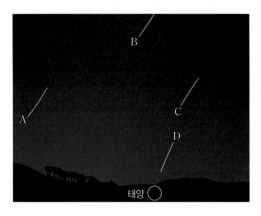

이에 대한 설명으로 옳은 것을 보기에서 모두 고른 것은?

> **보기**
>
> ㄱ. 동쪽 하늘을 관측한 것이다.
> ㄴ. 별 A~D가 움직인 각도는 모두 같다.
> ㄷ. 별 D가 움직인 궤도는 천구의 적도와 일치한다.

① ㄱ   ② ㄷ   ③ ㄱ, ㄴ   ④ ㄴ, ㄷ   ⑤ ㄱ, ㄴ, ㄷ

Tip
일주 운동은 천구의 적도와 평행하게 나타나는데, 춘분이나 추분일 때는 태양이 천구의 적도에 위치한다.

추분
천구의 적도와 황도가 만나는 두 점 중 하나로, 태양이 황도를 따라 북쪽에서 남쪽으로 천구의 적도를 지난다.

2

그림은 어느 날 북반구에서 자정에 관측할 수 있는 황도 12궁을 나타낸 것이다.

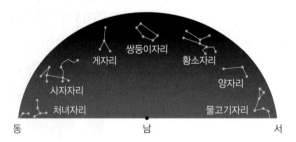

(가) 6시간 후 남중하는 별자리와 (나) 1개월 후 자정에 남중하는 별자리를 옳게 짝 지은 것은?

	(가)	(나)
①	물고기자리	황소자리
②	물고기자리	게자리
③	쌍둥이자리	황소자리
④	처녀자리	게자리
⑤	처녀자리	황소자리

Tip
일주 운동 속도는 15°/시, 연주 운동 속도는 약 1°/일이므로 별자리는 6시간 동안 90°, 한 달 동안 약 30°만큼 동에서 서로 회전한다.

3 그림 (가)는 3일 간격으로 같은 시각에 관측한 달의 모양과 위치 변화를, (나)는 태양, 지구, 달의 상대적인 위치를 나타낸 것이다.

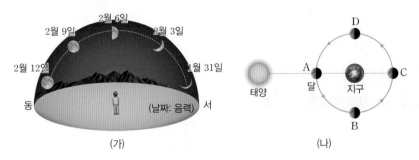

(가)   (나)

이에 대한 설명으로 옳은 것을 보기에서 모두 고른 것은?

┌ 보기 ───
│ ㄱ. (가)의 달은 해가 진 직후 초저녁에 관측한 것이다.
│ ㄴ. (가)를 관측하는 동안 달의 위치는 C → D → A로 이동하였다.
│ ㄷ. 관측 기간 동안 달이 지는 시각이 점점 늦어졌다.
└──

① ㄴ   ② ㄷ   ③ ㄱ, ㄴ   ④ ㄱ, ㄷ   ⑤ ㄱ, ㄴ, ㄷ

Tip
상현달은 저녁 6시경 남중하고, 달의 공전에 의해 달이 뜨는 시각은 매일 약 50분씩 늦어진다.

4 그림은 어떤 지역에서 관측된 부분 일식이 일어나는 과정을 나타낸 것이다.

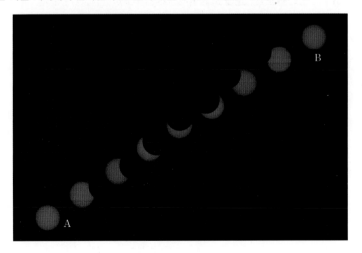

이에 대한 설명으로 옳은 것을 보기에서 모두 고른 것은?

┌ 보기 ───
│ ㄱ. 이날 달은 태양보다 먼저 뜨고 나중에 졌다.
│ ㄴ. 관측 기간 동안 이 지역은 달의 본그림자 속으로 들어갔다.
│ ㄷ. 일식이 일어난 방향은 A → B이다.
└──

① ㄴ   ② ㄷ   ③ ㄱ, ㄴ   ④ ㄱ, ㄷ   ⑤ ㄱ, ㄴ, ㄷ

Tip
달이 시계 반대 방향으로 공전하면서 태양을 가리기 때문에 일식이 일어나면 태양의 오른쪽부터 가려진다. 이날 달은 태양의 오른쪽에 위치하다가 태양을 통과하여 왼쪽에 위치한다.

본그림자
광원에서 오는 모든 빛이 차단되어 생기는 어두운 그림자를 본그림자 영역이라고 한다.

5 그림은 어느 날 남쪽 하늘에서 관측된 달과 화성의 모습을 나타낸 것이다.

이날 달과 화성의 관측에 대한 설명으로 옳은 것을 보기에서 모두 고른 것은?

보기
ㄱ. 이날 달과 화성은 초저녁에 떠서 새벽에 진다.
ㄴ. 이날 화성은 지구로부터 거리가 가장 멀 때이다.
ㄷ. 화성은 상현달의 위상으로 보인다.

① ㄱ ② ㄷ ③ ㄱ, ㄴ ④ ㄴ, ㄷ ⑤ ㄱ, ㄴ, ㄷ

Tip
보름달인 경우 태양—지구—달의 순서로 나란하게 배열된다. 또, 화성은 달과 마찬가지로 스스로 빛을 내지 않는 천체이므로 태양, 지구, 화성의 위치 관계에 따라 우리 눈에 보이는 위상이 달라진다.

6 표는 수성, 금성, 지구, 화성의 물리량을 나타낸 것이다.

구분	수성	금성	지구	화성
태양으로부터의 거리(지구＝1)	0.39	0.72	1	1.52
자전 주기(일)	59	245	1	1.026
표면 온도(K)	100~700	700	280~300	130~190
대기 주성분	없음	CO_2	N_2, O_2	CO_2
대기압(지구＝1)	0	90	1	0.007
반사율(%)	6	76	30	15

이에 대한 설명으로 옳은 것은?
① 밤과 낮의 길이가 가장 긴 행성은 수성이다.
② 태양과 가까울수록 일교차가 크게 나타난다.
③ 대기가 두꺼울수록 반사율이 높아 밝게 보인다.
④ 온실 효과가 가장 크게 나타나는 행성은 화성이다.
⑤ 지구에서 모두 한밤중에 관측할 수 있다.

Tip
대기의 유무가 행성의 일교차와 반사율에 가장 큰 영향을 미친다.

반사율
입사하는 태양 빛 중에서 행성에 흡수되지 않고 반사 또는 산란에 의해 우주 공간으로 방출되는 양을 반사율이라고 한다. 대부분 두꺼운 대기를 가진 행성에서 높게 나타난다. 금성은 반사율이 76 %로 가장 높으며, 지구의 반사율은 약 30 %이다.

7 그림은 태양 표면에 나타난 흑점들이 하루 동안 위도에 따라 수평으로 이동한 각도를 나타낸 것이다.

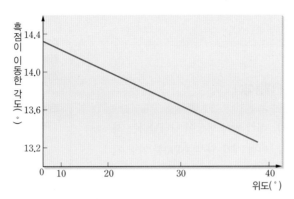

이 자료를 해석하여 알 수 있는 사실로 옳은 것을 보기에서 모두 고른 것은?

보기
ㄱ. 위도가 낮은 흑점일수록 이동 속도가 빠르다.
ㄴ. 태양의 자전 주기는 고위도일수록 짧다.
ㄷ. 태양의 표면은 액체나 기체 상태로 되어 있다.

① ㄴ   ② ㄷ   ③ ㄱ, ㄴ   ④ ㄱ, ㄷ   ⑤ ㄱ, ㄴ, ㄷ

Tip
위도가 높은 곳의 흑점일수록 이동 각도가 작은 것은 이동 속도가 느리다는 것을 의미한다.

8 그림 (가)는 태양 관측 위성이 촬영한 태양의 모습을, (나)는 흑점 부근에서 일어난 폭발 현상을 나타낸 것이다.

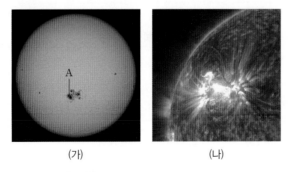

(가)   (나)

이에 대한 설명으로 옳지 <u>않은</u> 것은?

① A는 주위보다 온도가 낮다.
② 태양 활동이 활발해지면 A의 수가 증가한다.
③ A의 수가 증가하면 (나) 현상의 발생 횟수가 증가한다.
④ A의 수가 증가하면 코로나의 크기가 작아진다.
⑤ (나) 현상으로 방출된 고에너지 입자는 지구 자기장을 교란시킨다.

Tip
흑점 수의 극대기에는 흑점 부근에서 폭발 현상이 일어나기도 하는데, 이를 플레어라고 한다.

예제

다음은 2018년 1월 31일 관측된 월식에 대한 신문기사 내용이다.

> 오늘(31일) 밤, 35년 만에 슈퍼문과 블루문을 동반한 개기 월식 현상이 나타난다는 사실이 전해지자 이에 대한 누리꾼들의 관심이 뜨겁다. 이번 개기 월식은 100분 가량 지속되며 전체 월식의 지속 시간은 약 3시간 반에 이른다.
>
> 뿐만 아니라 이번 개기 월식은 달이 지구와 가까이 접근해 평소보다 크게 보이는 '슈퍼문'과 한 달에 두 번째 뜨는 보름달인 '블루문'이 겹치는 것으로 알려졌다. 개기 월식, 슈퍼문, 블루문이 겹쳐 나타나는 것은 1982년 12월 이후 35년 만이다.
>
> 한국천문연구원에 따르면 월식은 31일 밤 8시 48분, 달의 왼쪽 아래가 어두워지면서 시작돼 밤 9시 51분부터 11시 8분까지 달 전체가 어둡고 붉게 변하는 개기 월식 현상이 나타나며, 새벽 0시 11분 정도에 끝날 것으로 보인다고 밝혔다.

(1) 이날 밤 9시 51분부터 11시 8분까지 달이 이동한 위치를 설명하고, 오른쪽 그림에 표시하시오.

(2) 개기 월식은 달이 완전히 보이지 않는 것이 아니라 어둡고 붉게 변한다. 그 까닭을 설명하시오.

▶▶ 해결 전략 클리닉 ◀◀

월식은 지구의 그림자 속으로 달이 들어가면서 나타난다. 지구의 그림자에는 태양 빛이 완전히 가려지는 본그림자와 태양 빛이 약해지는 반그림자가 있음을 알고 일식과 다른 점을 생각해 보자.

❶ 월식은 달이 지구의 본그림자 속으로 들어가면서 일어난다.

❷ 달이 반그림자 속에 들어가면 달이 약간 어두워지는데, 이때는 식 현상이 일어나지 않는다.

❸ 달이 본그림자 속으로 완전히 들어갔을 때 개기 월식이 일어난다.

❹ 달이 본그림자 속으로 완전히 들어가더라도 지구의 대기에서 반사 및 산란되는 태양 빛에 의해 달의 모습이 보인다.

▶ 모범 답안 ◀

(1) 달이 본그림자 속으로 완전히 들어가 있을 때 개기 월식이 일어난다.

(2) 햇빛이 지구 대기를 통과하면서 파장이 짧은 파란색 빛은 대부분 산란되지만, 파장이 긴 붉은색 빛은 산란이 덜 되어 달에 도달한다. 이 빛이 달에 반사되어 붉게 보인다.

출제 의도

월식의 원리를 이해하고, 과정을 설명할 수 있는가?

문제 해결을 위한 배경 지식

- **월식**: 지구의 그림자에 의해 달의 일부 또는 전체가 어두워지는 현상
- **본그림자와 반그림자**: 월식이 일어나기 위해서는 달이 지구의 본그림자 속으로 들어가야 한다. 달이 지구의 반그림자에 있을 때는 달이 약간 어두워지기만 할 뿐 식 현상은 일어나지 않는다.
- **빛의 산란**: 햇빛이 대기 중의 입자들과 부딪칠 때 빛이 사방으로 재방출되는 현상. 개기 월식이 일어날 때 파장이 짧은 파란색 계열의 빛들은 모두 산란되어 보이지 않지만, 상대적으로 파장이 긴 붉은 빛들은 산란이 덜 되어 달에 도착한다.

Keyword

(1) 본그림자, 개기 월식
(2) 지구 대기, 산란

완벽한 답안 작성을 위한 tip

(1) 달이 지구의 본그림자 속으로 완전히 들어갔음을 표현한다.

(2) 태양 빛이 지구 대기를 통과하면서 붉은 빛은 산란이 적게 되어 달을 비출 수 있다는 사실을 언급한다.

실전 문제

1 　단계적 　문제 해결형
그림은 북반구의 어느 지점에서 별의 일주 운동을 촬영한 것이다.

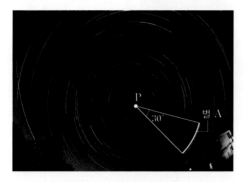

P점에 위치한 별의 이름은 무엇인지 쓰고, 촬영한 시간은 얼마나 되는지를 별 A의 중심각을 이용하여 설명하시오.

Tip
지구는 24시간에 360°를 자전함을 생각한다.

Keyword
북극성, 지구 자전

2 　창의적 　문제 해결형
그림은 2019년 4월 1일부터 15일 간격으로 해가 진 직후 서쪽 하늘의 별자리를 나타낸 것이다.

(가) 2019년 4월 1일 　　(나) 2019년 4월 16일 　　(다) 2019년 5월 1일

한 달 동안 태양이 움직인 위치를 아래에 표시한 후, 이동한 위치를 연결하여 선을 그려 보고, 이 선은 천구에서 무엇을 의미하는지 설명하시오.

Tip
태양의 연주 운동은 별자리를 배경으로 서에서 동으로 이동하면서 나타난다.

Keyword
태양, 천구

창의적 문제 해결형

그림은 해가 지고 난 직후 남쪽 하늘에서 관측한 달의 위치와 모양을 나타낸 것이다.

다음 날 같은 시각에 하늘을 관측했을 때 예상되는 달의 위치와 모양을 위 그림에 그려 보자.

4

단계적 문제 해결형

다음은 개기 일식을 자주 관찰하기 어려운 까닭을 설명한 글이다.

> 실제로 개기 일식은 1~2년에 한 번 정도로 비교적 자주 일어나지만, 지구상의 어느 특정 지역에서의 개기 일식은 매우 드물게 일어난다.
> 지구에서 볼 때 태양이 이동하는 천구상의 궤도인 황도와 달이 지구 주위를 도는 궤도인 백도는 5° 정도 기울어져 있어서 달의 그림자는 종종 지구를 비껴간다. 달은 타원 궤도를 돌기 때문에 지구에서 달이 멀어졌을 때 달의 시직경이 태양 전체를 가리지 못할 정도로 작아질 때가 있다. 또한, 지구에 드리워지는 달의 본그림자의 크기는 지표면에 비해 매우 작아서 개기 일식은 지표면의 매우 좁은 지역에서만 관찰할 수 있으며, 개기 일식이 지속되는 시간은 2분 정도밖에 되지 않는다. 이처럼 개기 일식이 일어나는 기회는 매우 드물고 지속 시간도 짧아 개기 일식을 관찰하는 것은 매우 어렵다.

지구에서 개기 일식을 관측하기 위해서는 태양, 지구, 달이 정확한 위치에 배열되어야 한다. 이 배열의 조건 두 가지를 설명하시오.

_____

_____

_____

논리적 서술형

다음은 화성의 북극에 있는 극관에 대한 설명이다.

1966년 이탈리아의 천문학자인 조반니 도메니코 카시니(Giovanni Domenico Cassini, 1625~1712)는 화성의 북극과 남극 부분에서 하얀 모자를 쓴 것처럼 밝게 빛나는 부분인 극관을 발견하였다. 극관은 주로 얼어붙은 물과 이산화 탄소로 이루어져 있는데, 시기에 따라 그 크기가 변하고 있음을 알게 되었다.

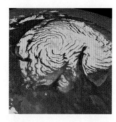

극관

1996년 10월
1997년 1월
1997년 3월

극관의 크기 변화

극관의 크기가 변하는 까닭을 설명하고, 이로부터 알 수 있는 화성의 천문학적 특징을 설명하시오.

Tip

극관은 얼음과 드라이아이스로 이루어져 있으며, 여름에는 작아지고 겨울에는 커진다.

Keyword

자전축, 계절

6

창의적 문제 해결형

다음은 지구에 영향을 주는 태양풍의 생성 원리를 설명한 것이다.

태양풍은 태양의 바깥 대기층으로부터 불어 나와 우주 공간으로 쏟아져 나가는 대전된 입자들의 흐름이다. 태양의 대기층인 코로나는 온도가 약 100만 ℃로 매우 높은데, 이러한 고온 때문에 코로나가 팽창하면서 태양풍을 방출한다. 태양풍에는 양성자와 전자 등의 물질이 포함되어 있다.

태양풍이 평소보다 강해지는 시기를 알 수 있는 태양에서의 현상에는 어떤 것이 있는지와 이때 지구에서 나타날 수 있는 현상 한 가지를 설명하시오.

Tip

태양풍은 태양에서 나오는 강한 전자기파로, 태양의 활동이 활발할 때 많이 방출된다.

Keyword

태양 활동, 무선 통신

인간의 상상력을 자극하는 우주 현상

일식과 월식

자연이 선물하는 경이로운 우주 현상인 일식과 월식은 지구촌 곳곳의 사람들을 환호하게 한다. 이러한 식 현상은 일식과 월식의 원리가 밝혀지지 않았던 과거에 다양한 이야기로 만들어졌다.

일식의 진행 과정

월식의 진행 과정

인도 신화에서는 신으로 변장한 마족인 라프가 신들이 만든 불사의 음료인 '암리타'를 마신 후 불사의 몸이 되었고, 이에 자신을 벌한 태양의 신과 달의 신을 잡을 때 일식과 월식이 일어난다고 하였다. 이집트에서는 태양의 신 호루스의 왼쪽 눈은 달, 오른쪽 눈은 태양이라고 믿었는데, 악의 신인 세트가 호루스의 눈에 상처를 입힐 때 일식과 월식이 나타난다고 하였다.

우리나라 삼국유사에는 연오랑과 세오녀 설화가 전해 오고 있다. 어느 날 바닷가에서 해초를 따던 연오랑은 갑자기 바위가 움직이는 바람에 일본으로 건너갔고, 이를 신기하게 여긴 일본 사람들은 연오랑을 일본의 왕으로 세웠다. 이 무렵 신라에서는 해와 달이 빛을 잃었는데, 놀란 임금이 그 까닭을 묻자 신하들은 연오랑과 세오녀 이야기를 전하였다. 이에 신라의 신하들은 연오랑과 세오녀에게 신라로 돌아와 달라고 간청하였으나, 연오랑은 이를 거절하며 세오녀가 짠 비단을 주었고, 그 비단으로 제사를 지냈더니 태양과 달이 빛을 되찾았다고 한다. 실제로 일식과 월식 현상이 여러 날 연달아 일어날 수는 없지만, 이처럼 태양과 달에 관련된 이야기는 역사 속에 여러 이야기로 전해 오고 있다.

이처럼 과학에 대한 지식이 없을 때의 식 현상은 인간의 여러 가지 상상력을 자극하게 하는 대상이 되었지만, 점차 과학이 발달하면서 일식은 달이 태양을 가리는 현상이고, 월식은 달이 지구의 그림자 속으로 들어가 어두워지는 현상임을 알게 되었다. 나아가 일식은 아인슈타인의 상대성 이론을 증명하는 데 획기적인 역할을 하게 된다.

아인슈타인은 자신의 일반 상대성 이론을 완성하기 위해 빛이 태양처럼 질량이 아주 큰 물체 곁을 지나갈 때 휘어진다는 증거가 필요했다. 1911년 아인슈타인은 천문학자들에게 태양 주위에 있는 별들의 사진을 찍어 그 별빛이 실제로 휘어지는지 확인해 볼 것을 제안했다. 평소에는 햇빛이 너무 밝아 태양 주위에 있는 별들의 사진을 찍는 것이 불가능하지만, 개기 일식이 일어날 때에는 가능하다. 따라서 태양이 뜨지 않았을 때인 밤에 특정 별들의 위치를 찍은 사진을 개기 일식 때 찍은 사진과 비교한다면, 태양 때문에 별빛이 휘어졌는지 휘어지지 않았는지 알 수 있다.

이 제안은 영국의 천문학자 아서 에딩턴에게 전해졌으며, 1919년 에딩턴이 이끄는 영국의 원정대는 개기 일식이 일어날 때 황소자리에 있는 히아데스 성단의 몇몇 별들로부터 오는 빛이 태양의 중력에 의해 휘어진다는 사실을 확인하였다. 이것으로 아인슈타인은 세계적인 유명 인사가 되었으며, 뉴욕 타임즈에는 "빛이 하늘에서 휘어진다. 아인슈타인 이론의 승리"라는 제목의 기사가 실렸다.

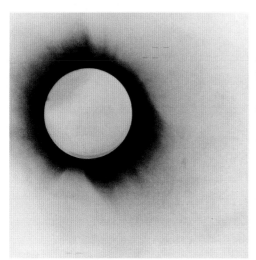

에딩턴이 찍은 일식 사진

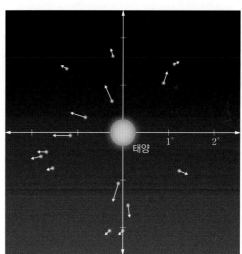

빛의 굴절에 의한 별의 위치 변화

IV
식물과 에너지

모든 생물은 살아가기 위해 에너지를 필요로 한다. 식물은 스스로 양분을 합성하고, 이 양분으로부터 필요한 에너지를 얻는다.
이 단원에서는 식물이 양분을 합성하는 광합성과 합성한 양분을 분해하여 에너지를 얻는 호흡 과정에 대하여 알아보자.

01 광합성

생물이 살아가는 데에는 에너지가 필요하다. 생물은 탄수화물과 같은 양분으로부터 에너지를 얻는데, 동물은 다른 생물을 먹어서 양분을 얻지만 식물은 광합성을 하여 스스로 양분을 만든다. 식물의 광합성은 어디에서 일어나며, 어떤 양분이 만들어지는 것일까?

① 광합성

1. 광합성 식물이 빛에너지를 이용하여 이산화 탄소와 물로부터 포도당과 산소를 만드는 과정이다. 과학 용어 사전 237쪽

2. 광합성이 일어나는 장소 탐구 194쪽

(1) **엽록체**: 동글동글한 모양의 초록색 알갱이로, 광합성이 일어나는 장소이다. 식물의 잎을 구성하는 울타리 조직과 해면 조직의 세포에 많이 들어 있다. 과학 용어 사전 237쪽

(2) **엽록소**: 엽록체 속에 들어 있는 초록색 색소로, 빛에너지를 흡수한다. 식물의 잎이 초록색으로 보이는 것은 엽록체에 엽록소가 있기 때문이다.

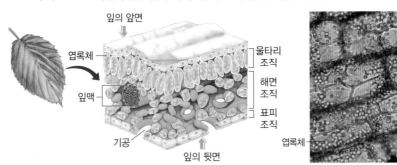

식물 잎의 속 구조 빛을 많이 받는 잎의 앞면에 울타리 조직이 분포하며, 잎맥과 표피 세포에는 엽록체가 없다.

식물 잎의 현미경 사진 초록색의 동글동글한 엽록체가 관찰된다.

3. 광합성에 필요한 요소

(1) **빛**: 엽록체의 엽록소에서 흡수한 빛에너지는 광합성이 일어날 때 화학 에너지로 전환되어 포도당에 저장된다. 식물은 주로 태양으로부터 빛에너지를 얻는다.

(2) **이산화 탄소**: 포도당을 구성하는 탄소와 산소의 공급원이다. 공기 중의 이산화 탄소는 잎의 기공을 통해 흡수되어 광합성에 쓰인다.

(3) **물**: 포도당을 구성하는 수소의 공급원이다. 뿌리에서 흡수된 물은 물관을 통해 잎까지 운반되어 광합성에 쓰인다.

 용어 포도당

당의 일종으로, 주로 생물의 에너지원으로 쓰인다. 탄소, 수소, 산소로 이루어져 있으며, 분자식은 $C_6H_{12}O_6$이다.

 용어 울타리 조직

잎의 앞면 표피 아래에 길쭉한 모양의 세포가 규칙적이고 빽빽하게 배열되어 있는 조직으로, 울타리 조직을 이루는 세포에는 엽록체가 많이 들어 있다.

용어 해면 조직

울타리 조직 아래 둥근 모양의 세포들이 느슨하게 배열되어 있는 조직으로, 해면 조직을 이루는 세포에는 엽록체가 들어 있다.

빛과 광합성

자연 상태에서 식물은 햇빛을 이용하여 광합성을 한다. 그러나 식물은 발광 다이오드 전등(LED)과 같은 인공적인 빛을 비추어도 광합성을 할 수 있다. 이 때문에 건물 안에서 식물을 재배하는 식물 공장이 가능한 것이다.

BTB 용액에 숨을 불어 넣어 노란색으로 만든 후 시험관 A~C에 나누어 넣고, 시험관 B와 C에만 검정말을 넣는다. 시험관 A~C에 뚜껑을 덮고 C만 알루미늄박으로 감싼 후 시험관 A~C를 빛이 비치는 곳에 둔 다음, BTB 용액의 색깔 변화를 관찰한다.

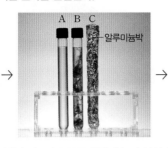
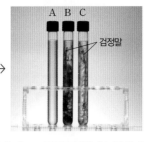

① 숨을 불어 넣으면 날숨 속의 이산화 탄소가 BTB 용액에 녹아 산성이 되므로 BTB 용액이 노란색이 된다.

② 일정 시간이 지난 후, BTB 용액의 색은 시험관 A와 C에서 노란색, B에서 파란색이다.

③ 시험관 A는 다른 시험관과 비교하기 위한 것으로 BTB 용액의 색이 노란색 그대로이다. 시험관 B에서는 검정말의 광합성에 이산화 탄소가 사용되어 이산화 탄소의 양이 줄어들기 때문에 BTB 용액의 색이 파란색으로 변한다. 시험관 C에서는 알루미늄박에 빛이 차단되어 검정말이 광합성을 하지 않으므로 BTB 용액의 색이 노란색 그대로이다.

→ 시험관 A와 B를 비교하면 광합성에 이산화 탄소가 필요하다는 것을 알 수 있다. 시험관 B와 C를 비교하면 빛이 있을 때 광합성이 일어난다는 것을 알 수 있다.

4. 광합성으로 만들어지는 물질 　탐구 194쪽

(1) 포도당: 광합성으로 만들어지는 최초의 산물은 포도당이다. 대부분의 식물은 물에 잘 녹는 포도당을 곧 녹말로 전환하여 낮 동안 엽록체에 저장한다. 엽록체에 저장된 이러한 양분은 식물의 다른 부분으로 이동하여 생명 활동에 필요한 에너지원으로 사용되거나 저장된다. 　과학 용어 사전 237쪽

└─ 녹말은 아이오딘-아이오딘화 칼륨 용액을 떨어뜨리면 청람색이 되는 것으로 확인할 수 있다.

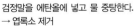
검정말을 에탄올에 넣고 물 중탕한다. → 엽록소 제거

아이오딘-아이오딘화 칼륨 용액
잎에 아이오딘-아이오딘화 칼륨 용액을 떨어뜨린다. → 녹말 검출

현미경으로 관찰하면 청람색 알갱이가 보인다. → 엽록체

(2) 산소: 물풀에 빛을 비추면 오른쪽 그림과 같이 산소 기포가 발생하는데, 이것은 식물이 광합성을 할 때 산소 기체도 만들어지기 때문이다. 광합성으로 만들어진 산소는 식물 자신의 호흡에 쓰이고, 남은 것은 기공을 통해 공기 중으로 방출되어 다른 생물의 호흡에도 쓰인다.

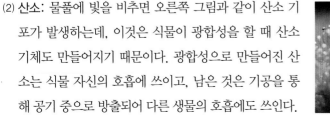

BTB 용액의 색깔 변화
BTB 용액은 산성에서는 노란색, 중성에서는 초록색, 염기성에서는 파란색을 띤다.

| 산성 | 중성 | 염기성 |

많다 ← 이산화 탄소 → 적다

유기 양분
탄소를 포함한 대부분의 물질을 흔히 유기물이라고 한다. 포도당, 녹말과 같은 양분은 탄소를 포함하고 있어서 유기 양분이라고도 한다.

검정말
물풀의 하나로, 잎의 세포 층이 얇아서 현미경으로 엽록체를 관찰하기 쉬우므로 실험 재료로 많이 쓰인다.

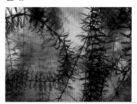

물관과 체관

물관은 물의 이동 통로이고, 체관은 잎에서 광합성으로 합성한 양분의 이동 통로이다.

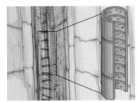

물관

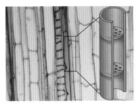

체관

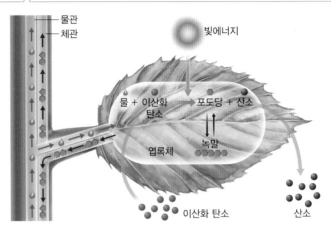

식물 잎의 엽록체에서는 태양의 빛에너지를 이용하여 잎의 기공으로 들어온 이산화 탄소와 뿌리에서 흡수하여 물관을 통해 운반된 물로부터 포도당을 합성한다. 광합성 과정에서 생성된 산소는 잎의 기공으로 방출되고, 포도당은 물에 녹지 않는 녹말로 전환되어 낮 동안 잎에 저장되었다가 밤에 이동하기 쉬운 형태로 바뀌어 체관을 통해 식물체 전체로 운반된다.

광합성과 생태계

식물은 생태계를 구성하는 생산자이다. 식물이 만든 양분은 먹이 사슬을 통해 1차 소비자, 2차 소비자, 3차 소비자로 이동한다. 또, 낙엽이나 죽은 생물이 부패하는 과정에서 일부는 분해자로 이동한다. 결국 생태계의 모든 생물은 식물이 광합성을 하여 만든 양분으로 살아가는 것이다.

5. 광합성의 의의

(1) **양분 합성**: 이산화 탄소와 물을 재료로 생물의 에너지원이 되는 포도당과 같은 양분을 합성한다.

(2) **에너지 전환**: 생물이 직접 이용할 수 없는 태양의 빛에너지를 포도당 속의 화학 에너지로 바꾸어 저장함으로써 생태계를 구성하는 모든 생물이 이용할 수 있게 된다.

(3) **산소 생성**: 광합성 과정에서 생물의 호흡에 필요한 산소가 생성된다.

학습 내용 Check

정답과 해설 039쪽

1. 식물에서 광합성은 주로 잎을 구성하는 세포의 _____에서 일어난다.

2. 광합성에 필요한 에너지원은 _____이다.

3. 광합성에 필요한 _____는 기공을 통해 들어오고, _____은 뿌리에서 흡수된다.

4. 광합성 결과 최초로 생성되는 산물은 _____이고, 이것은 곧 물에 녹지 않는 _____로 전환되어 낮 동안 잎에 저장된다.

5. 광합성 결과 양분 이외에도 _____ 기체가 생성된다.

 알고 보면 재미있는 과학 〉 광합성을 하는 동물이 있다고?

바다에 사는 엘리시아라는 초록색 민달팽이는 동물이지만 세포에 엽록체가 있어서 식물처럼 광합성을 할 수 있다. 엘리시아의 엽록체는 먹이로 먹은 해조류에 있던 것이다. 동물이 식물을 먹으면 엽록체까지 모두 소화하지만, 이 엘리시아는 해조류에 있던 엽록체는 소화하지 않고 소화관 옆의 세포로 보낸다. 엽록체는 세포 속에 수개월 동안 남아 있으면서 광합성을 하기 때문에 엘리시아는 먹이를 찾아다니지 않아도 된다. 사람도 엘리시아처럼 광합성을 할 수 있게 된다면 식량 문제를 해결할 수 있을까?

엘리시아

② 광합성에 영향을 주는 요인

1. 빛의 세기 빛의 세기가 증가할수록 식물의 광합성량도 증가하지만, 빛의 세기가 어느 정도 이상이 되면 광합성량은 더 이상 증가하지 않고 일정하게 유지된다. 탐구 195쪽

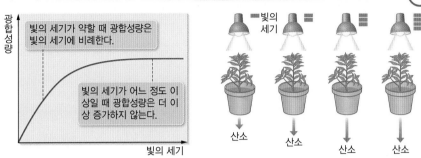

2. 이산화 탄소의 농도 이산화 탄소의 농도가 증가할수록 식물의 광합성량도 증가하지만, 이산화 탄소의 농도가 어느 정도 이상이 되면 광합성량은 더 이상 증가하지 않고 일정하게 유지된다.

3. 온도 온도가 높아질수록 식물의 광합성량도 증가하지만, 어느 정도 이상의 온도에서 광합성량은 오히려 감소한다. 일반적으로 30~40 ℃에서 광합성이 가장 활발하게 일어나고, 온도가 그보다 높아지면 광합성량은 급격하게 감소한다.

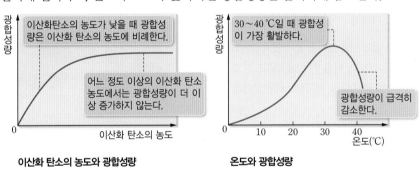

이산화 탄소의 농도와 광합성량　　　　**온도와 광합성량**

빛의 세기와 식물

광합성이 활발하게 일어나는 빛의 세기는 식물의 종류마다 다르다. 빛의 세기가 강할 때 광합성을 활발하게 하는 식물은 양지바른 곳에서 빠르게 자란다. 한편, 약한 빛에서도 광합성을 하는 식물은 음지에서도 살 수 있다.

이산화 탄소의 농도

지구 대기의 이산화 탄소 농도는 0.03 % 정도로 낮지만, 식물이 광합성을 하는 데에는 충분하다.

자료 더하기　광합성과 환경 요인

광합성에는 빛, 이산화 탄소, 물이 필요하므로, 광합성은 빛의 세기와 이산화 탄소 농도의 영향을 받는다. 물은 일반적으로 세포 속에 충분히 많은 양이 들어 있으므로 매우 건조한 경우를 제외하고는 광합성에 주는 영향이 크지 않다. 또, 광합성은 온도의 영향을 많이 받는데, 이것은 효소와 관련이 있다. 광합성이 일어날 때 생물체 안에서 촉매 작용을 하는 효소가 관여하는데, 효소의 작용은 온도의 영향을 받기 때문이다. 대부분의 효소는 30~40 ℃에서 활발하게 작용하고, 그보다 온도가 낮거나 높으면 반응 속도가 떨어지기 때문에 온도에 따른 광합성량의 그래프도 이와 유사하게 나타난다.

학습 내용 Check

정답과 해설 039 쪽

1. 식물의 광합성에 영향을 주는 요인으로는 _____, _____, _____가 있다.

2. 빛의 세기가 증가할수록 광합성량도 _____하지만 어느 정도 이상이 되면 광합성량은 _____.

3. 온도가 증가할수록 광합성량도 증가하다가 어느 정도 이상에서는 급격히 _____한다.

③ 광합성과 증산 작용

1. 광합성에 필요한 물 광합성에 필요한 물은 뿌리에서 흡수된 후 줄기의 물관을 통해 잎까지 이동하여 공급된다. 이때 뿌리에서 흡수한 물을 잎까지 끌어올리는 가장 큰 원동력이 증산 작용이다.

2. 증산 작용 식물체 안에 있는 물이 수증기로 증발되어 잎의 표면에 있는 기공을 통해 배출되는 현상이다.

3. 기공과 공변세포 _{과학 용어 사전 237쪽}

(1) 기공: 잎의 표면에 있는 구멍으로, 한 쌍의 공변세포에 둘러싸여 있다. 기공을 통해 산소와 이산화 탄소가 드나들고 수증기가 배출된다. 육상 식물은 기공이 주로 잎 뒷면에 분포한다. – 옥수수와 같은 외떡잎식물은 기공이 잎의 앞면과 뒷면에 고루 있고, 연, 수련과 같은 수생 식물은 기공이 잎의 앞면에 많다.

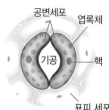

(2) 공변세포: 잎의 표피 세포 일부가 변형된 것으로, 엽록체가 있어 광합성이 일어난다. 기공 쪽 세포벽이 그 반대쪽 세포벽보다 두꺼우며, 두 개의 공변세포가 기공을 형성하고 여닫이를 조절한다.

탐구 더하기   공변세포 관찰하기

닭의장풀 잎의 뒤쪽 표피를 얇게 벗겨 받침유리 위에 올려놓고, 물을 한 방울 떨어뜨린 후 덮개유리를 덮은 다음, 현미경으로 관찰한다.

① 공변세포는 반달 모양이며, 2개가 모여 기공을 이룬다.

② 공변세포에는 주변 표피 세포에는 없는 엽록체가 있다.

③ 공변세포에서 기공 쪽 세포벽이 어둡게 보이는 것은 기공 쪽의 세포벽이 그 반대쪽보다 두껍기 때문이다.

---

4. 기공의 여닫이 과정 기공이 열릴 때 증산 작용이 일어난다.

기공이 열릴 때		기공이 닫힐 때	
	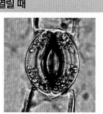	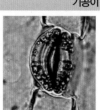	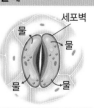
빛이 비치면 공변세포에서 광합성이 일어나고 주변 세포에서 물이 들어와 공변세포가 팽창한다. 이때 세포벽이 얇은 바깥쪽이 더 많이 늘어나므로 공변세포가 바깥쪽으로 휘어지면서 기공이 열린다. → 증산 작용은 광합성이 활발한 낮에 주로 일어난다.		광합성이 일어나지 않으면 공변세포에서 주변 세포로 물이 빠져나간다. 이 때문에 바깥쪽으로 휘어져 있던 공변세포가 원래 모양으로 회복되면서 기공이 닫힌다. → 어두운 밤에는 기공이 대부분 닫혀 있다.	

증산 작용 확인

화창한 날 잎이 달린 가지에 투명한 비닐봉지를 씌워 두면 비닐봉지 안에 물방울이 맺힌다. 이 물방울은 식물체 안의 물이 기공을 통해 수증기로 배출된 후 다시 물로 액화된 것이다.

기공의 분포 확인

푸른색 염화 코발트 종이는 수증기나 물을 흡수하면 붉은색으로 바뀐다. 푸른색 염화 코발트 종이와 받침유리를 잎의 앞면과 뒷면에 대고 고무줄로 고정하면 잎의 앞면보다 뒷면 쪽의 염화 코발트 종이가 먼저 붉은색으로 변한다. 이것은 잎의 앞면보다 뒷면에 기공이 더 많이 분포하여 증산 작용이 활발하게 일어나기 때문이다.

5. 증산 작용이 잘 일어나는 조건 — 대체로 빨래가 잘 마르는 날씨와 비슷한 환경 조건에서 기공이 열려 증산 작용이 활발하게 일어난다.

기공의 여닫이	빛의 세기	기온	습도	바람	식물체 내 수분량
기공 열림	강할 때	높을 때	낮을 때	불 때	많을 때
기공 닫힘	약할 때	낮을 때	높을 때	안 불 때	적을 때

6. 증산 작용과 물의 이동 증산 작용으로 식물체 안의 물이 빠져나가면 잎의 세포는 잎맥의 물관에서 물을 끌어들인다. ==증산 작용으로 물을 끌어당기는 힘은 뿌리에서 흡수한 물이 물관을 따라 잎까지 올라가게 하는 가장 큰 원동력이 된다.==

7. 증산 작용의 의의 과학 용어 사전 238쪽

(1) **식물체 내부의 물 상승 원동력:** 증산 작용은 뿌리에서 흡수한 물을 잎까지 끌어올려 광합성에 공급하는 동시에 뿌리에서 계속 물을 흡수하도록 한다.

(2) **식물체의 온도 조절:** 물이 수증기로 될 때 주위에서 기화열을 빼앗아 가므로 증산 작용을 통해 식물체의 온도를 낮출 수 있다. — 사람이 더울 때 땀을 흘려 체온을 낮추는 것과 같은 원리이다.

(3) **식물체 안의 수분량과 물질의 농도 조절:** 증산량을 조절하여 식물체 안의 수분량을 조절하고, 체내 양분의 농도를 조절한다.

잎의 기공으로 물이 빠져나간다.

물은 줄기의 물관을 통해 잎으로 이동한다.

뿌리에서 물을 흡수한다.

관다발과 잎맥

식물에서 물이 이동하는 물관과 광합성으로 합성한 양분이 이동하는 체관은 매우 가느다란 관이 여러 개 모여 다발을 이루는데, 이를 관다발이라고 한다. 관다발은 뿌리에서 줄기를 거쳐 잎맥까지 연결되어 있다. 잎맥은 잎에 분포하는 관다발이다.

용어 기화열

액체가 기체로 되면서 주위로부터 흡수하는 열을 기화열이라고 한다. 기화열이 큰 물질일수록 기화할 때 주변의 열을 많이 흡수한다.

학습 내용 Check

정답과 해설 039 쪽

1. 식물의 잎에서 물이 수증기 형태로 공기 중으로 배출되는 현상을 _____이라고 한다.
2. 증산 작용은 2개의 _____가 이루는 _____을 통해 일어난다.
3. 기공은 주로 광합성이 활발한 낮에 (열리고, 닫히고) 밤에는 (열린다, 닫힌다).
4. 증산 작용은 빛의 세기가 (강할, 약할) 때, 기온이 (높을, 낮을) 때, 습도가 (높을, 낮을) 때, 바람이 (불, 안 불) 때 활발하게 일어난다.
5. 광합성에 필요한 물을 뿌리에서 흡수하여 잎까지 상승시키는 가장 큰 원동력은 _____이다.

탐구 | 광합성이 일어나는 장소와 산물 탐구하기

광합성이 일어나는 장소를 관찰하고, 광합성으로 만들어진 물질을 말할 수 있다.

❶ 페트병 A, B에 같은 양의 물과 검정말을 넣고 빨대로 숨을 불어 넣은 후 뚜껑을 닫는다.

❷ 페트병 B에만 어둠상자를 씌운 다음, A와 B를 빛이 잘 비치는 곳에 하루 동안 놓아 둔다.

❸ A와 B를 관찰한 다음, 뚜껑을 열고 향불을 넣어 본다. → A에서 기포가 발생하고, 불꽃이 커진다.

❹ A와 B의 검정말 잎을 하나씩 떼어 받침유리 위에 올려놓고 덮개유리를 덮어 현미경으로 관찰한다. → 검정말 잎에서 초록색 알갱이가 관찰된다.

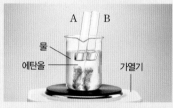

❺ A와 B의 검정말을 에탄올에 넣고 물 중탕하여 엽록소를 제거한다. → 아이오딘 반응의 결과를 뚜렷하게 관찰하기 위해서이다.

❻ A와 B의 검정말 잎에 아이오딘-아이오딘화 칼륨 용액을 떨어뜨리고 현미경으로 관찰한다. → A에서만 청람색으로 변한 엽록체가 관찰된다.

1. 광합성이 일어나는 장소는 잎의 세포에 있는 엽록체이다.
2. 식물의 광합성은 빛이 있을 때 일어나며, 광합성 결과 녹말(양분)과 산소가 생성된다.

탐구 확인 문제

정답과 해설 039쪽

1. 위 탐구에 대한 설명으로 옳은 것은 ○, 옳지 않은 것은 ×로 표시하시오.

(1) 과정 ❶에서 숨을 불어 넣는 것은 이산화 탄소를 공급하기 위한 것이다. ····································· (   )

(2) 과정 ❷와 ❸의 실험으로 광합성에 빛이 필요한지를 알아볼 수 있다. ····································· (   )

(3) 과정 ❸의 실험으로 광합성 결과 산소가 생성되는 것을 확인할 수 있다. ····································· (   )

(4) 과정 ❹에서 관찰되는 초록색 알갱이는 엽록소이다.
···································· (   )

(5) 과정 ❻에서 아이오딘-아이오딘화 칼륨 용액은 포도당을 검출하는 시약이다. ····························· (   )

2. (적용) 그림 (가)와 (나)는 햇빛을 받은 검정말 잎을 에탄올에 넣고 물 중탕하기 전과 후에 아이오딘-아이오딘화 칼륨 용액을 떨어뜨리고 현미경으로 관찰한 모습이다.

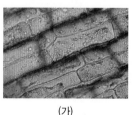

(가)   (나)

아이오딘-아이오딘화 칼륨 용액을 떨어뜨리기 전에 검정말 잎을 에탄올에 넣고 물 중탕하는 까닭을 설명하시오.

탐구 빛의 세기가 광합성에 미치는 영향 알아보기

빛의 세기와 광합성의 관계를 설명할 수 있다.

과정 및 결과

❶ 검정말 줄기를 비스듬히 잘라 깔때기에 거꾸로 넣고 1 % 탄산수소 나트륨 수용액이 담긴 표본 병에 넣는다.

❷ 시험관에 1 % 탄산수소 나트륨 수용액을 가득 채우고 입구를 막은 채 표본 병 속의 깔때기 위로 덮어씌운다.

❸ 표본 병으로부터 10 cm 거리에 LED 전등을 두고 빛의 세기에 따라 1분 동안 발생하는 기포 수를 기록한다.

전등의 밝기(빛의 세기)	1단	2단	3단	4단	5단
기포 수(개/분)	5	10	15	20	20

Tip
- 탄산수소 나트륨 수용액은 이산화 탄소를 공급하기 위한 것이다.
- LED 전등은 열이 발생하지 않아 온도를 일정하게 유지할 수 있다.

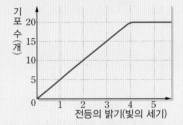

결과 해석 및 정리

1. 검정말에서 발생하는 기포는 산소이며, 1분 동안 발생하는 산소 기포의 수는 검정말의 광합성량에 비례한다.

2. 빛의 세기가 강할수록 광합성량이 증가하지만, 일정 세기 이상에서는 광합성량이 더 이상 증가하지 않는다.

탐구 확인 문제

정답과 해설 039쪽

1 위 탐구에 대한 설명으로 옳은 것은 ○, 옳지 <u>않은</u> 것은 ×로 표시하시오.

(1) 과정 ❶에서 검정말 줄기를 비스듬히 잘라 거꾸로 넣는 것은 기포 생성을 돕기 위해서이다. ·············· (　　)

(2) 과정 ❶에서 1 % 탄산수소 나트륨 수용액을 사용하는 까닭은 이산화 탄소를 공급하기 위해서이다. ··· (　　)

(3) 과정 ❷에서 1 % 탄산수소 나트륨 수용액을 넣은 시험관을 덮어씌우는 것은 기포 발생을 관찰하기 쉽게 하기 위해서이다. ····························· (　　)

(4) 과정 ❸을 실시하는 동안 표본 병 속의 수용액의 온도는 일정하게 유지되어야 한다. ····················· (　　)

(5) 과정 ❸에서 발생하는 기포는 검정말의 광합성 결과 생성된 산소이다. ····························· (　　)

2 적용 빛의 세기가 광합성에 미치는 영향을 알아보기 위해 그림과 같이 장치하고 표본 병과 전등 사이의 거리를 변화시키면서 1분 동안 검정말에서 발생하는 기포 수를 측정하였다.

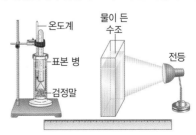

물이 든 수조를 두는 까닭 및 검정말과 전등 사이의 거리와 빛의 세기와의 관계를 설명하시오.

심화 | 광합성 과정이 밝혀지기까지

옛날 사람들은 식물이 흙을 먹고 자란다고 생각하였다. 그러나 이러한 생각은 여러 과학자들의 노력으로 사실이 아님이 밝혀졌고, 마침내 식물이 양분을 만드는 광합성 과정이 밝혀졌다. 광합성 과정을 밝히는 데 중요한 역할을 한 과학자들의 다양한 실험에 대해 알아보자.

① 1648년 헬몬트의 실험

헬몬트는 흙과 버드나무의 무게를 측정한 다음, 화분에 심고 5년 동안 물만 주면서 기르는 실험을 하였다. 5년 후 나무의 무게는 74.47 kg이나 늘었지만 흙의 무게는 0.06 kg밖에 줄어들지 않았다. ➡ 식물은 흙에서 양분을 얻는 것이 아니라 뿌리에서 물을 흡수하여 자란다고 생각했다.

② 1772년 프리스틀리의 실험

프리스틀리는 밀폐된 유리종 속에 촛불을 넣으면 금방 꺼지고, 생쥐를 넣으면 곧 죽는 것을 발견하였다. 그러나 유리종 속에 식물을 함께 넣으면 촛불은 더 오랫동안 타고, 쥐도 더 오래 산다는 것을 관찰하였다. ➡ 식물은 나쁜 공기(이산화 탄소)를 신선한 공기(산소)로 만드는 능력이 있다고 생각했다.

③ 1779년 잉엔하우스의 실험

잉엔하우스는 유리종에 쥐와 식물을 넣고 빛이 있는 곳에 두면 쥐가 오래 살 수 있지만, 빛이 없는 곳에 두면 쥐가 얼마 지나지 않아 죽는 것을 관찰하였다. ➡ 식물이 신선한 공기를 만드는 데에는 빛이 필요하다는 결론을 내렸다.

④ 1782년 세네비에의 실험

세네비에는 이산화 탄소가 없는 용액에 식물의 잎을 담가 두고 빛을 비추면 산소가 발생하지 않지만, 이산화 탄소가 충분히 녹아 있는 물에서 실험하면 산소가 발생한다는 것을 발견하였다. ➡ 식물이 산소를 만드는 데에는 이산화 탄소가 반드시 필요하다는 결론을 내렸다.

⑤ 1804년 소쉬르의 실험

소쉬르는 일정 비율로 조성된 공기와 식물을 밀폐 용기에 넣고 일주일 동안 빛을 비춘 후 공기의 성분을 조사하였다. 그 결과 이산화 탄소는 감소하고 산소는 증가하였으며, 증가한 식물의 무게가 줄어든 이산화 탄소의 무게보다 크다는 것을 발견하였다. ➡ 식물의 무게가 증가한 것은 공기 중에서 흡수한 이산화 탄소와 물 때문이라는 결론을 내렸다.

⑥ 1864년 작스의 실험

작스는 식물의 잎을 일부분만 가린 후 빛을 비추면 빛을 받은 부분에서만 녹말이 검출되고 이 부분에 있는 엽록체의 녹말 알갱이가 크다는 것을 발견하였다. ➡ 식물은 엽록체에서 광합성을 하여 탄수화물(녹말)을 만든다는 결론을 내렸다.

한눈에보는

중단원 핵심 정리

1 광합성

식물 세포의 **엽록체**에서 **빛에너지**를 이용하여 **이산화 탄소와 물**로부터 **포도당**과 같은 양분과 산소를 만드는 과정

광합성이 일어나는 장소	광합성에 필요한 요소	광합성으로 만들어지는 물질
잎의 세포에 있는 엽록체	빛에너지, 이산화 탄소, 물	포도당, 산소

2 광합성에 영향을 주는 요인

광합성에 영향을 주는 요인으로는 **빛의 세기, 이산화 탄소의 농도, 온도**가 있다. 광합성은 빛의 세기가 강할 때, 이산화 탄소의 농도가 높을 때, 온도가 적당할 때 활발하게 일어난다.

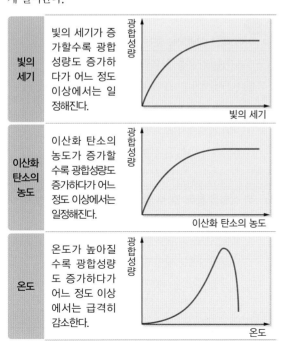

빛의 세기	빛의 세기가 증가할수록 광합성량도 증가하다가 어느 정도 이상에서는 일정해진다.	
이산화 탄소의 농도	이산화 탄소의 농도가 증가할수록 광합성량도 증가하다가 어느 정도 이상에서는 일정해진다.	
온도	온도가 높아질수록 광합성량도 증가하다가 어느 정도 이상에서는 급격히 감소한다.	

3 광합성과 증산 작용

- **증산 작용**: 식물체 안의 물이 수증기 상태로 잎의 기공을 통해 배출되는 현상 → 뿌리에서 흡수한 **물**을 잎까지 **상승**시키는 가장 큰 **원동력** → 광합성에 필요한 물을 공급
- **기공의 여닫이와 증산 작용**: 2개의 **공변세포**가 기공을 형성하며, 기공이 열릴 때 증산 작용이 활발하게 일어난다. 기공은 주로 광합성이 활발한 낮에 열린다.

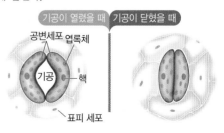

기공이 열렸을 때 | 기공이 닫혔을 때

공변세포 엽록체
기공 — 핵
표피 세포

01 식물이 생명 활동에 필요한 에너지원을 얻는 방식에 대한 설명으로 옳은 것은?

① 유기물을 분해하여 얻는다.
② 흙 속의 유기물을 흡수한다.
③ 빛을 이용하여 스스로 합성한다.
④ 공기 중의 산소를 흡수하여 얻는다.
⑤ 다른 생물의 몸을 분해하여 얻는다.

[02~03] 그림은 식물 세포를 현미경으로 관찰한 것이다.

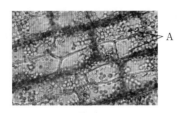

02 빛에너지를 흡수하여 다른 형태의 에너지로 전환할 수 있는 구조물 A는 무엇인지 쓰시오.

_____

03 A에 들어 있는 빛에너지를 흡수하는 초록색 색소의 이름을 쓰시오.

_____

04 그림은 식물의 광합성 과정을 나타낸 것이다.

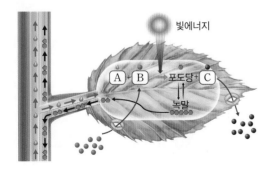

물질 A~C는 각각 무엇인지 쓰시오.

_____

05 식물의 광합성에 필요한 요소에 대한 설명으로 옳은 것을 보기에서 모두 고른 것은?

┌─ 보기 ─────────────────────────
│ ㄱ. 이산화 탄소는 기공을 통해 흡수된다.
│ ㄴ. 빛은 엽록소에서 흡수하여 광합성에 이용된다.
│ ㄷ. 물은 뿌리에서 흡수되어 체관을 통해 운반된다.
└───────────────────────────────

① ㄱ   ② ㄴ   ③ ㄱ, ㄴ
④ ㄴ, ㄷ   ⑤ ㄱ, ㄴ, ㄷ

[06~07] 그림은 식물의 광합성에 대한 실험 과정이다.

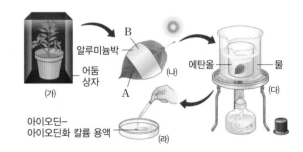

06 이에 대한 설명으로 옳은 것은?

① (가)는 양분을 잎으로 모으는 과정이다.
② (나)에서 잎의 A 부분에는 빛이 비치지 않는다.
③ (다)는 잎의 엽록소를 제거하기 위한 과정이다.
④ (라) 과정에서 포도당이 녹말로 변한다.
⑤ (라)에서 잎의 B 부분만 청람색으로 변한다.

07 위 실험을 통해 알 수 있는 사실로 옳은 것을 보기에서 모두 고른 것은?

┌─ 보기 ─────────────────────────
│ ㄱ. 광합성에는 빛이 필요하다.
│ ㄴ. 광합성 결과 녹말이 만들어진다.
│ ㄷ. 광합성에는 이산화 탄소가 필요하다.
└───────────────────────────────

① ㄱ   ② ㄴ   ③ ㄷ
④ ㄱ, ㄴ   ⑤ ㄱ, ㄴ, ㄷ

08 다음은 어떤 과학자가 실험한 내용이다.

> 촛불과 쥐를 밀폐된 유리종 속에 두면 촛불은 금세 꺼지고 쥐도 오래 살지 못하지만, 식물과 함께 두고 빛을 비추면 촛불은 더 오래 타고, 쥐도 더 오래 산다.

이 실험이 식물의 광합성과 관련하여 의미하는 것은?

① 광합성에는 빛이 필요하다.
② 광합성에는 물이 필요하다.
③ 광합성 결과 녹말이 생성된다.
④ 광합성 결과 산소가 생성되어 방출된다.
⑤ 광합성 결과 공기 중의 이산화 탄소 농도가 증가한다.

09 암실에 두었던 식물에 오른쪽 그림과 같이 두 개의 잎에 각각 증류수와 수산화 칼륨 수용액이 들어 있는 플라스크를 설치하고 2시간 동안 빛을 비춘 후 A와 B의 잎을 따서 녹말 검출 반응을 실시하였다. 이에 대한 설명으로 옳은 것을 보기에서 모두 고른 것은? (단, 수산화 칼륨은 이산화 탄소를 흡수한다.)

> **보기**
> ㄱ. A의 잎에서는 녹말 검출 반응이 나타난다.
> ㄴ. 플라스크 B에서는 산소 농도가 높아졌다.
> ㄷ. 녹말 검출 반응에는 아이오딘-아이오딘화 칼륨 용액을 사용한다.

① ㄱ ② ㄴ ③ ㄱ, ㄴ
④ ㄱ, ㄷ ⑤ ㄴ, ㄷ

10 다음은 어떤 과학자가 실시한 실험이다.

> [실험 과정]
> 식물의 잎을 이산화 탄소가 없는 용액 A와 이산화 탄소가 충분히 녹아 있는 용액 B에 그림과 같이 각각 담가 두고 빛을 비춘다.

> [실험 결과]
> A에 담가 둔 잎에서는 기포가 발생하지 않지만, B에 담가 둔 잎에서는 기포가 발생한다.

이에 대한 설명으로 옳은 것을 보기에서 모두 고른 것은?

> **보기**
> ㄱ. 발생한 기포는 산소이다.
> ㄴ. 광합성에 물이 필요하다는 것을 알 수 있다.
> ㄷ. 식물은 빛이 비칠 때 산소를 흡수하고 이산화 탄소를 방출한다는 것을 알 수 있다.

① ㄱ ② ㄴ ③ ㄷ
④ ㄱ, ㄴ ⑤ ㄴ, ㄷ

11 광합성에 영향을 주는 환경 요인을 보기에서 모두 고른 것은?

> **보기**
> ㄱ. 온도 ㄴ. 빛의 세기
> ㄷ. 질소의 농도 ㄹ. 이산화 탄소의 농도

① ㄱ, ㄷ ② ㄴ, ㄹ ③ ㄱ, ㄴ, ㄹ
④ ㄴ, ㄷ, ㄹ ⑤ ㄱ, ㄴ, ㄷ, ㄹ

[12~13] 표본 병에 1 % 탄산수소 나트륨 수용액을 채우고 물풀을 넣은 후 오른쪽 그림과 같이 장치한 다음, 전등 빛의 밝기를 변화시키면서 1분 동안 발생하는 기포 수를 측정하였다.

12 이 실험에 대한 설명으로 옳지 <u>않은</u> 것은?

① 빛의 세기에 따른 광합성량을 알아보는 실험이다.

② 표본 병 안의 용액의 온도는 일정하게 유지해야 한다.

③ 물풀은 줄기를 비스듬히 잘라 거꾸로 넣어야 기포 발생을 관찰하기 쉽다.

④ 시험관에 탄산수소 나트륨 수용액이 들어가지 않도록 주의하여 물풀 위로 덮어씌운다.

⑤ 물풀의 광합성량이 많을수록 발생하는 기포의 양이 많아진다.

13 표본 병에 1 % 탄산수소 나트륨 수용액을 넣는 까닭을 설명하시오.

14 표는 이산화 탄소 농도에 따른 밀의 광합성량을 측정한 것이다. (단, 빛의 세기와 온도는 일정하게 유지하였다.)

이산화 탄소 농도(%)	0.04	0.08	0.12	0.16
광합성량(상댓값)	6.0	8.0	9.0	9.0

이 실험 결과를 해석한 것으로 옳은 것은?

① 광합성량은 이산화 탄소 농도에 비례한다.

② 이산화 탄소 농도가 0.04 % 이상일 때 광합성이 일어난다.

③ 이산화 탄소 농도가 0.08 %일 때 광합성 속도가 최대이다.

④ 이산화 탄소 농도가 0.12 % 이상일 때 광합성 속도는 일정하게 유지된다.

⑤ 이산화 탄소 농도가 0.12 % 이상일 때는 광합성이 더 이상 일어나지 않는다.

15 빛의 세기와 이산화 탄소 농도가 일정할 때, 온도와 광합성량의 관계를 나타낸 그래프로 옳은 것은?

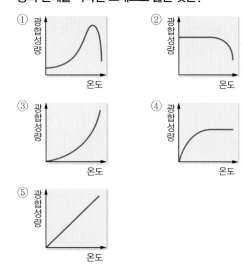

16 밑줄 친 부분에서 설명하는 잎의 작용이 무엇인지 쓰시오.

> 뿌리에서 흡수한 물은 줄기를 통해 잎으로 운반되어 광합성에 사용되고, 여분의 물은 <u>수증기 형태로 잎의 기공을 통해 공기 중으로 나간다.</u>

17 다음은 식물의 증산 작용을 알아보기 위한 실험이다.

> 눈금실린더 A와 B에 오른쪽 그림과 같이 장치하고 일정 시간이 지난 후 물의 높이 변화를 측정하였더니 A는 물의 높이가 낮아졌지만 B는 변화가 없었다.

이 실험을 통해 알아보고자 하는 것은?

① 증산 작용은 낮에 활발하게 일어난다.

② 증산 작용은 식물의 잎에서 일어난다.

③ 증산 작용은 식물체에 물이 많을 때 일어난다.

④ 증산 작용은 바람이 불 때 활발하게 일어난다.

⑤ 증산 작용은 온도가 높을 때 활발하게 일어난다.

[18~20] 오른쪽 그림은 식물 잎의 표피 일부를 나타낸 것이다.

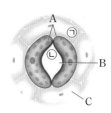

18 세포 A의 이름을 쓰시오.

19 이에 대한 설명으로 옳지 <u>않은</u> 것은?

① 잎의 표피 조직을 나타낸 것이다.
② A의 세포벽은 ㉠ 쪽보다 ㉡ 쪽이 두껍다.
③ B는 기공이다.
④ B를 통해 광합성에 필요한 물이 흡수된다.
⑤ C는 A와는 달리 엽록체가 없다.

20 증산 작용이 일어날 때의 상태를 설명한 것으로 옳은 것을 보기에서 모두 고른 것은?

┌─ 보기 ─────────────────────────────┐
ㄱ. A의 부피가 증가하여 팽창한다.
ㄴ. B의 크기가 커진다.
ㄷ. B를 통해 수증기가 빠져나간다.
└────────────────────────────────────┘

① ㄱ   ② ㄷ   ③ ㄱ, ㄷ
④ ㄴ, ㄷ   ⑤ ㄱ, ㄴ, ㄷ

21 증산 작용에 대한 설명으로 옳은 것은?

① 주로 밤에 활발하게 일어난다.
② 식물체 안의 물이 증발되는 현상이다.
③ 식물체 안의 물이 물방울 상태로 나간다.
④ 잎에서 만든 양분이 이동하는 원동력을 제공한다.
⑤ 증산 작용의 원료로 물과 이산화 탄소가 사용된다.

22 다음은 공변세포를 관찰하기 위한 실험 과정이다.

(가) 닭의장풀 잎의 표피를 얇게 벗겨 받침유리 위에 올려놓는다.
(나) 아세트산카민 용액을 한 방울 떨어뜨린 후, 덮개유리를 덮고 거름종이로 여분의 염색액을 제거한다.
(다) 현미경으로 관찰한다.

이에 대한 설명으로 옳은 것을 보기에서 모두 고른 것은?

┌─ 보기 ─────────────────────────────┐
ㄱ. A 부분을 관찰한다.
ㄴ. (가)에서 잎의 앞면보다 뒷면 표피를 이용해야 공변세포가 많이 관찰된다.
ㄷ. (나)에서 아세트산카민 용액을 사용하지 않으면 공변세포가 관찰되지 않는다.
└────────────────────────────────────┘

① ㄱ   ② ㄷ   ③ ㄱ, ㄴ
④ ㄴ, ㄷ   ⑤ ㄱ, ㄴ, ㄷ

23 증산 작용이 가장 활발하게 일어나는 환경 조건으로 옳은 것은?

	빛의 세기	기온	습도	바람
①	강할 때	낮을 때	높을 때	불 때
②	강할 때	높을 때	낮을 때	불 때
③	강할 때	높을 때	높을 때	안 불 때
④	약할 때	낮을 때	높을 때	안 불 때
⑤	약할 때	높을 때	낮을 때	불 때

24 식물이 증산 작용을 함으로써 얻는 효과로 옳지 <u>않은</u> 것은?

① 식물체의 온도를 낮출 수 있다.
② 식물체 안의 수분량을 조절한다.
③ 광합성에 필요한 물을 상승시킨다.
④ 뿌리에서 계속 물을 흡수하도록 한다.
⑤ 식물체의 생장에 필요한 양분을 합성한다.

01
그림은 토끼풀을 이용한 광합성 실험을 나타낸 것이다.

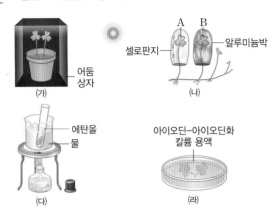

이에 대한 설명으로 옳은 것을 모두 고르면? (정답 2개)

① (가)는 잎의 포도당을 녹말로 전환시키는 과정이다.
② (나)에서 A는 빛을 받고, B는 빛을 받지 못한다.
③ (다) 과정에서 녹말이 포도당으로 분해된다.
④ (다)는 잎의 엽록소를 제거하는 과정이다.
⑤ (라)에서 B만 청람색으로 변한다.

02
그림은 광합성 과정을 나타낸 것이다.

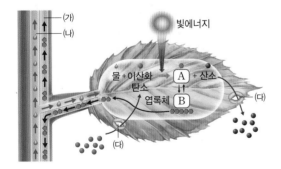

이에 대한 설명으로 옳지 않은 것은?

① A는 포도당이고, B는 녹말이다.
② (가)를 통해 광합성 산물이 이동한다.
③ (나)를 통해 뿌리털에서 흡수된 물질이 이동한다.
④ (다)에서의 작용으로 (가)에서 물질이 이동하는 원동력이 생긴다.
⑤ (다)는 2개의 공변세포로 둘러싸여 있다.

03
중성의 BTB 용액에 입김을 불어 넣은 후 그림과 같이 장치하였다. (단, B는 가열한 후 마개를 덮었다.)

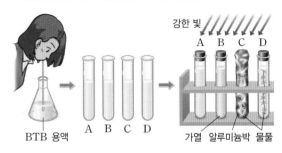

위 장치를 빛이 잘 드는 곳에 일정 시간 동안 두었을 때 각 시험관의 용액 색깔 변화를 옳게 짝 지은 것은?

	A	B	C	D
①	노란색	노란색	노란색	노란색
②	노란색	노란색	노란색	파란색
③	노란색	파란색	노란색	파란색
④	파란색	노란색	파란색	파란색
⑤	파란색	파란색	노란색	파란색

04
그림 (가)의 장치를 이용하여 빛의 세기에 따른 물풀의 기포 발생량을 측정한 결과가 그림 (나)와 같았다.

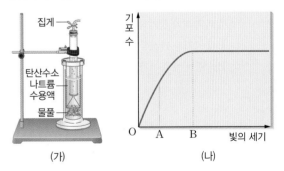

이에 대한 설명으로 옳은 것을 모두 고르면? (정답 2개)

① 기포 발생량은 물풀의 광합성량에 반비례한다.
② 빛의 세기가 A일 때 물풀의 광합성이 가장 활발하다.
③ A보다 B에서 물풀의 포도당 생성 속도가 증가한다.
④ 빛의 세기가 B보다 강하면 기포가 발생하지 않는다.
⑤ (가)에서 물풀의 광합성량이 많아질수록 탄산수소 나트륨 수용액의 농도가 낮아진다.

05 크기와 종류가 같은 두 그루의 식물을 하루 동안 암실에 둔 다음, 그림과 같이 장치하고 유리종을 씌웠다. 그리고 일정 시간 빛을 비추어 준 후 잎을 따서 아이오딘-아이오딘화 칼륨 용액을 떨어뜨렸다. (단, 수산화 칼슘은 이산화 탄소를 흡수하는 성질이 있다.)

이에 대한 설명으로 옳은 것을 보기에서 모두 고른 것은?

보기
ㄱ. (가)의 식물 잎에서만 아이오딘 반응이 나타난다.
ㄴ. (가)의 유리종 내부에서는 이산화 탄소의 양이 증가한다.
ㄷ. (나)의 유리종 내부에서는 산소의 양이 급격히 증가한다.

① ㄱ   ② ㄷ   ③ ㄱ, ㄴ
④ ㄴ, ㄷ   ⑤ ㄱ, ㄴ, ㄷ

06 그림은 식물 잎에 있는 공변세포의 변화를 나타낸 것이다.

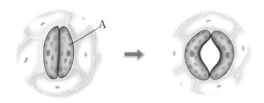

이에 대한 설명으로 옳은 것을 보기에서 모두 고른 것은?

보기
ㄱ. 빛이 비치면 A에서 광합성이 일어난다.
ㄴ. A 안의 물의 양이 감소할 때 나타나는 변화이다.
ㄷ. 빛의 세기가 강하고 바람이 불 때 이와 같은 변화가 나타난다.

① ㄱ   ② ㄷ   ③ ㄱ, ㄴ
④ ㄱ, ㄷ   ⑤ ㄴ, ㄷ

07 그림은 식물의 증산 작용을 알아보기 위한 실험 장치이다. (단, 눈금실린더 A~D의 처음 물의 높이는 모두 같다.)

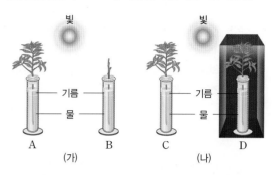

일정 시간이 지난 후의 실험 결과에 대한 설명으로 옳은 것을 보기에서 모두 고른 것은?

보기
ㄱ. (가)에서 눈금실린더의 물의 높이는 B가 A보다 높다.
ㄴ. (나)에서 기름을 떨어뜨리지 않고 실험하면 C의 물의 높이는 더 낮아진다.
ㄷ. (나) 실험을 비 오는 날에 하면 C와 D의 물의 높이 차이는 더 작아질 것이다.

① ㄱ   ② ㄷ   ③ ㄱ, ㄴ
④ ㄴ, ㄷ   ⑤ ㄱ, ㄴ, ㄷ

08 그림은 식물의 증산 작용을 알아보기 위한 실험이다.

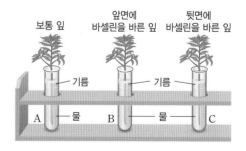

이에 대한 설명으로 옳은 것을 모두 고르면? (정답 2개)
① 바셀린은 기공이 열리게 한다.
② 빛이 비치지 않는 곳에서 실험한다.
③ 일정 시간 후 물의 높이는 A가 가장 낮다.
④ 기온이 증산 작용에 미치는 영향을 알아보는 실험이다.
⑤ 잎의 앞면보다 뒷면에 기공이 많으면 일정 시간 후 물의 높이는 B가 C보다 낮다.

☞ 제시된 Keyword를 이용하여 문제를 해결해 보자.

1 식물 세포에는 태양 전지와 같이 빛에너지를 다른 형태의 에너지로 전환하는 구조가 있다. 식물 세포에서 이러한 작용을 하는 A는 무엇이며, 이때 빛에너지를 흡수하는 물질은 무엇인지 설명하시오.

Keyword 엽록체, 엽록소

_____

_____

_____

2 그림은 식물의 광합성 과정을 간단하게 나타낸 것이다.

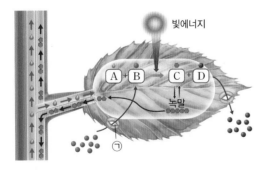

(1) A~D는 각각 어떤 물질인지 쓰고, 그렇게 생각한 근거를 설명하시오.

Keyword 물관, 물, 기공, 이산화 탄소, 광합성, 포도당, 산소

_____

_____

_____

(2) 한 쌍의 세포로 둘러싸여 있는 ㉠의 이름과 기능은 무엇인지 설명하시오.

Keyword 기공, 기체, 증산 작용

_____

_____

_____

3 그림은 2개의 밀폐된 유리종 속에 쥐와 식물을 함께 두고 한쪽의 유리종에만 빛을 비추어 주는 실험을 실시한 결과를 나타낸 것이다.

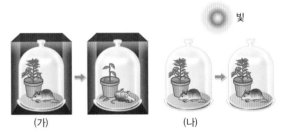

(1) 일정 시간이 지났을 때 (가) 유리종 속의 쥐는 죽었지만 (나) 유리종 속의 쥐는 살아남았다. 이와 같은 결과가 나타난 까닭을 식물의 광합성 과정에 출입하는 기체 성분과 관련지어 설명하시오.

Keyword 빛, 광합성, 호흡, 산소

_____

_____

_____

(2) 식물의 광합성과 관련하여 위 실험을 통해 얻을 수 있는 결론은 무엇인지 설명하시오.

Keyword 빛, 광합성

_____

_____

4 오른쪽 그림은 물풀을 이용한 광합성 실험 장치이다.

(1) 빛의 세기에 따른 물풀의 광합성량을 비교할 수 있는 방법을 설명하시오.

Keyword 빛의 세기, 광합성량, 기포

_____

(2) 물풀의 광합성 결과 녹말이 생성된다는 것을 확인할 수 있는 방법을 설명하시오.

Keyword 녹말, 아이오딘-아이오딘화 칼륨 용액

_____

_____

(3) 실험에서 물풀의 광합성량을 증가시킬 수 있는 방법을 두 가지 설명하시오.

Keyword 이산화 탄소 농도, 빛의 세기, 온도

_____

_____

5 그림은 식물 잎의 표면에 있는 기공을 나타낸 것이다.

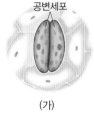

(1) 공변세포가 주변의 표피 세포와 다른 점을 설명하시오.

Keyword 공변세포, 엽록체

_____

_____

(2) (가)와 (나) 중 증산 작용이 활발하게 일어나는 상태는 어느 것인지 근거를 들어 설명하시오.

Keyword 증산 작용, 기공

_____

_____

6 그림은 증산 작용에 영향을 미치는 환경 요인에 대해 알아보기 위한 실험을 나타낸 것이다. (단, 실험에 사용한 식물은 모두 같은 종류이며, 그림에서 제시된 것 이외의 다른 조건은 동일하다.)

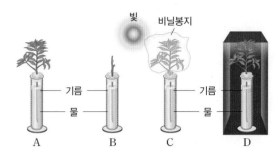

(1) 일정 시간이 지난 후 눈금실린더의 물의 양을 비교하였을 때, A와 B 중 물의 양이 더 많이 줄어든 것은 어떤 것인지 쓰고, 그렇게 생각한 까닭을 설명하시오.

Keyword 잎, 기공, 증산 작용

_____

_____

(2) 빛이 증산 작용에 미치는 영향을 알아보기 위해 비교해야 할 것을 2개 고르고, 그 결과에 대해 설명하시오.

Keyword 빛, 증산 작용

_____

_____

(3) 일정 시간이 지난 후 C보다 A에서 물이 더 많이 줄어든 것을 확인하였다면, 이 실험의 결론은 무엇인지 설명하시오.

Keyword 습도, 증산 작용

_____

_____

(4) 바람이 증산 작용에 미치는 영향을 알아보기 위한 실험 설계를 설명하시오.

Keyword 선풍기, 증산 작용

_____

_____

02 식물의 호흡

식물은 광합성으로 만든 양분을 식물체의 각 부분으로 이동시켜 호흡에 쓰거나 몸의 구성 물질로 사용하고 남은 것은 저장해 둔다. 양분의 이동, 사용, 저장 과정을 알아보자.

1 식물의 호흡

 미토콘드리아

세포에서 영양소를 분해하여 생명 활동에 필요한 에너지를 만드는 장소이다. 동물 세포와 식물 세포를 비롯하여 산소를 이용하여 호흡을 하는 대부분의 세포에 들어 있다.

미토콘드리아

동물 세포

식물의 기체 교환 장소
식물의 기체 교환은 잎의 기공에서 활발하게 일어나지만, 줄기와 뿌리 등에서도 일어난다. 줄기에서는 코르크 층에 틈이 생겨 상처처럼 보이는 피목이라는 곳을 통해, 뿌리에서는 표피와 뿌리털을 통해 기체 교환이 일어난다.

피목

뿌리

1. 호흡 생물이 포도당과 같은 양분을 분해하여 생명 활동에 필요한 에너지를 얻는 과정이다. 모든 생물은 호흡을 하여 살아가는 데 필요한 에너지를 얻는다.

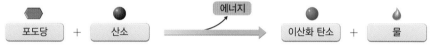

(1) **호흡에 필요한 물질:** 에너지원인 포도당은 광합성을 하여 스스로 만들고, 포도당 분해에 필요한 산소는 잎의 기공, 줄기, 뿌리 등으로 흡수된다.

(2) **호흡으로 만들어지는 물질:** 포도당 분해 과정에서 생성된 이산화 탄소는 광합성에 쓰이거나 식물체 밖으로 방출되며, 물은 식물체 내에서 쓰이고 여분은 배출된다.

2. 호흡이 일어나는 장소 호흡은 세포의 미토콘드리아에서 주로 일어난다. 식물에서 호흡은 잎뿐만 아니라 뿌리, 줄기 등 식물체를 구성하는 모든 살아 있는 세포에서 항상 일어난다. 과학 용어 사전 238쪽

미토콘드리아
엽록체

식물 세포

탐구 더하기   식물의 호흡 확인

페트병 A에는 시금치를 넣고, B에는 공기만 넣어 그림 (가)와 같이 장치한 다음, 암실에 하루 동안 두었다가 각 페트병 속의 기체를 (나)와 같이 석회수에 주입한다.

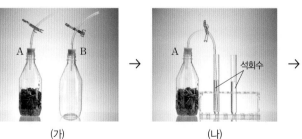

(가)   (나)

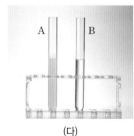

(다)

식물의 호흡으로 이산화 탄소가 방출되는 것을 확인할 때 석회수 대신 BTB 용액을 사용할 수 있다. 시금치를 넣은 페트병의 기체를 초록색의 BTB 용액에 통과시키면 노란색으로 변한다.

① 석회수는 이산화 탄소와 반응하여 뿌옇게 흐려진다.

② 페트병 A의 기체를 통과시킨 석회수만 (다)와 같이 뿌옇게 변하였다.

③ 식물은 암실에서 광합성을 하지 않고 호흡만 하여 이산화 탄소를 방출한다.

탐구 210쪽

3. **식물의 광합성과 호흡의 관계** 광합성 결과 생성되는 포도당과 산소는 호흡에 필요한 물질이고, 호흡 결과 생성되는 이산화 탄소와 물은 광합성에 필요한 물질이므로 식물은 광합성으로 생성된 물질을 호흡에 이용하고 호흡 결과 생성된 물질을 광합성에 이용한다.

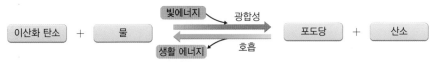

이산화 탄소 + 물 →(빛에너지, 광합성) / (생활 에너지, 호흡)← 포도당 + 산소

구분	광합성	호흡
일어나는 장소	엽록체가 있는 세포	살아 있는 모든 세포
일어나는 시간	낮(빛이 있을 때)	낮과 밤(항상)
필요한 물질	이산화 탄소, 물	포도당, 산소
생성되는 물질	포도당, 산소	이산화 탄소, 물
기체의 출입	이산화 탄소 흡수, 산소 방출	산소 흡수, 이산화 탄소 방출
에너지 전환	빛에너지 → 화학 에너지 (태양)　(포도당)	화학 에너지 → 화학 에너지 (포도당)　(생활 에너지)

- 호흡 과정에서 포도당의 화학 에너지 중 일부는 생활 에너지로 전환되지만 나머지는 열에너지로 전환된다.

4. **식물에서의 기체 출입** 호흡은 항상 일어나지만 광합성량은 빛의 세기에 따라 달라지므로 낮과 밤에 출입하는 기체가 달라진다.

(1) **낮**: 낮 동안에는 광합성과 호흡이 함께 일어난다. 이때 빛의 세기가 충분히 강하여 광합성량이 호흡량보다 많으면 이산화 탄소를 흡수하고 산소를 방출한다. 그런데 빛의 세기가 약하여 광합성량과 호흡량이 같으면 외관상 기체의 출입이 없다.

(2) **밤**: 밤 동안에는 광합성이 일어나지 않고 호흡만 일어나므로 식물은 산소를 흡수하고 이산화 탄소를 방출한다.

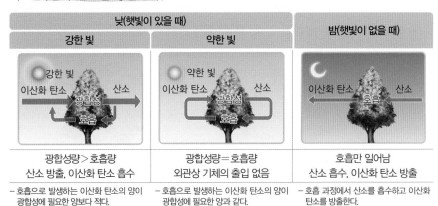

낮(햇빛이 있을 때)		밤(햇빛이 없을 때)
강한 빛	약한 빛	
광합성량 > 호흡량 산소 방출, 이산화 탄소 흡수	광합성량 = 호흡량 외관상 기체의 출입 없음	호흡만 일어남 산소 흡수, 이산화 탄소 방출
– 호흡으로 발생하는 이산화 탄소의 양이 광합성에 필요한 양보다 적다.	– 호흡으로 발생하는 이산화 탄소의 양이 광합성에 필요한 양과 같다.	– 호흡 과정에서 산소를 흡수하고 이산화 탄소를 방출한다.

학습 내용 Check

정답과 해설 044쪽

1. 생물이 살아가는 데 필요한 에너지를 얻는 과정을 _____이라고 한다.

2. 호흡 과정에서 포도당은 _____와 _____로 분해된다.

3. 식물의 광합성은 _____에 일어나고, 호흡은 _____ 일어난다.

4. 식물은 낮에 광합성량이 호흡량보다 많으면 _____를 흡수하고 _____를 방출한다.

식물의 호흡이 활발한 시기
식물의 호흡은 식물체의 모든 부분에서 항상 일어나지만 에너지가 많이 필요한 시기에 특히 왕성하게 일어난다. 싹이 틀 때, 꽃이 필 때, 생장할 때 호흡이 활발하게 일어난다.

광합성과 호흡의 관계
광합성과 호흡에 필요한 물질과 생성되는 물질을 비교해 보면 서로 반대라는 것을 알 수 있다. 결국 광합성 결과 호흡에 필요한 물질이 생성되고, 호흡 결과 광합성에 필요한 물질이 생성된다.

❷ 광합성 산물의 이동과 사용

1. 양분의 이동 빛이 비치는 낮 동안 잎에서 광합성으로 만들어진 포도당은 곧 물에 녹지 않는 녹말로 바뀌어 잎 속의 엽록체에 저장된다. 밤이 되면 녹말은 다시 물에 녹는 당(주로 설탕)으로 바뀌어 체관을 통해 식물체의 각 부분으로 이동한다.

과학 용어 사전 238쪽

탐구 더하기 양분의 이동 통로 확인

그림은 나무줄기의 껍질을 고리 모양으로 둥글게 벗겨 내고 오랜 시간이 지난 후의 결과이다.

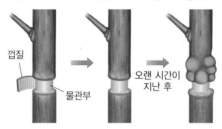

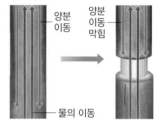

① 줄기의 관다발에서 물관은 안쪽에, 체관은 바깥쪽에 있다.

② 줄기의 껍질을 고리 모양으로 둥글게 벗겨 내면 체관이 제거되어 잎에서 만든 양분이 껍질을 벗겨 낸 부분의 아래쪽으로 내려가지 못한다. 그 결과 양분이 껍질을 벗겨 낸 부분의 위쪽에 쌓여 두껍게 부풀어 오른다. → 잎에서 광합성으로 만들어진 양분은 관다발의 바깥쪽에 있는 체관을 통해 이동한다.

2. 양분의 사용 식물체의 각 부분으로 이동한 양분은 세포의 생명 활동에 필요한 에너지원이 되거나 식물체를 구성하는 물질을 만드는 데 쓰인다.

3. 양분의 저장 사용되고 남은 양분은 녹말, 지방, 단백질과 같이 다양한 형태로 전환되어 식물의 종류에 따라 줄기, 뿌리, 열매 등에 저장된다.

고구마 녹말이 많음

콩 단백질이 많음

땅콩 지방이 많음

양파 포도당이 많음

환상 박피
나무줄기의 껍질을 고리 모양으로 둥글게 벗겨 내는 것을 말한다. 환상 박피를 하여 광합성으로 만들어진 양분이 위쪽에 있는 열매로 더 많이 이동하게 되면 위쪽 열매에 양분이 많이 저장되어 크고 좋은 열매를 얻을 수 있다.

식물 종류에 따른 양분의 저장

식물 종류	고구마	감자	양파	땅콩	콩
저장 형태	녹말	녹말	포도당	지방	단백질
저장 장소	뿌리	줄기	줄기	열매	열매

탐구 더하기 광합성 양분의 이동, 사용, 저장

광합성 양분의 이동, 사용, 저장을 모형으로 나타내면 그림과 같다.

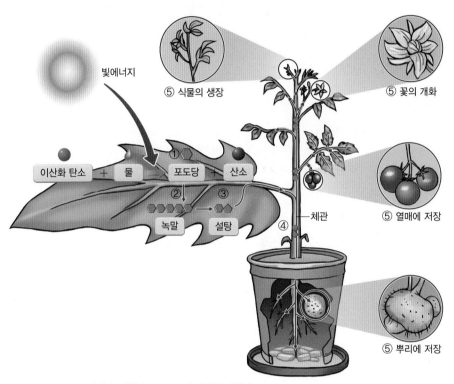

① 식물 잎의 엽록체에서 광합성으로 포도당이 만들어진다.

② 포도당은 곧 물에 녹지 않는 녹말로 전환되어 낮 동안 잎에 저장된다.

③ 밤이 되면 녹말이 물에 녹는 설탕으로 전환된다.

④ 설탕은 체관을 통해 식물체의 각 부분으로 이동한다.

⑤ 식물체의 각 부분으로 이동한 양분은 생명 활동에 필요한 에너지원이 되거나 식물체를 구성하는 물질을 만드는 데 쓰이고, 남은 것은 탄수화물, 지방, 단백질 등 다양한 형태로 전환되어 저장된다.

학습 내용 Check

정답과 해설 044 쪽

1. 광합성으로 만들어진 양분은 낮 동안 엽록체에 _____ 형태로 저장되었다가 밤이 되면 물에 녹는 _____으로 전환되어 운반된다.

2. 광합성으로 만들어진 양분은 _____을 통해 식물체의 각 기관으로 이동한다.

3. 광합성으로 만들어진 양분은 식물체의 각 기관에서 여러 가지 생명 활동에 쓰이고, 남은 것은 _____, 포도당, _____, 단백질 등 다양한 형태로 저장된다.

4. 고구마는 _____에, 양파와 감자는 _____에, 사과와 포도는 열매에 양분을 저장한다.

탐구↗ 식물의 **광합성**과 **호흡**에서 **기체**의 이동

식물의 광합성과 호흡의 관계를 기체의 출입으로 설명할 수 있다.

과정 및 결과

❶ 4개의 시험관 A~D에 초록색 BTB 용액을 넣고, B에만 빨대로 숨을 불어 넣는다.

❷ 시험관 C와 D에는 검정말을 넣고 4개의 시험관에 뚜껑을 덮은 후, 시험관 D는 알루미늄박으로 감싼다.

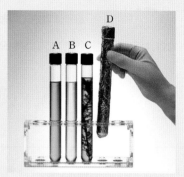

❸ 4개의 시험관을 햇빛이 잘 드는 곳에 1시간 동안 두었다가 BTB 용액의 색깔 변화를 관찰한다.

시험관	A	B	C	D
BTB 용액의 색깔 변화	초록색 → 초록색	노란색 → 노란색	초록색 → 파란색	초록색 → 노란색

결과 해석 및 정리

1 시험관 B의 BTB 용액에 날숨 속의 이산화 탄소가 녹아 산성이 되면 BTB 용액의 색깔이 노란색으로 변한다.

2 시험관 C는 검정말의 호흡량보다 광합성량이 많아서 이산화 탄소의 양이 줄어들어 BTB 용액이 파란색으로 변한다.

3 시험관 D는 빛이 비치지 않아 검정말이 광합성을 하지 않고 호흡만 하여 이산화 탄소를 방출하므로, 이산화 탄소의 양이 증가하여 날숨을 불어 넣은 시험관 B와 마찬가지로 BTB 용액이 노란색으로 변한다.

4 검정말이 광합성을 할 때에는 이산화 탄소를 흡수하고 산소를 방출하며, 호흡을 할 때에는 산소를 흡수하고 이산화 탄소를 방출한다. 빛이 강하게 비칠 때는 광합성량이 호흡량보다 많아 이산화 탄소가 흡수되고, 어두울 때는 광합성을 하지 않고 호흡만 하여 이산화 탄소가 방출된다.

탐구 확인 문제

정답과 해설 044쪽

1 위 탐구에 대한 설명으로 옳은 것은 ○, 옳지 않은 것은 ×로 표시하시오.

(1) 과정 ❶에서 날숨에는 사람의 호흡으로 생성된 이산화 탄소가 포함되어 있다. ·······························( )

(2) 과정 ❷에서 시험관 D에 알루미늄박을 감싸는 것은 빛을 차단하기 위한 것이다. ·······························( )

(3) 과정 ❸에서 시험관 C의 검정말은 광합성을 하고 호흡을 하지 않는다. ·······························( )

(4) 과정 ❸에서 시험관 D의 검정말은 광합성을 하지 않고 호흡을 한다. ·······························( )

2 ^{적용} 4개의 플라스크 A~D에 초록색 BTB 용액을 넣고 그림과 같이 장치한 다음, 햇빛에 일정 시간 두었을 때 BTB 용액의 색깔이 각각 어떻게 변하는지 쓰시오.

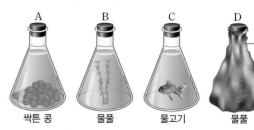

A 싹튼 콩 | B 물풀 | C 물고기 | D 물풀 (알루미늄박)

심화

광합성과 호흡의 관계

호흡은 생물의 몸을 구성하는 세포에서 양분을 분해하여 생명 활동에 필요한 에너지를 얻는 과정이다. 식물이 광합성을 하여 양분을 만드는 것은 자신의 호흡과 생장에 필요한 물질을 얻기 위한 것이다. 광합성과 호흡의 관계에 대해 깊이 있게 알아보자.

① 광합성과 호흡의 관계

흔히 호흡이라고 하면 숨을 들이쉬고 내쉬는 것만 생각하기 쉽다. 그런데 생물에게 호흡은 살아가는 데 필요한 에너지를 얻는 과정이다. 세포에서 산소를 이용하여 포도당과 같은 양분을 분해함으로써 생명 활동에 필요한 에

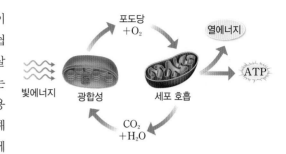

너지를 얻는 과정을 세포 호흡이라고 하며, 이때 필요한 산소를 흡수하고 세포 호흡으로 생성된 이산화 탄소를 방출하기 위해 기체 교환이 일어난다. 광합성과 대비시켜 구분하는 호흡은 세포 호흡을 뜻한다. 광합성과 호흡의 관계를 살펴보면 광합성에 필요한 물질은 이산화 탄소와 물이고, 생성되는 물질은 포도당과 산소이다. 이와는 반대로 호흡에 필요한 물질은 포도당과 산소이고, 생성되는 물질은 이산화 탄소와 물이다. 결국 광합성 결과 호흡에 필요한 물질이 생성되고, 호흡 결과 광합성에 필요한 물질이 생성되는 셈이다.

② 광합성량과 호흡량에 대한 이해

식물에서 호흡은 항상 일어나고, 광합성은 빛이 비치는 낮에 일어난다. 빛이 강할 때는 광합성량이 호흡량보다 많아서 이산화 탄소를 흡수하고 산소를 방출한다. 그러나 식물이 실제로 이산화 탄소만 흡수하고 산소만 방출하는 것은 아니다. 또한, 호흡으로 생성된 이산화 탄소를 모두 광합성에 사용하고 부족한 양만큼의 이산화 탄소만 흡수하는 것도 아니다. 광합성은 엽록체가 있는 세포에서 일어나지만, 호흡은 식물체를 이루는 모든 살아 있는 세포에서 일어나기 때문에 광합성량과 호흡량의 차이 만큼 이산화 탄소와 산소의 출입이 있음을 뜻하는 것이다. 같은 원리로 광합성량과 호흡량이 같을 때 외관상 기체의 출입이 없다는 것은 실제로는 기체의 출입은 일어나지만 광합성량과 호흡량이 같으므로 흡수량에서 방출량을 빼면 0이 된다는 뜻이다. 밤에는 광합성이 일어나지 않으므로 호흡량만큼 산소를 흡수하고, 이산화 탄소를 방출한다. 광합성량과 호흡량에 다음과 같이 수를 대입하여 이해해 보자.

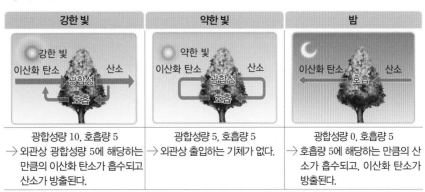

강한 빛	약한 빛	밤
광합성량 10, 호흡량 5 → 외관상 광합성량 5에 해당하는 만큼의 이산화 탄소가 흡수되고 산소가 방출된다.	광합성량 5, 호흡량 5 → 외관상 출입하는 기체가 없다.	광합성량 0, 호흡량 5 → 호흡량 5에 해당하는 만큼의 산소가 흡수되고, 이산화 탄소가 방출된다.

중단원 핵심 정리

식물의 호흡

- **호흡**: 포도당과 같은 양분을 분해하여 생명 활동에 필요한 **에너지**를 얻는 과정
- **광합성과 호흡의 관계**: 광합성의 결과 호흡에 필요한 물질인 포도당과 산소가 생성되고, 호흡의 결과 광합성에 필요한 이산화 탄소와 물이 생성된다. 광합성은 빛이 있는 낮에 일어나지만, 호흡은 밤낮에 관계없이 **항상** 일어난다.

- **식물에서의 기체 출입**

낮(햇빛이 있을 때)		밤(햇빛이 없을 때)
강한 빛	약한 빛	
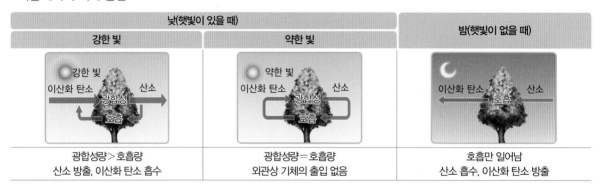		
광합성량 > 호흡량 산소 방출, 이산화 탄소 흡수	광합성량 = 호흡량 외관상 기체의 출입 없음	호흡만 일어남 산소 흡수, 이산화 탄소 방출

2 광합성 산물의 이동과 사용

- **광합성 산물의 생성**: 잎을 구성하는 세포의 엽록체에서 광합성을 하여 만들어진 **포도당**은 즉시 녹말로 전환되어 낮 동안 잎에 저장된다.
- **광합성 산물의 이동**: 밤이 되면 녹말이 **설탕**으로 전환되어 **체관**을 통해 줄기, 뿌리, 열매 등 식물체의 각 부분으로 이동한다.
- **광합성 산물의 이용**: 식물의 **호흡**에 쓰여 생명 활동에 필요한 에너지를 내거나 **생장**에 필요한 물질을 만드는 데 쓰인다.
- **광합성 산물의 저장**: 식물이 사용하고 남은 양분은 탄수화물, 지방, 단백질 등으로 전환되어 줄기, 뿌리, 열매 등 저장 기관에 **저장**된다.

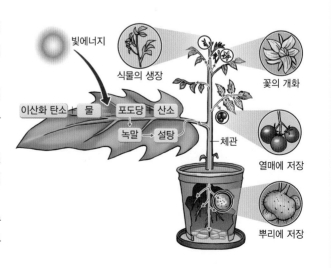

01 식물의 호흡에 대한 설명으로 옳은 것은?

① 엽록체에서 일어난다.

② 주로 밤에만 일어난다.

③ 식물체 전체에서 일어난다.

④ 이산화 탄소가 흡수되고 산소가 방출된다.

⑤ 무기물로부터 유기물을 합성하는 과정이다.

02 다음은 시금치를 이용한 실험이다.

[실험 과정]

페트병 A에는 시금치를 넣고 B에는 공기만 넣어 그림과 같이 장치한 후 암실에 하루 동안 두었다가 페트병 A와 B 속의 기체를 석회수에 주입한다.

[실험 결과]

페트병 A의 기체를 주입한 석회수만 뿌옇게 흐려진다.

이에 대한 설명으로 옳은 것은?

① 암실에 둔 시금치에서 광합성이 일어났다.

② 석회수가 산소와 결합하면 뿌옇게 흐려진다.

③ 암실 대신 빛이 비치는 곳에 두어도 같은 결과가 나타난다.

④ 암실에 두었던 페트병 속의 이산화 탄소 농도는 A보다 B에서 높다.

⑤ 페트병 A는 식물의 호흡으로 발생하는 기체를 알아보기 위한 장치이다.

03 식물의 광합성과 호흡을 비교한 것으로 옳은 것을 보기에서 모두 고른 것은?

보기

ㄱ. 광합성은 산소가 있어야 일어나고, 호흡은 이산화 탄소가 있어야 일어난다.

ㄴ. 광합성 과정에서 에너지가 흡수되고, 호흡 과정에서 에너지가 방출된다.

ㄷ. 광합성은 빛에너지를 화학 에너지로 전환하는 과정이고, 호흡은 화학 에너지를 빛에너지로 전환하는 과정이다.

① ㄱ　　　　　② ㄴ　　　　　③ ㄷ

④ ㄱ, ㄴ　　　　⑤ ㄴ, ㄷ

04 삼각 플라스크 2개에 중성 BTB 용액과 물풀을 넣고 그림과 같이 장치하여 햇빛이 잘 드는 창가에 두었다. (단, BTB 용액은 중성에서는 초록색이고, 산성에서는 노란색, 염기성에서는 파란색을 나타낸다.)

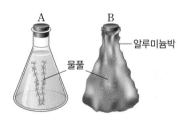

이에 대한 설명으로 옳은 것을 보기에서 모두 고른 것은?

보기

ㄱ. A의 물풀에서는 호흡은 일어나지 않고 광합성은 일어난다.

ㄴ. B의 물풀에서는 광합성은 일어나지 않고 호흡은 일어난다.

ㄷ. 일정 시간이 지난 후 용액의 색깔은 A에서는 노란색, B에서는 파란색으로 변한다.

① ㄱ　　　　　② ㄴ　　　　　③ ㄱ, ㄴ

④ ㄱ, ㄷ　　　　⑤ ㄴ, ㄷ

05 그림은 식물에서 일어나는 두 가지 작용을 함께 나타낸 것이다.

$$\text{이산화 탄소} + \text{물} \underset{\text{(나)}}{\overset{\text{(가)}}{\rightleftarrows}} \text{포도당} + \text{산소}$$

이에 대한 설명으로 옳은 것을 보기에서 모두 고른 것은?

┌─ 보기 ─────────────────────────┐
ㄱ. (가)는 광합성, (나)는 호흡이다.
ㄴ. (가)가 일어날 때는 (나)가 일어나지 않는다.
ㄷ. (가)는 미토콘드리아, (나)는 엽록체에서 일어난다.
└──────────────────────────────┘

① ㄱ ② ㄴ ③ ㄱ, ㄴ
④ ㄴ, ㄷ ⑤ ㄱ, ㄴ, ㄷ

06 그림은 강한 빛이 비치는 낮과 밤 동안 식물에서 ㉠과 ㉡ 작용이 일어날 때 기체의 출입을 나타낸 것이다. ㉠과 ㉡은 호흡과 광합성 중 하나이고, A~D는 기체이다.

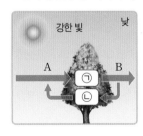

이에 대한 설명으로 옳지 않은 것은?

① A는 이산화 탄소이다.
② B와 D는 같은 기체이다.
③ ㉠은 엽록체가 있는 세포에서 일어난다.
④ ㉡은 살아 있는 모든 세포에서 일어난다.
⑤ 빛의 세기가 약해지면 ㉠은 활발해지고 ㉡은 억제된다.

07 다음은 광합성 산물의 생성 및 이동에 관한 설명이다.

┌──────────────────────────────┐
낮 동안에 잎에서 광합성으로 만들어진 (㉠)은 곧 물에 녹지 않는 (㉡)로 바뀌어 잎 속의 엽록체에 낮 동안 저장된다. 밤이 되면 (㉡)은 다시 물에 녹는 (㉢)으로 바뀌어 식물체의 각 부분으로 이동한다.
└──────────────────────────────┘

물질 ㉠~㉢을 옳게 짝 지은 것은? (단, ㉠~㉢은 설탕, 녹말, 포도당 중 하나이다.)

	㉠	㉡	㉢
①	설탕	녹말	포도당
②	녹말	설탕	포도당
③	녹말	포도당	설탕
④	포도당	녹말	설탕
⑤	포도당	설탕	녹말

08 광합성으로 만들어진 양분의 이용 방식을 보기에서 모두 고른 것은?

┌─ 보기 ─────────────────────────┐
ㄱ. 에너지원   ㄴ. 저장 양분
ㄷ. 식물체의 구성 물질
└──────────────────────────────┘

① ㄱ ② ㄴ ③ ㄱ, ㄴ
④ ㄴ, ㄷ ⑤ ㄱ, ㄴ, ㄷ

09 광합성 산물의 이동과 전환에 관한 설명으로 옳은 것은?

① 콩의 광합성 산물은 단백질이다.
② 잎에서 만들어진 양분은 체관을 통해 이동한다.
③ 벼와 보리는 열매에 지방 형태로 양분을 저장한다.
④ 광합성으로 만들어진 양분은 녹말 상태로 식물체 각 부분으로 이동한다.
⑤ 광합성으로 만들어진 양분은 생명 활동에 필요한 에너지원으로 모두 사용된다.

01 다음은 식물의 광합성과 호흡에 대한 세 학생의 대화이다.

광합성은 식물의 모든 세포에서 일어납니다.

호흡은 빛의 유무와 관계없이 항상 일어나지요.

광합성에 필요한 이산화 탄소와 물은 호흡으로 생성되는 물질입니다.

광합성과 호흡에 대해 옳게 설명한 학생을 모두 고른 것은?

① B
② C
③ A, B
④ B, C
⑤ A, B, C

02 싹튼 콩과 삶은 콩을 석회수가 들어 있는 보온병에 넣고 그림과 같이 장치하였다.

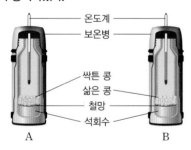

온도계
보온병
싹튼 콩
삶은 콩
철망
석회수
A   B

일정 시간 후의 변화를 설명한 것으로 옳은 것을 보기에서 모두 고른 것은?

보기
ㄱ. B의 석회수만 뿌옇게 흐려진다.
ㄴ. 보온병 내부의 온도는 B보다 A에서 높다.
ㄷ. 보온병 내부의 산소 농도는 A보다 B에서 높다.

① ㄱ
② ㄴ
③ ㄱ, ㄴ
④ ㄴ, ㄷ
⑤ ㄱ, ㄴ, ㄷ

03 그림은 같은 식물에서 빛의 세기가 다를 때 광합성과 호흡에 의한 기체의 출입을 나타낸 것이다.

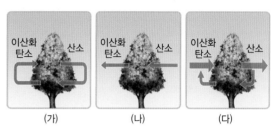

이산화 탄소   산소   이산화 탄소   산소   이산화 탄소   산소
(가)   (나)   (다)

이에 대한 설명으로 옳은 것을 보기에서 모두 고른 것은?

보기
ㄱ. (가)에서는 광합성과 호흡이 일어나지 않는다.
ㄴ. 광합성량은 (나)일 때보다 (다)일 때 많다.
ㄷ. 빛의 세기는 (나)>(가)>(다)로 나타낼 수 있다.

① ㄴ
② ㄷ
③ ㄱ, ㄴ
④ ㄱ, ㄷ
⑤ ㄴ, ㄷ

04 그림은 잎에서 광합성이 일어나 생성된 산물의 전환과 이동을 나타낸 것이다.

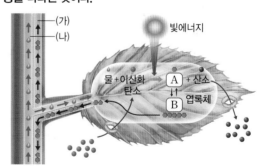

(가)
(나)
빛에너지
물+이산화 탄소
A + 산소
B   엽록체

이에 대한 설명으로 옳은 것을 모두 고르면? (정답 2개)

① 물질 A는 포도당이다.
② 물질 B는 설탕이다.
③ (가)는 체관이다.
④ (나)를 통해 광합성 산물이 이동한다.
⑤ (가)와 (나)는 식물의 줄기에만 발달되어 있다.

☞ 제시된 Keyword를 이용하여 문제를 해결해 보자.

1 다음은 식물이 생명 활동에 필요한 에너지를 얻는 호흡 과정을 나타낸 것이다.

포도당+산소 ⟶ 이산화 탄소+물+에너지

(1) 식물의 몸에서 호흡이 일어나는 부위를 설명하시오.

Keyword 호흡, 세포

_____

_____

_____

(2) 식물은 호흡에 필요한 포도당과 같은 양분을 어떻게 얻는지 설명하시오.

Keyword 식물, 광합성, 양분, 이동

_____

_____

_____

2 식물의 호흡은 싹이 틀 때나 빠르게 생장할 때 특히 활발하게 일어나는데, 그 까닭을 설명하시오.

Keyword 호흡, 에너지

_____

_____

_____

3 보온병 3개에 싹튼 콩, 삶은 콩, 공기를 넣고 온도계를 꽂은 다음, 마개로 막아 두었다.

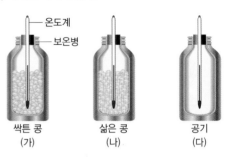

싹튼 콩
(가)

삶은 콩
(나)

공기
(다)

(1) 일정 시간이 지난 후 온도가 가장 많이 올라가는 것의 기호를 쓰고, 그렇게 판단한 근거를 설명하시오.

Keyword 호흡, 열, 방출

_____

_____

(2) 일정 시간이 지난 후 보온병 (가)~(다) 속의 기체를 석회수에 주입할 경우 어떻게 될지 설명하시오.

Keyword 호흡, 이산화 탄소, 석회수

_____

_____

_____

4 식물에서 일어나는 광합성과 호흡의 차이점을 다음 요소를 포함하여 설명하시오.

- 필요한 물질
- 생성되는 물질
- 일어나는 장소
- 일어나는 시간

Keyword 산소, 이산화 탄소, 물, 포도당, 엽록체, 세포, 낮, 밤

_____

_____

_____

5 그림은 강한 빛이 비치는 낮 동안에 식물의 잎에서 일어나는 기체의 출입을 나타낸 것이다.

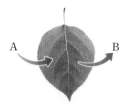

(1) 기체 A와 B는 각각 무엇인지 쓰시오.

Keyword 산소, 이산화 탄소

(2) 빛이 비치는 낮 동안에는 식물에서 광합성과 호흡이 모두 일어난다. 그런데 기체의 출입이 (1)과 같이 나타나는 까닭을 설명하시오.

Keyword 광합성량, 호흡량, 산소, 이산화 탄소

6 그림은 나무줄기의 껍질을 고리 모양으로 둥글게 벗겨 내고 오랜 시간이 지난 후의 결과이다.

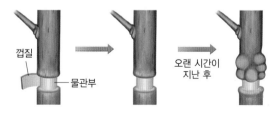

이와 같은 결과가 나타나게 된 까닭을 식물체 안에 있는 물질의 이동 통로와 관련지어 설명하시오.

Keyword 광합성, 양분, 체관

7 그림은 식물의 잎에서 광합성이 일어나 생성된 산물의 전환과 이동을 나타낸 것이다.

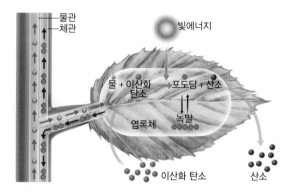

식물의 잎에서 엽록소를 제거한 후 아이오딘–아이오딘화 칼륨 용액을 사용하여 광합성이 일어났는지를 확인할 수 있다. 그 까닭을 광합성 산물과 관련지어 설명하시오.

Keyword 포도당, 엽록체, 녹말, 저장

8 감자는 땅속줄기의 마디에서 나온 기는줄기의 끝이 비대해져 덩이가 된 것이다. 감자를 키울 때 잎이 빛을 잘 받지 못하면 광합성이 잘 일어나지 않아 감자가 크게 자라지 못한다. 잎에서의 광합성이 땅속에서 자라는 감자의 크기와 관련이 있는 까닭을 설명하시오.

Keyword 잎, 광합성, 양분, 이동, 저장

최상위권 도전 문제

☞ 제시된 Tip을 참고하여 문제를 해결해 보자.

1 다음은 어떤 과학자가 실험한 내용이다.

> 유리종에 쥐와 식물을 넣고 빛이 있는 곳에 두면 쥐가 오래 살 수 있지만, 빛이 없는 곳에 두면 쥐가 얼마 지나지 않아 죽는다.

이 실험에 대한 설명으로 옳은 것을 보기에서 모두 고른 것은?

보기
ㄱ. 식물의 광합성에는 빛이 필요하다.
ㄴ. 식물의 광합성 결과 쥐의 호흡에 필요한 기체가 생성되어 방출된다.
ㄷ. 식물은 빛이 있을 때보다 빛이 없을 때 호흡이 활발하게 일어난다.

① ㄱ   ② ㄴ   ③ ㄱ, ㄴ
④ ㄴ, ㄷ   ⑤ ㄱ, ㄴ, ㄷ

Tip
빛이 없을 때에는 식물도 쥐와 마찬가지로 산소를 흡수하고 이산화 탄소를 방출한다.

2 그림은 식물의 광합성을 알아보기 위한 실험 장치이다.

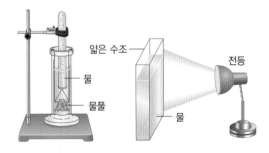

물풀의 광합성량에 영향을 주는 경우를 보기에서 모두 고른 것은?

보기
ㄱ. 얇은 수조 속에 들어 있는 물의 온도를 35 °C로 높인다.
ㄴ. 표본 병에 물 대신 1 % 탄산수소 나트륨 수용액을 넣고 실험한다.
ㄷ. 전등을 물풀이 들어 있는 표본 병으로부터 2배 떨어진 곳으로 이동시킨다.

① ㄱ   ② ㄴ   ③ ㄱ, ㄷ
④ ㄴ, ㄷ   ⑤ ㄱ, ㄴ, ㄷ

Tip
광합성량에 영향을 주는 요인으로는 빛의 세기, 이산화 탄소의 농도, 온도 등이 있다.

3 그림은 이산화 탄소의 농도가 일정할 때 빛의 세기와 온도에 따른 어떤 식물의 광합성 속도를 나타낸 것이다.

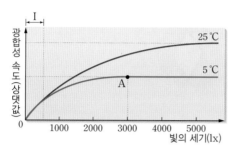

이에 대한 설명으로 옳은 것을 보기에서 모두 고른 것은?

보기
ㄱ. 구간 Ⅰ에서 광합성 속도가 낮은 것은 빛의 세기가 약하기 때문이다.
ㄴ. A 상태에서 온도를 25 ℃로 올리면 광합성 속도가 높아진다.
ㄷ. 광합성 속도가 최대가 되는 빛의 세기는 5 ℃일 때보다 25 ℃일 때가 크다.

① ㄱ
② ㄴ
③ ㄱ, ㄷ
④ ㄴ, ㄷ
⑤ ㄱ, ㄴ, ㄷ

Tip
구간 Ⅰ에서 온도에 관계없이 광합성 속도가 같은 것은 빛의 세기가 광합성 속도에 영향을 주기 때문이다.

제한 요인과 광포화점
• 제한 요인: 광합성에 영향을 주는 요인에는 빛의 세기, 이산화 탄소 농도, 온도 등이 있다. 이 가운데 어느 한 요인이 부족하면 부족한 요인에 의해 광합성량이 영향을 받는데, 이 요인을 제한 요인이라고 한다. 구간 Ⅰ에서는 빛의 세기, A에서는 온도가 제한 요인이다.
• 광포화점: 광합성 속도가 최대가 되는 최소한의 빛의 세기로, 광포화점보다 강한 빛을 비추더라도 광합성 속도는 더 이상 증가하지 않고 일정하게 유지된다.

4 표는 수생 식물 1종과 육상 식물 3종을 대상으로 잎의 앞면과 뒷면에 있는 기공의 수를 조사한 자료이다. 육상 식물 3종 중 1종은 잎이 가늘고 면적이 좁은 외떡잎식물이고, 2종은 잎이 넓은 쌍떡잎식물이다.

식물 종	기공의 수(개/cm³)	
	앞면	뒷면
A	0	33000
B	13000	0
C	5200	6800
D	10900	31500

이에 대한 설명으로 옳은 것을 보기에서 모두 고른 것은?

보기
ㄱ. A는 D보다 그늘진 곳에 사는 식물이다.
ㄴ. B는 수생 식물이다.
ㄷ. C는 잎이 가늘고 면적이 좁은 외떡잎식물이다.

① ㄴ
② ㄷ
③ ㄱ, ㄴ
④ ㄴ, ㄷ
⑤ ㄱ, ㄴ, ㄷ

Tip
외떡잎식물은 잎이 가늘고 면적이 좁으며 햇빛이 잎의 앞면과 뒷면에 고르게 닿으므로 잎의 앞면과 뒷면의 기공의 수가 많이 다르지 않다. 쌍떡잎식물은 잎이 넓고 햇빛과 수직으로 분포하므로 잎의 앞면은 강한 햇빛을 받고 뒷면은 햇빛을 많이 받지 않는다.

5 그림은 잎의 표피에 있는 공변세포의 변화를 나타낸 것이다.

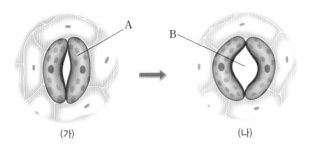

(가) (나)

(가)에서 (나)로 될 때 세포 A의 상태로 옳은 것을 보기에서 모두 고른 것은?

보기
ㄱ. 세포 내 물의 양이 증가한다.
ㄴ. 광합성 작용은 억제되고 호흡 작용은 촉진된다.
ㄷ. B 쪽의 세포벽은 수축하고 반대쪽의 세포벽은 팽창한다.

① ㄱ   ② ㄷ   ③ ㄱ, ㄷ
④ ㄴ, ㄷ   ⑤ ㄱ, ㄴ, ㄷ

> **Tip**
> A는 공변세포이고, B는 기공이다. 공변세포는 다른 표피 세포와는 달리 엽록체가 있으며, 기공 쪽의 세포벽 두께가 반대쪽의 세포벽보다 두껍다.
>
> **팽압**
> 식물 세포가 물을 흡수하여 세포의 부피가 커지면 세포벽을 미는 힘이 생기는데, 이를 팽압이라고 한다. 공변세포의 팽압이 증가하면 기공이 열린다.

6 오른쪽 그림은 어떤 식물에서 빛의 세기에 따른 광합성량과 호흡량을 나타낸 것이다. 이에 대한 설명으로 옳은 것을 보기에서 모두 고른 것은?

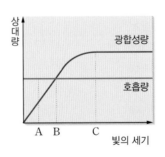

보기
ㄱ. A에서는 잎의 기공을 통해 산소가 흡수되고 이산화 탄소가 방출된다.
ㄴ. B에서는 광합성과 호흡이 일어나지 않는다.
ㄷ. C보다 강한 빛을 비추면 잎의 기공으로 흡수되는 이산화 탄소의 양이 증가한다.

① ㄱ   ② ㄷ   ③ ㄱ, ㄷ
④ ㄴ, ㄷ   ⑤ ㄱ, ㄴ, ㄷ

> **Tip**
> 광합성이 일어날 때 이산화 탄소가 흡수되고 산소가 방출되며, 호흡이 일어날 때는 이와는 반대로 산소가 흡수되고 이산화 탄소가 방출된다.
>
> **보상점**
> 광합성 속도와 호흡 속도가 같아지는 빛의 세기이다. 광합성에 이용되는 이산화 탄소의 양과 호흡으로 방출되는 이산화 탄소의 양이 같아 외관상 기체의 출입이 없는 시기이다.

7 그림은 어떤 식물을 대상으로 이산화 탄소 흡수량 또는 방출량을 이틀 동안 1시간 간격으로 측정하여 나타낸 것이다.

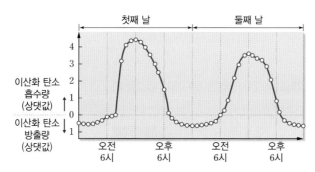

Tip
식물의 광합성량은 기공을 통한 이산화 탄소 흡수량에 비례하므로 하루 동안의 광합성량은 이산화 탄소 흡수량을 나타낸 그래프 아래쪽의 면적으로 계산할 수 있다.

이에 대한 설명으로 옳은 것을 보기에서 모두 고른 것은?

┌─ **보기** ─────────────────────────────
│ ㄱ. 호흡은 주로 밤에만 일어난다.
│ ㄴ. 첫째 날은 오전 6시~8시에 날씨가 흐렸다.
│ ㄷ. 하루 동안 광합성으로 생성한 포도당의 총량은 첫째 날이 둘째 날보다 많다.
└────────────────────────────────────

① ㄱ   ② ㄷ   ③ ㄱ, ㄷ
④ ㄴ, ㄷ   ⑤ ㄱ, ㄴ, ㄷ

8 그림은 광합성 과정과 양분의 전환 및 이동을 나타낸 것이다.

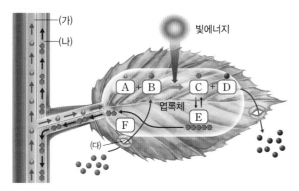

Tip
A는 물, B는 이산화 탄소, C는 포도당, D는 산소, E는 녹말, F는 설탕, (가)는 물관, (나)는 체관, (다)는 기공이다.

이에 대한 설명으로 옳지 <u>않은</u> 것은?
① A는 뿌리에서 흡수되어 (가)를 통해 이동한다.
② (다)를 통해 기체 상태의 B와 D가 출입한다.
③ C, E, F는 모두 탄수화물이다.
④ (나)는 뿌리, 줄기, 잎 등 식물체 전체에 연결되어 있다.
⑤ (다)를 통해 D가 방출되면서 물이 상승하는 원동력이 생긴다.

예제

식물은 광합성에 가시광선의 빛을 이용한다는 것이 밝혀졌다. 가시광선은 무지개가 생겼을 때 볼 수 있듯이 다양한 색의 빛으로 이루어져 있다.

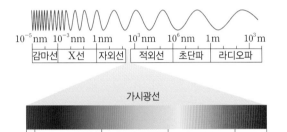

(1) 가시광선 중 광합성에 가장 비효율적인 색의 빛은 어떤 것일까? 그렇게 생각한 까닭을 설명하시오.

(2) 자신의 생각을 확인할 수 있는 실험 설계를 제시하시오.

▶▶ 해결 전략 클리닉 ◀◀

광합성은 엽록체에서 빛에너지를 흡수하여 무기물인 이산화 탄소와 물을 이용하여 유기물인 포도당을 합성하는 과정이다. 따라서 엽록체에 있는 광합성 색소인 엽록소의 색깔이 초록색인 것과 관련지어 생각하고, 이를 확인하기 위해 광합성량을 측정하는 기존의 실험 설계를 활용하여 빛의 색깔에 따른 광합성량을 측정하는 방향으로 접근해 보자.

❶ 잎이 초록색으로 보이는 것은 초록색 빛이 잎에서 많이 반사되어 우리 눈에 들어오기 때문이다.

❷ 엽록체의 엽록소는 가시광선을 흡수하여 광합성에 이용한다.

❸ 엽록소가 잘 흡수하는 파장의 빛이 광합성에 많이 이용될 것이다.

❹ 물풀을 이용한 광합성량 측정 실험 장치를 이용하여 초록색을 포함한 다양한 색의 빛을 물풀에 비추고 광합성량을 측정한다.

▶ 모범 답안 ◀

(1) 잎이 초록색으로 보이는 것은 초록색 빛을 잘 흡수하지 않고 반사하기 때문이다. 광합성은 엽록체에서 빛에너지를 흡수하여 포도당을 합성하는 작용이므로, 엽록소에서 잘 흡수하지 않는 초록색 빛이 광합성에 가장 비효율적일 것이다.

(2) 물풀을 탄산수소 나트륨 수용액에 넣고 같은 빛의 세기로 녹색광, 적색광, 청색광 등을 각각 비추면서 1분 동안 발생하는 산소 기포 수를 세어 녹색광을 비추었을 때 발생하는 기포 수가 가장 적은지를 확인한다.

출제 의도

식물의 광합성이 빛에너지를 흡수하여 일어나는 반응이라는 것을 이해하고 있는가?

문제 해결을 위한 배경 지식

• **가시광선**: 사람의 눈으로 볼 수 있는 파장의 빛으로, 개인별로 범위의 차이가 있지만 보통 파장이 400~700 nm인 빛이다.

• **색 감각**: 눈으로 들어온 광원의 빛이나 물체에서 반사된 빛의 파장이 자극으로 받아들여져 대뇌로 전달되면 색깔을 감각할 수 있다.

• **엽록소**: 엽록체에 들어 있는 초록색 색소로, 빛에너지를 흡수한다. 엽록체가 초록색인 것은 엽록소가 있기 때문이다.

Keyword

(1) 초록색, 반사, 엽록소, 광합성

(2) 물풀, 녹색광, 적색광, 청색광, 산소 기포

완벽한 답안 작성을 위한 tip

(1) 잎이 초록색으로 보이는 원리를 설명하고, 엽록체는 물질 합성에 필요한 에너지를 빛에너지를 흡수하여 얻는다는 것을 관련지어 설명하면 완벽한 답안이 될 수 있다.

(2) 물풀을 이용한 광합성량 측정 실험에서 광원의 빛의 세기는 같게 하고 색만 다르게 하여 산소 기포 발생량을 측정하는 실험을 설계하면 완벽한 답안이 될 수 있다.

실전 문제

1 창의적 문제 해결형

1600년대 네덜란드의 과학자 헬몬트는 흙을 담은 화분에 버드나무를 심고 5년 동안 물만 주면서 키우는 실험을 하였다. 그는 버드나무와 흙의 무게 변화를 측정하여 표와 같은 결과를 얻었다.

구분	처음	5년 후	무게 변화
버드나무의 무게	2.27 kg	76.74 kg	74.47 kg 증가
흙의 무게	90.72 kg	90.66kg	0.06 kg 감소

이 실험 결과를 토대로 헬몬트는 '식물은 물만 먹고 자란다.'는 결론을 내렸다. 헬몬트의 이와 같은 결론에는 어떤 문제점이 있는지 설명하시오.

Tip

광합성에 필요한 물질이 무엇인지를 생각해 본다.

Keyword

광합성, 이산화 탄소, 기체

2 논리적 서술형

다음은 식물이 시드는 현상에 대한 설명이다.

연약한 잎이 꼿꼿하고 팽팽한 것은 잎을 구성하는 세포가 물을 흡수하여 부피가 커지면서 세포벽을 미는 힘이 생기기 때문이다. 이 힘을 팽압이라고 하는데, 세포에 물이 충분히 공급되지 않으면 세포의 팽압이 낮아지므로 잎이 시들게 된다. 시든 잎에서는 광합성이 일어나지 않으므로 그 상태로 계속 두면 식물은 죽게 된다.

(1) 잎 세포에 충분한 물을 공급하는 원동력은 무엇인지 설명하시오.

(2) 잎이 시들면 광합성이 일어나지 않는 까닭을 설명하시오.

Tip

뿌리에서 흡수한 물을 잎으로 상승시키는 원동력과 기공의 기능을 관련지어 생각해 본다.

Keyword

(1) 기공, 물, 수증기, 증산 작용
(2) 물, 기공, 광합성, 이산화 탄소

3 창의적 문제 해결형

오른쪽 그림은 검정말을 이용한 광합성 실험 장치이다. 이 장치를 이용하여 빛의 세기가 광합성에 주는 영향을 알아보기 위한 실험을 설계해 보자.

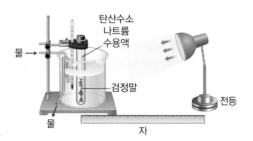

Tip

빛의 세기를 변화시키기 위해 전등의 밝기나 전등과 식물 사이의 거리를 변화시킬 수 있다.

Keyword

검정말, 전등, 거리, 기포

4 단계적 문제 해결형

표는 두 종류의 식물 A, B에서 빛의 세기에 따라 잎에서 단위 시간 동안 출입한 이산화 탄소의 양을 나타낸 것이다.

빛의 세기(lx)	이산화 탄소 출입량(g/m^2·h)	
	식물 A	식물 B
0	+40	+15
500	+20	0
1000	+10	−10
2000	0	−20
3000	−40	−20
4000	−100	−20
5000	−100	−20

(+: 방출, −: 흡수)

(1) 빛이 비치지 않을 때 이산화 탄소가 방출되는 까닭은 무엇인지 설명하시오.

(2) 식물 A가 생존을 유지하기 위해 필요한 최소한의 빛의 세기는 얼마인지 쓰고, 그렇게 판단한 근거를 설명하시오.

(3) 식물 A와 B 중에서 강한 빛에서 잘 자라는 종류와 약한 빛에서도 생존할 수 있는 종류를 각각 선택하고, 그렇게 판단한 근거를 설명하시오.

Tip

광합성은 빛이 있을 때만 일어나지만 호흡은 빛의 유무와 관계없이 항상 일어난다는 것을 생각해 본다.

Keyword

(1) 호흡, 산소, 이산화 탄소
(2) 광합성량, 호흡량, 이산화 탄소의 출입량
(3) 강한 빛, 약한 빛, 이산화 탄소 흡수량

5 논리적 서술형

오른쪽 그림은 식물 잎의 단면 구조이다. 식물의 잎은 봄에는 연한 초록색이지만 여름이 되면 진한 초록색을 띤다. 그 까닭을 식물의 광합성에 영향을 주는 환경 조건과 잎의 구조를 관련지어 설명해 보자.

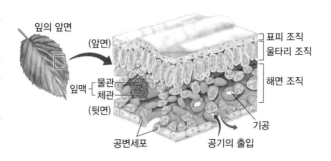

잎의 앞면

(앞면)
표피 조직
울타리 조직

해면 조직

잎맥 ┌ 물관
      └ 체관

(뒷면)

기공

공변세포   공기의 출입

Tip
울타리 조직과 해면 조직을 이루는 세포에는 엽록체가 있으며, 엽록체의 수는 환경 요인에 따라 달라질 수 있다는 것을 생각해 본다.

Keyword
엽록체, 빛의 세기

6 단계적 문제 해결형

다음은 식물의 광합성과 호흡에 관련된 자료이다.

- 광합성량은 총광합성량과 순광합성량으로 구분할 수 있다. 총광합성량은 식물이 실제로 한 광합성의 총량이고, 순광합성량은 총광합성량에서 식물의 생명 활동으로 소비한 호흡량을 제외한 나머지이다.
- 오른쪽 그림은 빛의 세기가 일정할 때 어떤 식물의 온도에 따른 총광합성량과 순광합성량을 나타낸 것이다.

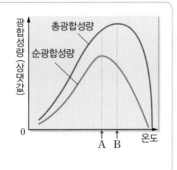

(1) 총광합성량과 순광합성량 중 농작물의 생산량과 더 밀접한 관련이 있는 것은 무엇일지 쓰고, 그렇게 생각한 까닭을 설명해 보자.

(2) 이 식물의 호흡량은 온도 A, B 중 어느 경우에 더 많은지 근거를 들어 설명하시오.

(3) 고랭지는 고도 400 m 이상의 지역으로 빛이 비치는 시간이 길고 기후가 서늘하며, 낮과 밤의 기온 차가 크다. 고랭지에서 감자와 배추 같은 농작물을 키우면 평지에서 키운 것보다 생산량이 많은 까닭을 위 자료를 근거로 설명하시오.

Tip
농작물의 생산량은 여분의 광합성 산물이 저장된 것이라는 점과 호흡량은 온도에 따라 달라진다는 것을 생각해 본다.

Keyword
(1) 농작물, 생산량, 순광합성량, 총광합성량, 양분
(2) 호흡량, 총광합성량, 순광합성량
(3) 광합성량, 호흡량, 생산량

식물의 광합성 모방하기,

인공 광합성

"모든 곳에 유리 건물이 세워진다. 건물의 내부에서는 식물의 비밀이었던 광화학 반응이 일어난다. 식물보다 더 높은 효율로 물질과 에너지를 생산하게 될 것이다."

1910년대, 이탈리아의 광화학자 치아미치안이 예견한 내용이다. 그는 당시에 가장 중요한 연료였던 석탄은 무한한 자원이 아니며, 식물이 광합성으로 태양 에너지를 이용하는 원리를 알아내 이를 활용하면 태양 에너지를 사용할 수 있을 것이라고 설명하였다. 또, 석탄과 같은 화석 연료를 사용하는 것보다 태양 에너지를 사용하는 문명이 인류를 더 행복하게 해 줄 것이라고 주장하기도 하였다.

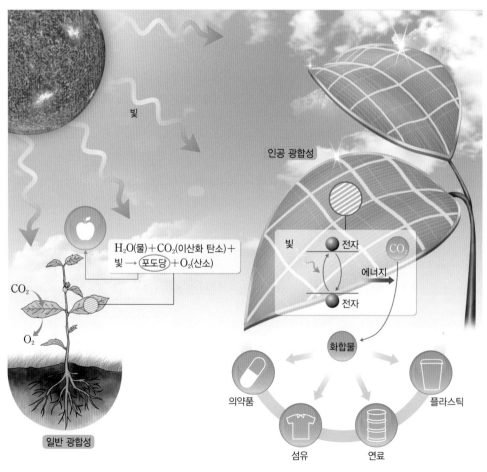

빛

인공 광합성

$H_2O(물)+CO_2(이산화 탄소)+$
$빛 \rightarrow 포도당+O_2(산소)$

CO_2

O_2

일반 광합성

빛 전자

에너지

전자

CO_2

화합물

의약품

섬유

연료

플라스틱

그가 예견한 것이 모두 이루어진 것은 아니지만, 그 동안 과학자들은 광합성이 일어나는 원리를 알아냈다. 식물의 광합성은 뿌리에서 올라온 물과 공기 중의 이산화 탄소를 원료로 내리쬐는 햇빛을 이용하여 탄소 화합물인 포도당과 부산물인 산소를 생성하는 반응이다.

광합성으로 생성되는 포도당은 탄소(C), 수소(H), 산소(O)로 이루어진 탄소 화합물이다. 광합성 원리를 응용하면 메탄올, 녹말, 포름산 등과 같은 탄소 화합물을 만들 수 있을 것이다. 이러한 물질은 연료, 식량, 플라스틱 재료 등으로 활용할 수 있다. 이와 같이 태양 에너지를 이용하여 직접 화학 물질을 생산하는 기술을 인공 광합성 기술이라고 한다.

인공 광합성 기술을 활용하여 물질을 생산하면 에너지 문제, 식량 문제 등을 해결할 수 있을 뿐만 아니라, 물질 생산 과정에서 이산화 탄소를 발생시키지 않아 지구 온난화와 같은 환경 문제도 막을 수 있다. 이러한 장점 때문에 전 세계에서 인공 광합성에 관한 연구가 활발하게 이루어지고 있다.

인공 광합성 기술의 첫 번째 단계는 빛에너지를 흡수하여 다른 형태의 에너지로 전환하는 것이다. 이러한 문제는 1970년대에 광촉매를 발견함으로써 해결의 가능성이 보였다. 빛에너지를 흡수하면 광촉매의 전자가 들뜬 상태가 되고, 이 전자가 다시 안정된 상태로 되면서 에너지를 방출한다. 이 에너지를 이용하여 탄소 화합물을 만들거나 물을 분해하여 미래의 에너지원인 수소를 생성할 수 있다. 문제는 값싸고 안정적이며 효율이 높고 성능이 좋은 광촉매 물질을 개발하는 데 있다. 인공 광합성 기술이 효율성과 경제성을 갖추고 상용화되기 위해서는 광촉매 효율이 10 % 이상은 되어야 한다고 여겨진다. 현재 우리나라를 비롯해 여러 나라에서 개발 중인 광촉매의 효율은 8 %에 육박하고 있어 조만간 인공 나뭇잎을 이용한 인공 광합성 기술이 상용화될 수도 있을 것으로 기대하고 있다. 그렇게 된다면 인류는 더 이상 화석 연료에 의존할 필요가 없게 될 수도 있을 것이다.

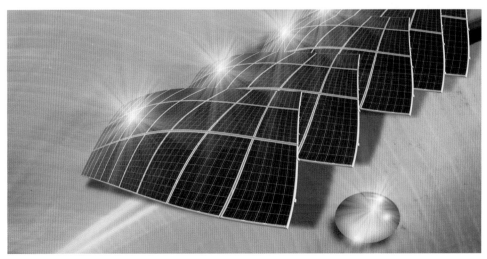

부록
HIGH TOP

본문 개념 학습 014쪽

원소

수소, 산소와 같이 더 이상 다른 물질로 분해되지 않으며, 물질을 이루는 기본 성분을 원소라고 한다. 지금까지 알려진 원소의 종류는 118가지이다. 이 중에서 약 90가지는 자연에서 발견된 원소이고, 나머지는 인공적으로 만들어진 원소이다. 구리, 탄소, 은, 황, 브로민 등은 옛날부터 사용해 온 자연에서 발견된 원소이다.

반면에 인공적으로 만들어진 원소는 핵반응이나 핵분열을 일으켜 만든 원소로, 20세기까지만 해도 원자 번호 112번 원소까지 발견되었다. 하지만 많은 과학자의 연구를 통해 최근에는 니호늄(Nh), 모스코븀(Mc), 테네신(Ts), 오가네손(Og) 등의 원소가 추가로 발견되었다.

브로민(Br)　　　구리(Cu)　　　탄소(C)　　　은(Ag)　　　황(S)

본문 개념 학습 015쪽

불꽃 반응

일부 금속 원소나 금속 원소를 포함하는 물질을 겉불꽃에 넣었을 때 금속 원소의 종류에 따라 특정한 불꽃 반응 색이 나타내는데, 이를 불꽃 반응이라고 한다. 불꽃놀이는 이러한 금속 원소들의 특징을 살려 다양한 색깔의 불꽃을 만들어 낸 것이다. 또, 금속 원소들의 독특한 불꽃 반응 색은 미지의 시료에서 원소를 검출하는 데에도 이용된다. 그러나 불꽃 반응은 불꽃 반응 색을 나타내는 몇 가지 금속 원소에만 적용된다.

리튬 – 빨간색　　　나트륨 – 노란색

본문 개념 학습 015쪽

불꽃놀이

불꽃놀이용 폭죽에 불을 붙이면 폭죽이 터지면서 여러 가지 색깔의 불꽃이 나타난다. 불꽃의 색깔은 불꽃 반응 색이 나타나는 원소에 따라 정해지며, 불꽃 반응 색이 나타나는 여러 가지 원소를 혼합하면 다양한 색깔의 불꽃을 나타낼 수 있다. 불꽃놀이용 폭죽 속에는 별이라고 불리는 작은 통이 있고, 별 안에는 불꽃 반응 색이 나타나는 원소를 포함하는 물질이 들어 있다. 불꽃의 모

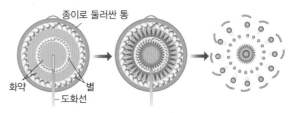

종이로 둘러싼 통

화약　별

도화선

불꽃놀이의 원리

양은 별이 어떻게 배열되는지에 따라 정해진다. 예를 들어 폭죽의 중심에 화약이 있고, 화약 주위로 별을 둥글게 배열하면 구 모양의 불꽃을 만들 수 있다.

원자

원자는 물질을 구성하는 기본 입자이다. 원자의 크기는 원자핵 주위에 전자가 존재하는 공간의 크기를 말한다. 현재 알려진 원자의 지름은 대략 10^{-10} m이며, 원자핵의 지름은 대략 10^{-15} m~10^{-14} m이다. 원자 질량의 대부분을 차지하는 원자핵은 원자 지름의 $\frac{1}{10^5} \sim \frac{1}{10^4}$로 원자 전체 부피에 비하여 극히 작은 부분을 차지하고 있다.

모든 원자에는 (+)전하를 띠는 원자핵과 그 주위에 (−)전하를 띠는 전자가 분포되어 있다. 그리고 원자핵은 (+)전하를 띠는 양성자와 전하를 띠지 않는 중성자로 이루어져 있다. 원자는 양성자 수와 전자 수가 같으므로 전기적으로 중성이다.

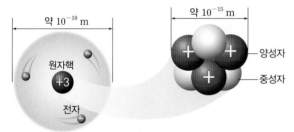

원자의 구조

분자

분자는 독립된 입자로 존재하며, 물질의 성질을 나타내는 가장 작은 입자이다. 온도와 압력에 따라 고체, 액체, 기체 상태로 존재할 수 있으며 상태가 변하더라도 분자의 종류는 변하지 않고 분자 사이의 거리가 변하면서 상태가 변한다. 원자의 종류는 제한적이지만, 분자는 원자 조성의 변화에 따라 수많은 물질을 만들어 낼 수 있으므로 분자의 종류는 새로운 물질의 발견과 함께 계속 증가하고 있다.

분자를 이루는 구성 원자의 수에 따라 단원자 분자(He, Ne, Ar), 2원자 분자(H_2, O_2, HCl), 다원자 분자(H_2O, CO_2), 고분자(녹말, 단백질, DNA) 등으로 분류할 수 있다.

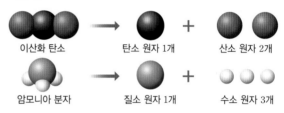

이온

이온은 전하를 띤 입자로, 원자가 전자를 얻거나 잃어서 형성된다. 이때 중성 원자 또는 분자가 전자를 잃어서 양전하를 띤 이온을 양이온, 전자를 얻어서 음전하를 띤 이온을 음이온이라고 한다. 따라서 양이온은 원자핵의 (+)전하량이 전자의 총 (−)전하량보다 크고, 음이온은 전자의 총 (−)전하량이 원자핵의 (+)전하량보다 크다.

한 개의 원자가 전자를 얻거나 잃어서 전하를 띤 이온을 단원자 이온, 여러 개의 원자가 전자를 얻거나 잃어서 전하를 띤 이온을 다원자 이온(원자단 이온)이라고 한다.

이온은 우리 생활과 밀접한 관련이 있다. 우리 몸에서는 체액 속에 들어 있는 이온들이 생명을 유지하는 데 중요한 역할을 한다. 혈액 속의 철 이온은 산소를 운반하는 데 이용되고, 나트륨 이온은 신경 전달에 필요한 물질이다. 또, 칼슘 이온은 뼈와 치아를 구성하는 데 이용된다. 이밖에도 샘물이나 바닷물에도 많은 종류의 이온이 들어 있으며, 다양한 생명 활동에 도움을 준다.

양이온의 형성   **음이온의 형성**

마찰 전기의 발견

기원전 600년경에 탈레스(Thales; B.C. 624~546)가 처음으로 마찰 전기에 대해 기술하였다. 전기를 영어로 electricity라고 하는데, 이것은 그리스 어의 elektron에서 유래된 말로, 본래는 호박(琥珀)을 의미한다. 그리스 사람들은 장식품으로 사용하던 호박을 헝겊으로 문지르면 먼지나 실오라기 등이 달라붙는다는 것을 알고 있었다. 이후 호박 이외에도 유리, 수정, 유황 등을 마찰하면 역시 가벼운 물체를 끌어당긴다는 것을 발견하였고, 사람들은 이러한 현상이 물질이 호박화하기 때문에 발생한다고 생각하였다. 그리고 호박화하는 원인이 되는 것을 electricity(전기)라고 부르게 되었다.

호박 원석

전기력

전하를 띠는 물체 사이에 작용하는 힘을 말한다. 원자는 (+)전하를 띠는 원자핵과 (−)전하를 띠는 전자로 구성되어 있는데 이들의 전하량이 달라질 경우 전기적인 균형이 깨져 물질은 전하를 띠게 된다. 두 물체가 전하를 띨 때 전하의 종류에 따라 끌어당기는 힘인 인력과 미는 힘인 척력이 발생하는데 이를 전기력이라고 한다. 서로 다른 전하인 (+)전하와 (−)전하 사이에는 인력이 작용하고 같은 전하인 (+)전하와 (+)전하, 또는 (−)전하와 (−)전하 사이에는 척력이 작용한다. 전하 사이의 거리가 가까울수록, 전하량이 클수록 전기력이 크다.

인력   척력   척력

번개

번개는 구름과 구름, 또는 구름과 지면 사이에서 일어나는 방전 현상으로, 큰 소리를 내는 천둥이 동반된다. 강한 상승 기류에 의해 발생하는 소나기구름을 구성하고 있는 물방울이 강한 상승 기류로 인해 파열되면, 물방울의 바깥쪽에 있는 전자가 떨어져 나가 물방울은 (+)전하로, 둘레의 공기는 (−)전하로 대전된다. 이때 (+)전하를 띤 물방울은 구름의 위쪽으로 올라가고, (−)전하를 띤 공기는 아래쪽에 머무른다. 그러다가 구름의 아래쪽에 (−)전하가 많아지면 상층 구름과의 사이 또는 지면으로 전하가 이동하게 되는데, 이것이 번개이다. 번개의 전압은 1~10억 V로, 번개가 한 번 칠 때의 전기 에너지는 100 W 전구 10만 개를 1시간 동안 켤 수 있을 정도의 막대한 양이다.

 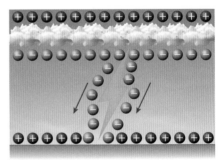

번개   **번개의 원리**

전류

본문 개념 학습 **088**쪽

전류는 전하의 흐름으로 단위 시간 동안 흐른 전하의 양이다. 단위는 A(암페어)를 사용하며 1 A는 1초 동안 1 C(쿨롱, 전하량의 단위)의 전하가 이동할 때의 전류의 세기이다. 전류의 방향은 전지의 (＋)극에서 (－)극으로 이동하며 전자의 이동 방향과 반대이다. 전류에는 시간에 따라 크기와 방향이 변하지 않는 직류(DC)와 주기적으로 크기와 방향이 계속 바뀌는 교류(AC)가 있다.

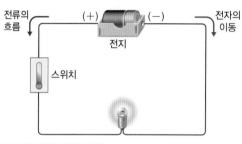

전기 회로에서 전류의 방향

전기 저항

본문 개념 학습 **092**쪽

도체에서 전류의 흐름을 방해하는 정도를 나타내는 양이다. 단위는 Ω(옴)을 사용하며 전기 회로에서는 간단히 줄여 저항이라고 한다. 균일한 물질로 되어있는 물체에 전류를 흘렸을 때 저항은 길이가 길수록, 단면적이 작을수록, 그리고 그 물체의 비저항이 클수록 저항이 크다. 비저항은 단위 면적당 단위 길이당 저항을 말하며 물체마다 그 값이 다르다. 보통 비저항이 매우 큰 물질을 절연체라고 하며, 저항이 작은 물질을 도체, 절연체와 도체의 중간 성질을 가지는 물질을 반도체라고 한다.

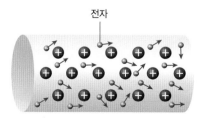

전자

실제 실험에서 전압과 전류의 관계

본문 개념 학습 **091**쪽

옴의 법칙에 의하면 저항값이 일정할 때 전압을 증가 또는 감소시키면 전류도 같은 비율로 증가 또는 감소한다. 그러나 실제로 실험에서는 전압과 전류의 비례 정도가 일정하지 않다. 왜 이런 현상이 발생할까? 니크롬선과 같은 저항에 오랫동안 전류가 흐르면 저항의 온도가 변한다. 이때 저항의 온도가 높아지면 저항도 커진다. 전기 회로에서 스위치를 계속 닫아 놓고 전압을 점점 증가시키면 저항이 커져 전류가 전압이 비례해서 증가하지 않게 된다. 일반적으로 도체는 온도가 높아질수록 저항이 커지지만, 반도체와 부도체는 온도가 높아질수록 저항이 작아진다.

전기 자동차

본문 개념 학습 **108**쪽

휘발유 등의 연료를 이용하는 엔진과 전기 에너지를 이용하는 전기 모터를 함께 사용하는 하이브리드(Hybrid) 자동차와는 달리, 전기 자동차는 배터리에 충전된 전기 에너지로 모터를 회전시켜 작동하는 자동차를 말한다.

전기 자동차는 자동차에 필요한 열, 빛, 운동, 소리 에너지 등 모든 에너지를 배터리의 전기 에너지로부터 전환하여 사용한다. 전기 자동차는 1873년 가솔린 자동차보다 먼저 제작되었으나, 배터리의 무거운 중량, 충전에 걸리는 시간 등의 문제 때문에 실용화되지 못했다. 이후 고유가와 배기가스 규제 등과 같은 에너지와 환경 문제가 심각해지면서 1990년대부터 다시 개발되었다. 전기 자동차는 배기가스가 전혀 없으며, 소음이 아주 작은 장점이 있다.

겉보기 운동

지구의 자전과 공전 때문에 나타나는 천체의 일주 운동과 연주 운동 등을 천체의 겉보기 운동이라고 한다. 이는 실제로 별들은 천구에 고정되어 있지만, 지구가 자전이나 공전을 하므로 천체가 1일 또는 1년을 주기로 회전 운동하는 것처럼 보이는 현상이다. 이는 마치 달리는 기차 안에서 보면 바깥의 풍경이 움직이는 것처럼 보이는 것과 같은 원리이다. 이외에도 행성과 지구의 상대적인 운동 때문에 행성이 우주 공간에서 실제로 움직이는 것과 다른 모습으로 지구에서 관측되는 것도 겉보기 운동의 예이다.

달리는 기차 안에서 보았을 때 바깥의 풍경이 움직이는 것처럼 보인다.

지구에서 보았을 때 별이 하루를 주기로 일주 운동하는 것처럼 보인다.

황도 12궁

태양이 연주 운동하면서 천구상의 별자리 사이를 이동하는 길을 황도라고 한다. 실제로는 지구가 태양을 중심으로 공전하므로 황도는 천구상에서 지구가 지나가는 길에 해당한다.

태양은 날마다 조금씩 별자리 사이를 움직이다가 제자리로 되돌아오는 것처럼 보이는 연주 운동을 하는데, 황도를 따라 하루에 약 1°씩, 한 달에 약 30°씩 이동하여 약 1년 후에는 처음의 자리로 되돌아온다. 그러므로 1년 중 태양의 위치는 매년 같은 달에는 같은 위치에 있게 된다. 태양은 별자리를 배경으로 그 위치가 변하여 약 1년 후 제자리로 돌아오는데, 이때 태양이 지나는 길인 황도에 위치하는 대표적인 별자리를 황도 12궁이라고 한다. 황도 12궁은 태양이 지나는 길에 있는 별자리이기 때문에 계절 별자리가 아니다. 예를 들어, 전갈자리의 경우 여름철에 보이는 별자리이지만, 황도 12궁에서는 12월 별자리이다. 한편, 과학에서의 황도 12궁과 점성술에서의 12궁(생일 별자리 등)은 다른 관념으로 만든 것이므로 혼동하지 않도록 주의해야 한다.

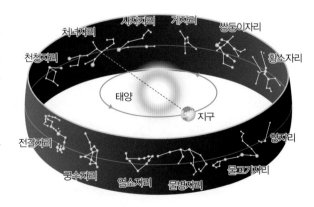

본문 개념 학습 **148**쪽

각지름

관측자의 눈과 천체 지름의 양 끝이 이루는 각도로, 시지름 또는 시직경이라고도 한다. 크기가 매우 작기 때문에 각의 단위인 도($°$), 분($'$), 초($''$) 등으로 나타낸다.

지구에서 달까지의 거리를 알면, 달의 각지름을 이용하여 달의 지름을 구할 수 있다. 지구에서 달까지의 거리(r)를 반지름으로 하는 원에서 달의 각지름(θ)은 부채꼴의 중심각이 되고, 달의 지름(D)은 중심각에 해당하는 호의 길이가 된다. 실제로 달의 지름은 지구에서 달까지의 거리를 반지름으로 하는 원에서 각지름에 대한 현(직선)이지만, 지구에서 달까지의 거리가 매우 멀어 각지름이 매우 작으므로, 비례식을 세울 때는 각지름에 대한 호(곡선)로 여긴다.

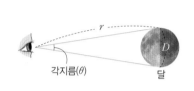

각지름(θ) 달

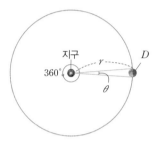

지구 360° r D θ

$$2\pi r : D = 360° : \theta$$
$$\therefore D = \frac{\theta}{360°} \times 2\pi r$$

본문 개념 학습 **150**쪽

일식과 월식

일식

월식

일식은 달이 태양 쪽으로 이동하여 태양 - 달 - 지구의 순서로 일직선을 이룰 때, 즉 삭일 때 일어난다. 지난 2009년에는 수많은 사람들이 일식을 관측할 수 있었는데, 이때 가까운 중국의 어느 지역에서는 태양이 완전히 가려졌지만, 우리나라에서는 태양의 일부분만 가려지는 일식 현상이 일어났다. 이처럼 일식에는 달에 의해 태양 전체가 가려지는 개기 일식과 태양의 일부만 가려지는 부분 일식이 있다.

월식은 공전하던 달이 지구의 그림자 속으로 들어가 태양 - 지구 - 달의 순서로 일직선을 이룰 때, 즉 망일 때 일어난다. 월식에는 달 전체가 지구의 본그림자 속으로 들어가는 개기 월식과 달의 일부가 지구의 본그림자 속으로 들어가는 부분 월식이 있다.

본문 개념 학습 **162**쪽

왜소 행성

태양을 중심으로 공전하는 천체 중 질량과 중력이 충분히 커서 공 모양을 이루고 있으나, 근처에 비슷한 궤도를 도는 천체들을 끌어당길 만큼의 인력은 가지지 못한 천체를 왜소 행성이라고 한다. 과거 한때 태양계 행성에 속했으나, 현재는 왜소 행성으로 분류된 구(舊) 명왕성을 포함하여 에리스, 세레스 등이 왜소 행성에 해당한다.

구 명왕성

편평도

구형인 천체의 납작한 정도를 편평도라고 하며,

타원형에서 $\dfrac{\text{장축 반지름}(a) - \text{단축 반지름}(b)}{\text{장축 반지름}(a)}$ 으로 구한다. 편평도가 0이면 완전

한 구형이고, 편평도가 1이면 평면을 의미한다. 지구의 편평도는 약 $\dfrac{1}{300}$로, 완

전한 구형이 아니라 적도 반지름이 극 반지름보다 약간 더 긴 일그러진 모습이

다. 행성 중 수성과 금성은 편평도가 거의 0에 가까우며, 가장 편평도가 큰 토성

은 약 0.108에 이른다.

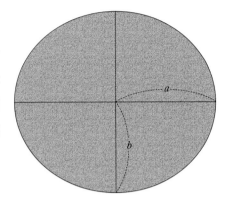

플레어

흑점 주변에서 짧은 시간 동안 많은 양의 에너지가 방출되는 폭발 현상이

다. 플레어가 발생하면 흑점 위 채층의 일부가 매우 밝아지며, 순간적으로

많은 양의 대전 입자(전기를 띠고 있는 입자)가 우주 공간으로 방출된다. 플

레어는 주로 흑점 주변에서 발생하는 것으로 알려져 있는데, 플레어 폭발이

일어나면 X선 방출이 수백 배 정도 증가하며, 태양 우주선 입자의 방출도

급격히 증가한다. X선은 지구의 전리층을 교란해 장거리 무선 통신이 끊기

는 델린저 현상을 일으키며, 우주선 입자는 플레어 출현 후 수일이 지나 오

로라를 일으킨다.

오로라

오로라는 태양에서 날아와 지구 대기권으로 들어온 고속의 대전

입자가 극지방의 상공에서 지구 대기와 충돌하여 빛을 내는 현상

이다. 오로라는 주로 위도 $60° \sim 80°$의 고위도 지역에서 넓게 나

타나며, 오로라대의 크기는 항상 일정한 것이 아니라 태양의 활

동에 따라 변한다. 태양 활동이 활발한 흑점 수의 극대기에 극지

방에서는 오로라가 자주 발생하며 발생 범위가 넓어져 평소보다

낮은 위도에서 오로라가 발생하기도 한다. 오로라의 빛깔에는 황

록색, 붉은색, 황색, 오렌지색, 푸른색, 보라색 등이 있다.

본문 개념 학습 **188**쪽

광합성

식물이나 그 밖의 생물이 빛에너지를 이용해 이산화 탄소와 물로부터 유기 양분을 합성하는 작용이다. 일반적으로는 식물이 빛에너지를 유기 양분의 화학 에너지로 전환하는 과정을 의미한다. 식물에서 광합성은 엽록체에서 일어나며, 수소를 이산화 탄소와 결합시켜 유기 양분인 포도당을 합성한다. 이 과정에서 물이 수소와 산소로 분해되어 수소는 포도당 합성에 사용되고 산소는 기체로 방출된다. 식물 외에도 클로렐라, 미역, 다시마 등과 같은 조류, 남세균 등과 같은 일부 세균도 광합성을 할 수 있다.

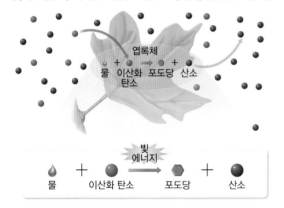

엽록체

본문 개념 학습 **188**쪽

식물 세포에 들어 있는 세포 소기관으로, 광합성이 일어나는 장소이다. 엽록체에는 여러 종류의 색소가 있어서 빛에너지를 흡수할 수 있다. 그중에서도 초록색을 띤 엽록소를 많이 가지고 있으므로 잎 전체가 초록색으로 보인다. 특히 잎의 앞면이 뒷면보다 더 짙은 초록색으로 보이는데, 이는 잎의 앞면에는 엽록체가 많은 울타리 조직이 있기 때문이다.

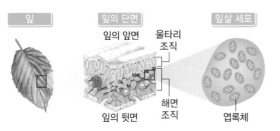

본문 개념 학습 **189**쪽

포도당과 녹말

포도당은 생물계에 가장 널리 존재하는 탄소 6개를 포함하는($C_6H_{12}O_6$) 당류로, 물에 잘 녹는다. 녹말은 수많은 포도당이 연결되어 만들어지는데, 포도당과는 달리 물에 잘 녹지 않는다. 식물의 엽록체에서는 광합성을 하여 포도당이 합성되는데, 포도당은 즉시 물에 녹지 않는 녹말로 바뀌어 엽록체에 저장된다. 이 때문에 녹말 검출 반응인 아이오딘 반응으로 잎에서 광합성이 일어났는지를 확인할 수 있다.

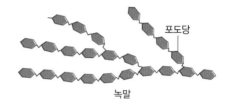

기공과 공변세포

본문 개념 학습 **192**쪽

기공은 식물의 잎이나 줄기의 겉껍질에 있는 기체가 드나드는 구멍이다. 기공은 2개의 공변세포로 싸여 있으며 대부분 잎의 뒤쪽 표피에 분포한다. 공변세포는 잎의 표피 조직에 있지만, 다른 표피 세포와는 달리 엽록체가 있으며 기공 쪽의 세포벽이 바깥쪽보다 두꺼운 것이 특징이다. 빛이 비칠 때 공변세포의 엽록체에서 광합성이 일어나고 주변 세포에서 물이 들어와 공변세포가 부푼다. 이때 세포벽이 얇은 바깥쪽(기공의 반대쪽)이 더 많이 늘어나므로 공변세포가 바깥쪽으로 휘어지면서 기공이 열린다. 기공이 열리면 이산화 탄소, 산소, 수증기 등의 기체가 식물체 안팎으로 이동한다.

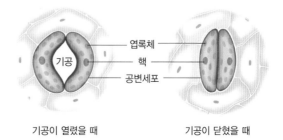

본문 개념 학습 **193**쪽

증산 작용

식물체 안의 물이 기체 상태(수증기)로 기공을 통해 밖으로 나가는 작용이다. 증산 작용은 광합성에 매우 중요한 역할을 한다. 잎에서 광합성이 일어나기 위해서는 반드시 물이 필요하며 뿌리로 흡수된 물은 줄기의 물관을 통해 잎까지 전달되어야 하는데, 증산 작용은 물을 잎으로 끌어올리는 원동력이 된다. 잎의 기공을 통해 세포에 있던 물이 공기 중으로 증발하면 물을 보충하기 위해 잎맥의 물관에서 물 분자를 끌어당긴다. 뿌리에서 물을 밀어 올리는 힘과 증산 작용으로 물을 끌어당기는 힘이 작용하며, 이때 물 분자들은 서로 잡아당기는 응집력으로 연결되어 물관의 벽을 따라 올라가게 된다. 증산 작용은 식물체의 온도를 조절하는 역할도 한다. 물이 증발할 때는 식물체의 열도 함께 빼앗아가므로 더운 여름날에도 식물들이 잘 견딜 수 있다.

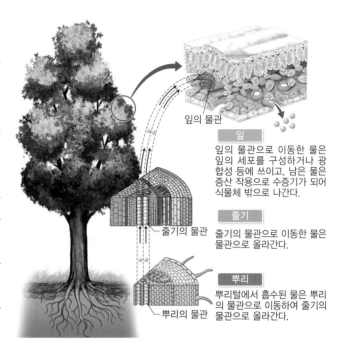

잎의 물관

잎
잎의 물관으로 이동한 물은 잎의 세포를 구성하거나 광합성 등에 쓰이고, 남은 물은 증산 작용으로 수증기가 되어 식물체 밖으로 나간다.

줄기의 물관

줄기
줄기의 물관으로 이동한 물은 물관으로 올라간다.

뿌리의 물관

뿌리
뿌리털에서 흡수된 물은 뿌리의 물관으로 이동하여 줄기의 물관으로 올라간다.

본문 개념 학습 **206**쪽

미토콘드리아

생물체가 사용할 수 있는 에너지원을 생성하는 세포 내 소기관이다. 엽록체가 동물 세포에는 없고 식물 세포에만 있는 데 비해, 미토콘드리아는 식물 세포와 동물 세포에 공통적으로 들어 있다. 따라서, 광합성은 동물 세포에서는 일어나지 못하고 엽록체가 있는 식물 세포에서 일어나는 데 비해 호흡은 식물 세포와 동물 세포에서 공통적으로 일어난다.

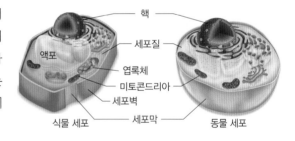

핵
세포질
엽록체
미토콘드리아
세포벽
액포
식물 세포
세포막
동물 세포

본문 개념 학습 **208**쪽

관다발

식물체에 필요한 물과 양분의 이동 통로로 뿌리, 줄기, 잎맥으로 연결되는 가늘고 긴 세포들의 다발이다. 관다발은 잎에서 광합성으로 만든 양분이 이동하는 체관부와 뿌리에서 흡수한 물과 무기 양분이 이동하는 물관부로 이루어져 있다. 일반적으로 줄기에는 안쪽에 물관부가 있고 바깥쪽에 체관부가 있으며, 잎에는 위쪽에 물관부가 있고 아래에 체관부가 있다. 물관은 물관 세포가 세로로 연결되어

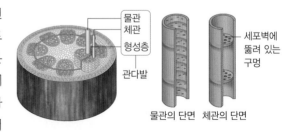

물관
체관
형성층
관다발

세포벽에 뚫려 있는 구멍

물관의 단면   체관의 단면

있는 관으로 세포와 세포 사이의 격막이 없어져서 물이 효율적으로 이동한다. 체관은 위아래 세포 사이에 많은 구멍이 있는 것이 특징이다. 부피 생장하는 줄기나 뿌리에는 형성층이 있는데, 형성층도 관다발의 일부이다.

찾아보기

HIGH TOP

하이탑

과학 고수들의 필독서

High Top

3권

지구과학 Ⅱ

이 책의 구성과 특징

지금껏 선생님들과 학생들로부터 고등 과학의 바이블로 명성을 이어온 하이탑의 자랑거리는 바로,

- 기초부터 심화까지 이어지는 튼실한 내용 체계
- 백과사전처럼 자세하고 빈틈없는 개념 설명
- 내용의 이해를 돕기 위한 풍부한 자료
- 과학적 사고를 훈련시키는 논리정연한 문장

이었습니다. 이러한 전통과 장점을 이 책에 이어 담았습니다.

1 개념과 원리를 익히는 단계

●개념 정리
여러 출판사의 교과서에서 다루는 개념들을 체계적으로 다시 정리하여 구성하였습니다.

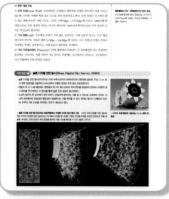

●시선 집중
중요한 자료를 더 자세히 분석하거나 개념을 더 잘 이해할 수 있도록 추가로 설명하였습니다.

●시야 확장
심도 깊은 내용을 이해하기 쉽도록 원리나 개념을 자세히 설명하였습니다.

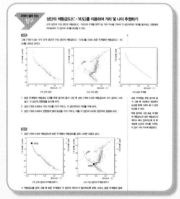

●탐구
교과서에서 다루는 탐구 활동 중에서 가장 중요한 주제를 선별하여 수록하고, 과정과 결과를 철저히 분석하였습니다.

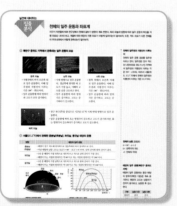

●집중 분석
출제 빈도가 높은 주요 주제를 집중적으로 분석하고, 유제를 통해 실제 시험에 대비할 수 있도록 하였습니다.

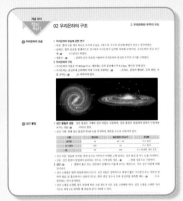

●개념 모아 정리하기
각 단원에서 배운 핵심 내용을 빈칸에 채워 나가면서 스스로 정리하는 코너입니다.

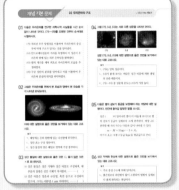

●개념 기본 문제
각 단원의 기본적이고 핵심적인 내용의 이해 여부를 평가하기 위한 코너입니다.

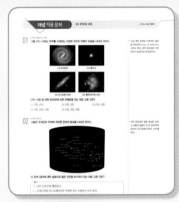

●개념 적용 문제
기출 문제 유형의 문제들로 구성된 코너입니다. '고난도 문제'도 수록하였습니다.

●통합 실전 문제
중단원별로 통합된 개념의 이해 여부를 확인함으로써 실전을 대비할 수 있도록 구성하였습니다.

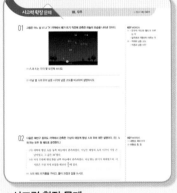

●사고력 확장 문제
창의력, 문제 해결력 등 한층 높은 수준의 사고력을 요하는 서술형 문제들로 구성하였습니다.

●논구술 대비 문제
논구술 시험에 출제되었거나, 출제 가능성이 높은 예상 문제로서, 답변 요령 및 예시 답안과 함께 제시하였습니다.

●정답과 해설
정답과 오답의 이유를 쉽게 이해할 수 있도록 자세하고 친절한 해설을 담았습니다.

66
하이탑은
과학에 대한 열정을 지닌 독자님의
실력이 더욱 향상되길 기원합니다.
99

Contents
이 책의 차례 - 지구과학

"자세하고 짜임새 있는 설명과 수준 높은 문제로 실력의 차이를 만드는 High Top"

1권

고체 지구

III

우주

1
행성의 운동

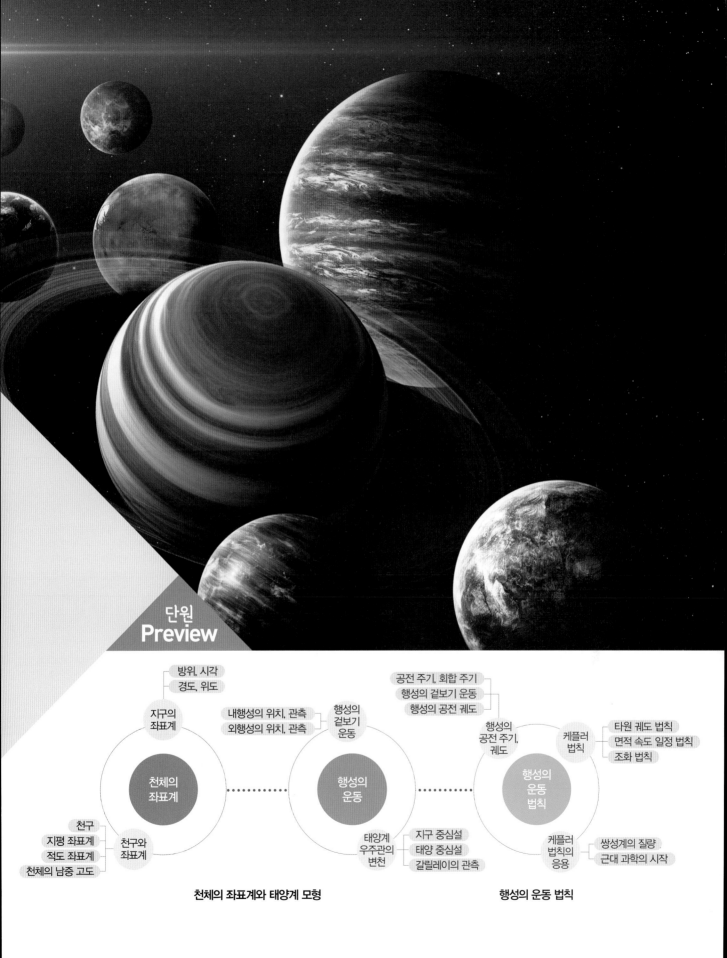

단원
Preview

방위, 시각
경도, 위도

지구의
좌표계

내행성의 위치, 관측
외행성의 위치, 관측

행성의
겉보기
운동

공전 주기, 회합 주기
행성의 겉보기 운동
행성의 공전 궤도

행성의
공전 주기,
궤도

케플러
법칙

타원 궤도 법칙
면적 속도 일정 법칙
조화 법칙

**천체의
좌표계**

**행성의
운동**

**행성의
운동
법칙**

천구
지평 좌표계
적도 좌표계
천체의 남중 고도

천구와
좌표계

태양계
우주관의
변천

지구 중심설
태양 중심설
갈릴레이의 관측

케플러
법칙의
응용

쌍성계의 질량
근대 과학의 시작

천체의 좌표계와 태양계 모형　　　　　　　**행성의 운동 법칙**

01 천체의 좌표계와 태양계 모형

학습 Point 　천체의 위치와 좌표계 ＞ 행성의 겉보기 운동 ＞ 태양계 우주관의 변천

1 천체의 위치와 좌표계

집중 분석 024쪽

태양을 포함하여 별들의 운동을 관측해 보면 지구의 자전과 공전으로 인해 매우 규칙적으로 그 위치가 변하는 것을 알 수 있다. 이런 천체의 위치 변화를 좌표계를 이용하여 어떻게 나타낼 수 있는지 알아보자.

1. 방위와 시각

(1) **지구상의 위치**: 지구상에서 한 지점의 위치는 위도와 경도를 이용하여 나타낼 수 있다.

① 위도와 경도

• 위도: 지구의 자전축에 대해 수직인 지표면 위의 가로 선으로, 적도를 기준으로 북쪽으로는 북위(N), 남쪽으로는 남위(S)를 각각 0°~90°로 나타낸다.

• 경도: 북극과 남극을 잇는 세로 선으로, 영국의 그리니치 천문대를 기준으로 동쪽으로는 동경(E), 서쪽으로는 서경(W)으로 0°~180°로 나타낸다. 경도 180° 선은 태평양에 있는 날짜 변경선과 만난다.

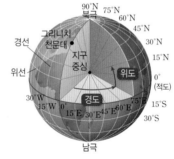

▲ 지구의 위도와 경도

② 방위: 동서남북으로 나타내며, 북쪽과 남쪽을 기준으로 이에 수직인 방향을 동쪽과 서쪽으로 나눈다. 즉, 북극을 바라볼 때 같은 위도상의 오른쪽은 동쪽이고, 왼쪽은 서쪽이다.

③ 지구의 좌표계 사용: 방위는 관측자를 기준으로 하므로 관측자의 위치에 따라 그 값이 달라지지만, 위도와 경도는 지구를 기준으로 하므로 관측자의 위치와 관계없이 일정하다.

(2) **시각**: 하루 중 태양이 정남쪽에 있을 때의 시각을 12시로 정하고, 태양이 다시 정남쪽에 올 때까지 걸린 시간을 24 등분 하여 시각을 정하였다.

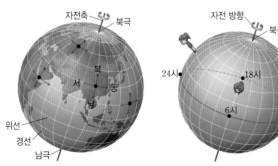

▲ 지구에서의 방위　　　　　▲ 태양을 기준으로 한 지구 관측자의 시각

동쪽과 서쪽을 나누는 기준선
구면인 지구의 지표상에서 북극과 남극을 최단으로 잇는 선을 경선이라고 하는데, 관측자를 통과하는 경선을 기준으로 동쪽과 서쪽을 나타낸다.

날짜 변경선
지구는 서에서 동으로 자전하므로 동쪽으로 갈수록 시간이 증가한다. 따라서 날짜 변경선을 서에서 동으로 넘어갈 때는 하루가 줄어들고, 동에서 서로 넘어갈 때는 하루가 늘어난다.

세계 표준시(국제 표준시)와 한국 표준시
세계 표준시는 영국의 그리니치 천문대를 지나는 경도선을 기준으로 한 표준시로, 경도 15° 간격으로 1시간 단위의 시차가 난다. 우리나라는 동경 135°를 기준으로 한 표준시를 사용하므로 세계 표준시보다 9시간 빠르다.

2. 천구와 좌표계

지구상에서 한 지점의 위치를 위도와 경도로 나타내는 것처럼 천체의 위치는 천구상의 좌표계를 사용하여 나타낸다. 천체의 좌표계는 관측자를 중심으로 한 지평 좌표계와 지구를 중심으로 한 적도 좌표계 등이 있다.

(1) **천구:** 밤하늘에 보이는 천체는 지구로부터 제각각 다른 거리에 떨어져 있다. 그러나 지구상의 관측자로부터 천체까지의 거리가 매우 멀어서 관측자에게는 천체가 같은 거리의 구면인 가상의 하늘에 고정된 것처럼 보이는데, 이 가상의 하늘을 천구라고 한다.

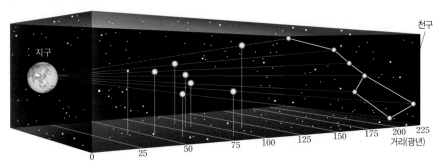

▲ **천구의 별자리** 별자리를 이루는 별까지의 실제 거리는 각각 다르지만, 지구에서 관측할 때는 같은 거리에 있는 것처럼 보인다.

① **천구의 기준점**

• 천정과 천저: 관측자를 지나는 연직선이 천구와 만나는 두 점 중 위를 천정, 아래를 천저라고 한다.

• 천구 북극과 천구 남극: 지구의 자전축을 연장한 선이 천구와 만나는 두 점을 각각 천구 북극과 천구 남극이라고 한다.

• 북점과 남점: 천구 북극과 천정을 지나는 대원(자오선)이 천구 북극 방향에서 지평선과 만나는 지점을 북점, 그 반대편을 남점이라고 한다.

• 동점과 서점: 천구 적도와 지평선이 만나는 두 점으로, 북점을 바라볼 때 지평선을 따라 시계 방향으로 90°인 지점을 동점, 시계 반대 방향으로 90°인 지점을 서점이라고 한다.

② **천구의 기준선**

• 천구 적도: 지구의 적도를 연장하여 천구와 만나는 대원으로, 지구의 적도를 천구까지 연장한 것과 같다.

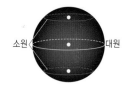
• 지평선: 관측자가 서 있는 평면을 무한히 연장하여 천구와 맞닿는 대원이다.

• 시간권: 천구 북극과 천구 남극을 지나는 천구상의 수많은 대원이다.

• 수직권: 천정과 천저를 지나는 천구상의 수많은 대원으로, 지평선과 수직으로 교차한다.

• 자오선: 천구 북극과 남극, 천정과 천저를 동시에 지나는 천구상의 대원으로, 시간권이면서 수직권이다.

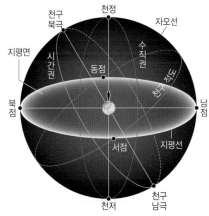

▲ **천구의 기준점과 기준선**

(2) **지평 좌표계**: 관측자를 중심으로 천체의 위치를 나타내는 좌표계이다. 지평 좌표계에서는 북점(또는 남점)을 기준으로 하는 방위각과 지평선을 기준으로 하는 고도로 천체의 위치를 표시한다.

① 방위각(A): 북점(또는 남점)으로부터 지평선을 따라 시계 방향으로 천체를 지나는 수직권까지 잰 각으로, $0°$~$360°$로 표시한다.

② 고도(h): 지평선에서 수직권을 따라 천체까지 측정한 각으로, $0°$~$90°$로 표시한다.

• 천정 거리(z): 천정에서 수직권을 따라 천체까지 잰 각으로 $z=(90°-h)$이다. 천체가 천정 근처에 있으면 고도보다 천정 거리를 측정하는 것이 편리하다

③ 지평 좌표계의 특징: 천체의 위치를 관측자 중심으로 나타내므로 천체의 위치를 쉽게 표시할 수 있는 장점이 있다. 그러나 지구가 자전함에 따라 천체의 위치가 계속해서 변하고, 관측자의 위치가 달라지면 기준점과 기준선의 위치가 변하여 천체의 좌표가 바뀌는 단점이 있다.

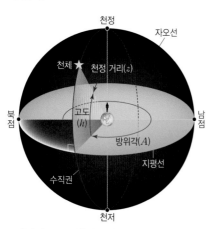

▲ **지평 좌표계** 관측자 중심의 좌표계로, 방위각과 고도로 천체의 위치를 표시한다.

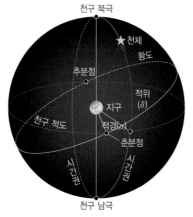

▲ **적도 좌표계** 적경과 적위로 천체의 위치를 표시하며, 관측자의 위치와 관계없이 일정하다.

(3) **적도 좌표계**: 지구의 경도와 위도를 천구상에 나타낸 것과 비슷한 개념의 좌표계이다. 적도 좌표계에서는 춘분점을 기준으로 하는 적경과 천구 적도를 기준으로 하는 적위로 천체의 위치를 표시한다.

① 적경(α): 춘분점을 기준으로 천구 적도를 따라 천체를 지나는 시간권까지 시계 반대 방향(서 → 동)으로 측정한 각이다. 이렇게 측정한 각을 $15°$당 1^h로 환산하여 0^h~24^h로 나타낸다.

② 적위(δ): 천구 적도를 기준으로 시간권을 따라 천체까지 잰 각으로, $0°$~$\pm90°$로 표시한다. 천구 적도를 기준으로 천체가 북반구에 있을 때는 (+)의 값, 남반구에 있을 때는 (−)의 값으로 나타낸다.

③ 적도 좌표계의 특징: 좌표계의 기준이 되는 춘분점이 천구에 고정되어 있으므로 관측자의 위치나 관측 시각과 관계없이 천체의 적경과 적위 값이 변하지 않는다. 따라서 천구상에서 위치가 변하지 않는 별들의 목록이나 성도를 작성하는 데 이용된다. 그러나 태양계 천체들(태양, 행성, 달 등)은 천구상의 고정된 별 사이를 움직이는 것으로 관측되므로, 적도 좌표계에서는 그 좌표값이 변한다.

춘분점과 추분점
천구상에서 태양이 연주 운동하는 경로를 황도라 하고, 황도와 천구 적도가 만나는 두 점을 각각 춘분점, 추분점이라고 한다. 춘분점은 춘분날(3월 21일경) 태양이 위치한 천구상의 지점에 해당하고, 추분점은 추분날(9월 23일경) 태양이 위치한 천구상의 지점에 해당한다.

적경을 표시하는 방법
적경은 시간의 단위로 나타낸다. 측정한 각도($0°$~$360°$)를 1일(24^h)에 해당하는 시간으로 표현한다. $360°$는 24^h에 해당하므로 $15°$는 1^h, $1°$는 4^m에 해당한다. 예를 들어 $100°$인 경우 6^h 40^m으로 나타낸다.

북극성의 고도와 관측자의 위도
천구 적도는 지구의 적도를 천구상에 연장한 것이고, 천구 북극과 남극은 지구의 자전축을 연장하여 천구와 만나는 두 지점이다. 관측자가 위도 φ에 위치할 때 관측 지점의 위도는 천구 북극의 고도(북극성의 고도)와 같고, 천정의 적위와도 같다. 그리고 지평선이 천구 적도와 이루는 각은 $(90°-\varphi)$이다.

3. 태양의 연주 운동과 남중 고도 변화

지구가 태양 주위를 공전하므로 천구상에서 태양의 겉보기 위치는 매일 달라진다. 또한, 계절에 따라 태양의 일주권도 달라진다.

⑴ 태양의 연주 운동

① 황도: 천구상에서 태양이 연주 운동하는 경로로, 지구의 공전 궤도를 연장하여 천구와 만나는 대원에 해당한다. 황도는 천구 적도와 약 23.5° 기울어져 있다.

② 분점과 지점

• 분점: 천구 적도와 황도가 만나는 두 점이다. 태양이 황도를 따라 천구 적도의 남쪽에서 북쪽으로 지나가면서 만나는 점을 춘분점, 북쪽에서 남쪽으로 지나가면서 만나는 점을 추분점이라고 한다.

• 지점: 황도상에서 태양의 적위가 가장 큰 지점을 하지점이라 하고, 가장 작은 지점을 동지점이라고 한다.

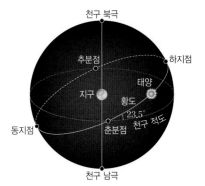

▲ 태양의 연주 운동 경로(황도)

③ 태양의 위치 변화: 지구의 공전으로 인해 태양은 천구상에서 황도를 따라 1년에 1바퀴씩 서에서 동으로 회전하는 연주 운동을 한다. 따라서 태양의 위치는 '춘분점 → 하지점 → 추분점 → 동지점 → 춘분점' 순으로 변한다.

구분	시기	적경	적위	구분	시기	적경	적위
춘분	3월 21일경	0^h	$0°$	추분	9월 23일경	12^h	$0°$
하지	6월 22일경	6^h	$+23.5°$	동지	12월 22일경	18^h	$-23.5°$

▲ **춘분, 하지, 추분, 동지의 태양의 적경과 적위** 춘분날에서 동짓날까지 적경은 '$0^h → 6^h → 12^h → 18^h$'로 변하고, 황도가 천구 적도와 23.5° 기울어졌으므로 적위는 '$0° → +23.5° → 0° → -23.5°$'로 변한다.

⑵ 계절에 따른 태양의 남중 고도 변화

① 천체의 남중 고도: 천체가 남쪽 자오선에 위치할 때 천체의 고도이다. 남중 고도(h)는 천체의 적위(δ)와 관측자의 위도(φ)에 따라 달라진다.

$$남중 고도: h = 90° - \varphi + \delta$$

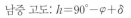

▲ 천체의 남중 고도

② 태양의 남중 고도 변화(북반구 중위도)

• 춘분날(추분날): 태양의 적위가 0°이므로 태양이 정동쪽에서 떠서 정서쪽으로 진다.

• 하짓날: 태양의 적위가 +23.5°이고 남중 고도가 가장 높다. 태양이 북동쪽에서 떠서 북서쪽으로 진다.

• 동짓날: 태양의 적위가 -23.5°이고 남중 고도가 가장 낮다. 태양이 남동쪽에서 떠서 남서쪽으로 진다.

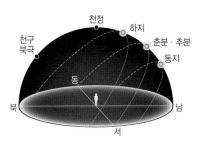

▲ 계절에 따른 태양의 남중 고도 변화

남중 고도
남중 고도는 천체가 정남쪽에 위치할 때의 고도이다. 하지만 적위가 큰 천체는 일주 운동하는 동안 남쪽 하늘에 위치하지 않는다. 따라서 이런 경우, 천체의 남중 고도를 구하면 90°보다 큰 값을 가지며, 이때의 고도를 최대 고도 또는 북중 고도라고 한다.

태양이 12시 정각에 남중하지 않는 까닭
우리나라는 135° E를 기준으로 하는 표준시를 사용하므로 일본 표준시와 같다. 따라서 135° E 지역에 태양이 남중했을 때 12시 정각이 된다. 그러나 서울의 경도는 약 127.5° E이므로 서울에 태양이 남중하려면 태양이 약 7.5° 이동해야 한다. 따라서 서울에 태양이 남중하는 시각은 약 12시 30분이다.

② 행성의 겉보기 운동

탐구 022쪽

일정한 기간 동안 행성의 위치를 관측하면 행성이 별자리 사이를 서에서 동으로 이동해 가다가 어떤 때는 반대 방향으로 이동하기도 한다. 행성의 겉보기 운동이 이와 같이 나타나는 까닭은 무엇인지 알아보자.

1. 행성의 겉보기 운동

(1) **행성의 겉보기 운동**: 태양계 행성은 모두 태양 주위를 일정한 주기로 공전하며, 관측자가 속해 있는 지구도 태양 주위를 공전한다. 행성과 지구의 상대적인 위치 변화로 인해 천구상에서 배경 별을 기준으로 한 행성의 위치가 매우 복잡하게 변화한다. 이처럼 천구상에서 나타나는 행성의 움직임을 행성의 겉보기 운동이라고 한다.

① **순행**: 행성이 천구상의 별자리 사이를 서쪽에서 동쪽으로 이동하는 것으로, 순행할 때 행성의 적경은 증가한다.

② **역행**: 행성이 천구상의 별자리 사이를 동쪽에서 서쪽으로 이동하는 것으로, 역행할 때 행성의 적경은 감소한다.

③ **유**: 순행에서 역행으로, 또는 역행에서 순행으로 이동 방향이 바뀔 때 행성이 천구상에서 머물러 있는 것처럼 보이는데, 이를 유라고 한다. 유일 때 행성의 적경은 거의 변하지 않는다. 행성을 지속해서 관측하면 '순행 → 유 → 역행 → 유 → 순행'의 순서로 움직임이 반복된다.

(2) **이각**: 태양 – 지구 – 행성이 이루는 각을 이각이라고 한다. 행성이 태양을 기준으로 서쪽(오른쪽)에 위치할 때를 서방 이각, 태양을 기준으로 동쪽(왼쪽)에 위치할 때를 동방 이각이라고 한다. 내행성은 지구 공전 궤도 안쪽에서 공전하므로 이각이 일정 각도 이상으로 벗어날 수 없지만, 외행성은 지구 공전 궤도 바깥쪽에서 공전하므로 이각이 180°까지 가능하다.

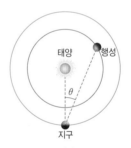

▲ **행성의 이각(θ)**

행성의 정의

'행성'은 항성과 달리 천구상의 위치가 고정되어 있지 않고 계속 변한다는 의미를 담고 있다. 중세 시대까지 행성은 맨눈으로 관측 가능한 수성, 금성, 화성, 목성, 토성으로 알고 있었으나, 태양 중심설이 받아들여지면서 행성은 태양을 공전하는 천체(지구 포함)로 정의되었다. 최근에는 행성을 새롭게 정의하면서 명왕성을 제외한 8개의 천체를 행성이라고 한다.

역행에 따른 적경과 적위 변화

배경별의 적경은 일정하므로 행성이 배경별에 대해 서쪽으로 움직이는 역행을 하면 행성의 적경은 감소한다. 이때 행성의 적위는 증가하거나 감소할 수 있다.

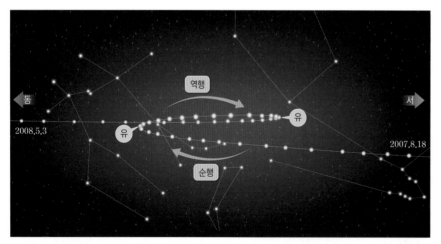

▲ **화성의 겉보기 운동** 2007년 8월부터 2008년 5월까지 천구상의 별자리를 배경으로 이동하는 화성의 모습을 나타낸 그림이다. 이 기간 동안 화성은 '순행 → 유 → 역행 → 유 → 순행'의 순서로 움직였다.

2. 내행성의 위치와 관측

(1) **내행성의 위치 관계:** 지구 공전 궤도의 안쪽을 도는 내행성인 수성과 금성의 위치 관계는 다음과 같이 나타낼 수 있다.

① 내합: 행성이 '지구—행성—태양'의 순서로 일직선 위에 놓일 때의 위치이다.

② 외합: 행성이 '지구—태양—행성'의 순서로 일직선 위에 놓일 때의 위치이다.

③ 동방 최대 이각: 지구에서 관측할 때 행성이 태양을 기준으로 동쪽으로 가장 멀어질 때의 위치이다.

④ 서방 최대 이각: 지구에서 관측할 때 행성이 태양을 기준으로 서쪽으로 가장 멀어질 때의 위치이다.

(2) **내행성의 겉보기 운동:** 내행성은 '외합 → 동방 최대 이각 → 내합 → 서방 최대 이각 → 외합' 순으로 이동하며, 지구보다 공전 속도가 빠르므로 내합 부근(아래 그림의 3′ → 5′ 구간)에서 역행한다. 이때 내행성의 겉보기 크기(시지름)는 외합에서 최소, 내합에서 최대이다. 내행성의 겉보기 운동은 '순행 → 유 → 역행 → 유 → 순행' 순으로 나타난다. 내행성이 동방 이각(1′ 지점)일 때는 별보다 서쪽에서, 서방 이각(3′ 지점)일 때는 별보다 동쪽에서 보인다.

(3) **내행성의 관측:** 내행성은 지구 공전 궤도의 안쪽에서 공전하므로 이각이 최대 이각 이상으로 벗어날 수 없다. 따라서 항상 태양 근처에서만 관측되며, 한밤중에 관측할 수 없다.

① 관측 시각: 내행성이 서방 이각에 위치할 경우 새벽에 동쪽 하늘에서 관측할 수 있고, 동방 이각에 위치할 경우 초저녁에 서쪽 하늘에서 관측할 수 있다.

② 위상: 내행성의 위상은 외합 부근에서 보름달 모양, 동방 최대 이각에서 상현달 모양, 서방 최대 이각에서 하현달 모양, 동방 최대 이각과 내합 사이에서 초승달 모양, 서방 최대 이각과 내합 사이에서 그믐달 모양이다.

③ 밝기: 금성은 최대 이각과 내합 사이에서 가장 밝게 관측되고, 수성은 외합 부근에서 가장 밝게 관측된다.

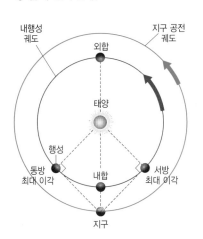

▲ **지구와 내행성의 위치 관계** 이각이 0°일 때를 합이라고 하며, 내합과 외합으로 구분한다. 행성이 태양을 기준으로 동쪽으로 가장 멀어졌을 때를 동방 최대 이각, 서쪽으로 가장 멀어졌을 때를 서방 최대 이각이라고 한다.

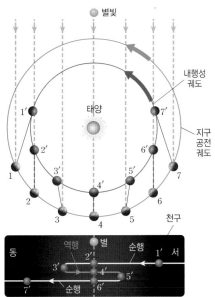

▲ **내행성의 겉보기 운동**

내행성과 외행성
태양계 행성 중 지구 공전 궤도의 안쪽을 도는 수성과 금성은 내행성, 지구 공전 궤도의 바깥쪽을 도는 화성, 목성, 토성, 천왕성, 해왕성은 외행성이다.

최대 이각
내행성의 이각이 가장 클 때로, 최대 이각일 때 내행성을 가장 오래 관측할 수 있다.

내행성의 역행
내합 부근에서 행성의 적경이 감소하는 역행 현상이 나타난다.

수성과 금성의 관측 가능 시간
수성의 최대 이각은 약 18°~28°, 금성의 최대 이각은 약 48°이므로 수성은 금성에 비해 대체로 관측 가능한 시간이 짧다.

금성과 수성의 최대 밝기
행성의 밝기는 햇빛을 반사하는 면적, 즉 행성의 위상과 지구에서 행성까지의 거리에 따라 달라진다. 두 가지 요소를 모두 고려했을 때, 금성은 최대 이각과 내합 사이에 있을 때 가장 밝게 관측되며, 수성은 외합 부근에서 가장 밝게 관측된다.

↖ e에서 g로 갈수록 금성의 동방 이각이 점점 커져 초저녁에 관측할 수 있는 시간이 길어진다. 또한 지구와의 거리가 가까워져 금성의 시지름이 점점 커진다.

↗ c에서 e로 갈수록 금성의 서방 이각이 점점 작아져 새벽에 관측할 수 있는 시간이 짧아진다. 외합인 e 부근에 위치할 때에는 보름달에 가까운 위상으로 관측된다.

서쪽 하늘 (일몰 직후)

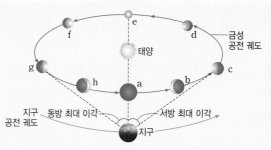

동쪽 하늘 (일출 직전)

↗ g에서 a로 갈수록 금성의 동방 이각이 점점 작아져 초저녁에 관측할 수 있는 시간이 짧아진다. g(동방 최대 이각)일 때 상현달 모양, h일 때 그믐달 모양으로 관측된다.

↑ a(내합)에 위치할 때 금성은 태양과 거의 동시에 뜨고 지므로 관측하기 어렵다.

↖ a에서 c로 갈수록 금성의 서방 이각이 점점 커져 새벽에 관측할 수 있는 시간이 길어진다. b일 때 그믐달 모양, c(서방 최대 이각)일 때 하현달 모양으로 관측된다.

3. 외행성의 위치와 관측

(1) 외행성의 위치 관계

① 합: '지구−태양−행성'의 순으로 놓여 외행성의 이각이 0°일 때의 위치이다.

② 충: '행성−지구−태양'의 순으로 놓여 외행성의 이각이 180°일 때의 위치이다.

③ 동구: 태양을 기준으로 동쪽 직각 방향에 위치하여 이각이 90°일 때의 위치이다.

④ 서구: 태양을 기준으로 서쪽 직각 방향에 위치하여 이각이 90°일 때의 위치이다.

(2) 외행성의 겉보기 운동:
외행성은 지구보다 공전 속도가 느리므로 상대적 위치 관계는 행성의 공전 방향과 반대로 '충 → 동구 → 합 → 서구' 순으로 변하며, 충 부근에서 역행한다. 그 결과 외행성의 겉보기 운동은 '순행 → 유 → 역행 → 유 → 순행' 순으로 나타난다.

외행성의 역행
외행성은 충 부근에서 별을 기준으로 동에서 서로 이동하며 적경이 감소하는 역행 현상이 나타난다.

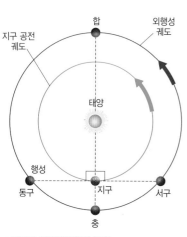

▲ 지구와 외행성의 위치 관계

▶ **외행성의 겉보기 운동** 외행성이 1′에 있을 때는 별보다 서쪽에서, 2′에 있을 때는 별보다 동쪽에서 보인다.

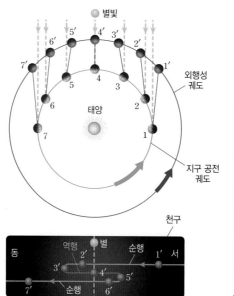

(3) **외행성의 관측:** 외행성은 '충 → 동구 → 합 → 서구 → 충' 순으로 이동하면서 남중하는 시각이 날마다 조금씩 빨라진다. 외행성은 내행성과 달리 항상 반달 모양 이상의 위상으로 관측된다.

① 충: 행성이 태양의 정반대 방향에 위치하므로 해가 질 무렵에 떠서 해가 뜰 무렵에 지며, 자정 무렵에는 남쪽 하늘에서 관측할 수 있다. 충 부근일 때 보름달 모양으로 가장 오래 관측할 수 있고, 지구로부터의 거리가 가장 가까우므로 시지름이 최대이고 가장 밝게 관측된다.

② 구: 서구에 위치할 때는 자정 무렵에 뜨고 해가 뜰 무렵에 남중하므로 자정부터 해가 뜨기 직전까지 관측된다. 동구에 위치할 때는 해가 질 무렵에 남중하고 자정 무렵에 지므로 해가 진 직후부터 자정 무렵까지 관측된다.

③ 합: 행성과 태양이 거의 동시에 뜨고 지므로 관측하기 어렵다.

외행성이 충일 때 나타나는 특징
· 시지름이 가장 크고, 가장 밝게 보인다.
· 자정에 남중하여 하루 동안 관측할 수 있는 시간이 가장 길다.
· 배경별에 대해 동에서 서로 이동하며, 적경이 감소한다.

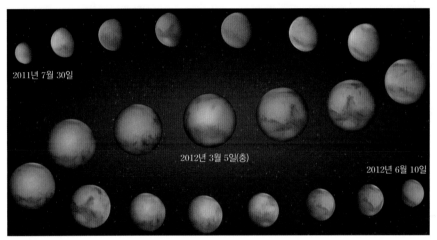

2011년 7월 30일
2012년 3월 5일(충)
2012년 6월 10일

▲ **화성의 위상과 시지름 변화** 2011년 7월 30일부터 2012년 6월 10일까지 화성이 1회 공전하는 동안 지구에서 관측한 화성의 위상과 시지름을 나타낸 것으로, 화성은 2012년 3월 5일에 충에 있었으며, 가장 크고 밝게 관측되었다. 화성은 외행성이므로 항상 반달 모양 이상의 위상으로 관측된다는 점을 확인할 수 있다.

시야확장 ➕ 행성의 위치 관계

그림은 2019년 금성, 지구, 화성, 목성의 위치를 한 달 간격으로 나타낸 것이다.
· 내행성(금성)의 겉보기 운동: 금성은 1월 초에 서방 최대 이각, 8월 중순에 외합에 위치한다.
· 외행성(화성, 목성)의 겉보기 운동: 화성은 9월 초에 합에 위치한다. 목성은 3월 말에 서구, 6월 중순에 충, 8월 말에 동구, 12월 말에 합에 위치한다.

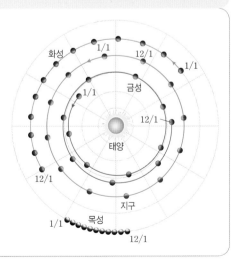

③ 태양계 우주관의 변천

정밀한 관측이 이루어지기 이전에는 지구가 우주의 중심이고, 우주의 모든 천체는 지구를 중심으로 움직이고 있다는 지구 중심설이 발달하였다. 그러나 근대에 들어오면서 관측 기술의 발달로 지구가 태양을 공전한다는 태양 중심설이 확립되기 시작하였다.

1. 프톨레마이오스의 지구 중심설(천동설)

지구가 우주의 중심에 고정되어 있고, 지구로부터 달, 수성, 금성, 태양, 화성, 목성, 토성의 순으로 각각 원 궤도를 그리며 지구 주위를 공전하고 있다는 태양계 모형이다.

(1) 지구 중심설로 설명하는 행성의 운동

① 주전원 도입: 지구 중심설에서는 행성들의 역행 현상을 설명하기 위해서 주전원을 사용하였다. 행성들이 주전원 상에서 행성의 공전 방향과 같은 방향으로 회전하면 순행, 공전 방향과 반대 방향으로 회전하면 역행 현상이 나타난다. 그러나 달과 태양은 역행 현상이 나타나지 않으므로 주전원을 사용하지 않았다.

② 수성과 금성의 관측: 수성과 금성은 새벽이나 초저녁에만 관측되는데, 이는 수성과 금성이 항상 태양을 향한 쪽에 위치하는 것을 의미한다. 이러한 현상을 설명하기 위해 수성과 금성의 주전원 중심은 항상 지구와 태양을 이은 일직선상에 위치한다고 가정하였다.

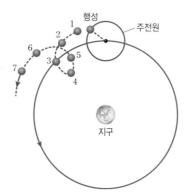

▲ **주전원 운동** 행성은 주전원을 따라 돌면서 주전원 중심이 지구를 공전한다. 이때 행성의 역행(3~5 사이)이 일어난다.

(2) 지구 중심설의 의의와 한계: 프톨레마이오스의 지구 중심설은 고대인들의 철학에 어긋나지 않으면서도 천체의 위치를 비교적 정밀하게 예측할 수 있었던 모형이다. 이 모형은 태양 중심설이 확립되기 이전까지 서양 우주관의 중심 사상으로 자리 잡았다. 하지만, 천체 관측 자료가 계속 쌓여 가면서 프톨레마이오스의 이론 체계로는 설명하기 어려운 현상들이 관측되었다. 이로 인해 지구 중심설은 계속 수정되어 점점 더 복잡한 형태를 띠게 되었다.

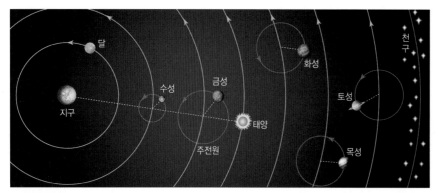

▲ **프톨레마이오스의 지구 중심설**

초기의 천동설

초기의 천동설 모형에서는 지구가 중심이고, 모든 천체가 단순하게 지구를 중심으로 공전한다고 설명하였다. 그러나 관측을 통해 행성의 역행이 알려지면서 이를 설명하기 위해 주전원과 같은 복잡한 요소를 도입하기 시작하였다.

프톨레마이오스(Ptolemaeos, C., 85?~165?)

고대 그리스의 천문학자, 수학자, 지리학자로, 지구 중심설을 정비하였고, 『알마게스트』를 저술하여 당시의 천문학을 집대성하였다.

시야확장 ➕ 티코 브라헤의 태양계 모형(지구 중심설)

덴마크의 천문학자 티코 브라헤는 망원경이 사용되기 이전 시대의 가장 뛰어난 관측 천문학자였다. 그는 태양 중심설이 옳다는 가정에 따라 지구 공전의 증거가 되는 연주 시차를 측정하고자 했으나 관측하지 못하였다. 결국, 그는 코페르니쿠스의 우주 모형이 틀렸다는 결론을 내렸고, 자신의 연구 결과를 바탕으로 새로운 태양계 모형을 발표하였다.

- 지구는 우주의 중심이고, 달과 태양은 지구를 중심으로 공전한다.
- 수성, 금성, 화성, 목성, 토성은 태양을 중심으로 공전한다.
- 주전원을 도입하지 않고 태양과 행성의 공전 속도 차이로 역행을 설명할 수 있다.
- 내행성의 최대 이각 현상과 보름달 모양의 위상을 설명할 수 있다.

➕ 티코 브라헤(Brahe, Tycho, 1546~1601)

덴마크의 천문학자로, 맨눈으로 밤하늘을 관측하여 방대한 자료를 남겼다. 1572년에는 서양에서 처음으로 카시오페이아자리에서 초신성을 발견하였다. 또한, 1577년에는 혜성을 발견하였으며 이 혜성까지의 거리도 측정하였다. 그가 남긴 관측 자료는 케플러에게 전해져 케플러가 행성의 운동에 관한 세 가지 법칙을 발견하는 데 큰 도움을 주었다.

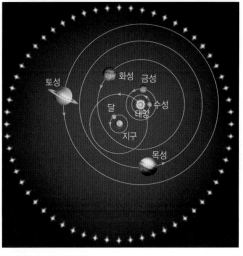

▲ 브라헤의 태양계 모형

2. 코페르니쿠스의 태양 중심설(지동설)

16세기 폴란드의 천문학자 코페르니쿠스는 행성의 운동을 너무나 복잡하게 설명하는 지구 중심설이 문제가 있다고 생각하였다. 그는 『천구의 회전에 관하여』에서 태양을 중심으로 수성, 금성, 지구, 화성, 목성, 토성이 원 궤도로 공전한다는 태양 중심설을 주장하였다.

(1) 태양 중심설로 설명하는 천체의 운동

① 행성의 역행: 태양으로부터의 거리가 먼 행성일수록 공전 속도가 느려진다는 가정을 통해 행성들의 순행, 역행과 같은 겉보기 운동을 설명할 수 있었다.

② 내행성의 최대 이각: 수성과 금성은 지구보다 안쪽 궤도에서 공전하므로 두 행성이 태양에서부터 일정한 각도 안에서만 관측되어 새벽이나 초저녁에만 관측되는 현상(최대 이각 문제)을 자연스럽게 설명할 수 있었다.

③ 천체의 일주 운동: 지구가 하루를 주기로 자전하기 때문에 천체의 일주 운동 현상이 나타난다고 설명한다.

태양 중심설

'지동설'이라고도 불리는 태양 중심설은 기원전 4세기에 아리스타르코스(Aristarchus, B.C. 320?~B.C. 250?)가 처음으로 주장하였으나, 당시에는 지구가 우주의 중심이라는 생각이 지배적이었기 때문에 받아들여지지 않았다.

코페르니쿠스(Copernicus, N., 1473~1543)

폴란드의 천문학자이자 신학자로, 태양 중심설을 주장하여 서양의 과학 사상에 큰 영향을 미쳤다.

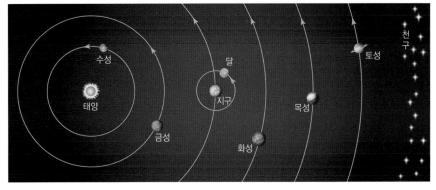

▲ 코페르니쿠스의 태양 중심설

(2) **코페르니쿠스 태양 중심설의 한계:** 코페르니쿠스의 태양 중심설은 천체의 운동을 지구 중심설보다 훨씬 단순하게 설명할 수 있다는 장점이 있었지만 몇 가지 이유로 인해 인정받지 못하였다. 그 당시에는 지구가 우주의 중심이라는 고정 관념이 너무나 강하였고, 무엇보다도 지구가 움직인다는 사실을 증명할 수 있는 명확한 관측 증거를 제시하지 못하였기 때문에 사람들이 그의 생각을 받아들이기 어려웠다. 또한, 코페르니쿠스는 행성이 등속 원운동한다는 고정 관념을 고수했기 때문에 행성의 움직임에 대한 설명의 정확성이 떨어진다는 한계가 있었다.

(3) **코페르니쿠스 태양 중심설의 의의:** 코페르니쿠스의 태양 중심설은 기존의 상식과 고정 관념을 뒤집은 과학 혁명의 시작이었다. 천체 운동의 중심이 지구가 아니라는 그의 생각이 세상에 조금씩 알려지면서 우주 체계를 새롭게 바라보기 시작했다는 점에서 의의가 크다.

3. 갈릴레이의 관측과 우주관 확립

1609년 갈릴레이는 직접 만든 망원경으로 밤하늘을 관측하여 지구 중심설로는 설명할 수 없는 여러 가지 사실을 발견하였다.

(1) **달과 태양의 관측:** 갈릴레이가 그 당시까지 완전무결하다고 믿어왔던 달과 태양을 관측한 결과, 달 표면은 울퉁불퉁하고 거칠고 높은 산과 깊은 계곡이 있는 지구의 모습과 비슷하였다. 또한, 태양도 완전하지 않고 태양 표면에 흑점이 존재하며 흑점이 이동하는 것을 관측하였다. 이러한 사실은 천상계가 완벽하고 불변이라는 기존의 우주관에 어긋나는 것이었다.

(2) **목성의 위성 관측:** 갈릴레이는 18개월 동안 목성을 관측하여 목성 주위에서 4개의 천체 위치가 규칙적으로 변하는 것을 발견하였다. 그리고 이로부터 목성 주위를 공전하는 위성이 있다는 것을 알게 되었다. 천체들이 지구가 아닌 다른 천체, 즉 목성을 중심으로 공전한다는 사실은 기존의 지구 중심 우주관(천동설)과 부합되지 않는 것이었다.

갈릴레이(Galilei, G. 1564~1642)
이탈리아의 천문학자이자 물리학자, 수학자로, 1581년 피사 대학 의학부에 입학하여 우연히 성당에 걸려 있는 램프가 흔들리는 것을 보고 진자의 등시성(等時性)을 발견하였다. 1592년 피사 대학의 수학 강사가 되었고, 같은 해 베네치아의 파도바 대학으로 옮겼는데, 파도바 대학에서는 유클리드 기하학과 천동설을 주장한 프톨레마이오스의 천문학을 가르쳤다. 그 후 자신이 만든 망원경으로 관측한 천체 관측 결과를 토대로 지동설을 지지하자 로마 교황청의 반발을 사서 재판에까지 회부되었고, 그가 지동설을 확립하려고 쓴 저서 『프톨레마이오스와 코페르니쿠스의 2대 세계 체계에 관한 대화』는 교황청에 의해 금서로 지정되었다.

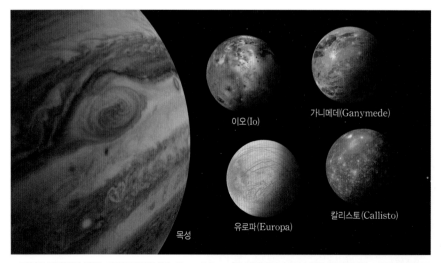

▲ **목성과 갈릴레이 위성** 갈릴레이 위성(Galilean Moons)은 갈릴레이가 목성 주변에서 발견한 4개의 위성으로, 목성의 위성 중 크기가 가장 큰 4개의 위성이다. 특히 가니메데는 태양계에서 가장 큰 위성이다. (단, 그림에서 천체의 크기는 실제 비율과 다르다.)

이오(Io) 가니메데(Ganymede) 유로파(Europa) 칼리스토(Callisto) 목성

▲ 갈릴레이가 관측한 목성과 위성의 위치 변화 스케치

(3) **금성의 위상 관측:** 보름달 모양의 금성이 관측되기 위해서는 금성이 태양보다 뒤쪽에 위치해야 한다. 하지만 프톨레마이오스의 지구 중심설에서는 금성이 태양과 지구 사이에서 주전원을 돌고 있으므로 항상 초승달 모양이나 그믐달 모양으로만 관측되어야 한다. 갈릴레이는 망원경을 이용하여 금성을 관측하였으며, 금성도 달처럼 반달 모양과 반달 이상의 모양으로도 관측된다는 사실을 확인하였다. 이는 당시 대부분의 사람들이 믿었던 지구 중심설(천동설)로는 설명하기 어려운 것이었다.

▲ 갈릴레이가 관측한 금성의 위상과 시지름 변화

금성의 시지름 변화

금성이 내합일 때 지구로부터의 거리는 약 0.3 AU이고 외합일 때 지구로부터의 거리는 약 1.7 AU이다. 시지름은 거리에 반비례하므로 금성이 내합일 때와 외합일 때 시지름의 비는 약 5.7배이다.

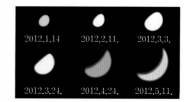

▲ 2012년 1월~5월에 관측한 실제 금성의 위상과 시지름 변화

시선 집중 ★ **지구 중심설과 태양 중심설에서 금성의 위치와 위상 변화**

그림 (가)는 프톨레마이오스의 지구 중심설, (나)는 코페르니쿠스의 태양 중심설에서 설명하는 금성의 상대적인 위치 변화를 나타낸 것이다.

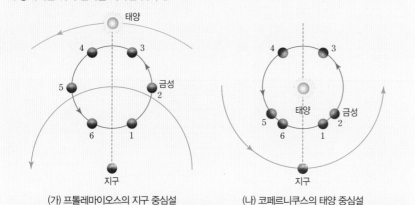

(가) 프톨레마이오스의 지구 중심설   (나) 코페르니쿠스의 태양 중심설

(가)와 (나)에서 각각 관측되는 금성의 위상은 다음과 같다.

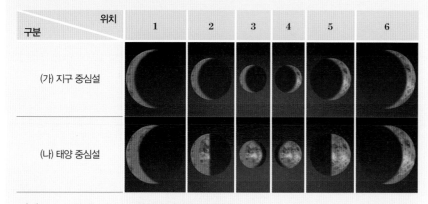

구분 \ 위치	1	2	3	4	5	6
(가) 지구 중심설						
(나) 태양 중심설						

- (가): 1 → 3일 때 그믐달 모양이며 시지름이 점점 작아지고, 4 → 6일 때 초승달 모양이며 시지름이 점점 커진다.
- (나): 3과 4일 때 태양 반대편 부근에 위치하므로 보름달 모양, 최대 이각 부근인 2와 5에서 반달 모양으로 관측된다. 1에서는 그믐달 모양, 6에서는 초승달 모양으로 관측되며, 시지름은 내합 부근일 때 가장 크다. 즉, 보름달 모양의 금성의 위상은 (나)의 태양 중심설에서만 나타날 수 있다.

과정이 살아 있는 탐구

수성과 화성의 역행 현상 그리기

내행성과 외행성의 겉보기 운동을 비교하고, 성도에 행성의 겉보기 운동을 나타낼 수 있다.

과정

표는 일정 기간 수성, 화성, 태양의 적경과 적위를 나타낸 것이다.

날짜		수성		화성		태양	
월	일	적경(h min)	적위(° ′)	적경(h min)	적위(° ′)	적경(h min)	적위(° ′)
1	26	19 03	− 19 44	14 39	− 13 57	20 31	− 18 54
2	05	19 25	− 20 52	14 59	− 15 26	21 12	− 16 09
2	20	20 41	− 19 28	15 27	− 17 21	22 11	− 11 12
3	06	22 13	− 13 22	15 52	− 18 52	23 08	− 05 35
3	21	23 53	− 02 35	16 12	− 20 00	00 03	00 19
4	05	01 41	11 11	16 25	− 20 51	00 58	06 09
4	20	03 06	20 21	16 29	− 21 25	01 53	11 35
4	30	03 22	20 53	16 25	− 21 40	02 31	14 50
5	15	02 58	15 19	16 09	− 21 45	03 29	18 55
5	25	02 52	12 54	15 54	− 21 36	04 09	20 59
6	14	03 57	17 45	15 28	− 21 05	05 31	23 16
6	29	05 48	23 31	15 20	− 21 02	06 33	23 13
7	14	08 07	22 05	15 25	− 21 33	07 35	21 38
7	29	09 57	13 36	15 41	− 22 33	08 35	18 42
8	13	11 12	03 54	16 06	− 23 46	09 32	14 36
8	28	11 49	− 02 52	16 38	− 24 54	10 28	09 38
9	07	11 40	− 02 35	17 03	− 25 29	11 04	05 59
9	22	11 03	05 19	17 44	− 25 54	11 58	00 14
10	02	11 31	04 48	18 13	− 25 48	12 34	− 03 39
10	17	13 01	− 04 48	18 58	− 24 58	13 29	− 09 20

1 수성, 화성, 태양의 위치를 성도에 점으로 찍고 곡선자를 이용하여 점들을 부드럽게 잇는다.

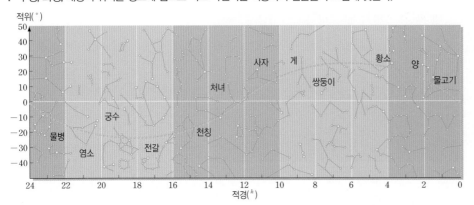

2 수성과 화성이 순행(서 → 동)하는 기간과 역행(동 → 서)하는 기간은 각각 언제인지 찾아보자.

3 수성과 화성이 지구에서 가장 가까운 시기는 언제인지 찾아보자.

4 수성과 화성의 겉보기 운동에서 공통점과 차이점을 정리해 보자.

행성의 순행과 역행 현상을 천구에 나타낼 때는 배경 별을 기준으로 한다는 점을 잘 알아두어야 한다. 즉, 지구의 자전으로 인해 나타나는 행성의 일주 운동을 탐구에서 알아보고자 하는 행성의 겉보기 운동과 혼동하지 않도록 주의한다.

행성의 위치를 성도에 그려 넣을 때, 행성의 이동 방향을 표시하고, 행성의 위치에 날짜를 함께 표시한다.

1 수성, 화성, 태양의 위치를 성도에 표시하면 다음과 같다.

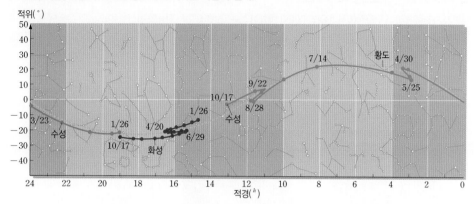

● 수성과 화성이 역행할 때의 차이점
· 수성이 화성보다 천구상에서 빠르게 이동하기 때문에 역행하는 기간이 화성에 비해 짧다.
· 역행하는 기간 동안 수성은 내합 부근에 위치하여 지구에서 관측하기 어렵지만, 화성은 충 부근에 위치하여 관측하기 가장 좋다.

2 수성과 화성이 각각 순행하는 기간과 역행하는 기간은 다음과 같다.

	수성	화성
순행(서 → 동)	1/26~4/30, 5/25~8/28, 9/22~10/17	1/26~4/20, 6/29~10/17
역행(동 → 서)	4/30~5/25, 8/28~9/22	4/20~6/29

3 수성은 역행 기간의 한가운데 시점에 내합을 지나고, 화성은 역행 기간의 한가운데 시점에 충을 지난다. 따라서 수성은 5월 중순, 9월 초순에 내합 부근, 화성은 5월 말에 충 부근에 위치하며, 이 시기에 지구로부터 가장 가깝다.

4 수성과 화성 모두 순행할 때 적경이 증가하며, 역행할 때 적경이 감소한다. 역행하는 동안 수성은 태양과 적경이 비슷하지만, 화성은 태양의 반대 방향에 위치하여 적경이 12^h 차이가 난다.

탐구 확인 문제

〉정답과 해설 142쪽

01 그림은 일정 기간 동안 관측한 화성의 겉보기 운동을 나타낸 것이다.

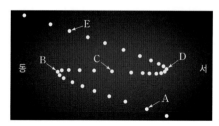

이에 대한 설명으로 옳은 것만을 보기에서 있는 대로 고른 것은?

보기
ㄱ. 겉보기 운동 방향은 E → D → C → B → A이다.
ㄴ. 화성의 적경은 B보다 D일 때 크다.
ㄷ. A~E 중 화성의 시지름은 C일 때 가장 크다.

① ㄱ   ② ㄴ   ③ ㄷ
④ ㄱ, ㄷ   ⑤ ㄴ, ㄷ

02 표는 어느 해 수성의 위치 관계를 나타낸 것이다.

날짜	위치 관계
1월 30일	외합
2월 27일	최대 이각
3월 15일	내합
4월 12일	최대 이각
5월 21일	외합
6월 24일	최대 이각

이 기간 동안 관측되는 수성에 대한 설명으로 옳지 <u>않은</u> 것은? (단, 관측자의 위치는 북반구 중위도 지역이다.)

① 시지름은 1월 30일이 3월 15일보다 작다.
② 2월 27일에 새벽에 관측할 수 있다.
③ 3월 15일에 가장 어둡게 보인다.
④ 적경은 5월 초보다 5월 말에 크다.
⑤ 6월 24일에 서쪽 하늘에서 관측된다.

천체의 일주 운동과 좌표계

지구가 자전함에 따라 천구상에서 천체의 겉보기 방향이 계속 변한다. 특히 하늘의 방향에 따라 일주 운동의 특징을 지평 좌표로 나타내 보고, 계절에 따라 태양의 지평 좌표가 어떻게 달라지는지 알아보자. 또한, 적도 좌표가 다른 천체들이 우리나라에서 어떻게 관측되는지 알아보자.

❶ 북반구 중위도 지역에서 관측되는 일주 운동의 모습

동쪽 하늘

- 지평선에서 떠서 오른쪽 위로 일주 운동한다. 이때 일주권과 지평선이 이루는 각은 (90°−위도)이다.
- 일주 운동함에 따라 방위각과 고도가 모두 증가한다.

남쪽 하늘

- 시계 방향으로 일주 운동한다. 정남쪽에 위치할 때 고도가 가장 높고, 이때의 고도를 남중 고도라고 한다.
- 일주 운동함에 따라 방위각은 증가하고, 고도는 증가하다가 감소한다.

서쪽 하늘

- 왼쪽 위에서 오른쪽 아래로 일주 운동한다. 이때 일주권과 지평선이 이루는 각은 (90°−위도)이다.
- 일주 운동함에 따라 방위각은 증가하고, 고도는 감소한다.

북쪽 하늘

- 천구 북극(P)을 중심으로 시간당 15°씩 시계 반대 방향으로 일주 운동한다.
- 일주 운동함에 따라 A는 방위각이 감소하고 고도가 증가하지만, B는 방위각이 감소하다가 증가하고 고도가 감소한다.

❷ 서울(37.5°N)에서 관측한 춘분날(추분날), 하짓날, 동짓날 태양의 운동

방향	태양의 일주 운동
춘분날 (추분날)	• 태양이 천구 적도에 위치하므로 정동쪽에서 떠서 정서쪽으로 진다. • 이날 태양의 남중 고도는 52.5°(=90°−37.5°+0°)이며, 낮의 길이와 밤의 길이가 같다.
하짓날	• 1년 중 태양이 가장 북쪽으로 치우쳐 뜨고 지므로 낮의 길이가 가장 길다. • 태양이 뜨는 지점의 방위각은 약 60°이고 지는 지점의 방위각은 약 300°이다.
동짓날	• 1년 중 태양이 가장 남쪽으로 치우쳐 뜨고 지므로 밤의 길이가 가장 길다. • 태양이 뜨는 지점의 방위각은 약 120°이고 지는 지점의 방위각은 약 240°이다.

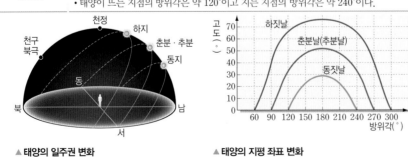

▲ 태양의 일주권 변화

▲ 태양의 지평 좌표 변화

천체의 남중 고도(h)

$h = 90° − \varphi + \delta$

(φ: 관측자의 위도
δ: 천체의 적위)

태양의 일주 운동(북반구 중위도 지역)

태양이 일주 운동하는 동안 태양의 방위각(북점 기준)은 계속 증가한다. 태양의 고도는 남중하기 전까지 증가하고, 남중한 후 감소한다.

구분	남중 이전	남중 이후
방위각	증가	증가
고도	증가	감소

❸ 주요 별자리의 남중 고도와 남중 시각

표는 별자리 (가)~(다)의 적도 좌표를, 그림은 각 별자리의 위치를 천구에 나타낸 것이다.

별자리	적경(^{h})	적위(°)
(가) 마차부자리	6	+40
(나) 남십자자리	12	-60
(다) 독수리자리	20	+5

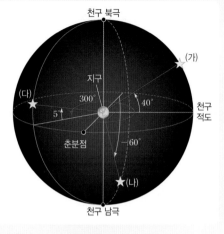

주극성, 출몰성, 전몰성

별들은 일주 운동 경로에 따라 크게 주극성, 출몰성, 전몰성으로 구분할 수 있다. 주극성은 일주 운동하는 동안 지평선 아래로 지지 않는 별이고, 출몰성은 동쪽에서 떠서 서쪽으로 지는 별이다. 한편, 일주 운동 하는 동안 지평선 위로 올라오지 않는 별은 전몰성이라고 한다. 주극성, 출몰성, 전몰성은 관측 지점의 위도 φ와 적위를 이용하여 다음과 같이 구분할 수 있다.

구분	적위 범위
주극성	$90°\sim(90°-\varphi)$
출몰성	$(90°-\varphi)\sim-(90°-\varphi)$
전몰성	$-(90°-\varphi)\sim-90°$

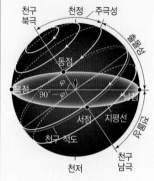

1. 서울(37.5° N)에서 관측할 때, 별자리 (가)~(다)의 남중 고도를 알아보자.

- (가)의 적위는 +40°이므로 남중 고도는 90°-37.5°+40°=92.5°이다. (북중 고도는 87.5°이다.)
- (나)의 적위는 -60°이므로 남중 고도가 (-)의 값으로 나타난다. 즉, (나)는 지평선 위로 뜨지 않는 별자리이며 서울에서 관측할 수 없다.
- (다)의 적위는 +5°이므로 남중 고도는 90°-37.5°+5°=57.5°이다.

2. 별자리 (다)가 자정 무렵에 남중하는 시기는 언제인지 알아보자.

- (다)의 적경이 20^h이므로, 이 별자리가 자정 무렵에 남중했다면 정반대 쪽에 있는 태양의 적위는 약 8^h이다. 하짓날(6월 22일 경) 태양의 적위가 6^h이므로 이날은 7월에 하순에 해당한다.

> 정답과 해설 **142**쪽

유제

표는 어느 날 서울(37.5°N)에서 10분 간격으로 측정한 태양의 지평 좌표를 나타낸 것으로, A와 B는 각각 방위각 또는 고도 중 하나이다.

시간(분)	0	10	20	30	40	50
A	51.0°	51.3°	51.6°	51.9°	52.2°	52.5°
B	150°	153°	156°	159°	162°	165°

이에 대한 설명으로 옳은 것만을 보기에서 있는 대로 고른 것은? (단, 방위각은 북점을 기준으로 측정한다.)

보기
ㄱ. A는 방위각, B는 고도이다.
ㄴ. 태양을 관측한 시간은 오전이다.
ㄷ. 이날 태양은 북동쪽에서 떠서 북서쪽으로 진다.

① ㄱ ② ㄴ ③ ㄱ, ㄷ ④ ㄴ, ㄷ ⑤ ㄱ, ㄴ, ㄷ

01 천체의 좌표계와 태양계 모형

1. 행성의 운동

① 천체의 위치와 좌표계

1 방위와 시각 관측자를 통과하는 경선(북극과 남극을 잇는 선)을 기준으로 동쪽과 서쪽을 나타낸다.
- (**❶**   ): 지구의 자전축에 수직인 지표면 위의 가로선으로, 적도를 기준으로 북위, 남위로 나타낸다.
- (**❷**   ): 북극과 남극을 잇는 세로선으로, 영국의 그리니치 천문대를 지나는 경선을 기준으로 동경, 서경으로 나타낸다.

2 천구와 좌표계 관측자를 중심으로 하는 무한히 큰 가상적인 구면을 천구라고 한다.

천구의 명칭	• 천구 북극: 지구 북극에서 자전축을 연장하여 천구와 만나는 점 • 천정: 관측자의 머리 위로 직선을 연장하여 천구와 만나는 점 • 북점: 지평선에서 정북쪽에 위치한 천구상의 점 • (**❸**): 지구의 적도를 무한히 연장하여 천구와 만나는 대원 • 지평선: 관측자가 서 있는 수평면을 무한히 연장하여 천구와 만나는 대원 • 시간권: 천구 북극과 천구 남극을 지나는 천구상의 대원 • 수직권: 천정과 천저를 지나는 천구상의 대원 • (**❹**): 천구 북극과 천구 남극, 천정과 천저를 동시에 지나는 천구상의 대원	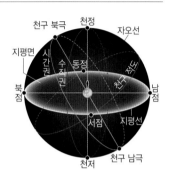
지평 좌표계	• 관측자를 중심으로 천체의 위치를 나타내는 좌표계 • 천체의 위치를 방위각과 고도로 나타낸다. • (**❺**): 북점(또는 남점)을 기준으로 시계 방향으로 천체를 지나는 수직권까지 지평선을 따라서 잰 각($0°$~$360°$ 사이의 값) • (**❻**): 지평선에서 천체까지 수직권을 따라서 잰 각($0°$~$90°$ 사이의 값)	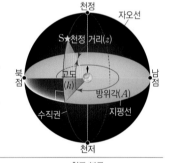
적도 좌표계	• 지구를 중심으로 천체의 위치를 나타내는 좌표계 • 천체의 위치를 적경과 적위로 나타낸다. • 적경: 춘분점을 기준으로 천구 적도를 따라 천체를 지나는 (**❼**)까지 시계 반대 방향(서→동)으로 잰 각 • (**❽**): 천구 적도를 기준으로 시간권을 따라 천체까지 잰 각	

3 태양의 연주 운동과 남중 고도

- 태양의 연주 운동: 지구의 공전으로 태양은 천구상을 1년에 1바퀴씩 서에서 동으로 도는 겉보기 운동을 하며, 태양의 연주 운동 경로를 (**❾**   )라고 한다.
- 남중 고도: 북반구에 있는 관측자의 위도를 φ, 태양의 적위를 δ라고 할 때, 천체의 남중 고도 $h=$(**❿**   )이다.

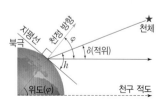

2 행성의 겉보기 운동

1 행성의 겉보기 운동 행성의 겉보기 운동은 천구상에서 '순행 → 유 → 역행 → 유 → 순행' 순으로 나타난다.

- 순행: 별자리를 기준으로 서쪽에서 동쪽으로 이동하며, 행성의 적경이 (❶   )한다.
- 역행: 별자리를 기준으로 동쪽에서 서쪽으로 이동하며, 행성의 적경이 (❷   )한다.
- 유: 순행에서 역행, 역행에서 순행으로 바뀌는 시기로, 행성의 적경이 거의 일정하다.
- (❸   ): 태양(S), 지구(E), 행성(P)이 이루는 각 ∠SEP이다.

2 내행성의 위치와 관측

- (❹   ): 태양−내행성−지구 순으로 일직선을 이루는 위치
- 외합: 내행성−태양−지구 순으로 일직선을 이루는 위치
- 동방(서방) 최대 이각: 태양과 내행성 사이의 동쪽(서쪽) 방향 이각이 최대인 위치
- 내행성은 (❺   ) 부근에서 역행 현상이 나타난다.
- 내행성의 위치 관계는 '외합 → 동방 최대 이각 → 내합 → 서방 최대 이각 → 외합' 순으로 변한다.

3 외행성의 위치와 관측

- (❻   ): 외행성−태양−지구 순으로 일직선을 이루는 위치
- 충: 태양−지구−외행성 순으로 일직선을 이루는 위치
- 동구(서구): 태양을 기준으로 행성이 동쪽(서쪽) 직각 방향인 위치
- 외행성은 (❼   ) 부근에서 역행 현상이 나타난다.
- 외행성은 지구보다 공전 속도가 느리므로, 외행성의 위치 관계는 '충 → 동구 → 합 → 서구 → 충' 순으로 변한다.

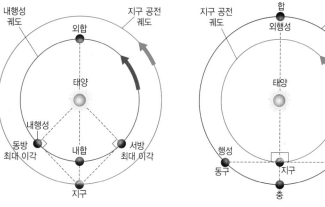

▲ 지구와 내행성의 위치 관계   ▲ 지구와 외행성의 위치 관계

3 태양계 우주관의 변천

1 프톨레마이오스의 지구 중심설 지구를 중심으로 모든 천체가 공전한다는 우주관으로, 행성의 역행 현상을 설명하기 위해 (❽   )을 도입하였고, 수성과 금성의 주전원 중심은 지구와 태양을 잇는 일직선상에 위치한다고 설명한다.

2 코페르니쿠스의 태양 중심설 태양을 중심으로 행성들이 공전한다는 우주관으로, 행성들의 공전 속도차로 (❾   )을 설명하고, 수성과 금성은 지구의 공전 궤도 안쪽에서 공전하므로 한밤중에 관측할 수 없다고 설명한다.

3 갈릴레이의 관측과 우주관 확립 갈릴레이는 자신이 직접 제작한 망원경을 이용하여 목성의 (⓴   )을 발견하였고, 금성이 달처럼 위상 변화가 일어나며 크기도 변한다는 것을 관측하는 등 지구 중심설로는 설명하기 어려운 다양한 사실들을 발견하였다.

01 지구상의 위치와 시각에 대한 설명으로 옳은 것은 ○, 옳지 않은 것은 ×로 표시하시오.

(1) 위도는 북극과 남극을 잇는 세로선이며, 동경과 서경으로 각각 180°까지 나타낸다. ·················· (   )

(2) 북쪽과 남쪽을 지나는 경선을 기준으로 이에 수직하는 방향을 동쪽과 서쪽으로 나눈다. ············· (   )

(3) 태양이 정남쪽에 있을 때부터 다시 정남쪽에 올 때까지 걸린 시간을 24등분하여 시각을 정하였다.

·· (   )

02 그림은 천구의 모습을 나타낸 것이다.

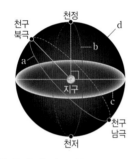

a~d의 명칭을 옳게 짝 지으시오.

(1) a •   • ㉠ 지평선

(2) b •   • ㉡ 수직권

(3) c •   • ㉢ 자오선

(4) d •   • ㉣ 시간권

03 그림은 위도 37.5° N 지역에서 자정에 관측한 천체 S의 일주권을 나타낸 것이다.

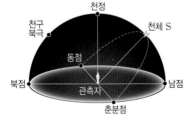

천체 S의 지평 좌표값과 적도 좌표값을 쓰시오. (단, 방위각은 북점을 기준으로 측정한다.)

(1) 방위각: (   ), 고도: (   )

(2) 적경   : (   ), 적위: (   )

04 그림은 어느 지역의 자오선에 위치한 별 S의 방향을 나타낸 것이다.

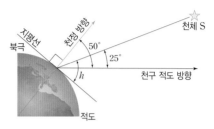

(1) 관측 지역의 위도를 쓰시오.

(2) 천체 S의 남중 고도(h)를 쓰시오.

05 그림은 북반구 중위도 지역에서 춘분날, 하짓날, 동짓날에 관측한 태양의 일주권을 순서 없이 ㉠, ㉡, ㉢으로 나타낸 것이다.

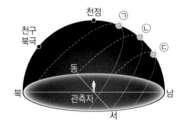

(1) ㉠, ㉡, ㉢을 관측한 날은 각각 언제인지 쓰시오.

(2) ㉠, ㉡, ㉢일 때 서울(37.5° N)에서 태양의 남중 고도는 각각 얼마인지 쓰시오.

06 행성의 겉보기 운동에 대한 설명으로 옳은 것만을 보기에서 있는 대로 고르시오.

보기

ㄱ. 순행할 때 행성의 적경은 증가한다.

ㄴ. 행성이 역행할 때 배경별에 대해 서쪽에서 동쪽으로 움직인다.

ㄷ. 행성의 겉보기 운동은 '순행 → 유 → 역행 → 유 → 순행 순'으로 나타난다.

07 그림은 내행성과 지구의 상대적인 위치 관계를 나타낸 것이다.

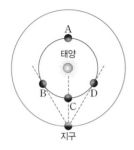

(1) A~D에 해당하는 위치 관계를 각각 쓰시오.

(2) A~D에서 내행성의 위상은 각각 어떤 모양으로 나타나는지 쓰시오.

(3) A~D 중 내행성의 적경이 감소하는 위치를 쓰시오.

08 그림은 외행성과 지구의 상대적인 위치 관계를 나타낸 것이다.

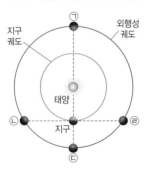

(1) ㉠~㉣에 해당하는 위치 관계를 각각 쓰시오.

(2) 외행성의 위치 관계가 변하는 순서를 ㉠부터 순서대로 나열하시오.

(3) ㉠~㉣ 중 외행성의 적경이 감소하는 위치를 쓰시오.

09 북반구 중위도 지역에서 관측되는 행성에 대한 설명으로 옳은 것만을 보기에서 있는 대로 고르시오.

보기
ㄱ. 수성의 시지름은 외합에서 최소이다.
ㄴ. 금성이 서방 이각에 위치할 때 초저녁에 관측된다.
ㄷ. 화성이 서구에 위치할 때 해가 뜰 무렵에 남중한다.

10 프톨레마이오스의 지구 중심설에 대한 설명으로 옳은 것만을 보기에서 있는 대로 고르시오.

보기
ㄱ. 태양과 달은 지구를 중심으로 공전한다.
ㄴ. 금성이 보름달 모양으로 관측되는 시기가 있다.
ㄷ. 수성, 금성, 화성, 목성, 토성은 주전원 운동을 한다.
ㄹ. 수성과 금성의 주전원의 중심은 항상 지구와 태양을 이은 일직선상에 위치한다.

11 그림 (가)와 (나)는 서로 다른 두 우주관의 일부를 나타낸 것이다.

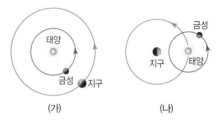

(가)   (나)

(가)와 (나)에서 모두 설명 가능한 현상만을 보기에서 있는 대로 고르시오.

보기
ㄱ. 금성의 역행
ㄴ. 별의 연주 시차
ㄷ. 보름달 모양으로 나타나는 금성의 위상

12 갈릴레이의 관측에 대한 설명으로 옳은 것만을 보기에서 있는 대로 고르시오.

보기
ㄱ. 목성 주위를 공전하는 4개의 위성을 관측하였다
ㄴ. 금성이 달처럼 위상이 변한다는 사실을 확인하였다.
ㄷ. 지구의 공전으로 나타나는 연주 시차를 관측하였다.

01 ▷ 천체의 일주 운동

그림 (가)와 (나)는 북반구 중위도 지역에서 관측한 남쪽 하늘과 북쪽 하늘의 모습을 나타낸 것으로, A∼D는 각각 다른 별을 나타낸다.

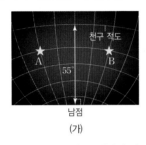 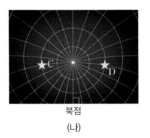

남점	북점
(가)	(나)

이에 대한 설명으로 옳은 것만을 보기에서 있는 대로 고른 것은?

보기
ㄱ. 관측 지역의 위도는 약 35° N이다.
ㄴ. 남중 시각은 A가 B보다 빠르다.
ㄷ. C는 D보다 동쪽에 있는 별이다.

① ㄱ   ② ㄴ   ③ ㄱ, ㄷ   ④ ㄴ, ㄷ   ⑤ ㄱ, ㄴ, ㄷ

> 천체의 일주 운동은 동에서 서로 나타난다. 따라서 상대적으로 동쪽에 위치한 천체일수록 늦게 남중한다.

02 ▷ 천체의 일주 운동과 지평 좌표

그림은 북반구 어느 지역에서 관측한 별 A∼C의 위치를 나타낸 것이다.

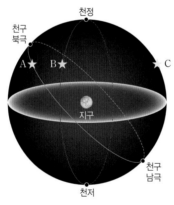

별 A∼C에 대한 설명으로 옳은 것만을 보기에서 있는 대로 고른 것은? (단, 방위각은 북점을 기준으로 측정한다.)

보기
ㄱ. 방위각은 A보다 B가 크다.
ㄴ. 1시간 후에 A∼C의 고도는 모두 현재보다 낮다.
ㄷ. 하루 동안 지평선 위에 떠 있는 시간은 'A>B>C'이다.

① ㄱ   ② ㄴ   ③ ㄷ   ④ ㄱ, ㄴ   ⑤ ㄴ, ㄷ

> 방위각은 북점(또는 남점)으로부터 지평선을 따라 시계 방향으로 천체를 지나는 수직권까지 잰 각이며, 고도는 지평선에서 수직권을 따라 천체까지 측정한 각이다.

03 ＞ 지평 좌표계

그림은 어느 날 서울(위도 $37.5°N$)에서 관측한 별 A, B의 위치를 나타낸 것이다.

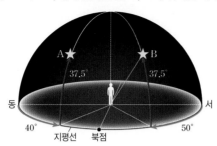

이에 대한 설명으로 옳은 것만을 보기에서 있는 대로 고른 것은? (단, 방위각은 북점을 기준으로 한다.)

보기
ㄱ. A의 방위각은 $50°$이다.
ㄴ. 1시간 후에 B의 방위각은 현재보다 크다.
ㄷ. 3시간 후에 고도는 A가 B보다 높다.

① ㄱ   ② ㄴ   ③ ㄱ, ㄷ   ④ ㄴ, ㄷ   ⑤ ㄱ, ㄴ, ㄷ

> • 일주 운동의 방향은 지구 자전 방향의 반대 방향이다. 따라서 북반구 관측자를 기준으로 할 때, 북쪽 하늘의 일주 운동은 시계 반대 방향으로 나타난다.

04 ＞ 적도 좌표계

표는 별 A~C의 적경과 적위를 나타낸 것이다.

별	적경(^{h})	적위($°$)
A	6	-45
B	12	$+15$
C	18	$+20$

별 A~C에 대한 설명으로 옳은 것만을 보기에서 있는 대로 고른 것은? (단, 관측자의 위치는 서울($37.5°N$)이다.)

보기
ㄱ. A는 서울에서 관측할 수 없다.
ㄴ. 춘분날 해가 진 직후에 B를 동쪽 지평선 부근에서 볼 수 있다.
ㄷ. C를 관측하기에 가장 좋은 계절은 겨울이다.

① ㄱ   ② ㄴ   ③ ㄷ   ④ ㄱ, ㄴ   ⑤ ㄴ, ㄷ

> • 적도 좌표계에서는 춘분점을 기준으로 천구 적도를 따라 동쪽으로 측정하는 적경과 시간권을 따라 측정하는 적위로 천체의 위치를 표시한다.

05 ❯ 태양의 일주 운동과 연주 운동

그림 (가)와 (나)는 $36°$ N 지역에서 서로 다른 날에 관측한 태양의 방위각과 고도를 나타낸 것이다.

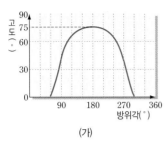

(가)

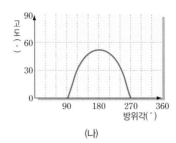

(나)

이에 대한 설명으로 옳은 것만을 보기에서 있는 대로 고른 것은?

> **보기**
> ㄱ. (가)에서 태양의 적위는 약 $21°$이다.
> ㄴ. (나)에서 태양의 남중 고도는 약 $54°$이다.
> ㄷ. 낮의 길이는 (가)보다 (나)에서 길다.

① ㄱ   ② ㄴ   ③ ㄷ   ④ ㄱ, ㄴ   ⑤ ㄴ, ㄷ

● 춘분날 또는 추분날에 태양은 천구 적도에 위치하므로 정동쪽에서 떠서 정서쪽으로 진다.

06 ❯ 태양의 연주 운동

그림은 태양의 연주 운동 경로를 적도 좌표계에 나타낸 것이다.

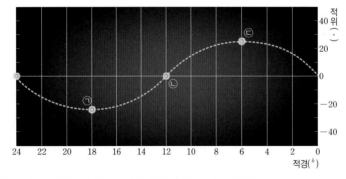

이에 대한 설명으로 옳은 것만을 보기에서 있는 대로 고른 것은?

> **보기**
> ㄱ. 태양의 연주 운동 방향은 'ⓐ → ⓑ → ⓒ'이다.
> ㄴ. 서울($37.5°$ N)에서 태양이 뜨는 지점의 방위각은 ⓑ이 ⓑ보다 크다.
> ㄷ. ⓒ일 때 $66.5°$ N ~ $90°$ N 지역에서는 태양이 주극성으로 관측된다.

① ㄱ   ② ㄴ   ③ ㄷ   ④ ㄱ, ㄴ   ⑤ ㄴ, ㄷ

● 태양은 황도를 따라 1년에 1바퀴씩 천구상을 서에서 동으로 이동한다. 따라서 황도 상에서 태양은 '춘분점 → 하지점 → 추분점 → 동지점 → 춘분점' 순으로 이동한다.

07 ▶ 외행성의 겉보기 운동
그림은 배경 별빛에 대한 외행성의 겉보기 방향 변화를 나타낸 것이다.

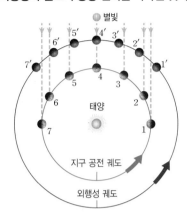

이 기간 동안 관측되는 현상으로 옳은 것만을 보기에서 있는 대로 고른 것은?

보기 ─────

ㄱ. 지점 3~5 사이에서 외행성의 적경이 증가한다.

ㄴ. 지점 1~7 사이에서 외행성의 유가 2차례 나타난다.

ㄷ. 지점 1~7까지 외행성의 남중 시각은 계속 빨라진다.

① ㄱ   ② ㄴ   ③ ㄱ, ㄷ   ④ ㄴ, ㄷ   ⑤ ㄱ, ㄴ, ㄷ

• 외행성은 지구보다 공전 속도가 느리기 때문에 충 부근에서 역행 현상이 나타난다.

08 ▶ 내행성의 위치 관계
그림은 금성의 상대적인 위치 변화를 나타낸 것이다.

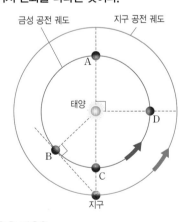

A~D에 대한 설명으로 옳은 것은?

① 금성의 시직경은 A일 때 가장 크다.

② 금성의 겉보기 밝기는 C일 때 가장 밝다.

③ B일 때 금성은 초저녁에 서쪽 하늘에서 관측된다.

④ D일 때 금성은 하현달 모양으로 관측된다.

⑤ 금성의 위치 관계는 'D → C → B → A' 순으로 변한다.

• 내행성이 서방 이각에 위치할 때 는 새벽에 동쪽 하늘에서 관측되 고, 동방 이각에 위치할 때는 초저 녁에 서쪽 하늘에서 관측된다.

09 ﹥행성 관측
표는 어느 해 수성과 목성의 천문 현상 일부를 나타낸 것이다.

날짜	행성	현상
2월 7일	수성	서방 최대 이각 26°
3월 8일	목성	충
4월 18일	수성	동방 최대 이각 20°
9월 26일	목성	합

이에 대한 설명으로 옳은 것만을 보기에서 있는 대로 고른 것은?

> 보기
>
> ㄱ. 수성과 태양 사이의 거리는 2월 7일보다 4월 18일에 가깝다.
>
> ㄴ. 2월 7일~4월 18일 사이에 수성의 적경이 감소하는 시기가 있다.
>
> ㄷ. 3월 8일~9월 26일까지 목성은 서방 이각에 위치한다.

① ㄱ   ② ㄴ   ③ ㄷ   ④ ㄱ, ㄴ   ⑤ ㄴ, ㄷ

- 내행성의 위치 관계는 '외합 → 동방 최대 이각 → 내합 → 서방 최대 이각 → 외합' 순으로 변하고, 외행성의 위치 관계는 '합 → 동구 → 충 → 서구 → 합' 순으로 변한다.

10 ﹥지구 중심설과 태양 중심설
그림 (가)와 (나)는 서로 다른 태양계 우주관을 나타낸 것이다.

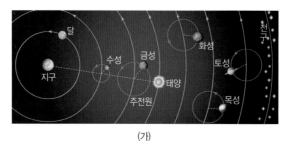

(가)

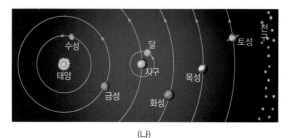

(나)

- 프톨레마이오스의 태양계 모형은 지구 중심설에 해당하고, 코페르니쿠스의 태양계 모형은 태양 중심설에 해당한다.

(가)와 (나)의 우주관에 대한 설명으로 옳은 것은?

① (가)는 태양 중심의 우주 모형이다.

② (나)에서 우주의 중심은 지구이다.

③ (가)는 주전원을 도입하여 행성의 역행을 설명하였다.

④ (나)는 수성의 최대 이각 현상을 설명할 수 없다.

⑤ (가)와 (나) 모두 보름달 모양의 금성의 위상을 설명할 수 있다.

11 ▸ 티코 브라헤의 우주관

그림은 중세 시대의 어떤 우주관을 나타낸 것이다.
이 우주관으로 설명할 수 있는 현상만을 보기에서 있는 대로 고른 것은?

● 티코 브라헤는 태양 중심설이 옳다는 가정 하에 연주 시차를 측정하고자 했으나 관측하지 못하였다. 이후 그는 코페르니쿠스의 우주 모형이 틀렸다는 결론을 내렸고, 자신의 연구 결과를 바탕으로 새로운 태양계 모형을 발표하였다.

┌ 보기 ─────────────────────────────
│ ㄱ. 수성의 최대 이각
│ ㄴ. 금성의 보름달 모양의 위상
│ ㄷ. 화성의 역행 현상
│ ㄹ. 별의 연주 시차
└──────────────────────────────────

① ㄱ, ㄷ   ② ㄱ, ㄹ   ③ ㄴ, ㄹ   ④ ㄱ, ㄴ, ㄷ   ⑤ ㄴ, ㄷ, ㄹ

12 ▸ 갈릴레이의 관측

그림 (가)는 목성과 목성 주변에 있는 천체의 위치 변화를, (나)는 금성의 위상 변화를 갈릴레이가 망원경으로 관측하여 그린 것이다.

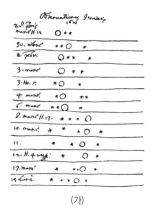

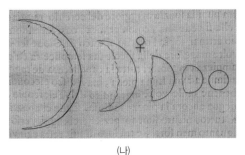

● 1609년 갈릴레이는 직접 만든 망원경으로 최초로 밤하늘을 관측하여 지구 중심설로는 설명할 수 없는 다양한 사실을 발견하였다.

(가)   (나)

이에 대한 설명으로 옳은 것만을 보기에서 있는 대로 고른 것은?

┌ 보기 ─────────────────────────────
│ ㄱ. (가)에서 목성 주변의 천체는 목성을 공전하는 위성이다.
│ ㄴ. (나)의 위상 변화는 코페르니쿠스의 우주관으로 설명할 수 있다.
│ ㄷ. (가)와 (나)는 모두 프톨레마이오스의 우주관이 틀렸다는 근거가 된다.
└──────────────────────────────────

① ㄱ   ② ㄴ   ③ ㄷ   ④ ㄱ, ㄷ   ⑤ ㄱ, ㄴ, ㄷ

02 행성의 운동 법칙

학습 Point 행성의 공전 주기와 궤도 > 케플러 법칙 > 케플러 법칙의 응용

 행성의 공전 주기와 궤도

행성이 태양을 중심으로 한 바퀴 공전하는 데 걸리는 시간을 공전 주기라 하고, 행성이 태양−지구와 일직선에 놓인 후 다시 일직선에 놓이기까지 걸린 시간을 회합 주기라고 한다. 태양계 행성의 공전 주기를 구하는 방법을 알아보자.

1. 공전 주기와 회합 주기

지구는 다른 행성들과 함께 태양 둘레를 공전하므로 지구상의 관측자는 행성의 공전 주기를 직접 측정하기 어렵다. 따라서 행성의 공전 주기는 행성의 회합 주기를 이용하여 구한다.

⑴ **행성의 공전 주기**: 행성이 태양 둘레를 한 바퀴 도는 데 걸리는 시간이다. 행성의 공전 주기는 지구에서 관측을 통해 측정하기 어려운데, 행성이 1회 공전하는 동안 지구도 함께 공전하여 천구상에서 행성의 겉보기 위치가 달라지기 때문이다.

⑵ **회합 주기**: 내행성이 내합(또는 외합)에서 다음 내합(또는 외합)까지, 외행성이 충(또는 합)에서 다음 충(또는 합)까지 회전하는 데 걸리는 시간이다. 회합 주기는 행성마다 다르며, 회합 주기가 반복될 때 천구상에서 행성의 겉보기 위치도 계속 달라진다.

① **내행성의 회합 주기**: 내행성은 지구보다 공전 속도가 빠르므로, 내행성이 내합의 위치에서 지구보다 더 빠르게 공전하여 다시 내합의 위치에 도달한다. 내행성의 공전 주기를 P, 지구의 공전 주기를 E라고 하면 하루 동안 내행성과 지구가 공전한 각도는 각각 $\frac{360°}{P}$와 $\frac{360°}{E}$이고, 내행성은 하루에 지구보다 $\frac{360°}{P} - \frac{360°}{E}$의 각도만큼 앞서 공전한다. 날마다 이 각도가 누적되어 360°가 되면 내행성은 다시 내합에 위치한다. 이때까지 걸린 시간이 회합 주기(S)에 해당하므로 다음과 같은 관계가 성립한다.

$$\left(\frac{360°}{P} - \frac{360°}{E} \right) \times S = 360°$$

따라서 내행성의 회합 주기는 다음과 같이 나타낼 수 있다.

$$\frac{1}{S} = \frac{1}{P} - \frac{1}{E}$$

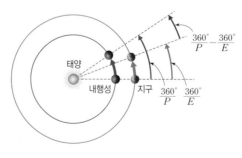

▲ **내행성의 회합 주기와 공전 주기**

행성의 회합 주기
행성의 회합 주기를 구할 때는 행성의 공전 궤도가 원 궤도이고 일정한 속도로 회전한다고 가정한다. 실제 행성의 공전 궤도는 타원 궤도이므로 이론적으로 구한 회합 주기와 약간씩 차이가 난다. 하지만 행성의 공전 궤도는 거의 원 궤도에 가까우므로 오차가 크지 않다.

행성의 공전 각속도
행성의 공전 속도는 태양에 가까울수록 빠르므로, 태양에 가까운 행성일수록 공전 주기(P)가 짧다. 행성이 1일 동안 공전한 각속도($\frac{360°}{P}$)는 태양계 행성 중 수성이 가장 크고, 해왕성이 가장 작다.

② 외행성의 회합 주기: 외행성은 지구보다 공전 속도가 느리므로, 외행성이 충의 위치에서 지구보다 더 느리게 공전하여 다시 충의 위치에 도달한다. 외행성의 공전 주기를 P, 지구의 공전 주기를 E라고 하면 하루 동안 외행성과 지구가 공전한 각도는 각각 $\dfrac{360°}{P}$와 $\dfrac{360°}{E}$이고, 지구는 하루에 외행성보다 $\dfrac{360°}{E} - \dfrac{360°}{P}$의 각도만큼 앞서 공전한다. 날마다 이 각도가 누적되어 360°가 되면 외행성은 다시 충에 위치한다. 이때까지 걸린 시간이 회합 주기(S)에 해당하므로 다음과 같은 관계가 성립한다.

$$\left(\frac{360°}{E} - \frac{360°}{P}\right) \times S = 360°$$

따라서 외행성의 회합 주기는 다음과 같이 나타낼 수 있다.

$$\frac{1}{S} = \frac{1}{E} - \frac{1}{P}$$

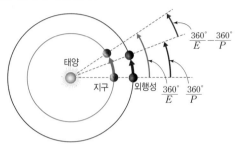

▲ 외행성의 회합 주기와 공전 주기

③ 태양계 행성의 회합 주기

• 내행성은 지구에 가까울수록 회합 주기가 길다. 수성은 회합 주기가 1년보다 짧고, 금성은 1년보다 길다. 이는 수성이 금성보다 공전 각속도가 빠르기 때문이다.

• 외행성은 지구에서 멀수록 회합 주기가 짧아지면서 점점 1년에 가까워지는데, 지구로부터 멀수록 지구가 1회 공전하는 동안 외행성이 공전하는 각이 작아지기 때문이다.

행성	회합 주기(일)	공전 주기(일)	
수성	116	88	(0.24년)
금성	584	225	(0.62년)
지구	—	365	(1년)
화성	780	687	(1.88년)
목성	399	4333	(11.87년)
토성	378	10759	(29.48년)
천왕성	370	30685	(84.07년)
해왕성	368	60188	(164.90년)

▲ 태양계 행성의 회합 주기와 공전 주기

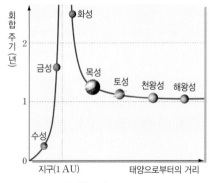

▲ 태양계 행성의 회합 주기

화성의 시지름 변화

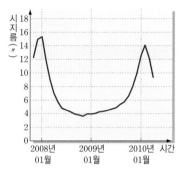

그림은 2008년부터 2010년까지 화성의 시지름 변화를 나타낸 것이다. 화성은 외행성이므로 충에 있을 때 지구와의 거리가 가장 가까워서 시지름이 가장 크다. 따라서 화성은 2008년 1월과 2010년 2월에 충에 위치하였다. 따라서 화성은 회합 주기는 약 25개월이고, 공전 주기는 약 23개월임을 알 수 있다.

$$\frac{1}{25개월} \fallingdotseq \frac{1}{12개월} - \frac{1}{23개월}$$

시선 집중 ★ 수성의 공전 주기 구하기

오른쪽 그림은 어느 해에 지구에서 관측한 수성의 겉보기 등급을 나타낸 것이다. 수성의 밝기 변화를 통해 수성의 공전 주기를 구해 보자.

→ 수성의 밝기는 외합에서 가장 밝고 내합에서 가장 어둡다. 따라서 수성이 내합에서 내합까지 걸리는 회합 주기는 약 4개월이다. 내행성의 공전 주기와 회합 주기 사이의 관계식으로부터 수성의 공전 주기를 구하면 다음과 같다.

$$\frac{1}{S} = \frac{1}{P} - \frac{1}{E} \Rightarrow \frac{1}{4개월} = \frac{1}{P} - \frac{1}{12개월}$$

$$\therefore P = 약 3개월$$

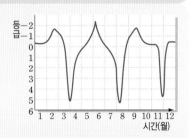

▲ 수성의 밝기 변화

2. 행성의 관측과 공전 궤도

행성의 회합 주기를 이용하여 공전 주기를 계산할 수 있는 것처럼, 행성의 겉보기 운동과 위치 자료를 이용하여 행성의 공전 궤도 반지름을 구할 수 있다.

(1) 내행성의 공전 궤도: 내행성의 공전 궤도를 원 궤도라고 가정하면 내행성의 최대 이각을 측정하여 공전 궤도 반지름을 구할 수 있다. 수성의 겉보기 운동을 관측한 자료를 이용하여 수성의 공전 궤도 반지름을 구해 보자.

삼각 함수를 이용하여 금성의 공전 궤도 반지름 구하기

금성의 동방 최대 이각이 45°일 때, 금성의 공전 궤도 반지름 R는 다음과 같다.

$$R = 1\,\text{AU} \times \sin 45°$$
$$= 1 \times \frac{\sqrt{2}}{2} ≒ 0.71\,\text{AU}$$

어느 날 수성은 동방 최대 이 각에 위치하였고, 그때 이각 은 27°였다.

▶ 지구 공전 궤도를 반지름 5 cm인 원으로 그리고, 태 양(S)과 지구(E)를 표시한 후, 선분 SE를 긋는다.

▶ 지구 공전 궤도 위의 한 지 점에서 태양의 동쪽으로 태 양과 이루는 각도가 27°인 직선 EM을 긋는다.

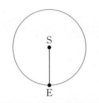

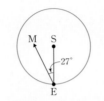

▶ 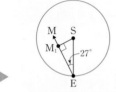 최대 이각을 연장한 직선 위에 태양(S)으로부터 수선 을 그어 만나는 점에 수성 의 위치 M_1을 표시한다.

▶ 태양(S)을 중심으로 선분 SM_1을 반지름으로 하는 원을 그리면 수성의 공전 궤도가 된다.

▶ 선분 SM_1의 길이는 약 2.2 cm이고 지구 공전 궤 도 반지름은 1 AU이므로, 수성의 공전 궤도 반지름은 약 0.44 AU이다.

$$5\,\text{cm} : 1\,\text{AU} = 2.2\,\text{cm} : R$$
$$∴ R = 0.44\,\text{AU}$$

오늘날 측정한 수성의 공전 궤도 반지름은 약 0.39 AU이다.

시선 집중 ★ 수성의 최대 이각 자료를 이용하여 타원 궤도 작도하기

표는 수성의 최대 이각을 관측한 날짜와 지구의 위치를 나타낸 것이다.

날짜	지구의 위치	수성의 위치	수성의 최대 이각		경과일	지구가 공전한 각도
			동	서		
1989. 1. 08	E_1	M_1	19°			
1989. 2. 18	E_2	M_2		26°	41일	40.4°
1989. 4. 30	E_3	M_3	21°		112일	110.4°
1989. 6. 18	E_4	M_4		23°	161일	158.7°
1989. 8. 28	E_5	M_5	27°		232일	228.7°

① 지구 공전 궤도 반지름을 10 cm로 하여 모눈종이 위에 태양(S)을 중심으로 원을 그린다.
② 지구 공전 궤도 위에 임의의 한 점(E_1)을 잡고, $\overline{SE_1}$의 동쪽으로 19°가 되는 선을 긋는다. 이 직선에 S에서 수선을 내리면 그 교점 M_1이 수성의 위치이다.
③ ②의 과정을 반복하여 M_2~M_5의 위치를 표시하고, 이를 연결하여 수성 공전 궤도를 그린다.
→ 수성 공전 궤도 반지름은 약 4 cm이므로, 수성 궤도 반지름은 약 0.4 AU라고 추정할 수 있다.

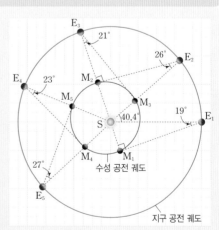

(2) **외행성의 공전 궤도:** 외행성의 공전 궤도를 원 궤도라고 가정하면 외행성의 공전 주기와 태양과의 이각을 이용하여 궤도 반지름을 구할 수 있다. 화성의 관측 자료를 이용하여 화성 공전 궤도 반지름을 구해 보자.

화성의 공전 주기 동안 지구가 회전한 각

화성의 공전 주기는 687일이며, 이 기간에 지구가 공전하는 각도는 $\frac{687일}{365일} \times 360° ≒ 678°$이다. 이 값은 지구가 두 바퀴 공전한 각도 720°보다 42°가 작다.

어느 날 지구에서 측정한 화성의 이각은 동쪽으로 125°였고, 화성의 공전 주기인 687일 후에 측정한 화성의 이각은 서쪽으로 134°였다. 그리고 687일 동안 지구가 회전한 각도는 약 678°이므로 지구의 위치는 처음 위치와 약 42° 차이를 이룬다.

▶

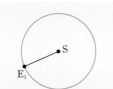

지구 공전 궤도를 반지름 5 cm인 원으로 그리고, 태양(S)과 지구(E₁)를 표시한 후, 태양과 지구를 잇는 선분 SE₁을 긋는다.

▶

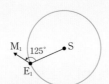

화성의 이각이 동쪽으로 125°일 때, 즉 선분 SE₁과 시계 반대 방향으로 125°를 이루는 직선 E₁M₁을 그린다.

▶

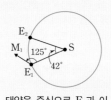

태양을 중심으로 E₁과 이루는 각도가 42°가 되도록 지구 공전 궤도상에 E₂를 표시하고, 선분 SE₂를 그린다.

▶

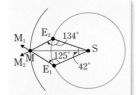

화성의 서방 이각이 134°일 때, 즉 선분 SE₂와 시계 방향으로 134°를 이루는 직선 E₂M₂를 그린다. 직선 E₁M₁과 E₂M₂의 교점에 화성(M)을 표시하고, 선분 SM을 반지름으로 하는 화성 공전 궤도를 그린다.

선분 SM의 길이는 약 7 cm이고 지구 공전 궤도 반지름은 1 AU이므로, 화성 공전 궤도 반지름은 약 1.4 AU이다.

$5 \text{ cm} : 1 \text{ AU} = 7 \text{ cm} : R$

$\therefore R = 1.4 \text{ AU}$

오늘날 측정한 화성의 공전 궤도 반지름은 약 1.52 AU이다.

시야확장 ➕ 화성의 대접근

지구와 화성은 회합 주기인 약 2년 2개월마다 서로 가장 가까운 위치인 충에 놓인다. 지구와 화성이 타원 궤도를 돌기 때문에 충일 때마다 충에서 지구에서 화성까지의 거리가 조금씩 달라진다. 그 결과 충일 때도 화성과의 거리에 따라 시직경이 달라지고 겉보기 등급도 차이가 난다.

• 실제로 지구에서 화성까지의 거리는 대략 15년~17년마다 가장 가까워지는데, 이를 화성의 대접근이라고 부른다. 화성의 대접근 시기에는 지구에서 화성까지의 거리가 6000만 km 이내가 된다.

• 가장 최근에 일어난 화성의 대접근은 2018년 7월 31일이었다. 이때 지구와 화성 사이의 거리가 약 5800만 km였으며 화성의 겉보기 등급은 최대 −2.9등급이었다.

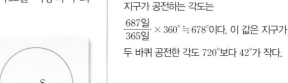

2010년 1월 28일
시지름: 14.1″
등급: −1.2

2022년 12월 1일
시지름: 17.2″
등급: −1.8

2012년 3월 5일
시지름: 13.9″
등급: −1.2

2020년 10월 6일
시지름: 22.6″
등급: −2.6

2014년 4월 14일
시지름: 15.2″
등급: −1.5

2018년 7월 31일
시지름: 24.3″
등급: −2.9

2016년 5월 31일
시지름: 18.6″
등급: −2.1

▶ 충일 때 화성의 시지름과 겉보기 등급

② 케플러 법칙

17세기 초 케플러는 관측 천문학자 브라헤가 남긴 정밀한 행성 관측 자료를 바탕으로 행성 운동에 관한 세 가지 경험 법칙을 발표하였는데, 이를 케플러 법칙이라고 한다.

1. 케플러 제1법칙 – 타원 궤도 법칙

케플러는 행성의 공전 궤도를 원이라고 생각했지만, 브라헤의 화성 관측 자료를 바탕으로 화성의 공전 궤도가 원에 가까운 타원이며, 타원의 두 초점 중 하나에 태양이 위치한다는 사실을 알아냈다.

⑴ **타원 궤도 법칙:** 케플러는 '행성은 태양을 하나의 초점으로 하는 타원 궤도를 그리며 공전한다.'는 사실을 발표하였다. 이를 케플러 제1법칙 또는 타원 궤도 법칙이라고 한다.

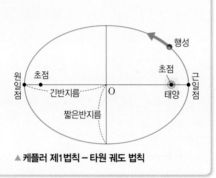

> ### 케플러 제1법칙 – 타원 궤도 법칙
> - 태양은 타원의 두 초점 중 한 초점에 위치하며, 다른 초점은 빈 곳에 있다.
> - 행성의 타원 궤도 중 태양에 가장 가까운 지점을 근일점, 가장 먼 지점을 원일점이라고 한다.

▲ 케플러 제1법칙 – 타원 궤도 법칙

① 타원 궤도: 타원은 평면 위의 두 점(초점)에서 거리의 합이 일정한 점들의 자취이다.
② 궤도 긴반지름: 원일점과 근일점을 연결한 선분을 장축이라고 하며, 장축 길이의 절반을 궤도 긴반지름(a)이라고 한다. 따라서 궤도 긴반지름은 타원의 중심으로부터 원일점 또는 근일점까지의 거리이다.

⑵ **타원 궤도와 궤도 이심률**

① 궤도 이심률: 타원이 찌그러진 정도를 나타내는 값으로, 타원은 이심률이 1에 가까울수록 더 납작하고, 이심률이 0에 가까울수록 원에 가깝다. 타원의 긴반지름을 a, 짧은반지름을 b, 초점 거리를 c라고 할 때, 이심률(e)은 다음과 같이 나타낸다.

$$e = \frac{c}{a} = \frac{\sqrt{a^2 - b^2}}{a}$$

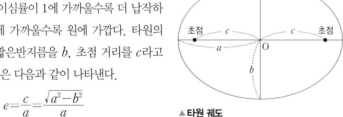

▲ 타원 궤도

② 태양계 행성의 공전 궤도 이심률: 수성을 제외한 행성들은 궤도 이심률이 매우 작아 거의 원 궤도에 가까운 타원 궤도로 공전하고 있다. 수성 다음으로 궤도 이심률이 큰 행성은 화성으로, 케플러가 화성 관측 자료를 이용하여 타원 궤도 법칙을 알아낸 것과 관련 있다.

행성	수성	금성	지구	화성	목성	토성	천왕성	해왕성
궤도 긴반지름(AU)	0.39	0.72	1.00	1.52	5.20	9.54	19.19	30.07
이심률	0.206	0.007	0.017	0.093	0.048	0.056	0.046	0.010

▲ 태양계 행성의 궤도 긴반지름과 이심률

케플러(Kepler, J., 1571~1630)
독일의 수학자이자 천문학자로 17세기 천문학 발전에 크게 이바지하였다. 행성 운동에 관한 3가지 경험 법칙을 발견하였으며, 이는 뉴턴의 만유인력 법칙을 확립하는 기초가 되었다.

경험 법칙
과학적 방법이나 수학적 원리에 의해 도출된 이론이 아니라 귀납적인 방법을 통해 알아낸 지식을 경험 법칙이라고 한다. 케플러는 관측 자료를 바탕으로 행성의 운동에 관한 규칙성을 알아냈으나, 그러한 규칙성이 성립하는 까닭을 설명할 수 없었다. 따라서 이를 케플러의 경험 법칙이라고 한다.

행성의 근일점 거리와 원일점 거리
- 근일점 거리: $a - c = a - ae$
- 원일점 거리: $a + c = a + ae$

예제

그림은 어떤 행성의 공전 궤도를 나타낸 것이다. 물음에 답하시오.

(1) 이 행성의 근일점 거리, 원일점 거리, 공전 궤도 긴반지름을 각각 구하시오.

(2) 이 행성의 공전 궤도 이심률을 구하시오.

(3) 근일점에서 관측한 태양 시지름은 원일점에서 관측한 태양 시지름의 몇 배인가?

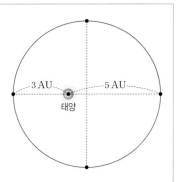

정답 (1) 근일점 거리는 3 AU, 원일점 거리는 5 AU이므로 장축의 길이는 8 AU이고, 공전 궤도 긴반지름은 4 AU이다.

(2) 타원 중심에서 초점에 위치한 태양까지의 거리가 1 AU이므로 궤도 이심률은 $\frac{1}{4}=0.25$이다.

(3) 시지름은 거리에 반비례하므로, 근일점에서 관측한 태양 시지름은 원일점에서 관측한 태양 시지름보다 $\frac{5}{3}$배 크다.

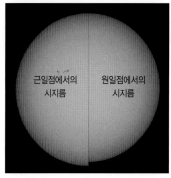

왼쪽 사진은 1월 초(근일점), 오른쪽은 7월 초(원일점)에 지구에서 촬영한 태양의 모습이다. 지구의 궤도 이심률이 0.017이므로 근일점과 원일점에서 태양의 시지름은 약 1.7 % 차이 난다.

시선 집중 ★ **주어진 이심률과 긴반지름을 이용하여 타원 궤도 작도하기**

주어진 이심률과 궤도 긴반지름으로 타원 궤도를 그리고, 이심률에 따른 행성의 궤도 모양을 비교해 보자. 타원 궤도를 그리는 방법은 다음과 같다.

[타원 궤도를 그리는 방법]

① 스타이로폼 판 위에 모눈종이를 올려놓고 그 위에 압정을 꽂는다. 압정은 타원의 두 초점을 나타내며, 이 중 한 초점에 태양이 위치한다. 타원 중심에서 초점까지의 거리는 궤도 긴반지름과 궤도 이심률의 곱(ae)에 해당한다.

② 실의 길이를 조정하여 실의 양쪽을 압정에 고정한다. 실을 고정한 후 실의 길이는 궤도 긴반지름의 2배여야 한다.

③ 실을 팽팽하게 당겨 연필로 타원 궤도를 그린다.

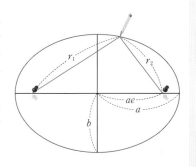

❶ 1 AU를 5 cm로 하고, 모눈종이에 직선을 긋고 태양을 표시한다. 태양을 초점으로 하며 긴반지름이 5 cm, 이심률 0인 타원을 그린다. 이때 실의 길이는 궤도 긴반지름의 2배여야 하므로 10 cm로 한다.

❷ 긴반지름과 태양의 위치는 그대로 두고, 궤도 이심률만 각각 0.6, 0.8로 크게 하여 각각 타원을 그린다.

→ 이심률이 커질수록 타원의 모양이 더 납작해지는 것을 확인할 수 있다.

→ 이심률이 0.6일 때 타원 중심에서 초점까지의 거리는 3 cm이고, 이심률이 0.8일 때 타원 중심에서 초점까지의 거리는 4 cm이다.

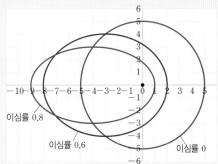

초점에 위치한 태양의 중력에 영향을 받아 공전하는 태양계 천체의 궤도 모양은 궤도 이심률(e)을 기준으로 크게 3가지로 구분할 수 있다.

① 타원 궤도($0<e<1$)로 운동하는 천체들은 그 운동 에너지가 중력 퍼텐셜 에너지보다 작아 태양 둘레를 일정한 주기로 공전한다.

② 쌍곡선 궤도($e>1$)로 운동하는 천체들은 천체의 운동 에너지가 중력 퍼텐셜 에너지보다 크기 때문에 태양의 중력을 이겨내고 태양계를 탈출할 수 있다.

③ 포물선 궤도($e=1$)는 타원 궤도와 쌍곡선 궤도의 중간에 해당한다.

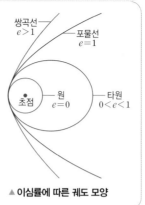

▲ 이심률에 따른 궤도 모양

2. 케플러 제2법칙 – 면적 속도 일정 법칙

케플러는 태양 주위를 타원 궤도를 따라서 공전하는 행성의 공전 속도가 일정하지 않다는 사실도 알아내었다.

(1) **면적 속도 일정 법칙**: 케플러는 화성 관측 자료를 이용하여 공전 궤도 상에 화성의 위치를 일정한 시간 간격으로 표시해 보았다. 그 결과 화성의 공전 속도는 태양에 가까수록 빨라지고, 태양에서 멀어질수록 느려지는 것을 발견하였다. 이로부터 '태양과 행성을 잇는 선은 같은 시간 동안 같은 면적을 휩쓸고 지나간다.'는 사실을 알아내었고, 이를 케플러 제2법칙 또는 면적 속도 일정 법칙이라고 한다.

케플러 제2법칙 – 면적 속도 일정 법칙

- 행성이 타원 궤도를 따라 공전할 때 태양과 행성을 잇는 선분은 같은 시간 동안 같은 면적을 쓸고 지나간다.
- 같은 시간 동안 행성이 쓸고 지나간 면적 S_1, S_2, S_3는 모두 같다.
- 행성의 공전 속도는 근일점에서 가장 빠르고, 원일점에서 가장 느리다.

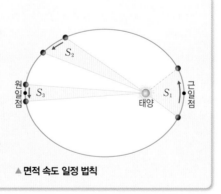

▲ 면적 속도 일정 법칙

① 면적 속도: 단위 시간 동안 행성이 휩쓸고 지나간 면적을 면적 속도라고 한다. 지구 공전 궤도를 원 궤도라고 가정하면, 지구의 면적 속도는 다음과 같이 나타낼 수 있다.

$$지구의\ 면적\ 속도 = \frac{궤도\ 면적}{시간} = \frac{\pi(1\,\text{AU})^2}{1년}$$

② 면적 속도 일정 법칙의 의미: 물체가 회전 운동할 때, 구심력 이외의 다른 힘이 작용하지 않을 경우 물체의 각운동량(L)은 항상 보존된다. 케플러 제2법칙은 공전하는 행성에 태양으로부터 받는 중력 이외의 다른 힘이 작용하지 않을 경우 각운동량이 보존됨을 뜻한다.

$$L = mrv\ (m: 질량,\ r: 회전\ 반지름,\ v: 접선\ 속도)$$

중력 퍼텐셜 에너지

질량 M인 천체로부터 거리 r만큼 떨어져 있는 질량 m인 물체가 가진 에너지양이며, $-G\dfrac{Mm}{r}$로 나타낸다. ($-$)의 의미는 이 물체가 중력에 의해 속박되어 있다는 것을 나타낸다. 만약 물체의 운동 에너지가 이 값보다 크면 질량 M인 천체의 중력을 이겨내고 탈출할 수 있다.

원뿔 곡선

원뿔을 평면으로 자르면 아래 그림과 같이 원, 타원, 포물선, 쌍곡선 등 여러 가지 형태의 곡선을 얻을 수 있다. 원은 원뿔의 아랫면과 나란하게 자를 경우, 타원은 원뿔의 측면 경사보다 완만하게 자를 경우, 포물선은 원뿔의 측면 경사와 같은 기울기로 자를 경우, 쌍곡선은 원뿔의 측면 경사보다 더 큰 각으로 자를 경우에 얻을 수 있다.

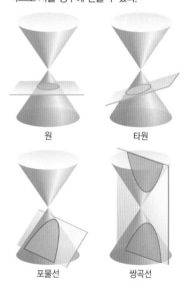

원   타원

포물선   쌍곡선

면적 속도

면적 속도는 주어진 궤도에서 일정한 값을 갖는다. 하지만 궤도가 다를 경우 면적 속도 일정 법칙이 성립하지 않는다. 따라서 공전 궤도 긴반지름이 다르거나, 공전 궤도 이심률이 다를 경우 면적 속도도 다르다는 점에 주의해야 한다.

수성의 면적 속도 비교하기

그림은 수성과 태양을 이은 선이 6월 1일~10일 동안 이동한 면적과 7월 1일~10일 동안 이동한 면적을 나타낸 것이다. 수성이 쓸고 지나간 면적과 공전 속도를 비교해 보자.

→ 두 시기에 수성이 쓸고 지난 모눈종이의 칸 수를 비교하면 6월 1일~10일까지 약 14칸이고, 7월 1일~10일까지 약 14칸이다.

→ 같은 시간 동안 수성이 쓸고 지나간 면적은 같지만, 수성의 공전 속도는 7월 1일~10일 사이에 더 큰 것을 알 수 있다.

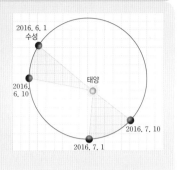

행성의 평균 공전 속도

공전 궤도 긴반지름이 클수록 행성의 평균 공전 속도는 작아진다.

행성	평균 공전 속도(km/s)
수성	47.36
금성	35.02
지구	29.78
화성	24.08
목성	13.06
토성	9.64
천왕성	6.80
해왕성	5.43

(2) **근일점과 원일점에서의 천체의 공전 속도:** 케플러 제2법칙은 제1법칙과 마찬가지로 혜성이나 위성과 같은 다른 천체에도 적용할 수 있다. 이 법칙에 의하면 천체의 공전 속도는 근일점에서 가장 빠르고 원일점에서 가장 느리다. 그러므로 공전 궤도가 납작할수록 근일점과 원일점 사이의 공전 속도 차가 증가한다.

① **근일점과 원일점 사이의 공전 속도 차이가 작은 경우:** 공전 궤도가 원에 거의 가까운 행성들은 근일점과 원일점에서 공전 속도 차이가 크지 않다.

• 행성 중 공전 궤도 이심률이 가장 작은 금성이 공전 속도의 변화율(약 0.7 %)이 가장 작고, 수성이 공전 속도의 변화율(약 21 %)이 가장 크다.

② **근일점과 원일점 사이의 공전 속도 차이가 큰 경우:** 납작한 타원 궤도로 공전하는 소행성이나 혜성은 공전 속도의 최댓값과 최솟값의 차이가 매우 크게 나타난다.

• 76년을 주기로 태양을 공전하는 핼리 혜성은 공전 궤도 긴반지름이 약 17.8 AU이고, 궤도 이심률은 0.967이다. 핼리 혜성은 근일점 거리가 0.586 AU이고, 이때의 공전 속도는 약 54.5 km/s로 매우 빠르다. 하지만 핼리 혜성의 원일점 거리는 35.1 AU이고, 이때의 공전 속도는 약 0.9 km/s로 매우 느리다. 따라서 핼리 혜성의 꼬리를 관측할 수 있는 기간은 전체 공전 주기에 비하여 매우 짧은 수개월에 지나지 않는다.

지구에서 볼 수 있는 달의 표면

일반적으로 달은 항상 같은 면만 지구를 향하고 있어서 지구 관측자는 항상 달의 한쪽 면만 볼 수 있다고 한다. 그러나 달의 공전 궤도가 타원이고 면적 속도가 일정하므로, 지구에서 관측할 때 달의 표면은 전체의 50 %가 아닌 약 59 %를 볼 수 있다.

• 달은 공전 주기와 자전 주기가 같으므로 $\frac{1}{4}$바퀴 자전하는 동안 전체 궤도 면적의 $\frac{1}{4}$바퀴를 공전한다.

• 면적 속도 일정 법칙에 의해 면적 $S_1=S_2=S_3=S_4$이다.

• 달이 A, B, C, D에 있을 때 지구의 관측자는 달 표면의 50 % 이상을 관측할 수 있다.

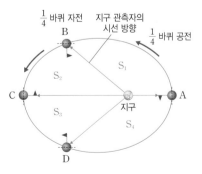

▲ 달의 공전 궤도

▲ 지구에서 관측되는 달의 앞면

3. 케플러 제3법칙 – 조화 법칙

케플러는 타원 궤도 법칙과 면적 속도 일정 법칙을 발표한 후에도 행성들의 물리량 사이의 관계를 찾아내려고 계속 노력하였다. 그 결과 1619년에 케플러는 '행성의 공전 주기의 제곱은 그 행성 궤도 긴반지름의 세제곱에 비례한다.'는 케플러 제3법칙, 즉 조화 법칙을 발표하였다.

⑴ **조화 법칙**: 행성의 공전 주기(P)의 단위를 년, 궤도 긴반지름(a)의 단위를 AU를 사용하여 태양계 행성의 공전 주기와 궤도 긴반지름 사이의 관계를 나타내면 다음과 같다.

$$\left(\frac{a^3}{P^2}\right)_{수성} = \left(\frac{a^3}{P^2}\right)_{금성} = \cdots = \left(\frac{a^3}{P^2}\right)_{해왕성} = k(일정) = 1 \text{ AU}^3/년^2$$

> **케플러 제3법칙 – 조화 법칙**
>
> • 행성의 공전 주기(P)의 제곱은 공전 궤도 긴반지름(a)의 세제곱에 비례한다.
>
> $$\frac{a^3}{P^2} = k(일정)$$
>
> • P의 단위를 년, a의 단위를 AU로 하면 $k=1$이 된다.

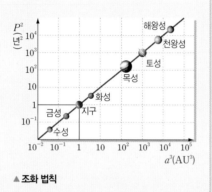

▲ 조화 법칙

⑵ **행성의 공전 주기와 행성 궤도 긴반지름 사이의 관계**: 행성의 공전 주기의 제곱은 공전 궤도 긴반지름의 세제곱에 비례하므로, 행성의 회합 주기를 측정하여 공전 주기를 구하면 케플러 제3법칙을 이용하여 행성의 공전 궤도 긴반지름을 구할 수 있다.

⑶ **케플러 제3법칙의 의의**: 케플러 제3법칙은 태양계 행성뿐만 아니라 우주 전체에서 보편적으로 성립한다. 다만, 태양계가 아닌 경우에는 비례 상수(k) 값이 다름에 유의한다.

조화 법칙

조화 법칙은 과학사에서 천체의 운동을 수학적 관계식으로 표현한 최초의 법칙이다. 조화 법칙에서 상수 k의 크기는 궤도 운동하는 두 천체(태양과 행성)의 질량의 합과 관련이 있다. 따라서 이 법칙을 이용하여 두 천체의 질량 합을 구할 수 있다.

예제

다음은 어떤 행성 X에 대한 설명이다.

> (가) 오른쪽 그림은 행성 X의 공전 궤도이다.
> (나) 행성 X가 A에서 B까지 공전하는 데 걸린 시간은 1년이다.
> (다) 색칠한 부분 S의 면적은 행성의 전체 궤도 면적의 $\frac{1}{8}$이다.

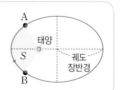

이에 대한 설명으로 옳은 것만을 보기에서 있는 대로 골라 기호를 쓰시오.

보기
ㄱ. X의 공전 주기는 8년이다.
ㄴ. X의 면적 속도는 근일점에서보다 원일점에서 작다.
ㄷ. X의 궤도 긴반지름은 4 AU이다.

정답 ㄱ, ㄷ

해설 ㄱ. 케플러 제2법칙(면적 속도 일정 법칙)에 의해 전체 면적을 휩쓸고 지나는 데 걸리는 시간은 8년이므로 X의 공전 주기는 8년이다.

ㄴ. X의 면적 속도는 궤도 운동 하는 동안 항상 일정하다.

ㄷ. 공전 주기가 8년이므로 조화 법칙에 의해 공전 궤도 긴반지름은 다음과 같이 구할 수 있다.

$$\left(\frac{a^3}{P^2}\right)_{행성} = \frac{a^3}{(8년)^2} = 1(\text{AU}^3/년^2)$$

$$\therefore a = 4 \text{ AU이다.}$$

③ 케플러 법칙의 응용

집중 분석 050쪽

케플러 제3법칙을 이용하여 태양의 질량 또는 쌍성계의 질량을 알아낼 수 있다. 특히 쌍성계에서 두 별 사이의 거리와 공전 주기, 공통 질량 중심에서 별까지의 거리 비를 알면 각각의 별의 질량도 결정할 수 있다.

1. 케플러 법칙과 쌍성계의 질량

케플러는 제3법칙을 발견하였지만, 이 법칙이 성립하는 까닭은 설명할 수 없었다. 그로부터 약 50년 후 뉴턴은 만유인력 법칙을 이용하여 케플러 제3법칙을 증명하였다.

(1) 쌍성을 이용한 케플러 제3법칙 유도

그림과 같이 질량이 각각 m_1, m_2인 두 천체가 질량 중심 O로부터 a_1, a_2만큼 떨어진 거리에서 각각 v_1과 v_2의 속력으로 등속 원운동하고 있으며, 두 천체의 공전 주기는 모두 P이다. 이때 두 천체의 등속 원운동에 필요한 구심력 F_1, F_2는 각각 다음과 같다.

▲ 쌍성의 운동

$$F_1 = \frac{m_1 v_1^2}{a_1}, \quad F_2 = \frac{m_2 v_2^2}{a_2} \quad \cdots\cdots \text{❶}$$

여기서 두 천체의 속력 v_1, v_2는 각각 다음과 같다.

$$v_1 = \frac{2\pi a_1}{P}, \quad v_2 = \frac{2\pi a_2}{P} \quad \cdots\cdots \text{❷}$$

❷를 ❶에 대입하면 구심력 F_1, F_2는 각각 다음과 같이 나타낼 수 있다.

$$F_1 = \frac{4\pi^2 a_1 m_1}{P^2}, \quad F_2 = \frac{4\pi^2 a_2 m_2}{P^2} \quad \cdots\cdots \text{❸}$$

두 천체 사이에 작용하는 만유인력 $F = G\dfrac{m_1 m_2}{(a_1+a_2)^2}$가 ❸의 구심력의 역할을 하므로 각 천체에 작용하는 힘의 관계는 다음과 같이 나타낼 수 있다.

$$F_1 = \frac{4\pi^2 a_1 m_1}{P^2} = G\frac{m_1 m_2}{(a_1+a_2)^2}, \quad F_2 = \frac{4\pi^2 a_2 m_2}{P^2} = G\frac{m_1 m_2}{(a_1+a_2)^2} \quad \cdots\cdots \text{❹}$$

❹의 두 식의 양변을 각각 a_1, a_2에 대해 정리하면 다음과 같다.

$$a_1 = \frac{G}{4\pi^2}\frac{P^2 m_2}{(a_1+a_2)^2}, \quad a_2 = \frac{G}{4\pi^2}\frac{P^2 m_1}{(a_1+a_2)^2} \quad \cdots\cdots \text{❺}$$

$a = a_1 + a_2$이므로, ❺의 양변을 더하여 정리하면 케플러 제3법칙을 증명할 수 있다.

쌍성계를 이용한 케플러 제3법칙의 증명: $\dfrac{a^3}{P^2} = \dfrac{G}{4\pi^2}(m_1 + m_2)$

여기서 태양의 질량을 $M_\odot$, 행성의 질량을 m이라고 하면 행성의 질량은 태양의 질량에 비해 매우 작고, 태양의 질량은 일정하므로 다음과 같이 케플러 제3법칙이 성립한다.

$$\frac{a^3}{P^2} = \frac{G(M_\odot + m)}{4\pi^2} \fallingdotseq \frac{GM_\odot}{4\pi^2} = k \,(\text{일정})$$

쌍성계
두 별이 중력에 의해 공통 질량 중심 주위를 동일한 주기로 회전하는 천체이다.

만유인력
질량이 m_1, m_2인 물체가 거리 r만큼 떨어져 있을 때 두 물체 사이에 작용하는 만유인력은 다음과 같다.

$$F_{\text{만유인력}} = G\frac{m_1 m_2}{r^2} \,(G\text{는 중력 상수})$$

만유인력은 두 물체의 질량의 곱에 비례하고, 두 물체 사이의 거리 제곱에 반비례한다.

구심력
구심력(centripetal force)은 원운동에서 운동의 중심 방향으로 작용하여 물체의 경로를 바꾸는 힘이다. 질량이 m인 물체가 v의 속도로 반지름 r의 원운동을 할 때 구심력의 크기는 다음과 같다.

$$F_{\text{구심력}} = \frac{mv^2}{r}$$

(2) **태양 질량 구하기**: 뉴턴이 유도한 케플러 제3법칙 공식을 적용하면 태양의 질량($M_\odot$)을 구할 수 있다.

태양의 질량을 $M_\odot$, 행성의 질량을 m이라고 하면, 행성의 질량은 태양의 질량에 비해 매우 작으므로 다음과 같이 나타낼 수 있다.

$$\frac{a^3}{P^2} = \frac{G(M_\odot + m)}{4\pi^2} \fallingdotseq \frac{GM_\odot}{4\pi^2} = 1\ \text{AU}^3/\text{년}^2$$

여기서 태양의 질량 $M_\odot$은 다음과 같이 구할 수 있다.

$$M_\odot = \frac{4\pi^2}{G} \times \frac{(1\ \text{AU})^3}{(1\text{년})^2}$$

$$\fallingdotseq \frac{4\pi^2}{6.67 \times 10^{-11}\ \text{m}^3/\text{s}^2\ \text{kg}} \times \frac{(1.5 \times 10^{11}\ \text{m})^3}{(3 \times 10^7\ \text{s})^2} \fallingdotseq 2 \times 10^{30}\ \text{kg}$$

(3) **쌍성계에서 별의 질량 구하기**: 두 별 사이의 거리와 공전 주기를 알면 케플러 제3법칙으로부터 쌍성계의 총 질량을 구할 수 있고, 공통 질량 중심으로부터 별까지의 거리 비를 알면 별 각각의 질량도 구할 수 있다.

공전 주기의 단위를 년, 거리의 단위를 AU로 나타내면, 태양의 질량 $M_\odot = \frac{4\pi^2}{G}$이므로, 두 별의 질량 m_1, m_2의 합을 다음과 같이 나타낼 수 있다.

$$m_1 + m_2 = \frac{a^3}{P^2} \frac{4\pi^2}{G} = \frac{a^3}{P^2} M_\odot$$

쌍성계에서 $a_1 m_1 = a_2 m_2$의 관계가 성립하므로, 질량 중심으로부터 두 별까지의 거리의 비를 알면 각각의 별의 질량을 구할 수 있다.

(4) **케플러 법칙의 적용**

① 태양의 중력에 의해 태양 주위를 공전하는 행성, 소행성, 왜소 행성, 혜성 등은 모두 케플러 법칙에 따라 운동한다.

② 행성 주위를 공전하는 위성이나 지구 주위를 도는 인공위성의 경우에도 케플러 법칙을 적용할 수 있다.

③ 태양계 행성 탐사선의 경우, 연료를 사용하여 가속 운동하지 않을 때 케플러 법칙에 따라 탐사선의 이동 경로가 결정된다.

예제

그림은 질량이 다른 두 별 A, B로 이루어진 쌍성의 운동을 나타낸 것이다. 두 별이 **10년 주기**로 공통 질량 중심을 공전할 때, 별 A와 B의 질량이 각각 태양 질량의 몇 배인지 구하시오.

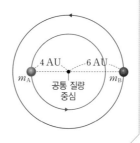

정답 쌍성계를 이루는 두 별의 공전 궤도 긴반지름이 각각 4 AU, 6 AU이고 공전 주기가 10년이므로, $m_A + m_B = \frac{a^3}{P^2} M_\odot = 10 M_\odot$의 관계가 성립한다. 또한, $a_A m_A = a_B m_B$에서 두 별의 질량 비($m_A : m_B$)는 6 : 4이다. 따라서 별 A의 질량은 $6M_\odot$, 별 B의 질량은 $4M_\odot$이다.

그림은 지구와 화성이 각각 E_0, M_0에 있을 때 지구에서 발사된 탐사선이 약 8개월 후 화성 M_1에 도착할 때의 모습을 나타낸 것이다. 탐사선이 화성 M_1에 도착할 때 지구의 위치는 E_1이다.

① 탐사선이 지구 E_0에서 속도 v로 타원 궤도에 진입한 후, 추진력 없이 진행하여 약 8개월 후 화성에 도착한다. 탐사선의 속력은 면적 속도 일정 법칙에 따라 점점 느려진다.

② 탐사선의 이동 경로는 E_0을 근일점, M_1을 원일점으로 하는 타원 궤도이다. 이 궤도의 긴반지름은 약 1.25 AU이고, 공전 주기는 $1.25^{3/2} ≒ 1.4$년이다.

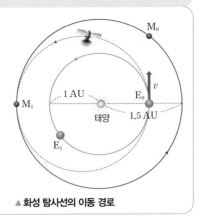

▲ 화성 탐사선의 이동 경로

2. 근대 과학의 시작과 케플러 법칙

케플러는 타원을 채택하여 행성들의 궤도를 설명하였으며, 수학적인 분석을 통해 행성들의 운동 속도와 주기에 관한 특정한 법칙이 존재함을 발견하였다. 하지만 그의 경험 법칙은 지구가 엄청난 속도로 회전하는데도 지구상에서는 이를 느끼지 못한다는 문제와 행성들의 타원 궤도가 어떻게 유지될 수 있는가라는 문제를 해결하지 못하였다. 또한, 행성들 사이에 조화 법칙은 왜 성립하는가도 중요한 문제였다.

(1) **갈릴레이의 관성 법칙**: 경사면 실험 등을 통해 지구의 운동에 따른 관성 문제를 적절하게 설명하였으며, 낙하 실험 등을 통해 가속도 개념을 설명하였다.

(2) **뉴턴의 만유인력 법칙**: 케플러 법칙이 발표된 지 약 50년이 지난 후에 근세 시대의 과학 혁명을 마무리한 뉴턴이 행성의 타원 궤도가 안정적으로 유지되고 행성들 사이에 조화 법칙이 성립하는 까닭을 미적분과 만유인력 법칙을 이용하여 성공적으로 증명하였다. 그 후 그는 최고의 과학자로 추앙받으며 근대 과학의 선구자가 되었다.

갈릴레이의 경사면 실험

갈릴레이는 빗면을 굴러 내려가는 쇠구슬을 방해하는 힘(마찰력)이 작용하지 않는다면 쇠구슬은 계속해서 움직일 것이라는 관성을 경사면 실험을 통해 설명하였다

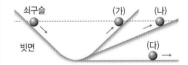

(가): 경사면을 내려온 쇠구슬은 마주 보는 경사면 위로 처음과 같은 높이까지 올라간다.

(나): 마주 보는 경사면의 경사각이 작아지면 쇠구슬이 처음과 같은 높이에 도달할 때까지 더 많은 거리를 굴러간다.

(다): 쇠구슬은 수평면을 따라 무한히 굴러갈 것이다.

과학 혁명

과학 혁명은 1543년에 코페르니쿠스가 『천구의 회전에 관하여』를 출간하여 우주의 중심이 태양임을 주장하면서 시작되었고, 1687년 뉴턴의 『자연철학의 수학적 원리』로 마무리되었다고 할 수 있다. 약 150년 동안 진행되었던 과학 혁명은 천문학, 물리학 분야뿐만 아니라 과학적 지식을 얻는 근본적인 방법에 있어서도 혁신적인 변화를 일으켰다.

태양의 질량을 M, 행성의 질량을 m이라고 하면, 행성의 총 에너지 E는 다음과 같다.

$$E = \frac{mv^2}{2} - \frac{GMm}{r} = 일정 \left(\frac{mv^2}{2} : 운동\ 에너지,\ -\frac{GMm}{r} : 중력\ 퍼텐셜\ 에너지 \right)$$

① 행성의 총 에너지가 음(−)이면 태양 중력에 붙잡혀 있는 경우이고, 양(+)이면 태양 중력으로부터 벗어날 수 있다. 따라서 태양의 중력을 벗어날 수 있는 최소 속도, 즉 탈출 속도를 구할 수 있다.

② 예를 들어 지구가 위치한 1 AU 거리에서 태양의 중력을 벗어나기 위한 탈출 속도는 다음과 같다.

$$E = 0 \Rightarrow v_{탈출} = \sqrt{\frac{2GM}{r}} ≒ 42.1\ \text{km/s}$$

행성의 총 에너지	이심률	궤도
$E<0$	$0<e<1$	타원
$E=0$	$e=1$	포물선
$E>0$	$e>1$	쌍곡선

▲ 행성의 총 에너지와 이심률에 따른 궤도

현재 지구의 공전 속도는 약 30 km/s이므로 지구의 총 에너지는 음(−)의 값이다. 따라서 지구는 타원 궤도로 공전하고 있다.

화성의 타원 궤도 작도하기

타원 궤도를 작도하여 화성의 공전 궤도를 확인하고, 공전 궤도 반지름을 구할 수 있다.

과정

표는 여러 해 동안 지구에서 관측한 화성의 겉보기 운동 자료이다.

관측일	지구의 위치	지구−태양−춘분점 사이의 각	지구−화성의 위치 관계	화성의 위치
1980. 2. 25.	E_1	156°	충	M_1
1982. 1. 12.	$E_1{}'$	112°	서방 이각 100°	
1982. 3. 31.	E_2	190°	충	M_2
1984. 2. 16.	$E_2{}'$	147°	서방 이각 99°	
1984. 5. 11.	E_3	230°	충	M_3
1986. 3. 29.	$E_3{}'$	188°	서방 이각 97°	
1986. 7. 10.	E_4	288°	충	M_4
1988. 5. 27.	$E_4{}'$	246°	서방 이각 93°	
1988. 9. 28.	E_5	5°	충	M_5
1990. 8. 16.	$E_5{}'$	322°	서방 이각 91°	
1990. 11. 27.	E_6	65°	충	M_6
1992. 10. 14.	$E_6{}'$	21°	서방 이각 94°	
1993. 1. 7.	E_7	107°	충	M_7
1994. 11. 25.	$E_7{}'$	63°	서방 이각 97°	
1995. 2. 12.	E_8	143°	충	M_8
1996. 12. 30.	$E_8{}'$	99°	서방 이각 101°	

1 지구 공전 궤도를 반지름 5 cm인 원으로 그리고, 그 중심에 태양(S)이 있다고 가정한다. 지구 공전 궤도 위에 임의의 한 점과 태양을 잇는 선을 그리고, 선 끝에 춘분점을 표시한다.

2 1980년 2월 25일에 지구−태양−춘분점 사이의 각이 156°이고, 이날 화성이 충에 위치하므로, 춘분점과 태양을 이은 선에서 시계 반대 방향으로 156° 지점에 지구의 위치 E_1을 표시하고 태양과 E_1을 잇는 직선을 그린다.

3 1982년 1월 12일은 1980년 2월 25일에서 687일(화성의 공전 주기)이 지난 날이며, 이날 지구−태양−춘분점 사이의 각이 112°이므로 춘분점과 태양을 이은 선에서 시계 반대 방향으로 112° 지점에 지구의 위치 $E_1{}'$을 표시한다. 이날 화성의 서방 이각이 100°이므로, 지구에서 시계 방향으로 100°인 직선을 그려 과정 2에서 그린 직선과의 교점을 찾아 화성의 위치 M_1을 표시한다.

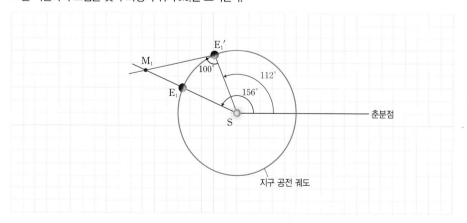

탐구 Tip

① 지구−태양−춘분점 사이의 각은 항상 시계 반대 방향(적경 증가 방향)으로 측정한다.

② 실제 지구의 공전 궤도는 타원 궤도이지만 거의 원에 가깝기 때문에 태양이 지구 공전 궤도의 중심에 있다고 가정할 수 있다.

탐구 과정

① 표에서 E_1~E_2 사이의 기간은 화성이 충에서 다시 충에 위치하는 데 걸린 시간이므로 회합 주기에 해당한다. 한편 E_1~$E_1{}'$ 사이의 기간은 화성의 공전 주기에 해당하므로 화성은 태양계에서 동일한 지점에 위치한다.

② 화성의 공전 주기가 약 687일이므로 이 기간에 지구는 태양 주위를 약 678° 회전한다.

$$687 \times \frac{360°}{365일} = 678°$$

실제 지구의 공전 궤도는 타원 궤도이므로 지구가 공전 궤도 상에서 어느 위치에 있는지에 따라 678°보다 크거나 작을 수 있다.

4 과정 3을 반복하여 M_2~M_8의 위치를 표시하고, M_1~M_8을 연결하여 화성의 공전 궤도를 그린다.

결과

1 $\angle E_1SE_1'$의 크기는 몇 °인가?
➡ 화성의 위치가 M_1일 때 $= 156° - 112° = 44°$이다.

2 과정 4에서 그린 화성의 공전 궤도는 어떤 모양인가?

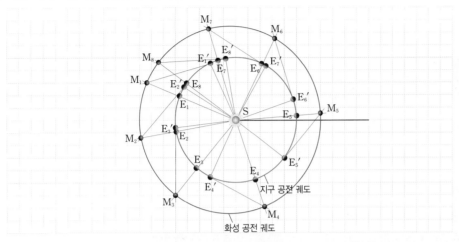

➡ 화성의 공전 궤도는 타원 모양이다.

3 화성의 공전 궤도 긴반지름과 짧은반지름은 각각 몇 AU이며, 공전 궤도 이심률은 얼마인가?
➡ 지구 공전 궤도의 반지름이 5 cm일 때 화성 공전 궤도의 긴반지름은 약 7.7 cm, 짧은반지름은 약 7.5 cm이다. 따라서 화성의 궤도 이심률은 약 0.22이고, 공전 궤도 긴반지름은 약 1.5 AU에 해당한다.

4 화성의 실제 공전 궤도와 탐구에서 작도한 궤도의 오차를 줄이기 위한 방법을 설명해 보자.
➡ 지구의 공전 궤도는 원 궤도로 가정한 후 화성 궤도를 작도하였다. 실제 지구의 타원 궤도를 그린 후에 화성 궤도를 작도하면 조금 더 정확한 화성의 공전 궤도를 얻을 수 있다.

화성의 궤도 긴반지름
지구 공전 궤도의 반지름이 5 cm 이고, 이 값이 1 AU에 해당하므 로, 화성의 공전 궤도 긴반지름 7.7 cm는 약 1.5 AU에 해당한다.

화성의 궤도 이심률
궤도 긴반지름을 a, 짧은반지름을 b, 초점 거리를 c라고 하면, 궤도 이심률 e는 다음과 같다.

$$e = \frac{c}{a} = \frac{\sqrt{a^2 - b^2}}{a}$$

따라서 화성의 궤도 이심률은

$$e = \frac{\sqrt{7.7^2 - 5.5^2}}{7.7} = 0.22$$

이다.

탐구 확인 문제　　　　　　　　　　　　　　　　　　　　　　　　> 정답과 해설 **146**쪽

01 위의 탐구에 대한 설명으로 옳은 것만을 보기에서 있는 대로 고른 것은?

보기
ㄱ. 화성의 공전 궤도는 태양을 초점으로 하는 타원 궤도이다.
ㄴ. E_1~E_2까지 걸린 시간은 화성의 공전 주기에 해당한다.
ㄷ. 지구와 화성의 회합 주기는 화성의 공전 주기보다 짧다.

① ㄱ　　　② ㄴ　　　③ ㄷ
④ ㄱ, ㄴ　　　⑤ ㄱ, ㄷ

02 위의 탐구에서 그린 지구와 화성의 공전 궤도에서 지구와 화성 사이의 최소 거리와 최대 거리를 옳게 짝 지은 것은? (단, 지구 공전 궤도는 원 궤도로 가정한다.)

	최소 거리	최대 거리
①	약 1.0 cm	약 12.7 cm
②	약 1.0 cm	약 14.4 cm
③	약 2.7 cm	약 12.7 cm
④	약 2.7 cm	약 14.4 cm
⑤	약 6.0 cm	약 12.7 cm

케플러 제3법칙을 이용하여 목성의 질량 구하기

케플러 제3법칙은 쌍성계나 행성의 질량을 결정할 때 이용할 수 있다. 목성 위성의 공전 궤도 반지름과 공전 주기의 관계를 확인하고, 케플러 제3법칙을 이용하여 목성의 질량을 구해 보자.

❶ 목성의 위성과 케플러 제3법칙

그림은 목성과 목성 주위를 도는 갈릴레이 위성의 공전 궤도 및 위성의 모습을 나타낸 것이다.

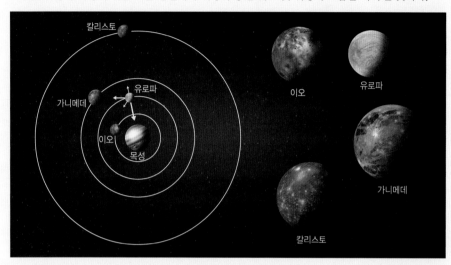

표는 갈릴레이 위성의 물리량을 나타낸 것으로, a는 궤도 긴반지름이고 T는 공전 주기이다.

위성	질량(지구=1)	반지름(지구=1)	$a(\times 10^5\,\mathrm{km})$	T(일)
이오	0.015	0.286	4.22	1.77
유로파	0.008	0.245	6.71	3.55
가니메데	0.025	0.413	10.70	7.15
칼리스토	0.023	0.378	18.83	16.69

갈릴레이 위성의 T^2(가로축)과 a^3(세로축)을 구하고 이를 그래프로 나타내면 다음과 같다.

위성	T^2 (일^2)	a^3 ($\times 10^{15}\,\mathrm{km}^3$)	a^3/T^2 ($10^{15}\,\mathrm{km}^3/$일^2)
이오	3.13	75.15	24.01
유로파	12.60	302.11	23.98
가니메데	51.12	1225.04	23.96
칼리스토	278.56	6676.53	23.97

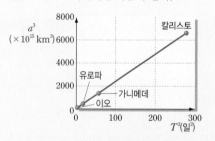

갈릴레이 위성의 T^2-a^3 관계 그래프는 기울기가 약 $23.97 \times 10^{15}\,\mathrm{km}^3/$일^{2}에 해당하는 직선으로 나타나므로 목성 주위를 도는 갈릴레이 위성의 운동에 케플러 법칙을 적용할 수 있다.

$$\frac{a^3}{T^2} = 일정 = 23.97 \times 10^{15}\,\mathrm{km}^3/일^2$$

❷ 목성의 질량 구하기

다음은 케플러 제3법칙으로부터 태양 질량을 구하는 방법에 대한 설명이다.

> 태양의 질량을 $M_\odot$, 행성의 질량을 m, 행성의 궤도 반지름을 a, 행성의 공전 주기를 P라고 하면, 행성의 질량은 태양의 질량에 비해 매우 작으므로, 케플러 제3법칙을 다음과 같이 나타낼 수 있다.
>
> $$\frac{a^3}{P^2} = \frac{G(M_\odot + m)}{4\pi^2} \fallingdotseq \frac{GM_\odot}{4\pi^2} = 1\,\text{AU}^3/\text{년}^2$$
>
> 여기서 태양의 질량 $M_\odot$은 다음과 같이 구할 수 있다.
>
> $$M_\odot = \frac{4\pi^2}{G} \times \frac{(1\,\text{AU})^3}{(1\text{년})^2} \fallingdotseq \frac{4\pi^2}{6.67 \times 10^{-11}\,\text{m}^3/\text{s}^2 \cdot \text{kg}} \times \frac{(1.5 \times 10^{11}\,\text{m})^3}{(3 \times 10^7\,\text{s})^2} \fallingdotseq 2 \times 10^{30}\,\text{kg}$$

이 방법을 적용하여 목성의 질량을 구해 보자. 목성의 질량을 M, 위성의 질량을 m, 위성의 궤도 긴반지름을 a, 위성의 공전 주기를 T라고 하면, 위성의 질량은 목성의 질량에 비해 매우 작으므로 다음과 같은 관계가 성립한다.

$$\frac{a^3}{T^2} = \frac{G(M+m)}{4\pi^2} \fallingdotseq \frac{GM}{4\pi^2} = 23.97 \times 10^{15}\,\text{km}^3/\text{일}^2$$

여기서 $\text{G} = 6.67 \times 10^{-11}\,\text{N} \cdot \text{m}^2/\text{kg}^2$이고, 1일=86400초이므로, 목성의 질량은 다음과 같이 구할 수 있다.

$$M = \frac{4\pi^2}{G} \times \frac{23.97 \times 10^{15}\,\text{km}^3}{(1\text{일})^2} \fallingdotseq \frac{4\pi^2 \times (23.97 \times 10^{24}\,\text{m}^3)}{(6.67 \times 10^{-11}\,\text{m}^3/\text{s}^2\,\text{kg}) \times (86400\text{s})^2} \fallingdotseq 1.9 \times 10^{27}\,\text{kg}$$

이 값은 실제 목성 질량($1.898 \times 10^{27}\,\text{kg}$)과 거의 일치하며, 지구 질량($5.97 \times 10^{24}\,\text{kg}$)의 약 318배에 해당한다.

유제

표는 태양계 행성과 각 행성 주위를 도는 위성의 물리량을 나타낸 것이다.

모행성	위성		
	이름	궤도 긴반지름($10^6\,\text{km}$)	공전 주기(일)
지구	달	384400	27.3
목성	가니메데	1070400	7.2
X	Y	1221870	15.9

이에 대한 설명으로 옳은 것만을 보기에서 있는 대로 고른 것은? (단, 위성의 질량은 모행성의 질량에 비해 매우 작다.)

> **보기**
>
> ㄱ. 달이 지구 주위를 도는 공전 속도는 근지점에서 가장 빠르다.
>
> ㄴ. 위성의 $\dfrac{(\text{궤도 긴반지름})^3}{(\text{공전 주기})^2}$ 값은 가니메데가 달보다 크다.
>
> ㄷ. 모행성 X는 지구보다 질량이 크다.

① ㄱ   ② ㄴ   ③ ㄱ, ㄷ   ④ ㄴ, ㄷ   ⑤ ㄱ, ㄴ, ㄷ

▶ 정답과 해설 **146**쪽

만유인력

질량이 m, M인 두 물체 사이에 작용하는 만유인력은

$$F = G\frac{Mm}{r^2}\text{이다.}$$

($G : 6.67 \times 10^{-11}\,\text{N} \cdot \text{m}^2/\text{kg}^2$)

구심력

질량이 m인 행성이 질량 M인 태양 중심으로부터 거리 r만큼 떨어진 거리에서 v의 속력으로 원운동할 때, 구심력 $F = m\dfrac{v^2}{r}$이다.

태양과 행성 사이의 만유인력이 구심력으로 작용하므로

$$m\frac{v^2}{r} = G\frac{Mm}{r^2}\text{이고,}$$

공전 주기 P는 $P = \dfrac{2\pi r}{v}$이므로

$$P^2 = \frac{4\pi^2}{GM}r^3\text{이 성립한다.}$$

02 행성의 운동 법칙

① 행성의 공전 주기와 궤도

1 행성의 공전 주기
- 행성이 태양 둘레를 한 바퀴 도는 데 걸리는 시간이다.

2 행성의 (❶   ) 주기(S)
- 내행성이 내합(외합)에서 다음 내합(외합)까지, 외행성이 충(합)에서 다음 충(합)까지 돌아오는 데 걸리는 시간으로, 행성의 공전 주기를 P, 지구의 공전 주기를 E라고 할 때 다음과 같이 나타낼 수 있다.

- (❷   )의 경우: $\dfrac{1}{S} = \dfrac{1}{P} - \dfrac{1}{E}$

- (❸   )의 경우: $\dfrac{1}{S} = \dfrac{1}{E} - \dfrac{1}{P}$

- 내행성은 태양에서 먼 천체일수록 회합 주기가 길고, 외행성은 태양에서 먼 천체일수록 회합 주기가 짧다.
- 회합 주기가 가장 긴 행성은 (❹   )이고, 가장 짧은 행성은 수성이다.

3 행성의 공전 궤도
- 내행성의 공전 궤도: 내행성의 공전 궤도를 원 궤도라고 가정하면, 행성의 (❺   )을 이용하여 공전 궤도 반지름을 구할 수 있다.

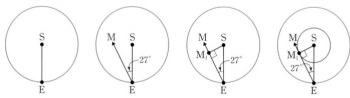

- 외행성의 공전 궤도 반지름: 외행성의 공전 궤도를 원 궤도라고 가정하면, 행성의 (❻   )와 태양과의 이각을 이용하여 공전 궤도 반지름을 구할 수 있다.

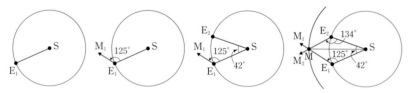

② 케플러 법칙

1 케플러 제1법칙
- 태양계 행성은 (❼   )을 초점으로 하는 타원 궤도를 그리며 공전한다.
- 행성의 타원 궤도 중 태양에 가장 가까운 지점을 근일점, 가장 먼 지점을 원일점이라고 한다.
- 원일점과 근일점을 연결한 선분을 장축이라 하고, 장축의 절반을 궤도 긴반지름이라고 한다.
- 궤도의 (❽   )이 클수록 행성은 납작한 타원 궤도를 갖는다.

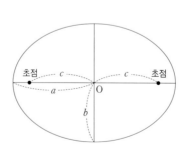

2 케플러 제2법칙(면적 속도 일정 법칙)

- 태양과 행성을 연결한 직선은 같은 시간 동안 같은 면적을 휩쓸고 지나간다.
- 행성이 같은 시간 동안 쓸고 지난 면적 $S_1=S_2=S_3$이다.
- 행성의 공전 속도는 (❾　　　)에서 가장 빠르고, (❿　　　)에서 가장 느리다.
- 타원 궤도의 이심률이 클수록 근일점과 원일점에서의 공전 속도 차이가 커진다.

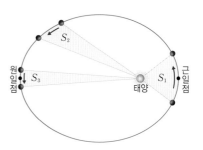

3 케플러 제3법칙(조화 법칙)

- 행성의 공전 주기(P)의 제곱은 공전 궤도 긴반지름(a)의 (⓫　　　)에 비례한다.

$$\left(\frac{a^3}{P^2}\right)_{수성}=\left(\frac{a^3}{P^2}\right)_{금성}=\cdots=\left(\frac{a^3}{P^2}\right)_{해왕성}=1\,\text{AU}^3/\text{년}^2$$

- 행성의 회합 주기를 측정하여 공전 주기를 알아내면 케플러 제3법칙을 이용하여 행성의 공전 (⓬　　　)을 계산할 수 있다.
- 조화 법칙은 태양계 행성의 운동뿐만 아니라 별, 은하의 운동 등에도 적용할 수 있는 중요한 법칙이다.

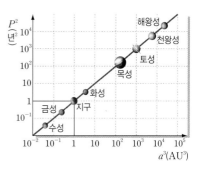

❸ 케플러 법칙의 응용

1 케플러 제3법칙의 유도

- 두 별 사이의 거리와 (⓭　　　)를 알면 케플러 제3법칙으로부터 쌍성계의 질량을 구할 수 있고, 공통 질량 중심으로부터 별까지의 거리 비를 알면 별 각각의 (⓮　　　)도 결정할 수 있다.

$$\frac{4\pi^2(a_1+a_2)}{P^2}=\frac{G(m_1+m_2)}{(a_1+a_2)^2}$$

$$\frac{a^3}{P^2}=\frac{G}{4\pi^2}(m_1+m_2)$$

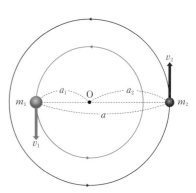

2 태양의 질량 구하기

- 태양의 질량($M_\odot$)은 행성의 질량(m)에 비해 매우 크므로, 케플러 제3법칙을 다음과 같이 나타낼 수 있다.

$$\frac{a^3}{P^2}=\frac{G(M_\odot+m)}{4\pi^2}\simeq\frac{GM_\odot}{4\pi^2}=1\,\text{AU}^3/\text{년}^2$$

여기서 태양의 질량 $M_\odot$은 다음과 같이 구할 수 있다.

$$M_\odot=\frac{4\pi^2}{G}\times\frac{(1\,\text{AU})^3}{(1년)^2}$$

$$\fallingdotseq\frac{4\pi^2}{6.67\times10^{-11}\,\text{m}^3/\text{s}^2\cdot\text{kg}}\times\frac{(1.5\times10^{11}\,\text{m})^3}{(3\times10^7\,\text{s})^2}\fallingdotseq2\times10^{30}\,\text{kg}$$

3 근대 과학의 시작과 케플러 법칙

- 행성 운동에 관한 케플러의 3가지 경험 법칙이 발표된 지 약 50년 후에 (⓯　　　)은 케플러 법칙을 이론적으로 증명하였고, 근대 과학의 선구자가 되었다.

01 태양계 행성의 공전 주기와 회합 주기에 대한 설명으로 옳은 것은 ○, 옳지 않은 것은 ×로 표시하시오.

(1) 행성의 회합 주기를 측정하면 행성의 공전 주기를 구할 수 있다. ·· (   )

(2) 행성 중에서 회합 주기가 가장 긴 행성은 화성이다. ·· (   )

(3) 내행성은 공전 궤도 긴반지름이 클수록 회합 주기가 짧아진다. ·· (   )

(4) 외행성은 지구에서 멀수록 회합 주기가 점점 1년에 가까워진다. ·· (   )

02 표는 수성, 화성, 목성의 회합 주기를 순서 없이 나타낸 것이다. 행성 A, B, C는 각각 무엇인지 쓰시오.

행성	A	B	C
회합 주기(일)	780	399	116

03 그림은 가상의 내행성 P의 최대 이각을 나타낸 것이다. 행성 P의 공전 궤도 반지름이 몇 AU인지 구하시오. (단, 행성의 궤도는 원 궤도로 가정한다.)

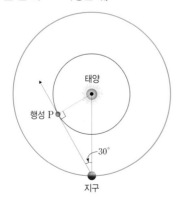

04 그림은 외행성 P가 태양을 한 바퀴 공전하는 동안 지구의 위치 E_1, E_2에서 관측한 겉보기 방향을 나타낸 것이다. (단, 행성의 공전 궤도는 원 궤도로 가정한다.)

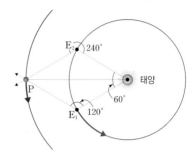

(1) P의 공전 궤도 반지름을 구하시오.

(2) P의 공전 주기를 구하시오. (단, P의 공전 주기는 2년보다 짧다.)

05 표는 두 행성 A와 B의 궤도 특징을 나타낸 것이다. 빈 칸에 들어갈 알맞은 값을 쓰시오.

구분＼행성	A	B
근일점 거리(AU)	1	3
원일점 거리(AU)	(㉠)	5
궤도 긴반지름(AU)	2	4
궤도 이심률	0.5	(㉡)

06 다음은 태양계 천체의 운동에 대한 설명이다. ㉠, ㉡, ㉢과 관련 깊은 케플러 법칙을 옳게 연결하시오.

(1) 제1법칙 •

(2) 제2법칙 •

(3) 제3법칙 •

• ㉠ 행성의 공전 속도는 근일점에서 가장 빠르다.

• ㉡ 행성의 궤도 긴반지름이 클수록 공전 주기가 길다.

• ㉢ 태양은 타원 궤도의 한 초점에 위치한다.

07 그림은 어느 행성이 A, B, C 기간 동안 각각 쓸고 지나간 면적 S_1, S_2, S_3를 나타낸 것으로, 면적 S_1, S_2, S_3는 같다.

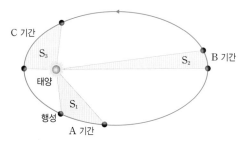

(1) A, B, C 기간의 길이를 비교하시오.

(2) A, B, C 기간 중 평균 공전 속도가 가장 빠른 시기를 쓰시오.

08 케플러 제3법칙에 대한 설명으로 옳은 것만을 보기에서 있는 대로 고르시오.

보기
ㄱ. 행성 공전 주기의 세제곱은 궤도 긴반지름의 제곱에 비례한다.
ㄴ. 케플러 제3법칙은 태양계 천체에서만 성립하는 법칙이다.
ㄷ. 케플러 제3법칙을 이용하여 태양의 질량을 구할 수 있다.

09 그림은 가상의 소행성의 공전 궤도를 나타낸 것이다. P_1에서 P_2까지 공전하는 데 걸린 시간은 1개월이고, 색칠한 부분의 면적 S는 전체 궤도 면적의 $\frac{1}{8}$이다.

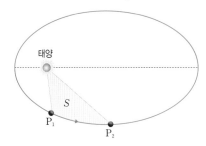

(1) 소행성의 공전 주기를 구하시오.

(2) 지구와 소행성의 회합 주기를 구하시오.

10 다음은 태양의 질량을 구하는 과정에 대한 설명이다.

행성의 궤도 긴반지름과 공전 주기를 각각 a와 P, 태양의 질량을 $M_\odot$, 행성의 질량을 m이라고 하자.

$$(\quad \text{㉠} \quad) = \frac{G(M_\odot + m)}{4\pi^2} \quad\quad \cdots\cdots\ \text{①}$$

행성의 질량은 태양의 질량에 비해 매우 작으므로, 식 ①은 다음과 같이 나타낼 수 있다.

$$\frac{G(M_\odot + m)}{4\pi^2} \simeq \frac{GM_\odot}{4\pi^2} = \frac{(\quad \text{㉡} \quad)}{(1\text{년})^2}$$

따라서 태양의 질량 $M_\odot$은 다음과 같다.

$$M_\odot = \frac{4\pi^2}{G} \times \frac{(\quad \text{㉡} \quad)}{(1\text{년})^2} \fallingdotseq 2 \times 10^{30}\ \text{kg}$$

빈 칸 ㉠, ㉡에 들어갈 알맞은 말을 쓰시오.

11 그림은 공통 질량 중심을 원 궤도로 공전하는 별 A와 B의 모습을 나타낸 것이다.

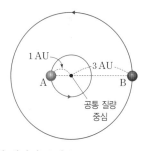

(1) 별의 질량은 A가 B의 몇 배인지 쓰시오.

(2) 공통 질량 중심을 공전하는 속도는 A가 B의 몇 배인지 쓰시오.

12 근대 과학의 성립 과정에 대한 설명으로 옳은 것만을 보기에서 있는 대로 고르시오.

보기
ㄱ. 갈릴레이는 관성과 가속도 개념을 설명하였다.
ㄴ. 케플러는 태양계 행성의 운동 속도와 주기 사이에 특정한 법칙이 성립함을 알아냈다.
ㄷ. 뉴턴은 행성들 사이에 조화 법칙이 성립하는 까닭을 만유인력 법칙을 이용하여 증명하였다.

01 ▶ 행성의 회합 주기와 공전 주기

그림은 가상의 태양계 행성 A와 B가 1년 동안 태양 주위를 공전한 각을 나타낸 것이다.

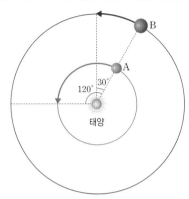

이에 대한 설명으로 옳은 것만을 보기에서 있는 대로 고른 것은? (단, A와 B의 공전 궤도는 원 궤도로 가정한다.)

> 보기
> ㄱ. 행성의 공전 주기는 A가 B의 $\frac{1}{4}$배이다.
> ㄴ. 지구와의 회합 주기는 A가 B보다 4배 길다.
> ㄷ. A에서 관측한 B의 회합 주기는 B에서 관측한 A의 회합 주기와 같다.

① ㄱ   ② ㄴ   ③ ㄱ, ㄷ   ④ ㄴ, ㄷ   ⑤ ㄱ, ㄴ, ㄷ

회합 주기는 내행성이 내합(또는 외합)에서 다음 내합(또는 외합)까지, 외행성이 충(또는 합)에서 다음 충(또는 합)까지 걸리는 시간이다.

02 ▶ 회합 주기

그림은 태양으로부터의 거리에 따른 행성의 회합 주기를 나타낸 것이다.

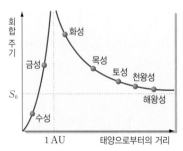

이에 대한 설명으로 옳은 것만을 보기에서 있는 대로 고른 것은?

> 보기
> ㄱ. S_0은 지구의 공전 주기에 해당한다.
> ㄴ. 행성과 지구의 공전 각속도 차는 수성이 금성보다 크다.
> ㄷ. 목성에서 관측한 해왕성의 회합 주기는 목성의 공전 주기보다 짧다.

① ㄱ   ② ㄷ   ③ ㄱ, ㄴ   ④ ㄴ, ㄷ   ⑤ ㄱ, ㄴ, ㄷ

내행성은 지구에 가까울수록 회합 주기가 길고, 외행성은 지구에서 멀수록 회합 주기가 짧아지면서 점점 1년에 가까워진다.

03 ❯ 행성의 회합 주기

그림은 어느 해 1년 동안 우리나라에서 태양과 행성 P가 지는 시각을 나타낸 것이다.

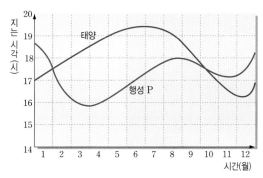

행성 P에 대한 설명으로 옳은 것만을 보기에서 있는 대로 고른 것은?

> **보기**
>
> ㄱ. 공전 궤도 반지름은 1 AU보다 짧다.
>
> ㄴ. 지구와의 회합 주기는 약 16개월이다.
>
> ㄷ. 1월 말에 순행하고, 10월 초에 역행한다.

① ㄱ   ② ㄴ   ③ ㄷ   ④ ㄱ, ㄴ   ⑤ ㄱ, ㄷ

> • 내행성은 최대 이각을 벗어나지 못하므로 새벽이나 초저녁에만 관측할 수 있다.

04 ❯ 타원 궤도 작도

다음은 행성의 공전 궤도를 작도하는 과정을 나타낸 것이다.

> (가) 1 AU를 10 cm로 하고, 표에 제시된 행성 A의 근일점 거리와 원일점 거리를 이용하여 ㉠ 두 초점 사이의 거리를 계산한다.
>
> (나) 두 초점의 위치에 압정을 고정하고, 실의 길이가 (㉡)이 되도록 실의 양 끝을 압정에 묶는다.
>
> (다) 그림과 같이 연필을 실에 걸어 공전 궤도를 그린다.
>
> (라) 행성 B에 대해 과정 (가)~(다)를 반복한다.

구분＼행성	A	B
근일점 거리(AU)	0.5	1.5
원일점 거리(AU)	1.5	2.5

이에 대한 설명으로 옳은 것만을 보기에서 있는 대로 고른 것은?

> **보기**
>
> ㄱ. ㉠은 행성 A와 행성 B에서 같다.
>
> ㄴ. ㉡은 행성 A가 행성 B의 $\frac{1}{2}$배이다.
>
> ㄷ. 행성의 공전 궤도 이심률은 행성 A가 행성 B의 2배이다.

① ㄱ   ② ㄴ   ③ ㄱ, ㄷ   ④ ㄴ, ㄷ   ⑤ ㄱ, ㄴ, ㄷ

> • 타원의 긴반지름을 a, 짧은반지름을 b, 타원 중심에서 초점까지의 거리를 c라고 할 때, 이심률(e)은 다음과 같이 나타낼 수 있다.
>
> $$e = \frac{c}{a} = \frac{\sqrt{a^2-b^2}}{a}$$

05 ❯ 화성의 타원 궤도

그림은 2010년부터 2022년까지 화성이 충에 있을 때의 위치와 시지름을 나타낸 것이다.

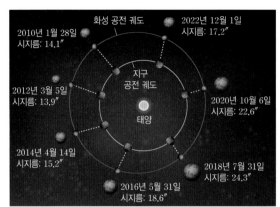

이에 대한 설명으로 옳은 것만을 보기에서 있는 대로 고른 것은? (단, 지구 공전 궤도는 원 궤도로 가정한다.)

> 보기

ㄱ. 화성과 태양 사이의 거리는 2012년 3월보다 2020년 10월에 더 가깝다.

ㄴ. 지구와 화성의 공전 속도 차이는 2014년 4월보다 2018년 7월에 더 크다.

ㄷ. 이 기간 중 화성이 최대 밝기로 관측되는 시기는 2018년 7월이다.

① ㄱ   ② ㄴ   ③ ㄱ, ㄷ   ④ ㄴ, ㄷ   ⑤ ㄱ, ㄴ, ㄷ

• 화성은 약 2년 2개월마다 충에 위치한다. 화성은 지구에 비해 납작한 타원 궤도를 따라 공전하므로 충의 위치일 때마다 지구와 화성의 거리가 달라진다.

06 ❯ 궤도 이심률과 케플러 법칙

그림은 궤도 이심률이 다른 세 소행성 A, B, C의 공전 궤도를 나타낸 것이다.

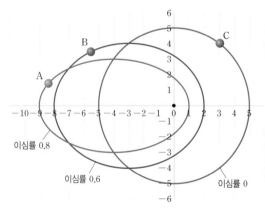

소행성 A, B, C에 대한 설명으로 옳은 것만을 보기에서 있는 대로 고른 것은?

> 보기

ㄱ. 공전 주기는 A가 C보다 길다.

ㄴ. 평균 공전 속도는 A<B<C이다.

ㄷ. 궤도 면적 속도는 A, B, C가 모두 같다.

① ㄱ   ② ㄴ   ③ ㄱ, ㄷ   ④ ㄴ, ㄷ   ⑤ ㄱ, ㄴ, ㄷ

• 공전 주기는 궤도 긴반지름에 의해 결정되며, 궤도의 모양은 궤도 이심률에 의해 결정된다.

07 ❯ 케플러 법칙

그림 (가)와 (나)는 달이 근지점과 원지점에 있을 때 지구에서 관측한 달의 상대적 크기를 순서 없이 나타낸 것이다.

(가)

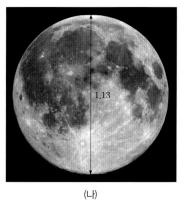
(나)

이에 대한 설명으로 옳은 것만을 보기에서 있는 대로 고른 것은?

보기

ㄱ. (가)는 달이 근지점에 있을 때 촬영한 것이다.

ㄴ. 달이 지구를 공전하는 속도는 (가)보다 (나)일 때 빠르다.

ㄷ. 달의 $\dfrac{\text{원지점 거리}}{\text{근지점 거리}}$ 는 약 1.13이다.

① ㄱ   ② ㄴ   ③ ㄱ, ㄷ   ④ ㄴ, ㄷ   ⑤ ㄱ, ㄴ, ㄷ

> • 천체의 시지름은 거리에 반비례한다. 따라서 겉보기 크기 비로부터 거리 비를 알 수 있다.

08 ❯ 행성의 관측과 케플러 법칙

표는 어느 날 북반구 중위도 지역에서 관측한 가상의 태양계 행성 X와 Y의 특징이다.

행성	특징
X	• 해가 진 직후에 서쪽 하늘에서 관측되었다. • 최대 이각에 위치하였으며, 이각의 크기는 30°이었다.
Y	• 자정 무렵에 행성 Y를 정남쪽 하늘에서 관측하였다. • 이날 지구로부터의 거리는 1 AU이었다.

행성 X와 Y에 대한 설명으로 옳은 것만을 보기에서 있는 대로 고른 것은? (단, 행성 X와 Y의 공전 궤도는 원 궤도로 가정한다.)

보기

ㄱ. 이날 X는 서방 최대 이각에 위치하였다.

ㄴ. Y의 공전 궤도 반지름은 2 AU이다.

ㄷ. 행성의 공전 주기는 Y가 X의 8배이다.

① ㄱ   ② ㄴ   ③ ㄱ, ㄷ   ④ ㄴ, ㄷ   ⑤ ㄱ, ㄴ, ㄷ

> • 내행성의 궤도를 원 궤도로 가정하면 최대 이각을 측정하여 궤도 반지름을 구할 수 있다. 외행성은 충일 때 지구와의 거리가 최소이다.

09 › 케플러 법칙

그림은 가상의 태양계 행성 A, B의 시간에 따른 공전 속도 변화를 나타낸 것이다.

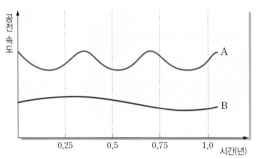

이에 대한 설명으로 옳은 것만을 보기에서 있는 대로 고른 것은?

> 보기 ─────────────────────────────

ㄱ. A는 내행성이고, B는 외행성이다.

ㄴ. 공전 궤도 긴반지름은 B가 A보다 작다.

ㄷ. 지구와의 회합 주기는 B가 A보다 짧다.

① ㄱ   ② ㄴ   ③ ㄱ, ㄷ   ④ ㄴ, ㄷ   ⑤ ㄱ, ㄴ, ㄷ

• 행성과 태양을 잇는 선은 같은 시간 동안 같은 면적을 쓸고 지나간다. 따라서 공전 속도는 근일점에서 가장 빠르고, 원일점에서 가장 느리다.

10 › 케플러 법칙

그림은 가상의 태양계 행성 A와 B가 1년 동안 각각 전체 궤도 면적의 $\frac{1}{32}$과 $\frac{1}{4}$을 쓸고 지나간 모습을 나타낸 것이다.

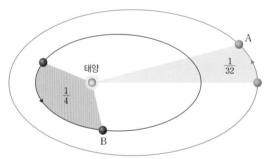

행성 A, B에 대한 설명으로 옳은 것만을 보기에서 있는 대로 고른 것은?

> 보기 ─────────────────────────────

ㄱ. A의 공전 주기는 32년이다.

ㄴ. 지구와 B의 회합 주기는 약 $\frac{4}{3}$년이다.

ㄷ. 공전 궤도 긴반지름은 A가 B의 4배이다.

① ㄱ   ② ㄴ   ③ ㄱ, ㄷ   ④ ㄴ, ㄷ   ⑤ ㄱ, ㄴ, ㄷ

• 행성의 공전 주기의 제곱은 공전 궤도 긴반지름의 세제곱에 비례한다.

11 ❯ 케플러 법칙의 응용

그림은 질량이 다른 두 별 A, B로 이루어진 쌍성의 운동을 나타낸 것이다. 쌍성계의 총 질량은 태양 질량의 4배이다.

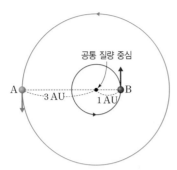

이에 대한 설명으로 옳은 것만을 보기에서 있는 대로 고른 것은?

보기
ㄱ. A는 태양보다 질량이 크다.
ㄴ. 공전 속도는 A가 B의 3배이다.
ㄷ. A와 B가 공통 질량 중심을 도는 주기는 4년이다.

① ㄱ　　　② ㄴ　　　③ ㄱ, ㄷ　　　④ ㄴ, ㄷ　　　⑤ ㄱ, ㄴ, ㄷ

> • 쌍성계에 케플러 제3법칙을 적용하면 $\dfrac{a^3}{P^2} = \dfrac{G}{4\pi^2}(m_1+m_2)$이다. 공전 주기의 단위를 년, 거리의 단위를 AU로 나타내면, 태양의 질량 $M_\odot = \dfrac{4\pi^2}{G}$이므로, 두 별의 질량 m_1, m_2의 합을 다음과 같이 나타낼 수 있다.
>
> $$m_1 + m_2 = \dfrac{a^3}{P^2}\dfrac{4\pi^2}{G}$$
> $$= \dfrac{a^3}{P^2}M_\odot$$

12 ❯ 케플러 법칙의 응용

그림은 화성 탐사선의 궤도를 나타낸 것이다. 이 탐사선은 타원 궤도를 따라 이동하는 동안 추진력 없이 진행하였다.

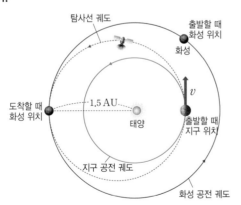

이에 대한 설명으로 옳은 것만을 보기에서 있는 대로 고른 것은? (단, 화성의 공전 궤도는 원 궤도로 가정한다.)

보기
ㄱ. 탐사선 궤도의 긴반지름은 약 1.25 AU이다.
ㄴ. 탐사선이 이동하는 동안 탐사선의 속력은 일정하였다.
ㄷ. 탐사선이 이동하는 동안 화성이 합에 위치한 시기가 있었다.

① ㄱ　　　② ㄴ　　　③ ㄱ, ㄷ　　　④ ㄴ, ㄷ　　　⑤ ㄱ, ㄴ, ㄷ

> • 탐사선의 이동 경로는 출발점을 근일점, 도착점을 원일점으로 하는 타원 궤도이다.

2

우리은하와 우주의 구조

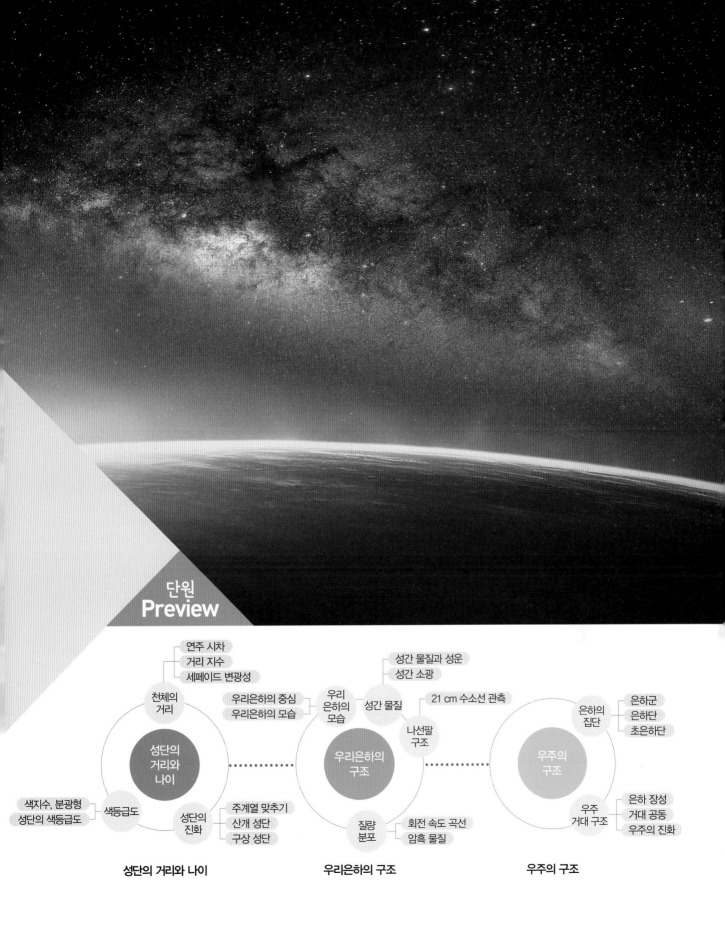

연주 시차
거리 지수
세페이드 변광성

천체의
거리

우리은하의 중심
우리은하의 모습

우리
은하의
모습

성간 물질과 성운
성간 소광

성간 물질

21 cm 수소선 관측

은하의
집단

은하군
은하단
초은하단

성단의
거리와
나이

우리은하의
구조

나선팔
구조

우주의
구조

색지수, 분광형
성단의 색등급도

색등급도

성단의
진화

주계열 맞추기
산개 성단
구상 성단

질량
분포

회전 속도 곡선
암흑 물질

우주
거대 구조

은하 장성
거대 공동
우주의 진화

성단의 거리와 나이   **우리은하의 구조**   **우주의 구조**

01 성단의 거리와 나이

학습 Point   천체의 거리 > 색등급도와 성단의 진화

 천체의 거리

집중 분석 074쪽

밤하늘의 별들은 모두 천구에 붙어 있는 것처럼 보이지만 실제로 지구에서 별까지의 거리는 매우 다양하다. 비교적 가까운 거리에 있는 일부 별은 연주 시차를 측정하여 거리를 알아낼 수 있지만, 대부분 별들은 다른 간접적인 방법을 이용하여 거리를 구해야 한다.

1. 연주 시차를 이용한 거리 측정

천체의 거리는 우주 구성원들의 특성과 구조를 올바르게 파악하는 데 꼭 필요한 기본적인 물리량이다. 따라서 천문학자들은 천체의 정확한 거리 측정을 위해 계속 노력하고 있다. 연주 시차는 직접적인 측정을 통해 별의 거리를 알아낼 수 있는 유일한 방법이다.

(1) **연주 시차**: 지구 공전 궤도의 양 끝에서 별을 바라보았을 때 나타나는 시차($\angle E_1SE_2$)의 $\frac{1}{2}$인 $\angle p''$를 연주 시차라고 한다.

(2) **연주 시차와 별의 거리**: 측정된 별 S의 연주 시차를 p'', 별의 거리를 r라고 하자. 지구에서 별 S까지의 거리 r는 지구 공전 궤도의 지름 2 AU에 비해 매우 크다. 따라서 E_1에서 E_2까지의 거리 2 AU는 r를 반지름으로 하는 원에서 각 $2p''$에 해당하는 호의 길이와 같으므로 다음의 관계가 성립한다.

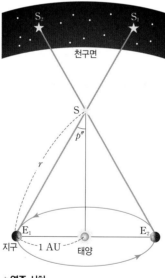

▲ 연주 시차

$$2\pi r : 2\,\mathrm{AU} = 360° : 2p''$$
$$\Rightarrow 2\pi r : 1\,\mathrm{AU} = (360 \times 60 \times 60)'' : p''$$
$$\Rightarrow r \fallingdotseq \frac{206265}{p''}\,\mathrm{AU}$$

① 연주 시차 p가 $1''$인 별까지의 거리는 약 $206265\,\mathrm{AU}$이므로, 연주 시차가 $1''$인 거리를 새로운 단위 1 pc(파섹)으로 정의하면 거리 r를 다음과 같이 나타낼 수 있다.

> 연주 시차와 거리 관계: $r(\mathrm{pc}) = \dfrac{1}{p''}$

② 별의 거리가 멀어질수록 연주 시차가 작아진다. 우주 망원경을 이용하면 약 3000 pc까지의 거리를 연주 시차로 측정할 수 있다.

각도

각 $1°$를 60등분 하면 $1'$(분)이 되고, 각 $1'$을 다시 60등분 하면 $1''$(초)가 된다.

$$1'' = \left(\frac{1}{60}\right)' = \left(\frac{1}{3600}\right)°$$

별의 거리 단위

· **천문단위(AU)**: 지구와 태양 사이의 평균 거리로, 약 $1.496 \times 10^8\,\mathrm{km}$이다.

· **파섹(pc)**: 연주 시차가 $1''$인 별까지의 거리로, 1 pc은 약 $206265\,\mathrm{AU}$이다.

· **광년(LY)**: 빛이 1년 동안 가는 거리로, 약 $9.46 \times 10^{12}\,\mathrm{km}$에 해당한다. 태양에서 가장 가까운 별인 알파 센타우리의 거리는 약 $4.37\,\mathrm{LY}$이다.

· $1\,\mathrm{pc} \fallingdotseq 206265\,\mathrm{AU} \fallingdotseq 3.086 \times 10^{13}\,\mathrm{km} \fallingdotseq 3.26\,\mathrm{LY}$

최초의 연주 시차 측정

독일의 과학자 베셀은 1838년 백조자리 61번 별의 연주 시차가 $0.294''$임을 최초로 측정하였다. 이를 통해 지구가 공전한다는 가장 명확한 증거를 제시할 수 있었다.

별의 연주 시차와 거리

별	연주 시차 ('')	별의 거리 (pc)
알파 센타우리	0.76	1.32
바너드 별	0.54	1.85
시리우스	0.37	2.70
프로키온	0.29	3.45
견우성	0.20	5.0
직녀성	0.12	8.3
스피카	0.012	83

2. 별의 밝기를 이용한 거리 측정

(1) **별의 밝기와 거리**: 별까지의 거리가 2배, 3배로 멀어지면, 별빛이 퍼지는 면적이 2^2배, 3^2배로 넓어지므로 단위 면적 당 밝기는 $\frac{1}{2^2}$배, $\frac{1}{3^2}$배가 된다. 즉, 별의 밝기(l)는 거리(r)의 제곱에 반비례한다.

$$\text{밝기와 거리 관계: } l \propto \frac{1}{r^2}$$

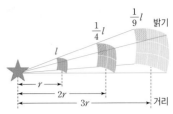
▲ 별의 밝기와 거리 관계

(2) **별의 등급과 밝기 사이의 관계(포그슨 공식)**: 별의 밝기는 겉보기 등급이나 절대 등급으로 나타내는데, 밝은 별일수록 등급을 나타내는 숫자가 작아진다. 영국의 천문학자 포그슨은 빛을 측정하는 장치를 이용하여 1등급인 별이 6등급인 별보다 100배 밝다는 사실을 알아냈다. 5등급 간의 밝기 차는 100배이므로 1등급 간의 밝기 차는 $100^{\frac{1}{5}} \fallingdotseq 2.512$배, 즉 약 2.5배이다. 겉보기 등급이 각각 m_1, m_2인 두 별의 밝기를 각각 l_1, l_2라고 하면 두 별의 등급과 밝기 사이에는 $\frac{l_1}{l_2} = 100^{\frac{1}{5}(m_2-m_1)}$의 관계가 성립한다. 이 식의 양변에 log를 취하여 정리하면 다음과 같이 포그슨 공식을 얻을 수 있다.

$$\text{포그슨 공식: } m_2 - m_1 = -2.5 \log\left(\frac{l_2}{l_1}\right)$$

(3) **거리 지수**: 별의 겉보기 밝기는 거리 제곱에 반비례하므로, 거리가 r인 별의 겉보기 밝기를 l, 겉보기 등급을 m, 그 별이 10 pc의 거리에 있을 때의 밝기를 L, 절대 등급을 M이라고 하면 포그슨 공식을 다음과 같이 정리할 수 있다.

$$m - M = -2.5 \log \frac{l}{L} = -2.5 \log\left(\frac{10^2}{r^2}\right)$$
$$= -5 \log\left(\frac{10}{r}\right) = 5 \log r - 5$$

이때 $m-M$을 거리 지수라고 하며, 절대 등급이 알려진 별의 경우 겉보기 등급을 측정하여 그 별까지의 거리 r를 구할 수 있다.

$$\text{거리 지수: } m - M = 5 \log r - 5$$

① **거리 지수와 별의 거리와의 관계**: 거리 지수($m-M$)가 큰 별일수록 지구로부터 멀리 떨어져 있다.

거리 지수	별의 거리
$m - M < 0$	10 pc보다 가까이 있는 별
$m - M = 0$	10 pc의 거리에 있는 별
$m - M > 0$	10 pc보다 멀리 있는 별

② **거리 지수를 이용하여 별의 거리 구하기**: 거리 지수를 이용하여 별의 거리를 구하려면 별의 겉보기 등급과 절대 등급을 알아야 한다. 겉보기 등급은 관측을 통해 측정할 수 있으며, 절대 등급은 광도를 알아낸 후 포그슨 공식을 이용하여 결정한다.

별의 밝기와 등급

· 겉보기 등급: 우리 눈에 보이는 별의 밝기에 따라 등급을 정한 것으로 광도가 같은 별이라도 가까이 있는 별은 밝게 보이고, 멀리 있는 별은 어둡게 보인다.

· 절대 등급: 별이 10 pc의 거리에 있다고 가정했을 때의 밝기에 따라 등급을 정한 것으로, 별의 광도를 비교하는 기준이다.

포그슨(N. R. Pogson, 1829~1891)

영국의 천문학자로, 별빛의 밝기를 정량적으로 나타낼 수 있는 공식을 제시하였다. 포그슨 공식이 알려지기 이전에는 별들의 상대적인 밝기 비교만 가능하였으나, 이 식을 이용하면서 6등성보다 훨씬 어두운 천체의 밝기뿐만 아니라 1등성보다 훨씬 밝은 천체의 밝기도 정확하게 결정할 수 있게 되었다.

별의 등급과 밝기 차

등급 차	밝기 차(배)
1	$2.5^1 (= 2.5)$
2	$2.5^2 (\fallingdotseq 6.3)$
3	$2.5^3 (\fallingdotseq 16)$
4	$2.5^4 (\fallingdotseq 40)$
5	$2.5^5 (\fallingdotseq 100)$

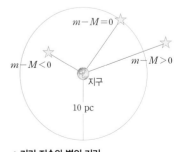
▲ 거리 지수와 별의 거리

3. 세페이드 변광성의 주기 – 광도 관계를 이용한 거리 측정

세페이드 변광성의 변광 주기를 관측하면 별의 광도와 절대 등급을 알 수 있고, 평균 겉보기 등급과 비교하여 거리 지수를 이용하면 거리를 구할 수 있다.

(1) **세페이드 변광성:** 별의 내부가 불안정하여 팽창과 수축을 반복하면서 밝기가 주기적으로 변하는 별을 맥동 변광성이라고 하는데, 맥동 변광성의 한 예인 세페이드 변광성은 변광 주기가 3일~50일이다.

(2) **세페이드 변광성의 주기 – 광도 관계:** 1912년 하버드 천문대에서 연구하던 리비트는 당시 마젤란성운으로 알려져 있던 마젤란은하에 포함된 수천 개의 변광성 사진을 분류하는 과정에서 세페이드 변광성의 변광 주기와 밝기 사이에 규칙성이 있음을 알게 되었다. 마젤란 은하에 포함된 세페이드 변광성은 모두 같은 은하 내에 있어 거리가 같으므로, 겉보기 밝기 비는 실제 별의 광도비와 같다. 세페이드 변광성은 변광 주기가 길수록 광도가 큰데, 이를 세페이드 변광성의 주기 – 광도 관계라고 한다. 따라서 세페이드 변광성의 변광 주기를 관측하면 절대 등급(M)을 알 수 있고, 이를 평균 겉보기 등급(m)과 비교하여 거리 지수 $m - M = 5 \log r - 5$를 이용하면 별까지의 거리(r)를 구할 수 있다.

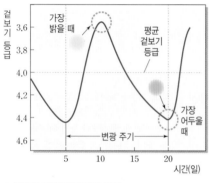

▲ 세페이드 변광성의 밝기 변화

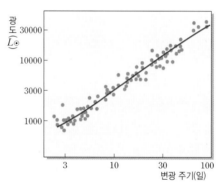

▲ 세페이드 변광성의 주기 – 광도 관계

▲ 변광성의 주기 – 광도 관계

세페이드 변광성: 변광 주기가 3일~50일 정도인 변광성으로, 변광 주기가 길수록 광도가 크다. 종족 I 형과 종족 II 형이 있으며, 주기가 같은 경우 종족 I 형이 종족 II 형보다 광도가 크다.

거문고자리 RR형 변광성: 변광 주기가 1일 미만이며, 변광 주기에 관계없이 절대 등급이 약 0.5등급으로 일정하므로 겉보기 등급을 관측하여 거리 지수를 이용하면 거리를 구할 수 있다.

(3) **세페이드 변광성과 외부 은하의 발견:** 세페이드 변광성의 주기 – 광도 관계를 이용하면 이를 포함하는 성단이나 외부 은하의 거리를 구할 수 있고, 연주 시차를 이용할 때보다 더 멀리 있는 천체의 거리를 구할 수 있다. 미국의 천문학자 허블은 세페이드 변광성을 이용하여 당시 성운으로 알려져 있던 안드로메다은하까지의 거리를 측정하였으며, 이 은하가 외부 은하임을 밝혀냈다.

변광성

변광성은 밝기가 일정하지 않은 별로, 크게 3가지로 구분할 수 있다.

- **식 변광성:** 쌍성의 경우, 공전 궤도면이 관측자의 시선 방향과 나란하면 한 천체가 다른 천체를 가리는 식 현상이 나타나 밝기가 변하는 것처럼 보인다.
- **맥동 변광성:** 내부가 불안정하여 팽창과 수축을 반복하면서 밝기가 주기적으로 변하는 별을 맥동 변광성이라고 하며, 변광 주기와 절대 등급 사이에는 일정한 관계가 존재한다. 맥동 변광성의 예로 세페이드 변광성과 거문고자리 RR형 변광성이 있다.
- **폭발 변광성:** 초신성과 같이 별의 밝기가 급격하게 밝아졌다가 다시 어두워지는 별이다.

리비트(Leavitt, H. S., 1868~1921)

미국의 천문학자로, 당시 마젤란성운으로 알려져 있던 마젤란은하의 변광성 사진을 분류하는 과정에서 32개의 세페이드 변광성의 변광 주기와 광도 사이의 규칙성을 발견하였다. 이후 이러한 세페이드 변광성의 주기 – 광도 관계를 이용하여 허블이 외부 은하까지의 거리를 측정하였고, 우주의 팽창을 연구하는 데 기초가 되었다.

▲ 소마젤란은하(NGC 292)

예제

그림 (가)는 어떤 세페이드 변광성의 변광 주기와 겉보기 등급을, (나)는 이 변광성의 주기 – 광도(절대 등급) 관계를 나타낸 것이다. 이 세페이드 변광성의 거리를 구하시오.

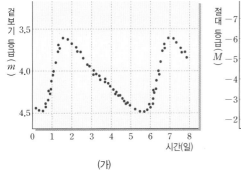

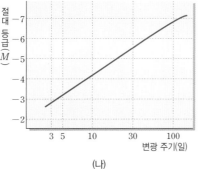

(가)   (나)

정답 (가)에서 이 세페이드 변광성의 평균 겉보기 등급은 약 +4등급이고, 변광 주기는 약 5.5일임을 알 수 있다. 또한, (나)의 주기 – 광도 관계에서 이 세페이드 변광성의 주기에 해당하는 절대 등급이 약 −3.5등급이므로 거리 지수 $m - M \fallingdotseq 7.5$이다. 따라서 세페이드 변광성까지의 거리는 다음과 같이 구할 수 있다.

$$m - M = 5 \log r - 5 = 7.5 \Rightarrow r = 10^{2.5} \fallingdotseq 316 \, (\text{pc})$$

● **세페이드 변광성의 종류**
세페우스자리에서 처음 발견되어 세페이드 변광성이라고 부른다. 세페이드 변광성은 종족 I 과 종족 II 로 구분하는데, 종족 I 은 종족 II 보다 무거운 원소를 많이 포함하는 젊은 별들이다. 또 종족 I 세페이드는 주로 나선팔에서 발견되며, 종족 II 세페이드는 주로 구상 성단이나 은하 팽대부에서 발견된다.

시야확장 ➕ 천문학의 대논쟁 – 외부 은하의 발견

1920년 하버드 대학의 섀플리(Shapley, H., 1885~1972)와 릭 천문대의 커티스(Curtis, H. D., 1872~1942)는 안드로메다성운(현재는 안드로메다은하로 알려져 있다.)의 거리를 주제로 논쟁을 벌였다. 이 논쟁의 핵심 쟁점은 '안드로메다성운은 우리은하 내부의 천체인가? 아니면 우리은하 밖의 천체인가?' 하는 것이었다. 당시에는 우리은하를 우주의 전부로 인식했기 때문에 이 토론은 당시 천문학자들이 대부분 참여하다시피 했던 우주에 대한 대논쟁이었다.

섀플리와 커티스의 논쟁은 리비트가 세페이드 변광성의 변광 주기와 광도 사이의 관계를 알아내고, 이후 허블이 안드로메다성운 내부에 있는 세페이드 변광성을 이용하여 거리를 측정하면서 해결되었다. 허블이 측정한 안드로메다성운까지의 거리는 당시 우리은하의 크기로 알려진 10만 광년보다 훨씬 먼 약 90만 광년(현재 측정된 값은 약 250만 광년)이었다. 이로 인해 안드로메다성운은 우리은하 밖에 존재하는 외부 은하임이 밝혀졌다.

▲ 안드로메다은하(M31)

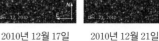
2010년 12월 17일   2010년 12월 21일

2010년 12월 30일   2011년 1월 26일

▲ 안드로메다은하의 세페이드 변광성의 밝기 변화 (출처: NASA, ESA and the Hubble Heritage Team (STScI/AURA))

2 색등급도와 성단의 진화

탐구 072쪽

성단의 색지수와 겉보기 등급을 기준으로 색등급도를 작성한 후, 이를 표준 주계열의 색등급도와 비교하여 성단의 거리와 진화 정도를 파악할 수 있다.

1. 별의 색지수와 분광형

별들이 무리 지어 있는 것을 성단이라고 한다. 성단을 이루는 별들의 색지수와 겉보기 등급을 관측하면 성단의 거리와 나이에 대한 정보를 얻을 수 있다.

(1) **색지수:** 하나의 별을 서로 다른 파장대에서 측정했을 때 나타나는 등급의 차이를 색지수라고 한다. 예를 들어 사람의 눈은 노란색 부근인 $0.54\ \mu\text{m}$ 파장에 민감하고, 천체 사진을 찍는 사진 건판은 파란색 부근인 $0.42\ \mu\text{m}$ 파장에 민감하다. 따라서 같은 별이라 하더라도 눈으로 본 별의 밝기를 기준으로 정한 안시 등급(m_V)과 사진으로 정한 등급(m_P)은 차이가 나는데, 이 차이를 색지수라고 한다.

$$\text{색지수(color index)} = \text{사진 등급} - \text{안시 등급} = m_P - m_V$$

① U, B, V **등급을 이용한 색지수:** 최근에는 별의 등급과 색을 정확하게 측정하기 위해 U 필터, B 필터, V 필터를 많이 사용하는데 이들 필터로 정해지는 겉보기 등급을 각각 U, B, V 등급이라고 한다. 이때 색지수는 $(B-V)$ 또는 $(U-B)$이다. 특히 등급 B는 사진 등급(m_P)과 비슷하고, 등급 V는 안시 등급(m_V)과 비슷하므로 $B-V$를 색지수로 주로 활용한다.

$$\text{색지수(color index): } (B-V) \text{ 또는 } (U-B)$$

② **색지수와 별의 표면 온도:** 색지수 값이 작은 별일수록 짧은 파장의 빛을 상대적으로 많이 방출하는 별이다. 따라서 표면 온도가 높아 짧은 파장의 빛을 주로 방출하는 별은 색지수가 작다.

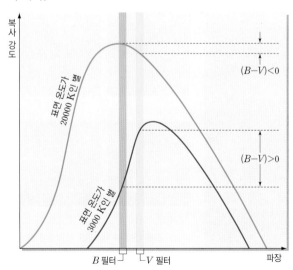
▲ **별의 표면 온도와 색지수**$(B-V)$

표면 온도 20000 K인 별
B 필터를 통과한 빛이 더 많다. → 등급은 B가 V보다 작다.
➡ 색지수 $(B-V)<0$

표면 온도 3000 K인 별
B 필터를 통과한 빛이 더 적다. → 등급은 B가 V보다 크다.
➡ 색지수 $(B-V)>0$

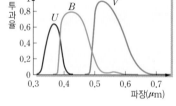
▲ U **필터,** B **필터,** V **필터의 파장 영역**

U 필터는 파장 $0.36\ \mu\text{m}$ 부근의 빛만 통과시키고, B 필터는 파장 $0.42\ \mu\text{m}$ 부근의 빛만, V 필터는 파장 $0.54\ \mu\text{m}$의 빛만 통과시킨다.

별의 표면 온도와 빛의 파장

표면 온도가 높은 별일수록 짧은 파장의 빛을 많이 방출한다. 따라서 고온의 별은 가시광선 중 파장이 짧은 파란색 빛을 파장이 긴 빨간색 빛보다 더 많이 방출하여 우리 눈에 파랗게 보인다.

(2) **별의 분광형**: 별의 표면 온도에 따라 스펙트럼에 나타나는 흡수선의 종류가 다르다. 따라서 이를 기준으로 별을 분류할 수 있는데, 이를 별의 분광형이라고 한다.

① **별의 분광형**: 1872년 미국의 천문학자 피커링과 캐넌은 별의 스펙트럼을 수소의 흡수 스펙트럼선의 세기에 따라 16가지로 구분하였다. 그 후 흡수선의 세기가 별의 표면 온도와 관련이 있음을 알고 별의 스펙트럼형을 표면 온도가 높은 것부터 순서대로 O, B, A, F, G, K, M의 7가지로 재분류하였으며, 각각의 분광형을 다시 0~9의 10등급으로 세분하였다.

② **별의 분광형과 표면 온도**: 별의 표면 온도는 O형이 가장 높고 M형으로 갈수록 낮아지며, 별의 색깔은 표면 온도가 높을수록 파란색을 띤다. 태양은 표면 온도가 약 5800 K인 노란색 별로, G2형으로 분류된다. 별의 대기층을 구성하는 원소의 종류는 거의 같지만, 별의 표면 온도에 따라 별빛을 흡수하는 파장이 달라져 흡수선의 종류와 세기가 달라진다. 따라서 두 별의 분광형이 같으면 표면 온도가 같고, 색지수도 같다.

분광형	색	표면 온도(K)	스펙트럼
O	파란색	28000 이상	
B	청백색	10000~28000	
A	흰색	7500~10000	
F	황백색	6000~7500	
G	노란색	5000~6000	
K	주황색	3500~5000	
M	붉은색	3500 이하	

▲ **별의 분광형** 별의 표면 온도가 높을수록 파란색으로 보이고, 표면 온도가 낮을수록 붉은색으로 보인다.

2. 성단의 색등급도와 주계열 맞추기

성단의 색등급도를 이용하여 주계열 맞추기를 하면 성단의 거리 지수를 알아낼 수 있다. 또한, 주계열 단계에 있는 별들을 비교하여 성단의 나이도 추정할 수 있다

(1) **H-R도**: 별의 표면 온도(분광형)를 가로축에, 별의 절대 등급(광도)을 세로축에 표현한 그림을 H-R도라고 한다.

① H-R도에서 대부분의 별이 왼쪽 위부터 오른쪽 아래로 이어지는 좁은 띠(주계열)를 따라 분포하는데, 이 별들을 주계열성이라고 한다.

② 주계열성은 H-R도의 왼쪽 위에 분포할수록 표면 온도가 높고 광도가 크며, 반지름과 질량도 크다. 주계열의 오른쪽 아래에 분포하는 별들은 표면 온도가 낮고 광도가 작으며, 반지름과 질량도 작다. 별은 일생의 대부분을 주계열성으로 보내며, 질량이 클수록 주계열에 머무는 시간이 짧다.

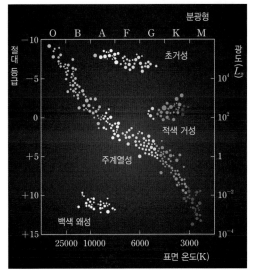

▲ **H-R도**

색지수($B-V$)와 분광형

분광형이 O형, B형 별은 표면 온도가 매우 높은 파란색 별로 색지수($B-V$)가 음(−)의 값을 갖는다. 한편 분광형이 F형, G형, K형, M형인 별은 표면 온도가 비교적 낮은 노란색~붉은색 별로, 색지수($B-V$)가 양(+)의 값을 갖는다. 분광형이 A형인 별은 흰색이며 색지수($B-V$)가 0에 가깝다. 태양의 색지수($B-V$)는 약 +0.66이다.

H-R도에 나타나는 별의 종류

- **주계열성**: H-R도의 왼쪽 위에서 오른쪽 아래로 향하는 대각선에 휘어진 띠 모양으로 분포하는 별의 집단이다.
- **적색 거성**: H-R도에서 주계열성의 오른쪽 위에 거의 수평으로 분포하는 별의 집단으로, 대부분 붉은색을 띠므로 적색 거성이라고 한다.
- **초거성**: H-R도에서 적색 거성보다 더 위쪽에 분포하는 별의 집단이다.
- **백색 왜성**: H-R도에서 주계열성의 왼쪽 아래에 분포하는 별의 집단이다.

(2) **성단의 색등급도**: 별의 색지수를 가로축에, 등급을 세로축에 표현한 그림을 색등급도 (C - M도)라고 한다. 성단의 색등급도는 성단을 구성하는 별들의 색지수와 겉보기 등급으로 작성한다. 하나의 성단을 이루는 별들은 같은 성운에서 거의 동시에 형성되어 비교적 좁은 공간에 모여 있으므로, 색이나 밝기, 질량 등은 서로 다르지만, 나이와 별까지의 거리가 거의 같다. 따라서 성단의 색등급도에서 별이 주계열을 벗어나는 지점인 전향점의 위치로부터 성단의 나이를 추정할 수 있고, 성단의 색등급도를 주계열성의 색등급도와 비교하여 절대 등급을 알아내면 성단까지의 거리를 구할 수 있다.

① 산개 성단의 색등급도

• **산개 성단**: 수백~수천 개의 별들이 허술하게 모여 있는 별의 집단으로, 나이가 젊고 고온의 파란색 별들이 많다. 우리은하 내에서 1000개 이상 발견되었고, 비교적 최근에 형성되었기 때문에 질량이 큰 파란색 별들도 존재한다.

• **산개 성단의 색등급도**: 대부분 주계열성으로 이루어져 있으며, 표면 온도가 높고, 광도가 큰 별들이 많은 편이다.

▲ 산개 성단(플레이아데스성단; M45)의 모습과 색등급도

색등급도와 H - R도의 관계
색등급도(C - M도)는 H - R도의 가로축을 색지수로, 세로축을 등급으로 나타낸 것과 같다.

전향점
원시별이 진화하여 처음 주계열성에 도달했을 때의 위치를 나타낸 곡선을 영년 주계열 (zero age main sequence; ZAMS) 또는 표준 주계열이라고 한다. 성단의 색등급도에서 별이 진화하여 표준 주계열을 벗어나는 지점을 전향점이라고 한다. 질량이 큰 별일수록 빠르게 진화하여 거성이 되므로, 나이가 적은 성단일수록 전향점이 색지수가 작고(표면 온도가 높고), 등급이 낮은(광도가 큰) 곳에 위치한다.

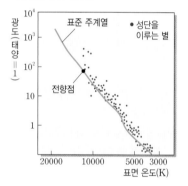

시선 집중 ★ **산개 성단의 색등급도를 이용한 나이 비교**

• 질량이 큰 별일수록 빠르게 진화하여 표준 주계열을 벗어나므로, 성단의 나이가 적을수록 표면 온도가 높고(색지수가 작고) 광도가 큰(등급이 낮은) 곳에 전향점이 위치한다. 즉, 성단의 색등급도에서 전향점이 왼쪽 위에 위치할수록 성단의 나이가 적고, 전향점이 오른쪽 아래에 위치할수록 성단의 나이가 많다.

• 플레이아데스성단의 색등급도는 대부분 주계열성이지만 히아데스성단은 주계열이 짧고 거성도 존재한다. 즉, 플레이아데스성단의 전향점은 히아데스성단의 전향점보다 광도가 큰 곳에 위치하므로, 플레이아데스성단보다 히아데스성단의 나이가 많은 것을 알 수 있다.

• 여러 산개 성단의 색등급도를 살펴보면, 주계열의 위쪽에 분포한 질량이 큰 별일수록 주계열에서 일찍 떠나는 것을 알 수 있다. 이는 별의 질량이 클수록 진화 속도가 빠르기 때문이다.

▶ **여러 산개 성단을 겹쳐서 나타낸 색등급도**

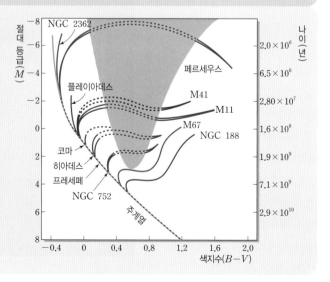

② 구상 성단의 색등급도

• 구상 성단: 수만~수십만 개의 별들이 구형으로 매우 조밀하게 모여 있는 집단으로, 나이가 매우 많으므로 구성하는 별들은 대부분 적색 거성이거나 질량이 작은 주계열성이다.

• 구상 성단의 색등급도: 구상 성단의 색등급도에서 전향점은 오른쪽 아래에 있고, 주계열을 떠나 거성 단계에 진입한 적색 거성 가지, 수평 가지와 점근 거성 가지에 별이 많이 분포한다. 따라서 구상 성단은 나이가 매우 많은 별로 이루어져 있음을 알 수 있다.

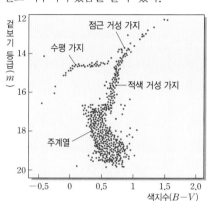

▲ 구상 성단(M3)의 모습과 색등급도

(3) **성단의 주계열 맞추기**: 색지수와 절대 등급이 알려진 표준 주계열의 색등급도와 성단의 색등급도를 비교하면 성단을 이루는 주계열성의 절대 등급을 알 수 있다. 이렇게 구한 거리 지수는 성단의 모든 별에서 같으므로 성단까지의 거리를 구할 수 있으며, 이 방법을 주계열 맞추기라고 한다.

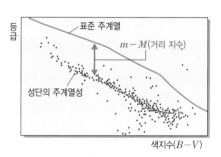

▲ 성단의 주계열 맞추기

적색 거성 가지(Red Giant Branch)

주계열성에서 거성으로 진화하는 단계로, H−R도에서 오른쪽 위로 가지처럼 뻗어나간다.

수평 가지(Horizontal Branch)

태양과 질량이 비슷한 별들이 적색 거성 가지를 지난 진화 단계로, H−R도에서 왼쪽으로 가로축에 평행하게 나타난다. 수평 가지에 존재하는 많은 천체는 밝기가 변하는데, 이를 RR형 변광성이라고 한다.

점근 거성 가지(Asymptotic Giant Branch)

중간 정도의 질량을 가진 별의 진화 과정 중 하나로, 적색 거성 가지에 거의 인접하게 나타난다. 점근 거성 가지에 있는 별들은 행성상 성운의 전 단계에 해당한다.

구상 성단의 전향점

구상 성단의 색등급도에서 전향점에 위치하는 주계열성은 산개 성단에서보다 등급이 높고 색지수가 크다. 따라서 주계열에 남아 있는 별들은 질량이 작고 표면 온도가 낮아서 광도가 작은 별들이다. 또한, 적색 거성 가지에 별들이 많이 분포하고, 산개 성단과 달리 수평 가지와 점근 거성 가지에 별들이 나타난다. 즉, 구상 성단을 이루는 별들은 어둡고 온도가 낮은 별을 제외한 별 대부분이 주계열성 단계를 벗어나 적색 거성 단계나 변광성 단계에 이른 것이다.

시선 집중 ★   주계열 맞추기로 성단의 거리 구하기

• 표준 주계열의 색지수와 절대 등급이 표시된 색등급도에 관측한 성단의 색지수와 겉보기 등급을 표시한다.

• 색지수가 같은 주계열성은 절대 등급도 같다. 따라서 두 곡선의 수직 등급 차가 성단의 거리 지수에 해당한다.

• 오른쪽 그림에서 측정된 거리 지수가 4이므로 이 성단의 거리는 다음과 같이 구할 수 있다.

$$m - M = 5 \log r - 5 = 4$$

$$\log r = \frac{9}{5} = 1.8$$

$$\therefore r = 10^{1.8} ≒ 63 \, (\text{pc})$$

▶ **주계열 맞추기로 성단의 거리 구하기**

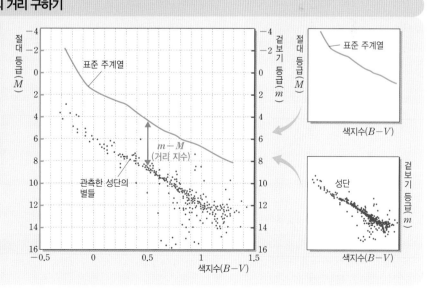

성단의 색등급도(C−M도)를 이용하여 거리 및 나이 추정하기

산개 성단과 구상 성단의 색등급도(C−M도)의 주계열 맞추기로 거리 지수를 구하여 각 성단까지의 거리를 알아내고, 전향점의 위치로부터 각 성단의 나이를 비교할 수 있다.

과정

그림 (가)와 (나)는 각각 산개 성단과 구상 성단의 색등급도(C−M도)를, (다)는 표준 주계열의 색등급도(C−M도)를 나타낸 것이다.

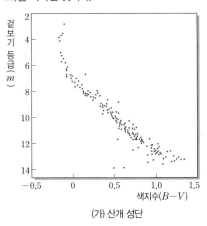
(가) 산개 성단

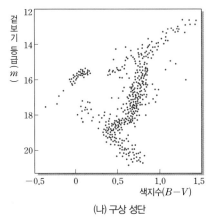
(나) 구상 성단

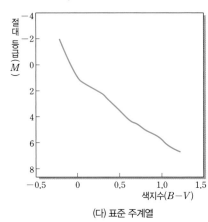
(다) 표준 주계열

1 표준 주계열의 색등급도 (다)를 투명 용지에 옮겨 그린 후 성단 (가)와 (나)의 색등급도에 각각 겹쳐서 그려 넣고, 각 성단의 전향점을 표시해 보자.

2 성단 (가)와 (나)에서 거리 지수를 각각 구하고, 각 성단까지의 거리를 구해 보자.

3 성단 (가)와 (나)에서 전향점의 절대 등급을 각각 구하고, 이를 각 성단의 나이와 관련지어 설명해 보자.

- 표준 주계열을 투명 용지에 옮겨 그릴 때 가로축과 세로축의 눈금을 함께 그려야 좀 더 쉽게 비교할 수 있다.
- 투명 용지에 그린 표준 주계열의 색등급도와 성단 색등급도의 색지수 축이 겹쳐지도록 한 후 세로축 눈금의 차이를 구하면, 이 값이 거리 지수에 해당한다.

결과

1 성단 (가)와 (나)의 색등급도에 표준 주계열의 색등급도를 겹쳐 그리면 다음과 같다.

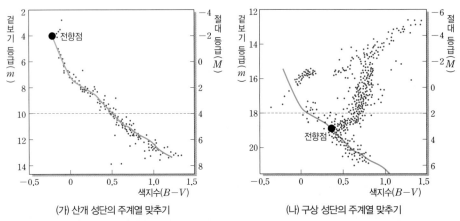
(가) 산개 성단의 주계열 맞추기   (나) 구상 성단의 주계열 맞추기

➡ 색등급도를 겹쳐 그릴 때 표준 주계열과 각 성단의 색지수가 일치하도록 맞춰 그리고, 표준 주계열의 절대 등급을 다른 세로축으로 추가하여 그려 넣는다. 각 성단의 색등급도에서 표준 주계열을 벗어나는 지점을 찾아 점으로 찍고 전향점을 표시한다.

2 성단 (가)에서 겉보기 등급 $m = 10$일 때 절대 등급 $M = 4$이고, 성단 (나)에서 겉보기 등급 $m = 18$일 때 절대 등급 $M = 2$이다. 따라서 성단 (가)와 (나)의 겉보기 등급과 절대 등급을 비교하여 거리 지수를 구하고, 각 성단까지의 거리를 계산하면 다음과 같다.

● **거리 지수**
$m - M = 5 \log r - 5$
$\Rightarrow \log r = \dfrac{m - M + 5}{5}$
$\Rightarrow r = 10^{\frac{m - M + 5}{5}}$ (pc)

구분	(가)	(나)
거리 지수	$m - M = 10 - 4 = 6$	$m - M = 18 - 2 = 16$
성단의 거리	$\log r = \dfrac{6 + 5}{5} = 2.2$	$\log r = \dfrac{16 + 5}{5} = 4.2$
	$\therefore r = 10^{2.2} \fallingdotseq 160$ (pc)	$\therefore r = 10^{4.2} \fallingdotseq 16000$ (pc)

3 성단 (가)에서 전향점의 절대 등급은 약 -2등급이고, 성단 (나)에서 전향점의 절대 등급은 약 3등급이다.
➡ 산개 성단의 전향점이 구상 성단의 전향점보다 온도와 광도가 큰 곳에 있으므로, 산개 성단의 나이보다 구상 성단의 나이가 더 많다.

정리

- **성단의 색등급도**: 산개 성단은 대부분 주계열성으로 이루어져 있으며, 표면 온도가 높고 광도가 큰 별들이 많다. 구상 성단은 주계열에 분포하는 별이 적으며 대부분의 별이 거성 단계에 진입한 적색 거성 가지, 수평 가지와 점근 거성 가지에 분포한다.
- **주계열 맞추기**: 성단의 색등급도를 표준 주계열과 비교하면 성단까지의 거리를 구할 수 있다.
- **성단의 나이 비교**: 성단의 색등급도에서 전향점의 위치가 오른쪽 아래에 위치할수록 나이가 많다.

탐구 확인 문제

❯ 정답과 해설 151쪽

01 그림 (가)와 (나)는 각각 산개 성단과 구상 성단의 색등급도를, (다)는 표준 주계열의 색등급도를 나타낸 것이다.

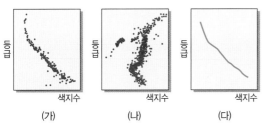

이에 대한 설명으로 옳은 것만을 보기에서 있는 대로 고른 것은?

보기
ㄱ. 성단 (가)와 (나)는 (다)와 비교하여 거리 지수를 구할 수 있다.
ㄴ. (가), (나)에서 색지수가 같은 두 주계열성은 절대 등급이 같다.
ㄷ. 성단의 나이가 많을수록 전향점이 오른쪽 아래에 위치한다.

① ㄱ   ② ㄱ, ㄴ   ③ ㄱ, ㄷ
④ ㄴ, ㄷ   ⑤ ㄱ, ㄴ, ㄷ

02 그림 (가)와 (나)는 서로 다른 성단과 표준 주계열의 색등급도를 나타낸 것이다.

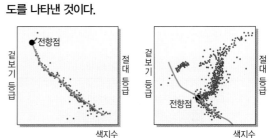

성단 (가)가 성단 (나)보다 큰 값을 갖는 것만을 보기에서 있는 대로 고른 것은?

보기
ㄱ. 전향점에 위치한 별의 절대 등급
ㄴ. 구성 별 중 주계열성의 비율
ㄷ. 성단의 나이

① ㄱ   ② ㄴ   ③ ㄷ
④ ㄱ, ㄴ   ⑤ ㄱ, ㄷ

거리 지수를 이용한 천체의 거리 측정

천체의 거리는 대부분 간접적인 방법을 이용하여 측정한다. 특히 거리 지수를 이용한 거리 측정은 천문학에서 거리를 구할 때 가장 많이 사용하는 방법 중 하나이다.

❶ 주계열성의 스펙트럼을 이용하는 방법

주계열성의 경우 스펙트럼 분석을 통해 분광형을 알아낼 수 있다. 분광형으로부터 절대 등급을 알아내면 관측된 겉보기 등급과의 차를 이용하여 거리 지수를 구할 수 있다. 이 방법은 주로 우리은하 내부에 있는 별의 거리를 구할 때 이용한다.

① 스펙트럼 분석을 통해 별의 분광형을 알아낸다.

분광형 G형
➡ 이 별의 분광형은 G형이다.

② H-R도를 이용하여 별의 절대 등급을 알아낸다.

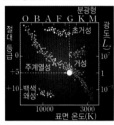

➡ 이 별의 절대 등급은 5등급이다.

③ 관측된 별의 겉보기 등급(m)이 10등급이라면 거리 지수는 다음과 같다.

➡ 이 별의 거리는 다음과 같이 계산할 수 있다.

$$m - M = 5 \log r - 5 = 5$$

$$\log r = \frac{5+5}{5} = 2$$

$$\therefore \ r = 10^2 = 100 \,(\text{pc})$$

❷ 세페이드 변광성의 주기 – 광도 관계를 이용하는 방법

세페이드 변광성의 주기 – 광도 관계를 이용하면 우리은하 내부에 있는 성단이나 비교적 가까운 거리에 있는 외부 은하의 거리를 구할 수 있다.

① 다음은 허블 우주 망원경으로 관측한 안드로메다은하의 모습과 이 은하에 포함된 종족 Ⅰ 세페이드 변광성의 밝기 변화를 나타낸 것이다.

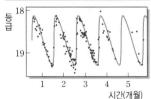

➡ 이 세페이드 변광성의 변광 주기는 약 31.4일이고, 평균 겉보기 등급은 약 18.8 등급이다.

② 다음은 세페이드 변광성의 주기 – 광도 관계를 나타낸 것이다.

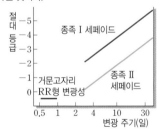

➡ 이 세페이드 변광성의 변광 주기가 약 31.4일이므로, 절대 등급은 약 −5.6 등급이다.

➡ $m - M = 18.8 - (-5.6) = 24.4$
이 별까지의 거리, 즉 안드로메다은하까지의 거리는 다음과 같이 구할 수 있다.

➡ $m - M = 5 \log r - 5 = 24.4$

$$\log r = \frac{24.4 + 5}{5} = 5.88$$

$$\therefore \ r = 10^{5.88} = 760000 \,(\text{pc})$$

❸ 주계열 맞추기를 이용하는 방법

이 방법은 성단을 구성하는 별들의 색등급도를 표준 주계열의 색등급도와 비교하여 거리 지수를 구하는 방법으로, 우리은하에 있는 성단의 거리를 구할 때 이용한다.

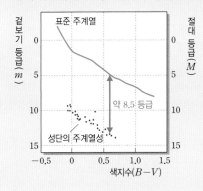

① 성단의 주계열성은 색지수가 같은 표준 주계열보다 8.5 등급 어둡다.
➡ 두 곡선의 수직 등급 차로부터 구한 성단의 거리 지수는 8.5이다.

② 거리 지수가 8.5이므로 이 성단의 거리는 다음과 같이 구할 수 있다.
➡ $m - M = 5 \log r - 5 = 8.5$
∴ $r = 10^{2.7} ≒ 500 \, (pc)$

❹ 초신성의 광도 곡선을 이용하는 방법

Ia형 초신성의 경우 최대로 밝아졌을 때의 절대 등급이 항상 일정하므로, 이를 이용하여 거리가 먼 외부 은하의 거리를 구할 수 있다. Ia형 초신성은 광도가 매우 크기 때문에 수십억 광년 떨어져 있는 경우에도 관측할 수 있다. 관측을 통해 초신성의 최대 겉보기 밝기를 알아내면 이 초신성이 속한 은하의 거리를 구할 수 있다.

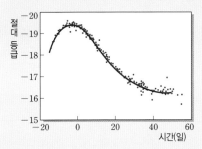

① Ia형 초신성이 최대로 밝아졌을 때 −19.5 등급이다. 만약 이 초신성의 최대 겉보기 밝기가 15.5 등급이면 거리 지수가 35이다.

② 거리 지수를 이용하여 이 초신성까지의 거리를 구하면 다음과 같다.
➡ $m - M = 5 \log r - 5 = 35$
∴ $r = 10^8 \, (pc)$

❯ 정답과 해설 151쪽

다음은 거리 지수를 이용하여 거리를 구하는 방법에 대한 설명이다.

> (가) 세페이드 변광성의 (㉠) – 광도 관계를 이용하여 거리 지수를 구할 수 있다.
> (나) 성단과 표준 주계열의 (㉡) 맞추기를 통해 성단의 거리 지수를 구할 수 있다.

㉠과 ㉡에 들어갈 말을 옳게 짝 지은 것은?

	㉠	㉡		㉠	㉡
①	질량	전향점	②	질량	주계열
③	거리	색지수	④	주기	주계열
⑤	주기	전향점			

01 성단의 거리와 나이

① 천체의 거리

1 연주 시차를 이용한 거리 측정

- 연주 시차(p''): 지구 공전 궤도의 양 끝에서 천체를 바라보았을 때 나타나는 시차의 (❶　　　)이다.
- 연주 시차와 거리 관계: $r(\mathrm{pc}) = \dfrac{1}{(❷　　　)''}$

2 별의 밝기를 이용한 거리 측정

- 별의 밝기(l)와 거리(r) 관계: $l \propto \dfrac{1}{r^2}$
- 별의 밝기와 등급 사이의 관계: 별의 밝기는 겉보기 등급이나 절대 등급으로 나타내는데, 밝은 별일수록 등급을 나타내는 숫자가 작다. 1 등급인 별이 6 등급인 별보다 100배 밝고, 한 등급 간의 밝기 차는 약 (❸　　　)배이다.
- 겉보기 등급이 각각 m_1, m_2인 두 별의 밝기를 각각 l_1, l_2라고 할 때 두 별의 등급과 밝기 사이에는 다음과 같은 관계가 성립한다.

> 포그슨 공식: $m_2 - m_1 = -2.5 \log (❹　　　)$

- 거리 지수: 별의 겉보기 등급을 m, 절대 등급을 M이라고 할 때 $m-M$을 거리 지수라고 한다. 별의 겉보기 밝기는 거리의 제곱에 반비례하므로 포그슨 공식을 변형하여 거리 지수를 다음과 같이 나타낼 수 있고, 이를 이용하여 별의 거리(r)를 알아낼 수 있다.

거리 지수		별의 거리
	$m-M < 0$	10 pc보다 가까이 있는 별
$m-M = (❺　　　) - 5$	$m-M = 0$	10 pc의 거리에 있는 별
	$m-M > 0$	10 pc보다 멀리 있는 별

3 세페이드 변광성의 주기 – 광도 관계를 이용한 거리 측정

- 세페이드 변광성은 별의 내부가 불안정하여 수축과 팽창을 반복하면서 광도가 주기적으로 변한다.
- 세페이드 변광성의 주기-광도 관계: 세페이드 변광성은 변광 주기가 길수록 광도가 (❻　　　).
- 세페이드 변광성의 거리 측정: 세페이드 변광성의 (❼　　　)를 관측하면 절대 등급을 알 수 있고, 이를 평균 겉보기 등급과 비교하여 거리 지수를 이용하여 별까지의 거리를 구할 수 있다.

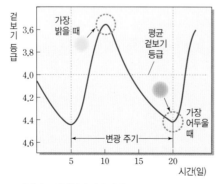

▲ 세페이드 변광성의 밝기 변화

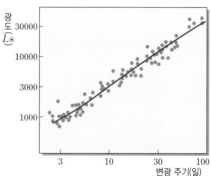

▲ 세페이드 변광성의 주기-광도 관계

❷ 색등급도와 성단의 진화

1 색지수와 분광형

- (**❽**   ): 서로 다른 파장대에서 측정했을 때 나타나는 등급의 차이이다. 주로 $(B-V)$ 또는 $(U-B)$가 이용되며, 그 값이 작을수록 별의 표면 온도가 높다.

- 별의 분광형: 별의 (**❾**   )에 따라 스펙트럼에 나타나는 흡수선의 종류와 세기가 다르다. 따라서 이를 기준으로 표면 온도가 높은 것부터 순서대로 O, B, A, F, G, K, M의 7가지로 분류한다.

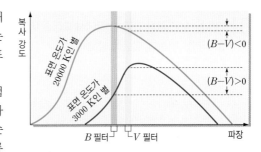

2 성단의 색등급도와 주계열 맞추기

- 색등급도(C-M도): 별의 (**❿**   )를 가로축에, 별의 (**⓫**   )을 세로축에 나타낸 그림이다. 성단의 색등급도에서 별이 진화하여 주계열을 벗어나는 지점을 (**⓬**   )이라고 한다.

- (**⓭**   )은 수백 개~수천 개의 별이 허술하게 모여 있는 집단으로, 나이가 젊고 고온의 파란색 별들이 많다.

- (**⓮**   )은 수만 개~수십만 개의 별들이 구형으로 조밀하게 모여 있는 집단으로, 나이가 매우 많고 적색 거성 단계에 있는 별들이 대부분이다.

- 성단의 색등급도: 성단을 이루는 별들은 색이나 밝기, 질량 등은 서로 다르지만, 나이와 별까지의 거리가 서로 같다. 질량이 큰 별일수록 빠르게 진화하여 표준 주계열을 벗어나므로, 성단의 나이가 적을수록 색지수가 (**⓯**   ) 등급이 낮은 곳에 전향점이 위치한다.

- 주계열 맞추기: 표준 주계열의 색등급도와 성단의 색등급도를 비교하여 그 성단까지의 거리를 구하는 방법을 말한다. 색지수가 같은 주계열성은 (**⓰**   )도 같으므로, 표준 주계열의 절대 등급과 성단을 구성하는 주계열성의 겉보기 등급 차는 성단의 (**⓱**   )에 해당한다. 이 방법으로 성단까지의 거리를 구할 수 있다.

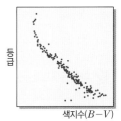

▲ **산개 성단의 모습과 색등급도**

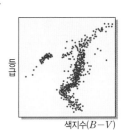

▲ **구상 성단의 모습과 색등급도**

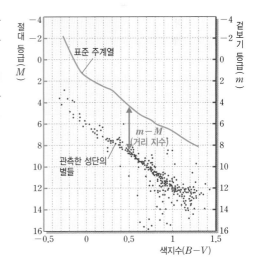

01 그림은 지구 공전 궤도 양 끝에서 측정한 어떤 별 S의 시차를 나타낸 것이다. 물음에 답하시오.

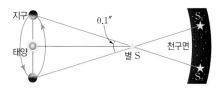

(1) 별 S의 연주 시차를 쓰시오.

(2) 지구에서 별 S까지의 거리는 몇 파섹인지 쓰시오.

02 다음은 포그슨 공식을 유도하는 과정에 대한 설명이다.

> 별의 5등급 차에 해당하는 밝기 비는 (㉠)배이므로, 1등급 간의 밝기 비는 $\sqrt[5]{100} = 10^{\frac{2}{5}}$, 즉 약 2.5배이다. 겉보기 등급이 m_1, m_2인 두 별의 밝기를 l_1, l_2라고 하면 두 별의 등급과 밝기 사이에는 다음과 같은 관계가 성립한다.
>
> $$10^{\frac{2}{5}(\ ㉡\ )} = \frac{l_1}{l_2}$$

빈 칸에 들어갈 알맞은 말을 쓰시오.

03 표는 별 A, B, C의 물리량을 나타낸 것이다.

별	겉보기 등급	절대 등급	연주 시차(″)
A	3	( )	0.1
B	1	3	( )
C	( )	−3	0.01

(1) A의 절대 등급을 쓰시오.

(2) A~C를 거리가 가까운 별부터 순서대로 나열하시오.

(2) A~C를 가장 밝게 보이는 별부터 순서대로 나열하시오.

04 세페이드 변광성에 대한 설명으로 옳은 것만을 보기에서 있는 대로 고르시오.

> 보기
>
> ㄱ. 별이 폭발하면서 밝기가 급격하게 변하는 별이다.
>
> ㄴ. 변광 주기가 길수록 광도가 크다.
>
> ㄷ. 변광 주기와 평균 겉보기 등급을 측정하면 거리 지수를 구할 수 있다.

05 그림은 세페이드 변광성의 주기 – 절대 등급 관계를 나타낸 것이다. 물음에 답하시오.

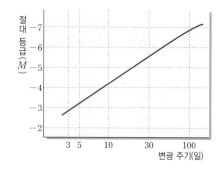

(1) 세페이드 변광성 X의 변광 주기가 약 4일이라고 할 때, X의 절대 등급을 쓰시오.

(2) X의 평균 겉보기 등급이 약 7.0등급일 때, X까지의 거리를 쓰시오.

06 그림은 두 별 ㉠, ㉡의 단위 면적에서 단위 시간 동안 방출하는 에너지 세기를 나타낸 것이다.
이에 대한 설명으로 옳은 것만을 보기에서 있는 대로 고르시오.

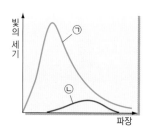

> 보기
>
> ㄱ. 표면 온도는 ㉠이 ㉡보다 높다.
>
> ㄴ. ㉠은 ㉡보다 붉은색으로 보인다.
>
> ㄷ. 색지수 $(B-V)$는 ㉠이 ㉡보다 크다.

07 표는 별의 스펙트럼과 표면 온도를 나타낸 것이다. 물음에 답하시오.

별	(가)	(나)	(다)	(라)
분광형	A0	B0	( )	K0
표면 온도(K)	10000	( )	6000	5000

(1) (가)~(라)를 색지수가 큰 것부터 순서대로 나열하시오.

(2) (가)~(라) 중 스펙트럼에 나타나는 흡수선의 종류가 태양과 가장 비슷한 별을 쓰시오.

08 산개 성단에 대한 설명으로 옳은 것만을 보기에서 있는 대로 고르시오.

보기
ㄱ. 별들이 중력에 의해 강하게 묶여 있다.
ㄴ. 우리은하의 나선팔에 주로 분포한다.
ㄷ. 성단을 구성하는 별들은 대부분 나이가 많은 붉은 색 별이다.

09 그림은 어떤 성단의 모습을 나타낸 것이다.

이 성단에 대한 설명으로 옳은 것만을 보기에서 있는 대로 고르시오.

보기
ㄱ. 구상 성단이다.
ㄴ. 성단의 나이가 매우 적다.
ㄷ. 구성 별들의 색지수는 대부분 음(−)의 값이다.

10 그림은 성단 X와 표준 주계열의 색등급도를 나타낸 것이다. 물음에 답하시오. (단, 별 A는 성단 X를 구성하는 항성이다.)

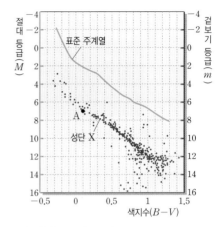

(1) 별 A의 절대 등급을 쓰시오.

(2) 성단 X의 거리를 쓰시오.

11 그림 (가)와 (나)는 산개 성단과 구상 성단의 색등급도를 순서 없이 나타낸 것이다. 물음에 답하시오.

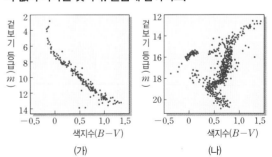

(1) (가)와 (나)는 각각 어떤 성단인지 쓰시오.

(2) (가)와 (나) 중에서 전향점에 있는 별의 색지수가 더 큰 것을 쓰시오.

(3) (가)와 (나) 중에서 나이가 많은 성단을 쓰시오.

01 ▶연주 시차

그림은 천구 북극 방향에 있는 별들을 6개월 간격으로 찍은 사진을 겹쳐놓은 모습이고, 표는 세 별 A, B, C의 겉보기 등급을 나타낸 것이다.

별	겉보기 등급
A	−1.0
B	2.0
C	3.0

이에 대한 설명으로 옳은 것만을 보기에서 있는 대로 고른 것은?

보기

ㄱ. 별 A의 연주 시차는 0.2″이다.
ㄴ. 별 B의 절대 등급은 2.0등급이다.
ㄷ. 별의 거리는 A<B<C이다.

① ㄱ   ② ㄷ   ③ ㄱ, ㄴ   ④ ㄴ, ㄷ   ⑤ ㄱ, ㄴ, ㄷ

• 지구 공전 궤도의 양 끝에서 별을 바라보았을 때 나타나는 시차의 $\frac{1}{2}$을 연주 시차라고 한다. 연주 시차를 측정하면 별의 거리를 알 수 있다.

02 ▶별의 거리 지수

다음은 별의 등급과 밝기 관계를 이용하여 거리 지수를 유도하는 과정이다.

(가) 겉보기 등급이 m_1, m_2인 두 별의 겉보기 밝기를 각각 l_1, l_2라 하면,

$$\frac{l_1}{l_2} = (\quad ㉠ \quad)^{\frac{1}{5}(m_2 - m_1)} \qquad \cdots\cdots ①$$

(나) 별의 겉보기 밝기를 l, 겉보기 등급을 m, 별이 10 pc의 거리에 있을 때의 밝기를 L, 절대 등급을 M이라고 하면, 별의 밝기는 별까지의 거리의 제곱에 반비례하므로,

$\frac{l}{L} = \frac{10^2}{r^2}$ 이고, 식 ①을 이용하면

$$\frac{l}{L} = \frac{10^2}{r^2} = 10^{\frac{2}{5}(\;㉡\;)} \qquad \cdots\cdots ②$$

(다) 식 ②에 로그를 취한 후 정리하면

$$m - M = 5(\quad ㉢ \quad) - 5 \qquad \cdots\cdots ③$$

㉠, ㉡, ㉢에 들어갈 알맞은 값을 옳게 짝 지은 것은?

	㉠	㉡	㉢		㉠	㉡	㉢
①	10	$m-M$	$\log r$	②	10	$M-m$	r
③	100	$m-M$	$\log r$	④	100	$M-m$	$\log r$
⑤	100	$M-m$	r				

• 겉보기 등급과 절대 등급의 차이를 거리 지수라고 한다. 거리 지수를 알면 별의 거리를 알 수 있다.

081

03

> 별의 등급과 거리

그림은 별 A~D의 거리와 겉보기 등급을 나타낸 것이다.

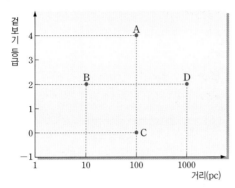

* 절대 등급은 별이 10 pc의 거리에 있다고 가정했을 때의 등급이다. 별의 밝기는 거리의 제곱에 반비례하므로 10배 멀어지면 밝기는 $\frac{1}{100}$배가 된다.

이에 대한 설명으로 옳은 것만을 보기에서 있는 대로 고른 것은?

> 보기

ㄱ. 가장 밝게 보이는 별은 A이다.

ㄴ. 연주 시차는 B가 C보다 10배 크다.

ㄷ. 절대 등급은 B가 D보다 10등급 크다.

① ㄱ   ② ㄴ   ③ ㄱ, ㄷ   ④ ㄴ, ㄷ   ⑤ ㄱ, ㄴ, ㄷ

04

고난도

> 세페이드 변광성

그림은 소마젤란은하에서 관측된 세페이드 변광성 HV 1967과 HV 843의 시간에 따른 겉보기 등급 변화를 나타낸 것이다.

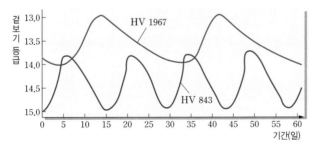

* 두 세페이드 변광성은 모두 소마젤란은하의 내부에 있으므로 거리가 거의 같다.

이에 대한 설명으로 옳은 것만을 보기에서 있는 대로 고른 것은?

> 보기

ㄱ. HV 1967의 평균 겉보기 등급은 약 13.5 등급이다.

ㄴ. 광도는 HV 1967이 HV 843보다 크다.

ㄷ. HV 1967과 HV 843의 거리 지수는 거의 같다.

① ㄱ   ② ㄴ   ③ ㄱ, ㄷ   ④ ㄴ, ㄷ   ⑤ ㄱ, ㄴ, ㄷ

고난도

05 ❯변광성의 주기 – 광도 관계

표는 겉보기 등급이 모두 **0**등급인 변광성 **A**, **B**, **C**의 변광 주기를, 그림은 이들 변광성의 주기 – 광도 관계를 나타낸 것이다.

별	변광 주기
A	0.6일
B	3일
C	30일

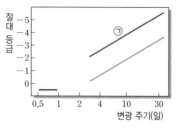

이에 대한 설명으로 옳은 것만을 보기에서 있는 대로 고른 것은?

보기
ㄱ. A는 거문고자리 RR형 변광성이다.
ㄴ. ㉠은 종족 Ⅱ형 세페이드 변광성이다.
ㄷ. 변광성까지의 거리는 B가 C보다 가깝다.

① ㄱ   ② ㄴ   ③ ㄱ, ㄷ   ④ ㄴ, ㄷ   ⑤ ㄱ, ㄴ, ㄷ

• RR형 변광성은 변광 주기에 관계없이 절대 등급이 거의 일정하다. 세페이드 변광성은 크게 종족 Ⅰ형과 종족 Ⅱ형이 있으며, 변광 주기가 같으면 종족 Ⅰ형이 종족 Ⅱ형보다 광도가 크다.

06 ❯색지수

그림 (가)는 두 별 X, Y의 파장에 따른 상대적 에너지 세기를, (나)는 U, B, V 필터를 투과하는 빛의 파장 영역을 나타낸 것이다.

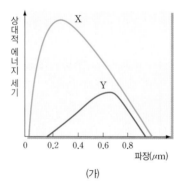

(가)

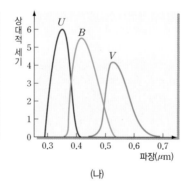

(나)

별 X와 Y에 대한 설명으로 옳은 것만을 보기에서 있는 대로 고른 것은?

보기
ㄱ. 표면 온도는 X가 Y보다 높다.
ㄴ. X는 U 필터를 통과한 빛의 양이 B 필터를 통과한 빛의 양보다 많다.
ㄷ. Y의 색지수 $(B-V)$는 $(+)$값을 갖는다.

① ㄱ   ② ㄴ   ③ ㄱ, ㄷ   ④ ㄴ, ㄷ   ⑤ ㄱ, ㄴ, ㄷ

• U 필터, B 필터, V 필터를 사용하여 정한 겉보기 등급을 각각 U, B, V라고 한다. 이때 색지수는 $(B-V)$ 또는 $(U-B)$를 주로 사용한다.

> 별의 물리량

07 표는 세 별 (가), (나), (다)의 특성을 나타낸 것이다.

별	겉보기 등급(m)	색지수($B-V$)	연주 시차($''$)
(가)	3.0	0.00	0.1
(나)	1.0	1.23	0.01
(다)	1.0	0.42	0.02

이에 대한 설명으로 옳은 것만을 보기에서 있는 대로 고른 것은?

> 보기
> ㄱ. 가장 밝게 보이는 별은 (가)이다.
> ㄴ. 실제 밝기가 가장 밝은 별은 (나)이다.
> ㄷ. (나)는 (다)보다 붉게 보인다.

① ㄱ   ② ㄴ   ③ ㄱ, ㄷ   ④ ㄴ, ㄷ   ⑤ ㄱ, ㄴ, ㄷ

- 색지수가 클수록 표면 온도가 낮은 별이고, 연주 시차가 작을수록 멀리 있는 별이다.

> 별의 분광형

08 표는 세 별 (가), (나), 태양의 분광형과 스펙트럼을 나타낸 것이다.

별	분광형	스펙트럼
(가)	A	
(나)	M	
태양	( )	

이에 대한 설명으로 옳은 것만을 보기에서 있는 대로 고른 것은?

> 보기
> ㄱ. (가)는 파란색 별이다.
> ㄴ. (나)의 겉보기 등급은 B 등급보다 V 등급이 크다.
> ㄷ. 태양의 분광형은 G형이다.

① ㄱ   ② ㄷ   ③ ㄱ, ㄴ   ④ ㄴ, ㄷ   ⑤ ㄱ, ㄴ, ㄷ

- 별의 분광형은 스펙트럼에 나타난 흡수선의 세기에 따라 O, B, A, F, G, K, M형으로 분류할 수 있다. 이 순서는 별의 표면 온도가 높은 것부터 차례대로 나타낸 것이다.

09 ❯ 성단의 색등급도
그림은 어떤 성단의 색등급도를 나타낸 것이다.

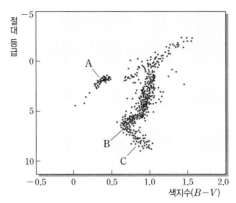

이에 대한 설명으로 옳은 것은?

① 이 성단은 산개 성단이다.

② A는 주계열성이다.

③ B는 C보다 수명이 길다.

④ 표면 온도는 A<B<C이다.

⑤ 수평 가지와 점근 거성 가지에 별들이 나타난다.

10 ❯ 산개 성단의 색등급도
그림은 산개 성단 A~D의 색등급도를 나타낸 것이다.

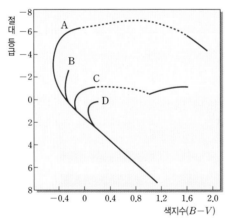

이에 대한 설명으로 옳은 것만을 보기에서 있는 대로 고른 것은?

> 보기
> ㄱ. 산개 성단을 이루는 별은 대부분 주계열성이다.
> ㄴ. A~D 중 성단의 나이는 A가 가장 많다.
> ㄷ. 전향점에 있는 별의 표면 온도는 C가 D보다 낮다.

① ㄱ   ② ㄷ   ③ ㄱ, ㄴ   ④ ㄴ, ㄷ   ⑤ ㄱ, ㄴ, ㄷ

- 구상 성단은 성단의 나이가 많으므로 구성 별들은 대부분 적색 거성이거나 질량이 작은 주계열성이다.

- 성단의 색등급도에서 별이 진화하여 주계열을 벗어나는 지점을 전향점이라고 한다. 전향점은 성단의 나이가 많을수록 오른쪽 아래에 위치한다.

11 › 주계열 맞추기

그림은 어느 성단을 구성하는 별의 겉보기 등급과 표준 주계열의 절대 등급을 색지수에 따라 나타낸 것이다.

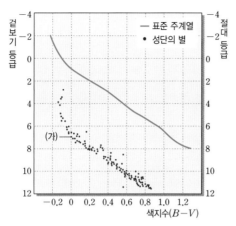

이에 대한 설명으로 옳지 <u>않은</u> 것은? (단, 태양의 색지수는 약 +0.66이다.)

① 이 성단은 산개 성단이다.

② (가)는 주계열성이다.

③ (가)의 질량은 태양보다 크다.

④ (가)의 절대 등급은 약 1등급이다.

⑤ 성단까지의 거리는 100 pc 보다 가깝다.

• 표준 주계열의 색등급도와 성단을 이루는 주계열성의 색등급도를 비교하여 거리 지수를 구할 수 있다.

12 › 천체의 거리

그림은 천체의 거리를 구하는 3가지 방법을 나타낸 것이다.

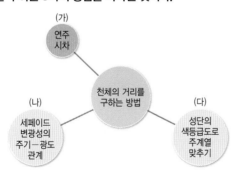

이에 대한 설명으로 옳은 것만을 보기에서 있는 대로 고른 것은?

> **보기**
>
> ㄱ. (가)는 주로 매우 먼 거리에 있는 별의 거리를 구할 때 이용한다.
>
> ㄴ. 최초로 외부 은하의 거리를 측정할 때 이용한 방법은 (나)이다.
>
> ㄷ. (다)에서는 성단을 구성하는 주계열성의 겉보기 등급과 표준 주계열의 절대 등급을 비교해야 한다.

① ㄱ   ② ㄷ   ③ ㄱ, ㄴ   ④ ㄴ, ㄷ   ⑤ ㄱ, ㄴ, ㄷ

• (가)에서는 지구 공전에 의한 별의 겉보기 위치 변화를 관측하여 거리를 구한다. (나)와 (다)에서는 거리 지수를 이용하여 거리를 측정한다.

02 우리은하의 구조

학습 Point 우리은하의 모습 > 성간 물질 > 우리은하의 나선팔 구조와 질량 분포

 우리은하의 모습

우리은하는 태양계를 포함하여 2천억 개 이상의 별과 성간 물질 등으로 이루어져 있다. 우리은하의 나선팔에 위치한 태양계에서 우리은하를 보면 띠 모양의 은하수가 관측된다.

1. 우리은하의 모습에 관한 연구

18세기 이전 사람들은 우주가 태양, 지구, 달, 행성과 그 주변의 별들로 이루어졌다고 생각했다. 이후 관측 기술의 발달과 많은 천문학자의 노력으로 우리은하의 모습이 밝혀졌다.

(1) **허셜:** 직접 만든 망원경으로 별의 수를 세어 최초로 우리은하의 모습을 그렸다. 당시의 기술로는 태양 근처의 별만 관측 가능했기 때문에 우리은하가 곧 우주라고 생각하였다.

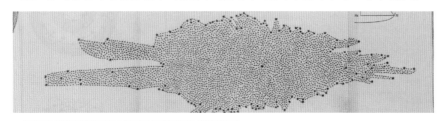

▲ 허셜이 직접 관측한 항성의 분포를 토대로 그린 우주의 모습

(2) **캅테인:** 하늘을 200여 개의 구역으로 나누어 별의 분포를 통계적으로 연구하였다. 우리은하는 지름이 약 10 kpc, 두께가 2 kpc인 회전 타원체 모양이고, 그 중심 부근에 태양이 있다고 주장하였다.

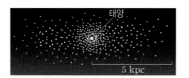

▲ 캅테인이 주장한 우주

(3) **섀플리:** 1918년 섀플리는 맥동 변광성의 주기-광도 관계를 이용하여 구상 성단의 거리를 구하고, 구상 성단의 공간 분포를 통해 태양이 우리은하의 중심이 아니라는 사실을 밝혀냈다. 그러나 섀플리는 성간 물질에 의한 영향을 고려하지 않아서 우리은하의 크기를 3배 크게 계산하였다.

▲ 섀플리가 주장한 우주

(4) **허블:** 1924년에 안드로메다성운에 있는 세페이드 변광성의 거리를 측정하여 이 성운이 외부 은하임을 밝혀냈으며, 우리은하는 수많은 은하 중 하나라고 생각하였다.

(5) **오르트:** 거문고자리 RR형 변광성의 거리를 측정하여 우리은하의 지름이 약 30 kpc이며 태양은 은하 중심에서 약 8.5 kpc 떨어진 곳에 있다는 사실을 알아냈다.

은하수

지구에서 바라본 우리은하의 모습이다. 수많은 별로 이루어져 있으며, 궁수자리 방향의 은하수가 폭이 가장 넓고 뚜렷하다.

▲ **궁수자리 방향의 은하 중심**

허셜(Herschell, W. F. 1738~1822)
독일 태생인 영국의 천문학자로, 교회의 오르간 연주자로 생활하면서 천문 서적을 탐독하였다. 대형 망원경을 제작하고 천왕성을 발견하였으며, 전 하늘을 조직적으로 관측하여 성운과 성단의 목록을 작성하였다.

캅테인(Kapteyn, J. C. 1851~1922)
네덜란드의 천문학자로, 은하계 구조론 및 통계 천문학의 개척자이다.

섀플리(Shapley, H. 1885~1972)
미국의 천문학자로, 식쌍성을 통하여 별의 크기를 알아내고 구상 성단에 포함된 세페이드 변광성의 주기-광도 관계로부터 성단의 거리를 측정하여 그 공간 분포로 우리은하의 모습과 규모를 추정하였다.

시선집중 ★ 구상 성단의 분포를 이용하여 우리은하의 중심 찾기

- 그림은 태양을 중심으로 한 우리은하의 구상 성단 분포를 나타낸 것이다. 구상 성단의 분포 중심은 태양에서 약 8.5 kpc 벗어나 있다는 것을 확인할 수 있다.
- 구상 성단은 수십만 개의 별로 이루어진 집단이므로 질량이 매우 크다. 구상 성단처럼 질량이 큰 천체는 은하의 중심에 대하여 대칭적으로 분포해야만 역학적으로 안정한 상태를 유지할 수 있다. 따라서 구상 성단의 분포 중심은 우리은하의 중심과 거의 일치한다고 할 수 있다.
- 구상 성단은 약 30 kpc 범위 이내에 집중적으로 분포하고 있으며, 은하 원반의 별들도 대부분 이 범위 안쪽에 분포하고 있다. 따라서 우리은하의 지름을 약 30 kpc으로 추정할 수 있다.

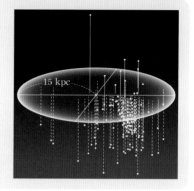

▶ 태양을 중심으로 나타낸 우리은하의 구상 성단 분포

2. 우리은하의 구조

(1) **모양**: 중심에는 은하핵을 포함하는 막대 모양의 은하 중심부가 있고, 그 주위를 나선팔이 휘감고 있는 은하 원반으로 이루어진 막대 나선 은하이다.

(2) **크기**: 우리은하의 지름은 약 30 kpc(약 10만 광년)이고, 태양계는 은하 중심에서 약 8.5 kpc(약 26000 광년) 떨어진 곳에 있다.

(3) **구조**: 중앙의 팽대부, 은하면에 해당하는 은하 원반, 이를 감싸는 헤일로로 구성된다.

팽대부	궁수자리 방향의 은하 중심부에 나이가 많고 붉은색의 별들이 모여 볼록하게 부풀어 오른 부분으로, 막대 모양의 구조를 이룬다.
은하 원반	은하 원반에는 여러 개의 나선팔이 존재하며, 나선팔에는 주로 젊고 푸른 별들과 기체와 티끌로 이루어진 성간 물질이 분포하고 있다. 태양은 은하 중심에서 약 8.5 kpc 떨어져 있는 오리온자리 돌출부의 안쪽 가장자리에 있다.
헤일로	우리은하를 크게 감싸고 있어서 희미하게 보이는 거대한 구형의 부분으로, 나이가 많고 붉은색 별로 이루어진 구상 성단이 분포한다.

우리은하의 모양

2000년대 초까지 우리은하는 정상 나선 은하라고 알려졌다. 그러나 2003년에 스피처 적외선 우주 망원경으로 정밀하게 관측한 결과, 우리은하 중심부에 막대 구조가 있다는 것이 밝혀졌다.

우리은하의 중심부

은하핵의 중심에는 태양 질량의 약 300만 배에 이르는 거대한 블랙홀이 존재할 것으로 예측된다.

▼ 우리은하를 위에서 본 모습   ▼ 우리은하를 옆에서 본 모습과 성단의 분포

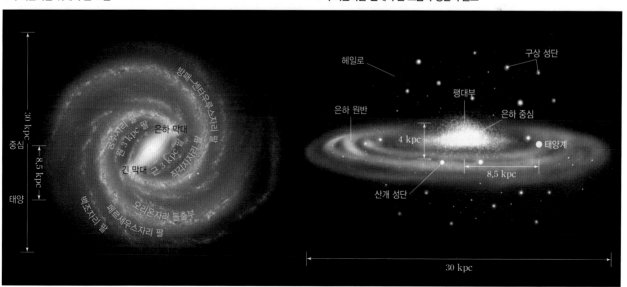

② 성간 물질

우주 공간은 완전한 진공 상태가 아니라 기체와 미세한 고체 입자들이 분포하고 있다. 이를 성간 물질(interstellar medium 또는 interstellar matter)이라고 하며, 별을 만드는 재료가 된다.

1. 성간 물질과 성운

은하수를 자세히 관찰하면 중간 부분에 검은 띠가 보이는데, 이는 은하면에 분포하는 성간 물질에 의해 별빛이 차단되기 때문이다.

(1) **성간 물질**: 별과 별 사이의 공간은 진공 상태가 아니라 수소와 헬륨 등의 성간 기체와 탄소나 규소의 고체 알갱이인 성간 티끌이 존재하는데, 이를 성간 물질이라고 한다.

① 성간 기체: 성간 기체는 전체 성간 물질의 약 99 %를 차지하며, 대부분 수소로 이루어져 있다. 성간 기체는 이를 구성하는 수소의 상태와 온도, 밀도에 따라 다양한 형태로 분포하는데, 대체로 온도가 높을수록 밀도가 낮다. 수소는 저온에서는 분자로 존재하지만, 고온에서는 전리되어 있다. 성간 기체는 주로 수소 분자로 이루어진 분자운, 원자 상태의 수소가 주성분인 H I 영역, 이온화된 수소로 이루어진 H II 영역으로 구분한다.

분자운	온도가 10 K 정도로 낮아서 성간 기체의 대부분이 분자 상태로 존재한다. 주로 수소 분자(H_2)와 소량의 CO, OH, NH_3 등으로 이루어져 있다. 은하 원반에 분포하며, 기체의 밀도가 높아 별의 대부분이 이 영역에서 탄생한다. 주로 성간 티끌이 많은 곳에 분포하는데, 성간 티끌이 별에서 오는 자외선을 차단하여 원자로 해리되는 것을 막아주기 때문이다.
H I 영역	온도가 100 K 정도로 비교적 낮아 수소가 중성 원자 상태로 밀집된 영역으로, 은하 원반에 널리 분포한다. 중성 수소 영역이라고도 하며, 전파에 해당하는 21 cm 수소선을 방출한다. 21 cm 수소선을 통해 우리은하의 나선 구조를 밝혀냈다.
H II 영역	온도가 10000 K 정도이고, 수소가 완전히 전리된 영역이다. 분자운에서 갓 태어난 고온의 O형 또는 B형 별 주위에 밀집된 수소가 별에서 방출하는 자외선을 흡수하여 이온화되고, 전리된 수소 원자핵 중 일부는 자유 전자와 재결합하여 중성 수소로 되돌아갔다가 다시 이온화되기를 반복한다. 이 과정에서 붉은빛인 H_α선을 방출하여 H II 영역이 전체적으로 붉게 보인다.

성간 기체의 상태

구분	온도 (K)	밀도 (입자 수 /cm³)	주성분
분자운	10	$10^2 \sim 10^7$	수소 분자 (H_2)
H I 영역	100	10	수소 원자 (H)
H II 영역	10^4	100	수소 원자핵, 자유 전자

거대 분자운
티끌과 기체가 섞인 거대 복합체로, 대부분 수소 분자로 이루어진 저온 고밀도의 성간 운이다. 이곳에서는 중력 수축이 일어나기 좋으므로 새로운 별이 탄생할 수 있다.

H_α 선
수소 원자에서 전자가 주양자수(n) 3에서 2로 전이되면서 방출하는 파장이 656.3 nm인 빛으로, 붉은색으로 보인다.

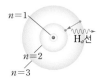

▼ **독수리 성운(M16)** 거대 분자운으로, 새로운 별이 탄생하는 장소이다.　　　　▼ **오리온 대성운(M42)** 붉게 보이는 부분이 H II 영역이다.

② 성간 티끌: 얼음과 규산염, 흑연 등으로 이루어진 미세한 고체 입자로, 크기는 대부분 1 μm 이하이다. 성간 티끌의 온도는 대략 10 K~20 K이지만, 고온의 별 주위에서는 약 100 K~600 K의 온도를 나타낸다.

• 성간 티끌은 전체 성간 물질의 약 1 %에 불과하지만, 별빛을 잘 흡수하거나 산란시켜서 별빛이 성간 티끌이 분포하는 영역을 지나면 그 밝기가 감소한다.

• 성간 티끌은 별빛을 흡수하여 적외선으로 방출하므로, 적외선 관측을 통해 그 분포를 확인할 수 있다.

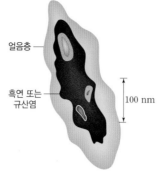

얼음층

흑연 또는 규산염

100 nm

▲ 성간 티끌 모형

▲ **성간 티끌** 규산염질 성간 티끌의 전자 현미경 사진이다(출처: Brownlee, D., Jessberger, E.).

성운의 분포

성운은 대부분 은하 원반에 집중되어 있고, 주로 나선팔을 따라 분포한다. 새로운 별은 성운에서 탄생하므로 우리은하에서 젊은 별들은 주로 나선팔에서 발견된다.

(2) **성운**: 성간 기체나 성간 티끌과 같은 성간 물질이 다양한 형태를 이루며 밀집되어 있어서 구름처럼 보이는 것을 성운이라 하며, 암흑 성운, 반사 성운, 방출 성운으로 구분한다.

① **암흑 성운**: 관측자의 시선 방향에 성간 티끌이 밀집되어 있으면 뒤에서 오는 별빛이 차단되는데, 이처럼 고밀도의 성간 티끌에 의해 검게 보이는 성운을 암흑 성운이라고 한다. 암흑 성운은 대체로 밝은 성운 부근이나 그 위에 중첩되어 보이며, 거대 암흑 성운에서는 새로운 별이 탄생하기도 한다. ▶ (예) 말머리성운, 버나드 68 등

② **반사 성운**: 주변에 있는 별의 빛을 성운에 포함된 성간 티끌이 산란시키면 성운이 파랗게 보인다. 이처럼 성운 자체는 빛을 내지 않지만, 주변의 밝은 별에서 받은 빛을 반사하여 밝게 보이는 성운을 반사 성운이라고 한다. 성간 티끌에 의한 산란은 파장이 긴 붉은빛보다 파장이 짧은 파란빛에서 잘 일어나기 때문에 반사 성운은 주로 파란색으로 관측된다. ▶ (예) NGC 7023, 메로페 성운 등

③ **방출 성운(발광 성운)**: 성운 내에 있는 고온의 별에서 나오는 강한 복사 에너지를 성간 기체가 흡수하여 이온화되고, 전자가 재결합하는 과정에서 빛을 내는 성운을 방출 성운이라고 한다. 방출 성운은 주로 수소에 의한 붉은색의 가시광선(H_α선)을 강하게 방출하여 붉게 보인다. ▶ (예) 오리온 대성운, 장미 성운 등

▲ **메로페 성운(반사 성운)** 플레이아데스성단의 메로페 별 주위에 분포하는 무정형의 반사 성운이다.

▼ **암흑 성운(말머리성운)**　　　　▼ **반사 성운(NGC 7023)**　　　　▼ **방출 성운(장미 성운)**

2. 성간 소광과 성간 적색화

암흑 성운이 있는 영역은 주변의 다른 영역에 비해 별이 거의 존재하지 않는 것처럼 보인다. 이는 성간 티끌에 의한 소광 현상 때문이다.

(1) **성간 소광**: 성간 물질 중 성간 티끌은 빛을 흡수하거나 산란시켜 별빛의 세기를 약화시키는데, 이러한 현상을 성간 소광이라고 한다.

① 성간 티끌은 빛을 흡수할 뿐만 아니라 티끌의 온도에 해당하는 전자기파를 방출하는데, 대부분 적외선을 방출한다. 우리은하를 적외선으로 관측하면 은하 원반에서 적외선이 많이 방출되는 것을 확인할 수 있는데, 이는 성간 티끌이 주로 은하 원반에 분포하기 때문이다.

② 성간 티끌에 의한 성간 소광량은 빛의 파장에 따라 다르다. 성간 티끌은 적외선보다 파장이 짧은 가시광선 또는 자외선 영역의 빛을 잘 흡수하거나 산란시키므로, 적외선으로 관측하면 가시광선으로는 잘 보이지 않는 별의 생성 장소나 은하 중심부를 관측할 수 있다.

(2) **소광 보정**: 성간 소광이 일어나면 별이 더 어둡게 관측되므로 별의 겉보기 등급이 실제보다 크게 관측된다. 따라서 관측한 별의 겉보기 등급을 성간 소광된 만큼 보정해야 정확한 거리 지수를 구할 수 있다. 또한, 성간 소광을 보정할 때, 파장에 따라 소광 정도가 다른 것을 고려해야 한다. 성간 소광을 고려한 거리 지수는 파장 λ로 관측할 경우 다음과 같이 나타낼 수 있다.

$$m - M = 5 \log r - 5 + A_\lambda$$

여기서 A_λ는 성간 소광량을 등급으로 나타낸 값으로, 2등급/kpc을 평균값으로 쓴다.

파장에 따른 성간 소광량

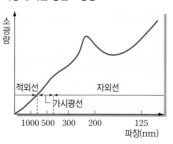

파장이 긴 적외선 영역에서 파장이 짧은 자외선 영역으로 갈수록 소광 정도가 급격히 증가한다. 특히 가시광선 영역에서 파장이 짧아짐에 따라 소광 정도가 증가하므로 파란빛이 붉은빛보다 더 많이 소광됨을 알 수 있다.

시선 집중 ★ **파장에 따른 성간 소광량 비교**

그림 (가)와 (나)는 암흑 성운 버나드 68을 가시광선과 적외선으로 각각 관측한 모습이다.

(가) 가시광선

(나) 적외선

(출처: European Southern Observatory)

- 가시광선 영상에서 중심부에 별이 거의 보이지 않는 영역은 성간 티끌에 의해 뒤쪽에서 오는 별빛이 차단되어 어둡게 보이는 것이다.
- 성간 티끌에 의한 빛의 흡수와 산란은 파장이 짧을수록 잘 일어난다. 따라서 (가)의 가시광선 영상과 달리 (나)의 적외선 영상에는 성운이 분포하는 곳에도 별이 보인다.

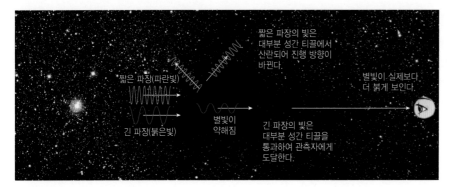

▲ **성간 적색화** 배경의 암흑 성운은 LDN 483이다. (출처: European Southern Observatory)

(3) **성간 적색화:** 성간 티끌이 긴 파장의 붉은빛보다 짧은 파장의 파란빛을 더 많이 소광시키므로 별빛이 실제보다 더 붉게 관측되는 현상이다.

① **성간 적색화의 원리:** 같은 천체에서 방출되는 빛이라도 짧은 파장의 빛(자외선, 가시광선 등)은 성간 티끌 층에 쉽게 흡수되거나 산란되고, 긴 파장의 빛(적외선, 전파 등)은 상대적으로 성간 티끌 층을 잘 통과한다.

② **색초과:** 별빛이 성간 티끌을 통과하여 적색화되면 별의 색지수는 고유한 색지수보다 더 크게 관측된다. 이때 관측한 별의 색지수에서 실제 별의 색지수를 뺀 값을 색초과라고 한다. 색초과 값을 알면 성간 티끌 층에 의해 별빛이 흡수된 정도를 추정할 수 있다.

> 색초과 = 관측된 색지수 − 고유한 색지수

(4) **성간 소광과 성간 적색화 효과의 보정:** 우리은하를 구성하는 성간 물질에 의해 별빛이 흡수되거나 산란되어 성간 소광과 성간 적색화 현상이 나타난다. 또한, 우리은하의 원반에는 성간 기체와 성간 티끌이 많이 분포한다. 따라서 우리은하의 천체를 관측할 때 정확한 결과를 얻기 위해서는 반드시 성간 소광과 성간 적색화 효과를 보정해야 한다.

시선 집중 ★ **여러 가지 파장으로 관측한 우리은하의 모습**

다음은 우리은하의 은하면을 각각 가시광선, 적외선, 전파(21cm 전파) 영역으로 관측한 영상이다.

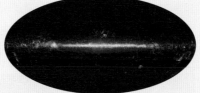

가시광선 영상 (출처: ESA/Gaia/DPAC)　　**적외선 영상** (출처: NASA/JPL−Caltech/UCLA)　　**21 cm 전파 영상** (출처: NASA/GSFC)

• 가시광선 영상: 은하면을 따라 밝은 빛을 방출하는 천체와 그 빛을 흡수하거나 산란시키는 성간 물질이 집중적으로 분포하는 것을 확인할 수 있다.
• 적외선 영상: 비교적 온도가 낮고 나이가 많은 별들의 분포를 확인할 수 있다. 성간 티끌에 의한 소광 현상이 가시광선 영상보다 적게 일어나는 것을 확인할 수 있다.
• 21 cm 전파 영상: 성간 기체, 특히 중성 수소가 은하 원반을 따라 좁은 띠 모양으로 분포하는 것을 확인할 수 있으며, 성간 티끌에 의한 소광은 이 영상에서는 무시할 수 있다.

③ 우리은하의 나선팔 구조와 질량 분포

우리은하의 나선팔 구조는 21 cm 전파(중성 수소선) 관측을 통해 알아냈으며, 우리은하의 질량 분포는 은하 중심을 회전하는 별의 회전 속도로부터 알아냈다.

1. 별의 공간 운동

별은 매우 멀리 떨어져 있어 위치가 변하지 않는 것처럼 보이지만, 실제로는 매우 빠르게 은하 중심을 서로 다른 속도로 회전하고 있다.

(1) **공간 운동**: 별이 우주 공간에서 실제로 움직인 것을 공간 운동이라고 한다.

① 고유 운동(μ): 별이 천구 상에서 1년 동안 움직인 각거리를 고유 운동이라고 한다.

② 공간 속도(V): 별의 공간 속도는 시선 속도와 접선 속도로 나타낼 수 있다.

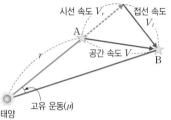

▲ **별의 공간 운동**

• 시선 속도(V_r): 별이 관측자의 시선 방향으로 멀어지거나 가까워지는 속도로, 별빛 스펙트럼에서 도플러 효과에 의한 파장 변화를 측정하여 구한다.

$$V_r = \frac{\lambda - \lambda_0}{\lambda_0} \times c \; (c: \text{빛의 속도}, \lambda_0: \text{고유 파장}, \lambda: \text{관측 파장})$$

• 접선 속도(V_t): 시선 방향에 수직 방향의 선속도를 말하며, 별의 거리(r)와 고유 운동(μ)의 곱에 비례한다. 고유 운동 μ의 단위는 ″/년, 거리 r의 단위는 pc이므로 접선 속도 V_t의 단위가 km/s가 되도록 정리하면 다음과 같다.

$$V_t \fallingdotseq 4.74\mu \times r \; (\text{km/s})$$

• 공간 속도(V): 시선 속도(V_r)와 접선 속도(V_t)의 벡터의 합으로 나타낼 수 있다.

$$V = \sqrt{V_t^2 + V_r^2}$$

(2) **태양 부근 별의 공간 운동**: 태양 부근에 있는 별의 공간 운동을 보면, 은하 중심에서 거리가 멀어질수록 회전 속도가 느려지는 것을 알 수 있다. 즉, 태양 부근의 천체는 우리은하 중심에서 멀수록 회전 속도가 느려지는 케플러 회전을 한다.

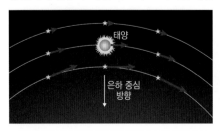
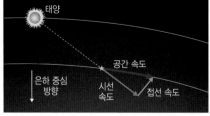

▲ **태양 부근 별의 공간 운동 및 시선 속도와 접선 속도** 태양 부근 별의 접선 속도는 천구상에서 관측하여 구할 수 있고, 시선 속도는 별빛 스펙트럼에 나타난 도플러 효과에 의한 파장 변화를 통해 알 수 있다. 이렇게 구한 태양 부근 별의 공간 운동을 보면, 은하 중심에서 거리가 멀어질수록 회전 속도가 느려진다는 것을 알 수 있다.

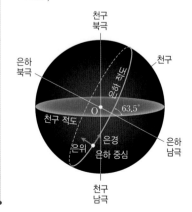

그림 (가)는 태양 근처에 있는 별들이 우리은하 중심에 대해 회전하는 모습을, 그림 (나)는 태양에 대한 상대 속도를 나타낸 것이다.

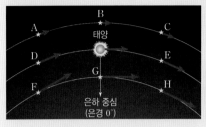

(가) 태양 부근 별의 공간 속도   (나) 태양에 대한 상대 속도

- D(은경 270°)와 E(은경 90°) 부근에 있는 별은 시선 속도가 0으로 관측된다. → 이 별들은 태양과 같은 속도로 은하 중심을 회전한다는 것을 뜻한다.
- A(은경 225°)와 H(은경 45°) 부근의 시선 속도는 (+)의 값으로 관측되며, C(은경 135°)와 F(은경 315°)의 시선 속도는 (−)로 관측된다. → A와 H는 태양에서 멀어지고 있으며, C와 F는 태양에 가까워지고 있다.
- 은하 중심 쪽에 있는 F, G, H는 태양보다 회전 속도가 빠르고, 바깥쪽에 있는 A, B, C는 태양보다 회전 속도가 느리다. 즉, 별들은 은하 중심을 기준으로 회전하고 있으며, 은하 중심으로부터의 거리에 따라 회전 속도가 다르다는 것을 알 수 있다.

태양 부근 별들의 시선 속도

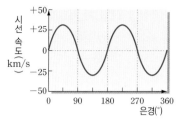

태양 부근 별의 은경에 따른 시선 속도 분포는 위 그림과 같은 곡선(이중 사인 곡선)으로 나타난다. 은경 0°, 90°, 180°, 270°의 별은 시선 속도가 0으로 관측된다. 은경 0°~90°와 180°~270°의 별은 시선 속도가 (+)의 값으로, 은경 90°~180°, 270°~360°의 별은 시선 속도가 (−)의 값으로 관측된다.

2. 21 cm 수소선 관측과 나선팔 구조

은하의 나선팔에서는 새로운 별이 활발하게 생성되고 있으며, 중성 수소가 풍부하게 분포한다. 21 cm 수소선 관측으로 중성 수소의 분포를 파악할 수 있고, 이를 통해 은하면에 존재하는 나선팔 구조를 알게 되었다.

(1) 21 cm 수소선 관측

① **중성 수소의 21 cm 수소선 방출**: 원자 상태로 존재하는 중성 수소는 양성자와 전자의 자전 방향에 따라 두 종류의 에너지 상태가 존재하는데, 자전 방향이 같을 때가 반대일 때보다 에너지 상태가 조금 더 높다. 자연 상태의 중성 수소는 에너지가 높은 상태에서 낮은 상태로 자발적으로 바뀌면서 에너지를 방출하는데, 이 에너지가 파장이 21 cm인 전파이다.

② **21 cm 수소선**: 상대적으로 파장이 긴 21 cm 수소선은 성간 물질을 통과할 때 성간 소광이 거의 일어나지 않으므로, 우리은하의 구조를 밝히는 데 중요하게 이용된다.

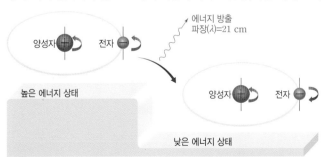

▲ **중성 수소의 21 cm 전파 방출**

▲ **21 cm 수소선으로 관측한 우리은하의 모습** 은하 원반을 따라 중성 수소가 집중적으로 분포한다. (출처: NASA/GSFC)

(2) **우리은하의 나선팔 구조:** 중성 수소 원자가 방출하는 21 cm 수소선을 전파 망원경으로 관측하여 우리은하 원반에 존재하는 나선팔 구조를 알아내었다.

① **나선팔 구조의 확인:** 전파는 성간 소광이 거의 일어나지 않으므로, 가시광선을 통한 관측으로는 알아낼 수 없던 은하 구조를 파악하는 데 중요한 역할을 한다. 특히 우리은하의 은하면에서 방출하는 21 cm 수소선의 상대적 세기를 측정하여 중성 수소가 나선팔 구조를 이루며 밀집되어 분포하는 것을 확인하였다.

② **21 cm 수소선의 파장 변화:** 은하 원반에 분포하는 중성 수소 구름은 우리은하를 회전하므로, 태양계에서 관측하는 21 cm 수소선의 도플러 효과에 의한 파장 변화로부터 시선 속도를 측정하여 은하 원반에 분포하는 중성 수소 구름이 회전하는 것을 알아낼 수 있다.

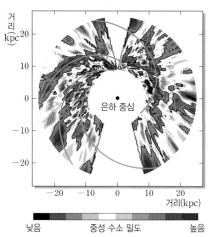

▲ **21 cm 수소선 관측으로 알아낸 우리은하의 중성 수소 분포** (출처: Levine, E.S. et al., Science, Vol. 312, pp.1773−1777, 2006)

시선 속도 변화와 도플러 효과

도플러 효과(Doppler effect)는 어떤 파동을 발생하는 파동원과 관찰자의 상대 속도(시선 방향의 상대 속도)에 따라 진동수와 파장이 다르게 관측되는 현상이다. 시선 속도가 멀어지는 방향이면 파장이 원래보다 길어지고, 가까워지는 방향이면 파장이 원래보다 짧아진다.

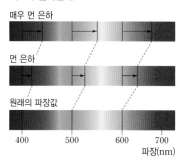

시선 집중 ★ **21 cm 수소선 관측과 나선팔 구조**

그림 (가)는 일정한 시선 방향에 놓인 중성 수소 구름 A~D를, (나)는 시선 방향에 놓인 중성 수소가 방출하는 21 cm 수소선을 관측하여 알아낸 시선 속도와 전파의 상대적 세기를 나타낸 것이다.

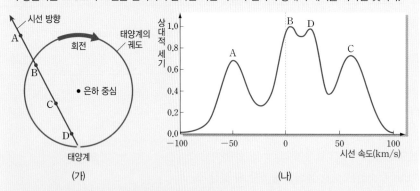

❶ **시선 속도 값으로 보아 은하 중심으로부터의 거리는 C<D<B<A이다.**

시선 속도는 21 cm 수소선의 파장 변화를 통해 알아낼 수 있는데, 그림 (가)에서 A 지점은 시선 속도가 (−)의 값이므로 태양계에 가까워지고 있으며, B, C, D 지점은 시선 속도가 (+)의 값이므로 태양계에서 멀어지고 있다. 즉, 태양계보다 은하 중심에 가까운 부분은 회전 속도가 빨라서 태양계에서 멀어지는 것이고, 은하 중심으로부터의 거리가 태양계보다 먼 부분은 회전 속도가 느려서 태양계에 가까워지는 것이다. 이를 통해 은하면에 분포하는 중성 수소 구름이 은하 중심으로부터의 거리가 가까울수록 빠르게 회전하는 것을 알 수 있다.

❶ **21 cm 수소선의 상대 복사 세기로 보아 성간 물질의 양은 B>D>C>A이다.**

중성 수소 원자가 밀집해 있는 곳일수록 21 cm 수소선의 세기가 강하게 나타나므로, 그림 (나)에서 A, B, C, D 부분에 중성 수소의 밀도가 높은 것을 알 수 있다. 또한, 21 cm 수소선의 상대적 세기가 불연속적으로 나타나는 것을 통해 우리은하의 나선팔 구조를 확인할 수 있다.

3. 우리은하의 회전 속도

탐구 098쪽

우리은하를 이루는 물질은 은하의 중심을 기준으로 회전하고 있다.

(1) 은하의 회전 속도: 은하 중심으로부터의 거리에 따른 회전 속도는 21 cm 수소선 및 여러 가지 방출선의 도플러 효과를 이용하여 알아낼 수 있다.

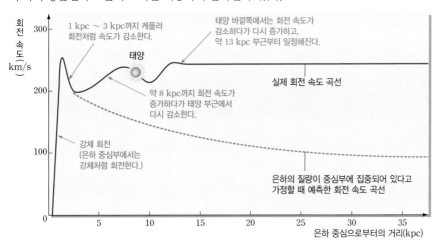

▲ 우리은하의 회전 속도 곡선

(2) 우리은하의 회전 속도 곡선: 은하 중심으로부터 약 1 kpc까지 속도가 급격히 증가하다가 감소하여 3 kpc 부근에서 최소가 되고, 그 이후 약 8 kpc까지 속도가 다시 증가한다. 태양계가 있는 약 8.5 kpc 바깥쪽에서는 회전 속도가 감소하다가 증가하고, 약 13 kpc 부근부터 거의 일정한 속도를 유지한다.

(3) 우리은하의 회전 속도 곡선 해석: 1 kpc 이내 중심부는 강체와 같이 일정한 각속도로 강체 회전을 하다가, 약 1 kpc~3 kpc 부분과 태양 부근에서는 회전 속도가 감소하며 케플러 회전을 한다. 태양 궤도의 바깥쪽에서는 회전 속도가 다시 증가하다가 거의 일정해지는데, 이로부터 우리은하의 질량 분포를 추정할 수 있다.

우리은하의 회전 속도

- 은하 중심으로부터의 거리에 따른 회전 속도는 중성 수소가 방출하는 21 cm 전파와 여러 가지 방출선을 관측하고, 도플러 효과로 인한 파장 변화로부터 구한 시선 속도를 통해 알아낼 수 있다.
- 태양 궤도 안쪽의 회전 속도는 시선 속도의 최댓값을 구하여 알아낼 수 있다.
- 태양 궤도 바깥쪽의 회전 곡선은 분자운의 방출선 스펙트럼(주로 CO 방출선)과 밝은 별들의 광학 관측 자료를 종합적으로 분석하여 알아낼 수 있다.

강체 회전과 케플러 회전

- 강체 회전: 레코드판이 회전할 경우 거리와 관계없이 레코드판 위의 모든 지점은 회전 각속도가 일정하다. 즉, 같은 시간 동안 같은 각도를 회전한다. 따라서 중심으로부터의 거리(R)가 멀수록 회전 속도(v)가 증가한다. $\Rightarrow v \propto R$
- 케플러 회전: 행성이 태양을 중심으로 공전할 때, 태양으로부터 멀어질수록 공전 속도가 느려진다. 이때 행성 궤도 안쪽의 모든 물질의 질량이 태양 중심에 모여 있다고 가정하면 행성의 공전 속도는 다음과 같이 나타낼 수 있다. $\Rightarrow v \propto \dfrac{1}{\sqrt{R}}$

시선 집중 ★ **21 cm 수소선의 파장 변화를 이용하여 우리은하의 회전 속도를 구하는 방법**

21 cm 수소선 관측 자료를 이용하여 우리은하의 회전 속도를 구하는 방법은 다음과 같다.

❶ 태양에서 각 시선 방향으로 관측한 전파에서 도플러 효과로 인한 파장 변화를 측정하면 해당 전파가 발생한 지점의 최대 시선 속도 V_{max}을 다음과 같이 나타낼 수 있다.

$$V_{max} = c \times \frac{\lambda - \lambda_0}{\lambda_0} \quad \text{(빛의 속도는 } c = 3 \times 10^5 \text{ km/s로 근사한다.)}$$

❷ 태양에서 관측한 시선 방향이 은하 중심과 이루는 각도를 θ라 하면 은하 중심으로부터 각 전파 발생 지점까지의 거리 R를 다음과 같이 나타낼 수 있다.

$$R = R_\odot \sin \theta \quad \text{(은하 중심에서 태양까지의 거리 } R_\odot = 8.5 \text{ kpc이다.)}$$

❸ 태양의 실제 회전 속도를 $V_\odot$라 하면, 태양에서 관측한 V_{max}는 상대 시선 속도이므로 실제 회전 속도 V_R에서 태양의 시선 방향 속도를 뺀 $V_{max} = V_R - V_\odot \sin \theta$이다. 따라서 실제 회전 속도 V_R은 다음과 같이 나타낼 수 있다.

$$V_R = V_{max} + V_\odot \times \sin \theta = \left(c \times \frac{\lambda - \lambda_0}{\lambda_0} \right) + (V_\odot \times \sin \theta)$$

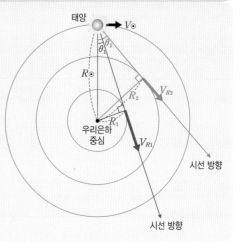

4. 우리은하의 질량과 암흑 물질

(1) 우리은하의 질량

① 케플러 제3법칙을 이용하여 계산한 질량: 우리은하를 이루는 물질이 은하 중심부에 밀집해 있고 질량이 구 대칭으로 분포한다고 가정하면 케플러 제3법칙을 이용하여 우리은하의 질량을 구할 수 있다.

> 태양 질량을 $M_\odot$, 은하 중심에 대한 태양 궤도 반지름을 a, 태양의 회전 주기를 P라 하면 케플러 제3법칙에 따라 다음과 같은 관계가 성립한다.
>
> $$M_{은하} + M_\odot = \frac{4\pi^2}{G} \times \frac{a^3}{P^2}$$
>
> $a = 1.67 \times 10^9 (\mathrm{AU})$, $P = 2.25 \times 10^8 (년)$, $\frac{4\pi^2}{G} = M_\odot$이고, 우리은하의 질량이 태양 질량보다 매우 크므로 우리은하의 질량을 태양 질량 단위로 나타내면 다음과 같다.
>
> $$M_{은하} + M_\odot ≒ M_{은하} ≒ \frac{(1.67 \times 10^9)^3}{(2.25 \times 10^8)^2} M_\odot ≒ 10^{11} M_\odot$$

② 광학적 관측으로 추정한 우리은하의 질량: 주계열성의 질량이 클수록 광도가 크게 나타나는 질량－광도 관계를 이용하여 광학적 관측을 통해 우리은하에서 빛을 내는 물질의 광도로 추정한 은하의 총질량은 태양 질량의 약 10^{11}배($10^{11} M_\odot$)이다.

(2) 우리은하의 회전 속도와 질량

① 우리은하의 회전 속도 분포: 우리은하의 질량이 대부분 은하 중심부에 집중되어 있다면 우리은하는 중심에서 멀어질수록 회전 속도가 감소하는 케플러 회전을 할 것이다. 즉, 은하 중심으로부터 거리 r인 곳까지 구성 물질의 질량 합을 M_r이라고 하면, 회전 속도는 $v_r = \sqrt{\dfrac{GM_r}{r}}$로 나타나야 한다. 그러나 실제 관측 결과로 알아낸 우리은하의 회전 속도 곡선을 보면, 태양계 바깥쪽의 회전 속도는 케플러 회전에서처럼 감소하지 않고 약 13 kpc부터 거의 일정하게 나타난다.

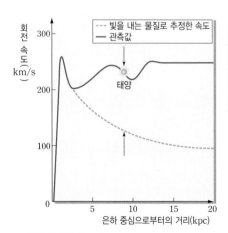

우리은하의 회전 속도 비교

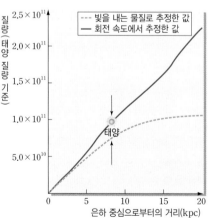

우리은하의 질량 분포 비교

▲ 빛을 내는 물질로 추정한 우리은하의 회전 속도 및 질량과 실제 관측값과의 비교

나선 은하의 회전 속도 곡선

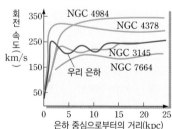

외부 은하의 회전 속도 곡선을 보면 외부 은하도 질량이 은하 중심에 집중되어 있지 않고, 은하 외곽 지역에 많은 양의 물질이 분포하고 있는 것을 알 수 있다.

② 회전 속도를 이용한 은하 질량 계산: 우리은하 외곽의 회전 속도를 이용하여 역학적인 방법으로 은하 질량을 계산하면 다음과 같다.

> 어떤 별이 은하 중심을 기준으로 회전할 때, 이 별의 궤도 안쪽에 포함되어 있는 은하 질량이 별에 미치는 만유인력이 구심력으로 작용한다. 은하 중심에서 별까지의 거리를 r, 별 궤도 안쪽의 은하 질량을 M, 별의 질량을 m, 별의 회전 속도를 v라고 하면 다음과 같은 관계가 성립한다.
>
> $$\text{만유인력} = \frac{GMm}{r^2}, \ \text{구심력} = \frac{mv^2}{r} \ \Rightarrow \ \frac{GMm}{r^2} = \frac{mv^2}{r} \ \therefore M = \frac{rv^2}{G}$$
>
> 우리은하의 반지름은 약 15 kpc이고 우리은하의 회전 속도 곡선에서 은하 최외곽 부분의 속력이 약 230 km/s이며, $G = 6.67384 \times 10^{-11} \, \text{N} \cdot \text{m}^2/\text{kg}^2$이므로 우리은하의 질량을 태양 질량 단위로 나타내면 다음과 같다.
>
> $$M_{\text{은하}} = 1.845 \times 10^{11} M_\odot \fallingdotseq 2 \times 10^{11} M_\odot$$

(3) **암흑 물질**: 우리은하가 빛을 내는 물질만으로 구성되며 질량이 중심부에 밀집해 있다고 가정하여 구한 은하 질량은 실제 우리은하 외곽의 회전 속도를 이용하여 역학적 방법으로 구한 질량보다 작다. 과학자들은 우리은하 질량의 약 90 %가 전자기파로 관측되지 않는 물질로 이루어졌음을 알아냈다. 이처럼 빛을 방출하지 않아 전자기파로 관측할 수 없지만 질량이 있는 미지의 물질을 암흑 물질(dark matter)이라고 한다. 암흑 물질은 태양계 안쪽뿐만 아니라 바깥쪽에도 많이 분포하며 우리은하를 크게 둘러싸고 있는 것으로 추정된다.

① 암흑 물질의 존재 추정: 멀리 있는 은하에서 출발한 빛이 휘어져 여러 개의 상이 만들어지는 중력 렌즈 현상을 통해 암흑 물질의 존재를 추정할 수 있다. 이때 물질의 질량이 클수록 빛이 많이 휘어지는데, 외부 은하의 중력 렌즈 효과는 보이는 물질에 의한 것보다 크게 나타난다. 따라서 우주 공간에는 전자기파로 관측되는 보통 물질보다 암흑 물질이 더 많이 분포한다는 것을 알 수 있다.

② 암흑 물질의 후보: 과학자들은 암흑 물질의 후보를 액시온(axion), 비활성 중성미자, 윔프(WIMPs)와 같은 입자들로 추정하고 있다. 우주에 존재하는 암흑 물질의 양과 형태는 우주의 미래를 결정짓는 요인이므로, 암흑 물질에 관한 연구는 중요한 과제이다.

암흑 물질을 예측한 츠비키
츠비키(Zwicky, F., 1898~1974)는 스위스의 천문학자로, 1933년 암흑 물질의 존재를 처음으로 예측하였다. 그는 코마 은하단을 관측하던 중, 관측된 은하들의 공전 속도가 너무 빨라 눈에 보이는 질량만으로 설명할 수 없다는 것을 알고 '보이지 않는 물질'의 중력이 더 있어야 한다는 가설을 제시하며 암흑 물질의 존재를 예측하였다.

중력 렌즈(gravitational lens)
중력 렌즈는 아주 먼 천체에서 나온 빛 중간에 있는 질량이 큰 거대한 천체에 의해 휘어져 보이는 현상이다. 은하단이나 블랙홀과 같은 천체의 중력은 렌즈처럼 빛의 경로를 휘게 하거나, 원래 광원의 모양을 왜곡시켜 원호 등으로 보이게 한다. 중력 렌즈 효과에 의한 빛의 경로는 중력 렌즈의 중심에 가까울수록 많이 휘어지고, 먼 곳에서는 적게 휘어진다. 광원은 보통 길쭉한 원호의 모양으로 나타나며, 여러 개의 상으로 나타나기도 한다.

▲ 우리은하의 암흑 물질 분포

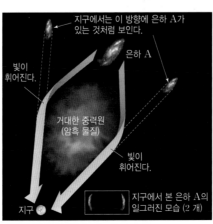

▲ 중력 렌즈 효과의 원리

21 cm 수소선 관측 자료를 이용하여 우리은하의 속도 분포 그리기

21 cm 수소선 관측 자료를 이용하여 우리은하의 회전 속도 곡선을 그릴 수 있다.

과정

그림은 우리은하의 나선팔에 있는 중성 수소운 A~G의 위치와 회전 속도를 나타낸 것이고, 표는 A~G의 21 cm 수소선 관측 결과를 나타낸 자료이다.

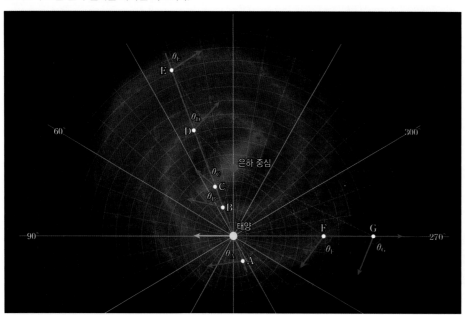

위치	A	B	C	D	E	F	G
은하 중심으로부터의 거리 (kpc)	11	5.3	3.3	6.5	14	13	20
수소운의 회전 방향과 시선 방향이 이루는 각 θ (°)	73	53	22	63	75	127	113
시선 속도 V_r (km/s)	−25	43	114	10	−33	87	134
관측한 시선 방향으로의 태양의 속도 $V_{r\odot}$ (km/s)	93	93	93	93	93	−220	−220
회전 속도 V (km/s)							

1 중성 수소운의 회전 속도(V)를 수소운의 시선 속도(V_r)와 관측한 시선 방향으로의 태양의 회전 속도($V_{r\odot}$) 사이의 관계로 나타내 보자.

2 과정 1에서 구한 수식을 이용하여 수소운 A~G의 회전 속도(V)를 각각 구해 보자.

3 은하 중심에 대한 A~G의 회전 속도를 그래프로 나타내 보자.

- θ는 중성 수소운이 회전하는 방향과 시선 방향이 이루는 각도이다.

- 태양은 은하 중심으로부터 8.5 kpc 떨어진 곳에서 은하 중심을 기준으로 220 km/s로 회전하고 있다.

- 시선 속도 V_r는 중성 수소운에서 방출되는 21 cm 전파를 태양계에서 관측하였을 때 나타나는 도플러 효과로부터 알아낸 값이다.

결과

1 오른쪽 그림과 같이 수소운의 회전 속도 V에서 시선 방향 성분은 $V\cos\theta$이고, 태양의 회전 속도 $V_\odot$에서 시선 방향 성분은 $V_{r\odot}$이므로 태양에서 관측한 수소운의 시선 속도 V_r는 다음과 같다.

$$V_r = V\cos\theta - V_{r\odot}$$

따라서 이 수소운의 회전 속도는 $V = \dfrac{V_r + V_{r\odot}}{\cos\theta}$이다.

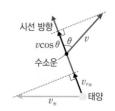

2 수소운 A의 회전 방향과 시선 방향이 이루는 각 $\theta = 73°$이고, 시선 속도 $V_r = -25$ km/s이며, 수소운 A를 관측한 시선 방향으로의 태양의 속도 $V_{r\odot} = 93$ km/s이므로, 수소운 A가 은하 중심을 회전하는 속도는 다음과 같이 구할 수 있다.

$$V = \frac{V_r + V_{r\odot}}{\cos\theta} = \frac{-25 + 93}{\cos 73°} ≒ 233\,(\text{km/s})$$

같은 방법으로 수소운 B~G의 회전 속도를 구하면 다음 표와 같다.

위치	A	B	C	D	E	F	G
회전 속도 V (km/s)	233	226	223	226	232	221	220

3 은하 중심에 대한 수소운 A~G의 회전 속도를 거리에 따른 그래프로 그리면 다음과 같다.

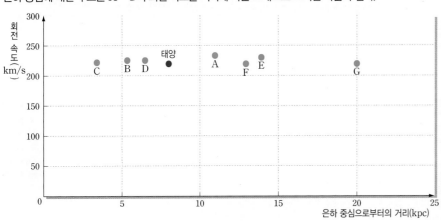

정리

• 우리은하를 이루는 물질이 대부분 은하핵에 밀집되어 있다면 중심에서 멀어질수록 회전 속도가 감소하는 케플러 회전을 할 것이다. 그러나 21 cm 수소선 관측을 토대로 그린 우리은하의 회전 속도 그래프에서는 은하 중심으로부터의 거리가 약 3 kpc~20 kpc인 구간에서 회전 속도가 거의 일정하게 분포한다.

• 은하 중심으로부터 거리가 멀어지더라도 회전 속도가 거의 일정하게 나타나는 까닭은 암흑 물질이 우리은하 질량의 약 90 %를 차지하며, 은하 외곽 지역에 많이 분포하기 때문이다.

탐구 확인 문제

▷ 정답과 해설 **154**쪽

01 위의 탐구에 대한 설명으로 옳은 것만을 보기에서 있는 대로 모두 고른 것은?

> 보기
> ㄱ. 21 cm 수소선 관측으로 우리은하의 회전 속도 곡선을 구할 수 있다.
> ㄴ. 태양에서 관측하는 수소운의 시선 속도는 $V\cos\theta - V_{r\odot}$이다.
> ㄷ. A~E 중 21 cm 수소선의 파장이 가장 길게 관측되는 수소운은 E이다.

① ㄱ   ② ㄷ   ③ ㄱ, ㄴ
④ ㄴ, ㄷ   ⑤ ㄱ, ㄴ, ㄷ

02 우리은하의 회전 속도에 대한 설명으로 옳은 것만을 보기에서 있는 대로 모두 고른 것은?

> 보기
> ㄱ. 은하 중심 부근에서는 강체 회전을 한다.
> ㄴ. 태양 부근에서는 은하 중심에서 멀어질수록 회전 속도가 증가한다.
> ㄷ. 은하 중심으로부터의 거리가 약 13 kpc보다 먼 곳에서는 회전 속도가 거의 일정하다.

① ㄱ   ② ㄴ   ③ ㄱ, ㄴ
④ ㄱ, ㄷ   ⑤ ㄴ, ㄷ

02 우리은하의 구조

① 우리은하의 모습

1 우리은하의 모습에 관한 연구

- 허셜: 별의 수를 세어 최초로 우주의 모습을 그렸으며, 우주의 중심에 태양이 있다고 생각하였다.
- 캅테인: 별의 분포를 통계적으로 연구하여 우리은하가 납작한 타원체 모양이며, 우리은하의 중심 부근에 (❶　　　)이 있다고 하였다.
- 섀플리: (❷　　　　) 성단의 공간 분포를 이용하여 우리은하의 중심과 우주의 크기를 구하였다.

2 우리은하의 구조

- 우리은하의 지름은 약 30 kpc이고, 태양계는 은하 중심에서 약 8.5 kpc 떨어진 곳에 있다.
- 우리은하는 중심부에 은하핵과 막대 구조를 포함하는 (❸　　　　) 은하로, 중앙의 팽대부, 은하 원반, 이를 감싸는 (❹　　　)로 이루어져 있다.

② 성간 물질

1 성간 물질과 성운　성간 물질은 기체와 성간 티끌로 구분하며, 성간 물질이 밀집되어 있어서 구름처럼 보이는 것을 (❺　　　)이라고 한다.

- 성간 기체: 전체 성간 물질의 약 99 %를 차지하며, 대부분 수소로 이루어져 있다.

구분	온도(K)	밀도(입자 수/cm³)	주성분
분자운	10	$10^2 \sim 10^7$	수소 분자
H I 영역	100	10	수소 원자
(❻　　　)	10^4	100	수소 원자핵, 자유 전자

- 성간 티끌: 얼음과 규산염, 흑연 등으로 이루어진 미세한 고체 입자로, 성간 물질 중 약 1 %를 차지한다.
- 성운: 성간 물질이 밀집되어 분포하는 것으로, 크게 암흑 성운, (❼　　　), 방출 성운으로 구분한다.

2 성간 (❽　　　)　별빛이 흡수 또는 산란되어 어두워지는 현상으로, 주로 성간 티끌에 의해 일어난다.

- 성간 소광량은 빛의 파장에 따라 다르다. 성간 티끌은 상대적으로 파장이 짧은 가시광선 또는 자외선 영역의 빛을 잘 흡수하거나 산란시키므로, 별의 생성 장소나 은하 중심부를 관측할 때는 (❾　　　)으로 관측하는 것이 유리하다.
- 성간 소광을 보정할 경우 파장에 따라 소광 정도가 다른 것을 고려해야 한다. 성간 소광을 고려한 거리 지수는 파장 λ로 관측할 때 다음과 같이 나타낼 수 있다.

$$m - M = 5 \log r - 5 + A_\lambda$$

3 성간 (❿   ) 성간 티끌 층을 통과해 온 별빛이 실제 색깔보다 붉게 보이는 현상이다.

- 붉은빛이 파란빛보다 상대적으로 성간 티끌 층을 잘 통과하므로, 별빛이 성간 띠끌 층을 통과하면 별의 색지수가 고유의 색지수보다 크게 나타난다. 이때 관측된 별의 색지수 $(B-V)$와 그 별의 고유한 색지수 $(B-V)$의 차이를 색초과라고 한다.

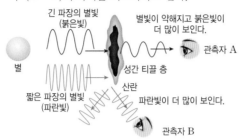

긴 파장의 별빛
(붉은빛)

별빛이 약해지고 붉은빛이 더 많이 보인다.

관측자 A

별

성간 티끌 층

산란

짧은 파장의 별빛
(파란빛)

파란빛이 더 많이 보인다.

관측자 B

- **관측자 A:** 성간 티끌에 의해 별빛의 색이 원래보다 붉게 보이는 성간 적색화 현상이 나타난다.
- **관측자 B:** 성간 티끌에 의해 산란된 파란빛이 더 많이 보이므로 (⓫   ) 성운이 관측된다.

③ 우리은하의 나선팔 구조와 질량 분포

1 별의 공간 운동

- 별이 우주 공간에서 실제로 움직인 것을 별의 공간 운동이라 하며, 시선 속도와 접선 속도로 구분해서 나타낼 수 있다.
- 태양 부근의 천체는 은하 중심에서 거리가 멀어질수록 회전 속도가 느려지는 (⓬   ) 회전을 한다.

2 21 cm 수소선 관측과 나선팔 구조

- 중성 수소가 방출하는 파장이 (⓭   )인 전파는 성간 소광이 거의 일어나지 않으므로, 우리은하의 구조를 밝히는 데 중요하게 이용된다.
- 은하면에서 방출되는 21 cm 수소선을 관측하여 전파의 상대적 세기로부터 우리은하의 (⓮   ) 구조를 파악할 수 있고, 도플러 효과에 의한 파장 변화로부터 중성 수소운의 회전 속도를 알아낼 수 있다.

3 우리은하의 회전 속도
태양은 은하 중심에서 약 8.5 kpc 거리에 위치하며, 약 220 km/s로 회전한다.

- 은하 중심으로부터 약 1 kpc 이내의 중심부는 일정한 각속도로 (⓯   ) 회전을 하고, 태양 부근에서는 케플러 회전을 한다.
- 태양 바깥쪽에서는 회전 속도가 느려졌다가 빨라지고, 약 13 kpc 부근부터 속도가 일정해진다.
- 태양계 바깥쪽에서 은하의 회전 속도가 감소하지 않는 사실로부터 우리은하의 질량이 중심부에 집중되어 있지 않고 외곽부에도 많은 물질이 존재한다는 것을 알 수 있다.

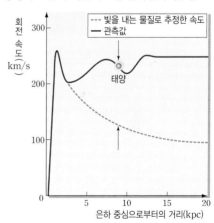

회전 속도 (km/s)

- - - 빛을 내는 물질로 추정한 속도
—— 관측값

태양

은하 중심으로부터의 거리(kpc)

4 우리은하의 질량과 암흑 물질

- 태양의 회전 속도를 케플러 제3법칙에 적용하거나 광학적 관측을 통해 추정한 우리은하의 질량은 은하의 회전 속도 곡선과 역학적 방법을 이용하여 계산한 은하 질량보다 작다. 이러한 사실로부터 우리은하에는 빛을 방출하지 않아 전자기파로 관측할 수 없지만 질량이 있는 미지의 물질인 (⓰   )이 상당량 존재한다는 것을 알 수 있다.
- 암흑 물질의 존재는 멀리 있는 은하에서 오는 빛이 중력에 의해 휘어지는 (⓱   ) 현상을 통해 추정할 수 있다.

01 다음은 우리은하를 연구한 과학사적 사실들을 시간 순서 없이 나타낸 것이다. (가)~(라)를 오래된 것부터 순서대로 나열하시오.

> (가) 적외선 우주 망원경을 이용하여 우리은하의 중심 부에 막대 구조가 있다는 것을 알아냈다.
> (나) 안드로메다성운의 거리를 측정하여 이 성운이 우리은하 밖에 있는 외부 은하임을 밝혀냈다.
> (다) 별의 개수를 세어 최초로 우리은하의 모습을 추정하였다.
> (라) 구상 성단의 분포를 알아내고 이를 이용하여 우리은하 중심의 위치를 파악하였다.

02 그림은 우리은하를 위에서 본 모습과 옆에서 본 모습을 각각 나타낸 모식도이다.

성단 A

이에 대한 설명으로 옳은 것만을 보기에서 있는 대로 고르시오.

> 보기
> ㄱ. 태양계는 은하 원반에 있는 나선팔에 위치한다.
> ㄴ. 성단 A는 구상 성단이다.
> ㄷ. 성간 물질의 양은 헤일로 영역에 가장 풍부하다.

03 성간 물질에 대한 설명으로 옳은 것은 ○, 옳지 않은 것은 ×로 표시하시오.
(1) 성간 물질은 성간 기체와 성간 티끌로 구성되며, 대부분의 질량은 성간 기체가 차지한다. ………( )
(2) 성간 티끌은 얼음과 규산염, 흑연 등으로 구성되어 있으며, 크기는 대부분 1 μm 이하이다. ……( )
(3) 성간 티끌의 존재는 21 cm 수소선을 관측하여 알아낼 수 있다. …………………………( )

04 그림 (가), (나), (다)는 서로 다른 성운을 나타낸 것이다.

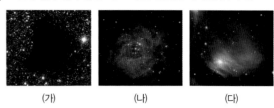

(가)   (나)   (다)

성운 (가), (나), (다)에 대한 설명으로 옳은 것만을 보기에서 있는 대로 고르시오.

> 보기
> ㄱ. (가)는 암흑 성운이다.
> ㄴ. (나)가 붉게 보이는 까닭은 성간 티끌에 의한 별빛의 산란 때문이다.
> ㄷ. (가)~(다) 중 성운의 온도는 (다)가 가장 높다.

05 다음은 별의 겉보기 등급을 보정해야 하는 까닭에 대한 설명이다. 빈칸에 들어갈 알맞은 말을 쓰시오.

> 성간 ( )이 일어나면 별이 더 어둡게 보이므로 별의 겉보기 등급이 실제보다 크게 관측된다. 파장 λ로 관측할 때 거리 지수는 다음과 같이 나타낼 수 있다.
> $$m - M = 5\log r - 5 + A_\lambda$$
> 여기서 A_λ는 보통 2 등급/kpc을 평균값으로 쓴다.

06 성간 적색화 현상에 대한 설명으로 옳은 것만을 보기에서 있는 대로 고르시오.

> 보기
> ㄱ. 주로 중성 수소에 의해 일어난다.
> ㄴ. 붉은빛보다 파란빛이 많이 소광되어 별빛이 실제보다 붉게 관측되는 현상이다.
> ㄷ. 성간 적색화에 의해 별의 색지수가 고유한 값보다 커지는 현상이 나타난다.

07 그림은 어떤 별의 공간 운동을 나타낸 것이다.

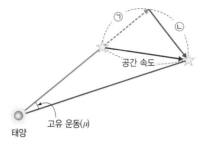

이에 대한 설명으로 옳은 것만을 보기에서 있는 대로 고르시오.

보기
ㄱ. ㉠은 시선 속도이다.
ㄴ. ㉡에 의해 별빛의 도플러 효과가 나타난다.
ㄷ. 공간 속도의 크기와 방향이 같을 경우, 별의 거리가 멀수록 고유 운동이 크다.

08 그림은 태양 부근에 있는 별들의 공간 운동을 나타낸 것이다.

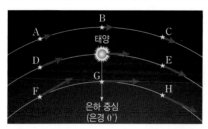

A~H 중에서 청색 편이가 나타나는 별과 적색 편이가 나타나는 별을 각각 모두 쓰시오.

09 21 cm 수소선에 대한 설명으로 옳은 것만을 보기에서 있는 대로 고르시오.

보기
ㄱ. H Ⅱ 영역에서 방출된다.
ㄴ. 은하의 나선팔 영역에서 잘 관측된다.
ㄷ. 성간 물질을 통과할 때 성간 소광이 거의 일어나지 않는다.

10 그림은 태양에서 일정한 시선 방향에 있는 중성 수소 구름 A, B, C의 위치와 공간 운동을 나타낸 것이다.

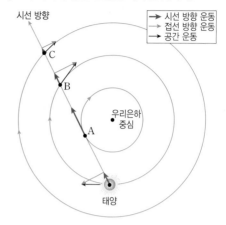

A, B, C에서 관측되는 21 cm 수소선의 파장이 짧은 것부터 순서대로 나열하시오.

11 우리은하의 회전 속도에 대한 설명으로 옳은 것은 ○, 옳지 않은 것은 ×로 표시하시오.

(1) 은하 중심부는 강체와 같이 일정한 각속도로 회전한다. ……………………………………… (　　)

(2) 태양 부근에 있는 별들은 케플러 회전을 한다.
……………………………………… (　　)

(3) 태양 궤도의 바깥쪽으로 갈수록 회전 속도가 급격하게 감소한다. ……………………………… (　　)

12 우리은하의 질량 분포에 대한 설명으로 옳은 것만을 보기에서 있는 대로 고르시오.

보기
ㄱ. 광학적 방법으로 추정한 우리은하의 총 질량은 회전 속도 곡선으로 추정한 값보다 크다.
ㄴ. 우리은하 질량의 대부분은 은하 중심부에 밀집되어 분포한다.
ㄷ. 은하 외곽의 회전 속도를 통해 추정한 우리은하의 질량으로부터 암흑 물질의 존재를 추론할 수 있다.

01 ▶ 우리은하의 모양 연구

그림 (가)와 (나)는 각각 캅테인과 섀플리가 주장한 우주의 모습을 나타낸 것이다.

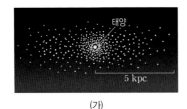

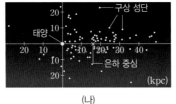

(가)   (나)

이에 대한 설명으로 옳은 것만을 보기에서 있는 대로 고른 것은?

보기
ㄱ. (가)에서는 별의 분포를 조사하여 우주가 납작한 회전 타원체라고 주장하였다.
ㄴ. (나)에서는 태양이 은하의 중심에 위치한다고 주장하였다.
ㄷ. (나)에서는 성간 물질의 영향을 고려하지 못해 우리은하의 지름을 실제보다 크게 추정하였다.

① ㄱ   ② ㄴ   ③ ㄱ, ㄷ   ④ ㄴ, ㄷ   ⑤ ㄱ, ㄴ, ㄷ

• 캅테인은 20세기 초 하늘을 200여 개의 구역으로 나누어 별의 분포를 통계적으로 연구하였고, 섀플리는 변광성을 이용하여 구상 성단까지의 분포를 알아내고 이를 이용하여 우주의 크기를 구하였다.

02 ▶ 우리은하의 모양과 구조

그림 (가)와 (나)는 각각 우리은하를 위와 옆에서 본 모습을 나타낸 것이다.

(가)   (나)

이에 대한 설명으로 옳은 것만을 보기에서 있는 대로 고른 것은?

보기
ㄱ. 태양계는 우리은하의 팽대부에 위치한다.
ㄴ. 우리은하의 원반에 나선팔 구조가 존재한다.
ㄷ. 지구에서는 띠 모양의 은하수를 관측할 수 있다.

① ㄱ   ② ㄴ   ③ ㄱ, ㄷ   ④ ㄴ, ㄷ   ⑤ ㄱ, ㄴ, ㄷ

• 우리은하는 막대 구조와 나선팔 구조를 가진 막대 나선 은하이며, 구형의 중앙 팽대부가 존재한다. 또한, 은하면에 해당하는 은하 원반과 이를 둘러싸고 있는 헤일로로 구성되어 있다.

03 표는 성간 물질을 이루고 있는 ㉠과 ㉡의 특징을 나타낸 것이다.

구분	㉠	㉡
질량비	약 99 %	약 1 %
주요 성분	H, H_2, He, CO 등	( )
온도	$10\,K \sim 10^4\,K$	주로 $10 \sim 20\,K$

이에 대한 설명으로 옳은 것만을 보기에서 있는 대로 고른 것은?

> **보기**
>
> ㄱ. ㉠은 온도가 매우 높아지면 전리되어 이온 상태로 존재할 수 있다.
>
> ㄴ. ㉡은 주로 규산염, 얼음, 흑연 등으로 이루어져 있다.
>
> ㄷ. 별빛의 성간 소광 현상은 주로 ㉠보다 ㉡에 의해 일어난다.

① ㄱ　　　② ㄴ　　　③ ㄱ, ㄷ　　　④ ㄴ, ㄷ　　　⑤ ㄱ, ㄴ, ㄷ

- 성간 기체의 평균 밀도는 $1\,cm^3$ 당 1개의 수소 원자가 있는 정도이며, 성간 티끌의 평균 밀도는 $100\,m^3$당 1개 정도에 불과하다.

04 > 성운의 종류와 특징

그림은 우리은하에 분포하는 성운 A와 B의 모습을 나타낸 것이다.

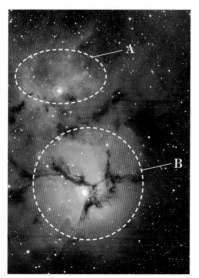

이에 대한 설명으로 옳은 것만을 보기에서 있는 대로 고른 것은?

> **보기**
>
> ㄱ. A는 이온화된 수소의 방출선이 관측된다.
>
> ㄴ. B가 붉게 보이는 까닭은 성간 티끌에 의한 산란 때문이다.
>
> ㄷ. 성운의 온도는 A가 B보다 낮다.

① ㄱ　　　② ㄷ　　　③ ㄱ, ㄴ　　　④ ㄴ, ㄷ　　　⑤ ㄱ, ㄴ, ㄷ

- 성운은 크게 어둡게 보이는 암흑 성운, 파란색으로 보이는 반사 성운, 붉은색으로 보이는 방출 성운(발광 성운)으로 구분할 수 있다.

05 > 파장에 따른 우리은하의 모습

그림 (가)와 (나)는 각각 가시광선과 적외선으로 관측한 우리은하의 모습을 나타낸 것이다.

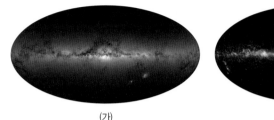 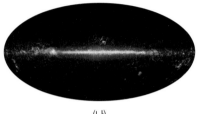

(가)   (나)

이에 대한 설명으로 옳은 것만을 보기에서 있는 대로 고른 것은?

보기
ㄱ. (가)에서 검은 띠 모양으로 보이는 영역에는 별이 거의 존재하지 않는다.
ㄴ. 은하 중심부의 구조를 연구하려면 (나)보다 (가)를 이용하는 것이 더 효과적이다.
ㄷ. (가)와 (나)로부터 성간 물질이 주로 은하 원반에 분포하고 있음을 알 수 있다.

① ㄱ   ② ㄷ   ③ ㄱ, ㄴ   ④ ㄴ, ㄷ   ⑤ ㄱ, ㄴ, ㄷ

• 은하수를 가시광선 영역에서 자세히 관찰하면 은하수의 중간 부분에 검은 띠가 보이는데, 이는 성간 티끌에 의해 별빛이 차단되었기 때문이다.

06 > 파장에 따른 성간 소광

그림 (가)와 (나)는 어느 별과 관측자 사이에 성간 물질이 있을 때와 없을 때 별빛의 파장에 따른 에너지 세기를 순서 없이 나타낸 것이다.

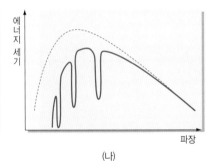

(가)   (나)

이에 대한 설명으로 옳은 것만을 보기에서 있는 대로 고른 것은?

보기
ㄱ. 성간 소광량은 적외선보다 자외선 영역에서 크다.
ㄴ. 별의 색지수는 (가)보다 (나)가 작게 관측된다.
ㄷ. 별의 겉보기 등급은 (가)보다 (나)가 작게 관측된다.

① ㄱ   ② ㄷ   ③ ㄱ, ㄴ   ④ ㄴ, ㄷ   ⑤ ㄱ, ㄴ, ㄷ

• 성간 소광량은 빛의 파장에 다르게 나타난다. 성간 티끌은 파장이 짧은 가시광선 또는 자외선 영역의 빛을 잘 흡수하거나 산란시킨다.

07 › 성간 적색화

그림은 별 S에서 방출된 빛이 관측자 A, B, C에게 각각 도달하는 모습을 나타낸 것이다.

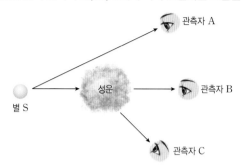

별 S

성운

관측자 A

관측자 B

관측자 C

이에 대한 설명으로 옳은 것만을 보기에서 있는 대로 고른 것은?

> 보기

ㄱ. 별 S의 색초과는 관측자 A가 관측자 B보다 크다.

ㄴ. 관측자 B에게 성간 적색화 현상이 나타난다.

ㄷ. 관측자 C에 도달하는 빛은 주로 성간 기체에 의해 산란된 빛이다.

① ㄱ   ② ㄴ   ③ ㄱ, ㄷ   ④ ㄴ, ㄷ   ⑤ ㄱ, ㄴ, ㄷ

- 성간 티끌은 붉은빛보다 파란빛을 더 많이 소광시키므로 별빛이 실제보다 더 붉게 관측되는 현상이 나타나는데, 이를 성간 적색화라고 한다.

고난도
08 › 별의 공간 운동

표는 적색 편이가 나타나는 별 A, B, C의 공간 운동을 나타낸 것이다.

별	A	B	C
고유 운동(″/년)	0.12	0.11	0.10
접선 속도(km/s)	15	13	25
공간 속도(km/s)	16	18	26

별 A, B, C에 대한 설명으로 옳은 것만을 보기에서 있는 대로 고른 것은?

> 보기

ㄱ. 천구상에서 1년 동안 이동한 각거리는 A가 가장 크다.

ㄴ. 지구로부터의 거리는 C가 가장 멀다.

ㄷ. 별빛의 적색 편이량은 B가 가장 작다.

① ㄱ   ② ㄷ   ③ ㄱ, ㄴ   ④ ㄴ, ㄷ   ⑤ ㄱ, ㄴ, ㄷ

- 별이 우주 공간에서 실제로 운동하는 것을 공간 운동이라고 하며, 공간 속도(V)는 접선 속도(V_t)와 시선 속도(V_r)를 이용하여 다음과 같이 나타낼 수 있다.
$$V = \sqrt{V_t^2 + V_r^2}$$

09 ▶ 태양 부근 별들의 공간 운동

그림은 우리은하 중심에 대해 케플러 회전을 하는 별 A, B와 태양을 나타낸 것이다.

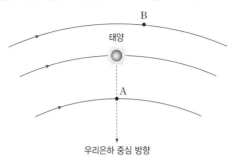

이에 대한 설명으로 옳은 것만을 보기에서 있는 대로 고른 것은?

> 보기
> ㄱ. 은하 중심에 대한 회전 속도는 태양이 A보다 빠르다.
> ㄴ. 시선 속도의 크기는 B가 A보다 크다.
> ㄷ. 스펙트럼에 나타난 흡수선의 파장은 A가 B보다 길다.

① ㄱ   ② ㄷ   ③ ㄱ, ㄴ   ④ ㄴ, ㄷ   ⑤ ㄱ, ㄴ, ㄷ

• 태양 부근에 있는 별들의 공간 운동을 관측하면 은하 중심에서 거리가 멀어질수록 회전 속도가 느려지는 케플러 회전을 하는 것을 알 수 있다.

10 고난도
▶ 21 cm 수소선 관측과 우리은하의 나선팔 구조

그림 (가)는 일정한 시선 방향에 있는 중성 수소운 A, B, C의 위치를, (나)는 (가)의 A, B, C에서 관측된 21 cm 수소선의 세기를 순서 없이 ㉠, ㉡, ㉢으로 나타낸 것이다.

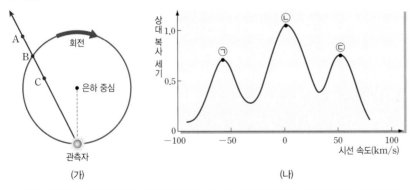

(가)   (나)

이에 대한 설명으로 옳은 것만을 보기에서 있는 대로 고른 것은? (단, 태양과 중성 수소운 A∼C는 케플러 회전을 한다.)

> 보기
> ㄱ. 은하 중심에 대한 회전 속도는 A<B<C이다.
> ㄴ. ㉠은 C에서 관측된 수소선의 세기를 나타낸 것이다.
> ㄷ. 중성 수소는 B보다 C에 많이 분포한다.

① ㄱ   ② ㄷ   ③ ㄱ, ㄴ   ④ ㄴ, ㄷ   ⑤ ㄱ, ㄴ, ㄷ

• 21 cm 수소선을 관측하여 시선 속도를 측정하면 중성 수소운의 위치를 알 수 있으며, 방출선의 세기로부터 중성 수소운의 밀도를 알 수 있다.

11 > 우리은하의 회전 속도
그림은 우리은하의 회전 속도 분포를 나타낸 것이다.

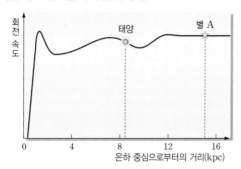

이에 대한 설명으로 옳은 것만을 보기에서 있는 대로 고른 것은?

> **보기**
>
> ㄱ. 1 kpc 이내의 은하 중심부는 거의 일정한 각속도로 회전한다.
>
> ㄴ. 태양 부근의 별들은 케플러 회전을 한다.
>
> ㄷ. A의 회전 속도가 태양의 회전 속도보다 큰 까닭은 우리은하의 질량이 중심부에 집중되어 있기 때문이다.

① ㄱ   ② ㄷ   ③ ㄱ, ㄴ   ④ ㄴ, ㄷ   ⑤ ㄱ, ㄴ, ㄷ

- 회전의 중심에서 멀어질수록 속도가 증가하는 회전을 강체 회전이라 하고, 회전의 중심에서 멀어질수록 속도가 감소하는 회전을 케플러 회전이라 한다.

12 > 우리은하의 질량 분포
그림은 우리은하 중심으로부터의 거리에 따른 질량 분포를 나타낸 것이다. A와 B 중에서 하나는 회전 속도 곡선으로 추정한 값이고, 다른 하나는 전자기파 관측을 통해 추정한 값이다.

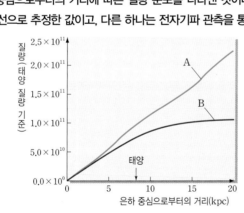

이에 대한 설명으로 옳은 것만을 보기에서 있는 대로 고른 것은?

> **보기**
>
> ㄱ. 전자기파 관측을 통해 추정한 값은 B이다.
>
> ㄴ. 우리은하의 암흑 물질은 대부분 은하 중심부에 분포한다.
>
> ㄷ. 태양 궤도 바깥쪽으로 갈수록 은하의 회전 속도가 계속 감소한다.

① ㄱ   ② ㄷ   ③ ㄱ, ㄴ   ④ ㄴ, ㄷ   ⑤ ㄱ, ㄴ, ㄷ

- 우리은하에서 관측 가능한 물질의 질량은 은하 전체 질량의 약 10 %에 불과하고 나머지는 관측되지 않는 암흑 물질일 것으로 추정하고 있다.

03 우주의 구조

학습 Point　은하의 집단　>　우주 거대 구조

1 은하의 집단

(탐구) 118쪽

은하는 우주를 구성하는 기본 단위라고 할 수 있다. 은하들은 중력에 묶여 집단을 형성하는데, 은하들이 모여 있는 규모에 따라 은하군, 은하단, 초은하단으로 나눌 수 있다.

1. 은하군

우주가 팽창함에 따라 은하 사이의 거리가 멀어지지만, 가까이 있는 은하들은 중력이 작용하여 서로 멀어지지 않고 집단을 이룬다. 이러한 은하의 집단을 그 규모에 따라 은하군, 은하단, 초은하단으로 구분한다.

(1) **은하군**(group of galaxies): 수십 개의 은하로 이루어진 집단으로, 은하의 무리 중 가장 작은 단위이다. 지름이 약 $1\,Mpc \sim 2\,Mpc$이고 질량은 태양 질량의 약 10^{13}배이다. 은하군의 구성 은하는 그 종류가 다양하며, 서로 중력 작용을 하며 $100\,km/s \sim 200\,km/s$의 속력으로 운동한다.

(2) **국부 은하군**(Local Group of Galaxies): 우리은하가 속해 있는 은하군으로, 규모가 큰 나선 은하인 우리은하, 안드로메다은하, 삼각형자리은하 및 여러 불규칙 은하, 타원 은하, 왜소 은하 등 40개 이상의 은하를 포함한다. 국부 은하군의 지름은 $1.5\,Mpc$ 정도이며, 질량 중심은 질량이 큰 두 은하인 우리은하와 안드로메다은하 사이에 있다.

허블 울트라 딥 필드(Hubble Ultra Deep Field)

허블 우주 망원경이 화로자리 부근의 좁은 영역을 촬영한 사진으로, 2003년 9월 3일부터 2004년 1월 16일까지 지구를 400회 공전하면서 800번 촬영한 영상을 조합한 것이다. 이 사진은 약 130억 년 전 우주 탄생 후 오랜 시간이 지나지 않아 탄생한 천체의 모습을 보여준다.

▼ 국부 은하군의 은하 분포

▼ 허블 울트라 딥 필드

(3) **국부 은하군의 주요 구성원:** 국부 은하군에서 우리은하와 안드로메다은하, 삼각형자리은하는 비교적 규모가 큰 나선 은하이다. 우리은하와 안드로메다은하의 질량이 국부 은하군 전체 질량의 약 75 %를 차지하며, 다른 은하들은 대부분 지름이 1만 광년 이하인 작은 은하들이다.

① **안드로메다은하(M31):** 국부은하군에서 가장 큰 은하로, 약 250만 광년 거리에 있으며 지름이 약 22만 광년인 나선 은하이다. 우리은하가 포함하는 별의 약 2배에 달하는 약 1조 개의 별을 포함한다.

② **삼각형자리은하(M33):** 지구에서 약 300만 광년 거리에 있는 나선 은하이다. 국부 은하군에서 3번째로 큰 은하이며, 맨눈으로 볼 수 있는 천체 중 가장 멀리 있는 천체이다.

③ **대마젤란은하(Large Magellanic Cloud, LMC):** 남반구에서 관측되는 은하로, 약 50 kpc(약 16만 광년)의 거리에 있으며 우리은하에서 3번째로 가까운 은하이다. 과거에는 막대 나선 은하였으나 우리은하와의 중력 작용으로 나선팔이 파괴된 것으로 추정된다.

④ **소마젤란은하(Small Magellanic Cloud, SMC, NGC 292):** 우리은하의 위성 은하로, 왜소 은하이며 약 20만 광년 떨어져 있다. 겉보기 등급은 2.7등급으로, 남반구에서만 관측할 수 있다. 한때 소마젤란성운으로 불렸으나, 1908년에 소마젤란은하의 세페이드 변광성까지의 거리를 계산하여 외부 은하로 판정되며 허블 법칙의 발견으로 이어졌다.

안드로메다은하 관측

가을철에 잘 관측되는 안드로메다자리에 위치한다. 메시에 천체 중에서 가장 밝으며 맨눈으로도 관측할 수 있다. 안드로메다은하의 전체 밝기는 약 3.4등급이지만, 실제 관측할 때는 은하 중심부의 밝은 영역이 하나의 별처럼 보인다.

국부 은하군의 미래

우리은하와 가까운 곳에 있는 대마젤란은하와 소마젤란은하는 우리은하로 접근하고 있고, 약 20억 년 후에 우리은하와 충돌할 것으로 예측된다. 또한, 안드로메다은하도 현재 100 km/s의 속도로 우리은하와 가까워지고 있어서 약 수십억 년 후 우리은하와 충돌할 것으로 예측된다.

▲ **생쥐 은하(NGC 4676)** 두 은하(NGC 4767 A, B)가 충돌하여 병합하고 있다.

▼ **국부 은하군의 주요 구성 은하**

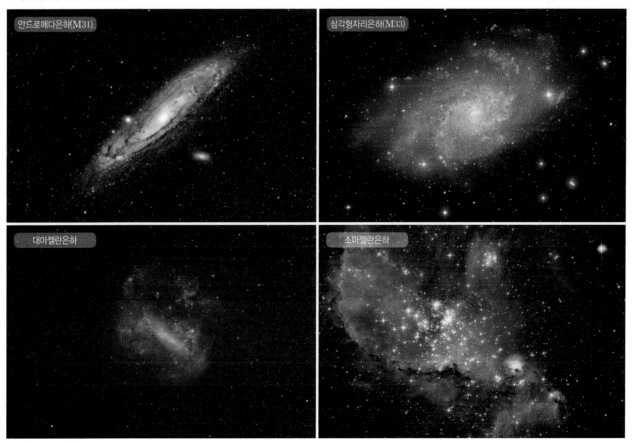

안드로메다은하(M31)

삼각형자리은하(M33)

대마젤란은하

소마젤란은하

2. 은하단

(1) 은하단: 수백 개~수천 개의 은하로 이루어져 은하군보다 규모가 큰 집단으로, 우주에서 서로의 중력에 묶여 있는 천체 중 가장 규모가 크다. 지름은 2 Mpc~10 Mpc 정도이며, 질량은 태양 질량의 10^{14}~10^{15}배 정도이고 암흑 물질이 질량의 대부분을 차지한다.

(2) 은하단의 종류

① 규칙 은하단: 많은 수의 은하가 중심부로 갈수록 조밀하게 모여 있는 은하단으로, 우리은하에서 가장 가까운 규칙 은하단은 머리털자리 은하단(코마 은하단)이다.

② 불규칙 은하단: 비교적 적은 수의 은하들이 느슨하게 분포된 은하단으로, 우리은하에서 가장 가까운 은하단인 처녀자리 은하단은 대표적인 불규칙 은하단에 속한다.

(3) 우리은하에서 가까운 은하단

① 처녀자리 은하단(Virgo Cluster): 우리은하에서 가장 가까운 은하단으로, 지구로부터 약 17 Mpc(약 5400만 광년) 떨어진 곳에 은하단의 중심이 위치한다. 약 1300개~2000개의 은하로 이루어진 불규칙 은하단으로, 타원 은하와 나선 은하로 구성되며 은하단의 중심으로 갈수록 주로 타원 은하가 분포한다. 처녀자리 은하단은 그 중력이 매우 크고 국부 은하군과의 거리가 가까우므로 우주 팽창에 의한 국부 은하군의 후퇴 속도를 약 10 % 늦추고 있다.

② 머리털자리 은하단(Coma Cluster): 약 99 Mpc(약 3억 2100만 광년) 거리에 있는 은하단으로, 중심부에 2개의 거대 타원 은하가 있다. 은하단의 중심부에는 주로 타원 은하가 분포하며, 왜소 은하와 거대 타원 은하가 대부분이고 나선 은하는 적게 분포한다.

• 1933년 츠비키는 머리털자리 은하단에 포함된 은하의 운동을 분석하여 최초로 암흑 물질의 존재를 예측하였다. 머리털자리 은하단의 은하들의 운동 속도는 관측 가능한 물질만으로는 설명할 수 없을 만큼 매우 빠르고, 현재까지의 연구 결과로는 질량의 약 90 %가 암흑 물질로 이루어져 있다고 추정된다.

은하군과 은하단의 관계

은하들이 집단을 이루고 있을 때 그 규모가 작으면 은하군(수십 개), 규모가 크면 은하단(수백 개)이라고 한다. 즉, 은하군은 은하단보다 규모가 작지만, 은하단에 포함되는 개념은 아니다.

국부 은하군과 가까운 은하 집단

가장 가까운 은하단은 약 17 Mpc 거리에 있는 처녀자리 은하단이지만 이보다 가까운 거리에 다른 은하군이 분포한다.

• M81 은하군: 약 3.5 Mpc 떨어져 있으며, 8개의 은하로 구성되어 있다.

• 센타우루스 은하군: 약 3.5 Mpc 떨어져 있으며, 17개의 은하로 구성되어 있다.

• M101 은하군: 약 7.7 Mpc 떨어져 있으며, 5개의 은하로 구성되어 있다.

• M66–M96 은하군: 약 9.4 Mpc 떨어져 있으며, 10여 개의 은하로 구성되어 있다.

• NGC 1023 은하군: 약 9.5 Mpc 떨어져 있으며, 6개의 은하로 구성되어 있다.

거대 타원 은하(cD galaxy)

매우 큰 타원 형태의 은하로, cD은하는 은하단의 중심으로 끌려 들어오는 은하의 병합으로 성장하는 것으로 추정된다. 또한, cD은하는 은하단의 중심에 많이 존재한다.

▼ 처녀자리 은하단　　　　　　　　　　　　　　　　　　　▼ 머리털자리 은하단의 중심 부근

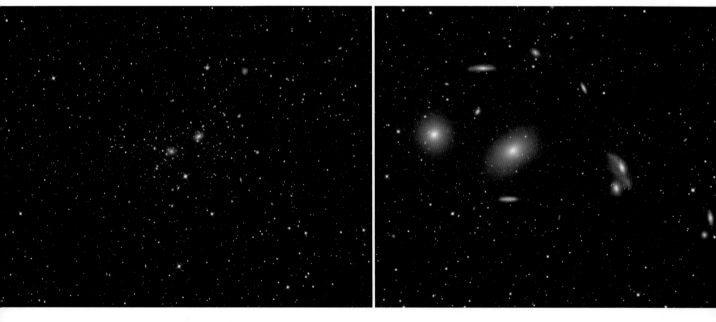

- 천체의 위치를 나타내는 방법으로는 적경과 적위를 이용하는 적도 좌표계, 은경과 은위를 이용하는 은하 좌표계, 초은경과 초은위를 이용하는 초은하 좌표계 등이 있다.
- 초은하 좌표계(supergalactic coordinates system)는 외부 은하의 위치를 표시하기 편리하게 설정한 좌표계이다. 기준면을 초은하 적도면으로 정하고, 초은하 적도면과 우리은하 적도면이 교차하는 선을 중심 경선으로 한다. 우리은하 주변의 우주는 다소 기복은 있으나 우리은하와 유사하게 평면 형태를 나타내는데, 이 국부 우주 평면의 중심과 태양이 통과하는 면을 초은하 적도면이라고 한다. 태양이 우리은하 적도면을 통과하므로, 태양은 초은하 좌표계의 중심 경선을 지난다. 이 좌표계에 따른 좌표를 초은경, 초은위라고 한다.
- 외부 은하를 관측하여 스펙트럼의 파장 변화량을 측정하고 도플러 효과를 이용하면 은하의 시선 속도 자료를 알아낼 수 있고, 이로부터 외부 은하까지의 거리를 구할 수 있다. 초은하 좌표계의 초은경과 초은위를 이용하여 은하의 분포를 나타낸다.

3. 초은하단

(1) **초은하단**: 여러 개의 은하군과 은하단으로 이루어진 은하 집단이다. 초은하단은 은하 집단으로는 가장 큰 단위이며, 그 지름이 수십 Mpc~수백 Mpc 정도로 매우 커서 초은하단에 속한 각 은하단은 서로의 중력에 묶여 있지 않고 우주가 팽창함에 따라 서로 멀어지고 있다. 초은하단은 관측 가능한 우주에 약 1000만 개 정도 분포하는 것으로 추정된다.

(2) **처녀자리 초은하단**: 처녀자리 은하단과 국부 은하군을 포함하여 100여 개 이상의 은하군과 은하단이 분포하는 초은하단이다. 우리은하가 속해 있는 초은하단이므로, 국부 초은하단이라고도 한다. 처녀자리 초은하단의 지름은 33 Mpc~40 Mpc 정도로 추정되며, 그 중심에는 처녀자리 은하단이 분포한다. 국부 은하군은 처녀자리 초은하단의 가장자리에 분포한다.

▼ **처녀자리 초은하단**

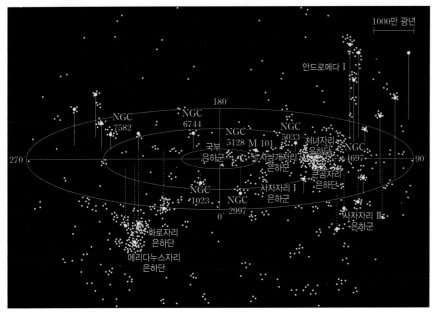

▼ **사자자리 은하군**

▼ **화로자리 은하단(출처: ESO)**

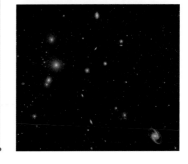

(3) **라니아케아 초은하단**: 2014년 하와이 대학교 천문학 연구진의 연구 결과에 따르면, 처녀자리 초은하단이 라니아케아 초은하단이라는 거대 초은하단의 외곽에 분포한다는 것이 밝혀졌다. 따라서 앞으로 라니아케아 초은하단은 처녀자리 초은하단을 포함하는 국부 초은하단으로 인정될 가능성이 있다. 라니아케아 초은하단은 약 10만 개의 은하를 포함하며, 지름은 약 160 Mpc이고, 질량은 태양 질량의 약 10^{17}배로 우리은하 질량의 수십만 배에 해당한다.

▲ 국부 은하군, 처녀자리 초은하단, 라니아케아 초은하단의 상대적인 크기

시선 집중 ★ **라니아케아 초은하단의 모습**

- 그림은 라니아케아 초은하단의 모습을 컴퓨터로 시각화한 것으로, 라니아케아 초은하단의 초은하 적도면의 단면을 나타낸 것이다.
- 그림에서 붉은색은 밀도가 높은 부분을, 녹색은 밀도가 우주 평균 밀도인 부분을, 파란색은 밀도가 낮은 부분(거대 공동)을 나타낸다.
- 각각의 외부 은하는 적색 편이량을 통해 거리를 계산하여 흰 점으로 나타냈으며, 흰 선은 라니아케아 초은하단 내부에서 은하의 움직임을 나타낸다. 이를 통해 우리은하는 라니아케아 초은하단의 외곽에 위치하고 있음을 알 수 있다.

▼ **가시광선 영상 라니아케아 초은하단** (출처: Tully, R. B. et al., Nature 513, pp.71~73, 2014)

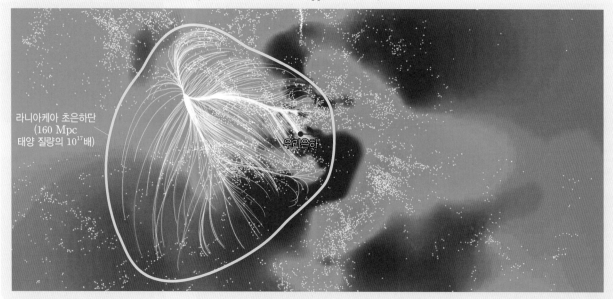

② 우주 거대 구조

우주 공간에서 은하들은 독립적으로 존재하는 것이 아니라 다양한 규모의 집단을 형성하며 분포한다. 은하들이 이루는 구조 중 관측 가능한 우주에서 볼 수 있는 최대 규모의 구조를 우주 거대 구조라고 한다.

1. 은하 장성과 거대 공동

우주에는 초은하단보다 규모가 큰 거대 구조가 존재한다. 최근 연구 결과 약 3억 광년~10억 광년의 범위에서는 은하 장성과 거대 공동이 많이 발견되지만, 수십억 광년 이상의 규모에서 보면 거대 구조가 발견되지 않고, 은하들이 균질하게 분포하고 있다.

은하 ⇒ 은하군, 은하단 ⇒ 초은하단 ⇒ 우주 거대 구조

(1) 우주 거대 구조의 발견: 1980년대 후반 마거릿 겔러 연구진이 처음으로 우주의 은하 분포도(CfA2 은하 장성도)를 작성하며 우주 거대 구조를 최초로 발견하였다. 이 연구진은 15년 동안 15,000개의 은하 위치를 측정하여 초은하단보다 큰 규모의 구조를 확인하였다.
① 은하의 공간 분포는 부채꼴 모양의 그림으로 나타내는데, 부채꼴의 중심에 우리은하를 두고 외부 은하를 관측하여 적색 편이로부터 알아낸 후퇴 속도를 은하까지의 거리로 하여 나타낸다.
② 은하들이 장벽처럼 연결된 연속적인 조직(은하 장성)이 나타나며, 은하는 우주 공간 내에 균일하게 분포하지 않고 비누 거품과 같은 거품의 표면을 따라 분포하는 형태(거대 가락과 거대 공동)로 나타난다.

▼ 은하 분포도

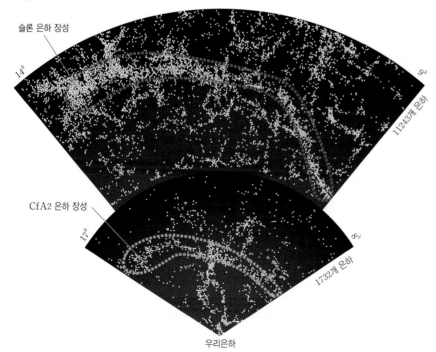

(2) 우주 거대 구조

① 은하 장성(Great Wall): 초은하단은 은하들이 장벽처럼 연결된 연속적인 띠를 이루고 있는데, 이러한 거대한 벽과 같은 구조를 은하 장성이라고 한다. 은하 장성은 우주에서 볼 수 있는 최대 규모의 거대 구조로, 크기는 수백 Mpc~수천 Mpc에 이른다. 1989년에 발견된 CfA2 은하 장성의 길이는 약 5억 광년이며, 2003년에 확인된 슬론 은하 장성의 길이는 약 13.8억 광년이다.

② 거대 공동(void): 우주에서 은하가 거의 없는 공간이다. 거대 공동의 밀도는 우주 평균 밀도보다 작으며, 지름은 대략 11 Mpc~150 Mpc에 이른다. 우주 전체 공간에서 은하가 차지하는 부피는 일부분이고, 거대 공동이 대부분을 차지한다.

③ 거대 가락(필라멘트, Filament): 2차원 평면에서 은하단이 긴 실타래처럼 서로 연결되어 분포하는 구조이다. 거대 가락이 서로 만나는 부분에는 초은하단이 나타나고, 초은하단은 다시 연합하여 은하 장성을 이룬다.

헤르쿨레스자리 – 북쪽왕관자리 은하 장성
2013년에 발견된 은하 장성으로, 크기가 약 3,000 Mpc에 이르는 것으로 추정되는 거대한 구조이다.

시선 집중 ★ 슬론 디지털 전천 탐사(Sloan Digital Sky Survey, SDSS)

- 슬론 디지털 전천 탐사(SDSS)는 미국 뉴멕시코주의 아파치포인트 천문대에 설치된 구경 2.5 m 광각 광학 망원경을 사용하여 2000년부터 수행한 대규모 우주 탐사 프로젝트이다.
- 하늘의 약 35 %에 해당하는 영역에서 약 5억 개의 은하의 적색 편이를 측정하여 은하의 3차원적 공간 분포를 연구하였고, 이 탐사를 통해 슬론 은하 장성이 발견되었다.
- 수십억 광년의 큰 규모에서 보면 은하가 균질하게 분포하는 것을 알 수 있는데, 이로부터 우주는 거시적 규모에서의 균질성과 등방성이 성립한다는 것을 확인할 수 있다. 현재도 탐사가 진행되고 있으며, 우주의 거대 구조를 파악하는 연구가 계속되고 있다.

▲ SDSS 프로젝트에 사용하는 2.5 m 광학 망원경

▼ **슬론 디지털 전천 탐사(SDSS) 프로젝트에서 작성한 3차원 공간 분포 지도** 120만 개의 은하를 작은 점으로 찍은 우주의 3차원적 공간 분포도로, 지구에서 보았을 때 거대한 구형인 우주를 부채꼴 모양의 단면으로 자른 부분을 나타낸다. 은하 장성과 거대 공동을 둘러싼 거품 구조를 확인할 수 있다. (출처: SDSS)

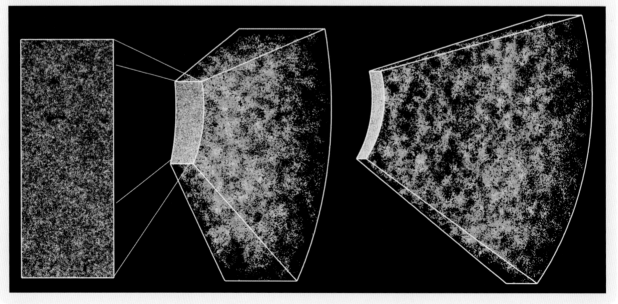

2. 우주의 진화와 거대 구조의 형성

최근 관측 결과, 암흑 물질이 은하들을 중력으로 끌어당겨 우주 거대 구조를 형성하였으며, 그 형태는 우주가 팽창함에 따라 조금씩 변해 왔다는 사실이 밝혀졌다.

(1) **우주의 진화:** 우주는 큰 구조 안에 작은 구조가 포함된 계층적 구조를 이루고 있으며, 우주 거대 구조는 암흑 물질에 의해 형성된 것으로 추정된다.

① 우리가 관측하는 은하 장성의 구성 물질은 보통 물질로 추정된다. 우주에는 암흑 물질이 보통 물질보다 훨씬 풍부한데, 이러한 암흑 물질이 중력으로 보통 물질을 끌어당기고, 그 결과 암흑 물질의 분포에 따라 은하 장성과 같은 거대 구조가 형성된다.

② 최신 우주론에서는 초기 우주의 에너지 밀도에 따른 온도 분포의 미세한 차이가 현재와 같은 우주 거대 구조를 형성한 것으로 설명한다. 우주 배경 복사에서 상대적으로 뜨거운 영역은 은하 장성의 분포와 관련이 있고, 상대적으로 차가운 영역은 거대 공동의 분포와 관련이 있는 것으로 나타난다.

(2) **우주 거대 구조 형성:** 초기 우주에서 물질 분포의 미세한 차이가 있었고, 중력의 영향으로 밀도가 큰 곳으로 물질이 모여들어 별과 은하가 생성되었다. 이 과정에서 밀도가 평균보다 큰 곳에서는 은하들이 계속 성장하여 은하군, 은하단, 초은하단을 이루었고, 밀도가 작은 곳은 비어 있는 공간으로 남아 거대 공동이 형성되었다.

① 표준 우주 모형에서는 우주 거대 구조는 결국 우주를 구성하고 있는 물질과 에너지의 분포에 따라 결정되며, 현재 관측되는 우주 거대 구조를 우주 진화 초기 단계의 흔적으로 보고 있다.

② 우주 거대 구조 형성 과정에 대한 연구 결과, 은하 장성과 거대 공동을 포함하는 우주 거대 구조의 형태는 시간에 따라 변화했으며, 우주 거대 구조의 형태 변화가 우주 팽창의 결과 중 일부라고 한다.

우주 배경 복사

우주 전역에서 우주 탄생 초기에 형성된 우주 배경 복사가 관측된다. 빅뱅 후 우주의 나이가 38만 년이 되었을 때, 우주의 온도가 3000 K 정도로 낮아져 원자핵과 전자가 결합하여 중성 원자를 형성하였고, 이 시기 이후부터 빛이 자유롭게 진행할 수 있는 투명한 우주가 되었다. 이 복사가 현재 우주 배경 복사로 관측된다.

▲ 플랑크 위성으로 관측한 우주 배경 복사의 분포

우주 거대 구조의 형성 시뮬레이션

슈퍼컴퓨터를 이용하여 표준 우주 모형에 따른 우주의 구성 요소를 바탕으로 오랜 시간 동안 중력에 의해 형성되는 물질의 분포 변화를 모의 실험하였다. 그 결과, 현재 우주에서 관측되는 우주 거대 구조가 형성되는 모습을 재현할 수 있었다.

▼ **우주 거대 구조 형성 시뮬레이션** 표준 우주 모형을 토대로 컴퓨터 시뮬레이션으로 재현한 우주 거대 구조 형성 과정으로, 빅뱅 이후 우주가 팽창하면서 우주 공간에 분포하는 암흑 물질로 인해 그물과 같이 얽혀 있는 구조가 형성된다. (출처: Kavli Institute for Cosmological Physics at the University of Chicago)

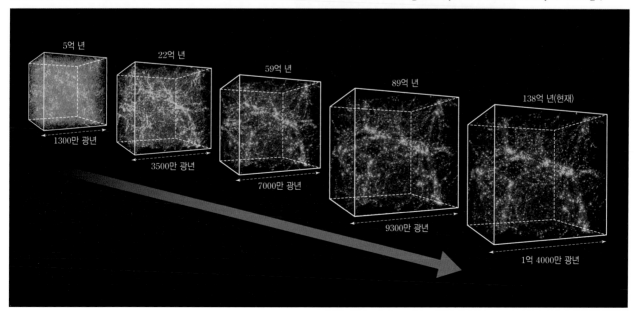

우주에서 우리은하의 위치 알아보기

우리은하가 속한 은하단과 초은하단의 분포로 우주에서 우리은하의 위치를 알 수 있다.

과정

그림 (가), (나), (다)는 각각 국부 은하군과 처녀자리 초은하단, 초은하단들의 공간 분포를 나타낸 것이다.

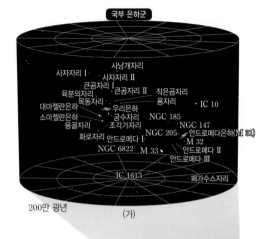

국부 은하군

사냥개자리
사자자리 I 사자자리 II
육분의자리 큰곰자리 I
큰곰자리 I 큰곰자리 II 작은곰자리
대마젤란은하 목동자리 용자리
소마젤란은하 궁수자리 IC 10
용골자리 조각가자리 NGC 185
화로자리 안드로메다 I NGC 147
NGC 205 안드로메다은하(M 31)
NGC 6822 M 33 M 32
안드로메다 II
안드로메다 III
IC 1613 페가수스자리

200만 광년 (가)

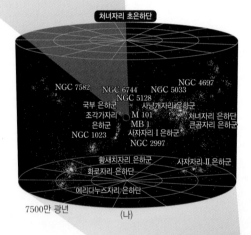

처녀자리 초은하단

NGC 7582 NGC 6744 NGC 5128 NGC 4697
국부 은하군 NGC 5033 사냥개자리은하군
조각가자리 M 101 처녀자리 은하단
은하군 MB 1 큰곰자리 은하군
NGC 1023 사자자리 I 은하군
NGC 2997
황새치자리 은하군 사자자리 II 은하군
화로자리 은하단
에리다누스자리 은하단

7500만 광년 (나)

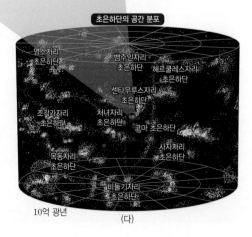

초은하단의 공간 분포

염소자리 뱀주인자리
초은하단 초은하단 헤르쿨레스자리
초은하단
센타우루스자리
초은하단
조각가자리 처녀자리
초은하단 초은하단 코마 초은하단
사자자리
초은하단
목동자리
초은하단
비둘기자리
초은하단

10억 광년 (다)

• 은하군은 은하단에 포함되는 것
이 아니고 규모에 따른 구분이
라는 것에 주의한다.

• 국부 은하군을 구성하는 은하들
의 공간 분포에서 은하들의 분
포에 중심이 되는 은하가 무엇
인지 살펴본다.

• 은하에서 방출하는 빛의 파장을
측정하여 적색 편이량을 알아내
면 허블 법칙을 이용하여 은하
의 거리를 알아낼 수 있다. 이를
바탕으로 은하들의 공간 분포도
를 작성한다.

1 (가)에서 국부 은하군을 구성하는 주요 은하는 무엇인지 찾아보고, 국부 은하군의 중심은 어느 곳에 분포하는지 설명해 보자.

2 (나)에서 처녀자리 초은하단을 구성하는 주요 은하군과 은하단을 찾아보고, 국부 은하군은 처녀자리 초은하단의 중심을 기준으로 어느 위치에 분포하는지 설명해 보자.

3 (다)에서 처녀자리 초은하단 주변에 분포하는 초은하단을 써 보자.

결과

1 (가)에서 국부 은하군을 구성하는 주요 은하들은 우리은하, 안드로메다은하, 대마젤란은하, 소마젤란은하 등이다. 국부 은하군의 중심은 우리은하와 안드로메다은하 사이에 있다.

2 (나)에서 처녀자리 초은하단을 구성하는 주요 은하군과 은하단은 처녀자리 은하단, 화로자리 은하단, 에리다누스자리 은하단, 조각가자리 은하군, 국부 은하군 등이다. 처녀자리 초은하단을 이루는 대부분의 은하는 처녀자리 은하단에 위치해 있다. 따라서 처녀자리 초은하단의 중심은 처녀자리 은하단의 위치에 해당하며, 우리은하를 포함하는 국부 은하군은 처녀자리 초은하단의 중심으로부터 약 17 Mpc 떨어진 곳에 분포한다.

3 (다)에서 처녀자리 초은하단 주변에는 코마 초은하단, 센타우루스자리 초은하단, 사지자리 초은하단, 조각가자리 초은하단, 헤르쿨레스자리 초은하단 등이 있다.

정리

• 우주에서 우리가 살고 있는 지구의 위치를 규모 순으로 나열하면 '지구 ⋯ 태양계 ⋯ 우리은하 ⋯ 국부 은하군 ⋯ 처녀자리 초은하단(또는 라니아케아 초은하단) ⋯ 관측 가능한 우주'이다.

• 우리은하를 포함하여 40개 이상의 은하로 이루어진 국부 은하군은 이웃한 100개 이상의 다른 은하 집단과 함께 처녀자리 초은하단에 속해 있는데, 이를 국부 초은하단이라고 한다. 국부 초은하단의 지름은 약 33 Mpc이며, 국부 은하군은 국부 초은하단의 가장자리에 위치한다.

• 최근 연구 결과에 따르면 처녀자리 초은하단은 라니아케아 초은하단의 외곽에 분포한다고 한다. 이 결과가 확정되면 국부 초은하단은 라니아케아 초은하단이 된다. 관측 가능한 우주에는 이러한 초은하단이 1000만 개 정도 존재하는 것으로 추정된다.

탐구 확인 문제

〉 정답과 해설 **158**쪽

01 은하의 집단에 대한 설명으로 옳은 것만을 보기에서 있는 대로 고른 것은?

보기
ㄱ. 우리은하는 국부 은하군의 중심에 위치한다.
ㄴ. 국부 은하군은 처녀자리 은하단에 속해 있다.
ㄷ. 처녀자리 초은하단은 국부 은하군을 포함하여 100개 이상의 은하군과 은하단으로 이루어져 있다.

① ㄱ   ② ㄷ   ③ ㄱ, ㄴ
④ ㄴ, ㄷ   ⑤ ㄱ, ㄴ, ㄷ

02 그림은 지구가 속해 있는 은하 집단의 상대적인 크기를 나타낸 것이다.

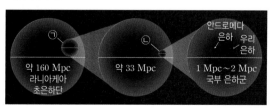

⊙, ⓒ에 들어갈 알맞은 말을 쓰시오.

03 우주의 구조

1 은하의 집단

1 은하군 은하들은 독립적으로 존재하는 것이 아니라 다양한 규모의 집단을 이루고 있다. 은하군은 수십 개의 은하가 모여 있는 집단으로, 지름은 수 Mpc, 질량은 태양의 10^{13}배 정도이다.

• (**❶**　　　): 우리은하가 속해 있는 은하군으로, 지름은 약 3 Mpc이고 40개 이상의 은하로 이루어져 있으며, 그 중심은 (**❷**　　　)와 우리은하 사이에 위치한다.

2 은하단 수백～수천 개의 은하로 이루어져 은하군보다 규모가 큰 집단으로, 지름은 2 Mpc～10 Mpc, 질량은 태양의 10^{14}～10^{15}배 정도이다.

• 처녀자리 은하단: 우리은하에서 가장 가까운 은하단으로, 약 17 Mpc 거리에 있다.

3 (❸　　　) 여러 개의 은하군과 은하단으로 이루어진 은하 집단으로, 지름은 수십 Mpc～수백 Mpc 정도이며, 관측 가능한 우주에 약 1000만 개 정도가 존재한다.

• (**❹**　　　): 국부 은하군을 포함하는 초은하단으로, 지름은 약 33 Mpc～40 Mpc이며 100개 이상의 은하군과 은하단으로 이루어져 있다.

• 최근 연구에 따르면 처녀자리 초은하단은 라니아케아 초은하단의 외곽에 분포한다고 한다.

| 국부 은하군 | 처녀자리 초은하단 | 초은하단의 공간 분포 |

2 우주 거대 구조

1 은하 장성과 거대 공동

• 은하들이 이루는 구조 중 우주에서 볼 수 있는 최대 규모의 구조를 우주 (**❺**　　　)라고 한다.

• (**❻**　　　): 은하들이 장벽처럼 연결된 연속적인 띠를 이루고 있는데, 이런 거대한 벽과 같은 구조이다.

• (**❼**　　　): 우주에서 은하가 거의 없는 공간으로, 우주 전체 공간의 대부분을 차지한다.

• 거대 가락: 은하들이 긴 끈처럼 모여 있는 구조이다.

2 우주의 진화와 거대 구조의 형성

• 우주의 진화: 우주는 큰 구조 안에 작은 구조가 순차적으로 포함된 계층적 구조를 이루고 있으며, 우주 거대 구조는(**❽**　　　)에 의해 형성된 것으로 생각된다.

• 우주 거대 구조 형성: 초기 우주에는 미세한 물질 분포의 차이가 있었고, 밀도가 높은 곳에서 은하들이 성장하여 은하군, 은하단, 초은하단을 이루었고, 밀도가 낮은 곳은 점점 더 비어 있는 공간으로 남게 되었다.

01 다음은 은하의 집단에 대한 설명이다.

> (가) 수십 개의 은하로 이루어진 집단으로 은하 무리
> 중 가장 작은 집단이다.
> (나) 우주에서 서로의 중력에 묶여 있는 천체 집단 중
> 가장 규모가 큰 집단이다.
> (다) (가)와 (나)의 은하 집단들로 이루어진 대규모 은
> 하의 집단이다.

(가), (나), (다)에 해당하는 은하 집단의 명칭을 각각 쓰시오.

02 국부 은하군에 대한 설명으로 옳은 것만을 보기에서 있는
대로 고르시오.

> 보기
> ㄱ. 우리은하가 속해 있는 집단이다.
> ㄴ. 구성 은하는 대부분 나선 은하이다.
> ㄷ. 질량 중심은 우리은하와 안드로메다은하 사이에
> 있다.

03 그림 (가), (나), (다)는 우리은하가 포함된 은하의 집단을 나
타낸 것이다.

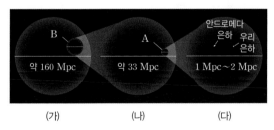

(가)   (나)   (다)

이에 대한 설명으로 옳은 것만을 보기에서 있는 대로 고르
시오.

> 보기
> ㄱ. A는 처녀자리 초은하단이다.
> ㄴ. 우리은하는 B의 중심부에 위치한다.
> ㄷ. (다)는 수십 개의 은하로 이루어져 있다.

04 우주의 은하 분포에 대한 설명으로 옳은 것만을 보기에서
있는 대로 고르시오.

> 보기
> ㄱ. 은하의 대부분은 집단을 이루지 않고 독립적으로
> 분포한다.
> ㄴ. 초은하단 이상의 규모에서는 거대 구조가 존재하지
> 않는다.
> ㄷ. 수십억 광년 이상의 규모에서 볼 때 은하들은 거의
> 균일하게 분포하고 있다.

05 우주의 거대 구조에 대한 설명으로 옳은 것은 ○, 옳지 않은
것은 ×로 표시하시오.

(1) 우주 전체 공간에서 거대 공동이 차지하는 부피는 일
부분이고, 은하들이 대부분을 차지한다. ········ (   )

(2) 거대 가락이 서로 만나는 부분에서 초은하단이 나타
난다. ·· (   )

(3) 초은하단들이 장벽처럼 연결된 연속적인 띠를 은하
장성이라고 한다. ································ (   )

06 우주의 진화와 우주 거대 구조의 형성 과정에 대한 설명으
로 옳은 것만을 보기에서 있는 대로 고르시오.

> 보기
> ㄱ. 거시적인 규모에서 볼 때 은하의 분포는 매우 불균
> 질하다.
> ㄴ. 우주 거대 구조는 주로 암흑 물질의 분포에 따라 형
> 성된다.
> ㄷ. 현재 관측되는 우주 거대 구조는 우주 진화 초기 단
> 계의 흔적으로 볼 수 있다.

01 ❯국부 은하군의 구성

그림 (가)~(라)는 우주를 구성하는 다양한 규모의 천체의 모습을 나타낸 것이다.

(가) 우리은하

(나) 퀘이사

(다) 안드로메다은하

(라) 플레이아데스성단

(가)~(라) 중 국부 은하군에 속한 천체만을 있는 대로 고른 것은?

① (가), (나)   ② (가), (다)   ③ (나), (라)

④ (가), (다), (라)   ⑤ (나), (다), (라)

• 수십 개의 은하로 이루어진 집단을 은하군(Group of galaxies)이라고 한다. 국부 은하군은 우리은하가 속해 있는 은하군이다.

02 ❯국부 은하군

그림은 우리은하 주변에 위치한 은하의 분포를 나타낸 것이다.

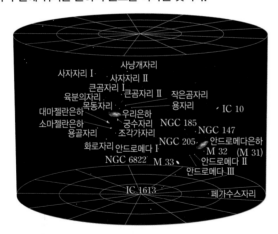

이 은하 집단에 대한 설명으로 옳은 것만을 보기에서 있는 대로 고른 것은?

보기
ㄱ. 국부 은하군에 해당한다.
ㄴ. 우리은하와 안드로메다은하 주변에 작은 은하들이 모여 있다.
ㄷ. 우주가 팽창함에 따라 은하들이 모두 멀어지고 있다.

① ㄱ   ② ㄷ   ③ ㄱ, ㄴ   ④ ㄴ, ㄷ   ⑤ ㄱ, ㄴ, ㄷ

• 국부 은하군의 질량 중심은 은하군 내에서 질량이 큰 두 은하(우리은하와 안드로메다은하) 사이에 있다.

03

> 처녀자리 초은하단

그림은 처녀자리 초은하단의 모습을 나타낸 것이다.

처녀자리 초은하단에 대한 설명으로 옳은 것만을 보기에서 있는 대로 고른 것은?

보기
ㄱ. 은하들이 거의 균일하게 분포하고 있다.
ㄴ. 초은하단의 질량 중심에 처녀자리 은하단이 위치한다.
ㄷ. 각 은하단은 서로의 중력에 의해 강하게 묶여 있다.

① ㄱ   ② ㄴ   ③ ㄱ, ㄴ   ④ ㄱ, ㄷ   ⑤ ㄴ, ㄷ

04

> 라니아케아 초은하단

그림은 라니아케아 초은하단의 모습을 나타낸 것이다.

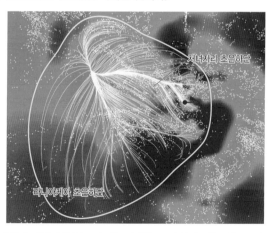

라니아케아 초은하단에 대한 설명으로 옳은 것만을 보기에서 있는 대로 고른 것은?

보기
ㄱ. 처녀자리 초은하단보다 규모가 훨씬 큰 초은하단이다.
ㄴ. 국부 은하군을 포함한다.
ㄷ. 흰색 점은 은하의 분포를 나타낸다.

① ㄱ   ② ㄷ   ③ ㄱ, ㄴ   ④ ㄴ, ㄷ   ⑤ ㄱ, ㄴ, ㄷ

• 은하는 우주를 구성하는 기본 단위라고 할 수 있다. 은하들이 모여 있는 규모에 따라 은하군, 은하단, 초은하단으로 나눌 수 있다.

• 2014년 연구 결과에 따르면, 처녀자리 초은하단이 라니아케아 초은하단이라는 거대 초은하단의 외곽에 분포하고 있다고 한다.

05 ❯ 우주의 거대 구조

그림은 **1980**년대 후반에 최초로 작성된 은하 분포도를 나타낸 것이다.

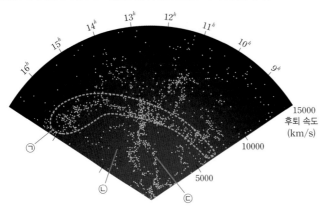

- 1980년대 후반에 처음으로 우주의 은하 분포도(CfA2 은하 장성도)가 작성되었다. 이를 통해 우주에 초은하단보다 큰 거대 구조가 존재함을 확인하였다.

이에 대한 설명으로 옳은 것만을 보기에서 있는 대로 고른 것은?

> 보기

ㄱ. ㉠은 은하 장성이다.

ㄴ. ㉡에는 은하가 거의 분포하지 않는다.

ㄷ. ㉢은 은하단들이 길게 연결되어 나타나는 구조이다.

① ㄱ　　　② ㄷ　　　③ ㄱ, ㄴ　　　④ ㄴ, ㄷ　　　⑤ ㄱ, ㄴ, ㄷ

06 ❯ 초은하단과 거품 구조

그림 (가)는 초은하단의 모습을, (나)는 우주 거대 구조의 모습을 나타낸 것이다.

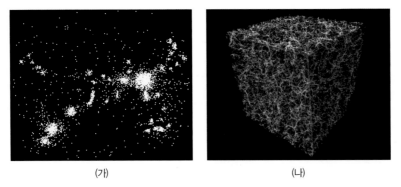

(가)　　　　　　　　　　　　　　　(나)

- 은하단들의 분포를 살펴보면, 거품 구조를 이루고 있다. 특히 거품이 만나 겹쳐지는 곳에 초은하단이 집중적으로 분포한다.

이에 대한 설명으로 옳은 것만을 보기에서 있는 대로 고른 것은?

> 보기

ㄱ. 공간 규모는 (가)가 (나)보다 크다.

ㄴ. (가)에 포함된 은하단들은 서로의 중력에 강하게 속박되어 있다.

ㄷ. (나)에서 은하단들은 비누 거품과 같은 막의 표면에 집중적으로 분포한다.

① ㄱ　　　② ㄷ　　　③ ㄱ, ㄴ　　　④ ㄴ, ㄷ　　　⑤ ㄱ, ㄴ, ㄷ

07 > 우주의 거대 구조

그림은 우리은하로부터 약 13억 광년 이내에 있는 은하의 분포를 나타낸 것이다.

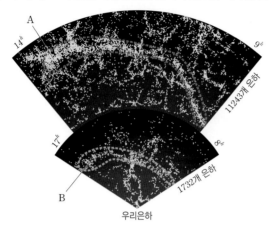

• 은하단이 긴 실타래처럼 서로 연결되어 분포하는 구조를 거대 가락(필라멘트)이라고 하는데, 거대 가락이 서로 만나는 부분에서 초은하단이 나타나고, 초은하단이 모여 은하 장성을 형성한다.

이에 대한 설명으로 옳은 것만을 보기에서 있는 대로 고른 것은?

보기
ㄱ. 처녀자리 초은하단을 구성하는 은하의 분포를 나타낸 것이다.
ㄴ. A와 B는 은하가 모여 형성한 거대한 벽과 같은 구조이다.
ㄷ. 우주 공간에는 은하가 거의 분포하지 않는 빈 공간이 존재한다.

① ㄱ   ② ㄷ   ③ ㄱ, ㄴ   ④ ㄴ, ㄷ   ⑤ ㄱ, ㄴ, ㄷ

08 > 우주의 진화와 거대 구조 형성

그림 (가)~(다)는 컴퓨터 시뮬레이션으로 확인한 우주 거대 구조 형성 과정을 나타낸 것이다.

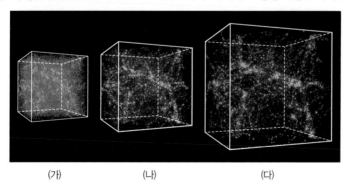

(가)   (나)   (다)

• 슈퍼컴퓨터를 이용하여 모의 실험한 결과, 현재 우주에서 관측되는 우주 거대 구조가 형성되는 과정을 재현할 수 있었다.

이에 대한 설명으로 옳은 것만을 보기에서 있는 대로 고른 것은?

보기
ㄱ. 우주의 크기는 (가)<(나)<(다)이다.
ㄴ. 우주가 팽창하면서 물질이 모여들고 그물처럼 얽혀 있는 구조가 나타난다.
ㄷ. 시간이 흐름에 따라 암흑 물질이 분포하고 있는 곳에 거대 공동이 형성된다.

① ㄱ   ② ㄷ   ③ ㄱ, ㄴ   ④ ㄴ, ㄷ   ⑤ ㄱ, ㄴ, ㄷ

01 ❯ 천체의 위치와 좌표계

그림은 어느 날 별 A, B와 태양의 위치를 천구에 나타낸 것이다.

이에 대한 설명으로 옳은 것만을 보기에서 있는 대로 고른 것은? (단, 관측 지점은 북반구 중 위도 지역이다.)

보기

ㄱ. 이날 태양이 뜨는 지점과 지는 지점의 방위각 차는 180°이다.

ㄴ. 이날 A는 B보다 먼저 남중한다.

ㄷ. 해가 진 직후에 A와 B를 남동쪽 하늘에서 볼 수 있다.

① ㄱ   ② ㄴ   ③ ㄱ, ㄴ   ④ ㄱ, ㄷ   ⑤ ㄴ, ㄷ

• 춘분날에는 태양이 정동쪽에서 떠서 정서쪽으로 진다.

02 ❯ 태양의 연주 운동과 황도 12궁

그림은 황도 12궁과 지구 공전 궤도를 나타낸 것이다.

이에 대한 설명으로 옳은 것만을 보기에서 있는 대로 고른 것은? (단, 관측 지점은 북반구 중 위도 지역이다.)

보기

ㄱ. 처녀자리와 물병자리는 천구 적도 부근에 있는 별자리이다.

ㄴ. 황도 12궁 중 남중 고도가 가장 높은 별자리는 궁수자리이다.

ㄷ. 춘분날 04시경에 남쪽 하늘에서 볼 수 있는 별자리는 황소자리이다.

① ㄱ   ② ㄴ   ③ ㄱ, ㄴ   ④ ㄱ, ㄷ   ⑤ ㄴ, ㄷ

• 황도는 천구상에서 태양이 연주 운동하는 경로로, 지구 공전 궤도를 연장하여 천구와 만나는 대원이다. 황도에 위치한 12개의 별자리를 황도 12궁이라고 한다.

03
> 행성의 위치 관계 변화

그림은 우리나라에서 보름 간격으로 해가 진 직후에 관측한 행성 A와 B의 위치를 나타낸 것이다. A와 B는 각각 화성과 금성 중 하나이다.

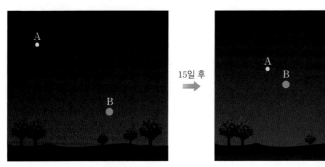

이 기간에 나타날 수 있는 현상으로 옳은 것만을 보기에서 있는 대로 고른 것은?

> 보기

ㄱ. A의 이각이 감소하였다.

ㄴ. B의 시지름이 증가하였다.

ㄷ. A와 B는 모두 순행하였다.

① ㄱ ② ㄴ ③ ㄱ, ㄷ ④ ㄴ, ㄷ ⑤ ㄱ, ㄴ, ㄷ

내행성이 동방 이각에 위치할 때는 해가 진 직후에 서쪽 하늘에서 관측된다. 외행성이 동방 이각에 위치할 때는 시간이 흐를수록 합에 가까워진다.

04
> 태양계 우주관

그림 (가), (나), (다)는 서로 다른 우주관의 태양계 모형을 나타낸 것이다.

(가)　　　　　(나)　　　　　(다)

(가)~(다) 모형에 대한 설명으로 옳은 것만을 보기에서 있는 대로 고른 것은?

> 보기

ㄱ. (가)에서는 주전원을 도입하여 행성의 역행을 설명한다.

ㄴ. (가)와 (다)는 보름달 모양의 금성의 위상을 설명할 수 있다.

ㄷ. (가), (나), (다)는 모두 수성의 최대 이각 현상을 설명할 수 있다.

① ㄱ ② ㄷ ③ ㄱ, ㄴ ④ ㄴ, ㄷ ⑤ ㄱ, ㄴ, ㄷ

(가)는 티코 브라헤의 우주관을, (나)는 프톨레마이오스의 우주관을, (다)는 코페르니쿠스의 우주관을 나타낸 것이다.

05
> 화성의 공전 궤도

다음은 화성이 1회 공전했을 때 지구에서 관측한 화성의 이각 변화를 나타낸 것이다.

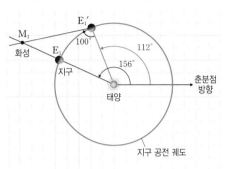

지구의 위치	화성의 이각	지구-태양-춘분점이 이루는 각
E_1	$180°$	$156°$
E_1'	$100°$	$112°$

이에 대한 설명으로 옳은 것만을 보기에서 있는 대로 고른 것은? (단, 지구와 화성의 공전 궤도는 원 궤도로 가정한다.)

보기
ㄱ. 지구가 E_1'에 있을 때 화성의 적경은 약 $12^h 48^m$이다.
ㄴ. 이 기간에 화성이 동구에 위치한 시기가 있었다.
ㄷ. 화성에서 관측되는 지구의 최대 이각은 $36°$보다 크다.

① ㄱ   ② ㄷ   ③ ㄱ, ㄴ   ④ ㄴ, ㄷ   ⑤ ㄱ, ㄴ, ㄷ

• 외행성은 지구보다 공전 속도가 느리므로, 화성과 지구의 위치 관계는 '충 → 동구 → 합 → 서구 → 충' 순으로 변한다.

06
> 회합 주기와 케플러 법칙

표는 목성 주위를 공전하는 세 위성 (가), (나), (다)의 궤도 반지름과 공전 주기를 비교한 것이다.

위성 \ 궤도 요소	궤도 반지름(상댓값)	공전 주기(상댓값)
(가) 이오	1.0	1.0
(나) 유로파	1.6	2.0
(다) 가니메데	( )	4.0

위성 A, B, C에 대한 설명으로 옳은 것만을 보기에서 있는 대로 고른 것은?

보기
ㄱ. 공전 속도는 (가)가 가장 느리다.
ㄴ. 궤도 반지름은 (다)가 (가)의 $2^{\frac{4}{3}}$배이다.
ㄷ. (가)와 (나)의 회합 주기는 (가)와 (다)의 회합 주기의 $\frac{4}{3}$배이다.

① ㄱ   ② ㄴ   ③ ㄱ, ㄴ   ④ ㄱ, ㄷ   ⑤ ㄴ, ㄷ

• 케플러 법칙은 태양계 행성뿐만 아니라 행성 주위를 도는 위성에서도 성립한다.

07
> 세페이드 변광성

그림 (가)는 세페이드 변광성의 주기─광도 관계를, (나)는 어느 세페이드 변광성의 밝기 변화를 나타낸 것이다.

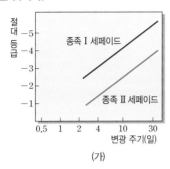

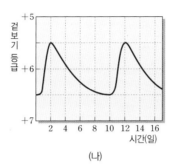

(가)   (나)

이에 대한 설명으로 옳은 것만을 보기에서 있는 대로 고른 것은?

> 보기

ㄱ. 세페이드 변광성은 변광 주기가 길수록 광도가 작다.

ㄴ. (나)의 변광성이 종족 I 세페이드라면 절대 등급은 약 −4등급이다.

ㄷ. (나)의 변광성이 종족 II 세페이드라면 거리 지수가 7.0보다 작다.

① ㄱ   ② ㄴ   ③ ㄷ   ④ ㄱ, ㄷ   ⑤ ㄴ, ㄷ

08
> 성단의 색등급도

그림은 서로 다른 성단 (가)와 (나)의 색등급도를 나타낸 것이다.

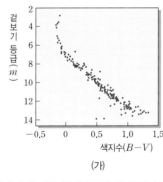

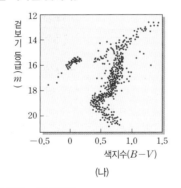

(가)   (나)

성단 (가), (나)에 대한 설명으로 옳은 것을 보기에서 고른 것은?

> 보기

ㄱ. (가)는 대부분 주계열성으로 이루어져 있다.

ㄴ. (나)의 색등급도에는 적색 거성 가지에 별이 많이 분포한다.

ㄷ. 전향점에 위치한 주계열성의 광도는 (가)가 (나)보다 작다.

ㄹ. 성단의 나이는 (가)가 (나)보다 많다.

① ㄱ, ㄴ   ② ㄱ, ㄷ   ③ ㄴ, ㄷ   ④ ㄴ, ㄹ   ⑤ ㄷ, ㄹ

09 › 성간 소광에 의한 거리 지수 보정

그림은 관측자 (가)와 (나)가 같은 별을 관측할 때 겉보기 등급이 각각 m_1, m_2로 측정되는 모습을 나타낸 것이다.

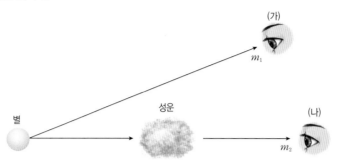

• 성간 소광이 일어나면 별이 실제 밝기보다 어둡게 관측되므로 별의 겉보기 등급이 크게 관측된다. 따라서 관측한 별의 겉보기 등급을 성간 소광이 일어난 만큼 보정해야 정확한 거리 지수를 구할 수 있다.

이에 대한 설명으로 옳은 것만을 보기에서 있는 대로 고른 것은? (단, 이 별에서 관측자 (가)와 (나)까지의 거리는 같다.)

> **보기**
> ㄱ. 거리 지수는 (가)보다 (나)에서 크게 나타난다.
> ㄴ. m_1과 m_2의 차이는 V 필터보다 B 필터로 관측할 때 크다.
> ㄷ. 성운에 포함된 티끌의 농도가 클수록 (나)에서 색초과가 작아진다.

① ㄴ   ② ㄷ   ③ ㄱ, ㄴ   ④ ㄱ, ㄷ   ⑤ ㄱ, ㄴ, ㄷ

10 › 21 cm 수소선 관측

그림 (가)는 태양에서 일정한 시선 방향에 있는 중성 수소운 A와 B의 위치를, (나)는 A와 B에서 방출된 21 cm 수소선의 관측 결과를 나타낸 것이다.

 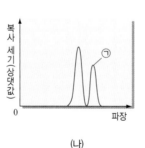

(가)   (나)

• 은하 원반에 분포하는 중성 수소운에서 방출되는 21 cm 수소선을 관측하면 시선 속도에 따라 파장 변화가 나타나며, 중성 수소운의 밀도에 따라 방출선의 세기가 다르게 나타난다.

태양, A, B가 케플러 회전을 한다고 할 때, 이에 대한 설명으로 옳은 것만을 보기에서 있는 대로 고른 것은?

> **보기**
> ㄱ. 공간 속도는 A가 B보다 느리다.
> ㄴ. ㉠의 관측 파장은 21 cm보다 길다.
> ㄷ. 중성 수소는 A보다 B에 많이 분포한다.

① ㄱ   ② ㄴ   ③ ㄱ, ㄷ   ④ ㄴ, ㄷ   ⑤ ㄱ, ㄴ, ㄷ

11

> 은하의 회전과 질량 분포

그림은 나선 은하 A~C의 회전 속도 곡선을 나타낸 것이다.

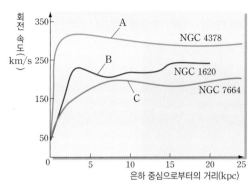

이에 대한 설명으로 옳은 것만을 보기에서 있는 대로 고른 것은?

> 보기

ㄱ. 우리은하의 회전 곡선과 가장 유사한 것은 A이다.

ㄴ. B는 은하 중심부에서 강체 회전을 한다.

ㄷ. A~C 중 은하 중심부에 질량이 가장 집중된 은하는 C이다.

① ㄱ   ② ㄴ   ③ ㄱ, ㄷ   ④ ㄴ, ㄷ   ⑤ ㄱ, ㄴ, ㄷ

우리은하뿐만 아니라 외부 은하도 질량이 은하의 중심부에만 집중되어 있지 않고, 은하의 외곽에 많은 양의 물질이 분포한다.

12

> 우주 거대 구조

그림은 우리은하로부터 약 13억 광년 이내에 있는 은하의 분포를 나타낸 것이다.

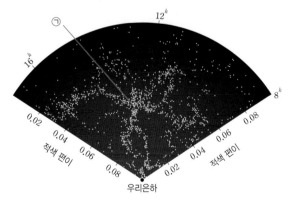

이에 대한 설명으로 옳은 것만을 보기에서 있는 대로 고른 것은?

> 보기

ㄱ. 처녀자리 초은하단을 구성하는 은하의 분포를 나타낸 것이다.

ㄴ. 은하가 거의 존재하지 않는 빈 영역이 있다.

ㄷ. 초기 우주에서 에너지 밀도가 높은 영역에서 ㉠의 구조가 형성된다.

① ㄱ   ② ㄷ   ③ ㄱ, ㄴ   ④ ㄴ, ㄷ   ⑤ ㄱ, ㄴ, ㄷ

우주 배경 복사에서 상대적으로 뜨거운 영역은 은하 장성의 분포와 관련이 있고, 상대적으로 차가운 영역은 거대 공동의 분포와 관련이 있다.

01 그림은 어느 날 37.5 °N 지역에서 해가 뜨기 직전에 관측한 하늘의 모습을 나타낸 것이다.

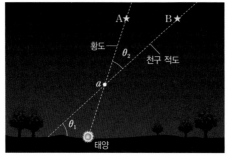

KEY WORDS
(1) • 천구의 적도와 황도가 이루는 각
   • 일주권과 지평선이 이루는 각
(2) • 적위와 남중 고도
   • 적경과 남중 시각

(1) θ_1과 θ_2는 각각 몇 도인지 쓰시오.

(2) 이날 별 A와 B의 남중 시각과 남중 고도를 비교하여 설명하시오.

02 다음은 북반구 중위도 지역에서 관측한 가상의 태양계 행성 A와 B에 대한 설명이다. (단, A와 B는 모두 원 궤도로 공전한다.)

KEY WORDS
(1) 내행성, 최대 이각
(2) 외행성, 충, 합

> (가) 새벽에 행성 A를 동쪽 하늘에서 관측하였다. 이날은 태양과 A의 이각이 가장 큰 날이었고, 그 값은 30°였다.
>
> (나) 자정 무렵에 행성 B를 남쪽 하늘에서 관측하였다. 이날 B는 밝기가 최대였으며, 시지름은 가장 작게 보였을 때보다 $\frac{5}{3}$배 컸다.

(1) A의 궤도 반지름을 구하고, 풀이 과정과 답을 쓰시오.

(2) B의 궤도 반지름을 구하고, 풀이 과정과 답을 쓰시오.

03 그림은 어느 우주관에 근거하여 시간에 따른 태양과 금성의 지구로부터의 거리 변화를 나타낸 것이다.

KEY WORDS
(1) 금성의 거리 변화
(2) 금성의 주전원 운동

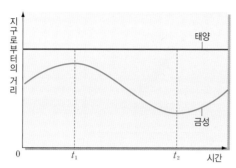

(1) 이 우주관은 태양 중심설과 지구 중심설 중 무엇인지 쓰시오.

_____

(2) 이 우주관에서 t_1에서 t_2까지 금성의 위상이 어떻게 변화하는지 설명하시오.

_____

04 다음은 소행성 A, B, C에 대한 설명이다.

KEY WORDS
(1) 행성의 회합 주기와 공전 주기
(2) 케플러 제3법칙

(가) 소행성 A, B, C는 지구와 같은 평면상에서 같은 방향으로 원운동한다.
(나) 소행성 A, B, C의 공전 주기와 지구와의 회합 주기는 다음과 같다.

소행성	공전 주기(년)	회합 주기(년)
A	0.5	( )
B	( )	3
C	( )	1.5

(다) A에서 측정한 C의 회합 주기는 B에서 측정한 C의 회합 주기의 3배이다.

(1) 소행성 B와 C의 공전 주기를 각각 구하고, 풀이 과정과 답을 쓰시오.

_____

(2) 공전 궤도 반지름은 B가 A의 몇 배인지 구하고, 풀이 과정과 답을 쓰시오.

_____

05 그림은 서로 다른 두 성단 (가)와 (나)에 속하는 별들의 겉보기 등급과 색지수를 각각 나타낸 것이다.

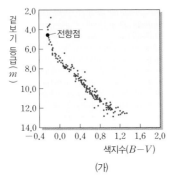
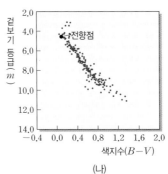

(가)　　　　　　　　(나)

KEY WORDS
(1) 별의 진화, 주계열성의 질량과 수명
(2) 전향점, 거리 지수

(1) 성단 (가)와 (나)의 나이를 비교하여 설명하시오.

(2) 성단 (가)와 (나)의 거리 지수를 비교하여 설명하시오.

06 그림 (가), (나), (다)는 우리은하의 은하면을 각각 21 cm 전파, 적외선, 가시광선 영역에서 관측한 영상을 나타낸 것이다.

KEY WORDS
(1) 21 cm 수소선
(2) 파장에 따른 성간 소광량, 성간 티끌

(1) (가)~(다) 중에서 중성 수소의 분포를 알 수 있는 것은 무엇인지 설명하시오.

(2) (가)~(다) 중에서 성간 소광의 영향을 가장 많이 받은 영상은 무엇인지 설명하시오.

07 그림은 우리은하의 회전 속도 곡선을, 표는 태양과 별 A의 특징을 나타낸 것이다.

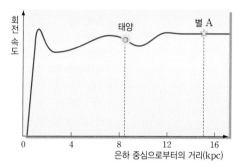

구분	태양	별 A
질량 (상댓값)	1	1
은하 중심으로부터의 거리 (kpc)	8	15
회전 속도 (km/s)	220	250

(1) 태양 궤도 안쪽에 분포하는 은하의 질량(M)이 태양에 미치는 만유인력과 태양이 회전하는 데 필요한 구심력이 같다고 가정하여 M은 태양 질량의 몇 배인지 계산하시오. (단, 1 kpc $= 3 \times 10^{19}$ m, 태양 질량 $= 2 \times 10^{30}$ kg, 중력 상수 $G = 6.67 \times 10^{-11}$ N·m²/kg²이다.)

(2) 별 A의 공전 궤도 안쪽에 분포하는 은하의 질량을 계산하고, (1)의 결과와 비교하여 우리은하의 질량 분포에 대해 설명하시오.

KEY WORDS
(1) • 만유인력과 구심력
    • 케플러 제3법칙
(2) • 헤일로
    • 암흑 물질

08 그림 (가)는 우주 거대 구조의 모습을, (나)는 우주 배경 복사를 나타낸 것이다.

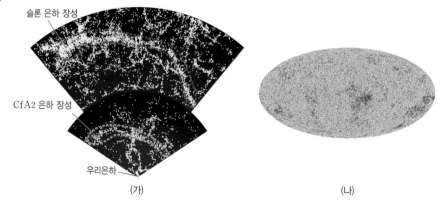

(가)   (나)

(1) (가)에서 확인할 수 있는 우주 거대 구조를 모두 쓰시오.

(2) (나)의 우주 배경 복사 분포가 (가)의 우주 거대 구조 형성에 미친 영향을 설명하시오.

KEY WORDS
• 우주 거대 구조
• 에너지 밀도, 암흑 물질의 분포

예시 문제

다음 제시문을 읽고 물음에 답하시오.

〔제시문 1〕 코페르니쿠스는 ㉠기존의 지구 중심 우주관에 대해 혁명적인 사고의 전환을 시도하였다. 그는 저서 『천구의 회전에 관하여』에서 ㉡새로운 태양 중심의 우주관을 제시하였는데, 지구를 포함한 모든 행성이 태양을 중심으로 공전한다는 것이었다. 하지만 당시 사람들은 코페르니쿠스의 이론을 주목하지 않았다. 그럼에도 불구하고 그의 저서에 쓰인 천체 운동에 관한 과학적 진실은 소수의 사람에게 전파되기 시작하여 결국 '천문학의 혁명'을 일으키는 출발점이 되었다.

〔제시문 2〕 덴마크의 천문학자 티코 브라헤는 천체 관측에 망원경이 사용되기 이전 시대의 가장 위대한 맨눈 관측자였다. 그의 관측 기록은 매우 정밀하여 현대적 관점에서 보더라도 육안 관측으로 이룰 수 있는 최대의 정밀성을 갖고 있었다. 그는 지구가 움직이고 있다는 결정적 증거가 되는 연주 시차를 측정하고자 했으나 실패하였고, 코페르니쿠스의 태양 중심설이 틀렸다는 결론을 내렸다. 그가 세상을 떠난 후, 방대한 관측 자료는 그의 측근 중에서 뛰어난 수학적 재능을 가진 케플러에게 전해졌다. 케플러는 화성의 관측 자료를 오랫동안 연구하고 분석하여 ㉢행성의 궤도 모양과 궤도 운동의 규칙성, 행성의 궤도 긴반지름과 공전 주기와의 관계를 찾아내어 세 가지 경험 법칙을 발표하였다.

〔제시문 3〕 케플러의 연구 결과는 행성이 태양 주위를 어떻게 움직이는지 설명할 수 있었지만 그렇게 움직이는 원리는 설명할 수 없었다. 케플러의 경험 법칙에 숨어 있는 원리를 찾아낸 사람은 영국의 과학자 뉴턴이었다. 그는 1687년 『자연철학의 수학적 원리(프린키피아)』를 출간하며 운동 법칙과 만유인력의 법칙을 소개하면서 케플러의 경험 법칙을 과학 법칙과 수학적 원리로 설명하였다. 뉴턴이 태양계 천체들이 태양 중심 궤도에 묶여서 타원 궤도로 돌고 있는 원리를 성공적으로 설명하면서 천문학 혁명은 마무리되었다.

1 제시문 1의 ㉠과 ㉡에서는 각각 행성의 겉보기 운동(최대 이각 문제, 역행 현상)을 어떻게 설명하였는지 설명하시오.

2 제시문 2의 ㉢을 이용하여 다음 질문에 관해 설명하시오.

> 핼리 혜성의 공전 주기는 약 76년으로 매우 길지만, 핼리 혜성의 꼬리를 볼 수 있는 기간은 불과 수개월에 불과하다. 그 까닭은 무엇일까?

3 코페르니쿠스가 시작하여 뉴턴이 마무리한 천문학 혁명이 그 당시 과학계에 어떤 영향을 미쳤는지 설명하시오.

● 출제 의도
코페르니쿠스, 티코 브라헤, 케플러, 뉴턴을 거쳐 이루어진 천문학 혁명의 배경과 과학사적 전개 과정을 이해하는지 평가한다. 또한, 지구 중심 우주관과 태양 중심 우주관에서 행성의 겉보기 운동을 설명하는 방식의 차이점을 이해하고 있는지 평가한다.

문제 해결 과정

1 프톨레마이오스는 지구 주위를 공전하는 궤도 위에 중심을 둔 작은 원, 즉 주전원을 도입하여 행성의 역행 문제를 설명하였고, 수성과 금성의 주전원 중심이 태양과 동일한 주기로 지구를 회전한다고 가정하여 최대 이각 문제를 설명하였다.

2 케플러는 티코 브라헤의 정밀한 관측 자료를 분석하여 태양계 행성 운동에 관한 세 가지 경험 법칙을 발표하였다. 이 법칙은 '타원 궤도 법칙', '면적 속도 일정 법칙', '조화 법칙'이다. 핼리 혜성은 궤도 이심률이 매우 크므로 근일점 거리와 원일점 거리의 차가 매우 크고, 면적 속도 일정 법칙에 따라 근일점과 원일점에서의 공전 속도 차가 크게 나타난다.

3 코페르니쿠스에서 시작된 천문학 혁명은 케플러에 이르러 태양계 행성의 위치를 그 이전보다 정확히 예측할 수 있게 되었지만, 케플러의 세 가지 법칙은 누적된 관측 자료를 기반으로 한 경험적인 통계 법칙이라는 한계가 있었다. 하지만 뉴턴이 미적분과 만유인력 법칙을 이용하여 케플러 법칙이 성립함을 증명하면서 태양계 행성의 위치를 거의 완벽하게 예측할 수 있게 되었다.

- **최대 이각 문제:** 수성과 금성은 태양으로부터 어느 각도 이상 벗어나지 못하여 초저녁이나 새벽에만 관측할 수 있는데, 이를 최대 이각 문제라고 한다.
- **역행 문제:** 행성의 겉보기 운동을 관측해 보면 천구상에서 한 방향으로만 이동하지 않고 반대 방향으로 움직이기도 하는데 이를 역행 문제라고 한다.
- **궤도 이심률(e):** 타원 궤도의 납작한 정도를 나타낸 값을 궤도 이심률이라고 한다. 공전 궤도의 긴반지름을 a, 짧은 반지름을 b라고 하면 이심률은 다음과 같다.

$$e = \frac{\sqrt{a^2 - b^2}}{a}$$

예시 답안

1 프톨레마이오스의 지구 중심 우주관에서는 주전원을 도입하여 행성의 역행을 설명하였고, 수성과 금성의 주전원 중심이 지구와 태양을 잇는 선 위에 있다고 가정하여 두 행성의 최대 이각 현상을 설명하였다. 한편, 코페르니쿠스의 태양 중심 우주관에서는 행성의 공전 속도 차이를 이용하여 행성의 역행을 설명하였고, 수성과 금성이 지구 공전 궤도보다 안쪽에서 공전하므로 최대 이각 현상이 나타난다고 설명하였다.

2 혜성은 공전 궤도 이심률이 대체로 매우 커서 납작한 타원 궤도를 따라 공전한다. 면적 속도 일정 법칙에 따라 혜성의 공전 속도는 근일점 부근에서 매우 빠르고 원일점 부근에서 매우 느리다. 따라서 혜성이 근일점 부근을 지나는 데 걸리는 시간이 짧다. 혜성의 꼬리는 태양에 가까운 근일점 부근에서만 관측되므로, 꼬리를 관측할 수 있는 기간은 혜성의 공전 주기보다 매우 짧다.

3 뉴턴이 이룬 천문학 분야의 성과는 과학자들에게 성공의 본보기가 되었고, 다른 과학 분야의 문제도 해결할 수 있다는 자신감을 심어주었다. 이로 인해 뉴턴 시대 이후부터 자연 세계를 이해하는 방식에 근본적인 변화가 나타났다. 즉, 자연 현상의 원리를 이해하고자 할 때 객관적인 실험과 수학적 사고를 통한 연구 방식이 과학의 핵심 요소가 되었다.

실전 문제

> 정답과 해설 **165**쪽

• **출제 의도**
외행성의 회합 주기와 위치 관계
변화에 대해 이해하고 있는지 평
가한다.

1 다음 제시문을 읽고 물음에 답하시오.

〈제시문 1〉 다음은 화성 탐사선의 궤도에 대한 설명이다.

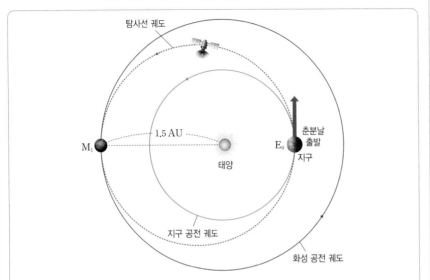

• 탐사선은 E_0을 근일점으로 하고 M_1을 원일점으로 하는 타원 궤도를 따라 이동한다.
• 탐사선은 춘분날 E_0에서 출발하여 타원 궤도에 진입한 후, 추진력 없이 진행하여 약
8개월 후에 M_1에서 화성과 만난다.

〈제시문 2〉 이 탐사선으로 화성에 갈 때, 화성까지 가는 기간만 8개월 정도 걸린다. 달 탐
사의 경우 탐사 후 바로 지구로 돌아올 수 있지만, 화성에서는 1년 6개월 정도 머물러야
지구로 출발할 수 있다. 따라서 현재의 기술력으로 화성 유인 탐사를 수행하려면 최소 34
개월이 걸린다.

(1) 제시문 1에서 탐사선이 지구를 출발할 당시 지구와 화성의 위치 관계를 설명하시오. (단, 화
성의 공전 주기는 22개월이고, 지구와 화성의 공전 궤도는 원 궤도로 가정한다.)

(2) 화성 유인 탐사선이 지구에서 화성까지 왕복할 때 최소 34개월이 걸리는 까닭을 제시문의 내
용과 지구와 화성의 위치 관계를 이용하여 설명하시오.

• **문제 해결을 위한 배경 지식**
• 외행성의 회합 주기(S)와 공전
주기(P) 사이에는 다음과 같은
관계가 성립한다.
$$\frac{1}{S} = \frac{1}{E} - \frac{1}{P}$$
• 지구와 외행성의 위치 관계는
'충 → 동구 → 합 → 서구' 순으
로 변화한다.

답안

2 다음 제시문을 읽고 물음에 답하시오.

● 출제 의도
세페이드 변광성의 주기−광도 관계를 파악하여 거리를 구할 수 있는지 평가한다.

(제시문 1) 표는 은하 X에서 발견된 세페이드 변광성 A~F의 변광 주기(P)와 평균 겉보기 등급(m)의 관계를 나타낸 것이다.

구분	A	B	C	D	E	F
P(일)	1.6	2.5	4.0	6.3	10.0	15.8
$\log P$	0.2	0.4	0.6	0.8	1.0	1.2
m	18.0	17.5	17.0	16.5	16.0	15.5

(제시문 2) 그림은 세페이드 변광성의 절대 등급과 변광 주기의 관계를 나타낸 것이다.

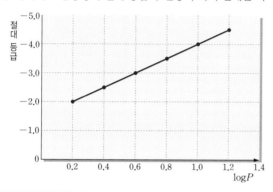

(1) 은하 X에서 평균 겉보기 등급이 14등급인 세페이드 변광성이 발견되었다. 이 변광성의 변광 주기를 구하고, 그 과정을 설명하시오.

(2) 은하 X와 거리가 같은 은하 Y에서 변광 주기가 10일인 세페이드 변광성이 발견되었는데, 이 변광성의 평균 겉보기 등급은 18등급이었다. 이 관측 결과를 성간 소광과 관련지어 설명하시오.

● 문제 해결을 위한 배경 지식
• 세페이드 변광성의 변광 주기를 통해 절대 등급(M)을 알아낼 수 있다. 이를 평균 겉보기 등급(m)과 비교하여 거리 지수 공식에 대입하면 세페이드 변광성의 거리를 구할 수 있다.
• 성간 소광이 일어나면 별이 더 어둡게 관측되므로 별의 겉보기 등급이 실제보다 크게 측정된다. 따라서 관측한 별의 겉보기 등급을 성간 소광된 만큼 보정해야 정확한 거리 지수를 구할 수 있다.

답안 _____

_____

_____

_____

_____

부록

III 우주

1. 행성의 운동

01 천체의 좌표계와 태양계 모형

탐구 확인 문제 023쪽

01 ③   **02** ②

01 ㄷ. 화성은 충 부근에서 역행하며 역행하는 동안 천구상에서 동에서 서로 이동한다. 따라서 화성은 B에서 D까지 역행하였으며, 역행하는 기간의 가운데인 C일 때 충 부근에 위치한다. 화성의 시지름은 충일 때 가장 크므로 A~E 중 C일 때 가장 크다.

바로 알기 ㄱ. 천구상에서 화성의 겉보기 운동은 '순행 → 유 → 역행 → 유 → 순행' 순으로 나타난다. 따라서 화성의 겉보기 운동 방향은 'A → B → C → D → E'이다.

ㄴ. 화성은 B에서 D까지 역행하였으며, 역행하는 동안 적경이 감소한다. 따라서 화성의 적경은 B보다 D일 때 작다.

02 ② 수성의 위치 관계는 '외합 → 동방 최대 이각 → 내합 → 서방 최대 이각 → 외합' 순으로 변한다. 따라서 2월 27일에 수성은 동방 최대 이각에 위치하여 초저녁에 관측할 수 있다.

바로 알기 ① 지구에서 수성까지의 거리는 외합에서 최대, 내합에서 최소이다. 수성의 시지름은 지구에서 수성까지의 거리에 반비례하므로 외합에 위치한 1월 30일의 시지름이 내합에 위치한 3월 15일의 시지름보다 작다.

③ 3월 15일에 수성은 내합에 위치하여 가장 어둡게 보인다. 수성은 외합 부근일 때 지구에서 밝게 보이는 겉보기 면적이 최대이므로 가장 밝게 보인다.

④ 수성은 내합 부근에서만 역행하고 외합이나 최대 이각 부근에서 순행한다. 따라서 수성이 외합 부근에 있는 5월에는 순행하여 적경이 증가한다.

⑤ 6월 24일에 수성은 동방 최대 이각에 위치하여 해가 진 직후에 서쪽 하늘에서 관측된다.

유제 ④

유제 ㄴ. 태양이 일주 운동할 때, 남중하기 전까지는 고도가 증가하고, 남중한 이후에는 고도가 감소한다. 따라서 태양을 관측한 시간은 오전이다.

ㄷ. 37.5°N 지역에서 태양의 적위가 0°일 때 남중 고도는 52.5°이다. 이날 태양의 방위각이 165°일 때, 고도가 52.5°이다. 따라서 이날 태양의 남중 고도는 52.5°보다 크고, 태양의 적위도 (+)의 값임을 알 수 있다. 태양의 적위가 (+)의 값일 때, 태양은 북동쪽에서 떠서 북서쪽으로 진다.

바로 알기 ㄱ. 방위각은 0°~360° 사이의 값을, 고도는 0°~90° 사이의 값을 갖는다. 따라서 A는 고도, B는 방위각이다.

개념 모아 정리하기 026쪽

❶ 위도 ❷ 경도 ❸ 천구 적도 ❹ 자오선 ❺ 방위각
❻ 고도 ❼ 시간권 ❽ 적위 ❾ 황도 ❿ $90° - \varphi + \delta$
⓫ 증가 ⓬ 감소 ⓭ 이각 ⓮ 내합 ⓯ 내합 ⓰ 합
⓱ 충 ⓲ 주전원 ⓳ 역행 ⓴ 위성

개념 기본 문제 028쪽

01 (1) × (2) ○ (3) ○   **02** (1) a-ⓔ (2) b-ⓛ (3) c-ⓞ
(4) d-ⓒ   **03** (1) 180°, 52.5° (2) 6^h, 0°   **04** (1) 50°N (2) 65°
05 (1) ⓞ: 하짓날, ⓛ: 춘분날, ⓒ: 동짓날 (2) ⓞ: 76°, ⓛ: 52.5°,
ⓒ: 29°   **06** ㄱ, ㄷ   **07** (1) A: 외합, B: 동방 최대 이각,
C: 내합, D: 서방 최대 이각 (2) A: 보름달 모양, B: 상현달 모양,
C: 색(관측 불가능), D: 하현달 모양 (3) C 부근   **08** (1) ⓞ: 합,
ⓛ: 동구, ⓒ: 충, ⓔ: 서구 (2) ⓞ → ⓔ → ⓒ → ⓛ (3) ⓒ 부근
09 ㄱ, ㄷ   **10** ㄱ, ㄷ, ㄹ   **11** ㄱ, ㄷ   **12** ㄱ, ㄴ

01 (1) 지구의 한 지점 위치는 위도와 경도를 이용하여 나타낼 수 있다. 위도는 지구의 자전축에 대해 수직인 지표면 위의 가로선이며, 경도는 북극과 남극을 잇는 세로선이다.

(2) 방위는 보통 동서남북으로 나타내며, 북쪽과 남쪽을 기준으로 이에 수직인 방향을 동쪽과 서쪽으로 나눈다.

(3) 태양이 남중한 후 다시 남중하기까지 걸린 시간을 '하루'로 정하였고, 이를 24등분하여 시각을 정하였다.

02 (1) a는 시간권으로, 천구 북극과 천구 남극을 지나는 천구상의 대원이다.

(2) b는 수직권으로, 천정과 천저를 지나는 천구상의 대원이다.

(3) c는 관측자가 서 있는 지평면을 연장하여 천구와 만나는 대원인 지평선이다.

(4) d는 천구 북극과 천구 남극, 천정과 천저를 동시에 지나는 천구상의 대원으로, 시간권이자 수직권인 자오선이다.

03 (1) 별 S의 일주권이 동점과 춘분점을 지나므로 S는 천구 적도에 위치한 별이다. 현재 S는 남중하였으므로 방위각은 180°이고 고도는 90°−위도=90°−37.5°=52.5°이다.

(2) 현재 별 S는 춘분점보다 동쪽으로 90°인 지점에 있으므로 적경은 6^h이고, 천구 적도에 있으므로 적위는 0°이다.

04 (1) 천구 적도와 천정 방향이 이루는 각은 관측 지역의 위도와 같다. 따라서 이 지역의 위도는 50°N이다.

(2) 고도는 지평선에서부터 천체까지 수직권을 따라 잰 각이다. 별 S가 자오선에 있으므로 현재의 고도는 남중 고도에 해당하며, 그 값은 (90°−50°)+25°=65°이다.

05 (1) 북반구 중위도 지역에서 관측할 때, 태양의 적위가 클수록 남중 고도가 높다. 따라서 하짓날은 ㉠, 춘분날은 ㉡, 동짓날은 ㉢에 해당한다.

(2) 위도 37.5°N 지역에서 태양의 남중 고도 '$h=90°−37.5°+$태양의 적위'이다. ㉠(하짓날)일 때 태양의 적위는 +23.5°이므로 태양의 남중 고도는 76°이고, ㉡(춘분날)일 때 태양의 적위는 0°이므로 태양의 남중 고도는 52.5°이다. ㉢(동짓날)일 때 태양의 적위는 −23.5°이므로 태양의 남중 고도는 29°이다.

06 ㄱ. 행성이 순행할 때 배경별에 대해 서쪽에서 동쪽으로 위치가 변하므로 행성의 적경은 증가한다.

ㄷ. 순행에서 역행으로, 또는 역행에서 순행으로 이동 방향이 바뀔 때 행성이 천구상에서 머물러 있는 것처럼 보이는 시기가 있는데 이때를 유라고 한다. 따라서 행성의 겉보기 운동은 '순행 → 유 → 역행 → 유 → 순행' 순으로 나타난다.

바로 알기 ㄴ. 행성이 역행할 때 배경별에 대해 동쪽에서 서쪽으로 움직인다.

07 (1) A는 '지구−태양−내행성'의 순서로 일직선에 놓인 위치이므로 외합이고, C는 '지구−내행성−태양'의 순서로 일직선에 놓인 위치이므로 내합이다. B는 태양을 기준으로 동쪽으로 가장 이각이 큰 동방 최대 이각이고, D는 태양을 기준으로 서쪽으로 가장 이각이 큰 서방 최대 이각이다.

(2) A일 때 행성이 태양의 뒤쪽에 위치하므로 보름달 모양으로 관측되고, B일 때 행성의 오른쪽 절반이 보이므로 상현달 모양이다. C일 때 행성의 밝은 면을 볼 수 없으므로 삭(관측 불가능)에 해당하고, D일 때 행성의 왼쪽 절반이 보이므로 하현달 모양이다.

(3) 내행성은 내합 부근에서 역행하므로 적경이 감소하는 위치는 C이다.

08 (1) ㉠은 '지구−태양−외행성' 순으로 놓여 이각이 0°일 때의 위치이므로 합이다. ㉢은 '외행성−지구−태양' 순으로 놓여 외행성의 이각이 180°일 때의 위치이므로 충이다. ㉡은 태양을 기준으로 외행성이 동쪽 직각 방향에 위치하여 이각이 90°일 때의 위치이므로 동구, ㉣은 태양을 기준으로 외행성이 서쪽 직각 방향에 위치하여 이각이 90°일 때의 위치이므로 서구이다.

(2) 외행성은 지구보다 공전 속도가 느리므로, 위치 관계는 '합(㉠) → 서구(㉣) → 충(㉢) → 동구(㉡)' 순으로 변한다.

(3) 외행성은 충 부근에서 역행하므로 적경이 감소하는 위치는 ㉢이다.

09 ㄱ. 수성의 시지름은 지구와의 거리가 가장 먼 외합에서 가장 작다.

ㄷ. 화성이 서구에 위치할 때는 태양보다 대략 6시간 먼저 남중하므로 해가 뜰 무렵에 남중한다.

바로 알기 ㄴ. 금성이 서방 이각에 위치할 때 태양보다 먼저 뜨고 먼저 지므로 새벽에 관측된다.

10 ㄱ. 프톨레마이오스의 지구 중심설에서 모든 천체가 지구를 중심으로 공전한다.

ㄷ. 태양과 달을 제외한 행성(수성, 금성, 화성, 목성, 토성)은 모두 역행 운동이 나타난다. 프톨레마이오스의 지구 중심설에서는 행성의 역행을 주전원을 도입하여 설명하였다.

ㄹ. 수성과 금성의 주전원 중심을 항상 지구와 태양을 이은 일직선에 놓이도록 하여 최대 이각 문제를 설명하였다.

바로 알기 ㄴ. 프톨레마이오스의 지구 중심설에서 금성은 항상 태양과 지구 사이에 위치하기 때문에 보름달 모양으로 관측될 수 없다.

11 (가)는 코페르니쿠스의 태양 중심 우주관이고, (나)는 티코 브라헤의 지구 중심 우주관이다.

ㄱ. (가)에서는 금성의 역행을 지구와의 공전 각속도 차로 설명하였고, (나)에서는 금성의 역행을 태양이 지구를 회전하는 각속도와 금성이 태양을 회전하는 각속도의 차로 설명하였다.

ㄷ. (가)와 (나)에서 모두 금성이 태양보다 먼 곳에 있을 때 보름달 모양의 위상을 갖는다.

바로 알기 ㄴ. 별의 연주 시차는 지구 공전의 증거에 해당한다. 따라서 연주 시차는 지구가 태양을 공전하는 (가)의 우주관에서만 설명할 수 있다.

12 ㄱ. 갈릴레이는 목성 주위를 공전하는 4개의 위성을 관측하여 모든 천체가 지구를 중심으로 공전한다는 지구 중심설의 주장이 옳지 않다는 것을 확인하였다.

ㄴ. 갈릴레이는 천체 망원경을 이용하여 금성이 달처럼 위상이 변한다는 사실을 확인하였다. 당시의 지구 중심설로는 이러한 달의 위상 변화를 설명할 수 없었다.

바로 알기 ㄷ. 지구의 공전으로 나타나는 별의 연주 시차는 크기가 매우 작아 정밀한 관측이 필요하다. 그 당시 기술로는 연주 시차 관측이 불가능하였다.

개념 적용 문제　　　　　　　　030쪽

| 01 ① | 02 ⑤ | 03 ⑤ | 04 ② | 05 ④ | 06 ⑤ |
| 07 ④ | 08 ③ | 09 ① | 10 ③ | 11 ④ | 12 ⑤ |

01 ㄱ. 천구의 적도와 지평선이 이루는 각은 '$90°-$위도'에 해당한다. (가)에서 천구의 적도와 지평선이 이루는 각이 $55°$이므로 관측 지역의 위도는 약 $35°$N이다.

바로 알기 ㄴ. (가)에서 A는 남동쪽 하늘에, B는 남서쪽 하늘에 위치한다. 따라서 남중 시각은 A가 B보다 느리다.

ㄷ. 별의 일주 운동은 지구 자전 방향과 반대 방향인 동쪽에서 서쪽으로 나타나며, 북쪽 하늘의 경우 북극성을 중심으로 시계 반대 방향으로 나타난다. 따라서 (나)에서 C는 D보다 서쪽에 있는 별이다.

02 ㄴ. 별의 일주 운동은 동쪽에서 서쪽으로 나타나므로 천구 북극 상공에서 내려다보면 별은 시계 방향으로 회전한다. 따라서 1시간 후에 A~C의 고도는 모두 현재보다 낮다.

ㄷ. 천체가 하루 동안 지평선 위에 떠 있는 시간은 천체의 적위가 클수록 길고, 적위는 천구 북극에 가까울수록 크므로 'A>B>C'이다.

바로 알기 ㄱ. 방위각은 북점(또는 남점)으로부터 지평선을 따라 시계 방향으로 천체를 지나는 수직권까지 잰 각이므로 방위각은 A가 B보다 크다.

03 ㄱ. 방위각은 북점에서 천체를 지나는 수직권까지 시계 방향으로 잰 각이다. 따라서 A의 방위각은 $50°$이다.

ㄴ. 천구 북극에서 내려다보면 별의 일주 운동은 시계 방향으로 나타난다. 관측 지역의 위도가 $37.5°$N이므로 현재 B의 고도는 북극성의 고도와 같으며 1시간 후에 B를 지나는 수직권은 북점에 더 가까워진다. 따라서 B의 방위각은 현재보다 1시간 후에 크다.

ㄷ. 현재 A와 B의 고도는 모두 북극성의 고도와 같다. 일주 운동함에 따라 A의 고도는 높아지고, B는 고도는 낮아지므로 3시간 후에 고도는 A가 B보다 높다.

04 ㄴ. 춘분날 태양의 적경은 0^h이므로 해가 진 직후에 적경 12^h인 천체가 동쪽 지평선 부근에 위치한다. 따라서 춘분날 해가 진 직후에 B를 동쪽 지평선 부근에서 볼 수 있다.

바로 알기 ㄱ. 관측 지점의 위도가 $37.5°$N이므로 전몰성의 적위 범위는 $-52.5°$~$-90°$이다. 따라서 적위가 $-45°$인 A는 서울에서 관측할 수 있는 별자리이다.

ㄷ. C는 적경이 18^h이므로 태양의 적경이 6^h 부근일 때 한밤중에 남중하여 관측하기 좋다. 따라서 C를 관측하기에 가장 좋은 계절은 여름이다.

05 ㄱ. 태양의 남중 고도는 '$90°-$위도$+$태양 적위'이다. (가)에서 남중 고도가 $75°$이고, 관측 지점의 위도가 $36°$N이므로 이날 태양의 적위는 약 $21°$이다.

$$75°=90°-36°+태양 적위 \quad \therefore 태양 적위 = 21°$$

ㄴ. (나)에서 태양은 동점에서 떠서 서점으로 졌으므로 이날 태양은 천구 적도에 위치했음을 알 수 있다. 따라서 태양의 남중 고도는 $90°-$위도$+$태양 적위$=90°-36°+0°=54°$이다.

바로 알기 ㄷ. 태양이 북쪽으로 치우쳐서 뜨고 질수록 낮의 길이가 길다. (가)는 (나)보다 태양이 뜨는 지점의 방위각이 작고, 지는 지점의 방위각이 크므로 낮의 길이가 더 길다.

06 ㄴ. 북반구 중위도 지역에서는 태양의 적위가 작을수록 남쪽으로 치우쳐 뜨므로 방위각이 크다. 따라서 서울($37.5°$N)에서 태양이 뜨는 지점의 방위각은 동짓날(㉠)이 추분날(㉡)보다 크다.

ㄷ. 위도가 φ인 곳에서 주극성의 적위 범위는 $90°\sim(90°-\varphi)$이다. 하짓날(ⓒ) 태양의 적위는 $23.5°$이므로 태양이 주극성으로 관측되는 최저 위도는 $66.5°N$이다. 따라서 하짓날 $66.5°N\sim90°N$ 지역에서는 태양이 주극성으로 관측된다.

바로 알기 ㄱ. 태양은 황도를 따라 1년에 1바퀴씩 천구상에서 서에서 동으로 연주 운동을 한다. 따라서 태양의 위치는 '춘분점 → 하지점(ⓒ) → 추분점(ⓒ) → 동지점(㉠) → 춘분점' 순으로 변한다.

07 ㄴ. 행성의 겉보기 운동에서 역행이 시작되기 직전과 역행이 끝난 직후에 유가 나타난다. 따라서 지점 1~7 사이에서 행성은 '순행 → 역행 → 순행'하였으므로 이 기간에 외행성의 유가 2차례 나타난다.

ㄷ. 이 기간에 외행성은 '서구 → 충 → 동구' 순으로 이동하면서 남중 시각이 점점 빨라졌다.

바로 알기 ㄱ. 지점 3~5 사이에서는 외행성의 겉보기 방향이 배경 별빛을 기준으로 동쪽에서 서쪽으로 이동한다. 별의 적경은 일정하다고 할 수 있으며, 적경은 서쪽에서 동쪽으로 측정하므로 이 기간 동안 외행성의 적경은 감소하였다.

08 A는 외합, B는 동방 최대 이각, C는 내합, D는 서방 최대 이각과 외합 사이이다.

③ B(동방 최대 이각)일 때 금성은 초저녁에 서쪽 하늘에서 관측된다.

바로 알기 ① 지구에서 금성까지의 거리는 A일 때 가장 멀다. 따라서 금성의 시직경은 A일 때 가장 작다.

② C일 때 금성의 위상은 삭에 해당하므로 관측할 수 없다. 금성의 밝기는 최대 이각과 내합 사이에 있을 때 가장 밝게 관측된다.

④ D일 때 금성은 서방 최대 이각과 외합 사이에 위치하므로 하현달과 보름달 사이의 위상으로 관측된다.

⑤ 금성은 지구보다 공전 각속도가 크므로 금성의 상대적인 위치 관계는 'D → A → B → C' 순으로 변한다.

09 ㄱ. 2월 7일에 수성의 최대 이각은 $26°$이고, 4월 18일에 수성의 최대 이각은 $20°$이다. 최대 이각이 작을수록 태양과 행성 사이의 거리가 가까우므로 수성과 태양 사이의 거리는 2월 7일보다 4월 18일에 가깝다.

바로 알기 ㄴ. 2월 7일~4월 18일 사이에 수성은 외합을 통과하였고, 이 기간에 수성은 계속 순행하였으므로 적경도 증가하였다.

ㄷ. 목성은 3월 8일에 충, 9월 26일에 합에 위치하였다. 목성의 공전 각속도는 지구보다 작으므로 3월 8일~9월 26일 사이에 목성은 동방 이각에 위치하였다.

10 ③ (가)의 지구 중심 우주관에서는 주전원을 도입하여 행성의 역행 현상을 설명하였다.

바로 알기 ① (가)는 프톨레마이오스의 지구 중심 우주관이고, (나)는 코페르니쿠스의 태양 중심 우주관이다.

② (나)에서 우주의 중심에 태양이 위치한다.

④ (나)에서 수성은 지구의 공전 궤도보다 안쪽에서 공전하므로 최대 이각 현상을 쉽게 설명할 수 있다.

⑤ (가)에서는 금성이 항상 태양과 지구 사이에만 위치하므로 보름달 모양의 금성의 위상을 설명할 수 없지만, (나)에서는 설명할 수 있다.

11 이 우주관은 티코 브라헤가 주장한 지구 중심 우주관이다.

ㄱ. 이 우주관에서는 수성이 태양 주위를 공전하며 공전 궤도 반지름이 작기 때문에 수성이 태양으로부터 어느 각도 이상으로 멀어지지 않는다.

ㄴ. 금성이 태양 주위를 공전하는 동안 태양의 뒤편에 위치하게 되면 보름달 모양의 위상을 갖는다.

ㄷ. 이 우주관에서는 주전원을 도입하지 않고 태양이 지구를 공전하는 속도와 행성이 태양을 공전하는 속도 차이로 역행 현상을 설명할 수 있다.

바로 알기 ㄹ. 별의 연주 시차는 지구가 태양 주위를 공전할 때 나타날 수 있다. 따라서 이 우주관으로 별의 연주 시차를 설명할 수 없다.

12 ㄱ. (가)에서 목성 주변의 천체(*)는 갈릴레이가 발견한 목성의 위성으로 갈릴레이 위성이라고도 한다.

ㄴ. (나)에서 금성은 달처럼 위상이 변하는데, 이러한 현상은 코페르니쿠스의 태양 중심 우주관으로 설명할 수 있다.

ㄷ. (가)와 (나)는 모두 프톨레마이오스의 우주관이 틀렸다는 관측 근거가 된다.

02 행성의 운동 법칙

01 ①　　　02 ②

01 ㄱ. 화성의 공전 궤도 작도를 통해 화성이 태양을 초점으로 하는 타원 궤도를 공전한다는 사실을 알 수 있다.

바로 알기 ㄴ. E_1~E_2까지 걸린 시간은 화성이 충에서 다시 충이 되는 데 걸린 시간이므로 회합 주기에 해당한다.

ㄷ. 화성이 충에서 다시 충이 되는 데 걸리는 시간, 즉 회합 주기는 2년이 넘는다. 하지만 화성이 공전 궤도 상에서 같은 위치로 돌아오는 데 걸리는 시간, 즉 공전 주기는 2년보다 짧다.

02 ② 화성의 공전 궤도 긴반지름(a)이 7.7 cm, 궤도 이심률(e)이 0.22이므로 근일점 거리와 원일점 거리는 다음과 같이 구할 수 있다.

　　근일점 거리: $a-ae=7.7-(0.22\times7.7)≒6.0$(cm)
　　원일점 거리: $a+ae=7.7+(0.22\times7.7)≒9.4$(cm)

한편, 지구의 공전 궤도 반지름은 5 cm에 해당하므로 지구와 화성 사이의 최소 거리는 충일 때 화성이 근일점에 위치하는 1 cm이고, 최대 거리는 합일 때 화성이 원일점에 위치하는 14.4 cm이다.

유제 ⑤

유제 ㄱ. 달이 지구 주위를 도는 공전 속도는 면적 속도 일정 법칙에 따라 근지점에서 가장 빠르고, 원지점에서 가장 느리다.

ㄴ. 태양의 질량을 $M_⊙$, 행성의 질량을 m, 행성의 궤도 긴반지름을 a, 행성의 공전 주기를 P라고 하면, 케플러 제3법칙을 다음과 같이 나타낼 수 있다.

$$\frac{a^3}{P^2}=\frac{G(M_⊙+m)}{4\pi^2}≒\frac{GM_⊙}{4\pi^2}$$

즉, 행성의 $\dfrac{(\text{궤도 긴반지름})^3}{(\text{공전 주기})^2}$ 값은 태양 질량($M_⊙$)에 비례한다.

ㄷ. 한편, 행성과 위성 사이에서도 케플러 제3법칙이 성립하므로 위성의 $\dfrac{(\text{궤도 긴반지름})^3}{(\text{공전 주기})^2}$ 값은 모행성의 질량에 비례한다. 가니메데의 모행성인 목성의 질량이 달의 모행성인 지구의 질량보다 크므로 위성의 $\dfrac{(\text{궤도 긴반지름})^3}{(\text{공전 주기})^2}$ 값은 가니메데가 달보다 크다.

ㄷ. 위성 Y의 질량이 모행성 X의 질량에 비해 매우 작으므로 모행성의 질량은 $\dfrac{(\text{궤도 긴반지름})^3}{(\text{공전 주기})^2}$에 비례한다. 또한, 위성 Y는 달보다 궤도 긴반지름이 길고, 공전 주기는 더 짧다. 따라서 $\dfrac{(\text{궤도 긴반지름})^3}{(\text{공전 주기})^2}$ 값은 Y가 달보다 크므로, 모행성 X의 질량은 지구보다 크다.

❶ 회합　❷ 내행성　❸ 외행성　❹ 화성　❺ 최대 이각
❻ 공전 주기　❼ 태양　❽ 이심률　❾ 근일점　❿ 원일점
⓫ 세제곱　⓬ 궤도 긴반지름　⓭ 공전 주기　⓮ 질량　⓯ 뉴턴

01 (1) ○　(2) ○　(3) ×　(4) ○　**02** A: 화성, B: 목성, C: 수성
03 0.5 AU　　　**04** (1) $\sqrt{3}$ AU　(2) 약 669일(또는 약 22개월)
05 ㉠: 3　㉡: 0.25　**06** (1) ㉢　(2) ㉠　(3) ㉡　**07** (1) A=B=C
(2) C　**08** ㄷ　**09** (1) 8개월　(2) 2년　**10** ㉠: $\dfrac{a^3}{P^2}$, ㉡: 1 AU^3
11 (1) 3배　(2) $\dfrac{1}{3}$배　**12** ㄱ, ㄴ, ㄷ

01 (1) 지구 관측자는 행성의 공전 주기를 직접 측정하기 어려우므로 행성의 회합 주기로부터 공전 주기를 구할 수 있다.

(2) 지구와의 회합 주기가 가장 긴 행성은 화성이고, 가장 짧은 행성은 수성이다.

(3) 내행성은 태양에 가까울수록 지구와의 공전 각속도 차가 커져 회합 주기가 짧다. 따라서 공전 궤도 긴반지름이 짧을수록 회합 주기가 짧다.

(4) 외행성은 지구로부터 거리가 멀수록 1년 동안 공전하는 각이 작으므로 지구와의 회합 주기가 1년에 가까워진다.

02 외행성의 회합 주기는 1년보다 길다. 따라서 회합 주기가 116일인 C는 수성이다. 한편, 외행성은 공전 궤도 긴반지름이 길수록 회합 주기가 짧다. 표에서 회합 주기는 B가 A보다 짧으므로 B는 목성, A는 화성임을 알 수 있다.

03 행성 P의 공전 궤도 반지름을 a라고 할 때, P의 최대 이각이 30°이므로 a는 다음과 같이 구할 수 있다.

$$\sin 30° = \frac{\text{P의 공전 궤도 반지름}}{\text{지구 공전 궤도 반지름}} = \frac{a}{1\,\text{AU}} = \frac{1}{2}$$

따라서 a는 0.5 AU이다.

04 (1) $E_1 - P - E_2$가 이루는 각은 60°이다. 따라서 행성 P의 공전 궤도 반지름은 $(1\,\text{AU} \times \cos 30°) \times 2 = \sqrt{3}\,\text{AU}$이다.
(2) 외행성 P의 공전 주기는 1년보다 길고 2년보다 짧다. $E_1 - $태양$ - E_2$가 이루는 각이 60°이므로, P가 태양을 한 바퀴 공전하는 동안 지구는 $360° + 300° = 660°$ 회전하였다. 지구의 공전 주기는 365일이므로, $660°$ 공전하려면 $\frac{660}{360} \times 365 ≒ 669$일이 걸린다. 따라서 행성 P의 공전 주기는 약 669일이다.

05 근일점 거리와 원일점 거리의 합은 궤도 긴반지름의 2배이다. 따라서 $1 + ㉠ = 2 \times 2$(배)이고, ㉠은 3이다. 또한, 타원의 긴반지름을 a, 타원 중심에서 초점까지의 거리를 c라고 할 때 타원의 이심률은 $e = \frac{c}{a}$이다. 따라서 행성 B의 궤도 이심률 ㉡은 $\frac{(4-3)}{4} = 0.25$이다.

06 (1) 케플러 제1법칙은 행성이 태양을 한 초점으로 하는 타원 궤도를 그리며 공전한다는 법칙이다.
(2) 케플러 제2법칙은 태양과 행성을 잇는 선이 같은 시간 동안 같은 면적을 휩쓸고 지나간다는 법칙이다. 이 법칙으로부터 행성의 공전 속도가 근일점에서 가장 빠르고 원일점에서 가장 느리다는 것을 알 수 있다
(3) 케플러 제3법칙은 행성의 공전 주기의 제곱은 공전 궤도 긴반지름의 세제곱에 비례한다는 법칙이다.

07 (1) 태양과 행성을 연결한 직선이 쓸고 지나간 면적 S_1, S_2, S_3이 같으므로, 면적 속도 일정 법칙에 따라 기간 A, B, C는 모두 같다.
(2) 행성의 공전 속도는 태양과의 거리가 가까울수록 빠르다. 따라서 A, B, C 기간 중 행성의 평균 공전 속도는 태양과의 평균 거리가 가장 가까운 C 기간에 가장 빠르다.

08 ㄷ. 태양의 질량을 $M_\odot$, 행성의 질량을 m이라고 할 때, 케플러 제3법칙을 이용하여 태양의 질량을 다음과 같이 구할 수 있다.

$$\frac{a^3}{P^2} = \frac{G(M_\odot + m)}{4\pi^2} ≒ \frac{GM_\odot}{4\pi^2} = 1(\text{AU}^3/\text{년}^2)$$

$$M_\odot = \frac{4\pi^2}{G} \times \frac{(1\,\text{AU})^3}{(1\text{년})^2}$$

바로 알기 ㄱ. 행성의 공전 주기의 제곱은 공전 궤도 긴반지름의 세제곱에 비례한다.
ㄴ. 케플러 제3법칙은 태양계 천체에서만 성립하는 규칙이 아니라 우주 전체에서 보편적으로 성립하는 법칙이다.

09 (1) 소행성이 P_1에서 P_2까지 공전하는 데 걸린 시간은 1개월이고, 이때 휩쓸고 지나간 면적이 전체 궤도 면적의 $\frac{1}{8}$이므로 전체 궤도 면적을 휩쓸고 지나가는 데 8개월 걸린다. 따라서 이 소행성의 공전 주기는 8개월이다.
(2) 소행성의 공전 주기가 8개월이므로 회합 주기는 다음과 같이 구할 수 있다.

$$\frac{1}{\text{회합 주기}} = \frac{1}{\text{소행성의 공전 주기}} - \frac{1}{\text{지구의 공전 주기}}$$

$$= \frac{1}{8\text{개월}} - \frac{1}{12\text{개월}} = \frac{1}{24\text{개월}}$$

따라서 이 소행성의 회합 주기는 24개월, 즉 2년이다.

10 뉴턴이 유도한 케플러 제3법칙 공식을 태양계에 적용하면 태양의 질량을 구할 수 있다. 태양의 질량을 $M_\odot$, 행성의 질량을 m이라고 할 때, 행성의 질량은 태양 질량보다 매우 작으므로 케플러 제3법칙을 다음과 같이 나타낼 수 있다.

$$\frac{a^3}{P^2} = \frac{G(M_\odot + m)}{4\pi^2} ≒ \frac{GM_\odot}{4\pi^2} = 1(\text{AU}^3/\text{년}^2)$$

이 식을 이용하여 태양 질량 $M_\odot$을 구하면 다음과 같다.

$$M_\odot = \frac{4\pi^2}{G} \times \frac{(1\,\text{AU})^3}{(1\text{년})^2}$$

$$≒ \frac{4\pi^2}{6.67 \times 10^{-11}\,\text{m}^3/\text{s}^2\,\text{kg}} \times \frac{(1.5 \times 10^{11}\,\text{m})^3}{(3 \times 10^7\,\text{s})^2}$$

$$≒ 2 \times 10^{30}\,\text{kg}$$

11 ⑴ 공통 질량 중심에서 별까지의 거리는 별의 질량에 반비례한다. 따라서 별 A의 질량은 B보다 3배 크다.

⑵ 별 A와 B는 공통 질량 중심을 같은 주기로 공전한다. 한편, 공전 속도는 공전 궤도의 길이를 공전 주기로 나눈 값에 해당하므로 공전 궤도의 길이가 길수록 공전 속도가 빠르다. 따라서 B는 A보다 공전 속도가 3배 빠르다.

12 ㄱ. 갈릴레이는 경사면 실험 등을 통해 지구의 운동에 따른 관성 문제를 적절하게 설명하였으며, 낙하 실험 등을 통해 가속도 개념을 설명하였다.

ㄴ. 케플러는 태양계 행성의 운동에 대한 세 가지 경험 법칙을 발표하였다.

ㄷ. 뉴턴은 행성의 타원 궤도가 안정적으로 유지되고, 행성들 사이에 조화 법칙이 성립하는 까닭을 미적분과 만유인력 법칙을 이용하여 성공적으로 증명하였다.

개념 적용 문제 056쪽

| 01 ③ | 02 ③ | 03 ④ | 04 ⑤ | 05 ③ | 06 ② |
| 07 ④ | 08 ④ | 09 ① | 10 ⑤ | 11 ④ | 12 ① |

01 ㄱ. A와 B가 1년 동안 태양 주위를 공전한 각이 각각 120°와 30°이다. 면적 속도 일정 법칙을 이용하면, 행성의 공전 주기는 A가 3년, B가 12년임을 알 수 있다.

ㄷ. 회합 주기는 두 행성 사이에 같은 위치 관계가 반복되는 데 걸리는 시간에 해당한다. 따라서 A에서 관측한 B의 회합 주기는 B에서 관측한 A의 회합 주기와 같다.

바로 알기 ㄴ. A, B는 공전 주기가 1년보다 길므로 모두 외행성이다. 외행성의 공전 주기를 P, 지구의 공전 주기를 E라고 하면, 회합 주기 S는 $\dfrac{1}{S} = \dfrac{1}{E} - \dfrac{1}{P}$의 관계를 갖는다. 따라서 A의 회합 주기는 $\dfrac{3}{2}$년이고, B의 회합 주기는 $\dfrac{12}{11}$년이다.

02 ㄱ. 외행성의 회합 주기는 공전 주기가 길어질수록 1년에 가까워진다. 따라서 그래프에서 S_0은 지구의 공전 주기인 1년에 해당한다.

ㄴ. 행성과 지구의 공전 각속도 차가 클수록 회합 주기가 짧다. 따라서 지구와 수성의 공전 각속도 차는 지구와 금성의 공전 각속도 차보다 크다.

바로 알기 ㄷ. 지구에서 관측한 외행성의 회합 주기는 지구의 공전 주기보다 길다. 같은 원리로 목성에서 관측한 해왕성의 회합 주기는 목성의 공전 주기보다 길다.

03 ㄱ. 주어진 그림에서 행성 P가 지는 시각과 태양이 지는 시각의 차는 최대 3시간을 넘지 않으므로 행성 P는 내행성임을 알 수 있다. 따라서 행성 P의 공전 궤도 반지름은 1 AU보다 짧다.

ㄴ. 행성 P는 1월 초에 태양보다 늦게 지므로 동방 이각에 위치하고, 2월 초에 태양보다 먼저 지므로 서방 이각에 위치한다. 따라서 1월 말에 P는 내합을 지난다. 또한, 9월 말에 외합 부근을 지나므로 내합에서 외합까지 걸린 시간은 약 8개월이다. 따라서 P와 지구의 회합 주기는 약 16개월이다.

바로 알기 ㄷ. 행성 P는 1월 말에 내합을 지나므로 역행하고, 10월 초에 외합을 지나므로 순행한다.

04 타원 궤도에서 근일점 거리와 원일점 거리의 합은 장축의 길이에 해당하므로 궤도 긴반지름의 2배이다. 따라서 A의 궤도 긴반지름은 1 AU, B의 궤도 긴반지름은 2 AU이다.

ㄱ. 두 초점 사이의 거리 ㉠은 원일점 거리에서 근일점 거리를 뺀 값과 같으므로, 두 초점 사이의 거리는 A가 1 AU, B도 1 AU이다.

ㄴ. 실의 길이 ㉡은 장축의 길이와 같다. 한편, 1 AU를 10 cm로 하였으므로 행성 A에서 실의 길이는 20 cm이고, B에서 실의 길이는 40 cm이다.

ㄷ. 타원의 긴반지름을 a, 타원 중심에서 초점까지의 거리를 c라고 할 때 행성의 궤도 이심률은 $\dfrac{c}{a}$이다. 따라서 행성 A의 궤도 이심률은 $e_A = \dfrac{0.5}{1.0} = 0.5$이고, 행성 B의 궤도 이심률은 $e_B = \dfrac{0.5}{2.0} = 0.25$이다.

05 ㄱ. 지구에서 관측되는 화성의 시지름은 지구에서 화성까지의 거리와 반비례한다. 2012년 3월에 화성의 시지름은 13.9″이고, 2020년 10월에 화성의 시지름은 22.6″이므로 지구와 화성 사이의 거리는 2020년 10월에 더 가깝다. 지구 공전 궤도를 원 궤도로 가정하였으므로, 화성과 태양 사이의 거리는 2012년 3월보다 2020년 10월에 가깝다.

ㄷ. 화성은 충 부근에서 겉보기 밝기가 최대로 나타난다. 특히 2010년부터 2022년 사이에 지구와 화성 사이의 거리가 가장 가까운 2018년 7월경에 화성이 가장 밝게 관측될 수 있다.

바로 알기 ㄴ. 화성의 공전 속도는 근일점 부근에서 빠르므로 지구와의 공전 속도 차이가 작다. 2014년 4월보다 2018년 7월에 지구와 화성 사이의 거리가 가까우므로 공전 속도의 차이가 더 작다.

06 ㄴ. 공전 주기는 궤도 긴반지름에 의해 결정되므로, 소행성 A, B, C의 공전 주기는 모두 같다. 평균 공전 속도는 공전 궤도의 길이가 길수록 빠르다. 원 궤도에 가까울수록 공전 궤도의 길이가 길므로 평균 공전 속도는 A<B<C이다.

바로 알기 ㄱ. 소행성 A, B, C는 모두 장축의 길이가 같다. 따라서 공전 궤도 긴반지름이 같고, 공전 주기도 모두 같다.

ㄷ. 궤도 면적 속도는 $\dfrac{\text{전체 궤도 면적}}{\text{공전 주기}}$이다. 전체 궤도 면적은 원 궤도에 가까울수록 크고, 공전 주기는 모두 같으므로 궤도 면적 속도는 A<B<C이다.

07 ㄴ. 면적 속도 일정 법칙에 따라 달이 지구를 공전하는 속도는 달과 지구 사이의 거리가 가까운 (나)일 때 더 빠르다.

ㄷ. 달의 시지름은 지구에서 달까지의 거리에 반비례하므로 $\dfrac{\text{원지점 거리}}{\text{근지점 거리}} = \dfrac{\text{근지점에서의 시지름}}{\text{원지점에서의 시지름}} = \dfrac{1.13}{1.0} = 1.13$이다.

바로 알기 ㄱ. 달과 지구 사이의 거리가 가까울수록 달의 겉보기 크기가 크다. 따라서 (가)는 달이 원지점에 있을 때, (나)는 달이 근지점에 있을 때 촬영한 것이다.

08 ㄴ. 행성이 충에 위치할 때 자정 무렵에 남중한다. 따라서 이날 행성 Y는 충에 위치하였고, 이때 지구로부터의 거리가 1 AU이므로 Y의 공전 궤도 반지름은 2 AU이다.

ㄷ. 행성 X는 최대 이각이 30°이므로 공전 궤도 반지름은 sin 30° × 1 AU = 0.5 AU이다. 한편, B는 충일 때 지구로부터의 거리가 1 AU이므로 공전 궤도 반지름이 2 AU이다. 행성 X, Y의 공전 주기를 각각 T_X, T_Y라 하고, 케플러 제3법칙을 이용하면 두 행성의 공전 주기의 비는 다음과 같다.

$$\frac{T_Y}{T_X} = \left(\frac{a_X}{a_Y}\right)^{\frac{3}{2}} = \left(\frac{2.0}{0.5}\right)^{\frac{3}{2}} = 8$$

따라서 행성의 공전 주기는 Y가 X의 8배이다.

바로 알기 ㄱ. 이날 X는 해가 진 직후에 서쪽 하늘에서 관측되었고, 최대 이각에 위치하므로 동방 최대 이각에 위치하였다.

09 ㄱ. 행성의 공전 속도는 근일점에서 최대, 원일점에서 최소이다. A는 공전 속도가 최대(근일점)에서 다시 최대(근일점)가 되는 데 걸리는 시간이 1년보다 짧으므로 내행성이다. B는 공전 속도가 최대(근일점)에서 최소(원일점)가 되는 데 걸리는 시간이 0.5년보다 길기 때문에 공전 주기가 1년보다 긴 외행성이다.

바로 알기 ㄴ. 공전 궤도 긴반지름은 공전 주기가 긴 B가 A보다 크다.

ㄷ. A는 공전 주기가 0.5년보다 짧으므로 지구와의 회합 주기가 1년보다 짧고, B는 외행성이므로 회합 주기가 1년 이상이다.

10 행성 A와 B가 1년 동안 각각 전체 궤도 면적의 $\dfrac{1}{32}$과 $\dfrac{1}{4}$을 쓸고 지나갔으므로, 면적 속도 일정 법칙에 따라 A의 공전 주기는 32년, B의 공전 주기는 4년이다.

ㄱ. A는 1년 동안 전체 궤도 면적의 $\dfrac{1}{32}$을 쓸고 지나가므로 전체 궤도 면적을 쓸고 지나가는 데 32년 걸린다.

ㄴ. B의 공전 주기가 4년이므로 지구와의 회합 주기 S는 다음과 같이 구할 수 있다.

$$\frac{1}{S} = \frac{1}{E} - \frac{1}{P} = \frac{1}{1\text{년}} - \frac{1}{4\text{년}} \quad \therefore S = \frac{4}{3}\text{년}$$

따라서 행성 B의 회합 주기는 약 $\dfrac{4}{3}$년이다.

ㄷ. 공전 궤도 긴반지름의 세제곱은 공전 주기의 제곱에 비례한다. 공전 주기는 A가 B의 8배이므로 공전 궤도 긴반지름의 비는 다음과 같다.

$$\frac{a_A}{a_B} = \left(\frac{P_A}{P_B}\right)^{\frac{2}{3}} = 8^{\frac{2}{3}} = 4$$

따라서 공전 궤도 긴반지름은 A가 B의 4배이다.

11 ㄴ. 쌍성을 이루는 두 별은 공통 질량 중심을 같은 주기로 회전한다. 한편, 별의 공전 속도 = $\dfrac{\text{공전 궤도 길이}}{\text{공전 주기}}$ 이므로, 공전 속도는 공전 궤도의 길이가 3배인 A가 B의 3배이다.

ㄷ. 두 별의 질량을 각각 m_A, m_B, 두 별 사이의 거리를 a, 공전 주기를 P라고 하면, 케플러 제3법칙을 다음과 같이 나타낼 수 있다.

$$\frac{a^3}{P^2} = \frac{G}{4\pi^2}(m_A + m_B)$$

위 식을 정리하여 두 별의 질량의 합을 태양 질량($M_\odot$) 단위로 나타낼 수 있다.

$$m_A + m_B = \frac{a^3}{P^2} \times \frac{4\pi^2}{G} = \frac{a^3}{P^2} M_\odot$$

두 별의 질량의 합이 $4M_\odot$이고, $a = 4$ AU이므로. A와 B가 공통 질량 중심을 도는 주기 P는 4년이다.

바로 알기 ㄱ. 쌍성계에서 공통 질량 중심으로부터의 별까지의 거리의 비는 질량의 비에 반비례한다. 따라서 B는 A보다 질량이 3배 크며, A와 B의 질량의 합이 태양 질량의 4배이므로 B는 태양 질량의 3배, A는 태양 질량의 1배이다. 따라서 A는 태양과 질량이 같다.

12 ㄱ. 주어진 탐사선의 궤도가 타원 궤도이므로, 근일점 거리는 1 AU, 원일점 거리는 1.5 AU에 해당한다. 따라서 탐사선 궤도의 긴반지름은 약 1.25 AU이다.

바로 알기 ㄴ. 탐사선은 근일점에서 원일점으로 이동하였으므로 속력은 점점 감소하였다.

ㄷ. 탐사선 궤도의 긴반지름이 지구 궤도의 긴반지름보다 크므로 탐사선이 근일점에서 원일점까지 이동하는 데 6개월보다 오래 걸린다(대략 8개월). 탐사선이 지구를 출발할 때 화성은 서구 부근에 위치하고, 탐사선이 화성에 도착할 때 화성은 동구 부근에 위치한다. 지구와 화성의 위치 관계는 '서구 → 충 → 동구 → 합' 순으로 변하므로 탐사선이 이동하는 동안 화성이 합에 위치한 시기는 없었다.

2. 우리은하와 우주의 구조

01 성단의 거리와 나이

01 ⑤   **02** ②

01 ㄱ. 성단의 색등급도 (가)와 (나)를 표준 주계열성의 색등급도 (다)와 비교하면 거리 지수를 알아낼 수 있다.

ㄴ. 질량이 같은 주계열성은 표면 온도와 절대 등급이 같다. 따라서 색지수가 같은 두 주계열성은 표면 온도와 절대 등급이 같다.

ㄷ. 성단의 나이가 많을수록 질량이 작은 주계열성까지 거성으로 진화하므로 전향점이 오른쪽 아래에 위치한다.

02 ㄴ. 성단 (가)는 나이가 적은 산개 성단이고, (나)는 나이가 많은 구상 성단이다. 따라서 성단을 구성하는 별에서 주계열성의 비율은 (가)가 (나)보다 높다.

바로 알기 ㄱ. 나이가 적은 성단일수록 전향점에 위치한 별의 광도가 커서 절대 등급이 작다. 따라서 전향점에 위치한 별의 절대 등급은 나이가 많은 (나)가 더 크다.

ㄷ. 성단의 나이는 구상 성단인 (나)가 산개 성단인 (가)보다 많다.

유제 ④

유제 (나) 성단을 구성하는 별들의 색등급도를 표준 주계열과 비교하여 성단의 거리 지수를 구할 수 있는데, 이러한 방법을 주계열 맞추기라고 한다.

(가) 세페이드 변광성의 주기-광도 관계를 이용하여 절대 등급을 구할 수 있다. 따라서 겉보기 등급을 측정하면 거리 지수를 구할 수 있다.

❶ $\frac{1}{2}$ ❷ p ❸ 2.5   ❹ $\frac{l_2}{l_1}$ ❺ $5\log r$

❻ 크다   ❼ 변광 주기   ❽ 색지수   ❾ 표면 온도   ❿ 색지수

⓫ 등급   ⓬ 전향점   ⓭ 산개 성단   ⓮ 구상 성단   ⓯ 작고

⓰ 절대 등급   ⓱ 거리 지수

01 (1) 0.05″   (2) 20 파섹(pc)   **02** ㉠: 100, ㉡: $m_2 - m_1$

03 (1) 3   (2) B, A, C   (3) B, C, A   **04** ㄴ, ㄷ   **05** (1) -2

(2) 1000 파섹(pc)   **06** ㄱ   **07** (1) (라), (다), (가), (나)

(2) (다)   **08** ㄴ   **09** ㄱ   **10** (1) 2등급   (2) 100 파섹(pc)

11 (1) (가): 산개 성단, (나): 구상 성단   (2) (나)   (3) (나)

01 (1) 지구 공전 궤도 양 끝에서 측정한 별 S의 시차가 0.1″이므로, 연주 시차는 이 값의 절반인 0.05″이다.

(2) 별까지의 거리(r)와 연주 시차의 관계는 다음과 같다.

$$r(\text{pc}) = \frac{1}{p''}$$

별 S의 연주 시차가 0.05″이므로 거리는 20 파섹이다.

02 1등급 간의 밝기 비는 $100^{\frac{1}{5}}$이므로 겉보기 등급이 각각 m_1, m_2인 두 별의 밝기를 각각 l_1, l_2라고 할 때, 두 별의 밝기 비는 다음과 같이 나타낼 수 있다.

$$100^{\frac{1}{5}(m_2 - m_1)} = \frac{l_1}{l_2}$$

이를 정리하면 다음과 같이 포그슨 공식을 얻을 수 있다.

$$m_2 - m_1 = -2.5 \log\left(\frac{l_2}{l_1}\right)$$

03 (1) A는 연주 시차가 0.1″이므로 거리가 10 파섹이다. 따라서 A의 절대 등급은 겉보기 등급과 같다.

(2) B는 겉보기 등급이 절대 등급보다 작으므로 거리가 10 파섹보다 가까운 별이다. C는 연주 시차가 0.01″이므로 거리가 100 파섹이다. 따라서 별의 거리는 B<A<C이다.

(3) C는 거리가 100 파섹이므로, 10 파섹에 위치할 때보다 100배 어둡게 보인다. C의 절대 등급이 -3등급이고, 100 파섹에 위치할 때 겉보기 등급은 절대 등급보다 5등급만큼 커진다. 따라서 C의 겉보기 등급은 2등급이다. A~C를 밝게 보이는 별부터 순서대로 나열하면 'B, C, A'이다.

04 ㄴ. 세페이드 변광성은 광도가 클수록 변광 주기가 길다.

ㄷ. 세페이드 변광성의 변광 주기로부터 광도(또는 절대 등급)를 알아낼 수 있으므로 평균 겉보기 등급을 측정하면 세페이드 변광성의 거리 지수를 구할 수 있다.

바로 알기 ㄱ. 세페이드 변광성은 밝기가 주기적으로 변하는 별이다. 폭발하면서 밝기가 급격하게 변하는 별은 폭발 변광성이며, 초신성이 이에 해당한다.

05 (1) 세페이드 변광성 X의 변광 주기가 4일이므로, 세페이드 변광성의 주기-광도(또는 절대 등급) 관계로부터 X의 절대 등급은 약 −3등급임을 알 수 있다.

(2) X의 평균 겉보기 등급이 약 7등급, 절대 등급이 약 −3등급이므로 거리 지수는 약 10이다.

$$m - M = 5 \log r - 5 = 10$$
$$\log r = 3, \; r = 10^3 = 1000 \, (\text{pc})$$

따라서 X의 거리는 1000 파섹이다.

06 ㄱ. 별의 표면 온도는 최대 에너지 세기를 갖는 파장이 짧을수록 높다. 따라서 ㉠이 ㉡보다 표면 온도가 높다.

바로 알기 ㄴ. ㉠은 ㉡보다 표면 온도가 높으므로 더 파랗게 보인다.

ㄷ. 색지수 ($B-V$)는 표면 온도가 높을수록 작다. 따라서 색지수는 ㉠이 ㉡보다 작다.

07 (1) 색지수는 별의 표면 온도가 낮을수록 크다. (나)의 분광형은 B형이므로 A형인 (가)보다 표면 온도가 높다. 따라서 색지수가 큰 별부터 순서대로 나열하면 '(라), (다), (가), (나)'이다.

(2) 태양의 스펙트럼형은 G형이며, 표면 온도는 약 5800 K이다. 따라서 (가)~(라) 중 태양과 스펙트럼의 특징이 가장 비슷한 별은 표면 온도가 태양과 비슷한 (다)이다.

08 ㄴ. 산개 성단은 수백 개~수천 개의 별들이 허술하게 모여 있는 집단으로, 비교적 나이가 적고 고온의 파란색 별들이 많다. 산개 성단은 우리은하에서 1000개 이상 발견되었는데 대부분 나선팔에 위치한다.

바로 알기 ㄱ, ㄷ 별들이 중력에 의해 강하게 묶여 있고, 구성 별들의 나이가 많은 성단은 구상 성단이다.

09 ㄱ. 이 성단은 수만 개~수십만 개의 별들이 구형으로 매우 조밀하게 모여 있는 구상 성단이다.

바로 알기 ㄴ, ㄷ 구상 성단을 이루는 별은 나이가 비교적 많고 표면 온도가 낮으므로 색지수가 대체로 (+)의 값을 갖는다.

10 (1) 성단 X를 표준 주계열에 대해 주계열 맞추기를 하면, 별 A에 해당하는 표준 주계열의 절대 등급은 2등급이다.

(2) 색지수가 같은 주계열성은 절대 등급이 같다. 따라서 두 곡선의 수직 등급 차가 성단의 거리 지수에 해당하며, 성단 X의 거리 지수는 약 +5.0이다. 거리 지수 공식을 이용하여 X의 거리를 구하면 다음과 같다.

$$m - M = 5 \log r - 5 = 5$$
$$r = 10^2 = 100 \, (\text{pc})$$

따라서 성단 X의 거리는 약 100 파섹이다.

11 (1) (가)는 별의 대부분이 주계열성으로 이루어진 산개 성단이고, (나)는 수평 가지와 거성 가지에 별들이 많이 분포하는 구상 성단이다.

(2) 성단의 색등급도에서 별이 진화하여 주계열을 벗어나는 지점을 전향점이라고 한다. (가)의 전향점에 위치한 별의 색지수는 0보다 작고, (나)의 전향점에 위치한 별의 색지수는 0보다 크다.

(3) 나이가 많은 성단일수록 질량이 작은 주계열성도 거성으로 진화하므로 전향점에 위치한 별의 색지수가 크다. 따라서 성단의 나이는 (가)보다 (나)가 많다.

개념 적용 문제   080쪽

01 ②	02 ④	03 ④	04 ⑤	05 ③	06 ⑤
07 ④	08 ②	09 ⑤	10 ①	11 ⑤	12 ④

01 ㄷ. 별까지의 거리가 멀수록 연주 시차가 작다. 별 A의 연주 시차는 0.1″이고, 별 B의 연주 시차는 0.05″이다. 한편 별 C는 매우 멀리 있어 시차가 나타나지 않는다. 따라서 별의 거리는 A<B<C이다.

바로 알기 ㄱ. 지구 공전 궤도 양 끝에서 측정한 별 A의 시차가 0.2″이므로 별 A의 연주 시차는 전체 시차의 절반인 0.1″이다.

ㄴ. 별 B의 연주 시차는 0.05″이므로 거리는 20 파섹이다. 10 파섹보다 멀리 있는 별은 절대 등급이 겉보기 등급보다 작으므로 B의 절대 등급은 2.0등급보다 작다.

02 ④ 겉보기 등급이 각각 m_1, m_2인 두 별의 밝기를 각각 l_1, l_2라고 하면 두 별의 등급과 밝기의 관계는 다음과 같다.

$$\frac{l_1}{l_2} = 100^{\frac{1}{5}(m_2 - m_1)}$$

위 식의 양변에 $\log$를 취하여 정리하면 다음과 같은 포그슨 공식으로 나타낼 수 있다.

$$m_2 - m_1 = -2.5 \log\left(\frac{l_2}{l_1}\right)$$

한편, 밝기는 거리의 제곱에 반비례하므로 겉보기 밝기 l과 거리가 10 파섹일 때의 절대 밝기 L의 관계는 $\frac{l}{L} = \frac{10^2}{r^2}$이다. 이 식을 포그슨 공식에 대입하여 정리하면 다음과 같다.

$$\frac{l}{L} = \frac{10^2}{r^2} = 10^{\frac{2}{5}(M-m)}$$

$$\frac{10}{r} = 10^{\frac{1}{5}(M-m)}$$

이 식에 로그를 취한 후 정리하면 다음과 같다.

$$m - M = 5 \log r - 5$$

03 ㄴ. 별의 거리는 B가 C의 $\frac{1}{10}$배이다. 연주 시차는 별의 거리에 반비례하므로 B가 C보다 10배 크다.

ㄷ. 거리 지수 공식을 이용하여 B와 D의 절대 등급을 구할 수 있다.

$m_B - M_B = 5 \log 10 - 5 \Rightarrow M_B = 2$

$m_D - M_D = 5 \log 1000 - 5 \Rightarrow M_D = 2 - 10 = -8$

따라서 절대 등급은 B가 D보다 10등급 크다.

바로 알기 ㄱ. 별 A~D 중에서 가장 밝게 보이는 별은 겉보기 등급이 가장 작은 C이다.

04 ㄱ. HV 1967의 겉보기 등급은 13.0~14.0 사이에서 변한다. 따라서 평균 겉보기 등급은 약 13.5등급이다.

ㄴ. HV 1967은 HV 843보다 변광 주기가 길다. 세페이드 변광성은 주기가 길수록 광도가 크므로 HV 1967은 HV 843보다 광도가 크다.

ㄷ. 두 세페이드 변광성 HV 1967과 HV 843은 모두 소마젤란은하의 내부에 있으므로 거리가 거의 같다. 따라서 HV 1967과 HV 843의 거리 지수도 거의 같다.

05 ㄱ. A는 변광 주기가 1일 미만이므로 절대 등급이 거의 일정한 거문고자리 RR형 변광성이다.

ㄷ. 변광성 A~C의 겉보기 등급이 모두 같으므로 절대 등급이 클수록 거리 지수가 작아서 거리가 가깝다. B는 변광 주기가 3일이므로 절대 등급이 −1.5등급 또는 0등급이다. C는 변광 주기가 30일이므로 절대 등급이 −4.5등급 또는 −2.5등급이다. 따라서 거리 지수는 변광성 B가 C보다 작아 거리가 더 가깝다.

바로 알기 ㄴ. 세페이드 변광성은 크게 종족 I 형과 종족 II 형이 있으며, 주기가 같을 경우 종족 I 형이 종족 II 형보다 광도가 크다. 따라서 ⊙은 종족 I 형 세페이드 변광성이다.

06 ㄱ. 별의 표면 온도는 최대 에너지 세기를 갖는 파장이 짧을수록 높다. 따라서 표면 온도는 X가 Y보다 높다.

ㄴ. X는 B 필터(파란빛) 영역보다 U 필터(자외선) 영역에 해당하는 복사 에너지의 세기가 강하므로 U 필터를 통과한 빛의 양이 더 많다.

ㄷ. Y는 B 필터를 통과한 빛의 양이 V 필터를 통과한 빛의 양보다 적다. 필터를 통과한 빛의 양이 적을수록 등급이 크므로 Y는 B 등급이 V 등급보다 커서 색지수 $(B-V)$는 $(+)$의 값이다.

07 ㄴ. (가)는 연주 시차가 가장 커서 가장 가까운 거리에 있으나, 겉보기 등급이 가장 크므로 실제 밝기가 가장 어두운 별이다. (나)는 (다)보다 연주 시차가 작아 더 멀리 있지만 겉보기 등급은 1등급으로 서로 같다. 따라서 실제로 더 밝은 별은 (나)이다.

ㄷ. (나)는 (다)보다 색지수가 크므로 표면 온도가 더 낮다. 따라서 (나)는 (다)보다 붉게 보인다.

바로 알기 ㄱ. (가)는 겉보기 등급이 가장 크므로 세 별 중에서 가장 어둡게 보인다.

08 ㄷ. 태양은 표면 온도가 약 5800 K이며, 분광형은 G형에 해당한다.

바로 알기 ㄱ. (가)는 분광형이 A형인 별이다. A형은 표면 온도가 약 10000 K이며, 흰색 별이다.

ㄴ. (나)는 분광형이 M형이므로 표면 온도가 낮은 붉은색 별이다. 표면 온도가 낮은 별은 색지수 $(B-V)$가 $(+)$의 값이므로 B 등급이 V 등급보다 크다.

09 ⑤ 이 성단은 주계열을 벗어나 거성으로 진화한 별들이 많은 구상 성단이다. 구상 성단의 색등급도에서는 적색 거성 가지, 수평 가지, 점근 거성 가지에 많은 별이 분포한다.

바로 알기 ① 이 성단은 나이가 많은 구상 성단이다.

② A는 주계열에서 진화하여 수평 가지에 위치한 별이다.

③ B와 C는 주계열성이며, 질량이 큰 주계열성일수록 표면 온도가 높고 광도가 크며 수명이 짧다. 따라서 B는 C보다 수명이 짧다.

④ 별의 색지수가 작을수록 표면 온도가 높으므로, 별의 표면 온도는 A>B>C이다.

10 ㄱ. 산개 성단은 구성 별들의 나이가 비교적 적으므로 대부분의 별이 주계열성이다.

바로 알기 ㄴ. 성단의 나이가 적을수록 질량이 큰 별들로 주계열성에 남아 있다. 따라서 A~D 중 성단의 나이는 전향점의 위치가 가장 왼쪽 위에 있는 A가 가장 젊다.

ㄷ. 성단 C는 D보다 색지수가 작은 별도 아직 주계열성에 남아 있다. 따라서 전향점에 있는 별의 표면 온도는 C가 D보다 높다.

11 ⑤ 색지수가 동일한 주계열성은 절대 등급도 같다. 따라서 이 성단의 주계열과 표준 주계열의 수직 등급 차가 성단의 거리 지수에 해당한다. 그래프에서 성단의 거리 지수는 약 6이므로 이 성단까지의 거리는 다음과 같이 구할 수 있다.

$$m-M = 5\log r -5 = 6 \Rightarrow r = 10^{2.2} > 100 \text{ (pc)}$$

따라서 이 성단의 거리는 100 파섹보다 멀다.

바로 알기 ① 이 성단은 구성 별들이 대부분 주계열성인 산개 성단이다.

② 성단의 색등급도를 수직 이동시켜 표준 주계열과 겹쳐 주계열 맞추기를 하였을 때 표준 주계열성과 일치하는 별들은 모두 주계열성이다. 따라서 (가)는 주계열성에 해당한다.

③ (가)는 색지수가 0이므로 색지수가 +0.66인 태양보다 표면 온도가 높은 주계열성이다. 따라서 질량은 (가)가 태양보다 크다.

④ 주계열 맞추기를 하면, (가)는 절대 등급이 1.0등급인 주계열성과 겹쳐진다. 따라서 (가)의 절대 등급은 약 1등급이다.

12 ㄴ. 허블은 세페이드 변광성의 주기-광도 관계를 이용하여 최초로 외부 은하까지의 거리를 측정하였다.

ㄷ. (다)의 주계열 맞추기에서는 성단을 이루고 있는 주계열성의 색등급도를 이용하여 성단의 겉보기 등급과 표준 주계열의 절대 등급을 비교한다.

바로 알기 ㄱ. (가)의 연주 시차는 주로 가까운 거리에 있는 별들의 거리를 구할 때만 이용할 수 있다.

02 우리 은하의 구조

탐구 확인 문제 099쪽

01 ③   02 ④

01 ㄱ. 전파 망원경으로 은하면을 관측하여 21 cm 수소선의 파장을 측정하면 도플러 효과에 의한 파장 변화가 나타나는데, 이를 분석하여 우리은하의 회전 속도를 구할 수 있다.

ㄴ. 수소운의 회전 속도 V에서 시선 방향 성분은 $V\cos\theta$이고, 태양의 회전 속도 $V_\odot$에서 시선 방향 성분은 $V_{r\odot}$이므로 태양에서 관측한 수소운의 시선 속도 V_r는 다음과 같다.

$$V_r = V\cos\theta - V_{r\odot}$$

바로 알기 ㄷ. A~E 중에서 21 cm 수소선의 파장이 가장 길게 관측되는 수소운은 시선 속도의 크기가 가장 큰 (+)값을 갖는 C이다. C는 태양으로부터 멀어지는 시선 속도가 가장 크고, 적색 편이량도 가장 크게 나타난다.

02 ㄱ. 우리은하에 있는 별들의 회전 속도는 은하 중심으로부터 약 1 kpc까지는 은하 중심에서 멀어질수록 속도가 급격히 증가하는 강체 회전을 한다.

ㄷ. 은하 중심으로부터의 거리가 약 13 kpc보다 먼 곳에서는 회전 속도가 거의 일정하게 나타나는데, 이를 통해 암흑 물질의 존재를 확인할 수 있다.

바로 알기 ㄴ. 태양 부근에서는 은하 중심에서 멀어질수록 회전 속도가 감소하는 케플러 회전을 한다.

개념 모아 정리하기 100쪽

❶ 태양   ❷ 구상   ❸ 막대 나선   ❹ 헤일로   ❺ 성운
❻ H Ⅱ 영역   ❼ 반사 성운   ❽ 소광   ❾ 적외선
❿ 적색화   ⓫ 반사   ⓬ 케플러   ⓭ 21 cm   ⓮ 나선팔
⓯ 강체   ⓰ 암흑 물질   ⓱ 중력 렌즈

개념 기본 문제 102쪽

01 (다), (라), (나), (가)   **02** ㄱ, ㄴ   **03** (1) ○ (2) ○ (3) ×
04 ㄱ   **05** 소광   **06** ㄴ, ㄷ   **07** ㄱ
08 청색 편이: C, F, 적색 편이: A, H   **09** ㄴ, ㄷ
10 C, B, A   **11** (1) ○ (2) ○ (3) ×   **12** ㄷ

01 (가) 2003년에 적외선 우주 망원경을 이용하여 우리은하의 중심부에 막대 구조가 있다는 것을 알아냈다.

(나) 1924년에 허블은 안드로메다성운의 거리를 측정하여 이 성운이 우리은하 밖에 있는 외부 은하임을 밝혀냈다.

(다) 19세기 초 허셜은 별의 개수를 세어 최초로 우리은하의 모습을 그렸고, 태양의 위치를 추정하였다.

(라) 1918년에 새플리는 구상 성단의 분포를 알아내고 이를 이용하여 우리은하 중심의 위치를 파악하였다. 따라서 (가)~(라)를 오래된 것부터 시간 순서대로 나열하면 '(다), (라), (나), (가)'이다.

02 ㄱ. 태양계는 은하 중심으로부터 약 8.5 kpc(약 26000 광년 떨어진 나선팔에 위치해 있다.

ㄴ. 성단 A는 헤일로와 은하 중심부에 주로 분포하는 구상 성단이다.

바로 알기 ㄷ. 성간 물질은 거의 대부분 은하 원반의 나선팔을 따라 분포한다.

03 ⑴ 성간 물질은 약 99 %의 성간 기체와 약 1 %의 성간 티끌로 구성되어 있다.

⑵ 성간 티끌은 얼음과 규산염, 흑연 등으로 구성되어 있으며, 성간 물질에서 차지하는 비율은 매우 작은 편이지만 별빛을 흡수하거나 산란시키는 데 중요한 역할을 한다.

⑶ 성간 티끌의 존재는 성간 소광이나 성간 적색화 등을 통해 확인할 수 있다. 21 cm 수소선을 관측하여 알아낼 수 있는 물질은 중성 수소이다.

04 ㄱ. (가)는 성간 티끌에 의해 뒤에서 오는 별빛이 차단되어 어둡게 보이는 암흑 성운이다.

바로 알기 ㄴ. (나)는 방출 성운으로, 고온의 수소 기체가 붉은빛을 방출하여 붉게 보인다.

ㄷ. (다)는 반사 성운으로 성간 티끌에 의해 주로 파란빛이 산란되어 파란색으로 보인다. (가)~(다) 중 성운의 온도가 가장 높은 것은 (나)의 방출 성운이다.

05 성간 소광이 일어나면 별이 실제 밝기보다 더 어둡게 관측되므로 별의 겉보기 등급이 크게 관측된다. 따라서 관측한 별의 겉보기 등급을 성간 소광된 만큼 보정해야 정확한 거리 지수를 구할 수 있다.

06 ㄴ. 성간 티끌에 의한 산란은 파장이 긴 붉은빛보다 파장이 짧은 파란빛에서 잘 일어난다. 따라서 별빛 중에서 파란빛이 더 많이 산란되면 별빛이 실제보다 붉게 관측되는 현상이 나타난다.

ㄷ. 성간 적색화에 의해 별이 더 붉게 보이므로 별의 색지수가 고유한 값보다 커진다. 이런 현상을 색초과라고 한다.

바로 알기 ㄱ. 성간 적색화는 주로 성간 티끌에 의한 빛의 산란으로 일어난다.

07 ㄱ. ㉠은 관측자의 시선 방향으로 이동하는 시선 속도이고, ㉡은 시선 방향에 대해 수직하게 이동하는 접선 속도이다.

바로 알기 ㄴ. 별빛의 도플러 효과는 시선 방향으로 멀어지거나 가까워질 때 나타난다.

ㄷ. 고유 운동은 별이 천구상에서 1년 동안 움직인 각거리이다. 별의 공간 속도의 크기와 방향이 같을 경우, 별의 거리가 멀수록 고유 운동이 작게 나타난다. 별의 거리(r)와 고유 운동(μ)을 이용하여 별의 접선 속도(V_t)를 다음과 같이 나타낼 수 있다.

$$V_t \fallingdotseq 4.74\,\mu \times r(\text{km/s})$$

08 태양 근처의 별들은 은하 중심에서 멀어질수록 회전 속도가 느려지는 케플러 회전을 한다. 은경 90°, 270° 부근의 별들은 태양과 같은 속도로 은하 중심을 회전하므로 시선 속도가 0으로 관측된다. 또한, 은경 0°, 180° 부근의 별도 시선 속도가 0으로 관측된다. 한편, 은경 0°~90°, 180°~270° 사이의 별들은 시선 속도가 (＋)의 값으로 나타나며, 태양으로부터 멀어지는 것처럼 보인다. 반면, 은경 90°~180°, 270°~360° 사이의 별들은 시선 속도가 (－)의 값으로 나타나며, 태양에 가까워지는 것처럼 보인다. 따라서 A~H의 별빛의 스펙트럼에서 A와 H는 적색 편이가 나타나고, C와 F는 청색 편이가 나타난다. 나머지 B, D, E, G는 시선 속도가 0이므로 파장 변화가 나타나지 않는다.

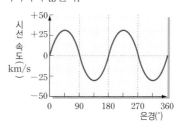

▲ 태양 부근 별들의 시선 속도

09 ㄴ. 자연 상태에서 원자로 존재하는 중성 수소는 에너지가 높은 상태에서 낮은 상태로 자발적으로 바뀌면서 에너지를 방출하는데, 이때 방출되는 에너지가 파장이 21 cm인 전파, 즉 21 cm 수소선이다. 따라서 21 cm 수소선은 중성 수소가 풍부한 우리은하의 나선팔 영역에서 잘 관측된다.

ㄷ. 21 cm 수소선은 성간 물질을 통과할 때 성간 소광이 거의 일어나지 않으므로 우리은하의 구조를 밝히는 데 중요하게 이용된다.

바로 알기 ㄱ. 21 cm 수소선은 중성 수소가 분포하는 H I 영역에서 방출된다.

10 우리은하의 나선팔에 분포하는 수소운에서 방출되는 21 cm 수소선의 적색 편이는 태양에 대한 시선 속도와 관련이 있다. A는 태양으로부터 멀어지므로 시선 속도가 (+)의 값으로 나타나고, B는 시선 방향 속도가 같아서 시선 속도가 0이고, C는 태양으로 접근하므로 시선 속도가 (−)의 값으로 나타난다. 그러므로 관측되는 21 cm 수소선의 파장은 적색 편이가 나타나는 A가 가장 길고, 청색 편이가 나타나는 C가 가장 짧다. 따라서 A, B, C에서 관측되는 21 cm 수소선의 파장이 짧은 것부터 순서대로 나열하면 'C, B, A'이다.

11 (1) 은하 중심에서 약 1 kpc 이내의 영역에서는 일정한 각속도로 회전하는 강체 회전을 한다.

(2) 은하 중심에서 약 1 kpc∼3 kpc 부분과 태양 부근에 있는 별들은 은하 중심에서 멀어질수록 회전 속도가 점점 느려지는 케플러 회전을 한다.

(3) 태양 궤도의 바깥쪽에 해당하는 은하의 외곽에서는 회전 속도가 다시 증가하다가 은하 중심에서 약 13 kpc 부근부터 거의 일정한 회전 속도를 유지한다.

12 ㄷ. 은하 외곽에서 회전 속도가 은하 중심으로부터 멀어지더라도 감소하지 않는 까닭은 우리은하의 구성 물질이 은하 중심부에 밀집되어 있지 않고 태양계 바깥쪽에도 많이 분포하기 때문이다.

바로 알기 ㄱ. 광학적 관측을 통해 우리은하에서 빛을 내는 물질의 광도로 추정한 은하의 총 질량은 태양 질량의 약 10^{11}배이다. 하지만 우리은하의 회전 곡선과 은하 외곽의 회전 속도를 이용하여 역학적인 방법으로 계산한 우리은하의 총 질량은 태양 질량의 약 2×10^{11}배 정도로 추정된다.

ㄴ. 우리은하 질량의 대부분이 은하 중심부에 밀집되어 분포한다면 은하 중심으로부터의 거리가 멀어질수록 회전 속도가 느려지는 케플러 회전을 하는 것으로 관측되어야 한다.

개념 적용 문제   104쪽

01 ③	02 ④	03 ⑤	04 ②	05 ②	06 ①
07 ②	08 ③	09 ④	10 ①	11 ③	12 ①

01 ㄱ. 캅테인은 20세기 초 하늘을 200여 개의 구역으로 나누어 별의 분포를 통계적으로 연구하여 태양이 은하의 중심 부근에 위치하며 우리은하는 납작한 회전 타원체라고 주장하였다.

ㄷ. 1918년 섀플리는 구상 성단의 분포를 알아내고 이를 이용하여 우리은하의 크기를 구하였다. 그 결과 우리은하의 중심이 태양계가 아니라는 사실을 밝혀내었다. 하지만 그는 성간 물질에 의한 효과를 고려하지 않았기 때문에 우리은하의 크기를 3배 정도 크게 계산하였다.

바로 알기 ㄴ. (나)에서 섀플리는 구상 성단의 분포 중심이 우리은하의 중심이고, 태양은 은하의 중심에서 벗어난 곳에 있다고 주장하였다.

02 ㄴ. 그림 (가)를 통해 우리은하의 원반에는 중심부를 둘러싸고 있는 나선팔 구조가 존재함을 확인할 수 있다.

ㄷ. 나선팔에 위치한 지구에서 우리은하를 관측하면 은하 원반에 해당하는 띠 모양의 은하수를 관측할 수 있다.

바로 알기 ㄱ. 우리은하의 중심부에는 구형의 팽대부가 존재하며, 태양계는 팽대부를 둘러싸고 있는 나선팔에 위치한다.

03 ㄱ. ㉠은 성간 물질의 약 99 %를 차지하는 성간 기체이다. 성간 기체는 온도가 높아지면 이온 상태로 존재할 수 있다.

ㄴ. ㉡은 성간 물질의 약 1 %를 차지하는 성간 티끌이다. 성간 티끌 주로 규산염, 얼음, 흑연 등의 고체 알갱이로 이루어져 있다.

ㄷ. 별빛의 성간 소광 현상은 주로 성간 티끌에 의해 일어난다.

04 ㄷ. A는 파란색으로 보이는 반사 성운이고, B는 붉은색으로 보이는 방출 성운이다. 성운의 온도는 방출 성운 B가 반사 성운 A보다 높다.

바로 알기 ㄱ. 반사 성운 A는 성간 티끌에 의해 주로 파란색 빛이 산란되어 파랗게 보이는 것이다.

ㄴ. 방출 성운 B가 붉게 보이는 까닭은 성운 내의 고온의 별로 인해 성간 기체가 이온화되고, 이온화된 수소가 전자와 재결합하는 과정에서 붉은색의 가시광선(H_α 선)을 방출하기 때문이다.

05 ㄷ. 은하수를 육안으로 자세히 관찰하면 중간 부분에 검은 띠가 보이는데, 이는 성간 티끌에 의한 별빛의 소광 때문이다. (가)의 가시광선 영상과 (나)의 적외선 영상으로부터 우리 은하가 원반 구조를 이루며 성간 물질이 주로 은하 원반에 분포하고 있음을 알 수 있다.

바로 알기 ㄱ. (가)에서 검은 띠 모양으로 보이는 영역은 성간 소광에 의해 별빛이 차단되어 검게 보이는 것으로, 실제로 이 영역에 별이 존재하지 않는 것은 아니다.

ㄴ. 은하 중심부의 구조를 연구하려면 성간 소광이 상대적으로 적게 일어나는 적외선 영상을 이용하는 것이 더 효과적이다.

06 (가)와 (나)에서 나타난 별빛의 파장에 따른 에너지 세기의 차이는 성간 소광 때문이다. 따라서 (가)는 성간 소광이 일어나지 않았을 때, (나)는 별과 관측자 사이에 성간 물질이 존재하여 성간 소광이 일어났을 때의 관측 결과이다.

ㄱ. 성간 소광은 파장이 짧은 영역에서 그 정도가 더 크므로, 적외선보다 상대적으로 파장이 짧은 자외선 영역에서 성간 소광량이 크다.

바로 알기 ㄴ. (나)는 (가)보다 파장이 긴 빛, 즉 붉은빛이 더 우세하므로 별의 색지수가 (가)보다 더 크게 나타난다.

ㄷ. 별의 겉보기 등급은 관측자에게 도달하는 빛의 양이 적을수록 크다. (나)는 성간 소광에 의해 관측자에게 도달하는 빛의 양이 감소하였으므로 겉보기 등급이 (가)보다 크다.

07 ㄴ. 별 S에서 방출된 빛이 성운을 통과하여 관측자 B에게 도달하는 과정에서 성간 소광에 의해 붉은빛보다 파란빛이 더 많이 소광되므로 성간 적색화 현상이 나타난다.

바로 알기 ㄱ. 색초과는 성간 적색화에 의해 별의 색지수가 고유의 값보다 크게 나타나는 현상이다. 따라서 별 S의 색초과는 성운의 영향을 받지 않은 관측자 A보다 관측자 B에게 크게 나타난다.

ㄷ. 관측자 C에 도달하는 빛은 성간 티끌에 의해 산란된 파란빛이다. 따라서 관측자 C는 반사 성운을 볼 수 있다.

08 ㄱ. 천구상에서 1년 동안 이동한 각거리를 고유 운동이라고 하므로, 이 값은 A가 가장 크다.

ㄴ. 별의 거리(r)와 고유 운동(μ)을 이용하여 별의 접선 속도(V_t)를 다음과 같이 나타낼 수 있다.

$$V_t = 4.74 \mu \times r \,(\text{km/s})$$

즉, 지구에서 별까지의 거리는 접선 속도가 크고 고유 운동이 작을수록 멀다. 별 A~C의 고유 운동은 거의 비슷하므로 지구에서의 거리는 접선 속도가 월등하게 큰 C가 가장 멀다.

바로 알기 ㄷ. 별빛의 적색 편이량은 지구에서 멀어지는 시선 속도가 클수록 크게 나타난다. 한편, 공간 속도 V는 접선 속도(V_t)와 시선 속도(V_r)를 이용하여 $V = \sqrt{V_t^2 + V_r^2}$으로 나타낼 수 있다. 즉, 시선 속도는 $V_r^2 = V^2 - V_t^2$으로 나타낼 수 있다. 별 A와 C는 공간 속도와 접선 속도가 거의 비슷하므로 시선 속도가 매우 작고, 별 B는 공간 속도와 접선 속도의 차이가 가장 크므로 세 별 중 시선 속도가 가장 크다는 것을 알 수 있다.

09 ㄴ. 태양과 별 A, B가 우리은하 중심에 대해 케플러 회전을 하므로 회전 속도는 'A>태양>B'이다. 한편 A는 우리은하의 중심 방향에 위치하므로 시선 속도는 0이다. B는 은하 중심으로부터의 거리가 태양보다 멀므로 회전 속도가 태양보다 느려서 B는 태양으로 접근하고 있다. 따라서 시선 속도의 크기는 B가 A보다 크다.

ㄷ. A는 시선 속도가 0이므로 스펙트럼에 나타난 흡수선의 파장 변화가 없고, B는 태양으로 접근하고 있으므로 청색 편이가 나타난다. 따라서 도플러 효과에 의해 스펙트럼에 나타난 흡수선의 파장은 A가 B보다 길다.

바로 알기 ㄱ. 우리은하 중심에 대해 케플러 회전을 한다고 했으므로 은하 중심에 대한 회전 속도는 은하 중심에 가까울수록 빠르다. 따라서 A가 태양보다 회전 속도가 빠르다.

10 ㄱ. 태양과 중성 수소운 A~C는 우리은하 중심에 대해 케플러 회전을 하므로 은하 중심에서 멀어질수록 회전 속도가 감소한다. 따라서 은하 중심에 대한 회전 속도는 A<B<C이다.

바로 알기 ㄴ. 관측자와의 회전 속도 차이로 인해 B의 시선 속도는 0이고, A는 관측자에게 접근하고, C는 관측자에서 멀어진다. 따라서 시선 속도가 (−)의 값인 ⊙은 관측자에게 접근하고 있는 A에서 관측된 21 cm 수소선을 나타낸 것이다.

ㄷ. 중성 수소의 양이 많을수록 21 cm 수소선의 복사 세기가 증가한다. 상대 복사 세기가 가장 큰 ⓒ에 중성 수소가 가장 많이 분포하고, ⓒ은 시선 속도가 0이므로 B에 해당한다. 따라서 중성 수소는 C보다 B에 많이 분포한다.

11 ㄱ. 1 kpc 이내의 은하 중심부는 은하 중심에서 멀어질수록 회전 속도가 일정한 기울기로 급격하게 증가한다. 따라서 이 영역에서는 거의 일정한 각속도로 강체 회전한다는 것을 알 수 있다.

ㄴ. 태양 부근의 별들은 은하 중심에서 멀어질수록 회전 속도가 감소하는 케플러 회전을 한다.

바로 알기 ㄷ. 태양보다 외곽에 위치한 A의 회전 속도가 태양의 회전 속도보다 큰 까닭은 은하의 외곽에도 우리은하의 질량이 많이 분포하고 있음을 나타낸다. 만약 은하 중심부에 질량이 집중되어 있다면 은하 외곽으로 갈수록 회전 속도가 급격하게 감소할 것이다.

12 ㄱ. 전자기파 관측을 통해 추정한 우리은하의 총 질량은 우리은하의 회전 속도 곡선을 이용하여 추정한 질량보다 훨씬 작다. 따라서 전자기파 관측을 통해 추정한 값은 B이다.

바로 알기 ㄴ. 암흑 물질은 빛을 방출하지 않아 전자기파로 관측할 수 없지만 질량이 있으므로 중력이 작용한다. A와 B의 차이는 은하 외곽으로 갈수록 커지고, 이는 은하 외곽에도 암흑 물질이 많이 분포하고 있음을 의미한다.

ㄷ. 질량이 중심부에 집중되어 있을 때 회전 중심에서 멀어질수록 회전 속도가 감소하는 케플러 회전을 한다. A에서 은하 외곽으로 갈수록 질량이 증가하므로, 우리은하의 외곽은 케플러 회전을 하지 않는다. 따라서 태양 궤도 바깥쪽으로 가더라도 은하의 회전 속도가 감소하지는 않는다.

03 우주의 구조

▶ 탐구 확인 문제   119쪽

01 ②   **02** ㉠: 처녀자리 초은하단, ㉡: 국부 은하군

01 ㄷ. 처녀자리 초은하단은 처녀자리 은하단을 포함하여 100여 개 이상의 은하군과 은하단으로 구성되어 있으며, 지름은 약 33 Mpc~50 Mpc으로 추정된다.

바로 알기 ㄱ. 국부 은하군의 질량 중심은 은하군에서 질량이 큰 두 은하인 우리은하와 안드로메다은하 사이에 있다.

ㄴ. 처녀자리 은하단은 국부 은하군에서 가장 가까운 거리에 있는 은하단이다.

02 국부 은하군(㉡)은 우리은하와 안드로메다은하를 포함하여 40개 이상의 은하로 이루어져 있다. 최근 연구 결과, 국부 은하군과 처녀자리 은하단을 포함한 처녀자리 초은하단(㉠)은 라니아케아 초은하단의 외곽에 분포한다고 한다. 이 결과가 확정되면 국부 초은하단은 라니아케아 초은하단이 된다.

▶ 개념 모아 정리하기   120쪽

❶ 국부 은하군   ❷ 안드로메다은하   ❸ 초은하단
❹ 처녀자리 초은하단   ❺ 거대 구조   ❻ 은하 장성
❼ 거대 공동   ❽ 암흑 물질

▶ 개념 기본 문제   121쪽

01 (가): 은하군, (나): 은하단, (다): 초은하단   **02** ㄱ, ㄷ
03 ㄷ   **04** ㄷ   **05** (1) × (2) ○ (3) ○   **06** ㄴ, ㄷ

01 (가): 수십 개의 은하로 이루어진 집단을 은하군(Group of galaxies)이라고 한다. 은하군은 은하들의 무리 중 가장 작은 단위이다.

(나): 은하단은 우주에서 서로의 중력에 묶여 있는 천체들 중 가장 규모가 큰 집단으로, 수백 개~수천 개의 은하로 구성되어 있다. 은하군보다 규모가 더 큰 집단이다.

(다): 초은하단은 은하군과 은하단으로 이루어진 대규모 은하의 집단이다. 초은하단의 수는 관측 가능한 우주에 약 1000만 개 존재하는 것으로 추정된다.

02 ㄱ, ㄷ 우리은하가 속해 있는 은하군을 국부 은하군이라고 한다. 국부 은하군은 지름이 약 $3\,\text{Mpc}$(약 1000만 광년)이며, 질량 중심은 질량이 큰 두 은하인 우리은하와 안드로메다은하 사이에 있다.

바로 알기 ㄴ. 국부 은하군은 규모가 큰 3개의 나선 은하(우리은하, 안드로메다은하, 삼각형자리은하)와 수십 개의 규모가 작은 불규칙 은하, 타원 은하, 왜소 은하 등으로 이루어져 있다.

03 ㄷ. (다)는 우리은하가 포함된 국부 은하군으로, 40개 이상의 은하들로 이루어져 있다.

바로 알기 ㄱ. A는 국부 은하군이다. 처녀자리 초은하단은 B이며, 처녀자리 은하단을 포함하여 100개 이상의 은하군과 은하단으로 구성되어 있다.

ㄴ. 처녀자리 초은하단(B)의 중심에는 처녀자리 은하단이 존재하며, 국부 은하군은 상대적으로 질량이 매우 작아 처녀자리 초은하단의 질량 중심 역할을 할 수 없다.

04 ㄷ. 최근 연구 결과 약 3억 광년~10억 광년의 범위에서는 은하 장성과 거대 공동이 많이 발견되지만, 수십억 광년 이상의 거시적인 규모에서는 은하들이 비교적 등방적으로 균질하게 분포하고 있다.

바로 알기 ㄱ. 은하들은 독립적으로 존재하는 것이 아니라 다양한 규모의 집단을 형성하고 있다.

ㄴ. 초은하단 이상의 규모에서 은하 장성, 거대 공동과 같은 거대 구조가 존재한다.

05 ⑴ 우주 전체 공간에서 은하가 차지하는 부피는 매우 작고, 거대 공동이 대부분을 차지한다.

⑵ 은하단이 긴 실타래처럼 서로 연결되어 분포하는 구조를 거대 가락(필라멘트)이라고 하며, 거대 가락이 서로 만나는 부분에서 초은하단이 발견된다.

⑶ 은하 장성은 우주에서 볼 수 있는 최대 규모의 거대 구조로, 초은하단이 장벽처럼 연결된 연속적인 띠 모양을 이룬다.

06 ㄴ. 우주는 큰 구조 안에 작은 구조가 순차적으로 포함된 계층적 구조를 이루고 있으며, 우주 거대 구조는 암흑 물질에 의해 형성된 것으로 추정하고 있다.

ㄷ. 우주 거대 구조는 결국 우주를 구성하고 있는 물질과 에너지의 분포에 따라 결정되며, 현재 관측되는 우주 거대 구조는 우주 진화 초기 단계의 흔적으로 보고 있다.

바로 알기 ㄱ. 수십억 광년 이상의 거시적 규모에서는 은하들이 비교적 등방적으로 균질하게 분포하고 있다.

개념 적용 문제   122쪽

01 ④   **02** ③   **03** ②   **04** ⑤   **05** ⑤   **06** ②
07 ④   **08** ③

01 국부 은하군은 (가)의 우리은하와 (다)의 안드로메다은하를 포함하여 40개 이상의 크고 작은 은하들로 이루어져 있다. (라)의 플레이아데스성단은 우리은하 안에 있는 산개 성단이다. (나)의 퀘이사는 우리은하로부터 매우 먼 거리에 있는 특이 은하이다.

02 ㄱ, ㄴ 이 은하 집단은 우리은하와 안드로메다은하를 포함하여 수십 개의 작은 은하들로 이루어진 국부 은하군이다.

바로 알기 ㄷ. 은하군에 속한 은하들은 서로의 중력에 의해 묶여 있으므로 우주 팽창에 의해 서로 멀어지는 효과보다 서로의 중력에 의한 영향을 크게 받는다.

03 ㄴ. 처녀자리 초은하단은 국부 은하군과 처녀자리 은하단을 포함하여 100여 개 이상의 은하군과 은하단으로 구성되어 있다. 처녀자리 초은하단의 질량 중심에는 처녀자리 은하단이 분포한다.

바로 알기 ㄱ. 처녀자리 초은하단 내에서 은하들은 작은 집단을 이루고 있으므로 은하의 공간 분포가 균일하지 않다.

ㄷ. 초은하단을 이루는 각 은하단은 중력에 의해 강하게 묶여 있지 않기 때문에 우주가 팽창함에 따라 서로 멀어지고 있다.

04 ㄱ. 최근 연구 결과에 따르면, 처녀자리 초은하단은 라니아케아 초은하단이라는 거대 초은하단의 외곽에 분포한다는 것이 밝혀졌다.

ㄴ. 국부 은하군은 처녀자리 초은하단에 포함되므로 라니아케아 초은하단에도 포함된다. 따라서 라니아케아 초은하단은 국부 초은하단으로 인정될 가능성이 있다.

ㄷ. 흰 점은 은하의 분포를, 흰 선은 은하의 이동을 나타내며, 노란색 선은 라니아케아 초은하단의 경계를 나타낸 것이다.

05 ㄱ. ㉠은 최초로 발견된 은하 장성인 CfA2 은하 장성이다. 이 은하 장성에는 헤르쿨레스자리 초은하단, 머리털자리 초은하단, 사자자리 초은하단이 포함된다.

ㄴ. ㉡은 은하가 거의 분포하지 않는 거대 공동이다.

ㄷ. ㉢은 은하단이 길게 연결된 구조로, 거대 가락(필라멘트)이다. 거대 가락이 만나는 곳에 초은하단이 분포한다.

06 ㄷ. 우주 거대 구조에서 은하의 분포를 살펴보면, 비누 거품처럼 속은 비어 있고 빈 공간을 둘러싼 가장자리 부근에만 은하단이 집중적으로 분포하는 것을 알 수 있다. (나)는 비누 거품과 같은 막의 표면에 은하들이 집중적으로 분포하는 모습을 나타낸 것이다.

바로 알기 ㄱ. (가)는 초은하단의 모습을, (나)는 초은하단이 모여 형성하는 우주 거대 구조의 모습을 나타낸 것이다. 따라서 공간 규모는 (가)가 (나)보다 작다.

ㄴ. (가)의 초은하단에 포함된 은하단은 서로의 중력에 강하게 속박되어 있지 않으므로 우주가 팽창함에 따라 서로 멀어지고 있다.

07 ㄴ. A와 B는 은하 장성으로, A는 슬론 은하 장성, B는 CfA2 은하 장성이다. 은하 장성은 은하 집단들이 모여 형성한 거대한 벽과 같은 구조이다.

ㄷ. 우주 공간에는 은하가 거의 분포하지 않는 거대 공동이 존재한다. 거대 공동에서 물질의 밀도는 우주 평균 밀도의 약 10 %에 불과하다.

바로 알기 ㄱ. 이 자료는 수많은 초은하단이 모여 형성한 우주의 거대 구조를 나타낸 것이다.

08 ㄱ. 빅뱅 이후 우주의 팽창으로 우주의 크기는 계속 커졌다. 따라서 우주의 크기는 '(가)<(나)<(다)'이다.

ㄴ. 우주가 팽창하면서 물질들은 중력의 영향으로 밀도가 높은 곳으로 모여들었고, 밀도가 평균보다 높은 곳에서는 은하들이 계속 성장하여 은하군, 은하단, 초은하단을 이루었고, 밀도가 낮은 곳은 점점 더 비어 있는 공간으로 남았다. 그 결과 비누 거품처럼 속이 비어 있고 거품 막을 따라 은하단이 집중적으로 분포하는 구조가 나타난다.

바로 알기 ㄷ. 초기 우주에서 암흑 물질은 보통 물질을 끌어당겨 초은하단을 형성하였고, 결과적으로 은하 장성과 같은 거대 구조가 만들어진 것으로 추정하고 있다.

01 ③	02 ①	03 ⑤	04 ④	05 ⑤	06 ②
07 ②	08 ①	09 ③	10 ④	11 ②	12 ④

01 ㄱ. 이날 태양은 춘분점에 위치하므로 태양은 동점에서 떠서 서점으로 진다. 따라서 이날 태양이 뜨는 지점과 지는 지점의 방위각 차는 180°이다.

ㄴ. A는 적경이 3^h, B는 적경이 $3^h \sim 6^h$ 사이이다. 적경이 작은 천체가 먼저 남중하므로 A가 B보다 먼저 남중한다.

바로 알기 ㄷ. A와 B는 태양보다 적경이 크므로 늦게 남중한다. 한편 A와 B는 모두 태양과의 적경 차가 6^h보다 작으므로 해가 진 직후에 남서쪽 하늘에서 볼 수 있다.

02 ㄱ. 추분날 천구상에서 태양의 위치는 처녀자리 부근에 위치하고, 춘분날에는 물병자리 부근에 위치한다. 따라서 처녀자리와 물병자리는 천구 적도 부근에 있는 별자리이다.

바로 알기 ㄴ. 하짓날 태양은 쌍둥이자리 부근에 위치한다. 따라서 황도 12궁 중 남중 고도가 가장 높은 별자리는 적위가 가장 큰 쌍둥이자리이다.

ㄷ. 춘분날 자정에 추분점이 남중하므로 처녀자리가 남쪽 하늘에 위치하고, 6시간 후에는 궁수자리가 남쪽 하늘에 위치한다. 따라서 04시경에는 남쪽 하늘에서 전갈자리가 보인다.

03 해가 진 직후에 관측하였으므로 A와 B는 모두 동방 이각에 위치하였으며, 관측 기간에 A는 동방 이각이 감소하였고, B는 동방 이각이 증가하였다. 화성이 동방 이각에 위치할 경우 이각이 증가할 수 없으므로 A는 화성, B는 금성이다.

ㄱ. A는 동방 이각에 위치하며, 이 기간에 이각이 감소하였다.

ㄴ. B는 금성이며 동방 이각에 위치하므로 이 기간에 지구와의 거리가 가까워져 시지름이 증가하였다.

ㄷ. A는 동구와 합 사이에, B는 외합과 동방 최대 이각 사이에 위치하므로 이 기간에 두 행성 모두 순행하였다.

04 (가)는 티코 브라헤의 우주관이고, (나)는 프톨레마이오스의 우주관이며, (다)는 코페르니쿠스의 우주관이다.

ㄴ. (가)와 (다)에서는 금성이 태양의 뒤쪽에 위치하는 시기가 있으며, 이때 금성이 보름달 모양의 위상을 갖는다.

ㄷ. (가), (나), (다)에서 모두 수성이 태양으로부터 어느 각도 이상으로 벗어날 수 없다. 따라서 세 우주관 모두 수성의 최대 이각 현상을 설명할 수 있다.

바로 알기 ㄱ. (가)에서는 행성과 태양의 공전 각속도 차이로 역행을 설명하였다. 주전원을 도입하여 행성의 역행을 설명한 우주관은 (나)이다.

05 ㄱ. 지구가 E_1'에 있을 때 춘분점 방향과 태양 사이의 이각이 68°이므로 춘분점 방향−지구−화성이 이루는 각은 168°이다. 적경은 춘분점을 기준으로 서에서 동(시계 반대 방향)으로 측정하므로 화성의 적경은 약 $12^h 48^m$이다.

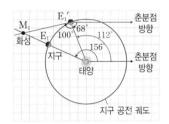

ㄴ. 지구가 E_1에 있을 때 화성은 충이고, 지구가 E_1'에 있을 때 화성은 서구 부근에 위치한다. 화성의 위치 관계는 '충 → 동구 → 합 → 서구 → 충'으로 변하므로 이 기간에 화성이 동구에 위치한 시기가 있었음을 알 수 있다.

ㄷ. 지구가 E_1'에 있을 때, 화성에서 관측되는 지구의 이각은 36°이다. 따라서 화성에서 관측되는 지구의 최대 이각은 36°보다 크다.

06 ㄴ. (다)의 공전 주기는 (가)의 4배이다. 케플러 제3법칙에 따라 공전 궤도 반지름은 (다)가 (가)의 $2^{\frac{4}{3}}$배이다.

$$a^3 \propto P^2 \Rightarrow \left(\frac{a_{(\text{다})}}{a_{(\text{가})}}\right)^3 = \left(\frac{P_{(\text{다})}}{P_{(\text{가})}}\right)^2$$

$$\therefore \frac{a_{(\text{다})}}{a_{(\text{가})}} = 4^{\frac{2}{3}} = 2^{\frac{4}{3}}$$

바로 알기 ㄱ. 공전 속도는 공전 주기가 가장 짧아 목성에서 가장 가까운 곳에 있는 (가)가 가장 빠르다.

ㄷ. (가)와 (나)의 회합 주기와 (가)와 (다)의 회합 주기는 각각 다음과 같다.

$$\frac{1}{S_{(\text{가})-(\text{나})}} = \frac{1}{1} - \frac{1}{2} \Rightarrow S_{(\text{가})-(\text{나})} = 2$$

$$\frac{1}{S_{(\text{가})-(\text{다})}} = \frac{1}{1} - \frac{1}{4} \Rightarrow S_{(\text{가})-(\text{다})} = \frac{4}{3}$$

따라서 (가)와 (나)의 회합 주기는 (가)와 (다)의 회합 주기의 $\frac{3}{2}$이다.

07 ㄴ. (나)의 변광성은 변광 주기가 약 10일이다. 따라서 이 변광성이 종족 Ⅰ 세페이드라면 절대 등급은 약 −4등급이다.

바로 알기 ㄱ. 종족 Ⅰ 세페이드 변광성과 종족 Ⅱ 세페이드 변광성 모두 변광 주기가 길수록 광도가 크다.

ㄷ. (나)의 변광성이 종족 Ⅱ 세페이드라면 절대 등급은 약 −1.5등급이고, 평균 겉보기 등급이 +6등급이므로, 거리 지수 $(m-M)$은 약 7.5이다.

08 ㄱ. (가)는 구성 별이 대부분 색등급도의 왼쪽 위에서 오른쪽 아래의 대각선 방향에 위치하므로 대부분 주계열성이다.

ㄴ. (나)의 색등급도에는 주계열에서 벗어나 오른쪽 위로 이동하는 적색 거성 가지에 많은 별이 분포한다.

바로 알기 ㄷ. 전향점에 위치한 주계열성의 색지수는 (가)가 (나)보다 작으므로 광도는 (가)가 (나)보다 크다.

ㄹ. 성단의 나이가 적을수록 성단에서 주계열성의 비율이 높고, 전향점에 위치한 주계열성의 색지수가 작다. 따라서 성단의 나이는 (가)가 (나)보다 적다.

09 ㄱ. (나)에서는 성운에 의해 성간 소광이 일어나 별이 실제 밝기보다 어둡게 관측되므로 별의 겉보기 등급이 실제보다 크게 관측된다. 따라서 거리 지수는 (가)보다 (나)에서 크게 나타난다.

ㄴ. 성간 소광의 정도는 파장이 짧을수록 증가하므로 m_1과 m_2의 차이는 V 필터보다 B 필터로 관측할 때 크게 나타난다.

바로 알기 ㄷ. (나)에서 성운에 포함된 티끌의 밀도가 클수록 성간 소광량이 커서 적색화가 커지므로 색초과도 커진다.

10 태양과 A, B가 케플러 회전을 하고 있으므로 A에서는 적색 편이, B에서는 청색 편이가 나타난다.

ㄴ. ㉠의 관측 파장은 적색 편이가 나타난 A에서 관측한 자료이며, 관측 파장은 21 cm보다 길다.

ㄷ. 중성 수소의 밀도가 클수록 21 cm 방출선의 복사 세기가 크므로 중성 수소는 B에 더 많이 분포한다는 것을 알 수 있다.

바로 알기 ㄱ. 태양과 A, B가 케플러 회전을 하므로 공간 속도는 은하 중심에서 더 가까운 A가 B보다 빠르다.

11 ㄴ. B는 은하 중심부로부터 멀어질수록 회전 속도가 증가하는 구간이 있다. 이 구간에서는 강체 회전을 한다.

바로 알기 ㄱ. 우리은하의 회전 곡선은 중심부에서 강체 회전을 하고, 태양계 외곽에서 다시 회전 속도가 약간 증가하다가 거의 일정해진다. 따라서 우리은하의 회전 곡선과 가장 유사한 것은 B이다.

ㄷ. 은하 중심에 질량이 많이 분포할수록 케플러 회전을 하며, 외곽에 많은 물질이 분포할수록 은하 중심에서 멀어지더라도 회전 속도가 감소하지 않는다. 따라서 A~C 중 은하 중심부에 질량이 가장 집중된 은하는 A이다.

12 우주 거대 구조에는 은하 장성, 거대 공동(보이드), 거대 가락(필라멘트)이 있다.

ㄴ. 은하들은 그물 모양의 구조를 따라 많이 분포하며, 그 사이에는 은하가 거의 존재하지 않는 빈 영역(거대 공동)이 있다.

ㄷ. 초기 우주에서 에너지 밀도가 높은 영역에서 은하 장성(㉠)의 구조가 형성된다.

바로 알기 ㄱ. 처녀자리 초은하단은 지름이 약 1억 광년이다. 주어진 자료에서 초은하단보다 훨씬 큰 규모의 우주 거대 구조가 나타난다.

01 (1) θ_1은 천구 적도와 지평선이 이루는 각이므로 $(90° -$ 위도$)$ $= 90° - 37.5° = 52.5°$이다. θ_2는 천구 적도와 황도가 이루는 각이므로 $23.5°$이다.

(2) a는 천구의 적도와 황도가 교차하는 지점으로, 태양이 천구의 북반구에서 남반구로 이동하면서 지나는 점이다. 따라서 a는 추분점이다. 제시된 그림은 동쪽 하늘에서 관측한 모습이므로 B는 A보다 적경이 작아 먼저 남중하고 A는 B보다 적위가 커서 남중 고도가 더 높다.

모범 답안 (1) $\theta_1 : 52.5°$, $\theta_2 : 23.5°$

(2) B는 A보다 적경이 작아 먼저 남중하고, A는 B보다 적위가 커서 남중 고도가 더 높다.

	채점 기준	배점(%)
(1)	θ_1, θ_2를 모두 옳게 제시한 경우	40
	θ_1, θ_2 중에서 한 가지만 옳게 제시한 경우	20
(2)	남중 시각과 남중 고도를 모두 옳게 비교한 경우	60
	남중 시각과 남중 고도 중 한 가지만 옳게 비교한 경우	30

02 (1) A는 새벽에 동쪽 하늘에서 관측되었으므로 서방 최대 이각에 위치한다. 따라서 A의 공전 궤도 반지름은 0.5 AU이다.

$$\sin 30° = \frac{\text{A의 공전 궤도 반지름}}{\text{지구 공전 궤도 반지름}} = \frac{1}{2}$$

(2) B가 자정 무렵에 남쪽 하늘에서 관측되었으므로 B는 충에 위치하였다. 이날 시지름이 가장 작게 보였을 때보다 $\frac{5}{3}$배 컸으므로, 합일 때 지구에서 B까지의 거리(p)는 충일 때 지구에서 B까지의 거리(q)보다 $\frac{5}{3}$배 멀다. 또한 합일 때 지구에서 B까지의 거리(p)와 충일 때 지구에서 B까지의 거리(q)의 차는 지구 공전 궤도 반지름의 2배와 같다. 따라서 다음 두 식이 성립한다.

$$\frac{p}{q} = \frac{5}{3} \qquad \cdots\cdots ①$$
$$p - q = 2\,(\text{AU}) \qquad \cdots\cdots ②$$

①, ②를 연립하여 정리하면 p는 5 AU, q는 3 AU이고, B의 공전 궤도 반지름은 4 AU이다.

모범 답안 (1) 이날 A는 서방 최대 이각 $30°$에 위치하였다. 따라서 A의 공전 궤도 반지름은 지구 공전 궤도 반지름의 $\frac{1}{2}$배인 0.5 AU이다.

(2) 합일 때 지구에서 B까지의 거리를 p, 충일 때 지구에서 B까지의 거리를 q라고 하면 다음의 두 식이 성립한다.

$$\frac{p}{q} = \frac{5}{3} \qquad \cdots\cdots ①$$
$$p - q = 2\,(\text{AU}) \qquad \cdots\cdots ②$$

①, ②를 연립하여 정리하면 p는 5 AU, q는 3 AU이다. 따라서 B의 공전 궤도 반지름은 4 AU이다.

	채점 기준	배점(%)
(1)	A의 궤도 반지름을 구하는 풀이 과정과 답이 모두 옳은 경우	40
	A의 궤도 반지름을 구하는 방법은 옳게 제시하였으나 계산 과정에서 실수한 경우	20
(2)	B의 궤도 반지름을 구하는 풀이 과정과 답이 모두 옳은 경우	60
	B의 궤도 반지름을 구하는 방법은 옳게 제시하였으나 계산 과정에서 실수한 경우	30

03 (1) 주어진 자료에서 지구에서 태양까지의 거리는 항상 일정하고, 지구에서 금성까지의 거리가 지구에서 태양까지의 거리보다 항상 작다. 따라서 이 우주관은 금성이 태양과 지구 사이에서 주전원 운동을 하는 프톨레마이오스의 지구 중심설에 해당한다.

(2) t_1과 t_2일 때 금성의 위상은 삭에 해당한다. 금성이 t_1에서 t_2로 이동하는 동안 지구로부터의 거리가 가까워지므로 금성은 동방 이각에 위치한다. 따라서 이 기간에 금성의 위상은 초승달 모양으로 나타난다.

모범 답안 (1) 지구 중심설

(2) t_1과 t_2일 때 금성의 위상은 삭이며, t_1에서 t_2로 이동하는 동안 금성의 위상은 초승달 모양이다.

	채점 기준	배점(%)
(1)	지구 중심설을 옳게 제시한 경우	30
	부분 점수 없음	0
(2)	t_1, t_2, $t_1 \sim t_2$ 사이의 위상을 모두 옳게 설명한 경우	70
	t_1, t_2를 옳게 제시하고, $t_1 \sim t_2$ 사이 위상을 초승달 ~ 상현달로 관측된다고 설명한 경우	50
	t_1, t_2일 때만 옳게 설명한 경우	20

04 소행성 A의 공전 주기가 0.5년이므로 지구와의 회합 주기는 1년이다. 소행성 B와 지구의 회합 주기가 3년이므로 B의 공전 주기는 $\frac{3}{4}$년 또는 1.5년이다.

$$\text{소행성 B:} \quad \frac{1}{S_B} = \left| \frac{1}{1\text{년}} - \frac{1}{P_B} \right| = \frac{1}{3}$$

$$\therefore P_B = 0.75\text{년 또는 } 1.5\text{년}$$

C와 지구의 회합 주기가 1.5년이므로 C의 공전 주기는 0.6년 또는 3년이다.

소행성 C: $\dfrac{1}{S_C} = \left| \dfrac{1}{1년} - \dfrac{1}{P_C} \right| = \dfrac{1}{1.5}$

$\therefore P_C = \dfrac{3}{5}$년 또는 3년

한편 A에서 관측한 C의 회합 주기는 B에서 관측한 C의 회합 주기의 3배라고 하였으므로, A와 C의 공전 주기 차가 B와 C의 공전 주기 차보다 작아야 한다. 따라서 C의 공전 주기는 $\dfrac{3}{5} = 0.6$ (년)이며, 이에 따라 회합 주기가 3배가 되려면 B의 공전 주기는 1.5년이 되어야 한다.

모범 답안 ⑴ B는 회합 주기가 3년이므로 공전 주기가 $\dfrac{3}{4}$년 또는 1.5년이다. C는 회합 주기가 1.5년이므로 공전 주기가 $\dfrac{3}{5}$년 또는 3년이다. 한편, (다)에서 A에서 관측한 C의 회합 주기는 B에서 관측한 C의 회합 주기의 3배라고 했으므로 이 값이 성립하려면 B의 공전 주기는 1.5년, C의 공전 주기는 $\dfrac{3}{5}$년이다.

⑵ A의 공전 주기는 0.5년, B의 공전 주기는 1.5년이다. 따라서 A의 공전 궤도 반지름은 지구의 $0.5^{\frac{2}{3}}$배, B의 공전 궤도 반지름은 지구의 $1.5^{\frac{2}{3}}$배이고, B의 공전 궤도 반지름은 A의 $3^{\frac{2}{3}}$배가 된다.

	채점 기준	배점(%)
⑴	풀이 과정과 답을 모두 옳게 제시한 경우	50
	풀이 과정에 오류가 있는 경우	25
⑵	풀이 과정과 답을 모두 옳게 제시한 경우	50
	풀이 과정에 오류가 있는 경우	25

05 ⑴ 성단의 색등급도에서 별이 진화하여 주계열을 벗어나는 지점을 전향점이라고 한다. 질량이 큰 별일수록 빠르게 진화하여 주계열을 벗어나므로, 나이가 적은 성단일수록 전향점의 색지수가 작다.

⑵ 색지수가 동일한 주계열성은 절대 등급도 같다. 따라서 두 성단의 주계열을 맞추었을 때 겉보기 등급이 더 큰 성단이 거리 지수가 더 크다.

모범 답안 ⑴ 전향점에 위치한 주계열성의 색지수가 (가)가 (나)보다 작으므로 성단의 나이는 (가)가 (나)보다 적다.

⑵ (가)와 (나)의 주계열 맞추기를 해보면 겉보기 등급은 (가)가 (나)보다 더 크다. 따라서 성단의 거리 지수는 (가)가 (나)보다 크다.

	채점 기준	배점(%)
⑴	성단의 나이를 옳게 비교하고 그 까닭을 전향점과 관련지어 설명한 경우	50
	성단의 나이만 옳게 비교한 경우	25
⑵	성단의 거리 지수를 주계열성의 겉보기 등급을 비교하여 옳게 설명한 경우	50
	거리 지수의 크기만 옳게 비교한 경우	25

06 ⑴ 전파는 성간 물질에 거의 흡수되지 않으므로 가시광선 관측으로는 알 수 없었던 은하의 구조를 알아내는 데 중요한 역할을 한다. 특히 중성 수소에서 방출되는 21 cm 전파, 즉 21 cm 수소선을 전파 망원경으로 포착해 은하 원반에 분포하는 수소운이 나선팔의 형태를 이루는 것을 알게 되었다.

⑵ 성간 티끌에 의한 성간 소광량은 빛의 파장에 따라 다른데, 파장이 짧을수록 소광 정도가 증가한다. 따라서 전파, 적외선, 가시광선 영역 중 성간 소광량은 가시광선 영역에서 가장 크며, 가시광선에서는 긴 파장의 붉은빛보다 짧은 파장의 파란빛에서 소광량이 크다.

모범 답안 ⑴ 중성 수소에서 21 cm 수소선을 방출하므로 (가)를 통해 중성 수소의 분포를 알 수 있다.

⑵ 성간 소광량은 빛의 파장이 짧을수록 증가하므로 (다)의 가시광선 영상에서 성간 소광의 영향을 가장 많이 받았다.

	채점 기준	배점(%)
⑴	중성 수소와 21 cm 수소선의 관계를 옳게 설명한 경우	50
	(가)만 옳게 제시한 경우	25
⑵	성간 소광과 관측 파장의 관계를 옳게 설명한 경우	50
	(다)만 옳게 제시한 경우	25

07 은하 중심으로부터의 거리가 r이고 질량이 m인 별이 은하 중심을 기준으로 v의 속도로 회전할 때, 별의 궤도 안쪽에 포함된 은하 질량(M)이 별에 미치는 만유인력이 별이 원운동하는 구심력으로 작용한다. 만유인력 $= \dfrac{GMm}{r^2}$, 구심력 $= \dfrac{mv^2}{r}$이므로 $\dfrac{GMm}{r^2} = \dfrac{mv^2}{r}$의 관계가 성립하고, 은하 중심으로부터 거리 r까지의 은하 질량은 $M = \dfrac{rv^2}{G}$이다($G = 6.67 \times 10^{-11}\,\mathrm{N \cdot m^2/kg^2}$).

모범 답안 ⑴ 태양 질량을 $M_\odot$, 은하 중심으로부터 거리 r 안쪽에 있는 은하의 질량을 M이라고 하자. 이때 거리 r에서 태양에 작용하는 만유인력 $G\dfrac{MM_\odot}{r^2}$과 태양에 작용하는 구심력 $\dfrac{M_\odot v^2}{r}$은 서로 같다. 은하 중심으로부터 태양까지의 거리 r은 8 kpc, 회전 속도 v는 약 220 km/s이므로 태양 궤도 안쪽에 은하 중심부에 모여 있는 우리 은하의 질량 M은 다음과 같이 구할 수 있다.

$$M = \frac{rv^2}{G} = \frac{(8\,\text{kpc}) \times (220\,\text{km/s})^2}{6.67 \times 10^{-11}\,\text{m}^3/\text{kg} \cdot \text{s}^2}$$
$$= \frac{(8 \times 3 \times 10^{19}\,\text{m}) \times (220 \times 10^3\,\text{m/s}^2)^2}{6.67 \times 10^{-11}\,\text{m}^3/\text{kg} \cdot \text{s}^2}$$
$$\fallingdotseq 1.7 \times 10^{41}\,\text{kg} \fallingdotseq 10^{11}\,M_\odot$$

태양 질량이 $2 \times 10^{30}\,\text{kg}$이므로 우리은하의 질량은 태양 질량의 약 10^{11}배이다.

(2) 은하 중심으로부터의 거리가 15 kpc인 별 A의 회전 속도는 약 250 km/s이다. 따라서 15 kpc 궤도 안쪽에 있는 우리은하의 질량을 구하면 다음과 같다.

$$M = \frac{rv^2}{G} = \frac{(15\,\text{kpc}) \times (250\,\text{km/s})^2}{6.67 \times 10^{-11}\,\text{m}^3/\text{kg} \cdot \text{s}^2}$$
$$= \frac{(15 \times 3 \times 10^{19}\,\text{m}) \times (250 \times 10^3\,\text{m/s}^2)^2}{6.67 \times 10^{-11}\,\text{m}^3/\text{kg} \cdot \text{s}^2}$$
$$\fallingdotseq 4.2 \times 10^{41}\,\text{kg} \fallingdotseq 2.1 \times 10^{11}\,M_\odot$$

이 값은 과정 (1)에서 구한 우리은하의 질량보다 약 2배 크다. 따라서 우리은하에는 태양 궤도의 외곽에 많은 물질이 존재함을 알 수 있다.

	채점 기준	배점(%)
(1)	풀이 과정과 답이 모두 옳은 경우	50
	풀이 과정에 일부 오류가 포함된 경우	25
(2)	풀이 과정과 우리은하의 질량 분포에 대한 설명이 모두 옳은 경우	50
	풀이 과정에 오류가 있으나, 우리은하의 질량 분포에 대해 옳게 설명한 경우	25

08 초기 우주에는 물질 분포의 미세한 차이가 있었고, 물질은 중력의 영향으로 밀도가 큰 곳으로 모여들어 별과 은하를 형성하였다. 이 과정에서 밀도가 평균보다 큰 곳에서는 은하들이 계속 성장하여 은하군, 은하단, 초은하단을 이루었고, 밀도가 작은 곳은 비어 있는 공간으로 남아 거대 공동을 형성하였다.

모범 답안 (1) 은하 장성, 거대 공동(보이드), 거대 가락(필라멘트)

(2) 우주 배경 복사의 차이는 미세한 물질 분포의 차이를 나타낸다. 물질은 중력의 영향으로 밀도가 높은 곳으로 모여들어 별과 은하를 만들었고, 은하들의 집단이 계속 성장하여 은하 장성과 거대 가락이 형성되었다. 한편, 밀도가 낮은 곳은 점점 더 비어 있는 공간으로 남아 거대 공동을 형성하였다.

	채점 기준	배점(%)
(1)	은하 장성, 거대 공동, 거대 가락을 모두 옳게 쓴 경우	30
	3가지 중 2가지만 옳게 쓴 경우	20
	3가지 중 1가지만 옳게 쓴 경우	10
(2)	우주 배경 복사를 물질의 분포와 관련지어 옳게 설명한 경우	70
	설명한 내용에 옳지 않은 부분이 포함된 경우	35

논구술 대비 문제 ▶ **III. 우주** **138쪽**

실전 문제

1 화성의 공전 주기가 22개월이므로 화성의 공전 각속도는 $\frac{360°}{22개월}$이고, 지구와 화성의 회합 주기는 약 26개월이다.

$$\frac{1}{S} = \frac{1}{12개월} - \frac{1}{22개월} \Rightarrow S \fallingdotseq 26개월$$

탐사선이 지구에서 출발할 때의 위치 관계와 화성에서 지구로 출발할 때 위치 관계가 동일해야 하므로, 화성 유인 탐사에 필요한 최소 기간은 회합 주기에 탐사선의 귀환 시간(8개월)을 더해야 한다.

예시 답안 (1) 화성은 공전 주기가 약 22개월이므로 8개월 동안 태양을 중심으로 약 131° 공전한다. 따라서 탐사선이 지구에서 출발할 당시 '지구-태양-화성'이 이루는 각은 약 49°이며 화성은 서구 부근에 위치한다.

(2) 탐사선이 추진력 없이 케플러 법칙에 따라 궤도 운동하여 8개월 후에 화성과 만나려면 '지구-태양-화성'이 이루는 각이 약 49°가 되었을 때 탐사선이 지구에서 출발해야 한다. 마찬가지로 화성에서 지구로 귀환할 경우에도 '지구-태양-화성'이 이루는 각이 약 49°가 되었을 때, 즉, 지구에서 출발할 때와 동일한 위치 관계가 되었을 때 화성에서 출발할 수 있다. 따라서 화성 유인 탐사에 필요한 시간은 지구와 화성의 회합 주기에 탐사선이 화성에서 지구로 귀환하는 데 걸리는 기간인 8개월을 더해야 한다. 화성의 회합 주기는 약 26개월이므로 화성 유인 탐사는 최소 34개월이 걸린다.

2 (1) 표에서 세페이드 변광성의 겉보기 등급이 0.5등급 감소할 때마다 $\log P$는 0.2씩 증가하였다. 따라서 겉보기 등급이 14등급에 해당하는 $\log P$는 1.8이고, P는 약 63일이다.

$$\log P = 1.8 = 1.0 + 0.8$$
$$= \log(10) + \log(6.3) = \log 63$$
$$\therefore P = 63$$

(2) 표에서 변광 주기가 10일인 세페이드 변광성은 겉보기 등급이 16등급이고, 그래프에서 이 변광성의 절대 등급은 -4등급이다. 따라서 세페이드 변광성의 거리 지수는 $16 - (-4) = 20$이고, $5 \log r - 5 = 20$이므로 거리는 10^5 파섹이다.

예시 답안 (1) 제시된 자료에서 $\log P$와 겉보기 등급은 선형 관계가 있으므로 겉보기 등급이 14등급인 세페이드 변광성의 $\log P = 1.80$이다. 따라서 P는 약 63일이다.

(2) 세페이드 변광성의 변광 주기가 같으면 절대 등급이 같다. 은하 X와 은하 Y의 거리가 같다면, 은하 Y에서 변광 주기가 10일인 변광성의 겉보기 등급은 16등급이어야 한다. 하지만 18등급으로 관측되었으므로 성간 소광에 의해 2등급이 크게 관측된 것이다.

HIGH TOP

하이탑

과학 고수들의 필독서

자연계를 선택할 학생이라면, 단연 하이탑!!

HIGHTOP

High Top

1권

지구과학 II

이 책의 구성과 특징

지금껏 선생님들과 학생들로부터 고등 과학의 바이블로 명성을 이어온 하이탑의 자랑거리는 바로,

- 기초부터 심화까지 이어지는 튼실한 내용 체계
- 백과사전처럼 자세하고 빈틈없는 개념 설명
- 내용의 이해를 돕기 위한 풍부한 자료
- 과학적 사고를 훈련시키는 논리정연한 문장

이었습니다. 이러한 전통과 장점을 이 책에 이어 담았습니다.

1 개념과 원리를 익히는 단계

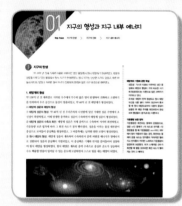

● 개념 정리
여러 출판사의 교과서에서 다루는 개념들을 체계적으로 다시 정리하여 구성하였습니다.

● 시선 집중
중요한 자료를 더 자세히 분석하거나 개념을 더 잘 이해할 수 있도록 추가로 설명하였습니다.

● 시야 확장
심도 깊은 내용을 이해하기 쉽도록 원리나 개념을 자세히 설명하였습니다.

● 탐구
교과서에서 다루는 탐구 활동 중에서 가장 중요한 주제를 선별하여 수록하고, 과정과 결과를 철저히 분석하였습니다.

● 집중 분석
출제 빈도가 높은 주요 주제를 집중적으로 분석하고, 유제를 통해 실제 시험에 대비할 수 있도록 하였습니다.

● 심화
깊이 있게 이해할 필요가 있는 개념은 따로 발췌하여 심화 학습할 수 있도록 자세히 설명하고 분석하였습니다.

● 개념 모아 정리하기
각 단원에서 배운 핵심 내용을 빈칸에 채워 나가면서 스스로 정리하는 코너입니다.

● 개념 기본 문제
각 단원의 기본적이고 핵심적인 내용의 이해 여부를 평가하기 위한 코너입니다.

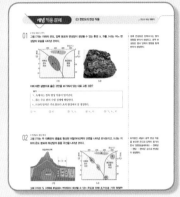

● 개념 적용 문제
기출 문제 유형의 문제들로 구성된 코너입니다. '고난도 문제'도 수록하였습니다.

● 통합 실전 문제
중단원별로 통합된 개념의 이해 여부를 확인함으로써 실전을 대비할 수 있도록 구성하였습니다.

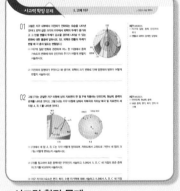

● 사고력 확장 문제
창의력, 문제 해결력 등 한층 높은 수준의 사고력을 요하는 서술형 문제들로 구성하였습니다.

● 논구술 대비 문제
논구술 시험에 출제되었거나, 출제 가능성이 높은 예상 문제로서, 답변 요령 및 예시 답안과 함께 제시하였습니다.

● 정답과 해설
정답과 오답의 이유를 쉽게 이해할 수 있도록 자세하고 친절한 해설을 담았습니다.

❝
하이탑은
과학에 대한 열정을 지닌 독자님의
실력이 더욱 향상되길 기원합니다.
❞

Contents

이 책의 차례 · 지구과학

" 자세하고 짜임새 있는 설명과 수준 높은 문제로 실력의 차이를 만드는 High Top "

1권

고체 지구

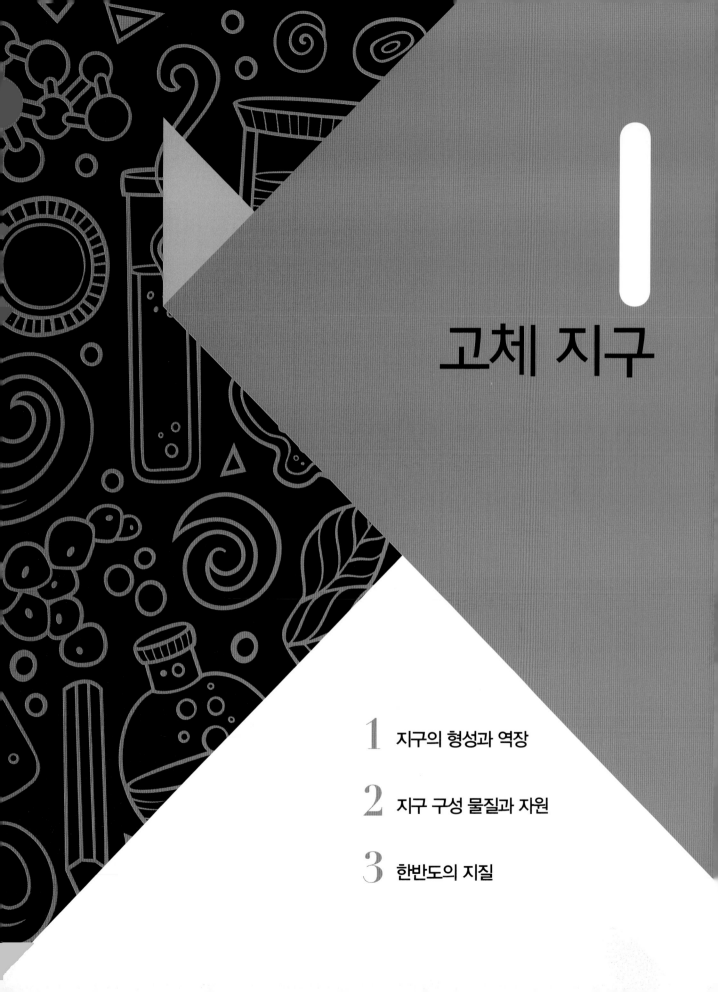

I

고체 지구

1
지구의 형성과 역장

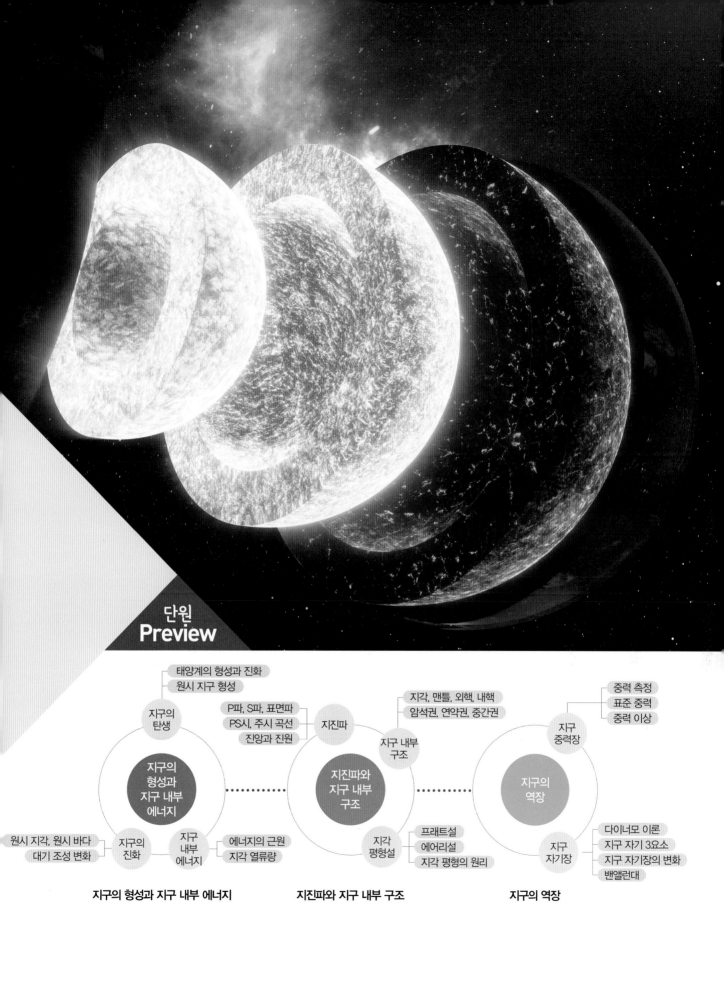

01 지구의 형성과 지구 내부 에너지

학습 Point 지구의 탄생 > 지구의 진화 > 지구 내부 에너지

 지구의 탄생

약 46억 년 전에 기체와 티끌로 이루어진 성간 물질에서 원시 태양계가 형성되었고, 태양계 성운을 이루고 있던 물질에서 원시 지구가 탄생하였다. 원시 지구는 단단한 지각도 없었고, 푸른 하늘과 바다도 없었다. 이러한 원시 지구가 진화하여 현재와 같은 지구 환경으로 변하였다.

1. 태양계의 형성

약 138억 년 전 대폭발로 시작된 우주에서 무수히 많은 별이 탄생하여 진화하고 소멸하기를 반복하며 우주 공간으로 물질이 방출되었고, 약 46억 년 전 태양계가 형성되었다.

(1) 태양계 성운과 태양의 형성

① 태양계 성운의 형성: 약 46억 년 전 우리은하의 나선팔에 있던 거대한 성운 주변에서 초신성이 폭발하였고, 이때 발생한 충격파로 성운이 수축하면서 태양계 성운이 형성되었다.

② 태양계 성운의 수축과 회전: 태양계 성운은 자체 중력으로 수축하며 서서히 회전하였고, 각운동량 보존 법칙에 따라 그 회전 속도가 점차 빨라졌다. 성운을 이루는 물질 대부분이 중심으로 모여들어 중심핵을 형성하였고, 그 바깥쪽에는 납작한 원반 모양이 형성되었다.

③ 원시 태양의 형성: 태양계 성운이 계속하여 수축하면서 중력 퍼텐셜 에너지가 열에너지로 전환되어 성운의 중심핵이 가열되었고, 이 중심핵은 기체와 먼지를 끌어들이며 성장하여 원시 태양을 형성하였다. 원시 태양은 계속된 중력 수축으로 중심부 온도가 상승하여 수소 핵융합 반응이 일어날 수 있는 온도에 도달하면서 스스로 빛을 내는 태양이 되었다.

태양계의 기원에 관한 학설
• 성운설: 가스와 티끌로 이루어진 성간 물질에서 태양과 행성이 거의 비슷한 시기에 형성되었다는 이론으로 많은 과학자가 지지하고 있다.
• 조석설: 태양이 먼저 형성되고 원시 태양 부근을 다른 별이 가까이 접근하여 통과할 때 원시 태양으로부터 다량의 물질이 분출된 후 태양 주위를 회전하면서 응집하여 행성들이 생겨났다는 이론이다.

각운동량 보존 법칙
각운동량은 회전하는 물체의 운동량으로, 질량 m인 물체가 v의 속도로 반지름 r인 원운동을 할 때 각운동량은 mvr이다. 외부에서 힘이 작용하지 않는 경우, 회전하는 물체의 운동 속도는 반지름이 작아지면 빨라지고 반지름이 커지면 느려져서 각운동량이 일정하게 보존된다. 피겨 스케이팅 선수가 회전할 때 팔을 오므리면 회전 속도가 빨라지는 것이 그 예이다.

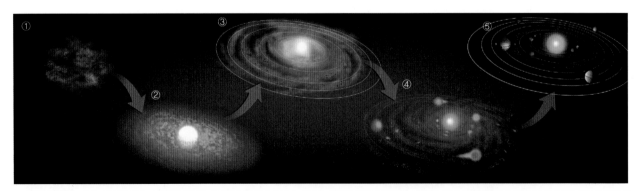

▲ **태양계의 형성 과정** 우리은하의 나선팔에 위치한 거대한 성운이 수축하며 태양계 성운이 형성되었다(①). 태양계 성운이 회전하며 수축하면서 납작한 원반 모양을 형성하였고 그 중심부에 원시 태양이 형성되었다(②). 원반부에서 미행성체가 형성되었으며(③). 이후 수많은 미행성체가 충돌, 병합하며 원시 행성이 만들어졌고(④). 태양계의 각 행성으로 진화하였다(⑤).

010 > I. 고체 지구

(2) 태양계 행성의 형성

① **미행성체의 형성**: 태양계 성운의 원반부에서 회전하는 물질들은 수많은 고리를 형성하였다. 태양계 성운의 온도가 서서히 낮아지면서 원반부의 물질들이 먼지와 얼음 등의 고체 입자로 응축하였고, 이들이 서로 충돌하며 집적하여 수많은 미행성체를 형성하였다.

② **원시 행성의 형성**: 미행성체가 지속적으로 충돌하며 병합하면서 성장하면 주변의 다른 미행성체와 원반부의 물질을 끌어 모은다. 미행성체가 성장하여 그 크기가 약 1000 km 이상이 되면 자체 중력에 의해 구형을 유지할 수 있는데, 이를 원시 행성이라고 한다.

• **지구형 행성의 형성**: 원시 태양 부근의 원반 안쪽은 태양의 복사열로 인해 온도가 높고 태양풍이 강해서 메테인, 암모니아 등의 가벼운 휘발성 물질은 대부분 증발하여 바깥쪽으로 날아갔고, 규산염 및 철, 니켈과 같은 금속 등의 무거운 성분이 남아 미행성체를 형성하였다. 미행성체가 충돌·병합하여 밀도가 크고 질량이 작은 지구형 행성이 형성되었다.

• **목성형 행성의 형성**: 원반 바깥쪽은 상대적으로 온도가 낮아서 태양풍에 의해 밀려난 기체와 얼음 입자들이 분포하였고, 얼음 입자와 티끌 등이 충돌하며 집적하여 미행성체를 형성하였다. 미행성체가 충돌·병합하며 성장하여 자체 중력이 충분해지면 주변의 기체 물질을 빠르게 끌어 모아 밀도가 작고 질량이 큰 목성형 행성이 형성되었다.

2. 원시 지구의 탄생

태양계 성운의 원반 안쪽에서 주로 규산염과 금속 성분의 미행성체들이 충돌·병합하며 성장하여 원시 지구를 형성하였다. 초기에 원시 지구는 크기가 작았지만, 태양 주위를 공전하는 동안 주변의 수많은 미행성체가 지구 중력에 이끌려 충돌하면서 크기가 증가하였다.

◀ **원시 지구의 형성 과정**

시야확장 ➕ 태양계의 특징

❶ 우주에 가장 많은 원소인 수소와 헬륨이 태양계 총 질량의 약 98 %를 차지하는데, 이는 수소와 헬륨으로 이루어진 성운에서 태양계가 탄생하였기 때문이다. 지구의 생명체를 이루는 산소, 규소, 탄소, 질소 등은 별의 진화 과정을 통해 생성된 것이다.

❷ 혜성을 제외한 대부분의 태양계 구성 천체들은 태양의 적도면과 거의 일치하는 평면 위에서 같은 방향으로 공전하고 있다. 이는 태양계가 회전하는 성운으로부터 만들어졌기 때문이다.

❸ 지구형 행성은 반지름이 작고 밀도가 크지만, 목성형 행성은 반지름이 크고 밀도가 작다. 이러한 밀도 차이는 행성의 구성 물질 차이 때문으로, 녹는점에 따라 다음과 같이 구분한다.
　① 기체: 주로 수소와 헬륨으로, 녹는점이 0 K에 가까워서 기체 상태로 존재한다.
　② 암석: 주로 규산염 물질과 철, 니켈 등의 금속 물질로, 녹는점이 700 ℃ 이상으로 태양계 성운에서 고체 상태로 존재한다.
　③ 얼음: 녹는점이 기체와 암석의 중간 정도인 물질로, 암모니아(NH_3), 메테인(CH_4), 이산화 탄소(CO_2), 물(H_2O) 등이 해당한다. 태양계 성운의 원반 바깥쪽에서 얼음 상태로 존재한다.

② 지구의 진화

지구가 탄생한 직후의 지구 환경은 현재와는 전혀 달랐다. 원시 지구에 마그마 바다가 형성된 후 점차 냉각되면서 지구 내부의 층상 구조가 형성되었고, 원시 지각과 원시 바다가 만들어지고 변화하면서 현재의 지구로 진화하였다.

1. 핵과 맨틀의 분화

미행성체의 충돌과 병합으로 원시 지구가 탄생한 당시에 지구 내부는 비교적 균질하였으나, 지구의 온도가 점차 높아지며 마그마 바다가 형성되었고, 핵과 맨틀이 분화되었다.

⑴ **마그마 바다의 형성:** 미행성체가 지표면에 충돌하는 과정에서 전환된 열에너지와 지구 내부에 포함된 방사성 동위 원소의 붕괴열, 지구가 중력 수축하며 전환된 열에너지 등으로 원시 지구의 온도가 점점 높아졌다. 그 결과 원시 지구를 구성하는 물질의 상당 부분이 녹아 지표면과 지구 내부의 수백 km 깊이까지 마그마 바다를 이루었다.

⑵ **핵과 맨틀의 분화:** 지구 내부 온도는 계속해서 상승하여 철과 니켈 등의 금속 물질의 용융 온도 이상까지 도달하였다. 이후 철과 니켈 등의 밀도가 큰 금속 물질은 지구 중심부로 가라앉아 핵을 형성하였고, 밀도가 작은 규산염 물질은 바깥쪽으로 떠올라 맨틀을 형성하였다.

2. 지각과 대기, 바다의 형성

지구의 핵과 맨틀이 분리된 후, 미행성체의 충돌 횟수가 점차 감소하면서 지구 표면이 서서히 식어 원시 지각이 형성되었고, 원시 대기와 원시 바다가 차례로 만들어졌다.

⑴ **원시 지각의 형성:** 미행성체들이 충돌하며 지구의 크기가 현재와 비슷한 정도로 커졌고, 시간이 흐를수록 미행성체의 충돌 횟수가 점차 줄어들자 지구 표면이 서서히 식었다. 지구 표면 온도가 암석의 용융 온도 이하로 내려가면서 얇은 원시 지각이 형성되었고, 원시 지각은 맨틀 위에 떠있었다. 현재까지 발견된 가장 오래된 광물의 절대 연령이 약 44억 년으로 측정되므로, 최초의 원시 지각은 그 이전에 생성되었다고 추정할 수 있다. 맨틀이 대류하며 해양 지각이 맨틀 속으로 섭입하고, 계속되는 화산 활동으로 마그마의 조성이 점차 변하면서 대륙 지각이 형성되었다.

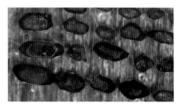

▲ **잭 힐스 지르콘(Jack Hills Zircons)** 오스트레일리아 잭 힐스 지역의 암석에 포함된 광물로, 방사성 동위 원소로 측정한 절대 연령이 약 44억 년이다(출처: Earth's Oldest Rocks, pp.266−278).

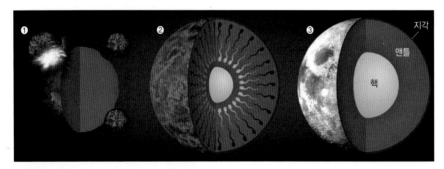

▲ **지구 내부의 층상 구조 형성** ① 미행성체의 충돌·병합으로 원시 지구가 성장하였다. ② 미행성체의 충돌 시 발생한 열과 방사성 동위 원소의 붕괴열 등으로 마그마 바다가 형성된 후, 밀도가 큰 금속 물질은 지구 중심부로 가라앉고 상대적으로 밀도가 작은 규산염 물질은 바깥쪽으로 이동하여 핵과 맨틀이 형성되었다. ③ 미행성체의 충돌 빈도가 감소하면서 지표의 온도가 낮아져 원시 지각이 형성되었다.

(2) **원시 대기의 형성:** 원시 지구의 활발한 화산 활동으로 화산 가스가 대량으로 방출되며 수증기(H_2O)와 이산화 탄소(CO_2) 등으로 이루어진 원시 대기가 형성되었다. 원시 대기의 주성분은 수증기였으며, 수증기와 이산화 탄소의 온실 효과로 인해 기온이 매우 높았다.

(3) **원시 바다의 형성:** 미행성체의 충돌이 잦아들면서 지표 온도가 낮아졌고, 대기 중 수증기가 응결하여 비로 내리면서 낮은 곳으로 흘러들어 원시 바다가 형성되었다. 원시 바다는 지구 탄생 후 약 1억 년이 지난 무렵에 형성되었으며, 수온이 약 150 ℃에 달하였고 강한 산성을 띠었다. 해저 화산 활동으로 많은 양의 염화 이온(Cl^-)이 해수에 용해되고, 빗물과 강물이 지각에서 나트륨, 마그네슘, 칼슘 등의 성분을 녹여 바다로 운반하며 해수에 다양한 염류가 포함되고 염분이 점차 증가하였다.

3. 지구 대기의 진화
수증기와 이산화 탄소가 대부분을 차지하고 기압이 높았던 원시 대기와 현재의 지구 대기는 그 조성이 매우 다르다. 원시 대기는 오랜 시간에 걸쳐 그 조성이 변하여 왔다.

(1) **수증기:** 원시 대기 중 함량이 가장 높았던 수증기는 두꺼운 구름층을 형성하여 비로 내렸고, 일부는 강한 자외선에 의해 산소와 수소로 분해되었다. 이때 생성된 산소는 곧바로 다른 물질과 결합하여 산화물로 바뀌었고, 수소는 가벼워서 지구를 이탈하였다.

(2) **이산화 탄소:** 초기 원시 대기에서 이산화 탄소의 분압(부분 압력)은 수 기압에 이르렀으나, 바다가 형성된 후 급격히 감소하였다. 이산화 탄소는 탄산 이온의 형태로 해수에 쉽게 용해되어서 해수의 여러 이온과 반응하여 탄산 칼슘($CaCO_3$) 등으로 침전하였고, 해양 생물의 출현 이후 생물체에 흡수되어 유기적 퇴적물로 석회암을 형성하면서 대기 중 농도가 감소하였다.

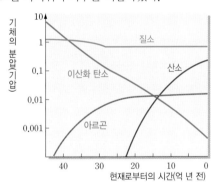
▲ 지구 대기 성분의 변화

(3) **산소:** 대기 중의 수증기가 자외선에 의해 분해되면서 산소가 만들어졌고, 약 35억 년 전에 바다에서 남세균이 출현하여 광합성을 시작한 이후 산소가 생성되었다. 그러나 이렇게 만들어진 산소는 곧바로 다른 물질과 결합하였기 때문에 대기 중에서 산소 기체(O_2)의 형태로 존재할 수 없었다. 생물의 광합성에 의한 산소의 생산량이 증가하면서 약 22억 년 전부터 대기 중에 산소가 축적되기 시작하였고, 대기 중 산소가 충분해진 후 오존층이 형성되어 자외선을 차단하자 육상으로 생물이 진출할 수 있게 되었다.

(4) **질소:** 질소는 원시 지구로부터 현재에 이르기까지 거의 일정한 분압을 유지하고 있다. 질소는 화산 가스로 분출되며, 암모니아가 자외선에 의해 분해되어 생성되기도 하였다. 질소는 생명체를 구성하는 아미노산의 필수 원소로 최초의 생물이 출현한 후 생물체에 흡수되었고, 생물의 유해가 유기적 퇴적물을 형성하면서 대기 중 질소 농도가 감소하였다. 그 후 질소 순환계가 형성되어 대기와 지표 사이에 질소 농도의 평형 상태가 유지되었다.

(5) **아르곤:** 원시 대기에서 아르곤(Ar)은 화산 활동으로 방출되며 그 함량이 증가하다가, 원시 지각이 형성된 후 화산 활동이 감소하자 그 분압이 거의 일정하게 유지되고 있다.

원시 대기와 현재의 대기 구성 성분 비교

원시 대기	현재 대기
수증기(H_2O)	질소(N_2) 78 %
이산화 탄소(CO_2)	산소(O_2) 21 %
메테인(CH_4)	아르곤(Ar) 0.9 %
암모니아(NH_3)	수증기(H_2O)
질소(N_2)	0.003~0.03 %
	이산화 탄소(CO_2)
	0.04 %

백악층
영국 도버 지역 해안을 따라 분포하는 석회암층으로, 유공충의 유해가 쌓여 만들어진 석회암 퇴적층이다.

남세균의 광합성과 대기 중 산소 농도 변화
최초의 광합성 생물인 남세균(시아노박테리아, 남조류)의 출현 후, 초기에 생성된 산소는 해수에 용해되어 있던 철 이온과 결합하여 대량의 산화철 광물로 퇴적되었다. 이 퇴적층을 호상 철광층이라 하며, 호상 철광층은 약 25억 년 전~20억 년 전에 집중적으로 형성되었다. 이후 생물의 광합성에 의한 산소 생산량이 증가하면서 대기 중 산소 농도가 증가하기 시작하였다.

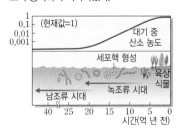

③ 지구 내부 에너지

지구는 생성될 때부터 여러 요인에 의해 발생하여 축적된 지구 내부 에너지를 가지고 있다. 이러한 지구 내부 에너지에 의해 지구 곳곳에서 지진과 화산 활동 등의 지각 변동이 일어나고 있다.

1. 지구 내부 에너지

지구 내부 에너지는 지구 내부에 저장된 에너지로, 미행성체의 충돌, 핵과 맨틀의 분화, 방사성 동위 원소의 붕괴 등으로 발생한 열이 지구 내부에 축적된 것이다.

⑴ 지구 내부 에너지의 발생

① 미행성체의 충돌로 발생한 열에너지: 수많은 미행성체가 충돌하고 병합하여 지구가 탄생하였고, 원시 지구 탄생 후에도 미행성체가 계속하여 충돌하였다. 이 과정에서 충돌로 인한 운동 에너지가 열에너지로 전환되었고, 그중 많은 양이 다시 공간으로 방출되고 일부는 지구 내부에 축적되었다.

② 맨틀과 핵이 분화될 때 발생한 열에너지: 원시 지구에서 철과 니켈 등의 무거운 금속 물질이 지구 중심부로 이동하여 핵이 형성될 때 중력 퍼텐셜 에너지(중력에 의한 위치 에너지)에서 전환되며 막대한 양의 열에너지가 발생하였다.

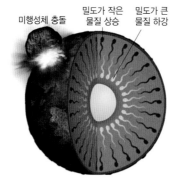

▲ **지구 내부 에너지의 발생** 미행성체의 충돌, 핵과 맨틀의 분화, 방사성 동위 원소 붕괴로 열에너지가 발생하여 지구 내부에 축적되었다.

③ 방사성 동위 원소의 붕괴열: 지구 구성 물질에 포함된 방사성 동위 원소가 자연적으로 붕괴하며 방출하는 열은 가장 중요한 지구 내부 에너지원이다. 방사성 동위 원소인 우라늄(^{238}U, ^{235}U), 토륨(^{232}Th), 칼륨(^{40}K) 등은 주로 규산염 광물에 포함되므로 대부분 지각과 맨틀에 존재한다. 지각과 맨틀의 주요 구성 암석 중 대륙 지각을 이루는 화강암의 방사성 동위 원소 함량이 가장 많지만, 지구 전체에서 지각보다 맨틀이 차지하는 부피가 매우 크기 때문에 방사성 동위 원소의 붕괴로 발생하는 열은 맨틀에서 더 많다. 또 방사성 동위 원소는 처음에 급격하게 붕괴하므로 지구 생성 초기의 발열량이 더 크고, 이때 발생한 열에너지가 지구 내부에 축적되었다. 지각, 맨틀과 핵에 포함된 우라늄, 토륨, 칼륨 등의 방사성 동위 원소는 그 반감기가 매우 길어서 현재까지도 계속해서 붕괴하며 열에너지를 방출하고 있다.

암석	방사성 동위 원소의 함량(ppm)			발열량 (10^{-8} W/m³)	비고
	우라늄 (^{238}U, ^{235}U)	토륨 (^{232}Th)	칼륨 (^{40}K)		
화강암	5	18	38,000	295	대륙 지각의 주요 구성 물질
현무암	0.6	3	8,000	56	해양 지각의 주요 구성 물질
감람암	0.015	0.06	100	1	상부 맨틀의 주요 구성 물질

▲ **암석에 포함된 방사성 동위 원소의 함량과 발열량**

지구 내부 에너지원의 구분
미행성체의 충돌, 맨틀과 핵의 분화 과정은 지구 생성 당시의 에너지원에 해당한다. 지구 내부의 방사성 동위 원소의 붕괴에 의한 열에너지 생성은 지구 생성 당시부터 현재까지 계속되고 있다. 현재 지구 내부에는 방사성 동위 원소 외에 다른 열원이 존재하지 않으므로 지구 내부 에너지 대부분은 지구 생성 초기에 축적된 것임을 알 수 있다.

방사성 동위 원소의 반감기
방사성 동위 원소(모원소)는 방사선을 방출하면서 자연적으로 붕괴하여 안정한 원소(자원소)가 된다. 방사성 동위 원소가 붕괴하여 모원소의 양이 처음의 절반으로 줄어드는 데 걸리는 시간을 반감기라고 하며, 반감기는 원소에 따라 특정한 값을 갖는다.

모원소	자원소	반감기
^{238}U	^{206}Pb	44.7억 년
^{235}U	^{207}Pb	7.0억 년
^{232}Th	^{208}Pb	139.0억 년
^{40}K	^{40}Ar	12.5억 년

지각과 맨틀의 구성 성분을 토대로 방사성 동위 원소의 붕괴에 의해 발생하는 열에너지의 양을 계산할 수 있다. 대륙 지각은 화강암과 같이 방사성 동위 원소 함량이 높은 암석을 포함하므로 지구에서 차지하는 부피가 작음에도 불구하고 상당한 열이 발생한다. 반면 맨틀은 방사성 동위 원소 함량이 낮지만 부피가 커서 방사성 동위 원소에 의한 발열량의 대부분을 차지한다. 방사성 동위 원소에 의한 발열량은 지구 내부 에너지의 약 40 %에 해당한다.

구분	구성 물질	발열량(10^{-8} W/m³)	부피비(%)	열 생산비(%)
대륙 지각	화강암 등	550	0.7	10
해양 지각	현무암 등	30	0.3	0.15
맨틀	감람암	14	84	30
핵	대부분 철	~0	16	~0
전체				약 40

(2) 지구 내부의 온도 분포와 열의 이동

(심화) 018쪽

① **지구 내부 온도 분포**: 지구 내부 온도는 깊이에 따라 증가하여 상부 맨틀의 온도는 약 1000 ℃, 하부 맨틀의 온도는 약 3700 ℃에 이르고 내핵의 온도는 약 5000 ℃로 추정된다. 깊이에 따라 지구 내부 온도가 증가하는 비율을 지온 구배율(geothermal gradient)이라고 하며, 지각에서는 지온 구배율이 약 15 ℃/km~30 ℃/km, 지구 중심부에서는 지온 구배율이 약 1 ℃/km~2 ℃/km이다.

② **지구 내부에서 열의 이동**: 열은 온도가 높은 곳에서 낮은 곳으로 이동하므로, 여러 가지 열원으로 형성된 지구 내부 에너지는 지구 내부에서 지구 표면으로 이동한다. 열이 전달되는 방식에는 복사, 전도, 대류가 있는데, 지구 내부는 불투명하므로 복사는 거의 일어나지 않고 전도와 대류에 의해 열이 이동한다. 딱딱한 암석권에서 열은 주로 전도로 이동하므로 지표면 부근에서는 지온 구배율이 크다. 맨틀에서는 지온 구배율이 낮아지는데, 이는 상부 맨틀이 부분 용융 상태이며 맨틀 하부에 분포하는 고온의 물질과 맨틀 상부에 분포하는 저온의 물질이 매우 느리게 대류하며 열이 전달되기 때문이다. 맨틀과 핵의 경계에서는 지온 구배율이 다시 높아지는데, 이는 맨틀과 핵의 구성 물질이 달라서 열이 전도로 이동하기 때문이다.

전도와 대류
전도는 열이 물질을 통과하여 고온인 부분에서 저온인 부분으로 이동하는 현상이고, 대류는 뜨거운 물질의 이동으로 열이 전달되는 현상이다. 대류는 유체에서만 가능하지만, 전도는 유체나 고체 상태 모두에서 가능하다.

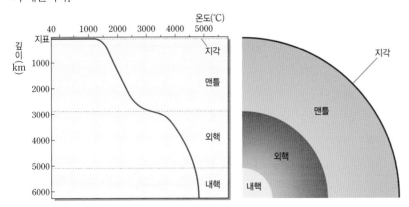

▲ 지구 내부 온도 분포

2. 지각 열류량

(1) **지각 열류량:** 지구 내부에서 지표로 단위 시간 동안 단위 면적으로 방출되는 열에너지의 양을 지각 열류량이라고 하며, 단위는 mW/m^2이다. 전 세계 평균 지각 열류량은 약 $87\,mW/m^2$이며, 지구 전체 표면적에서는 약 $3.0 \times 10^{13}\,W$의 열량이 방출된다.

(2) **지각 열류량의 분포:** 대륙 지각과 해양 지각에서 지각 열류량을 측정하면 지역에 따라 그 크기가 다르게 나타난다. 일반적으로 화산 활동이나 조산 운동이 활발하게 일어나고 있는 지역에서는 지각 열류량이 높고, 대륙의 순상지에서는 지각 열류량이 낮다. 또한, 지각 열류량의 크기는 판 경계의 종류에 따라서도 차이를 보이는데, 고온의 맨틀 물질이 상승하는 해령(해저 산맥)이나 열곡대, 판이 섭입하며 화산 활동이 활발하게 일어나는 호상 열도 부근에서는 지각 열류량이 높게 나타난다. 반면 해령에서 멀리 떨어져 있는 오래된 해양 지각, 해양판이 섭입하는 해구 부근 및 판 내부의 지역에서는 지각 열류량이 낮게 나타난다. 대륙 지각은 주로 화강암질 암석으로 이루어져 있고, 방사성 동위 원소를 많이 포함하므로 대륙 지각에서 단위 부피당 방출되는 열량은 해양 지각에서보다 높다. 그러나 해양 지각은 대륙 지각보다 두께가 얇고, 해양 지각 하부에서는 대륙 지각 하부에서보다 맨틀 대류가 활발하게 일어나면서 지구 내부 에너지가 더 많이 전달되므로 해양 지각에서의 평균 지각 열류량은 대륙 지각에서보다 더 높게 나타난다. 이렇게 지역에 따라 지각 열류량의 크기가 다른 까닭은 지구 내부 에너지의 분포가 균일하지 않거나 지구 내부 에너지가 지표로 전달되는 방식이 다르기 때문이다.

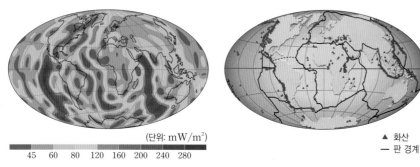

(단위: mW/m^2)

45 60 80 120 160 200 240 280

▲ 전 세계 지각 열류량의 분포

▲ 화산
— 판 경계

▲ 화산의 분포와 판 경계

① **대륙 지역의 지각 열류량:** 대륙 중앙부를 이루는 순상지에서는 지각 열류량이 가장 낮게 나타나고, 신생대의 조산대나 화산대에서는 지각 열류량이 높게 나타난다. 이로부터 지각 열류량이 지각의 안정 상태와 관련이 있음을 알 수 있다.

지질 시대	지각 열류량(mW/m^2)
신생대 화산대	92
신생대 조산대	76
중생대 조산대	60
고생대 조산대	49
선캄브리아 시대 순상지	38

▲ **대륙 지역의 지각 열류량 분포**

HFU(Heat Flow Unit)
지각 열류량의 단위로 HFU를 사용하기도 한다.
$1\,HFU = 10^{-6}\,cal/cm^2 \cdot s$
$\qquad = 0.418\,W/m^2 = 41.8\,mW/m^2$

순상지
매우 오래된 지질 시대(선캄브리아 시대)에 형성된 암석으로 이루어진 지역으로, 고생대 이후의 지각 변동을 거의 받지 않은 안정된 땅덩어리를 말한다. 순상지는 오랜 풍화와 침식 작용을 받아서 마치 방패를 엎어 놓은 모양의 지형을 이루며 대체로 대륙의 중앙부에 위치한다.

평균 지각 열류량

구분	평균 지각 열류량 (mW/m^2)
전 세계	87
대륙 지각	65
해양 지각	101

② 해양 지역의 지각 열류량: 해양 지역에서 지각 열류량은 맨틀 물질이 상승하는 해령 부근에서 가장 높고, 해령으로부터 거리가 멀어짐에 따라 점차 감소한다. 해구 부근에서는 지각 열류량이 가장 낮게 나타나며, 섭입하는 해양판 위쪽에 형성되는 호상 열도나 대륙 화산호는 화산 활동이 활발하므로 이 부근에서는 지각 열류량이 높게 나타난다.

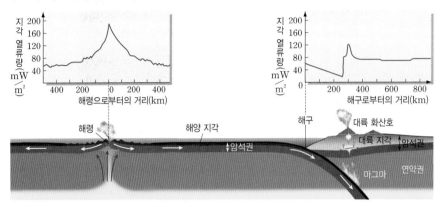

▲ 해령과 해구 주변에서의 지각 열류량 분포

③ 우리나라의 지각 열류량: 한반도의 평균 지각 열류량은 $70\,\text{mW/m}^2$로, 전 세계 평균보다 낮다. 각 지역에서의 지각 열류량은 황해에서는 약 $60\,\text{mW/m}^2$, 한반도 육지에서는 약 $70\,\text{mW/m}^2$, 동해에서는 약 $80\,\text{mW/m}^2$로서 황해에서 동해로 갈수록 증가하는 경향을 보인다. 동해에서 지각 열류량이 비교적 높은 까닭은 과거에 동해의 확장과 관련된 맨틀 물질의 상승 때문이고, 일본 해구와 그 부근에서 지각 열류량이 낮게 나타나는 까닭은 태평양판이 유라시아판 아래로 섭입하기 때문으로 추정된다.

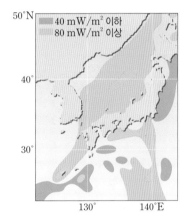

▲ 우리나라 부근 해양의 지각 열류량 분포

3. 지구 내부 에너지와 지각 변동

지표로 방출되는 지구 내부 에너지는 지각 변동을 일으키며, 일상생활에서 지열 에너지를 여러 가지 방법으로 활용하기도 한다.

(1) **지각 변동의 근원**: 지구 내부 에너지는 화산 활동, 지진 및 조산 운동 등의 지각 변동을 일으키고, 판 운동의 원인이 되는 맨틀 대류를 일으키며, 그 과정에서 새로운 해양 지각이 생성되며 해구, 호상 열도와 화산섬 등의 지형이 형성된다. 또한, 지구 내부 에너지는 지각과 맨틀에서 마그마를 생성하여 새로운 화성암을 만들거나 기존의 암석에 열과 압력을 가해 변성암을 만들기도 한다.

(2) **지열 에너지의 이용**: 지구 내부로부터 방출되는 지열을 온수, 난방, 발전 등에 이용할 수 있다. 지열에 의해 데워진 지하수나 수증기의 온도는 $80\,^\circ\text{C}\sim180\,^\circ\text{C}$에 이르는데, 이러한 고온의 수증기와 열수를 이용하여 지열 발전을 할 수 있고, 가정의 난방에 사용하거나 온천 등의 관광 자원으로 활용하기도 한다.

지구 전체 열류량

지표면의 열류량을 더하여 구한 지구 전체 열류량은 약 $3.0 \times 10^{13}\,\text{W}$이다. 이는 지진을 일으키고 산맥을 형성시키는 에너지의 50배~100배에 이르지만, 지구에 입사하는 태양 복사 에너지의 약 0.01 %에 불과하다. 즉, 기상 현상과 지표의 침식 작용 등은 태양 복사 에너지로 인한 것이고, 판의 이동과 조산 운동, 지진, 화산 활동 등의 지각 변동은 지구 내부 에너지로 인한 것이다.

▲ 아이슬란드의 지열 발전소

차이를 만드는

심화

지각 열류량과 지구 내부 온도 분포

열은 온도가 높은 곳에서 낮은 곳으로 이동하므로, 지표로 방출되는 열에너지의 양은 지각 열류량으로 측정할 수 있다. 지구 내부로 갈수록 온도가 증가하는데, 지표 부근에서는 시추를 통해 측정한 지온 구배율을 적용하여 온도 분포를 계산할 수 있다. 그러나 맨틀이나 핵과 같이 깊은 곳의 온도는 직접 측정할 수 없으므로 고온·고압 실험과 여러 지구 물리학 이론을 적용하여 추정해야 한다.

❶ 지각 열류량의 분포

지구 생성 당시에 축적된 지구 내부 에너지와 방사성 동위 원소에 의해 현재까지도 생성되고 있는 열에너지는 지구 내부에서 지표로 이동한다. 이처럼 지구 내부로부터 지표면의 단위 면적($1\,\mathrm{m}^2$)에서 단위 시간(1초)당 흘러나오는 열량을 지각 열류량이라고 하며, 단위는 $\mathrm{W/m}^2$나 $\mathrm{mW/m}^2$를 사용한다. 전 세계의 대륙과 해양에서 측정한 지각 열류량은 약 $40\,\mathrm{mW/m}^2 \sim 100\,\mathrm{mW/m}^2$이고, 평균 지각 열류량은 $87\,\mathrm{mW/m}^2$이다.

❷ 지구 내부의 열의 이동

지구 내부의 열은 전도와 대류를 통해 지표로 이동한다. 전도는 열이 물질을 통과하여 온도가 높은 부분에서 온도가 낮은 부분으로 이동하는 현상이고, 대류는 뜨거운 물질의 이동으로 열이 전달되는 현상이다. 대류는 유체에서만 가능하지만, 전도는 유체나 고체 상태 모두에서 가능하다. 지각과 상부 맨틀의 단단한 부분을 포함하는 암석권은 고체 상태이므로 암석권에서는 열이 전도로 이동한다. 반면 연약권의 맨틀은 고체 상태이지만 유동성이 있으므로 연약권에서는 대류에 의해 열이 전달된다. 따라서 지구 내부의 열은 맨틀에서 대류를 통해 암석권 하부까지 전달되고, 다시 전도를 통해 지표로 전달된다.

전도에 의한 지각 열류량(Q)은 암석의 열전도율(K)과 지온 구배율$\left(\dfrac{\varDelta T}{\varDelta Z}\right)$에 따라 결정되며 다음과 같은 식으로 나타낸다.

$$Q=K\times\left(\frac{\varDelta T}{\varDelta Z}\right)$$

예를 들어 화강암으로 이루어진 어느 지역에서 지온 구배율이 $25\,℃/\mathrm{km}$라면, 화강암의 열전도율은 $3.0\,\mathrm{W/m}\,℃$이므로 이 지역의 지각 열류량은 다음과 같다.

$$Q=3.0\times\left(\frac{25}{1000}\right)=0.075(\mathrm{W/m}^2)$$

❸ 지온 구배율

지구의 반지름은 $6400\,\mathrm{km}$에 이르지만, 시추를 통해서는 수 km 깊이까지만 시료를 채취하고 온도를 측정할 수 있다. 지표 부근의 지하 갱도나 시추공에서 측정한 바에 따르면 지구 내부로 갈수록 온도가 거의 일정하게 상승한다고 알려져 있다. 구성 암석이나 장소에 따라 약간씩 차이가 있지만 $100\,\mathrm{m}$ 깊이마다 온도가 $1.5\,℃ \sim 3.5\,℃$씩 상승하는데, 평균 $2\,℃/100\,\mathrm{m}$이다. 이처럼 깊이에 따라 온도가 상승하는 비율을 지온 구배율이라고 한다. 그런데 이렇게 지각 상부에서 구한 지온 구배율을 적용하여 지구 내부 온도를 추정하면 암석의 용융 온도인 $1200\,℃$에

☐ 지각 열류량의 분포

구분	평균 지각 열류량 ($\mathrm{mW/m}^2$)
대륙 지각	65
해양 지각	101
전 세계	87

☐ 암석권과 연약권

지각과 상부 맨틀의 일부를 포함하여 약 $100\,\mathrm{km}$ 깊이까지는 단단한 암석으로 되어 있는데 이 부분을 암석권이라 한다. 그리고 상부 맨틀의 $100\,\mathrm{km} \sim 250\,\mathrm{km}$ 깊이는 맨틀 물질이 부분 용융 상태로 대류 운동이 일어나고 있어서 이 부분을 연약권이라고 한다.

달하는 깊이는 불과 50 km~60 km 정도이고, 1000 km 깊이에서는 온도가 20000 ℃, 지구 중심부에서는 약 10만 ℃가 넘는다. 이론적으로 이러한 고온에서는 물질이 고체 상태로 존재할 수 없는데, 지진파 연구 결과 지각과 맨틀 및 내핵은 고체 상태인 것으로 밝혀졌으므로 지온 구배율은 지표 부근 지각의 수십 km 깊이까지만 적용된다고 볼 수 있다. 지온 구배율의 열 생산에 직접 기여하는 방사성 동위 원소(U, Th, K 등)는 지각에 집중적으로 분포하며 맨틀과 핵에는 극히 소량만 분포하므로 맨틀과 핵에서의 지온 구배율은 지각에서보다 작게 나타난다.

❹ 지구 내부의 온도 분포

지각에서는 지온 구배율을 적용하고, 맨틀과 핵의 깊이에 해당하는 고온 고압 실험 및 지진파 연구 결과를 적용한 결과, 지구 내부의 온도 분포는 그림과 같다. 암석권의 하부인 깊이 약 120 km의 연약권에서의 온도는 맨틀 암석의 용융점인 1100 ℃~1200 ℃라고 추정된다. 고온·고압 실험 결과를 토대로 약 400 km 깊이에서의 온도는 약 1500 ℃, 약 660 km 깊이에서의 온도는 약 2000 ℃로 추정된다. 그리고 맨틀과 외핵의 경계부인 약 2900 km 깊이까지는 온도가 맨틀의 용융점보다 낮은 상태이므로 맨틀 물질은 고체 상태이고, 2900 km 깊이의 온도는 철의 용융점보다 높은 3500 ℃ 정도이며, 2900 km~5100 km 사이의 외핵은 지하 온도 분포가 철의 용융점보다 높은 상태이므로 외핵의 물질은 액체이다. 지하 5100 km~6370 km(지구 중심)의 내핵은 지하 온도 분포가 철의 용융점보다 낮으므로 고체 상태이고, 지구 중심에서의 온도는 약 4500 ℃~4800 ℃ 정도로 추정된다.

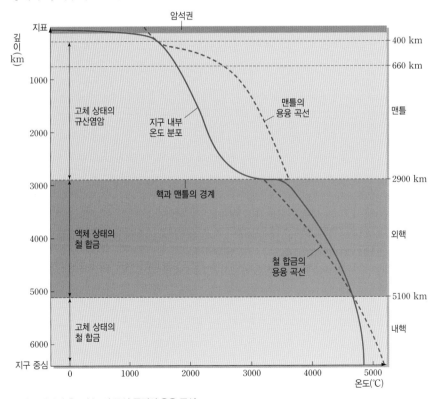

▲ 지구 내부의 온도 분포와 구성 물질의 용융 곡선

개념 모아
정리하기

01 지구의 형성과 지구 내부 에너지

1. 지구의 형성과 역장

① 지구의 탄생

1 태양계의 형성
- (❶   ): 약 46억 년 전 우리은하의 나선팔에 있던 거대한 성운에서 중력 수축이 일어나 회전하면서 형성된 성운을 말한다.
- 회전하는 원반 모양의 태양계 성운의 중심부에서 (❷   )이 형성되었고, 중심핵의 온도가 높아져 수소 핵융합 반응이 일어나면서 태양으로 진화하였다.

2 원시 행성과 지구의 형성
- 태양계 성운의 온도가 내려가면서 회전하는 원반 내에서 수많은 고리가 만들어졌고, 각 고리에서 먼지와 얼음 알갱이 등의 고체 입자들이 뭉쳐서 (❸   )를 형성하였다.
- 원시 태양 부근의 원반 안쪽에서는 규소, 철, 니켈 등과 같은 무거운 성분으로 이루어진 미행성체가 충돌·병합하여 (❹   ) 행성이, 원반 바깥쪽에서는 얼음 입자와 티끌과 함께 기체 물질이 모여 (❺   ) 행성이 형성되었다.

② 지구의 진화

1 핵과 맨틀의 분화 원시 지구가 탄생한 후 지구의 온도가 점차 높아지며 (❻   )가 형성되어 철과 니켈 등의 밀도가 큰 금속 물질이 지구 중심부로 가라앉아 핵을 형성하였고, 밀도가 작은 규산염 물질은 바깥쪽으로 떠올라 (❼   )을 형성하였다.
2 지각과 대기, 바다의 형성 미행성체의 충돌이 잦아들면서 지표면이 서서히 식어서 굳어 원시 (❽   )이 형성되었고, 활발한 화산 활동으로 마그마가 분출하며 화산 가스가 대량으로 방출되어 수증기와 이산화 탄소 등으로 이루어진 (❾   )가 형성되었다. 이후 지표의 온도가 낮아지며 대기 중 수증기가 응결하여 비로 내리면서 낮은 곳으로 흘러들어 (❿   )가 형성되었다.
3 지구 대기의 진화 (⓫   )는 원시 대기의 주성분이었으나 바다의 형성 이후 많은 양이 해수에 용해되어 대기 중 농도가 크게 낮아졌다. (⓬   )는 남세균이 출현하여 광합성을 시작한 이후 해양과 대기에 축적되기 시작하였다.

③ 지구 내부 에너지

1 지구 내부 에너지
- 지구 생성 당시에 (⓭   )의 충돌로 인한 운동 에너지가 열에너지로 전환되었고 그 일부가 지구 내부에 축적되었으며, 원시 지구에서 무거운 금속 물질이 지구 중심부로 이동하여 핵이 형성될 때 중력 퍼텐셜 에너지에서 전환되며 막대한 양의 (⓮   )가 발생하였다.
- (⓯   )의 붕괴열은 가장 중요한 지구 내부 에너지원으로, 지구 생성 당시부터 현재까지 열에너지를 방출하고 있다.
2 지각 열류량 지구 내부에서 지표로 단위 시간 동안 단위 면적으로 방출되는 열에너지의 양을 말한다.
- 대륙 지각의 지각 열류량은 순상지에서 가장 (⓰   ), 화산 활동이 활발한 지역에서는 (⓱   ).
- 해양 지각의 지각 열류량은 해령과 호상 열도에서는 높고, (⓲   )에서는 낮게 나타난다.
3 지구 내부 에너지와 지각 변동 지구 내부 에너지는 화산 활동과 지진 등의 (⓳   )을 일으키고, 판 운동의 원인이 되는 맨틀 대류를 일으키며, 그 과정에서 호상 열도와 화산섬 등의 지형이 만들어지고, 조산 운동에 따른 습곡 산맥을 형성하기도 한다.

01 태양계의 형성에 대한 설명으로 옳은 것은 ○, 옳지 않은 것은 ×로 표시하시오.

(1) 태양계 성운은 중력 수축으로 형성되었다. ····· (　)

(2) 태양계 성운은 회전하면서 원반 모양을 이루었다.
　　·· (　)

(3) 수많은 미행성체들의 충돌과 병합으로 원시 지구가 형성되었다. ······························· (　)

(4) 원시 태양에서 멀리 떨어진 영역에서는 주로 암석 물질이 뭉쳐 지구형 행성이 형성되었다. ·········· (　)

02 태양계 행성에 대한 설명으로 옳은 것만을 보기에서 있는 대로 고르시오.

┌ 보기 ─────────────────
│ ㄱ. 회전하는 원반을 이루는 물질로부터 형성되었다.
│ ㄴ. 지구형 행성은 목성형 행성보다 평균 밀도가 작다.
│ ㄷ. 지구형 행성은 목성형 행성보다 철의 구성비가 많다.
└─────────────────────

03 그림은 원시 지구의 진화 과정을 나타낸 것이다.

미행성체의 충돌　→　(A)　마그마 바다 형성　→　(B)　원시 지각과 원시 바다 형성

이에 대한 설명으로 옳은 것만을 보기에서 있는 대로 고르시오.

┌ 보기 ─────────────────
│ ㄱ. A 과정에서 지구의 크기가 점차 커졌다.
│ ㄴ. B 과정에서 지구의 핵과 맨틀이 분리되었다.
│ ㄷ. A와 B 과정 모두에서 지구의 온도가 계속 낮아졌다.
└─────────────────────

04 원시 지구의 진화 과정에서 마그마 바다를 형성한 주요 에너지원으로 옳은 것만을 보기에서 있는 대로 고르시오.

┌ 보기 ─────────────────
│ ㄱ. 태양 복사 에너지
│ ㄴ. 미행성체의 충돌 열
│ ㄷ. 태양의 중력 수축 에너지
│ ㄹ. 방사성 동위 원소의 붕괴열
└─────────────────────

05 그림은 지구 형성으로부터의 시간에 따른 지구 대기 조성 변화를 나타낸 것이다. 물음에 답하시오.

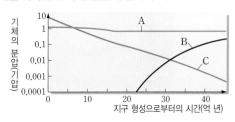

(1) A, B, C에 해당하는 기체의 성분 명을 각각 쓰시오.

(2) C 기체의 대기 중 농도가 감소한 주된 원인을 쓰시오.

(3) 광합성과 관련 있는 기체의 기호를 모두 쓰시오.

06 그림은 해령으로부터 거리에 따른 지각 열류량의 분포를 나타낸 것이다.

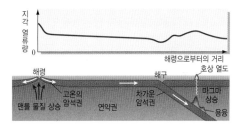

이에 대한 설명으로 옳은 것만을 보기에서 있는 대로 고르시오.

┌ 보기 ─────────────────
│ ㄱ. 해구는 맨틀 대류의 하강부에 위치한다.
│ ㄴ. 해령에서는 해구에서보다 지각 열류량이 높다.
│ ㄷ. 호상 열도에서는 해구에서보다 지각 열류량이 높다.
└─────────────────────

07 지각 열류량에 대한 설명으로 옳은 것만을 보기에서 있는 대로 고르시오.

┌ 보기 ─────────────────
│ ㄱ. 대륙에서는 순상지에서 지각 열류량이 가장 높다.
│ ㄴ. 지질 시대별 조산대의 지각 열류량을 비교하면 고생대＞중생대＞신생대이다.
│ ㄷ. 맨틀에서 지각으로 공급되는 열에너지는 대륙 지각에서보다 해양 지각에서 더 크다.
│ ㄹ. 화강암과 현무암 중 방사성 동위 원소의 붕괴열을 더 많이 방출하는 암석은 화강암이다.
└─────────────────────

01 ❯ 태양계의 형성

그림은 태양계의 형성 과정을 나타낸 것이다.

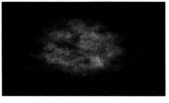

(가) 태양계 성운의 수축

(나) 원반 중심부에서 원시 태양 탄생

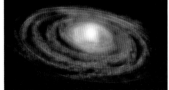

(다) 원반의 고리에서 미행성체 형성

(라) 미행성체의 충돌로 원시 행성 형성

이에 대한 설명으로 옳지 않은 것은?

① (가)에서 태양계 성운은 자체 중력에 의해 수축하였다.

② (나)에서 원시 태양의 중심부에서 헬륨 핵융합 반응이 시작되었다.

③ (다)에서 미행성체들은 먼지와 얼음 알갱이 등의 고체 입자들이 뭉쳐서 만들어진 것이다.

④ (라)에서 태양에 가까운 영역에서는 규소, 철, 니켈 등과 같은 성분의 물질들로 이루어진 지구형 행성들이 형성되었다.

⑤ (라)에서 태양에서 먼 영역에서는 수소, 메테인, 암모니아 등의 가벼운 성분으로 이루어진 목성형 행성들이 형성되었다.

02 ❯ 원시 지구의 진화

그림은 원시 지구의 진화 과정의 일부를 나타낸 것이다.

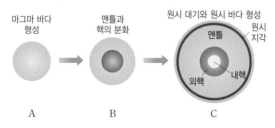

이에 대한 설명으로 옳은 것만을 보기에서 있는 대로 고른 것은?

보기
ㄱ. 지구 중심부의 밀도는 A보다 B에서 증가하였다.
ㄴ. 지구 표면의 온도는 A → B → C로 가면서 낮아졌다.
ㄷ. 원시 바다가 형성된 이후 지구 표면이 식어서 원시 지각이 형성되었다.

① ㄱ   ② ㄷ   ③ ㄱ, ㄴ   ④ ㄴ, ㄷ   ⑤ ㄱ, ㄴ, ㄷ

● 원시 태양 주위의 원반에서 생성된 미행성체들은 서로 충돌·병합하여 원시 행성을 이루었다. 태양에 가까운 영역에서는 지구형 행성이, 태양에서 먼 영역에서는 목성형 행성이 형성되었다.

● 마그마 바다가 형성된 이후에 무거운 성분은 지구 중심으로 이동하여 핵을 형성하고, 가벼운 성분은 바깥쪽으로 이동하여 맨틀을 형성하였다. 지표의 냉각으로 원시 지각이 형성되고, 그 이후에 원시 바다가 형성되었다.

03 ❯ 원시 지구의 진화
그림은 지구의 진화 과정의 일부를 나타낸 것이다.

수많은 미행성체의 충돌	➡	마그마 바다 형성	➡	원시 바다의 형성	➡	최초의 생명체 출현
A		B		C		D

이에 대한 설명으로 옳은 것만을 보기에서 있는 대로 고른 것은?

보기
- ㄱ. A 시기에 원시 지각이, B 시기에 맨틀과 핵이 형성되었다.
- ㄴ. C 시기 이후에 대기 중 이산화 탄소의 농도가 매우 감소하였다.
- ㄷ. D 시기부터 대기 중 산소 기체의 농도가 증가하기 시작하였다.

① ㄱ   ② ㄴ   ③ ㄱ, ㄷ   ④ ㄴ, ㄷ   ⑤ ㄱ, ㄴ, ㄷ

• 미행성체의 충돌로 발생한 열로 인해 마그마 바다가 형성되었고, 그 후에 맨틀과 핵이 분리되었으며, 원시 대기 중의 수증기가 응결하여 비로 내려 원시 바다를 형성하였다. 최초의 생명체는 약 35억 년 전에 출현하였다.

고난도
04 ❯ 지구 대기의 진화
그림은 과거 약 46억 년 동안 지구 대기의 조성 변화를 나타낸 것이다.

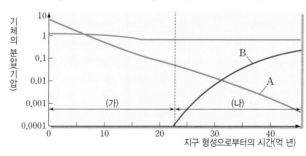

A, B 기체에 대한 설명으로 옳은 것만을 보기에서 있는 대로 고른 것은?

보기
- ㄱ. A 기체는 이산화 탄소이고, B 기체는 산소이다.
- ㄴ. (가) 시기 동안 A 기체는 해수에 용해되어 석회암을 형성하였다.
- ㄷ. (나) 시기 동안 대기 중 B 기체의 농도가 증가한 까닭은 생물의 광합성 때문이다.

① ㄱ   ② ㄷ   ③ ㄱ, ㄴ   ④ ㄴ, ㄷ   ⑤ ㄱ, ㄴ, ㄷ

• 원시 대기에 가장 많았던 기체는 이산화 탄소이며, 지구에 해양이 생성된 후 대부분이 바다에 녹아서 그 양이 많이 감소하였다. 산소는 해양에서 광합성을 하는 생물이 출현한 후 점차 증가하였다.

05 〉원시 지구의 진화

그림은 원시 지구가 진화하는 과정의 일부를 나타낸 모식도이다.

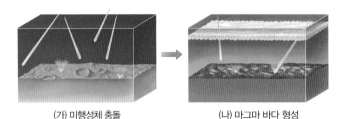

(가) 미행성체 충돌　　　　　　　　(나) 마그마 바다 형성

이에 대한 설명으로 옳은 것만을 보기에서 있는 대로 고른 것은?

> 보기

ㄱ. (가) 시기에 지구의 질량과 크기가 증가하였다.

ㄴ. (나) 시기에 원시 대기의 주성분은 산소와 질소였다.

ㄷ. (나) 시기에 지구 내부에서 밀도 차이에 의한 물질의 이동이 일어났다.

① ㄱ　　　　　② ㄴ　　　　　③ ㄱ, ㄷ　　　　　④ ㄴ, ㄷ　　　　　⑤ ㄱ, ㄴ, ㄷ

• 미행성체의 충돌로 지구의 크기와 질량이 증가하였으며, 미행성체의 충돌 에너지로 발생한 열은 원시 지구의 온도를 높였고, 마그마 바다를 이룬 지구에서 물질의 이동이 일어나 핵과 맨틀이 분리되었다.

06 〉지각 열류량의 분포

그림은 해양 지역에서 해령으로부터 거리에 따른 지각 열류량의 분포를 나타낸 것이다. 일반적으로 해양 지각을 이루는 암석에서는 대륙 지각을 이루는 암석에서보다 방사성 동위 원소의 붕괴열이 적게 방출되지만, 해양 지각의 평균 열류량은 약 $100 \, \text{mW}/\text{m}^2$이고, 대륙 지각의 평균 열류량은 약 $63 \, \text{mW}/\text{m}^2$로서 해양 지각의 평균 열류량이 더 높게 나타난다.

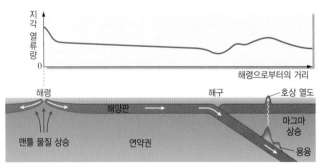

이에 대한 설명으로 옳은 것만을 보기에서 있는 대로 고른 것은?

> 보기

ㄱ. 지각 열류량의 크기는 해령 > 호상 열도 > 해구이다.

ㄴ. 맨틀 대류의 상승과 하강은 지각 열류량의 크기에 영향을 미친다.

ㄷ. 해양 지각의 평균 열류량이 대륙 지각의 평균 열류량보다 높은 까닭은 맨틀에서 해양 지각에 더 많은 열이 공급되기 때문이다.

① ㄱ　　　　　② ㄷ　　　　　③ ㄱ, ㄷ　　　　　④ ㄴ, ㄷ　　　　　⑤ ㄱ, ㄴ, ㄷ

• 해령에서는 맨틀 대류의 상승으로 지각 열류량이 크고, 해구에서는 맨틀 대류의 하강으로 지각 열류량이 작게 나타난다. 맨틀 대류로 인해 해양 지각에 많은 열이 공급된다.

07 › 지각 열류량의 분포

그림은 대륙 지역에서 지각 열류량의 분포를 나타낸 것이다.

지질 시대	지각 열류량(mW/m²)
신생대 화산대	92
신생대 조산대	76
중생대 조산대	60
고생대 조산대	49
선캄브리아 시대 순상지	38

(그래프 눈금: 50, 100)

이에 대한 설명으로 옳은 것만을 보기에서 있는 대로 고른 것은?

보기
ㄱ. 지질 시대가 오래된 지역일수록 지각 열류량이 낮게 나타난다.
ㄴ. 신생대 화산대에서 지각 열류량이 가장 높은 까닭은 그 하부에서 마그마가 상승하기 때문이다.
ㄷ. 선캄브리아 시대 순상지에서 지각 열류량이 가장 낮은 까닭은 방사성 동위 원소의 붕괴가 일어나지 않기 때문이다.

① ㄱ   ② ㄷ   ③ ㄱ, ㄴ   ④ ㄴ, ㄷ   ⑤ ㄱ, ㄴ, ㄷ

> 대륙 지각에서는 지질 시대가 오래된 지역일수록 지각 열류량이 작다. 이것은 지구 생성 시 축적된 열이나 암석에 포함된 방사성 원소의 붕괴열이 많이 방출되었기 때문이다.

고난도
08 › 지구 내부 에너지

그림 (가)는 어느 지역의 단면을, (나)는 A, B 두 암석권에서 깊이에 따른 온도 분포를 나타낸 것이다.

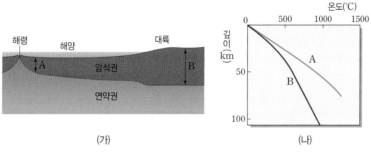

(가)   (나)

이에 대한 설명으로 옳은 것만을 보기에서 있는 대로 고른 것은?

보기
ㄱ. A 하부에서 열은 주로 대류로, B에서 열은 주로 전도로 전달된다.
ㄴ. (나)에서 깊이가 깊어질수록 A에서보다 B에서의 지온 구배율이 증가한다.
ㄷ. 암석에 포함된 방사성 동위 원소의 붕괴로 생성된 열은 B에서보다 A에서 많다.

① ㄱ   ② ㄴ   ③ ㄱ, ㄷ   ④ ㄴ, ㄷ   ⑤ ㄱ, ㄴ, ㄷ

> 해령의 하부에서는 맨틀 물질이 상승하고, 해구의 하부에서는 맨틀 물질이 하강한다. 대륙에서의 지각 열류량은 맨틀로부터 전달되는 열의 영향을 적게 받는다.

02 지진파와 지구 내부 구조

학습 Point   지진파   ▷   지구 내부 구조   ▷   지각의 두께 차이와 지각 평형설

1 지진파

지진은 전 세계에서 하루에도 수십 번씩 발생하고 있으며 이 중 규모가 큰 지진은 건물과 도로 등을 파괴하고 인명과 재산에 큰 피해를 주기도 하지만 지구 내부의 구조나 지각의 운동을 연구하는 데는 많은 정보를 제공한다.

1. 지진의 발생

지진은 지구 내부에 오랫동안 축적된 탄성 에너지가 급격하게 방출되면서 지표면이 흔들리는 현상이다.

(1) **지진의 원인:** 지진은 주로 지각의 단층 운동에 의해 발생하지만, 화산 폭발, 마그마의 이동, 대규모의 사태, 인공적인 원인(발파 작업, 지하 핵실험) 등으로도 발생한다.

(2) **진원과 진앙:** 지구 내부에서 지진이 최초로 발생한 지점을 진원이라 하고, 진원에서 연직 방향으로 지표면과 만나는 지점을 진앙이라고 한다.

2. 지진파의 종류와 성질

지진이 발생하면 진원에서 방출된 에너지가 파동의 형태로 전파되는데, 이를 지진파라고 한다. 지진파는 지구 내부를 통과하는 실체파(body wave)와 표면파(surface wave)로 구분할 수 있다. 지진파는 지진 관측소에 설치된 지진계에 다음 그림과 같은 모습으로 기록된다.

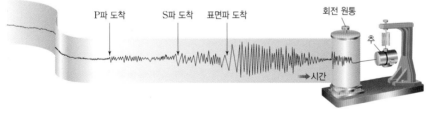

▲ **지진 기록** 관측소에 P파가 가장 먼저 도달하고, 그 후 S파와 표면파 순으로 도달한다.

(1) **실체파 :** 진원에서 모든 방향으로 지구 내부를 통과하여 전파되는 지진파로, P파와 S파로 구분한다. 실체파는 지구 내부 구조와 구성 물질을 연구하는 데에 이용된다.

① **P파(Primary wave):** 속도가 가장 빨라서 지진 관측소에 첫 번째로 도달하는 지진파로, 매질의 진동 방향이 파동의 진행 방향과 나란한 종파에 해당한다. P파는 부피와 밀도 변화를 일으키며 고체, 액체, 기체를 모두 통과한다.

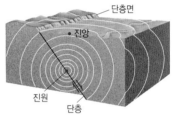

▲ **진원과 진앙**

지진파의 발생
· 지진이 발생하면 P파와 S파가 진원에서 동시에 발생한다. P파가 S파보다 먼저 발생하는 것이 아니다.
· 표면파는 실체파인 P파 또는 S파가 지표에 도달하였을 때 발생하며, 실체파와 별도로 진행한다.

횡파와 종파
· 횡파: 파동의 진행 방향과 매질의 진동 방향이 수직인 파동으로, 전자기파, 지진파의 S파, 용수철의 횡파가 해당한다.

· 종파: 파동의 진행 방향과 매질의 진동 방향이 나란한 파동으로, 음파, 지진파의 P파, 용수철의 종파가 해당한다.

② S파(Secondary wave): 관측소에 두 번째로 도달하는 지진파로, 매질의 진동 방향이 파동의 진행 방향과 수직인 횡파에 해당한다. S파는 매질의 모양을 변화시키고 고체만 통과한다. S파의 속도는 P파보다 느리지만, 진폭은 P파보다 크다.

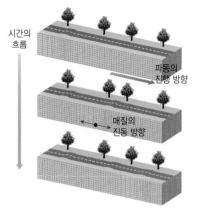

▲ **P파의 전파** P파는 파동의 진행 방향과 매질의 진동 방향이 나란한 종파이다.

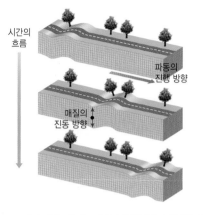

▲ **S파의 전파** S파는 파동의 진행 방향과 매질의 진동 방향이 수직인 횡파이다.

(2) **표면파**: 표면파는 진앙에서부터 지표면을 따라 전파되는 지진파로, 속도가 느려서 지진 관측소에 가장 나중에 도달한다. 표면파에는 레일리파와 러브파가 있다.

① 레일리파(Rayleigh wave): 지표면에 수직인 평면 내에서 매질이 역행 타원 운동을 하며 전파되는 지진파로, 보통 진앙에서 1000 km 이상의 거리에서 관측된다.

② 러브파(Love wave): 매질이 파의 진행 방향에 직각을 이루고 지표면에 평행한 평면 내에서 수평 방향으로 진동한다. 따라서 러브파는 상하 방향의 움직임을 기록하는 지진계에는 기록되지 않는다. S파보다 진폭이 커서 큰 피해를 준다.

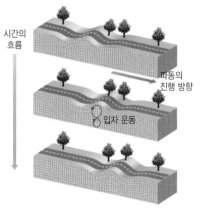
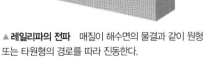

▲ **레일리파의 전파** 매질이 해수면의 물결과 같이 원형 또는 타원형의 경로를 따라 진동한다.

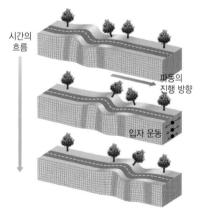

▲ **러브파의 전파** 매질이 파동의 진행 방향에 수직으로 나란한 방향으로 진동한다.

지진파	파동의 종류	전파 속도(지각)	진폭	피해 정도	통과 매질
P파	종파	6~8 km/s	작다.	작다.	고체, 액체, 기체
S파	횡파	3~4 km/s	중간	크다.	고체
표면파		2~3 km/s	매우 큼	매우 큼	지표면

▲ **지진파의 종류와 특징**

P파와 S파의 전파 속도

매질의 밀도를 ρ, 압축탄성계수를 κ, 강성률을 μ라 하면 V_P와 V_S는 다음과 같다.

$$V_P = \sqrt{\frac{\kappa + \frac{4}{3}\mu}{\rho}}, \quad V_S = \sqrt{\frac{\mu}{\rho}}$$

압축탄성계수(κ)는 모양의 변화 없이 물질의 부피를 변화시키는 데 필요한 힘에 대한 척도이고, 강성률(μ)은 부피 변화 없이 물질의 모양을 변화시키는 데 필요한 힘에 대한 척도이다. 액체에서는 강성률(μ)이 0이므로 V_S도 0이다. 반면 P파의 전파 속도는 강성률뿐만 아니라 압축탄성계수(κ)에 관계되기 때문에 V_P는 액체에서도 0이 아니며 V_S보다 항상 빠르다. 또한 물질의 밀도가 커질수록 강성률이 커지므로, 밀도가 증가하면 지진파의 속도가 빨라진다.

레일리파와 러브파

• 레일리파: 1885년 영국의 물리학자 레일리(Rayleigh, J.W.S., 1842~1919)가 이론적으로 예측한 지진파로서 P파와 S파의 상호 작용으로 생성된다. 모든 지진파 중 전파 속력이 가장 느리지만 지표면을 물결 모양으로 흔들기 때문에 가장 위험한 지진파이다.

• 러브파: 1911년 영국의 수학자 러브(Love, A. E. H, 1863~1940)가 수학적으로 유도한 지진파이다. 수평동 지진계에만 기록되며, 밀도 변화를 수반하지 않는 지진파이다. 파괴력이 커서 산사태를 일으키기도 하며, 지각의 두께 연구에 주로 이용된다.

지진계의 원리와 관성

물체가 정지 상태 또는 운동 상태를 유지하려는 성질을 관성이라고 하는데, 지진계는 관성을 이용한 것이다. 지진계에는 질량이 매우 큰 추가 매달려 있는데, 이 추는 지진이 발생하였을 때 지면의 진동에 영향을 받지 않는 고정된 부분의 역할을 한다. 지진이 발생하면 지진계의 회전 원통은 지면과 함께 흔들리지만, 무거운 추는 관성에 의해 흔들리지 않으므로 추의 끝에 달린 펜이 회전 원통의 종이에 지진의 진동을 기록한다.

▲ **수평동 지진계**   ▲ **수직동 지진계**

3. 진원 거리와 진앙 거리 구하기

탐구 036쪽

(1) PS시와 주시 곡선

① PS시: 지진 관측소의 지진 기록에서 P파가 도달한 후 S파가 도달할 때까지 걸린 시간을 PS시 또는 초기 미동 계속 시간이라고 한다. PS시는 지진 관측소에서 진앙까지의 거리가 멀수록 커지므로, PS시를 측정하면 진원 거리를 구할 수 있다.

② 주시 곡선: 진앙으로부터 지진 관측소까지의 거리와 지진파가 도달하는 데 걸리는 시간과의 관계를 나타낸 그래프를 주시 곡선이라고 하며, 주시 곡선을 이용하여 진앙 거리를 구할 수 있다.

(2) PS시를 이용하여 진원 거리 구하기: PS시를 t, P파와 S파의 속도를 각각 V_P, V_S라고 하면 진원 거리 d는 다음과 같이 구할 수 있다.

$$\text{P파가 도달하는 데 걸린 시간: } \frac{d}{V_P}$$

$$\text{S파가 도달하는 데 걸린 시간: } \frac{d}{V_S}$$

$$\text{PS시} = \frac{d}{V_S} - \frac{d}{V_P} = d\left(\frac{1}{V_S} - \frac{1}{V_P}\right) = d\left(\frac{V_P - V_S}{V_P V_S}\right)$$

$$\therefore \text{진원 거리}(d) = \text{PS시} \times \frac{V_P V_S}{V_P - V_S}$$

(3) 주시 곡선을 이용하여 진앙 거리 구하기: 진앙에서 지진 관측소까지의 거리와 P파와 S파가 도달하는 데 걸리는 시간과의 관계를 나타낸 그래프를 주시 곡선이라고 한다. 따라서 어느 관측소에서의 PS시를 알면 주시 곡선을 이용하여 진앙 거리를 구할 수 있다. 즉, 주시 곡선에서 P파와 S파 곡선 사이의 간격이 PS시와 같은 지점을 찾고, 그 아래로 수선을 그려서 가로축의 값을 읽으면 진앙 거리를 결정할 수 있다. 진앙 거리가 약 1000 km 이내인 곳까지는 주시 곡선이 대략 직선으로 나타나지만 1000 km 이상인 곳의 주시 곡선은 곡선으로 나타난다.

진원 거리와 진앙 거리

진원에서 지진 관측소까지의 거리를 진원 거리라고 하며, 진앙에서 지진 관측소까지의 거리를 진앙 거리라고 한다. 진원 거리가 비교적 가까운 경우에는 지표면을 평면으로 생각할 수 있어서 진원 거리가 진앙 거리보다 더 큰 값을 갖지만, 진원 거리가 먼 경우에는 지구의 구면을 따라 측정한 진앙 거리가 진원 거리보다 더 큰 값을 갖는다.

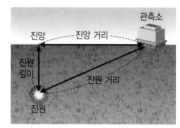

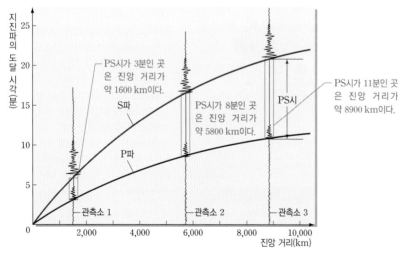

▲ **주시 곡선** P파가 S파보다 이동 속도가 빠르기 때문에 두 지진파의 주시 곡선 사이의 간격은 지진파의 이동 거리가 멀수록 증가한다. PS시를 알면 주시 곡선을 이용하여 진앙 거리를 결정할 수 있다.

4. 진앙과 진원의 위치 결정

(1) **진앙의 위치 결정:** 진앙의 위치는 세 관측소에서 구한 진원 거리를 이용하여 결정한다.

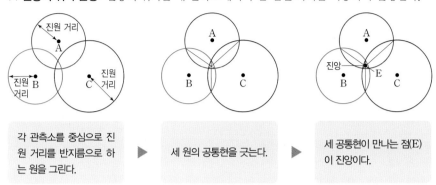

각 관측소를 중심으로 진원 거리를 반지름으로 하는 원을 그린다.	▶	세 원의 공통현을 긋는다.	▶	세 공통현이 만나는 점(E)이 진앙이다.

진앙의 위치

PS시를 이용하더라도 1개의 관측소 자료만으로는 진원이 관측소로부터 몇 km에 있다는 사실만 알 수 있을 뿐 진원의 정확한 위치를 알 수 없다. 그러나 두 곳의 관측소 자료를 이용하여, 관측소를 중심으로 진원 거리를 반지름으로 하는 원을 지도상에 그려 보면 진앙의 위치는 두 원의 공통현 상에 있을 것이다. 그리고 세 곳의 관측소 자료를 이용하면 세 공통현이 한 점에서 만나는 진앙의 위치를 알 수 있다.

(2) **진원의 깊이 결정:** 진원의 깊이는 진앙의 위치를 결정하는 방법을 응용하여 다음과 같이 알아낼 수 있다.

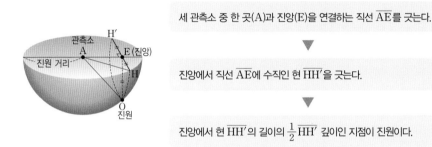

세 관측소 중 한 곳(A)과 진앙(E)을 연결하는 직선 $\overline{AE}$를 긋는다.

▼

진앙에서 직선 $\overline{AE}$에 수직인 현 $\overline{HH'}$을 긋는다.

▼

진앙에서 현 $\overline{HH'}$의 길이의 $\frac{1}{2} \overline{HH'}$ 깊이인 지점이 진원이다.

예제

그림 (가)는 어느 지진에 대해 세 지역에서 관측된 지진파의 기록을, (나)는 그에 따른 주시 곡선을, (다)는 각 관측소의 위치를 나타낸 것이다.

(1) (가)에서 세 관측소에서의 PS시를 각각 구하시오.

(2) (나)의 주시 곡선을 이용하여 세 관측소에서의 진앙 거리를 각각 구하시오.

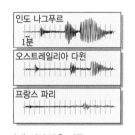

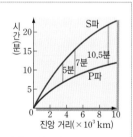

(가) 지진 관측 기록   (나) 주시 곡선

정답 (1) 지진파 기록으로 PS시를 구하고 진원 거리를 구할 수 있다. 나그푸르 관측소의 PS시는 약 5분, 다윈 관측소의 PS시는 약 7분, 파리 관측소의 PS시는 약 10.5분이다.

(2) (나)의 주시 곡선에서 PS시에 해당하는 가로축의 거리를 읽어 진앙 거리를 구할 수 있다.

관측소	PS시	진앙 거리(km)
인도 나그푸르	5분	3700
오스트레일리아 다윈	7분	5200
프랑스 파리	10.5분	8800

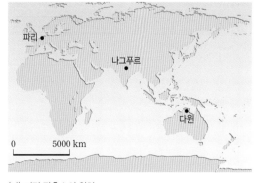

(다) 지진 관측소의 위치

❶ **규모(magnitude)**: 지진으로 방출되는 에너지를 나타내는 수치로, 동일한 지진은 장소와 관계 없이 규모가 같다. 규모는 진앙 거리가 100 km인 곳의 표준 지진계에 나타난 지진 기록의 최대 진폭을 이용하여 결정한다. 리히터 규모(M)가 1 증가하면 방출 에너지(E)는 약 32배 증가한다.

구분(M)	방출 에너지(TNT 1 kg 기준)	연간 발생 횟수	인구 밀집 지역에서의 영향
10	1.5×10^{13}개의 폭발력	0	
9	4.76×10^{11}개의 폭발력	0~1	거의 완전 파괴
8	1.5×10^{10}개의 폭발력	1~2	대부분 파괴
7	4.76×10^{8}개의 폭발력	18~20	심각한 파괴, 철로가 휘어짐
6	1.5×10^{7}개의 폭발력	약 120	건물에 상당한 피해
5	4.76×10^{5}개의 폭발력	약 1500	건물에 약간 피해
4	1.5×10^{4}개의 폭발력	약 10000	다수의 사람들이 감지
3	476개의 폭발력	약 10만	소수의 사람들이 감지
2	15개의 폭발력	약 100만	사람은 못 느끼나 지진계에는 기록됨

❷ **진도(intensity)**: 지진에 대해 사람이 느끼는 정도나 주변의 물체나 건물이 흔들리는 정도를 나타내는 수치로, 진앙에서 가장 크며, 진앙에서 멀어질수록 대체로 작아진다.

리히터 규모

일반적으로 지진의 규모는 미국의 지진학자 인 리히터(Richter, C.)가 제안한 규모를 사용한다. 리히터 규모(M)는 다음과 같이 표시된다.

$$M = \log\left(\frac{a}{T}\right) + B$$

여기서 a는 지면 진동의 최대 진폭, T는 진동 주기, B는 보정 계수이다.

수정 메르칼리 진도

우리나라 기상청에서는 진도를 12단계로 구분한 MM 진도(수정 메르칼리 진도)를 사용하고 있다.

2 지구 내부 구조

　　지진파는 성질이 다른 물질의 경계면에서 반사하거나 굴절하며, 물질의 상태에 따라 속도 가 변한다. 따라서 지진파를 분석하면 지구 내부의 구조와 구성 물질을 추정할 수 있다.

1. 지진파의 속도 변화와 불연속면

(1) **지진파의 속도 변화**: 지구 내부가 균질하다면 지진파는 지구 내부에서 같은 속도로 전파 되겠지만, 실제 지구 내부를 통과하는 지진파(P파, S파)는 그 속도가 변화한다.

① **P파의 속도**: P파의 속도는 지구 내부로 갈수록 빨라지는데, 깊이가 약 40 km~50 km, 약 2900 km, 약 5100 km인 구간에서 급격하게 변한다. 특히 약 2900 km 깊이에서 P파 의 속도가 급격히 느려지며 가장 큰 속도 변화를 나타낸다.

② **S파의 속도**: S파의 속도는 깊이가 약 40 km~50 km인 구간에서 약간 증가하며, 깊이 약 2900 km부터는 S파가 통과하지 못한다.

지구 내부 물질과 지진파의 속도

지구 내부가 균질하다면 지진파는 지구 내 부에서 같은 속도로 전파될 것이지만, 실제 지진 관측 기록에서는 지진파의 속도가 변 하고 지진파가 굴절되는 것으로 나타난다. 이를 통해 지구 내부는 깊이에 따라 물질의 종류와 성질이 다르다는 것을 알 수 있다.

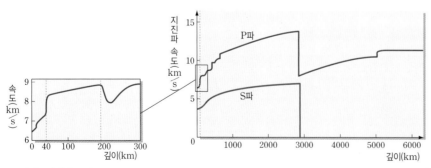

▲ P파와 S파의 속도 분포

(2) 지진파 불연속면

심화 038쪽

① 암영대: 지진이 발생하였을 때 지진파가 관측되지 않는 지역으로, 지진파가 지구 내부의 불연속면에서 반사하거나 굴절하기 때문에 나타난다. 진앙에서 각거리가 103°∼142°인 지표면에는 P파가 도달하지 않는데, 이 구간을 P파의 암영대라고 한다. 또, 지구 중심에서 진앙과의 각거리가 103°∼180°인 지표면에는 S파가 도달하지 않는데, 이 구간을 S파의 암영대라고 한다.

② 모호로비치치 불연속면: 1909년 크로아티아의 지진학자 모호로비치치는 발칸 반도에서 일어난 지진 기록을 분석하여 지하 약 40 km 깊이에서 지진파의 속도가 갑자기 빨라지는 경계면(지진파의 속도 불연속면)을 발견하였다. 이처럼 지진파의 속도가 급격히 변하는 까닭은 이 경계면 상하부의 구성 물질과 밀도에 차이가 있기 때문이다. 따라서 이 경계면을 모호로비치치 불연속면 또는 모호면이라고 하며, 모호면을 경계로 상부를 지각, 하부를 맨틀이라고 한다. 모호면의 위치는 지역마다 차이가 있는데, 대륙 지각에서는 지표면 아래 약 30 km∼70 km이다. 모호면의 깊이는 곧 지각의 두께를 나타내며, 해양 지각에서보다 대륙 지각에서 모호면이 더 깊은 곳에 위치하므로 대륙 지각이 해양 지각보다 두껍다.

③ 구텐베르크 불연속면: 1914년 독일의 지진학자 구텐베르크는 진앙에서 각거리가 103°∼142°인 지역에는 P파가 도달하지 않는 P파의 암영대가 분포하고, 각거리가 103°∼180°인 지역에는 S파가 도달하지 않는 S파의 암영대가 분포한다는 사실을 발견하였다. 그는 S파 암영대의 존재로부터 약 2900 km 깊이에 불연속면이 존재하고, 그 하부(외핵)의 물질이 액체 상태임을 알아냈다. 따라서 약 2900 km 깊이의 경계면을 구텐베르크 불연속면이라고 하며, 맨틀과 핵의 경계면에 해당한다.

④ 레만 불연속면: 1936년 레만은 P파의 속도가 핵의 주변부를 통과할 때보다 핵의 중심부를 통과할 때 더 빠르다는 사실과 진앙으로부터 각거리 110° 부근에서 약한 P파가 관측된다는 사실을 발견하였다. 레만은 이 약한 P파가 약 5100 km 깊이의 불연속면에서 반사된 것이고, 불연속면 하부층의 밀도가 더 크기 때문에 P파의 속도가 빨라진 것으로 해석하였다. 이 불연속면을 레만 불연속면이라 하며, 이를 경계로 상부를 액체 상태의 외핵, 하부를 고체 상태의 내핵으로 구분한다.

모호로비치치(Mohorovicic, A., 1857∼1936)
크로아티아(옛 유고슬라비아)의 지진학자로 지진파의 속도 차이를 통해 지각과 맨틀의 경계면을 최초로 발견하였다.

구텐베르크(Gutenberg, B., 1889∼1960)
독일 출신의 미국 지진학자로, 맨틀과 외핵의 경계면인 구텐베르크 불연속면을 발견하였다. 지진의 크기를 나타내는 척도를 정의하고, 지진 발생 시 방출되는 에너지를 측정하였다.

레만(Lehmann, L., 1888∼1993)
덴마크의 여성 지구 물리학자로, 세계 여러 지역의 지진 관측 자료를 세밀히 분석하여 외핵과 내핵의 경계면인 레만 불연속면을 발견하였다.

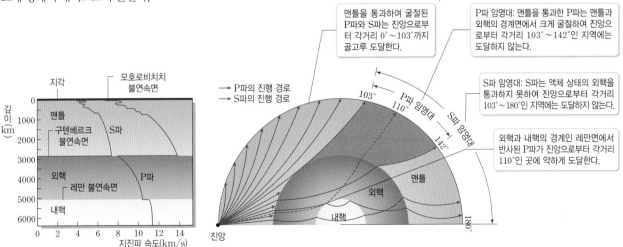

▲ 깊이에 따른 지진파의 속도 분포와 지구 내부를 통과하는 지진파의 경로

2. 지구의 층상 구조

지구 내부는 지진파 불연속인 모호로비치치 불연속면(모호면), 구텐베르크 불연속면, 레만 불연속면을 기준으로 지각, 맨틀, 외핵, 내핵으로 구분한다.

(1) 지각: 지각의 두께는 지표에서 모호면까지의 깊이에 해당하며, 지역에 따라 다르게 나타난다. 대륙 지각의 두께는 약 30 km~70 km이고, 해양 지각의 두께는 약 5 km~8 km이다.

① **대륙 지각:** 지구 전체 질량의 약 0.4 %를 차지하며, 주로 산소(O), 규소(Si), 알루미늄(Al), 칼륨(K), 나트륨(Na), 칼슘(Ca) 등의 원소로 이루어져 있다. 대륙 지각은 평균 밀도가 약 2.7 g/cm³이고, 주로 화강암질 암석으로 구성된다. 대륙 지각에서 가장 오래된 암석은 약 40억 년 전에 생성된 것으로 추정된다.

② **해양 지각:** 지구 전체 질량의 약 0.01 %를 차지하는 데 불과하지만, 지구 표면의 약 60 %를 뒤덮고 있다. 주로 산소(O), 규소(Si), 칼슘(Ca), 마그네슘(Mg), 철(Fe) 등의 원소로 이루어져 있다. 해양 지각은 평균 밀도가 약 3.0 g/cm³이고, 주로 현무암질 암석으로 구성된다. 해양 지각에서 가장 오래된 암석은 약 1억 8천만 년 전에 생성된 것으로 알려져 있다.

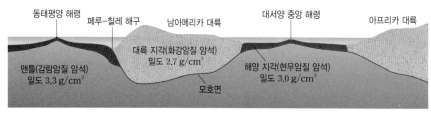

▲ **대륙 지각과 해양 지각의 구조**

(2) 맨틀: 모호면에서부터 약 2900 km 깊이까지의 부분으로, 지구 전체 부피의 약 80 %를, 지구 전체 질량의 약 67 %를 차지한다. 맨틀은 주로 감람암질 암석으로 이루어져 있으며, 마그네슘, 규소, 산소, 철 등의 원소로 구성된다. 맨틀은 지진파의 속도 변화에 따라 상부 맨틀, 전이대, 하부 맨틀로 구분한다.

① **상부 맨틀:** 모호면에서부터 약 400 km 깊이까지의 부분으로, 주 구성 광물은 감람석이다. 상부 맨틀의 깊이 약 100 km~220 km 부근에서 S파의 속도가 급격하게 느려지는 저속도층이 분포한다. 지진파 저속도층은 연약권에 해당하며, 그 상부는 암석권에 해당한다.

② **전이대:** 깊이 약 400 km~660 km 부분을 전이대라고 한다. 이 부분에서는 압력의 증가로 인해 광물의 결정 구조가 높은 압력에서 안정적인 구조로 변화한다.

③ **하부 맨틀(중간권):** 깊이 약 660 km~2900 km의 부분으로, 단단한 암석으로 이루어져 있으며 깊이에 따라 압력이 증가하여 구성 물질의 밀도가 커진다. 그 결과 지진파의 속도가 점차 빨라지다가 약 2900 km 깊이의 구텐베르크 불연속면에서 P파의 속도는 급격히 감소하고 S파의 속도는 0이 된다.

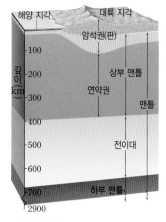

▲ **맨틀의 구조**

지각의 구성 광물과 구성 원소

지각을 이루는 암석의 구성 광물은 규소(Si)와 산소(O)를 주성분으로 하는 규산염 광물이 대부분이며, 지각을 이루는 암석의 구성 원소는 O, Si, Al, Fe, Ca, Na, K, Mg의 8가지 원소가 전체의 98 % 이상(질량비)을 차지하고 있는데, 이를 지각의 8대 구성 원소라고 한다.

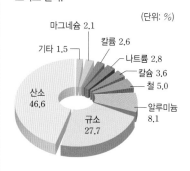

암석권과 연약권

· **암석권:** 지각과 상부 맨틀의 최상부 영역을 포함하는 부분으로, 단단한 성질의 암석으로 이루어져 있다. 암석권은 판 구조론에서 판에 해당한다.

· **연약권:** 암석권 하부의 상부 맨틀의 한 부분에 해당한다. 연약권을 이루는 물질은 대부분 고체 상태이지만 비교적 고온으로 용융점에 가깝기 때문에 부분적으로 용융 상태이며 유동성이 있다. 그 결과 S파의 속도가 느려져서, 연약권을 지진파의 저속도층이라고도 한다.

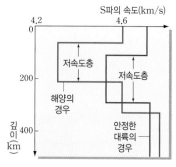

▲ **지진파 저속도층**

전이대에서 광물의 결정 구조 변화

상부 맨틀은 주로 감람석으로 구성되어 있지만, 깊이 약 400 km 부근에서 감람석이 스피넬(spinel)로 변하고, 깊이 약 670 km 부근에서는 스피넬이 페로브스카이트(perobskite)로 변하며 밀도가 증가한다.

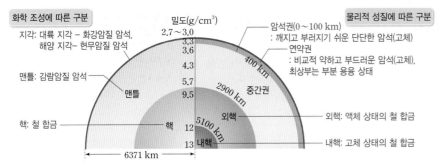

화학 조성에 따른 구분

지각: 대륙 지각 – 화강암질 암석,
해양 지각 – 현무암질 암석

맨틀: 감람암질 암석

핵: 철 합금

밀도(g/cm³)
2.7~3.0
3.3
3.6
4.3
5.7
9.5
12
13

맨틀

핵

6371 km

암석권(0~100 km)
: 깨지고 부러지기 쉬운 단단한 암석(고체)

연약권
: 비교적 약하고 부드러운 암석(고체),
최상부는 부분 용융 상태

400 km

2900 km

중간권

외핵

5100 km

내핵

물리적 성질에 따른 구분

외핵: 액체 상태의 철 합금

내핵: 고체 상태의 철 합금

▲ **지구 내부의 층상 구조** 지구 내부의 층상 구조는 화학 조성에 따라, 물리적 성질에 따라 구분할 수 있다.

(3) **핵:** 깊이 약 2900 km의 구텐베르크 불연속면에서부터 지구 중심부까지에 해당하며, 지구 전체 부피의 약 16 %를, 지구 전체 질량의 약 32 %를 차지한다. 핵은 대부분 철(Fe)과 소량의 니켈(Ni)의 합금으로 구성되며, 미량의 산소(O), 규소(Si), 황(S) 등이 철과 화합물로 존재하는 것으로 알려져 있다. 핵은 물질의 상태에 따라 외핵과 내핵으로 구분한다.

① **외핵:** 구텐베르크 불연속면부터 레만 불연속면까지의 두께 약 2200 km인 액체 상태의 층으로, 금속 성분의 물질이 유동하며 지구 자기장을 만들어낸다.

② **내핵:** 반지름 약 1270 km의 구체로, 외핵보다 높은 온도에도 불구하고 지구 중심부의 매우 높은 압력 때문에 고체 상태를 유지한다.

3. 지구 내부의 물리량

지구 내부에서 온도와 압력은 깊이에 따라 연속적으로 증가한다. 반면 밀도는 불연속적으로 변화하는데, 지진파 불연속면을 경계로 계단식으로 증가한다.

(1) **지구 내부의 온도 분포:** 지구 내부 온도(지온)는 모호면 부근에서 약 1000 ℃이고, 약 220 km~800 km 깊이의 지진파 저속도층에서는 맨틀 물질의 용융 온도에 가까운 약 1100 ℃~1200 ℃이다. 연약권 하부에서는 지온이 용융 온도보다 높아서 물질이 부분 용융 상태로 존재한다. 반면 하부 맨틀은 지온이 맨틀의 용융 온도보다 낮으므로 고체 상태이다. 맨틀과 핵의 경계인 깊이 약 2900 km에서는 지온이 약 3500 ℃로 용융 온도보다 높아서 외핵은 액체 상태이고, 그 하부는 지온이 용융 온도보다 낮으므로 내핵은 고체 상태이다.

(2) **지구 내부의 밀도 분포:** 지구 내부의 밀도는 깊이가 깊어질수록 불연속적으로 증가하는데, 지진파 불연속면에서 계단식으로 증가한다. 지구 전체의 평균 밀도는 약 5.5 g/cm³이지만 지각의 밀도는 약 2.7 g/cm³~3.0 g/cm³이고, 맨틀의 밀도는 약 3.3 g/cm³~5.7 g/cm³이다. 외핵의 밀도는 약 9.5 g/cm³~12 g/cm³이고, 내핵의 밀도는 약 13 g/cm³~14 g/cm³인 것으로 추정된다.

(3) **지구 내부의 중력과 압력 분포:** 중력 분포는 밀도 분포로부터 계산할 수 있는데, 지표(9.8 m/s²)에서 약 2900 km 깊이(약 10.7 m/s²)까지는 중력이 거의 비슷하지만, 외핵을 거쳐 내핵으로 가면서 급격히 감소하여 지구 중심에서는 0이다. 지구 내부의 압력 분포는 밀도와 중력의 분포로부터 추정할 수 있는데, 지구 중심으로 갈수록 압력이 증가하여 맨틀과 외핵의 경계에서는 약 120만 기압(atm), 지구 중심부에서는 약 360만 기압에 이르는 것으로 추정된다.

맨틀과 핵의 구성 물질 연구 방법

맨틀과 핵의 구성 물질은 직접적인 방법으로 알아낼 수 없기 때문에 지진파 속도 분포와 운석 성분 분석 등의 간접적인 방법으로 알아낸다. 맨틀의 구성 물질은 화산 분출물이나 맨틀 포획암을 통해서도 알아낼 수 있다.

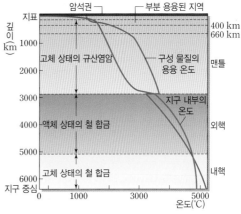

▲ **지구 내부의 온도 분포와 용융 곡선**

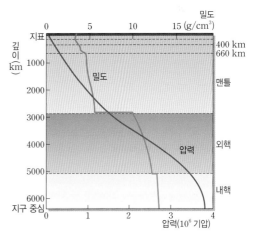

▲ **지구 내부의 밀도와 압력 분포**

③ 지각의 두께 차이와 지각 평형설

지진파를 분석하여 알아낸 지각의 두께를 살펴보면, 대륙 지각이 해양 지각보다 훨씬 두껍다는 것을 알 수 있다. 이처럼 지역에 따라 지각의 두께가 다른 까닭을 설명하는 이론이 지각 평형설이다.

1. 지각 평형설

물보다 밀도가 작은 나무 도막이 물 위에 떠 있으면서 평형을 유지하는 것처럼 상대적으로 밀도가 작은 지각이 밀도가 큰 맨틀 위에 평형을 이루며 떠 있는데, 이를 지각 평형이라고 한다. 지각 평형의 원리를 설명하는 이론인 지각 평형설에는 프래트설과 에어리설이 있다.

(1) **프래트설**: 프래트는 지각이 지각보다 밀도가 큰 물질(맨틀) 위에 떠 있으며, 지각의 밀도는 지역에 따라 다르다고 가정하였다. 그는 높이 솟아오른 부분의 지각은 상대적으로 밀도가 작고, 낮은 지형을 이루는 지역의 지각은 상대적으로 밀도가 크며, 지하의 일정한 깊이(보상면)에서 각 기둥의 밑면이 균형을 이루고 있다고 설명하였다.

(2) **에어리설**: 에어리는 지각이 밀도가 큰 물질 위에 떠 있다는 부분에서는 프래트와 같은 생각을 하였다. 그러나 에어리는 지각을 이루는 물질의 밀도는 어디서나 같으며 밀도가 작은 물질이 밀도가 큰 물질 위에 마치 바다 위의 빙산과 같이 떠 있어서, 지표 위로 높이 솟은 산맥은 낮은 평지나 바다보다 맨틀 속으로 깊게 들어가 있다고 설명하였다.

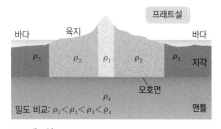
▲ 프래트설

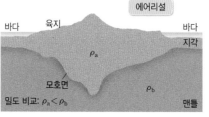
▲ 에어리설

(3) **프래트설과 에어리설의 비교**: 지각의 구성 물질이 대륙과 해양에서 다르다는 점에서는 프래트설이 타당하고, 모호면의 깊이가 대륙과 해양에서 다르다는 점에서는 에어리설이 타당하다. 그러나 지각이 밀도가 큰 맨틀 위에 떠 있으면서 균형을 이루기 위해 융기하거나 침강하는 조륙 운동이 일어나고 있다는 점에서는 두 이론 모두 타당하다.

2. 지각 평형의 과정

(1) **지각 평형의 과정**: 지각이 융기하거나 침강하는 현상은 지각이 항상 평형을 유지하려고 하기 때문에 나타나는 현상이다.

① 지각 평형의 원리: 서로 다른 두께의 나무 도막이 물 위에 떠 있을 때, 두꺼운 나무 도막이 얇은 나무 도막에 비해 높이 솟아올라 있다. 이때 한 나무 도막 위에 다른 나무 도막을 올려놓으면 증가한 무게와 부력이 서로 평형을 이룰 때까지 가라앉는다. 그 결과 이 나무 도막의 높이는 이전보다 높아지며, 물속에 잠긴 부분의 깊이도 깊어진다. 즉, 나무 도막을 지각, 물을 맨틀에 비유하면 무게가 증가한 지각은 가라앉고 무게가 감소한 지각은 융기하는 현상을 설명할 수 있다.

프래트(Pratt, J, H., 1809~1871)
영국의 성직자이자 수학자로, 인도에 머무르면서 히말라야산맥 부근의 중력을 측정하여 지각 평형설의 토대를 마련하였다.

에어리(Airy, G, R., 1801~1892)
영국의 지구물리학자이자 천문학자로 히말라야산맥 부근의 삼각 측량 결과를 토대로 지각 평형설을 제시하였다.

지각 평형설의 등장 배경
뉴턴이 만유인력의 법칙을 발표한 이후 당시의 물리학자들은 지구의 질량 측정에 많은 관심을 가졌다. 과학자들은 히말라야산맥 주위에서 추를 산맥 가까이 가져갈 때 추와 산맥의 질량에 의한 만유인력으로 추가 끌려가는 각도를 측정하여 지구의 질량을 계산하고자 하였다. 실험 결과는 예상했던 것보다 추가 매우 적게 끌려갔는데, 그 원인을 밝혀내지는 못하였다. 19세기 중엽 프래트와 에어리는 지구 내부에 밀도가 큰 유동성 물질(맨틀)이 있고, 그 위에 밀도가 작은 지각이 아르키메데스의 원리에 의해 떠 있다는 가설을 제시하여 추의 수직 편차를 설명함으로써 지각 평형설이 등장하였다.

프래트설과 에어리설의 비교

구분	프래트설	에어리설
지각의 밀도	다르다.	일정하다.
지각의 깊이	밀도가 작을수록 지각이 높이 솟아오른다.	높이 솟아오른 지각일수록 뿌리가 깊다.
모호면 깊이	일정하다.	다르다.
실제 지각과 비교	대륙 지각과 해양 지각의 밀도가 다르다는 점에서 타당하다.	모호면의 깊이가 다르다는 점에서 타당하다.

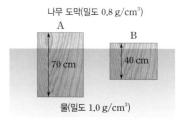
▲ 지각 평형의 원리

② **지각 평형의 계산**: 대륙 지각은 해양 지각보다 더 높이 솟아 있고 모호면의 깊이도 더 깊은데, 이는 두꺼운 대륙 지각이 얇은 해양 지각보다 상대적으로 밀도가 작기 때문이다. 아래 그림의 보상면에서 대륙 지역의 A 지점과 해양 지역의 B 지점에 작용하는 무게는 같다. 이때 각 지점에 작용하는 무게는 그 상부 물질의 무게의 합과 같고, 무게는 밀도, 중력 가속도, 높이의 곱인 $\rho g h$이므로 다음과 같은 관계가 성립한다.

$$\rho_1 h_1 = \rho_2 h_2 + \rho_3 h_3 + \rho_4 h_4$$

이 식을 이용하면 지각이 융기하는 높이나 침강하는 깊이를 알아낼 수 있다.

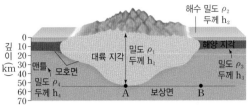
▲ **지각 평형 깊이(보상면)의 계산**

(2) **지각 평형 조정**: 높은 지형이 풍화·침식 작용을 받아 무게가 감소하면 지각이 융기하고, 퇴적물이 쌓인 곳에서는 무게가 증가하여 지각이 침강한다. 이처럼 중력에 의해 새로운 높이로 평형을 이루는 과정을 지각 평형 조정(isostatic adjustment)이라고 한다.

① 대륙 지역에서 산맥이 형성되면 지각의 무게가 증가하여 대륙 지각이 서서히 아래로 침강하고 상부 맨틀 물질이 침하한다.

② 산맥의 상부를 이루는 물질이 풍화·침식 작용을 받으면 지각의 무게가 감소하고, 지각 평형을 이루기 위해 지각이 융기한다. 산맥의 침식으로 만들어진 퇴적물은 연안에 퇴적된다.

③ 이 지역의 지각 두께가 일반적인 지각의 두께와 비슷해질 때까지 산맥의 침식과 지각의 융기가 계속되며, 산맥 하부의 암석(관입암)이 지표로 노출된다. 연안에서는 퇴적물의 무게로 인해 지각과 상부 맨틀이 침강한다.

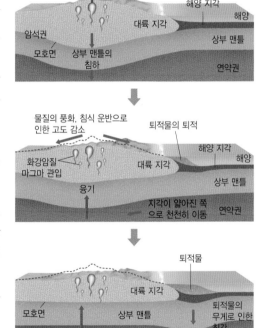
▲ **지각 평형 조정**

3. 지각 평형에 따른 조륙 운동
오랜 시간에 걸쳐 지각이 서서히 융기하거나 침강하는 운동을 조륙 운동이라고 한다. 조륙 운동은 지각 평형설로 설명할 수 있는데, 지표에서 침식(퇴적) 작용이 일어나면 지각의 무게와 맨틀이 지각을 떠받치는 힘이 평형을 이룰 때까지 지각이 융기(침강)하여 지각 평형을 이루는 것이다. 즉, 지표의 높은 부분이 침식 작용을 받아 깎여나가면 무게가 감소하여 지각이 융기하고, 퇴적물이 쌓이는 곳에서는 무게가 증가하여 지각이 침강한다.

스칸디나비아반도의 융기
스칸디나비아반도는 조륙 운동에 따라 지각의 침강과 융기 현상이 나타나는 대표적인 지역이다. 이 지역은 지난 1만 년 동안 최대 275 m 융기하였으며, 현재도 매년 1 cm 정도씩 융기하고 있다. 이처럼 스칸디나비아반도가 융기하는 까닭은 과거 빙하기에 스칸디나비아반도를 두껍게 덮고 있던 빙하가 녹아 없어지자 새로운 형태의 지각 평형을 유지하기 위해서이다. 약 1 km 두께의 빙하가 녹으면 지표면이 약 300 m 융기하는 것으로 추정하고 있다.

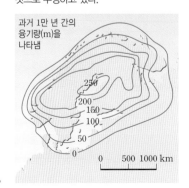
과거 1만 년 간의 융기량(m)을 나타냄

지진파 자료를 활용하여 진앙과 진원 위치 구하기

지진 관측소에서 관측한 지진파 자료를 이용하여 진앙과 진원의 위치를 구할 수 있다.

과정 및 결과

그림은 우리나라에서 발생한 지진을 3곳의 지진 관측소에서 관측한 기록을 각각 나타낸 것이다.

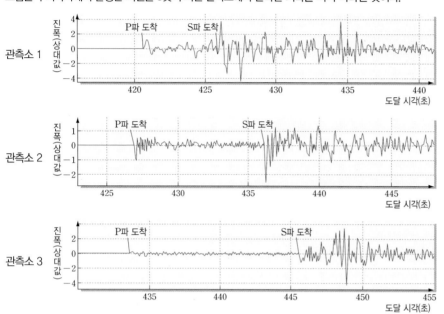

1 각 관측소의 지진 기록에서 PS시를 구하고, 이를 이용하여 진원 거리를 구해 보자. (단, P파의 속도는 $6\,km/s$, S파의 속도는 $4\,km/s$이다.)

구간	P파 도달 시각(초)	S파 도달 시각(초)	PS시(초)	진원 거리(km)
관측소 1	420.6	425.9	$425.9-420.6=5.3$	$5.3 \times \dfrac{6 \times 4}{6-4}=63.6$
관측소 2	426.8	436.2	$436.2-426.8=9.4$	$9.4 \times \dfrac{6 \times 4}{6-4}=112.8$
관측소 3	433.6	445.5	$445.5-433.6=11.9$	$11.9 \times \dfrac{6 \times 4}{6-4}=142.8$

2 그림은 각 관측소의 위치를 지도에 나타낸 것이다. 각 관측소에서 구한 진원 거리를 이용하여 진앙의 위치를 결정해 보자.

▲ 지진 관측소의 위치

진원 거리 구하기

어느 관측소에서 PS시를 , P파와 S파의 속도를 각각 V_P, V_S라 하면 진원 거리(d)는 다음과 같이 구한다.

진원 거리(d)$=$PS시$\times \dfrac{V_P V_S}{V_P - V_S}$

➡ 지도 위에 세 관측소를 중심으로 각 관측소에서의 진원 거리를 반지름으로 하는 원을 그린다. 세 원의 공통현의 교점이 진앙에 해당한다.

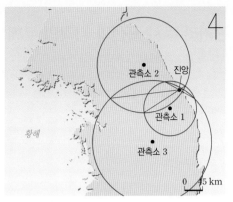

▲ 진앙의 위치 결정

더 알아보기

1 진앙의 위치는 어떻게 결정할 수 있는가?
➡ 세 관측소에서 구한 진원 거리를 반지름으로 하는 원을 그렸을 때 공통현의 교점이 진앙이다.

2 진원 거리를 반지름으로 하는 세 원이 한 점에서 만나지 않는 까닭은 무엇인가?
➡ 진앙 거리와 진원 거리가 일치하지 않아서 세 원이 한 점에서 만나지 않기 때문이다. 지진이 지표면에서 일어날 경우에만 진앙 거리와 진원 거리가 일치하여 세 원이 한 점에서 만날 수 있다.

3 진원의 깊이는 어떻게 결정할 수 있는가?
➡ 진원 거리를 구한 세 관측소 중 한 곳을 선택하여 관측소와 진앙을 연결하는 직선을 긋고, 진앙에서 이 직선에 수직인 현을 긋는다. 이 현의 길이의 $\frac{1}{2}$이 진원 깊이에 해당한다.

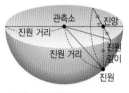

▲ 진원의 깊이 결정

정리

• 진앙의 위치는 3곳의 관측소에서 구한 진원 거리를 반지름으로 하는 원을 그렸을 때 공통현의 교점에 해당한다. 진앙의 위치를 결정하기 위해서는 최소 세 곳 이상의 관측소의 지진 관측 기록이 필요하다.
• 세 관측소 중 한 관측소에서 진원 거리를 반지름으로 하는 원을 그린 다음 그 관측소에서 진앙을 지나는 직선을 긋고, 이 직선에 직각인 현의 길이의 $\frac{1}{2}$이 진원의 깊이가 된다.

탐구 확인 문제

❯ 정답과 해설 **172**쪽

01 그림은 어떤 지진에 대해 A, B, C 세 관측소에서 각각 구한 진원 거리를 반지름으로 하는 원을 나타낸 것이다.
이에 대한 설명으로 옳지 **않은** 것은? (단, 지진의 규모와 진도는 진원 거리에만 관계한다.)
① 진앙은 빗금 친 부분에 위치한다.
② PS시는 B>C>A이다.
③ 진앙 거리는 B>C>A이다.
④ 지진의 규모는 A=B=C이다.
⑤ 지진의 진도는 B>C>A이다.

02 그림은 어느 지진 관측소에서 관측한 지진 기록을 나타낸 것이다.

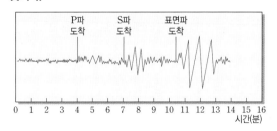

이 관측소에서 진원까지의 거리는 몇 km인지 구하시오. (단, P파와 S파의 속력은 각각 8 km/s, 4 km/s이다.)

근거리 주시 곡선과 지각의 두께

지진파는 매질의 성질이 달라지면 속도가 변하여 서로 다른 매질의 경계에서 반사되거나 굴절된다. 또한 매질의 밀도가 높을수록 지진파의 속도가 빨라진다. 따라서 지진파의 성질을 이용하면 지표면 아래에서 매질이 달라지는 곳의 깊이를 알아낼 수 있다. 지진파를 분석하여 지각의 두께를 구하는 방법을 알아보고, 한반도의 지진 관측 자료를 이용하여 한반도의 지각의 두께를 계산해 보자.

❶ 근거리 주시 곡선에서 지각의 두께 구하기

지각을 통과하는 P파의 근거리 주시 곡선을 살펴보면 그림 (가)와 같이 진앙 거리 b인 지점에서 주시 곡선이 꺾이는 모습을 관찰할 수 있다. 이러한 현상은 그림 (나)와 같이 지진파의 속도가 빠른 층과 상대적으로 느린 층으로 나뉘어 있다고 가정하여 설명할 수 있다. 즉, b 지점보다 거리가 가까운 관측소(a 지점)에는 상대적으로 지진파의 속도가 느린 지각(V_1 층)을 통과해 온 직접파(P_D)가 먼저 도달한다. 반면 b 지점보다 거리가 먼 관측소(c 지점)에는 지진파의 속도가 빠른 맨틀(V_2 층)을 통과해 온 굴절파(P_R)가 먼저 도달한다. 따라서 직접파와 굴절파가 동시에 도달하는 b 지점에서의 지진파의 도달 시간을 이용하면 지각의 두께(d)를 구할 수 있다.

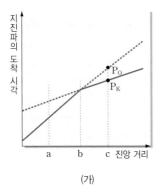

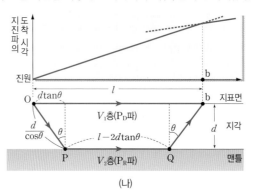

▲ 근거리 주시 곡선(가)과 지진파의 굴절(나)

그림 (나)에서 직접파의 도달 시간과 굴절파의 도달 시간은 각각 다음과 같다.

직접파의 도달 시간: $t_1 = \dfrac{l}{V_1}$

굴절파의 도달 시간: $t_2 = \dfrac{2d}{V_1 \cos \theta} + \dfrac{l - 2d \tan \theta}{V_2}$

직접파와 굴절파의 교차점인 b 지점에서는 $t_1 = t_2$이므로 다음과 같이 정리할 수 있다.

$$\frac{l}{V_1} = \frac{2d}{V_1 \cos \theta} + \frac{l}{V_2} - \frac{2d \sin \theta}{V_2 \cos \theta}$$

$$l\left(\frac{1}{V_1} - \frac{1}{V_2}\right) = \frac{2d}{\cos \theta}\left(\frac{1}{V_1} - \frac{\sin \theta}{V_2}\right)$$

$$d = \frac{l}{2} \cdot \frac{(V_2 - V_1)\cos \theta}{V_2 - V_1 \sin \theta} \quad \cdots\cdots\cdots\cdots\cdots\cdots ①$$

굴절 법칙에서 $\dfrac{\sin \theta}{V_1} = \dfrac{\sin r}{V_2}$이고, 여기서 $r = 90°$이므로 다음과 같은 관계가 성립한다.

$$\sin \theta = \frac{V_1}{V_2} \quad \cdots\cdots\cdots\cdots\cdots\cdots ②$$

지진파의 성질

지진파는 통과하는 매질의 성질이 달라지면 지진파의 속도가 달라져 서로 다른 매질의 경계에서 반사되거나 굴절한다. 일반적으로 밀도가 높을수록 지진파의 속도가 증가하므로 지하 깊은 곳일수록 지진파의 속도가 증가하며, 암석의 성질이 바뀌면 지진파의 속도가 갑자기 변한다. 따라서 지구 내부를 통과하여 전달된 지진파의 속도와 경로를 연구하면 지구 내부 물질의 물리적 성질과 매질이 달라지는 곳의 깊이를 알아낼 수 있다.

굴절 법칙

1615년 네덜란드의 스넬(Snell, W. R., 1591~1626)이 발견한 법칙으로 빛을 비롯한 파동에 대하여 성립하는 법칙이다.
파동이 어느 한 균질한 매질에서 다른 균질한 매질로 입사하며 굴절할 경우 입사각을 θ, 굴절각을 r이라 하면 다음과 같은 관계가 성립한다.

$$\frac{\sin \theta}{V_1} = \frac{\sin r}{V_2}$$

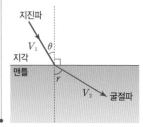

또한 $\sin^2\theta + \cos^2\theta = 1$이므로 다음과 같은 관계가 성립한다.

$$\cos\theta = \sqrt{1 - \left(\frac{V_1}{V_2}\right)^2} \quad \cdots\cdots\cdots\cdots\cdots\cdots ③$$

식 ②와 ③을 ①에 대입하면 지각의 두께는 다음과 같이 정리할 수 있다.

$$d = \frac{l}{2}\sqrt{\frac{V_2 - V_1}{V_2 + V_1}}$$

위 식에서 P파의 주시 곡선에서 직접파와 굴절파의 교차점까지의 거리가 멀수록 지각의 두께는 두껍다는 것을 알 수 있다. 즉, 지각의 두께는 지각에서의 P파의 속도(V_1)와 맨틀에서의 P파의 속도(V_2) 및 주시 곡선에서 직접파와 굴절파의 교차점까지의 거리(l)를 알면 구할 수 있다.

❷ 한반도의 지진 자료로부터 지각 두께 구하기

한반도에서 발생한 지진의 P파 주시 곡선을 이용하면 한반도의 지각 두께를 구할 수 있다. 다음은 1936년 지리산 쌍계사에서 발생한 지진을 우리나라와 일본에서 관측한 자료이다.

관측소	진앙 거리 (km)	P파 도착 시각 (시 : 분 : 초)	P파의 주행 시간 (초)
대구	111	6 : 02 : 35.9	19.3
부산	126	6 : 02 : 37.5	20.9
음원	189	6 : 02 : 50.5	33.9
서울	267	6 : 02 : 58.8	42.2
후쿠오카	309	6 : 03 : 05.1	48.5
나가사키	345	6 : 03 : 09.0	52.4
구마모토	389	6 : 03 : 16.2	59.6
평양	454	6 : 03 : 23.5	66.9

이 자료를 이용하여 진앙 거리에 따른 P파의 주행 시간 그래프를 그리고, 관측 자료에 가장 잘 들어맞는 두 개의 직선(추세선)을 그어 주시 곡선을 그리면 오른쪽 그림과 같다. 지각을 통과하는 직접파와 상부 맨틀을 통과하는 굴절파의 교차점까지의 진앙 거리(l)를 구하면 약 161 km이다. 또한 두 직선의 기울기로부터 지각을 통과하는 P파의 속도(V_1)와 맨틀을 통과하는 P파의 속도(V_2)를 다음과 같이 구할 수 있다.

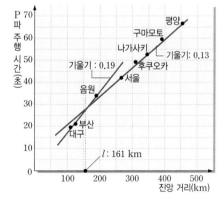

▲ 쌍계사 지진의 P파 주시 곡선

$$V_1 = \frac{1}{0.19} \fallingdotseq 5.3(\text{km/s}), \quad V_2 = \frac{1}{0.13} \fallingdotseq 7.7(\text{km/s})$$

이로부터 한반도의 지각 두께(d)를 구하면 다음과 같다.

$$d = \frac{l}{2} \cdot \sqrt{\frac{V_2 - V_1}{V_2 + V_1}} = \frac{161}{2} \times \sqrt{\frac{7.7 - 5.3}{7.7 + 5.3}} \fallingdotseq 35(\text{km})$$

최근 연구 결과, 한반도 중부~남부 지역의 지각 두께는 동쪽이 서쪽이나 남쪽보다 얇고, 지각의 두께는 약 26 km~34 km이며, 평균 약 30 km이다.

□ 지각 두께의 계산 과정

$$d = \frac{l}{2} \cdot \frac{(V_2 - V_1)\cos\theta}{V_2 - V_1\sin\theta}$$

$$= \frac{l}{2} \cdot \frac{(V_2 - V_1)\sqrt{1 - \dfrac{V_1^2}{V_2^2}}}{V_2 - \dfrac{V_1^2}{V_2}}$$

$$= \frac{l}{2}\sqrt{\frac{(V_2 - V_1)(V_2 + V_1)}{(V_2 + V_1)^2}}$$

$$= \frac{l}{2}\sqrt{\frac{V_2 - V_1}{V_2 + V_1}}$$

□ 쌍계사 지진

1936년 7월 4일 06시 02분 16.6초에 지리산 쌍계사 부근(진앙의 위치: 위도 35.2° N, 경도 127.7° E)에서 규모 5.1의 지진이 발생하였는데, 지리산에서는 일본 기상청 진도 계급 기준 IV∼V의 진동을 느꼈으며 하동, 여수, 광양 등 경상남도 서부와 전라남도 동부에서 III의 진동을 느꼈다. 이 지진으로 쌍계사 주변에 대형 산사태가 일어나 쌍계사의 종무소 천장이 내려앉고 돌담이 무너지는 피해가 발생하였다.

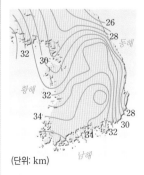

(단위: km)

▲ 한반도 중부~남부의 지각 두께

02 지진파와 지구 내부 구조

① 지진파

1 지진 지구 내부에 오랫동안 축적된 탄성 에너지가 급격하게 방출되면서 지표면이 흔들리는 현상이다.

2 지진파의 종류와 성질

- (❶   )파: 속도가 가장 빠르고, 파동의 진행 방향과 매질의 진동 방향이 평행한 종파이다.
- (❷   )파: 지진 관측소에 두 번째로 도달하며, 파동의 진행 방향과 매질의 진동 방향이 수직인 횡파이다.
- (❸   )파: 지표면을 따라 전파하며 큰 피해를 주고, (❹   )파와 러브파가 있다.

3 진원 거리와 진앙 거리 구하기

- (❺   ): 지진 관측소에 P파가 도달한 후 S파가 도달할 때까지 걸린 시간이다.
- (❻   ): 진앙으로부터 지진 관측소까지의 거리와 지진파가 도달하는 데 걸리는 시간과의 관계를 나타낸 그래프이다.
- 진원 거리는 (❼   )와 P파의 속도, S파의 속도를 이용하여 구할 수 있고, 진앙 거리는 (❽   )을 이용하여 구할 수 있다.

4 진앙과 진원의 위치 결정 세 곳 이상의 관측소에서 구한 진원 거리를 반지름으로 하는 원을 그렸을 때 세 원의 공통현의 교점이 (❾   )에 해당한다.

② 지구 내부 구조

1 지진파의 속도 변화와 불연속면

- (❿   ) 불연속면: 지각과 맨틀의 경계면으로, 해양 지각에서보다 대륙 지각에서 깊은 곳에 분포한다.
- (⓫   ) 불연속면: 맨틀과 외핵의 경계면으로, 암영대의 발견을 통해 알아냈다.
- (⓬   ) 불연속면: 외핵과 내핵의 경계면으로, 지하 약 5100 km 깊이에 위치한다.

2 지구의 층상 구조 지진파의 속도 불연속면을 경계로 지구 내부는 층상 구조를 이루고 있다.

- 지각: (⓭   ) 지각은 주로 화강암질 암석으로 구성되며 평균 밀도는 약 $2.7 \, \text{g/cm}^3$이다. (⓮   ) 지각은 주로 현무암질 암석으로 구성되며 평균 밀도는 약 $3.0 \, \text{g/cm}^3$이다.
- (⓯   ): 모호면에서부터 깊이 약 2900 km까지의 부분으로, 지구 내부에서 가장 큰 부피를 차지하며 주로 감람암질 암석으로 이루어져 있다.
- (⓰   ): 암석권의 바로 아래에 위치한 상부 맨틀의 한 부분으로, 부분적으로 용융되어 있어서 유동성을 갖는다.
- 핵: 구성 물질의 상태에 따라 액체 상태의 (⓱   )과 고체 상태의 (⓲   )으로 구분한다.

3 지구 내부의 물리량 분포 지구 내부에서 온도와 압력은 깊이에 따라 연속적으로 증가하는 반면, (⓳   )는 지진파 속도 불연속면을 경계로 계단식으로 증가하는 경향을 나타낸다.

③ 지각의 두께 차이와 지각 평형설

1 지각 평형설 상대적으로 밀도가 작은 지각이 밀도가 큰 맨틀 위에 평형을 이루며 떠 있는 원리를 설명하는 이론이다.

- (⓴   )설: 장소에 따라 지각 기둥의 밀도와 높이는 서로 다르나, 모호면의 깊이는 어디서나 같다.
- (㉑   )설: 장소에 따라 지각 기둥의 높이는 다르고 밀도는 균질하나 모호면의 깊이는 다르다.

2 지각 평형의 과정 높은 지형이 풍화·침식 작용을 받아 무게가 감소하면 지각이 (㉒   )하고, 퇴적물이 쌓여 무게가 증가하면 지각이 (㉓   )한다.

3 지각 평형에 따른 조륙 운동 오랜 시간에 걸쳐 지각이 서서히 융기하거나 침강하는 운동을 조륙 운동이라고 한다.

01 지진파에 대한 설명으로 옳은 것은 ○, 옳지 않은 것은 ×로 표시하시오.

(1) P파는 횡파이며 전파 속도가 가장 빠르다. ····· (　　)

(2) S파는 종파이며 고체 상태의 매질만 통과한다.
 ·· (　　)

(3) 표면파는 진폭이 가장 커서 큰 피해를 준다. ··· (　　)

(4) P파가 도달한 후 S파가 도달할 때까지의 시간을 PS시라고 한다. ····························· (　　)

02 그림은 어느 지진 관측소에서 관측한 지진파 A, B, C를 나타낸 것이다.

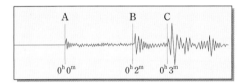

이에 대한 설명으로 옳은 것만을 보기에서 있는 대로 고르시오.

보기
ㄱ. A는 전파 속도가 가장 느리고, C는 가장 큰 피해를 준다.
ㄴ. B는 고체 매질만 통과하고, C는 지표면을 따라서 전파된다.
ㄷ. 이 관측소에서 PS시는 120초이다.

03 문제 02의 지진 기록에서 이 관측소의 진원 거리를 구하시오. (단, P파의 속도는 8 km/s, S파의 속도는 4 km/s이다.)

04 지구 내부의 불연속면을 옳게 짝 지으시오.

(1) 모호면　　　　　ⓐ 지각과 맨틀의 경계면

(2) 레만 불연속면　ⓑ 약 2900 km 깊이의 불연속면

(3) 구텐베르크 불연속면　ⓒ 각거리 110° 부근에 도달하는 약한 P파로 발견한 불연속면

05 그림은 깊이에 따른 지진파의 전파 속도를 나타낸 것이다.

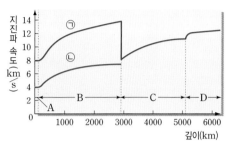

이에 대한 설명으로 옳은 것만을 보기에서 있는 대로 고르시오.

보기
ㄱ. ㉠은 ㉡보다 전파 속도가 빠르다.
ㄴ. A와 B층은 고체, C와 D층은 액체 상태이다.
ㄷ. B층과 C층의 경계에서 지진파의 속도가 가장 크게 변하는 까닭은 물질의 상태 변화 때문이다.

06 그림은 지각과 맨틀의 구조를 모식적으로 나타낸 것이다.

(1) 대륙 지각이 침식 작용을 받아 깎여나가면 모호면의 깊이는 어떻게 변하는지 쓰시오.

(2) 지진파 저속도층이 분포하는 곳이 어디인지 쓰시오.

07 지각 평형설에 대한 설명으로 옳은 것만을 보기에서 있는 대로 고르시오.

보기
ㄱ. 프래트설에서 지각의 밀도는 서로 다르다.
ㄴ. 에어리설에서 모호면의 깊이는 항상 일정하다.
ㄷ. 지표의 풍화·침식에 의한 지각의 융기는 에어리설로 설명할 수 있다.

01 ▶지진 기록과 PS시

그림은 어느 지진에 대해 A와 B 관측소에서 관측한 지진파의 모습을 나타낸 것이다.

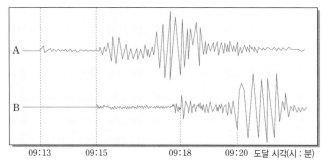

이 지진 기록에 대한 해석으로 옳은 것만을 보기에서 있는 대로 고른 것은? (단, P파의 속도는 8 km/s, S파의 속도는 4 km/s이다.)

보기

ㄱ. 지진이 발생한 시각은 09시 13분이다.

ㄴ. A, B 관측소에서 PS시는 각각 2분과 5분이다.

ㄷ. B 관측소에서 진원까지의 거리는 약 1440 km이다.

① ㄱ　　② ㄷ　　③ ㄱ, ㄴ　　④ ㄱ, ㄷ　　⑤ ㄱ, ㄴ, ㄷ

• PS시는 관측소에 P파가 도달한 후 S파가 도달할 때까지의 시간을 말하며, 진원 거리(d)는 P파의 속도(V_P), S파의 속도(V_S), PS시로부터 다음과 같이 구한다.
$$d = \text{PS시} \times \frac{V_P V_S}{V_P - V_S}$$

02 ▶주시 곡선을 이용하여 진앙 거리 구하기

그림 (가)는 어느 지진 관측소에서 관측한 지진 기록을, (나)는 이 지진의 주시 곡선을 나타낸 것이다.

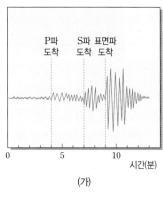

(가)

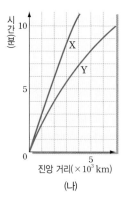

(나)

이에 대한 설명으로 옳지 <u>않은</u> 것은?

① 지진파의 속도는 P파>S파>표면파이다.

② 지표면이 흔들리는 정도는 표면파>S파>P파이다.

③ (가)의 지진 기록에서 PS시는 약 3분이다.

④ (나)에서 X는 S파, Y는 P파의 주시 곡선에 해당한다.

⑤ (가) 관측소에서 진앙까지의 거리는 약 1500 km이다.

• 지진파의 전파 속도는 P파가 S파보다 빠르며 표면파가 가장 느리다. PS시는 P파가 도착한 후부터 S파가 도착할 때까지 걸린 시간이다.

03 ▶ 진앙과 진원의 위치 결정

그림은 어느 지진에 대해 **A, B, C** 세 관측소에서 관측한 지진파 자료를 이용하여 진앙과 진원의 위치를 결정하는 방법을 나타낸 것이다.

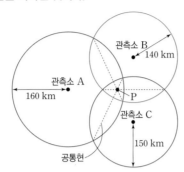

이에 대한 설명으로 옳은 것만을 보기에서 있는 대로 고른 것은? (단, P파의 속도는 $8\,km/s$, S파의 속도는 $4\,km/s$이다.)

보기
- ㄱ. A 관측소에서 PS시는 20초이다.
- ㄴ. 진원은 P점의 연직 아래 지하에 위치한다.
- ㄷ. 원의 반지름은 각 관측소에서의 진앙 거리를 나타낸다.

① ㄴ   ② ㄷ   ③ ㄱ, ㄴ   ④ ㄱ, ㄷ   ⑤ ㄱ, ㄴ, ㄷ

• 세 지진 관측소에서 구한 진원 거리를 반지름으로 하는 원을 그렸을 때 세 원의 공통현의 교점이 진앙이다. 진원 거리는 P파와 S파의 속도 및 PS시로부터 구할 수 있다.

04 ▶ 근거리 주시 곡선과 지각의 두께

그림 (가)는 어떤 지역에서 지진파(P파)가 전파하는 모습을, (나)는 이 지역에서 관측된 P파의 주시 곡선을 나타낸 것이다.

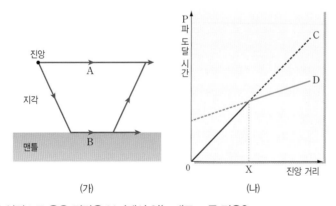

(가)   (나)

이에 대한 설명으로 옳은 것만을 보기에서 있는 대로 고른 것은?

보기
- ㄱ. P파는 지각에서보다 맨틀에서 더 빠르게 전파한다.
- ㄴ. A의 주시 곡선은 C에 해당하고, B의 주시 곡선은 D에 해당한다.
- ㄷ. C와 D의 교차점 X의 진앙 거리를 알면 지각의 두께를 구할 수 있다.

① ㄴ   ② ㄷ   ③ ㄱ, ㄴ   ④ ㄱ, ㄷ   ⑤ ㄱ, ㄴ, ㄷ

• C는 직접파의 주시 곡선이고, D는 굴절파의 주시 곡선이다. 직접파와 굴절파가 동시에 도달하는 굴절점(X)까지의 거리는 지각의 두께가 두꺼울수록 진앙에서 멀어진다.

05 ▶ 지진파의 암영대와 지구 내부 구조

그림 (가)와 (나)는 각각 P파와 S파가 지구 내부를 통해 전파되는 경로를 나타낸 것이다.

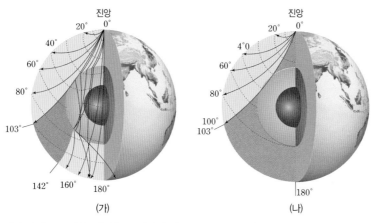

(가)　　　　　　　(나)

이에 대한 설명으로 옳은 것만을 보기에서 있는 대로 고른 것은?

보기

ㄱ. 진앙에서 각거리가 103°~142°인 지역은 P파의 암영대이다.

ㄴ. 지진파의 암영대가 생기는 까닭은 맨틀과 외핵의 구성 물질과 상태가 다르기 때문이다.

ㄷ. S파의 암영대가 P파의 암영대보다 넓게 분포하는 까닭은 레만 불연속면 때문이다.

① ㄱ　　　② ㄷ　　　③ ㄱ, ㄴ　　　④ ㄱ, ㄷ　　　⑤ ㄱ, ㄴ, ㄷ

고난도
06 ▶ 지진파의 암영대와 지구 내부 구조

그림 (가)는 어느 지진에서 지진파의 전파 경로를, (나)는 이에 따른 주시 곡선을 나타낸 것이다. (가)에서 진앙에서 각거리가 약 110°인 지역에는 약한 P파가 도달한다.

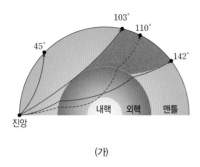
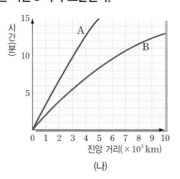

(가)　　　　　　　(나)

이에 대한 설명으로 옳은 것만을 보기에서 있는 대로 고른 것은? (단, 지구 반지름은 6400 km 이고, $\pi=3$이다.)

보기

ㄱ. (나)의 주시 곡선에서 A는 S파, B는 P파에 해당한다.

ㄴ. 진앙에서 각거리가 약 45°인 지점의 지진 관측소에서 측정한 PS시는 약 3분이다.

ㄷ. 진앙에서 각거리가 약 110°인 지역에 도달한 지진파로부터 내핵의 존재를 알아냈다.

① ㄱ　　　② ㄴ　　　③ ㄱ, ㄷ　　　④ ㄴ, ㄷ　　　⑤ ㄱ, ㄴ, ㄷ

• 진앙에서 각거리 103° 이내에는 P파와 S파가 모두 도달하지만 각거리 103°~142°인 지역에는 P파와 S파가 모두 도달하지 않는다.

• 지진파의 암영대가 생기는 까닭은 약 2900 km 깊이의 구텐베르크 불연속면 때문이고, 암영대 내의 각거리 110°인 지역에 약한 P파가 도달하는 까닭은 약 5100 km 깊이의 레만 불연속면 때문이다.

07
> 지구 내부의 물리량

그림 (가)와 (나)는 지구 내부에서 깊이에 따른 지진파 속도 및 밀도와 온도 분포를 나타낸 것이다.

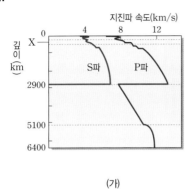

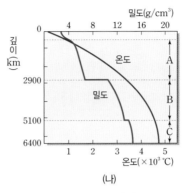

(가)   (나)

이에 대한 설명으로 옳은 것만을 보기에서 있는 대로 고른 것은? (단, (가)에서 X는 깊이 100 km~220 km인 구간을 나타낸다.)

> 보기

ㄱ. X는 지진파 저속도층에 해당한다.

ㄴ. A 구간의 지온 구배율은 B 구간에서보다 크다.

ㄷ. 약 5100 km 깊이에서 밀도가 크게 변하는 주요인은 B와 C를 구성하는 물질의 화학 조성이 서로 다르기 때문이다.

① ㄱ   ② ㄷ   ③ ㄱ, ㄴ   ④ ㄴ, ㄷ   ⑤ ㄱ, ㄴ, ㄷ

- 깊이가 약 100 km~650 km인 구간은 상부 맨틀이고, 깊이가 약 100 km~400 km 사이는 연약권에 해당한다. 연약권은 그 구성 물질이 부분적으로 용융되어 있어서 지진파의 속도가 느려진다. 약 5100 km 깊이는 내핵과 외핵의 경계면에 해당한다.

08
> 지진파 저속도층

그림은 대륙 지각과 맨틀에서 깊이에 따른 지진파의 속도 변화를 나타낸 것이다.

이에 대한 설명으로 옳은 것만을 보기에서 있는 대로 고른 것은?

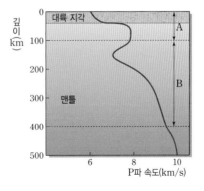

> 보기

ㄱ. A의 두께는 대륙 지역이 해양 지역보다 두껍다.

ㄴ. B의 상부에서 지진파의 속도가 느려지는 까닭은 부분 용융 상태이기 때문이다.

ㄷ. 약 100 km 깊이에 분포하는 A와 B의 경계면은 모호로비치치 불연속면이다.

① ㄱ   ② ㄷ   ③ ㄱ, ㄴ   ④ ㄴ, ㄷ   ⑤ ㄱ, ㄴ, ㄷ

- 암석권은 지각과 상부 맨틀의 일부를 포함하는 부분으로, 단단한 암석으로 이루어져 있다. 연약권은 부분적으로 용융되어 있어서 지진파의 속도가 느려진다.

09 ❯지구 내부의 층상 구조

그림 (가)는 지구 내부의 층상 구조를, (나)는 지각과 지구 전체 구성 원소의 질량비를 순서 없이 나타낸 것이다.

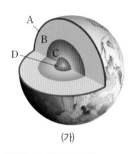

(가)

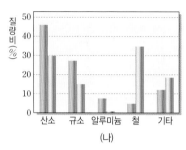

(나)

• 대륙 지각의 두께는 해양 지각보다 두꺼우며, 상부 맨틀의 연약권은 부분적으로 용융되어 있다. 맨틀과 핵의 구성 물질 상태와 물리적 특성은 지진파의 분석으로 추정한다.

이에 대한 설명으로 옳은 것은?

① A층의 두께는 대륙에서보다 해양에서 더 두껍다.

② B층의 상부는 고체 상태이나 하부는 액체 상태이다.

③ C층과 D층의 주성분은 산소, 규소, 알루미늄, 철 등이다.

④ B, C, D층의 구성 물질의 상태와 물리적 특성은 지진파 연구를 통해 추정할 수 있다.

⑤ 지각과 맨틀에 가장 많은 원소는 규소이고, 지구 전체에서 가장 많은 원소는 산소이다.

10 ❯지진파와 지구 내부의 층상 구조

다음은 지진파 연구를 통해 지구 내부의 층상 구조를 알아낸 과정을 순서대로 나타낸 것이다.

(가) 지각 하부에 지진파의 불연속면이 분포한다는 사실을 알아냈다.

(나) P파와 S파가 모두 도달하지 않는 A 구간과 P파는 도달하지만 S파는 도달하지 않는 B 구간을 알아냈다.

(다) P파의 암영대에 해당하는 각거리 110° 부근에 도달하는 약한 P파를 관측하였다.

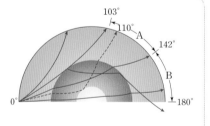

• 지각 하부의 지진파 불연속면은 모호면이고, 지진파의 암영대의 존재로부터 알아낸 불연속면은 약 2900 km 깊이의 구텐베르크 불연속면이다.

이에 대한 설명으로 옳은 것만을 보기에서 있는 대로 고른 것은?

┌─ 보기 ──────────────────────────────┐
ㄱ. (가)를 통해 지각 아래에 맨틀이 존재함을 알게 되었다.

ㄴ. (나)를 통해 맨틀 아래에 액체 상태의 핵이 존재함을 알게 되었다.

ㄷ. (다)를 통해 액체 상태의 외핵 안쪽에 고체 상태의 내핵이 존재함을 알게 되었다.
└──────────────────────────────────┘

① ㄱ   ② ㄷ   ③ ㄱ, ㄴ   ④ ㄴ, ㄷ   ⑤ ㄱ, ㄴ, ㄷ

11

> 지각 평형설

그림 (가)는 대륙 지각과 해양 지각의 단면을, (나)는 프래트설과 에어리설을 나타낸 모식도이다.

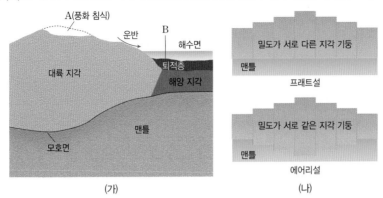

(가)

(나)

이에 대한 설명으로 옳은 것만을 보기에서 있는 대로 고른 것은?

보기

ㄱ. A에 의해 대륙 지각은 융기하고, B에 의해 해양 지각은 침강한다.

ㄴ. A와 B가 진행될수록 대륙 지역과 해양 지역에서 모호면의 깊이 차이가 작아진다.

ㄷ. 대륙과 해양에서 모호면의 깊이가 다른 것은 에어리설로, 대륙 지각과 해양 지각의 구성 물질이 다른 것은 프래트설로 설명된다.

① ㄱ   ② ㄷ   ③ ㄱ, ㄴ   ④ ㄴ, ㄷ   ⑤ ㄱ, ㄴ, ㄷ

• 밀도가 작은 지각은 그보다 밀도가 큰 맨틀 위에 떠 있으면서 평형을 유지한다. 지각의 무게가 감소하면 지각이 융기하고, 지각의 무게가 증가하면 지각이 침강한다.

12

> 지각 평형설

그림은 지각 평형을 이루고 있는 대륙 지각과 해양 지각의 단면을 모식적으로 나타낸 것이다.

이에 대한 설명으로 옳은 것만을 보기에서 있는 대로 고른 것은?

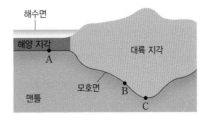

보기

ㄱ. 평균 밀도는 맨틀>해양 지각>대륙 지각이다.

ㄴ. A, B, C 지점 상부의 지각 기둥 무게는 모두 같다.

ㄷ. B와 C의 모호면 깊이가 다른 까닭은 에어리설로 설명할 수 있다.

① ㄱ   ② ㄴ   ③ ㄱ, ㄷ   ④ ㄴ, ㄷ   ⑤ ㄱ, ㄴ, ㄷ

• 에어리설에서는 위로 높이 솟은 지각은 맨틀 속으로 깊이 들어가 있으므로 모호면의 깊이가 장소에 따라 다르다고 설명한다.

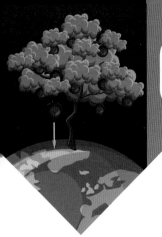

03 지구의 역장

학습 Point 표준 중력 > 중력 이상 > 지구 자기 3요소 > 지구 자기의 변화

지구 중력장

지구상의 모든 물체는 지구가 끌어당기는 힘을 받고 있다. 이러한 힘을 지구의 중력이라 하고, 지구의 중력이 미치는 공간을 중력장이라고 한다.

1. 중력

우리 주변의 모든 물체는 위에서 아래로 떨어지는데, 이러한 현상은 지구상의 모든 물체에 중력이 항상 작용하기 때문에 나타난다. 중력은 만유인력과 원심력의 합력이다.

(1) **만유인력** : 질량을 가지고 있는 두 물체가 서로 끌어당기는 힘을 만유인력이라고 하며, 지구와 태양, 지구와 달, 지구와 지구상의 물체 사이에서 모두 만유인력이 작용한다.

① **만유인력의 크기**: 만유인력의 크기는 두 물체의 질량의 곱에 비례하고, 두 물체 사이의 거리의 제곱에 반비례한다. 지구의 질량을 M, 지구상 물체의 질량을 m, 물체와 지구 중심까지의 거리를 R이라 하면 만유인력의 크기(F)는 다음과 같다.

$$\text{만유인력: } F = G\frac{mM}{R^2} \quad (G = 6.67 \times 10^{-11}\,\text{N} \cdot \text{m}^2/\text{kg}^2\text{: 만유인력 상수})$$

만약 지구가 완전한 구형이라면 같은 질량의 물체에 작용하는 만유인력의 크기는 지구상의 모든 지점에서 같을 것이다. 그러나 실제 지구는 적도 반지름이 극반지름보다 약간 긴 타원체 모양이므로 만유인력의 크기는 적도에서 최소이고, 고위도로 갈수록 증가하여 극에서 최대이다. 따라서 만유인력의 크기는 극지방이 적도 지방보다 약 1.006배 크다.

② **만유인력의 방향**: 지구상의 물체에 작용하는 만유인력은 항상 지구 중심 방향을 향한다.

(2) **원심력**: 지구가 자전하므로, 지구상의 모든 물체는 지구 자전에 의해 자전축에 수직 바깥쪽으로 작용하는 힘인 원심력을 받는다.

① **원심력의 크기**: 지표상의 물체의 질량을 m, 지구 자전축으로부터의 거리(회전 반지름)를 r, 지구 자전 각속도를 ω라고 하면 원심력의 크기(f)는 다음과 같다.

$$\text{원심력: } f = mr\omega^2$$

지구 자전 각속도(ω)는 일정하므로 원심력의 크기는 회전 반지름(r)이 가장 긴 적도에서 최대이고, 고위도로 갈수록 작아져서 극에서는 0이다.

② **원심력의 방향**: 원심력은 지구 자전축에 수직인 방향, 즉 지구의 바깥쪽으로 작용한다.

뉴턴의 만유인력 법칙
뉴턴의 만유인력 법칙에서 만유인력은 '두 물체 사이에 존재하는 인력으로, 두 물체의 질량에 비례하고 거리의 제곱에 반비례한다.'이다.

지구 타원체와 지구의 편평도
지구는 적도 반지름(a)이 약 6378 km이고, 극반지름(b)이 약 6357 km인 타원체 모양을 나타낸다. 지구 타원체의 편평도는 $e = \dfrac{a-b}{a} \fallingdotseq \dfrac{1}{300}$로, 거의 구형에 가까운 타원체에 해당한다.

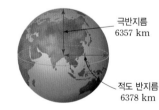

극반지름
6357 km

적도 반지름
6378 km

(3) **중력**: 지구상의 모든 물체에는 만유인력과 원심력이 동시에 작용하므로, 중력은 만유인력과 원심력의 합력으로 나타난다.

① **중력의 크기**: 극지방에서는 원심력이 0이고 만유인력이 최대이므로, 중력의 크기는 만유인력과 같아서 중력이 최대가 된다. 적도 지방에서는 만유인력이 최소이고 원심력이 최대이므로, 중력은 최소가 된다.

② **중력의 방향**: 중력의 방향은 극지방과 적도 지방에서 지구 중심을 향하고, 그 외의 지방에서는 만유인력과 원심력의 합력 방향이므로 지구 중심을 향하지 않는다.

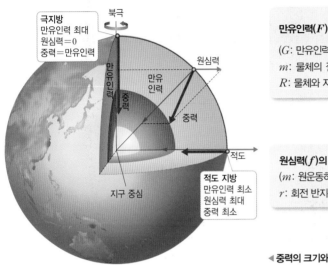

만유인력(F)의 크기: $F = G\dfrac{mM}{R^2}$

(G: 만유인력 상수,
m: 물체의 질량, M: 지구의 질량,
R: 물체와 지구 중심 사이의 거리)

원심력(f)의 크기: $f = mr\omega^2$
(m: 원운동하는 물체의 질량,
r: 회전 반지름, ω: 회전 각속도)

◀ **중력의 크기와 방향**

2. 중력의 측정과 표준 중력

(1) **실측 중력**: 어느 지점에서 중력의 크기를 측정하는 방법에는 단진자를 이용하는 방법, 중력계를 이용하는 방법 등이 있다. 이렇게 실제로 측정한 중력을 실측 중력이라고 한다.

① **단진자를 이용한 절대 중력의 측정**: 어느 지점에서의 중력은 단진자의 주기를 측정하여 구한 중력 가속도로 나타낼 수 있는데, 이렇게 구한 중력을 절대 중력이라고 한다. 단진자의 주기는 중력의 크기에 영향을 받기 때문에 진자의 주기와 길이로 중력의 크기를 구할 수 있다. 단진자의 길이를 l, 주기를 T, 중력 가속도를 g라 하면 다음과 같은 관계식이 성립하므로 이 식에 의해서 중력 가속도를 구할 수 있다.

$$\text{단진자의 주기: } T = 2\pi\sqrt{\dfrac{l}{g}} \Rightarrow \text{중력 가속도: } g = \dfrac{4\pi^2 l}{T^2}$$

② **중력계를 이용한 상대 중력의 측정**: 중력계는 절대 중력값이 알려진 지점과 측정 지점 간의 상대적인 중력 차이를 측정하여 관측 지점의 중력값을 구하는 데 이용된다. 중력계에 의한 상대 중력 측정에서 중력의 변화량은 질량을 알고 있는 금속 추가 매달린 용수철 길이의 변화를 측정하여 구한다.

③ **중력의 단위**: 단위 질량의 물체에 작용하는 중력의 단위는 중력 가속도의 단위로 표시한다. 중력의 단위는 보통 m/s^2을 사용하며, $\text{Gal}(\text{Gal} = 1\,\text{cm/s}^2 = 0.01\,\text{m/s}^2)$ 단위나 $\text{mGal}(1\,\text{mGal} = 10^{-5}\,\text{m/s}^2)$ 단위로 나타내기도 한다.

위도에 따른 만유인력, 중력, 원심력의 크기

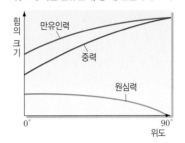

적도 지방과 극지방의 만유인력, 원심력, 중력의 크기 비교

구분	적도 지방	극지방
만유인력	최소	최대 (적도의 1.006배)
원심력	최대	최소(0)
중력	최소 (약 978 Gal)	최대 (약 983 Gal)

단진자
길이가 변하지 않고 질량을 무시할 수 있는 끈에 추를 달아 연직면 내에서 진동시키는 진자를 말한다.

자유 낙하를 이용한 절대 중력의 측정
어떤 물체가 정지 상태에서 자유 낙하할 때 중력에 의한 가속도 운동을 하므로, 자유 낙하 거리(h)와 자유 낙하하는데 걸린 시간(t)를 측정하면 $h = \dfrac{1}{2}gt^2$에서 중력 가속도 $(g) = \dfrac{2h}{t^2}$로 구할 수 있다.

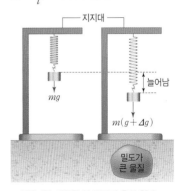

▲ **중력계를 이용한 상대 중력 측정 원리**

(2) **표준 중력**: 지구는 완전한 구형이 아니며, 지구 내부는 지역에 따라 밀도가 균일하지 않고, 지형의 기복, 지구 자전으로 인한 효과 등이 다르므로 지구 표면에서 측정한 중력값은 장소에 따라 다르다. 그러나 지구 내부의 밀도가 균일하고 지구의 모양에 가장 가까운 지구 타원체를 가정한다면 동일 위도 상에서는 어디서나 중력이 같을 것이다. 이와 같은 가정에 따라 이론적으로 계산하여 구한 중력값을 표준 중력이라고 한다.

① **표준 중력의 정의**: 지구 타원체상에서 만유인력과 원심력의 합력으로 구해진 이론적인 중력값을 표준 중력이라고 한다.

② **표준 중력의 크기**: 표준 중력은 위도만의 함수이며, 동일 위도 상에서는 어디서나 같은 값이다. 1980년 국제지구물리 및 측지학회(IUGG)에서는 지구의 편평도 $\dfrac{1}{298.247}$을 기준으로 하여 위도 φ인 지점에서 표준 중력(g)을 다음과 같이 나타내기로 하였다.

$$\text{표준 중력: } g = 978.0328(1 + 0.0053024 \sin^2 \varphi - 0.00000587 \sin^2 2\varphi) \text{ Gal}$$

위도에 따른 표준 중력
적도에서 극까지 표준 중력은 약 978 Gal ~983 Gal이고, 지구의 평균 표준 중력은 980.665 Gal이다.

위도(°)	중력(Gal)
0	978.03267715
10	978.18838366
20	978.63695405
30	979.32487081
40	980.16983038
50	981.07035788
60	981.91783985
70	982.60962115
80	983.06158998
90	983.21863865

3. 중력 이상과 중력 탐사

내부가 균질한 지구 타원체를 가정하여 이론적으로 구한 표준 중력과 실측 중력값은 일치하지 않는데, 이러한 차이를 이용하면 지하의 구성 물질이나 지하자원을 탐사할 수 있다.

(1) **중력 이상**: 이론적으로는 동일 위도 상에서 표준 중력은 실측 중력과 같아야 하는데, 실측 중력값은 같은 위도라도 장소에 따라 다르게 나타난다. 그 까닭은 측정 지점의 위도, 해발 고도, 지하 구성 물질의 밀도, 지형의 기복 등이 다르기 때문이다. 실측 중력과 표준 중력과의 차이를 중력 이상이라고 하며, 실측 중력이 표준 중력보다 크면 (+)로, 실측 중력이 표준 중력보다 작으면 (−)로 표시한다.

$$\text{중력 이상} = \text{실측 중력} - \text{표준 중력}$$

(2) **중력 이상의 요인**

① **위도**: 저위도 지역은 고위도 지역보다 원심력이 크게 작용한다. 또, 적도 반지름이 극반지름보다 크므로 저위도 지역은 고위도 지역보다 지구 중심으로부터의 거리가 멀어서 고위도로 갈수록 중력 가속도가 커진다. 그 결과 위도 차이에 따른 중력 이상이 나타난다.

② **해발 고도**: 같은 위도에서 중력을 측정하더라도 측정 지점의 해발 고도가 다르면 중력 이상이 나타난다. 즉, 해발 고도가 높은 곳은 중력이 작게 측정되어 중력 이상이 (−)로 나타나고, 해발 고도가 낮은 곳은 중력이 크게 측정되어 중력 이상이 (+)로 나타난다.

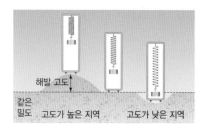
▲ 해발 고도 차이에 따른 중력 이상

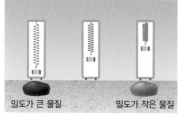
▲ 지하 물질의 밀도 차이에 따른 중력 이상

▲ 지형에 따른 중력 이상

③ 지하 물질의 밀도: 감람암과 같은 고밀도의 화성암, 철광층 등 지하 구성 물질의 밀도가 평균보다 큰 지역에서는 중력 이상이 (+)로 나타난다. 암염, 저밀도의 퇴적암, 원유 매장층 등 지하 구성 물질의 밀도가 평균보다 작은 지역에서는 중력 이상이 (−)로 나타난다.

④ 지형: 측정 지점 주변에 산맥이 있는 경우, 측정 지점보다 높은 곳에 있는 산맥의 인력이 중력계의 금속 추를 산맥 쪽으로 잡아당겨 중력 이상이 나타난다.

(3) **중력 이상의 크기**: 지하에 밀도가 큰 물질(고밀도 화성암, 철광상 등)이 분포하면 중력 이상이 (+)로, 밀도가 작은 물질(저밀도 퇴적암, 석유, 암염 등)이 분포하면 중력 이상이 (−)로 나타난다. 또 산맥 지대에서는 중력 이상이 (−)로, 해양 지역에서는 (+)로 나타난다.

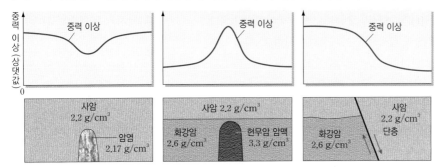

▲ **지하 내부의 밀도와 구조에 따른 중력 이상 변화**

(4) **중력 탐사**: 중력의 미세한 변화를 측정하고 이를 해석하면 지하 구성 물질의 종류나 구조를 확인하고 지하자원을 탐사할 수 있는데, 이러한 탐사 방법을 중력 탐사라고 한다.

① **중력 탐사의 이용**: 석탄, 석유, 천연가스의 탐사, 암염 및 철광석과 같이 주변 암석과 밀도차가 큰 지하자원이나 지하 구조의 탐사 등에 이용된다.

② **중력 보정**: 중력계로 측정한 중력값은 측정 지점의 위도, 해발 고도, 지형의 기복, 지하 물질의 밀도, 주위 지형 등의 영향을 받으므로, 이러한 효과를 보정해야 한다. 다음과 같은 보정을 마친 후 나타나는 중력 이상은 지하 물질의 밀도 분포 차이를 의미한다.

위도 보정	극지방으로 갈수록 중력값이 커지는 효과를 제거한다.
고도 보정	고도가 높아짐에 따라 중력값이 작아지는 효과를 제거한다.
부게 보정	측정 지점과 지오이드면 사이의 물질로 인한 인력이 중력에 미치는 영향을 제거한다.
지형 보정	불규칙한 지형을 평탄한 지형으로 환산하여 지형의 기복에 의한 중력 효과를 제거한다.

지오이드(Geoid)
지오이드는 굴곡이 있는 실제 지구의 모습에 가깝게 지구의 모양을 나타낸 것으로, 해발고도 측정의 기준면이 되며 높이가 0 m이다. 지오이드는 중력의 방향에 수직인 평균 해수면을 육지까지 연장하여 나타낸 가상의 곡면이므로 모든 지점에서 지오이드면은 중력의 방향에 수직이다.

시야확장 ➕ 전 세계 중력 이상 분포도

- 그림은 국제 측지학회에서 2011년에 발표한 전 세계 중력 이상 분포도를 나타낸 것이다.
- 그림에서 파란색으로 나타나는 지역은 중력 이상이 (−)인 지역으로, 대규모의 산맥이 분포하는 지역(로키산맥, 안데스산맥, 히말라야산맥)에서는 중력 이상이 (−)의 값으로 나타난다. 이 지역은 지각 평형을 이루면서 모호면의 깊이가 깊어졌다는 사실을 나타낸다.
- 그림에서 붉은색으로 나타나는 지역은 중력 이상이 (+)인 지역으로, 남아메리카와 오스트레일리아 및 동남아 지역에서는 광범위하게 (+)의 중력 이상이 나타나고, 다른 지역에서는 대체로 대륙 주변부에서 (+)의 중력 이상이 나타난다. 즉, 이 지역에서는 모호면의 깊이가 다른 지역보다 얕다는 것을 알 수 있다.

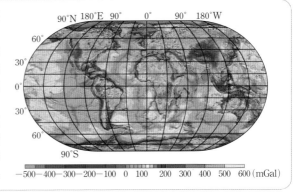

② 지구 자기장

나침반의 자침은 항상 지구의 남북 방향을 가리키며 정지한다. 이는 지구가 하나의 커다란 자석과 같은 성질을 띠고 있기 때문이다. 이처럼 지구의 자기력이 미치는 공간을 지구의 자기장이라고 한다.

1. 지구 자기장의 발생

(1) 지구 자기장 모형

① **쌍극자 모형**: 지구 자기장은 마치 지구 내부에 거대한 막대자석이 있는 것과 유사하게 나타난다. 즉, 지구 자전축과 약 11.5° 기울어져 있는 자기 쌍극자가 지구 중심에 위치한다고 가정할 경우, 이 자기 쌍극자에 의한 자기장이 실제 지구 자기장과 유사하다. 지구 자기장을 이처럼 비유한 것을 쌍극자 모형이라고 한다.

② **지구 자기장의 방향**: 자기 쌍극자의 축이 지표면과 만나는 지점을 지자기극이라고 하며, 지자기 북극(자북극)과 지자기 남극(자남극)이 있다. 자기 쌍극자의 축에 수직인 면이 지표면과 만나는 선을 지자기 적도라고 한다. 지구 자기장에서 자기력선의 방향은 자남극에서 나와 자북극으로 들어가므로 자북극은 자석의 S극 성질을 띠고, 자남극은 자석의 N극 성질을 띤다. 자극 축은 지구 자전축에 대해 약 11.5° 기울어져 있기 때문에 지리상 극과 일치하지 않는다.

(2) 지구 자기장의 발생: 현재까지 지구 자기장이 발생하는 원리를 가장 잘 설명하는 이론은 다이너모 이론이다.

① **다이너모 이론**: 철과 니켈로 이루어진 액체 상태의 외핵에서 상하부의 온도 및 밀도 차이로 인해 열대류가 일어난다. 이때 전기 전도도가 큰 금속 유체가 이동하면서 외부 자기장의 영향을 받아 유도 전류가 형성되고, 이 전류가 다시 자기장을 발생시켜 지구 자기장이 형성된다고 설명하는 것이 다이너모 이론이다.

② 다이너모 이론에 따르면, 지구 자전의 영향으로 액체 상태의 외핵에서 적도와 나란한 방향의 흐름이 발생할 가능성이 크기 때문에 전류가 흐르는 코일 주변에 형성되는 자기장처럼 적도에 거의 수직인 방향으로 지구 자기장이 형성된다고 추정하고 있다.

영구 자석설

지구 자기의 원인이 지구 내부의 맨틀이나 핵에 영구 자석인 막대자석처럼 자성을 띤 물질이 존재하기 때문이라고 주장하는 이론이다. 그러나 지구 내부의 수천 ℃에 달하는 높은 온도와 지구 내부 구성 물질의 퀴리 온도(자성 물질이 자성을 잃어버리는 온도로 자철석은 약 580 ℃, 적철석은 약 680 ℃, 철은 약 780 ℃이다.)를 고려할 때, 영구 자석설은 타당하지 않으며, 고체 상태의 자성 물질로는 지구 자기의 영년 변화를 설명할 수 없으므로 이 이론은 적용될 수 없게 되었다.

유도 전류

자석과 코일의 상대적인 운동으로 코일에 전류가 흐르는 현상을 전자기 유도라고 한다. 코일 주위에서 자석을 움직이면 자기장이 변하여 코일에 전류가 흐르고, 코일에 전류가 흐르면 코일 주위에 자기장이 형성된다. 이처럼 전자기 유도 현상으로 발생한 전류를 유도 전류라고 한다.

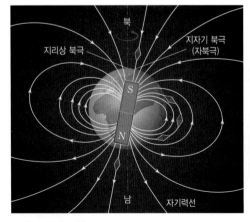

▲ **지구 자기장 모형**

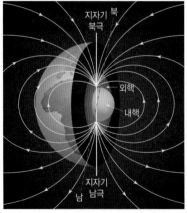

▲ **다이너모 이론** 외핵에 나타낸 파란색 화살표는 적도에 평행한 외핵 물질의 흐름이다.

2. 지구 자기 3요소

지구 자기의 방향과 세기는 편각, 복각, 수평 자기력으로 나타내며, 이를 지구 자기 3요소라고 한다.

(1) **편각**: 자북극과 자남극을 연결한 선은 지구 자전축에 대해 약 11.5° 기울어져 있으므로 자북은 진북과 차이가 있다. 이때 지구 표면의 한 지점에서 자침의 N극이 가리키는 방향인 자북과 진북이 이루는 각을 편각이라고 한다.

(2) **복각**: 나침반 자침을 연직면 내에서 움직이도록 할 때 자침의 N극이 수평면과 이루는 각을 복각이라고 한다.

① 복각의 크기: 자북극에서는 자기력선이 수직으로 들어가므로 자침의 N극이 수직 아래쪽을 가리켜서 복각이 +90°이고, 자남극에서는 복각이 -90°이며, 자극에서 멀어질수록 복각이 작아져서 자기 적도에서는 복각이 0°이다.

② 복각과 자기 위도의 관계: 복각(I)과 자기 위도(λ) 사이에는 $\tan I = 2 \tan \lambda$의 관계가 성립한다. 따라서 복각을 측정하면 측정 지점의 자기 위도를 알 수 있다.

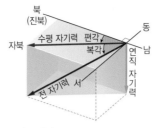

▲ **지구 자기 3요소**

▲ **편각 측정** 진북을 기준으로 동쪽을 가리키면 (+) 또는 E, 서쪽을 가리키면 (-) 또는 W로 표시한다.

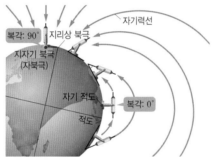

▲ **복각 측정** 자침의 N극이 아래로 내려갈 때는 (+), 위로 올라갈 때는 (-)로 표시한다.

(3) **수평 자기력**: 지구 자기장의 세기는 자침의 N극에 작용하는 힘인 전 자기력으로 나타내는데, 전 자기력은 수평 방향 성분인 수평 자기력과 연직 방향 성분인 연직 자기력으로 나눌 수 있다.

진북과 자북

진북과 자북은 방향을 의미하고, 지리상 북극, 지자기 북극(자북극)은 위치를 의미한다. 2015년에 측정한 자북극은 위도 86.29 °N, 경도 160.06 °W로 캐나다 북동쪽에 위치하며, 매년 55 km~60 km 정도 이동하고 있다. 자남극은 위도 64.27 °S, 경도 136.59 °E로 남극 대륙 내에 위치한다.

복각의 크기

자북극에서는 자침의 N극이 수직으로 아래쪽을 가리키므로 복각이 +90°이고, 자남극에서는 자침의 S극이 수직으로 아래를 가리키므로 복각이 -90°이다. 자기 적도에서는 자침이 수평을 유지하므로 복각은 0°이다.

서울 지방의 편각과 복각의 크기

서울 지방에서 편각은 약 6.5 °W, 복각의 크기는 약 +53.5°이다.

수평 자기력의 크기

자극에서는 복각이 90°이므로 수평 자기력은 0이 되고 연직 자기력이 최대가 되며, 자기 적도에서는 복각이 0°이므로 수평 자기력이 최대이고 연직 자기력은 0이 된다.

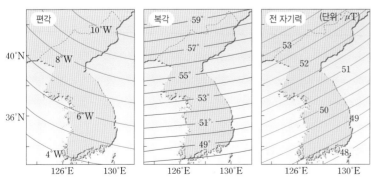

▲ **우리나라의 편각, 복각, 전 자기력 분포** 편각은 약 4 °W~10 °W, 복각은 약 +48°~+59°이고, 전 자기력은 약 48 µT~54 µT이다.

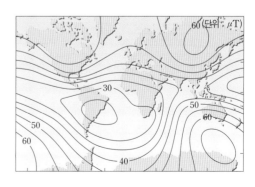

▲ **세계의 전 자기력 분포(단위: µT)** 자극에서는 약 60 µT, 자기 적도에서는 약 30 µT이다.

3. 지구 자기장의 변화

지구 자기 요소는 시간과 장소에 따라 그 세기와 방향이 변하는데, 지구 자기장의 변화에는 하루를 주기로 변하는 일변화와 1년을 주기로 변하는 계절 변화, 오랜 세월에 걸쳐 조금씩 변하는 영년 변화와 비교적 짧은 시간 동안 급격히 변하는 자기 폭풍이 있다.

(1) **지구 자기의 일변화:** 지구 자기가 하루를 주기로 규칙적으로 변하는 현상이다. 지구 자기의 일변화가 나타나는 원인은 주로 태양 복사 에너지에 의해 지구 대기의 전리층에 형성된 유도 전류가 자기장을 발생시키기 때문이다. 즉, 태양의 고도에 따라 지구 대기의 전리층이 영향을 받는 정도가 달라져서 낮에는 태양 에너지가 많이 들어오므로 자기장의 세기가 강해지고, 밤에는 약해지면서 24시간을 주기로 일변화가 나타난다. 지구 자기장의 일변화량은 비교적 적고, 위도에 따라 다르게 나타난다.

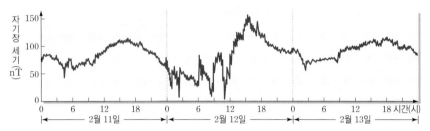

▲ **지구 자기장의 일변화** 2012년 2월 11일~13일에 인공위성에서 측정한 3일 동안의 지구 자기 변화로, 2월 12일에 급격한 변화가 나타났다.

(2) **지구 자기의 계절 변화:** 일변화와 같은 원리로 일사량이 강한 여름이 일사량이 약한 겨울에 비해 자기장의 세기가 강해 1년을 주기로 계절 변화가 나타난다.

(3) **지구 자기의 영년 변화와 지자기 역전**

① 영년 변화: 현재 지구 자기장의 세기는 점점 약해지고 있으며, 자극이 매년 조금씩 이동하고 있다. 이처럼 오랜 시간에 걸쳐 지구 자기장의 세기와 자극이 서서히 변화하는 현상을 지구 자기의 영년 변화라고 한다. 영년 변화 시 편각과 복각의 변화는 지역에 따라 다르게 나타난다.

② 영년 변화의 원인: 지구 자기장이 일정하지 않고 서서히 변화하는 것은 지구 자기가 유동성이 있는 물질(외핵)의 변화 때문임을 의미한다. 지구의 외핵은 전기 전도도가 큰 철과 니켈이 액체 상태를 이루고 있으므로, 지구 자기의 영년 변화는 외핵의 운동 변화에 그 원인이 있는 것으로 추정된다.

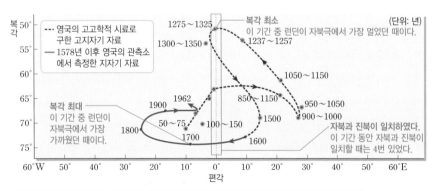

▲ **지구 자기의 영년 변화** 50년부터 1962년까지 영국 런던의 편각과 복각 변화를 나타낸 것이다.

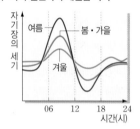

③ **지자기 역전:** 과학자들이 지구상의 여러 암석의 고지자기를 분석한 결과, 지질 시대 동안 자기극의 방향이 여러 차례 바뀐 것을 밝혀냈다. 이처럼 지구 자기의 극이 바뀌는 현상을 지자기 역전이라 하고, 자극이 현재와 같은 방향으로 배열된 시기를 정자극기, 반대 방향으로 배열된 시기를 역자극기라고 한다. 특히 해령을 중심으로 대칭적으로 나타나는 고지자기 역전 줄무늬는 해령을 중심으로 해저가 확장되고 있다는 유력한 증거가 된다.

(4) **자기 폭풍:** 지구 자기장의 변화가 일변화와는 달리 수 시간에서 2일~3일에 걸쳐 갑자기 불규칙적으로 크게 변하는 현상을 자기 폭풍이라고 한다.

① **자기 폭풍의 원인:** 자기 폭풍을 일으키는 주원인은 태양 코로나 물질 방출과 고속의 태양풍이라고 알려졌다. 태양 활동이 활발해져서 태양 표면의 흑점 부근에서 큰 플레어(폭발 현상)가 발생하면 평소보다 많은 양의 대전 입자와 강한 X선 및 자외선이 방출되어 지구 자기장에 큰 영향을 미치기 때문이다. 이러한 자기 폭풍은 태양 흑점 수의 증감 주기인 11년과 거의 일치하며, 태양 흑점 수 극대기에 자주 발생한다.

② **자기 폭풍의 영향:** 자기 폭풍은 지구의 전리층을 교란시켜 통신 장애를 일으키거나 인공위성과 위성 항법 시스템(GPS)의 오작동을 일으키고, 대규모 정전 사태를 일으킨다. 또한, 자기 폭풍이 발생하면 해로운 자외선이 지표에 많이 도달하여 생태계에 영향을 미치기도 하며, 지구 대기층에 도달한 고에너지 입자와 자외선은 오존층의 오존 분자를 파괴한다. 자기 폭풍이 발생하면 위도 65°~70° 지역의 100 km~1000 km 상공에서는 오로라가 자주 발생한다.

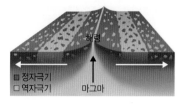

▲ **해령을 중심으로 대칭적으로 나타나는 고지자기 역전 줄무늬**

태양풍

태양풍은 태양 대기인 고온의 코로나로부터 우주 공간으로 불어 나가는 입자의 흐름으로서 주로 양성자와 전자로 이루어진 플라스마이다. 평균 속도는 500 km/s이고, 플레어가 발생할 때는 2000 km/s에 달한다. 태양에서 방출된 플라스마는 1일~2일 후에 지구에 자기 폭풍을 일으킨다.

오로라

오로라는 태양에서 날아온 대전 입자가 지구 자기력선을 따라 운동하면서 남북 양극에 가까운 상층 대기 중의 산소와 질소 분자나 원자에 충돌하여 빛을 내어 나타나는 현상이다.

▲ **알래스카 상공의 오로라**

4. 지구 자기권과 밴앨런대

(1) **지구 자기권:** 대기 중에 있는 대전 입자들의 운동에 지구 자기장의 영향이 뚜렷하게 나타나는 영역을 지구 자기권이라고 한다. 자기권은 태양풍의 영향으로 변형되어 태양 쪽의 자기 권계면은 지구 반지름의 약 10배, 태양 반대쪽은 지구 반지름의 약 100배에 이른다. 지구 자기장은 우주에서 날아오는 방사선과 고에너지의 입자로부터 지구의 생명체를 보호하는 중요한 방패 역할을 한다.

(2) **밴앨런대(Van Allen belt):** 태양이나 우주에서 날아오는 대전 입자의 일부가 지구 자기장에 붙잡혀 지구로 진입하지 못하고 밀집되어 있는 영역을 밴앨런대라고 한다.

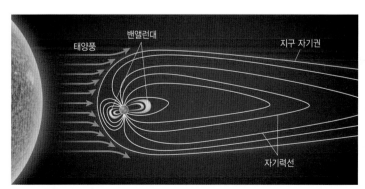

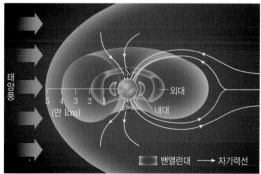

▲ **지구 자기권과 밴앨런대** 밴앨런대는 지구를 마치 도넛 모양처럼 둘러싸고 있으며, 주로 에너지가 높은 입자가 모인 내대와 상대적으로 에너지가 낮은 입자가 모인 외대로 구분한다. 내대는 지표로부터 약 2000 km~3000 km 높이에 있으며, 고에너지 양성자(>100 MeV)가 밀집되어 있다. 외대는 지표로부터 약 10000 km~20000 km 높이에 위치하며 고에너지의 전자(0.1 MeV~10 MeV)가 밀집되어 있다. 이러한 대전 입자의 영향으로 극지방에서는 오로라가 발생한다.

차이를 만드는 심화

지구 자기장의 역할과 자기 폭풍의 영향

만약 지구 자기장이 없어진다면 무슨 일이 벌어질까? 지구 자기장을 소재로 한 SF 영화 '코어(core)'는 지구 자기장이 소멸한 결과, 건강한 사람이 그 자리에서 쓰러지고, 도시의 광장을 날아다니던 수천 마리의 비둘기들이 방향 감각을 잃고 벽이나 창문과 차창을 향해 전속력으로 돌진해 떼죽음을 당하는 장면을 보여준다.

❶ 지구 자기장의 역할

지구 자기장은 인간에게 나침반 이용을 통해 지구상의 방향을 찾도록 해주며, 바다에서 거북이들의 위치 판단이나 고래들의 여행, 철새들의 장거리 비행에도 도움을 준다. 이처럼 지구 자기장은 지구상의 생명체에 큰 영향을 미친다. 특히 지구 자기장은 태양풍과 해로운 우주선을 막아주는 보호막 역할을 하고 있다. 지구 자기장이 없다면 태양풍과 해로운 우주선이 그대로 지상에 도달하여 지구는 순식간에 뜨거운 열과 방사능으로 휩싸여 생명체가 살 수 없는 행성이 되고 말 것이다.

❷ 자기 폭풍의 영향

(1) **인간의 방사선 피해:** 강력한 태양 플레어로 자기 폭풍이 발생하면 고에너지 입자와 방사선이 방출되어 특히 우주 비행사에게 치명적인 피해를 입힌다. 고에너지 입자가 살아있는 세포를 관통할 경우, 유전자 손상, 암 발생 등의 건강 문제를 일으킬 수 있다. 다량의 고에너지 입자에 노출될 경우 즉각 치명적 손상을 입을 수도 있다.

(2) **지구 환경에 미치는 영향:** 자기 폭풍이 발생하면 많은 고에너지 입자가 지구 대기의 성층권에 도달하여 대기 분자를 이온화시키고, 성층권의 오존을 파괴하여 더 많은 양의 자외선이 지표면에 도달한다. 1982년 자기 폭풍 발생 시 오존층의 오존 밀도가 일시적으로 70 % 정도 감소하기도 했다. 지상에 도달하는 자외선의 양이 증가하면 식물의 광합성량이 감소하고 인간을 비롯한 동물의 면역 체계가 손상되어 피부암, 백내장, 유전자 변형 등이 발생하며 성층권의 온도 변화를 초래하여 기후 변화의 원인이 된다.

(3) **통신 장애:** 자기 폭풍은 지구의 전리층을 교란한다. 많은 통신 시스템은 무선 신호를 전리층에 반사시켜 원거리 통신을 하므로, 자기 폭풍으로 인한 전리층 교란은 무선 통신에 영향을 미친다. 일부 군사 탐지 및 조기 경보 시스템 역시 자기 폭풍에 영향을 받는다. 레이더는 원거리 비행기 및 미사일을 감시하기 위해 전리층의 반사를 이용하는데, 자기 폭풍은 이 시스템을 혼란에 빠지게 한다.

(4) **위성 항법 시스템(GPS) 장애:** 자기 폭풍이 발생하면 항법 시스템은 수 km ~ 수십 km 이상 차이가 나는 부정확한 항법 정보를 제공한다.

(5) **인공위성의 궤도 교란:** 자기 폭풍 및 태양 자외선 방출량 증가는 지구 대기 상부를 가열하는데, 공기가 상승하면 고도 약 1000 km의 인공위성 궤도의 대기 밀도가 증가한다. 그 결과 인공위성이 대기로부터 마찰력을 받아 속도가 느려지고, 궤도가 교란된다.

(6) **대규모 정전 사태 유발:** 자기 폭풍 발생 시 지구상의 전선에 유도되는 유도 전류는 송전 장비, 특히 변압기를 고장 낸다. 변압기의 코일을 가열하여 코어 부분에 포화를 유발하며, 여러 보호 회로 장치가 있음에도 불구하고 변압기의 성능을 저하시킨다.

▲ **우주 공간에서 작업 중인 우주 비행사** 우주 정거장의 우주 비행사는 지상에서 1년 동안 노출되는 방사선량의 약 두 배에 해당하는 방사선에 매일 노출되고 있다.

☐ **자기 폭풍으로 인한 대규모 정전 사태**

1989년 3월 13일 강력한 자기 폭풍으로 인해 캐나다 퀘벡 주에 대규모 정전 사태가 벌어졌고, 6백만 명의 주민이 9시간 동안 정전으로 불편을 겪었다. 이때 미국 동북부 및 스웨덴 일부 지방 역시 정전이 발생했다.

03 지구의 역장

① 지구 중력장

1 중력

- 질량을 가지고 있는 두 물체가 서로 끌어당기는 힘을 (❶   )이라고 하며, 그 크기는 두 물체의 (❷   )의 곱에 비례하고, 두 물체 사이의 (❸   )의 제곱에 반비례한다.
- (❹   ): 자전하는 지구에서 자전축에 수직 방향인 지구 바깥쪽으로 작용하는 힘을 말한다.
- 만유인력과 원심력의 합력으로 나타나는 힘을 (❺   )이라고 하며, 그 크기는 (❻   ) 지방에서 최소이고 극지방에서 최대이다.

2 중력의 측정과 표준 중력

- 단진자의 주기를 측정하여 구한 중력을 (❼   ) 중력이라 하고, 중력계를 이용하여 측정한 중력을 (❽   ) 중력이라고 한다.
- (❾   ): 내부의 밀도가 균일한 지구 타원체상에서 만유인력과 원심력의 합력으로 구해진 이론적인 중력값을 말한다.

3 중력 이상과 중력 탐사

- (❿   ): 어느 지점에서 실측 중력과 표준 중력과의 차이로, 지하에 밀도가 (⓫   ) 물질이 분포하면 (＋)로 나타나고, 밀도가 (⓬   ) 물질이 분포하면 (－)로 나타난다.
- (⓭   ): 중력 이상을 이용하여 지하 구성 물질의 종류나 구조를 확인하고 지하자원을 탐사하는 방법을 말한다.

② 지구 자기장

1 지구 자기장의 발생

- 지구 내부에 거대한 막대자석이 있는 것에 비유한 지구 자기장 모형을 (⓮   ) 모형이라고 한다.
- 지구 자기장에서 자기력선의 방향은 (⓯   )에서 나와 (⓰   )으로 들어간다.
- (⓱   ): 액체 상태의 외핵에서 상하부의 온도 및 밀도 차이로 인해 열대류가 일어나 유도 전류가 형성되고, 이 유도 전류가 자기장을 발생시켜 지구 자기장이 형성된다는 이론을 말한다.

2 지구 자기 3요소   지구 자기의 방향과 세기는 편각, 복각, 수평 자기력으로 나타내며, 이를 지구 자기 3요소라고 한다.

- (⓲   ): 자침의 N극이 가리키는 방향인 자북과 진북이 이루는 각을 말한다.
- (⓳   ): 자침의 N극이 수평면과 이루는 각을 말한다.
- 자극에서는 복각이 90°이므로 (⓴   )은 0이 되고 연직 자기력이 최대가 되며, 자기 적도에서는 복각이 0°이므로 수평 자기력이 최대이고 (㉑   )은 0이 된다.

3 지구 자기장의 변화

- 지구 자기의 (㉒   ): 지구 자기가 하루를 주기로 하여 규칙적으로 변하는 현상으로, 이러한 변화의 원인은 (㉓   ) 에너지이다.
- 지구 자기의 (㉔   ): 오랜 시간에 걸쳐 지구 자기장의 세기와 자극이 서서히 변하는 현상을 말한다.
- (㉕   ): 지구 자기장이 수 시간에서 2일~3일에 걸쳐 갑자기 불규칙적으로 크게 변하는 현상을 말한다.

4 지구 자기권과 밴앨런대

- 지구 (㉖   ): 대기 중에 있는 대전 입자들의 운동에 지구 자기장의 영향이 뚜렷하게 나타나는 영역을 말한다.
- 태양이나 우주에서 날아오는 대전 입자의 일부가 지구 자기장의 영향으로 지구로 진입하지 못하고 밀집되어 있는 영역을 (㉗   )라고 하며, 지구를 도넛 모양처럼 둘러싸고 있다.

01 그림은 지표의 P 지점에 작용하는 지구의 중력, 만유인력, 원심력을 순서 없이 나타낸 것이다.

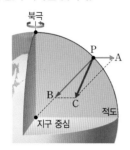

(1) 힘 A, B, C의 명칭을 각각 쓰시오.

(2) 적도에서 크기가 최대가 되는 힘의 기호를 쓰시오.

(3) 극에서 크기가 최대가 되는 힘의 기호를 쓰시오.

02 표는 어떤 지점에서 길이가 1 m인 단진자의 10회 왕복 시간을 4회 측정한 결과를 나타낸 것이다.

	1회	2회	3회	4회
10회 왕복 시간(초)	19.9	20.0	20.1	20.0

이 지점에서 중력 가속도는 몇 m/s²인지 구하시오. (단, $\pi = 3.14$이고 소수 둘째 자리에서 반올림하시오.)

03 다음 빈칸에 알맞은 용어를 쓰시오.

지구의 모양은 적도 반지름이 극반지름보다 약간 긴 회전 타원체 모양이다. 지구 내부가 균질하다고 할 때, 지구 타원체상에서 민유 인력과 원심력의 합력으로 구한 이론적인 중력을 (㉠)이라 한다. 그리고 지표상에서 단진자를 이용하여 실제로 구한 중력을 (㉡)이라 하며, ㉡과 ㉠의 차이를 (㉢)이라고 한다.

04 그림은 O점의 방위와 지구 자기 3요소를 나타낸 것이다.

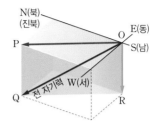

(1) 그림에서 편각과 복각을 각각 기호로 쓰시오.

(2) 지구 자기 3요소 중 자기극에서 최대가 되는 것의 기호를 쓰시오.

(3) 지구 자기 3요소 중 자기 적도에서 최대가 되는 것의 기호를 쓰시오.

05 그림은 지리상 북극과 자북극의 위치를 나타낸 것이다. 이에 대한 설명으로 옳은 것만을 보기에서 있는 대로 고르시오.

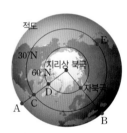

보기
ㄱ. B 지점의 편각은 0°이고, E지점의 편각은 (ㅡ)의 값이다.
ㄴ. A, C, D 중 수평 자기력이 가장 작은 곳은 D이다.
ㄷ. A, C, D 중 연직 자기력이 가장 작은 곳은 A이다.

06 그림 (가)와 (나)는 지구 자기장의 변화를 나타낸 것이다.

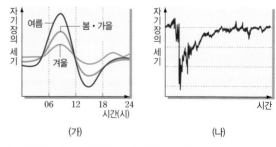

(1) (가)와 같은 변화의 주 요인을 쓰시오.

(2) (나)와 같은 변화를 무엇이라고 하는지 쓰시오.

01 ▶중력

그림은 내부가 균질한 지구 타원체 상의 한 점 P에 작용하는 만유인력, 원심력, 중력의 관계를 나타낸 것이다.

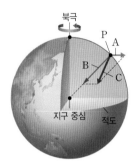

이에 대한 설명으로 옳지 <u>않은</u> 것은?

① A는 원심력, B는 만유인력, C는 중력이다.

② A의 크기는 적도에서 최대, 극에서는 0이다.

③ 극에서는 B와 C의 크기와 방향이 같다.

④ 단진자의 진동 주기는 고위도로 갈수록 짧아진다.

⑤ 중력의 크기는 적도에서 최대, 극에서 최소가 된다.

> 원심력의 크기는 적도에서 최대이고 극에서는 최소(0)이며, 만유인력의 크기는 적도에서 최소이고 극에서 최대이다. 따라서 중력의 크기는 적도에서 최소이고 극에서 최대이다. 단진자의 진동 주기는 중력이 커질수록 짧아진다.

02 ▶표준 중력과 실측 중력

그림 (가)는 내부가 균질한 지구 타원체상의 한 점에 작용하는 세 힘을, (나)는 위도에 따른 만유인력과 원심력의 크기를 순서 없이 나타낸 것이다.

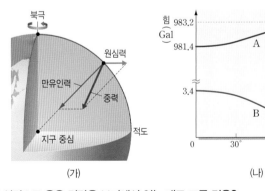

(가)   (나)

이에 대한 설명으로 옳은 것만을 보기에서 있는 대로 고른 것은?

보기

ㄱ. 적도와 극에서 중력의 크기는 각각 978 Gal, 983.2 Gal이다.

ㄴ. 두 힘 A와 B가 이루는 각도는 고위도로 갈수록 커진다.

ㄷ. (가)에서 구한 중력은 표준 중력에 해당한다.

① ㄱ   ② ㄴ   ③ ㄱ, ㄷ   ④ ㄴ, ㄷ   ⑤ ㄱ, ㄴ, ㄷ

> 지구 타원체 상에서 만유인력과 원심력의 합력으로 이론적으로 구한 중력은 표준 중력이다. 극에서는 만유인력과 중력의 크기가 같으며, 적도에서는 만유인력에서 원심력을 뺀 값이 중력이다.

03 > 중력의 측정

진자의 주기(T)와 진자의 길이(l), 중력 가속도(g) 사이에는

$T = 2\pi\sqrt{\dfrac{l}{g}}$ 의 관계가 성립한다. 북반구 중위도 지방에서 그림과 같은

진자를 이용하여 진자가 10회 왕복하는 데 걸린 시간을 5회 측정한 결과는 다음 표와 같다.

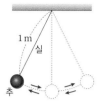

	1회	2회	3회	4회	5회	평균
10회 왕복 시간(초)	20.2	19.9	20.0	20.1	19.8	20.0

이에 대한 설명으로 옳은 것만을 보기에서 있는 대로 고른 것은? (단, 지구는 내부가 균질한 타원체이며, 지구의 자전 속도가 변해도 지구의 모양과 크기는 변하지 않는다.)

┌─ 보기 ───
ㄱ. 진자의 주기 평균값으로부터 구한 중력 가속도(g)는 $\pi^2\,\mathrm{m/s^2}$이다.
ㄴ. 저위도에서 이 장치로 측정하면 진자의 주기는 중위도보다 짧아진다.
ㄷ. 만약 지구 자전 속도가 현재보다 빨라지면 진자의 주기는 짧아진다.
└──

① ㄱ   ② ㄴ   ③ ㄱ, ㄷ   ④ ㄴ, ㄷ   ⑤ ㄱ, ㄴ, ㄷ

> 지구 타원체 상에서 구한 중력은 표준 중력으로, 저위도에서 고위도로 갈수록 커진다. 중력이 작을수록 진자의 주기는 길어지고, 지구 자전 속도가 빨라지면 자전에 의한 원심력의 크기가 커진다.

04 > 표준 중력

그림은 지구 타원체 상의 서로 다른 두 지점 A와 B에서 표준 중력의 방향과 크기를 나타낸 것이다.

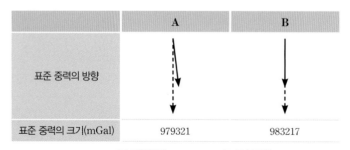

	A	B
표준 중력의 방향		
표준 중력의 크기(mGal)	979321	983217

──→ 표준 중력 방향   ┈┈▶ 지구 중심 방향

이에 대한 설명으로 옳은 것만을 보기에서 있는 대로 고른 것은?

┌─ 보기 ───
ㄱ. 동일 위도에서는 표준 중력의 크기가 같다.
ㄴ. A는 중위도에, B는 적도에 위치한다.
ㄷ. 자전에 의한 원심력의 크기는 A에서 B로 갈수록 작아진다.
└──

① ㄱ   ② ㄴ   ③ ㄱ, ㄷ   ④ ㄴ, ㄷ   ⑤ ㄱ, ㄴ, ㄷ

> 표준 중력은 지구 타원체 상에서 위도에 따른 만유인력과 원심력의 합력으로 이론적으로 계산된 중력이므로, 위도에 따라서만 변한다.

> 중력 이상

그림 (가)와 (나)는 위도가 다른 두 지역에서 X, Y 지점의 지하 물질 A, B에 의한 동서 방향의 중력 이상을 나타낸 것이다.

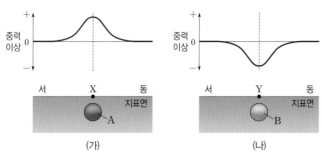

(가)   (나)

이에 대한 설명으로 옳은 것만을 보기에서 있는 대로 고른 것은? (단, X와 Y 지점의 해발 고도는 모두 0 m이다.)

보기
ㄱ. X와 Y에서의 표준 중력은 서로 같다.
ㄴ. X에서는 '실측 중력＞표준 중력'이고, Y에서는 '실측 중력＜표준 중력'이다.
ㄷ. A의 밀도는 주변 암석보다 작고, B의 밀도는 주변 암석보다 크다.

① ㄱ   ② ㄴ   ③ ㄱ, ㄷ   ④ ㄴ, ㄷ   ⑤ ㄱ, ㄴ, ㄷ

• 중력 이상은 '실측 중력−표준 중력'이다. 지하에 주위보다 밀도가 큰 물질이 있으면 중력 이상은 (＋)로 나타나고, 주위보다 밀도가 작은 물질이 있으면 중력 이상은 (−)로 나타난다.

06

> 지구 자기 3요소 및 표준 중력

그림 (가)는 지구 타원체의 표면에 지리상 북극과 자북극 및 A∼D 지점의 위치를, (나)는 단진자의 운동을 나타낸 것으로, 단진자의 주기는 그 지점의 중력에 따라 달라진다.

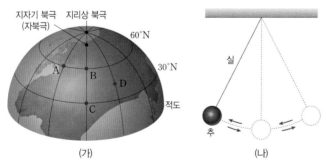

(가)   (나)

이에 대한 설명으로 옳은 것만을 보기에서 있는 대로 고른 것은? (단, 지구 타원체의 내부는 균질하다고 가정한다.)

보기
ㄱ. 편각의 크기는 A＞B이고, 복각은 C에서 가장 작다.
ㄴ. 단진자의 주기는 C 지점이 D 지점보다 짧다.
ㄷ. 표준 중력의 크기는 A＝B＞D＞C이다.

① ㄱ   ② ㄴ   ③ ㄱ, ㄷ   ④ ㄴ, ㄷ   ⑤ ㄱ, ㄴ, ㄷ

• 진북과 자북이 이루는 각이 편각이고, 복각은 지자기 북극에 가까울수록 커진다. 표준 중력은 위도에 따라서만 변하므로 동일 위도상에서는 같다.

07 ▷ 지구 자기 3요소

그림 (가)는 지구 자기 3요소를, (나)는 전 지구의 복각 분포를 나타낸 것이다.

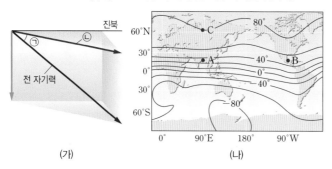

(가)   (나)

(가), (나)에 대한 설명으로 옳은 것만을 보기에서 있는 대로 고른 것은?

> 보기

ㄱ. ㉠은 A 지점이 B 지점보다 작다.

ㄴ. ㉡은 A 지점에서 C 지점으로 가면서 점차 커진다.

ㄷ. 위도 0°~60° 사이에서 위도에 따른 복각의 변화율은 저위도가 고위도보다 크다.

① ㄱ   ② ㄴ   ③ ㄱ, ㄷ   ④ ㄴ, ㄷ   ⑤ ㄱ, ㄴ, ㄷ

• 수평면에 대하여 기울어진 각 ㉠은 복각이고, ㉡은 전 자기력의 수평 성분인 수평 자기력이다. A 지점의 복각은 약 +30°이고, B 지점의 복각은 약 +50°이다. 등복각선이 밀집된 곳은 위도에 따른 복각의 변화가 큰 곳이다.

08 ▷ 지구 자기 3요소

표는 북반구의 동일 경도 상의 어떤 지점 P와 Q에서 측정한 수평 자기력과 편각을, 그림은 P 지점에서 Q 지점으로 동일 경도선을 따라 이동하면서 측정하는 경로를 나타낸 것이다.

	P	**Q**
수평 자기력(μT)	3	1
편각	5°W	10°W

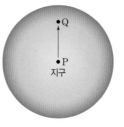

이에 대한 설명으로 옳은 것만을 보기에서 있는 대로 고른 것은?

> 보기

ㄱ. P 지점보다 Q 지점에서 복각이 더 크다.

ㄴ. P 지점보다 Q 지점이 자북극에 더 가깝다.

ㄷ. P 지점에서 Q 지점으로 가면서 자침은 시계 방향으로 움직인다.

① ㄱ   ② ㄴ   ③ ㄷ   ④ ㄱ, ㄴ   ⑤ ㄴ, ㄷ

• 복각이 클수록 자침이 수평면에 대하여 많이 기울어지므로 수평 자기력은 작아지고 연직 자기력은 커진다. 자기극에 가까울수록 복각이 커지고 수평 자기력은 작아진다.

09 > 지구 자기장

그림 (가)는 오로라의 모습을, (나)는 지구 자기장의 모습을 나타낸 것이다.

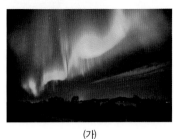 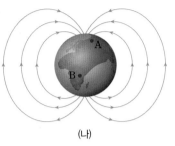

(가)   (나)

이에 대한 설명으로 옳은 것만을 보기에서 있는 대로 고른 것은?

보기

ㄱ. (가)는 태양에서 오는 대전 입자가 지구 대기 입자와 충돌하여 나타나는 현상이다.

ㄴ. 지구 자기장의 밴앨런대에는 태양풍의 대전 입자들이 특히 밀집되어 있다.

ㄷ. (가)는 (나)의 A 지역보다 B 지역에서 잘 관측된다.

① ㄱ   ② ㄷ   ③ ㄱ, ㄴ   ④ ㄴ, ㄷ   ⑤ ㄱ, ㄴ, ㄷ

- 오로라는 태양에서 방출되는 대전 입자들이 지구 자기장에 붙들려 지구 자기장의 자기력선을 따라 남북극 쪽으로 운동을 하며 대기 중의 공기 분자나 원자와 충돌할 때 생긴 이온이나 전자가 재결합 하면서 빛을 내는 현상이다.

10 > 지구 자기장의 변화

그림 (가)와 (나)는 지구 자기의 일변화와 자기 폭풍에 의한 자기장의 세기 변화를 각각 나타낸 것이다.

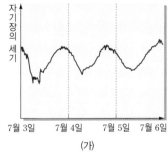 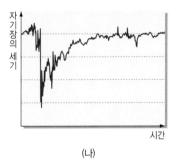

(가)   (나)

이에 대한 설명으로 옳은 것만을 보기에서 있는 대로 고른 것은?

보기

ㄱ. (가), (나)와 같은 변화는 모두 지구 외핵의 운동 변화 때문에 나타난다.

ㄴ. (가)의 자기장 세기 변화 폭은 계절과 관계없이 항상 일정하다.

ㄷ. (나)와 같은 변화는 태양의 흑점 수가 많아지면 강하게 나타난다.

① ㄱ   ② ㄷ   ③ ㄱ, ㄴ   ④ ㄴ, ㄷ   ⑤ ㄱ, ㄴ, ㄷ

- 지구 자기의 일변화와 자기 폭풍은 태양 복사 에너지의 영향으로 생기며, 영년 변화는 지구 외핵의 운동 변화 때문에 생긴다.

2

지구 구성 물질과 자원

단원
Preview

광물의 분류
규산염 광물
물리적 성질

광물

화성 광상
퇴적 광상
변성 광상

광상의
형성

광물과
암석의
이용

광물 자원
암석의 이용

광물

**지구의
자원**

편광 현미경의 원리
광물의 광학적 성질
주요 광물 관찰

광물의
편광
현미경
관찰

암석의
편광
현미경
관찰

화성암의 조직, 생성 환경
변성암의 종류, 생성 환경

해양 자원

해양 자원의 종류
해양 에너지 자원
해양 물질 자원

광물

지구의 자원

01 광물

학습 Point 　광물 　＞　 광물의 편광 현미경 관찰 　＞　 암석의 편광 현미경 관찰

① 광물

지각을 이루는 암석은 여러 가지 광물로 이루어져 있으며, 광물은 암석을 이루는 기본 물질이다. 광물은 대부분 여러 원소로 이루어진 화합물이다.

1. 광물의 분류

(1) 광물의 정의: 광물(mineral)이란 자연에서 산출되는 무기물의 고체로서 일정한 범위의 화학 조성과 물리적 성질을 가지며, 규칙적인 원자 배열을 이루고 있는 결정질의 물질을 말한다. 광물은 암석을 이루는 기본 입자로서 대부분 여러 원소로 이루어진 화합물이다.

(2) 결정질과 비결정질 광물

① 결정질 광물: 광물을 이루는 원자나 이온이 규칙적으로 배열된 것을 결정질이라 하며, 결정질 광물이 규칙적인 면으로 둘러싸여 독특한 외부 형태를 이루는 것을 결정이라고 한다. 광물에 X선을 통과시키면 점무늬들이 나타나는데, 점무늬가 규칙적이면 광물의 구성 원자 배열이 규칙적인 결정질 광물이다.

② 비결정질 광물: 광물을 이루는 원자나 이온의 배열이 불규칙적인 것을 비결정질이라고 하며, 비결정질 광물은 일정한 결정을 이루지 못한다. ▶ (예) 흑요석, 갈철석

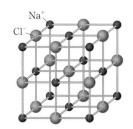

▲ **암염의 결정 구조** 암염 (NaCl)은 나트륨 이온(Na^+)과 염화 이온(Cl^-)이 규칙적으로 결합하여 정육면체의 결정 구조를 이룬다.

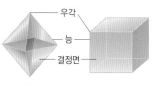
광물의 정의

- 어떤 물질이 광물로 정의되려면 다음 5가지 조건을 만족해야 한다. 이 조건 중 가장 중요한 것은 ④와 ⑤이고, ①～③ 중 1～2가지를 만족하지 않는 경우 준광물이라고 한다.
  ① 자연에서 산출
  ② 균질한 결정질의 고체
  ③ 무기물
  ④ 일정한 화학 조성
  ⑤ 규칙적인 원자 배열과 내부 구조

- 수은, 석탄, 석유, 천연가스 등은 광물의 정의(무기물의 고체)에서 벗어나지만 넓은 의미(지하자원)에서는 광물로 취급한다.

라우에 점무늬

독일의 물리학자 라우에(Laue, M.)는 광물에 X선을 쪼이면 X선이 회절되어 사진 건판에 규칙적으로 배열된 점무늬가 나타나는 것을 알아내었는데, 이것을 라우에 점무늬라고 한다. 라우에 점무늬가 나타나는 까닭은 광물을 구성하는 원자들의 규칙적인 배열로 인해 X선이 그 원자들 사이를 통과할 때 각각의 위상 차가 생기며 간섭이 일어나기 때문이다. 이러한 라우에 점무늬를 통해 광물 내부의 원자 배열이 규칙적인지 불규칙적인지 알아낼 수 있다.

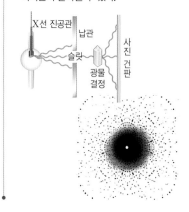

X선 진공관 / 납관 / 슬릿 / 사진 건판 / 광물 결정

(3) 조암 광물과 광물의 분류

① **조암 광물:** 국제 광물학 연합에 따르면 2016년까지 지각을 이루는 암석에서 발견된 광물은 약 5000여 종이며, 새로운 광물이 계속해서 발견되고 있다. 지각에는 약 30여 종의 광물이 대부분을 차지하는데, 이처럼 암석을 구성하는 주요 광물을 조암 광물이라고 한다. 조암 광물의 약 99 %가 지각을 구성하는 10여 종의 원소로 이루어져 있다.

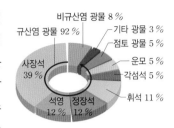

▲ **조암 광물(부피비)**

② **지각의 8대 구성 원소:** 지각을 이루는 조암 광물의 구성 원소는 88가지나 된다. 그러나 지각의 약 98 %(질량비)를 차지하는 원소는 산소(O), 규소(Si), 알루미늄(Al), 철(Fe), 칼슘(Ca), 나트륨(Na), 칼륨(K), 마그네슘(Mg)의 8가지인데, 이를 지각의 8대 구성 원소라고 한다.

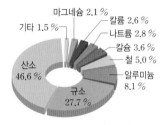

▲ **지각의 8대 구성 원소(질량비)**

③ **광물의 분류:** 광물은 대부분 여러 원소가 모여 이루어진 화합물이므로 어떤 종류의 음(－)이온이 포함되어 있는지에 따라 광물을 분류할 수 있다. 또한, 조암 광물은 규산염 광물과 비규산염 광물로 구분하기도 한다.

광물의 분류		광물에 포함된 음이온	대표적 광물
규산염 광물		SiO_4^{4-}	석영, 장석, 휘석, 각섬석, 흑운모, 감람석 등
비규산염 광물	탄산염 광물	CO_3^{2-}	방해석, 마그네사이트, 능철석, 백운석 등
	산화 광물	O^{2-}	자철석, 적철석, 강옥, 주석석 등
	황화 광물	S^{2-}	황철석, 황동석, 방연석, 섬아연석 등
	황산염 광물	SO_4^{2-}	석고, 중정석 등
	할로젠 광물	Cl^-, F^-, Br^-, I^-	암염, 형석 등
	원소 광물	없음	다이아몬드(금강석), 자연금, 은, 구리, 아연, 유황 등

▲ **광물의 분류** 원소 광물은 한 가지 원소로만 이루어진 광물이고, 나머지 광물은 그에 포함된 음이온을 기준으로 분류한다. 또한, 규산염 광물을 제외한 다른 광물은 모두 비규산염 광물이다.

2. 규산염 광물

지각과 맨틀을 구성하는 암석의 대부분은 규산염 광물로 이루어져 있다. 규산염 광물은 규소(Si)와 산소(O)가 주성분인 광물로, 사장석, 석영, 정장석, 감람석, 휘석, 각섬석, 운모 등이며, 지각과 맨틀을 구성하는 광물의 약 92 %를 차지한다.

(1) **SiO_4 사면체:** 모든 규산염 광물은 중심에 규소 이온(Si^{4+})이 있고 4개의 꼭짓점에 산소 이온(O^{2-})이 있는 SiO_4 사면체를 기본 구조로 한다. 중심에 있는 규소 이온은 이를 둘러싸고 있는 산소 이온보다 크기가 작고, SiO_4 사면체 전체의 전하는 (－4)이므로 SiO_4^{4-}로 표시한다. SiO_4 사면체들은 꼭짓점에 있는 산소 이온을 공유하며 결합할 수 있고, 이러한 복합 음이온에 여러 가지 금속 양이온이 결합하여 다양한 규산염 광물을 이룬다.

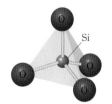

▲ **SiO_4 사면체의 구조**

규소(Si) 원자의 전자 배치

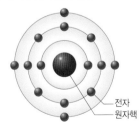

규소(Si)는 14족 원소로, 원자가 전자가 4개이므로 최대 4개의 공유 결합을 형성할 수 있다.

(2) **규산염 광물의 결합 구조**: SiO_4 사면체가 이웃하는 다른 SiO_4 사면체와 서로 산소를 공유하며 결합하는 방식에 따라 여러 가지 규산염 광물의 기본 골격이 만들어지며, 결정형, 화학 성분, 물리적 성질 등이 서로 다르게 나타난다.

① **독립형(독립상) 구조**: SiO_4 사면체가 독립적으로 존재하고, 이웃한 SiO_4 사면체 사이에 다른 양이온과의 결합을 통해 연결된다. 독립형 구조에서는 각 사면체의 결합력이 비슷하므로 외부에서 힘이 가해지면 불규칙하게 깨지는 성질이 있다. ▶ (예) 감람석, 석류석

② **단사슬 구조**: 각 SiO_4 사면체마다 2개의 산소를 이웃한 SiO_4 사면체와 공유하며 한 줄의 고리를 길게 이어 놓은 모양으로 결합한 구조이다. 단사슬 구조의 광물에 힘이 가해지면 고리끼리 떨어져 나가므로 두 방향의 쪼개짐이 나타난다. ▶ (예) 휘석

③ **복사슬 구조**: 각 SiO_4 사면체마다 2개~3개의 산소를 이웃한 SiO_4 사면체와 공유하며 이중의 고리 모양으로 결합한 구조이다. 이러한 복사슬 구조의 광물에 힘이 가해지면 두 방향으로 쪼개진다. ▶ (예) 각섬석

④ **판상 구조**: 각 SiO_4 사면체마다 3개의 산소를 이웃한 SiO_4 사면체와 공유하며 판 모양으로 결합한 구조이다. 이러한 층상 구조의 광물에 힘이 가해지면 얇은 판자 모양으로 쪼개진다. ▶ (예) 운모, 점토 광물

⑤ **망상 구조**: 각 SiO_4 사면체에서 4개의 산소를 모두 이웃한 SiO_4 사면체와 공유하며 입체적으로 결합한 구조로, 다양한 배열 방식이 복합적으로 나타난다. 장석과 석영이 대표적이며, 광물에 힘을 가하면 장석은 두 방향의 쪼개짐이 나타나지만, 석영은 불규칙하게 깨지는 성질이 있다. ▶ (예) 장석, 석영

SiO_4 사면체의 결합 구조

SiO_4 사면체들이 결합하여 이루어진 기본 골격에 여러 가지 양이온이 결합하여 규산염 광물이 만들어진다. 기본 골격을 이루는 사면체와 사면체 사이의 결합은 이웃한 사면체와 산소 원자를 공유하는 공유 결합이고, 기본 골격과 기본 골격 사이의 양이온과의 결합은 이온 결합이다. 공유 결합이 이온 결합보다 결합력이 강하므로, 광물이 쪼개질 때 기본 구조에 따라 쪼개짐이 다르게 나타난다.

석영과 장석

망상 구조에서 SiO_4 사면체는 산소 4개가 모두 공유 결합에 이용되며 3차원의 입체 구조를 형성하고, 광물마다 다양한 배열을 이룬다. 석영은 Si : O = 1 : 2이고, 장석은 Si : O = 3 : 8이다.

▼ **규산염 광물의 결합 구조**

구조	독립형 구조	단사슬 구조	복사슬 구조	판상 구조	망상 구조
Si : O	1 : 4	1 : 3	4 : 11	2 : 5	1 : 2
기본 음이온	SiO_4^{4-}	SiO_3^{2-}	$Si_4O_{11}^{6-}$	$Si_4O_{10}^{4-}$	SiO_2
결합 구조	산소 규소				
광물의 예	감람석 $(Mg, Fe)_2SiO_4$	휘석 $(Ca, Mg, Fe)Si_2O_6$	각섬석 $Ca_2(Mg, Fe)_5(Al, Si)_8O_{22}(OH)_2$	흑운모 $K(Mg, Fe)_3AlSi_3O_{10}(OH)_2$	석영 SiO_2

3. 광물의 물리적 성질

광물의 물리적 성질에는 색, 조흔색, 광택, 결정형, 쪼개짐과 깨짐, 굳기, 비중 등이 있다.

(1) 색: 광물의 색은 고유의 화학 조성과 결정 구조, 불순물 등의 요인에 의해 서로 다른 파장의 빛을 선택적으로 흡수하거나 반사하여 나타난다. 규산염과 결합하는 양이온의 종류에 따라 유색 광물과 무색 광물로 구분하기도 하는데, 유색 광물은 Fe, Mg의 함량이 높고, 무색 광물은 Na, K의 함량이 높다. 또한, 자수정과 같이 광물에 포함된 미량의 불순물에 의해 광물의 색이 달라지기도 한다.

(2) 조흔색: 광물 중에는 겉보기 색이 비슷하여 색만으로 구별하기 어려운 경우가 있는데, 이때 광물 가루의 색인 조흔색을 관찰하여 광물을 구별할 수 있다. 조흔색은 조흔판 표면에 광물을 문지를 때 나타나는 색으로, 광물마다 고유한 조흔색을 나타낸다.

(3) 광택: 광물의 표면에서 빛이 반사될 때 우리 눈이 느끼는 감각을 광택이라고 하며, 크게 금속광택과 비금속 광택으로 구분한다. 금속광택은 잘 닦은 금속의 표면처럼 빛나는 광택으로, 방연석, 황철석 등이 해당한다. 비금속 광택에는 유리처럼 빛나는 유리 광택(석영), 진주 광택(백운모), 견사 광택, 수지 광택(섬아연석), 지방 광택, 토상 광택 등이 있다.

(4) 결정형: 광물의 종류에 따라 결정 모양이 여러 가지로 나타나는데, 광물 결정의 기하학적 형태를 결정형이라고 한다. 광물의 구성 원자나 이온의 규칙적인 배열에 따라 고유의 외부 형태를 이루는 것으로, 결정면의 발달 정도에 따라 자형, 반자형, 타형으로 구분한다.

(5) 쪼개짐과 깨짐: 광물에 기계적인 힘을 가했을 때 일정한 방향으로 쪼개지거나 불규칙하게 깨지는 성질을 이용하여 광물을 구별할 수 있는데, 광물의 쪼개짐이나 깨짐은 광물을 이루는 원자의 배열과 관련이 있다.

① 쪼개짐: 광물에 기계적인 힘을 가하면 일정한 방향으로 평탄하게 갈라지는 현상을 쪼개짐이라고 한다. ▶ (예) 암염과 방해석: 3방향, 장석: 2방향, 운모: 1방향

② 깨짐: 광물이 힘을 받았을 때 일정 방향으로 갈라지지 않고 불규칙하게 깨지는 현상을 깨짐이라고 한다. ▶ (예) 석영과 흑요석: 조개껍데기 모양의 깨짐, 흑연: 다편상의 깨짐

(6) 굳기: 광물의 상대적인 단단한 정도를 굳기라고 한다. 광물을 구성하는 원자나 이온의 밀도가 클수록, 화학적 결합력이 강할수록 광물이 단단하다.

① 모스 굳기계: 일반적으로 광물의 굳기를 비교할 때는 모스 굳기계를 이용한다. 독일의 광물학자 모스가 주변에서 흔히 볼 수 있는 광물 10종을 선택하여 가장 무른 광물(활석)의 굳기를 1로 정하고 가장 단단한 광물(금강석)의 굳기를 10으로 정하여 10등급으로 나눈 것이다.

② 광물의 상대 굳기와 절대 굳기: 모스 굳기계는 광물의 상대적인 굳기를 나타낸 것이므로 굳기 등급과 굳기는 정비례하지 않는다. 즉 굳기가 10인 금강석이 굳기가 5인 인회석보다 2배 단단한 것이 아니고, 굳기가 1인 활석보다 10배 단단한 것이 아니다. 광물의 절대 굳기는 그 광물의 실제 굳기로서, 강도 측정기를 이용하여 측정한다.

(7) 비중: 광물의 비중이란 같은 부피의 4 °C 물의 질량에 대한 광물의 질량비를 말한다. 광물의 조흔색이나 굳기 등이 비슷하여 구별이 어려운 경우에도 비중은 서로 다르므로, 비중을 비교하여 광물을 구별할 수 있다. 비금속 광물의 비중은 보통 4 이하이고, 비중이 4 이상인 광물은 금속 광물에 해당한다.

자색과 타색

순수한 광물이 나타내는 본래의 색을 자색이라고 한다. 광물에 불순물이 섞이면 색이 달라지는데, 이처럼 달라진 색을 타색이라고 한다. 순수한 석영의 결정인 수정은 무색 투명하지만, 소량의 철(Fe)이 포함되면 보라색의 자수정이 되고, 타이타늄(Ti) 성분이 포함되면 분홍색의 장미 석영이 된다.

광물의 색과 조흔색

광물	화학식	색	조흔색
금	Au	황색	황색
황철석	FeS_2	황색	흑색
황동석	$CuFeS_2$	황색	녹흑색
적철석	Fe_2O_3	흑색	적색
자철석	Fe_3O_4	흑색	흑색
갈철석	$Fe_2O_3 \cdot nH_2O$	갈흑색	황갈색

▲ 황철석의 금속광택

광물의 결정형

- 자형: 광물이 고유의 결정형을 가지는 경우
- 타형: 광물이 고유의 결정형을 가지지 못하고 형성된 경우
- 반자형: 광물이 부분적으로 결정형을 가지는 경우

모스(Mohs, F., 1773~1839)

독일의 지질학자이자 광물학자로, 10가지 표준 광물의 상대적인 굳기를 비교하여 모스 굳기계로 나타냈다.

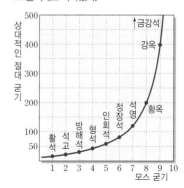

▲ 모스 굳기계 광물의 절대 굳기

② 광물의 편광 현미경 관찰 (탐구) 076쪽

암석은 그 종류에 따라 구성 광물의 크기와 모양, 배열 등이 다른데, 암석을 박편으로 만들어 편광 현미경으로 암석의 구성 광물을 관찰하면 암석의 종류나 생성 환경을 파악할 수 있다.

1. 편광 현미경의 구조와 원리

빛의 편광을 이용하여 광물의 광학적 성질을 관찰하는 현미경을 편광 현미경이라고 한다. 편광 현미경을 이용하면 광물을 확대하여 자세히 볼 수 있을 뿐만 아니라 광물의 광학적 성질(다색성, 간섭색, 소광 현상 등)을 관찰할 수 있다.

(1) 편광 현미경의 구조

① 편광판: 일반적으로 빛(자연광)은 그 진행 방향에 대하여 직각인 평면의 모든 방향으로 진동한다. 그러나 편광 현미경에는 일정한 방향으로 진동하는 빛(편광)만 통과시키는 편광판이 장착되어 있다.

② 개방 니콜과 직교 니콜: 편광 현미경에는 360° 회전할 수 있는 재물대가 있다. 재물대 아래에는 하부 편광판이 고정되어 있고, 대물렌즈와 접안렌즈 사이에는 상부 편광판을 끼웠다 뺐다 할 수 있다. 상부 편광판을 뺀 상태를 개방 니콜이라 하고, 상부 편광판을 끼운 상태를 직교 니콜이라고 한다.

(2) 편광 현미경의 원리: 편광 현미경의 광원에서 나온 빛은 편광되지 않아서 모든 방향으로 진동하지만, 이 빛이 하부 편광판을 통과하면 한 방향으로만 진동하며 재물대 위의 광물이나 암석 박편에 도달한다. 박편을 통과한 빛은 복굴절되어 상부 편광판에 도달하는데, 이 중 상부 편광판을 통과한 빛이 접안렌즈를 통해 눈에 들어온다.

자연광과 편광의 진동

자연광은 모든 방향으로 진동하지만, 편광판을 통과한 빛은 한 방향으로만 진동한다.

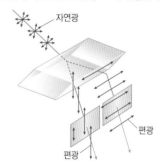

편광축

편광판이 빛을 투과시키는 방향으로, 일반적으로 하부 편광판은 동−서 방향으로 진동하는 빛만 통과시키고, 상부 편광판은 남−북 방향으로 진동하는 빛만 통과시킨다. 따라서 재물대 위에 시료가 없는 상태에서 직교 니콜로 관찰하면 접안렌즈까지 도달하는 빛이 없으므로 암흑 상태로 보인다.

시선 집중 ★ 편광 현미경의 구조와 사용법

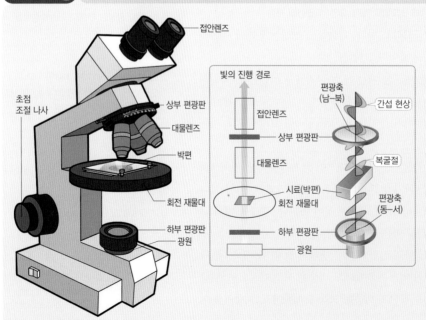

① 전원을 켜서 광원에 불이 들어오게 한다.

② 하부 편광판과 상부 편광판의 편광축이 서로 수직이 되도록 조절하여 빛이 완전히 차단되는지 확인한다.

③ 재물대에 박편을 올려놓고 천천히 회전시키면서 광물이 현미경의 시야에서 벗어나지 않도록 중심을 맞추고, 대물렌즈의 거리를 조절하면서 상의 초점을 맞춘다.

④ 박편을 먼저 저배율로 관찰하고, 특정한 부분을 확대해서 관찰할 때는 고배율로 관찰한다.

⑤ 상부 편광판을 뺀 상태(개방 니콜)에서 광물의 색, 형태, 다색성을 관찰한다.

⑥ 상부 편광판을 끼운 상태(직교 니콜)에서 간섭색과 소광을 관찰한다.

⑦ 관찰한 내용을 스케치하거나 사진으로 찍고, 개방 니콜인지 직교 니콜인지와 배율을 기록한다.

2. 광물의 광학적 성질

빛이 광물 표면에서 반사되거나 광물 내부를 투과할 때 나타나는 여러 가지 특성을 광물의 광학적 성질이라고 한다. 편광 현미경으로 광물의 광학적 성질을 관찰할 수 있다.

(1) **빛의 단굴절과 복굴절:** 빛이 유리를 통과할 때처럼 단순히 한 방향으로만 굴절하는 현상을 단굴절이라 하고, 빛이 방해석을 통과할 때처럼 진동 방향이 서로 직각인 두 개의 광선으로 갈라져 굴절하는 현상을 복굴절이라고 한다. 따라서 방해석을 통해 글자나 선을 보면 이중으로 보인다.

유리의 단굴절   방해석의 복굴절

▲ **단굴절과 복굴절**

(2) **광학적 등방체와 광학적 이방체**

① **광학적 등방체:** 복굴절 현상이 나타나지 않는 광물을 광학적 등방체라고 한다. 빛이 광학적 등방체 광물을 통과할 때는 단굴절하므로, 편광 현미경의 직교 니콜에서 그 박편(두께가 0.02 mm~0.03 mm인 얇은 조각)을 관찰하면 깜깜하고 아무것도 보이지 않는다. 이는 빛이 그 광물을 지날 때 모든 방향으로 같은 속도로 통과하여 단굴절하기 때문이다. 광학적 등방체에 해당하는 대표적인 광물은 암염, 금강석, 형석 등이다.

② **광학적 이방체:** 빛의 복굴절 현상이 나타나는 광물을 광학적 이방체라고 한다. 광학적 이방체 광물을 편광 현미경으로 관찰하면 다색성, 간섭색, 소광 현상 등이 나타난다.

(3) **다색성:** 광학적 이방체 광물을 개방 니콜에서 재물대를 회전하며 관찰하면 각도에 따라 광물이 빛을 흡수하는 정도가 달라져 광물의 색과 밝기가 미세하게 변하는데, 이를 다색성이라고 한다. 다색성은 광물 고유의 색으로, 유색 광물(흑운모, 각섬석 등)에서 잘 나타난다. 광학적 등방체 광물은 재물대를 회전시켜도 색의 변화가 없다.

밝아짐   어두워짐

▲ **흑운모의 다색성** (개방 니콜, 출처: Ruth Siddall, University College London)

(4) **간섭색:** 직교 니콜에서 광학적 이방체 광물을 관찰하면 복굴절된 두 광선이 서로 간섭을 일으켜 알록달록한 색깔을 나타내는데, 이것을 간섭색이라고 한다. 광물의 굴절률과 박편의 두께에 따라 간섭색이 다르게 나타난다. 흑운모와 같은 유색 광물은 찬란한 간섭색이 나타나지만, 석영이나 장석과 같은 무색 광물은 간섭색이 다양하지 않다.

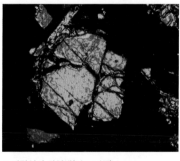

▲ **감람석의 간섭색**(직교 니콜)

(5) **소광:** 직교 니콜에서 광학적 등방체 광물은 상부 니콜을 통과하는 빛이 없어서 암흑으로 보이며, 이를 완전 소광이라고 한다. 그러나 광학적 이방체 광물은 직교 니콜에서 재물대를 360° 회전할 때 90°마다 한 번씩 어두워지는 소광 현상이 나타난다.

재물대 회전 전 ⟶ 90° 회전 시

▲ **사장석의 소광** (직교 니콜, 현무암)

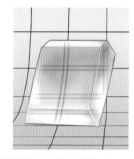

▲ **방해석을 통해 선을 관찰한 모습**

불투명 광물과 투명 광물
불투명 광물은 빛이 통과할 수 없는 광물로 대부분 금속 광물(황철석, 방연석 등)로 광물의 방향에 관계없이 항상 어둡게 보인다. 투명 광물은 빛이 통과할 수 있는 광물로, 규산염 광물은 모두 이에 해당한다. 투명 광물은 복굴절 여부에 따라 광학적 등방체와 광학적 이방체 광물로 구분된다.

개방 니콜과 직교 니콜에서의 광물 관찰

구분	니콜 조작	특징
다색성	개방 니콜	색과 밝기가 미세하게 변한다.
간섭색	직교 니콜	유색 광물은 찬란하고 다양한 색이 나타난다.
소광		간섭색이 없어지면서 어두워진다.

3. 편광 현미경을 이용한 주요 광물의 구별

(1) **개방 니콜**: 상부 니콜을 뺀 상태에서 하부 니콜만 통과한 빛으로 광학적 등방체와 광학적 이방체 광물을 구별하고, 색과 다색성 및 결정의 형태와 쪼개짐, 굴절률을 관찰한다.

(2) **직교 니콜**: 상부 니콜과 하부 니콜이 모두 삽입된 상태로, 광학적 이방체 광물의 간섭색과 소광 현상을 관찰한다.

광물	개방 니콜					직교 니콜	
	색	다색성	결정의 형태	쪼개짐	굴절률	간섭색	소광
석영	무색	없음	불규칙 또는 길쭉한 육각형	없음 (깨짐)	1.55	회색	4회 소광 또는 파동 소광
사장석	무색	없음	바늘 모양	1방향	1.53~1.55	회색	평행 소광
정장석	무색	없음	기둥 모양	1~2방향	1.52~1.54	회색	평행 소광
각섬석	옅은 녹색	뚜렷함	기둥 모양	2방향 (경사짐)	1.61~1.73	화려한 간섭색	경사 소광
흑운모	흑갈색	암갈색	판상 또는 육각형	1방향	1.64	적갈색	평행 소광
감람석	황록색	없음	불규칙 또는 다각형	없음 (깨짐)	1.65	화려한 간섭색	평행 소광
휘석	옅은 녹색	없음	기둥 모양	2방향	1.69	화려한 간섭색	평행 소광

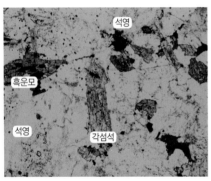

▲ 개방 니콜에서 관찰한 광물(화강암)

▲ 직교 니콜에서 관찰한 광물(화강암)

광물의 굴절률

빛이 공기 중에서 물로 진행할 때 굴절하는 것처럼 빛이 광물로 입사할 때도 굴절하는데, 굴절이 일어나는 정도를 굴절률이라고 한다. 굴절률은 광물마다 다른데, 편광 현미경으로 관찰하면 굴절률이 큰 광물은 굴절률이 작은 광물에 비해 떠 보인다.

평행 소광과 경사 소광

광물의 쪼개짐 방향과 소광각이 평행할 때를 평행 소광, 쪼개짐 방향과 소광각이 경사질 때를 경사 소광이라고 한다.

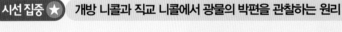

시선 집중 ★ 개방 니콜과 직교 니콜에서 광물의 박편을 관찰하는 원리

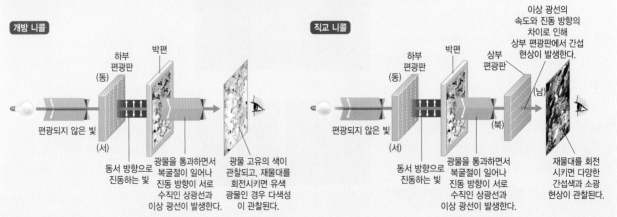

③ 암석의 편광 현미경 관찰

암석을 박편으로 만들어 편광 현미경으로 관찰하면 여러 가지 광물의 조직과 결정의 형태를 볼 수 있고, 여러 가지 광학적 특성을 파악할 수 있다. 이러한 암석의 조직으로부터 암석의 종류를 구분하고 그 생성 환경을 알아낼 수 있다.

1. 화성암의 조직과 생성 환경

화성암은 마그마가 지하나 지표에서 굳어져 생성된 암석으로, 그 생성 환경에 따라 화산암(분출암)과 심성암(관입암)으로 구분하며, 마그마의 냉각 속도에 따라 조직이 달라진다.

(1) 화성암의 조직: 마그마의 냉각 속도(화성암의 생성 깊이)에 따라 달라진다.

① 세립질, 유리질 조직: 지표로 분출된 마그마가 빠르게 냉각되어 생성된 암석인 화산암에서 나타나며, 광물 결정이 매우 작거나(세립질) 결정이 거의 없는(유리질) 조직을 이룬다.

② 반상 조직: 마그마가 지표에 가까운 지하에서 비교적 빠르게 냉각되어 생성된 암석에서 나타나며, 미세한 광물 입자(석기) 속에 크고 작은 결정(반정)이 들어 있는 조직을 이룬다.

③ 조립질 조직: 마그마가 지하 깊은 곳에서 천천히 냉각되어 생성된 암석인 심성암에서 나타나는 조직으로, 광물 입자가 비교적 크고 고르다.

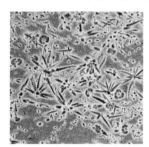 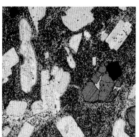 

유리질 조직 (흑요석, 개방 니콜)　　　반상 조직 (안산암, 개방 니콜)　　　조립질 조직 (화강암, 직교 니콜)

▲ **편광 현미경으로 관찰한 화성암의 조직** (출처: University of Oxford, Dave Waters)

(2) 광물의 생성 순서와 결정형: 화성암을 구성하는 광물의 형태는 매우 다양한데, 이는 마그마로부터 광물이 생성되는 순서와 관련이 있다. 마그마가 냉각되는 과정에서는 광물들이 동시에 정출되지 않는다. 가장 먼저 생성된 광물은 결정이 성장할 공간이 충분하고 주변 결정의 방해를 받지 않으므로 결정면이 잘 발달한 자형을 이루지만, 이후 생성되는 광물은 결정이 성장할 공간이 부족하여 결정면의 일부만 발달하는 반자형이 되고, 마지막에 생성되는 광물은 고유한 결정면이 발달하지 못한 타형을 이룬다.

온도 감소

마그마

 자형의 광물 생성

 반자형의 광물 생성

 타형의 광물 생성

▲ **광물의 생성 순서와 결정형** '자형 → 반자형 → 타형'의 순서로 광물이 생성된다.

현정질과 비현정질 조직

화성암을 구성하는 광물 입자 하나하나를 구별할 수 있는 경우는 현정질 조직이라 하고, 현정질 조직 중에서 큰 결정만으로 이루어진 것을 조립질, 작은 결정만으로 이루어진 것을 세립질이고 한다. 반면, 광물 입자를 육안이나 돋보기로 구별할 수 없는 경우는 비현정질 조직 또는 유리질 조직이라고 한다.

대표적인 화성암(현무암과 화강암)

• 현무암: 주 구성 광물은 Ca – 사장석, 휘석, 감람석 및 자철석으로, 흑색 내지 암회색을 띠는 고철질(염기성)암이다. 반정은 주로 사장석과 휘석이 대부분이고, 석기는 미정질이나 유리질이며 조직은 치밀하다. 백두산, 제주도, 울릉도에 분포하는 현무암은 표면에 기공이 많다.

• 화강암: 주 구성 광물은 석영, 정장석, Na – 사장석, 운모 및 각섬석이다. 정장석이 가장 많이 함유되어 있고, 운모는 주로 흑운모이다. 유색 광물 함량이 10 % 내외이므로 밝은색(담색, 유백색, 담홍색)을 띤다.

2. 퇴적암의 조직과 생성 환경

지표면의 암석이 풍화, 침식 작용을 받아 형성된 퇴적물이나 화산 쇄설물, 물속에 녹아 있던 성분 등이 쌓여 굳어져서 생성된 암석을 퇴적암이라고 한다. 퇴적암의 조직은 크게 쇄설성 조직과 비쇄설성 조직으로 구분한다.

(1) **쇄설성 조직**: 지표에서 암석이 풍화 작용을 받아 생긴 쇄설물이 운반된 후 퇴적되어 속성 작용을 받아 생성된 쇄설성 퇴적암에서 나타나는 조직이다. 쇄설성 조직은 입자의 모서리가 마모되어 있고, 입자 사이에 방해석, 점토 광물, 불투명 광물 등의 교결 물질이 채워져 있다. 이러한 쇄설성 조직은 역암, 사암, 셰일 등의 쇄설성 퇴적암에서 잘 나타난다. 쇄설성 퇴적암에서 퇴적물이 평행한 층상 구조를 이루는 경우를 층리라고 한다.

(2) **비쇄설성 조직**: 물에 녹아 있던 화학 성분이 침전하거나 물이 증발하여 만들어진 퇴적암(화학적 퇴적암)이나 생물체의 유해가 쌓여서 형성된 퇴적암(유기적 퇴적암)에서 나타나는 조직으로 대부분 한 종류의 광물로 이루어져 있다.

① 화학적 퇴적암: 석회질 물질이나 규질 물질이 화학적으로 침전되어 생성된 석회암이나 처트, 바다나 호수의 물이 증발할 때 물속의 용해 물질이 침전되어 생성된 석고, 암염 등이 있다.

② 유기적 퇴적암: 생물의 껍데기나 골격이 쌓여 형성된 것으로 산호, 이매패, 유공충 등에 의한 석회암, 규조류나 방산충 등에 의한 규조토, 처트 등이 있다. 그리고 식물체의 유해가 퇴적된 후 탄화되어 생성된 석탄도 이에 해당한다.

 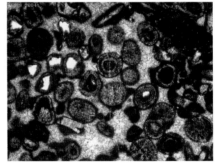

쇄설성 조직(사암, 직교 니콜)　　비쇄설성 조직(석회암, 직교 니콜)
▲ **퇴적암의 조직** (출처: University of Oxford, Dave Waters)

3. 변성암의 조직과 생성 환경

기존의 암석이 어떤 원인에 의해 생성 당시와는 다른 온도와 압력 조건에 놓이게 되면 구성 광물과 암석의 조직도 변하는데, 이러한 암석을 변성암이라고 한다.

(1) **변성암의 조직**

① 혼펠스 조직: 입자가 작은 광물들이 일정한 방향으로 배열되지는 않았으나 치밀하고 단단하게 짜인 조직을 혼펠스 조직이라고 한다. 주로 셰일이 열에 의한 접촉 변성 작용을 받아서 생성된 혼펠스에 발달해 있다.

② 입상 변정질 조직: 입자들의 방향성이 없고 크기가 거의 비슷한 굵은 광물 입자들로 치밀하게 짜인 조직을 입상 변정질 조직이라고 한다. 주로 열에 의한 변성 작용을 받아서 생성된 규암과 대리암에 발달해 있다.

속성 작용

퇴적물이 쌓인 후 다져지고 굳어져 퇴적암이 생성되기까지의 전 과정을 속성 작용이라고 한다.

교결 물질

물속에는 교결 물질(석회질, 규질, 철질 물질 등)이 녹아 있는데 이들 물질이 퇴적물 입자들 사이의 틈에 침전되면 퇴적물 입자들을 서로 묶어주어 단단한 퇴적암이 되도록 한다. 퇴적암의 교결 물질은 대부분 방해석 광물이나 탄산염 광물로 구성되어 있다.

변성 작용

기존의 암석이 열과 압력에 의해서 광물 입자의 배열이 달라지고 새로운 광물이 생성되거나 광물 입자의 크기가 커지는 작용을 변성 작용이라고 한다. 이러한 변성 작용에는 주로 열에 의한 접촉 변성 작용과 높은 열과 큰 압력에 의한 광역 변성 작용이 있다.

③ 편리: 세립질 암석에 압력이 가해지면 특정 광물(운모류)이 압력 방향에 수직으로 성장하거나 평행하게 배열되는데, 이를 편리라고 한다. 편리 조직을 갖는 암석을 편암이라 한다.

④ 편마 구조: 조립질의 암석이 큰 압력을 받거나 편리가 발달한 암석이 더욱 큰 압력과 열을 받으면 재결정 작용으로 결정이 커져서 조립질인 암석으로 변하여 유색 광물(주로 흑운모)과 무색 광물(석영과 장석류)이 교대로 평행한 줄무늬를 이루게 되는데, 이러한 구조를 편마 구조라고 한다. 편마 구조를 나타내는 암석을 편마암이라 한다.

혼펠스 조직 (혼펠스, 개방 니콜)

입상 변정질 조직 (대리암, 직교 니콜)

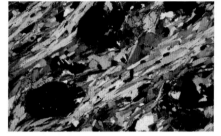

편리 (편암, 직교 니콜)

편마 구조 (편마암, 직교 니콜)

▲ **변성암의 조직**(사진 출처: University of Oxford, Dave Waters)

▲ 혼펠스

▲ 점판암(슬레이트)

▲ 천매암

▲ 편암

▲ 편마암

(2) **접촉 변성암과 광역 변성암의 종류:** 접촉 변성암에는 혼펠스, 대리암, 규암 등이 있고, 광역 변성암에는 슬레이트, 천매암, 편암, 편마암 등이 있다.

▼ **접촉 변성암과 광역 변성암의 종류와 특징**

원암	변성 작용	변성암 조직		변성암 암석	특징
셰일	접촉 변성 작용	엽리가 없음	혼펠스 조직	혼펠스	셰일이 접촉 변성 작용을 받아서 생성된 세립질의 암석으로 조직이 치밀하고 견고하며 대체로 검은색을 띤다.
사암			입상 변정질 조직	규암	석영이 주성분인 사암이 변성된 것으로, 입상 변정질 조직을 나타낸다.
석회암				대리암	방해석이 주성분인 석회암이 변성된 것으로, 입상 변정질 조직을 나타낸다.
셰일	광역 변성 작용	엽리가 발달	쪼개짐 (세립질)	점판암 (슬레이트)	셰일이 광역 변성 작용을 받은 첫 단계로서 재결정 작용은 없고 쪼개짐만 발달하여 얇은 판 모양으로 잘 쪼개진다.
				천매암	슬레이트가 더욱 심한 변성 작용을 받아 생성된다.
			편리	편암	천매암이 더욱 큰 압력과 높은 온도에서 변성 작용을 받은 것으로, 결정이 육안으로도 구별되며, 편리가 가장 뚜렷하게 발달하여 있다.
			편마 구조 (조립질)	편마암	편암이 더욱 높은 압력과 온도에서 변성 작용을 받은 것으로, 재결정 작용으로 결정이 커져서 편리는 없어지고 편마 구조가 나타난다.
현무암		엽리가 발달		각섬암	주 구성 광물은 각섬석과 사장석 등으로, 암록색을 띠며 조직이 치밀하다.
화강암				(화강) 편마암	주 구성 광물은 석영, 장석, 흑운모, 각섬석 등으로, 화학 조성은 화강암과 유사하나 편마 구조를 나타내는 점이 화강암과 다르다.

편광 현미경으로 광물 관찰하기

편광 현미경으로 암석을 구성하는 광물을 관찰하고, 각 광물의 광학적 특성을 확인할 수 있다.

과정

1 다음과 같이 편광 현미경의 사용법을 익힌다.

① 전원을 켜서 광원에 불이 들어오게 한 다음, 광량 조절 장치를 이용하여 빛의 세기를 최소로 한다.

② 하부 편광판과 상부 편광판의 편광축이 서로 수직이 되도록 조절하여 접안렌즈로 어둡게 보이는지 확인한다.

③ 재물대에 박편을 올려놓고 천천히 회전시키면서 광물이 현미경의 시야에서 벗어나지 않도록 중심을 맞추고, 대물렌즈와의 거리를 조절하면서 상의 초점을 맞춘다.

④ 개방 니콜과 직교 니콜에서 각 광물을 관찰하고 광학적 특징을 기록한다.

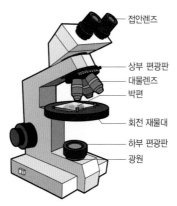

▲ 편광 현미경의 구조

접안렌즈
상부 편광판
대물렌즈
박편
회전 재물대
하부 편광판
광원

2 재물대 위에 석영, 흑운모, 사장석, 각섬석 박편을 올려놓고 상부 편광판을 뺀 상태(개방 니콜)에서 재물대를 360° 회전하면서 각 광물의 색과 다색성, 광물의 형태와 쪼개짐을 기록하면 다음과 같다.

구분	석영	흑운모	사장석	각섬석
색	무색~흰색	옅은 갈색~짙은 갈색	무색~흰색	옅은 녹색~갈색
다색성	없음	있음 (암록색~황록색)	없음	있음 (색의 진하기가 변함)

3 상부 편광판을 끼운 상태(직교 니콜)에서 재물대를 360° 돌리면서 각 광물의 색(간섭색)과 밝기의 변화(소광)를 기록하면 다음과 같다.

구분	석영	흑운모	사장석	각섬석
간섭색	어두운 회색~밝은 회색	갈색, 녹색, 청색	흰색과 검은색 띠가 교대로 보임	적색, 녹색, 청색
소광	90°마다 나타남 (또는 파동 소광)	90°마다 나타남	90°마다 나타남	90°마다 나타남

4 휴대 전화의 사진기를 이용하여 각 광물의 사진을 찍어보면 다음과 같다.

구분	석영	흑운모	사장석	각섬석
개방 니콜				
직교 니콜				

결과

1 석영, 흑운모, 사장석, 각섬석 중 개방 니콜에서 색이 나타나지 않는 광물은 무엇이며, 그 까닭은 무엇인가?

➡ 석영과 사장석이다. 그 이유는 석영과 사장석은 무색 광물이기 때문이다. 그러나 흑운모와 각섬석은 Mg과 Fe 성분을 포함하는 유색 광물이기 때문에 개방 니콜에서 광물의 색깔이 나타난다.

2 석영, 흑운모, 사장석, 각섬석 중 개방 니콜에서 다색성이 나타나는 광물은 무엇인가?

➡ 유색 광물인 흑운모와 각섬석에서 다색성이 뚜렷하게 나타나고, 무색 광물인 석영과 사장석에서는 다색성이 나타나지 않는다.

3 석영, 흑운모, 사장석, 각섬석 중 직교 니콜에서 간섭색이 다양하게 나타나는 광물은 무엇인가?

➡ 유색 광물인 흑운모와 각섬석에서는 간섭색이 다양하게 나타나지만 무색 광물인 석영과 사장석은 간섭색이 다양하지 않다.

정리

• 편광 현미경의 개방 니콜에서 유색 광물은 본래의 색이 잘 나타난다.
• 편광 현미경의 개방 니콜에서 유색 광물은 무색 광물보다 다색성이 잘 나타난다.
• 편광 현미경의 직교 니콜에서는 다양한 간섭색과 90°마다 어둡게 보이는 소광 현상을 관찰할 수 있다.

● **규산염 광물의 무색 광물과 유색 광물**

규산염 광물 중에서 밝은색을 띠는 무색 광물은 Mg, Fe 성분을 매우 적게 포함하며 석영, 사장석, 정장석 등이다. 그러나 어두운색을 띠는 유색 광물은 모두 Mg, Fe 성분을 포함하며 감람석, 휘석, 각섬석, 흑운모 등이다.

탐구 확인 문제

➤ 정답과 해설 **178**쪽

01 그림 (가)와 (나)는 편광 현미경의 개방 니콜과 직교 니콜에서 화강암 박편을 관찰하여 스케치한 것을 순서 없이 나타낸 것이다.

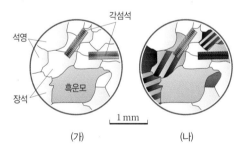

(가)   (나)

이에 대한 설명으로 옳은 것만을 보기에서 있는 대로 고른 것은?

보기
ㄱ. (가)는 직교 니콜, (나)는 개방 니콜에서 관찰한 것이다.
ㄴ. (가)에서 재물대를 회전시키면 흑운모의 색깔이 변한다.
ㄷ. (나)에서 재물대를 360° 회전하면 4번 어두워진다.

① ㄱ   ② ㄷ   ③ ㄱ, ㄴ
④ ㄴ, ㄷ   ⑤ ㄱ, ㄴ, ㄷ

02 그림은 빛이 어떤 유색 광물의 박편을 통과할 때 복굴절하는 모습을 나타낸 것이다.

이 광물의 박편을 편광 현미경으로 관찰할 때 나타나는 현상만을 보기에서 있는 대로 고른 것은?

보기
ㄱ. 개방 니콜에서는 다색성을 관찰할 수 있다.
ㄴ. 직교 니콜에서는 간섭색을 관찰할 수 있다.
ㄷ. 소광 현상은 개방 니콜과 직교 니콜에서 모두 관찰할 수 있다.

① ㄱ   ② ㄷ   ③ ㄱ, ㄴ
④ ㄴ, ㄷ   ⑤ ㄱ, ㄴ, ㄷ

01 광물

❶ 광물

1 광물의 분류
- 광물이란 자연에서 산출되는 (❶   )의 고체로서 일정한 범위의 (❷   )과 물리적 성질을 가지며, 규칙적인 (❸   )을 이루고 있는 결정질의 물질을 말한다.
- (❹   ) 광물: 광물을 이루는 원자나 이온이 규칙적으로 배열된 광물을 말한다.

2 규산염 광물
- (❺   ) 광물: 규소(Si)와 산소(O)가 주성분인 광물로, 사장석, 석영, 정장석, 감람석, 휘석, 각섬석, 운모 등이며, 지각과 맨틀을 구성하는 광물의 약 92 %를 차지한다.
- 규산염 광물은 (❻   ) 이온 4개가 꼭짓점을 이루는 사면체의 중심에 (❼   ) 이온 한 개가 있는 (❽   ) 사면체 구조를 기본 구조로 한다.

3 광물의 물리적 성질
- (❾   ): 백색의 초벌구이 도자기판 표면에 광물을 문지를 때 나타나는 가루의 색을 말한다.
- (❿   ): 광물에 기계적인 힘을 가할 때 일정한 방향으로 평탄하게 갈라지는 현상을 말한다.
- 광물의 상대적인 단단한 정도를 (⓫   )라고 하며, 일반적으로 (⓬   )를 이용하여 비교한다.

❷ 광물의 편광 현미경 관찰

1 편광 현미경의 구조와 원리
- 편광 현미경에서 상부 편광판을 뺀 상태를 (⓭   )이라 하고, 상부 편광판을 끼운 상태를 (⓮   )이라고 한다.

2 광물의 광학적 성질
- (⓯   ): 개방 니콜에서 재물대 위에 광물의 박편을 올려놓고 재물대를 회전시키면 회전 각도에 따라 광물이 빛을 흡수하는 정도가 달라져 광물의 색과 밝기가 미세하게 변하는 현상을 말한다.
- (⓰   ): 광물 박편을 재물대에 올려놓고 직교 니콜에서 재물대를 돌리면 광물에 따라 찬란하고 다양한 색이 나타나는 현상을 말한다.
- (⓱   ): 직교 니콜에서 재물대에 박편을 올려놓고 천천히 360° 회전시키면 네 번 어두워지는 현상을 말한다.

3 편광 현미경을 이용한 주요 광물의 구별
- 석영, 사장석, 흑운모 중에서 개방 니콜에서 관찰할 때 다색성이 잘 나타나는 광물은 (⓲   )이고, 직교 니콜에서 관찰할 때 간섭색과 소광이 잘 나타나는 광물은 (⓳   )이다.

❸ 암석의 편광 현미경 관찰

1 화성암의 조직과 생성 환경
- 화산암은 광물 결정이 아주 작은 (⓴   ) 조직이나 결정이 거의 없는 유리질 조직을 이룬다.
- 심성암은 광물 입자가 비교적 크고 고른 (㉑   ) 조직을 이룬다.

2 퇴적암의 조직과 생성 환경
- (㉒   ) 조직: 지표에서 암석이 풍화 작용을 받아 생긴 쇄설물들이 운반된 후 퇴적되어 속성 작용을 받아 생성된 퇴적암에서 나타나는 조직을 말한다.

3 변성암의 조직과 생성 환경
- (㉓   ) 조직: 입자가 작은 광물들이 일정한 방향으로 배열되지는 않았으나 치밀하고 단단하게 짜인 조직을 말하며 주로 셰일이 접촉 변성 작용을 받아서 생성된 (㉔   )에 발달해 있다.
- 광역 변성암에서 광물들이 압력에 수직 방향으로 나란하게 배열된 조직을 (㉕   )라고 한다.

01 광물에 대한 설명으로 옳은 것은 ○, 옳지 **않은** 것은 ×로 표시하시오.

(1) 광물은 한 가지 성분의 원소만으로 이루어진다.
.... (   )

(2) 지각을 구성하는 조암 광물의 대부분은 규산염 광물이다. .... (   )

(3) 지각을 구성하는 규산염 광물 중 가장 많은 것은 석영이다. .... (   )

(4) 지각을 구성하는 8대 원소 중 가장 많은 성분은 규소 (Si)이다. .... (   )

02 표는 방해석과 석영을 비교한 것이다.

광물	화학식	색	조흔색	굳기
방해석	$CaCO_3$	무색	백색	3
석영	SiO_2	무색	백색	7

방해석과 석영을 구별할 수 있는 방법만을 보기에서 있는 대로 고르시오.

보기
ㄱ. 색을 비교한다.
ㄴ. 굳기를 비교한다.
ㄷ. 광물에 묽은 염산을 떨어뜨려본다.
ㄹ. 조흔판에 광물을 그어 조흔색을 비교한다.

03 그림은 규산염 광물의 SiO_4 사면체 구조를 나타낸 것이다. 이에 대한 설명으로 옳은 것만을 보기에서 있는 대로 고르시오.

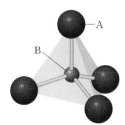

보기
ㄱ. A는 산소이고, B는 규소이다.
ㄴ. SiO_4 사면체는 전체적으로 (−4)의 음이온을 띤다.
ㄷ. SiO_4 사면체는 이웃한 사면체와 규소 원자를 서로 공유하면서 결합한다.

04 그림은 편광 현미경으로 어떤 화성암을 관찰하였을 때 광물 A, B, C의 모습을 나타낸 것이다.

광물 A, B, C의 생성 순서를 차례대로 쓰시오.

05 광학적 이방체 광물의 박편을 편광 현미경으로 관찰할 때 개방 니콜과 직교 니콜 상태에서 관찰할 수 있는 것을 보기에서 각각 골라 기호로 쓰시오.

보기
ㄱ. 색   ㄴ. 간섭색   ㄷ. 다색성   ㄹ. 소광

(1) 개방 니콜
(2) 직교 니콜

06 그림 (가)와 (나)는 변성암과 퇴적암의 박편을 편광 현미경으로 관찰한 사진으로 순서 없이 나타낸 것이다.

       (가)   (나)

이에 대한 설명으로 옳은 것만을 보기에서 있는 대로 고르시오. (단, (가)의 입자들은 주로 석영이다.)

보기
ㄱ. (가)는 퇴적암의 쇄설성 조직의 모습이다.
ㄴ. (나)는 변성암의 엽리 조직의 모습이다.
ㄷ. (가)의 암석은 접촉 변성 작용을 받아 (나)의 암석으로 변할 수 있다.

01　❯ 광물의 물리적 성질
어떤 광물의 물리적 성질을 알아보기 위해 다음과 같이 실험을 하였다.

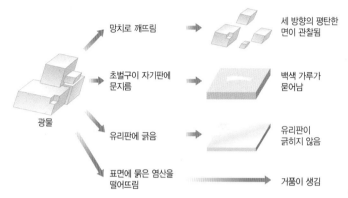

이 광물의 물리적 성질에 대한 설명으로 옳은 것만을 보기에서 있는 대로 고른 것은?

> 보기
> ㄱ. 이 광물은 세 방향의 쪼개짐이 발달한다.
> ㄴ. 이 광물의 조흔색은 백색이고, 굳기는 유리보다 크다.
> ㄷ. 이 광물은 탄산 칼슘($CaCO_3$) 성분의 방해석이다.

① ㄱ　　　② ㄴ　　　③ ㄱ, ㄷ　　　④ ㄴ, ㄷ　　　⑤ ㄱ, ㄴ, ㄷ

● 광물을 깨뜨렸을 때 세 방향의 평탄한 면이 나타나면 세 방향의 쪼개짐이 발달한 광물이고, 묽은 염산과 반응하는 광물은 탄산염 광물이다.

02　❯ 광물의 굳기
표는 몇 가지 광물의 모스 굳기를 나타낸 것이다.

모스 굳기	1	3	6	7	10
광물	활석	방해석	정장석	석영	금강석

이에 대한 설명으로 옳은 것만을 보기에서 있는 대로 고른 것은? (단, 손톱의 모스 굳기는 2.5이다.)

> 보기
> ㄱ. 활석과 방해석은 손톱에 긁힌다.
> ㄴ. 석영으로 정장석을 긁으면 정장석이 긁힌다.
> ㄷ. 금강석은 활석보다 절대 굳기가 10배 단단하다.

① ㄱ　　　② ㄴ　　　③ ㄱ, ㄷ　　　④ ㄴ, ㄷ　　　⑤ ㄱ, ㄴ, ㄷ

● 굳기가 작은 광물은 굳기가 큰 광물에 의해 긁힌다. 모스 굳기계는 광물의 상대적인 굳기 순서를 나타낸 것이고 실제의 단단한 정도는 절대 굳기로 비교한다.

03

> 규산염 광물의 결합 구조

그림은 규산염 광물의 결합 구조를 나타낸 것이다.

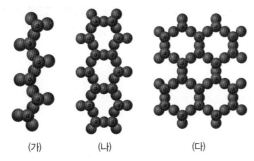

(가)　　　(나)　　　(다)

이에 대한 설명으로 옳은 것만을 보기에서 있는 대로 고른 것은?

보기

ㄱ. (가)는 휘석의 결합 구조이다.

ㄴ. (나)는 각섬석의 결합 구조이다. .

ㄷ. (다)의 결합 구조를 이루는 광물은 1방향의 쪼개짐이 발달한다.

① ㄱ　　　② ㄷ　　　③ ㄱ, ㄴ　　　④ ㄴ, ㄷ　　　⑤ ㄱ, ㄴ, ㄷ

• (가)는 단사슬 구조, (나)는 복사슬 구조, (다)는 판상 구조이다.

04

> 광물의 구분

그림은 휘석, 흑운모, 석영, 자철석의 네 가지 광물을 구분하는 과정을 나타낸 것이다.

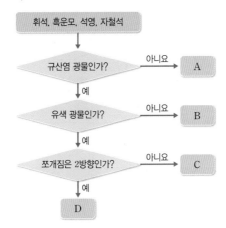

이에 대한 설명으로 옳은 것만을 보기에서 있는 대로 고른 것은?

보기

ㄱ. A는 금속 광물이고, B, C, D는 규산염 광물이다.

ㄴ. 편광 현미경에서 B, C, D는 다색성이 나타난다.

ㄷ. SiO_4 사면체의 공유 산소 수는 B>C>D이다.

① ㄱ　　　② ㄴ　　　③ ㄱ, ㄷ　　　④ ㄴ, ㄷ　　　⑤ ㄱ, ㄴ, ㄷ

• 휘석, 흑운모, 석영은 모두 규산염 광물이고, 자철석은 금속 광물이다. 다색성은 광학적 이방체인 유색 광물에서 나타난다.

05 **〉광물의 구분**

그림은 석류석, 흑운모, 방해석, 금강석을 광물의 특징에 따라 구분한 것이다.

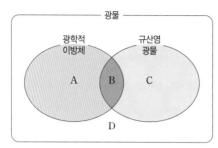

A~D에 해당하는 광물을 옳게 짝 지은 것은?

	A	B	C	D
①	석류석	흑운모	금강석	방해석
②	방해석	흑운모	석류석	금강석
③	방해석	석류석	흑운모	금강석
④	금강석	석류석	흑운모	방해석
⑤	흑운모	금강석	방해석	석류석

• 흑운모와 방해석은 광학적 이방체이고, 석류석과 금강석은 광학적 등방체이며, 흑운모와 석류석은 규산염 광물이다.

06 고난도

〉규산염 광물의 결합 구조

그림은 규산염 광물의 SiO₄ 사면체 구조를 나타낸 것이다.

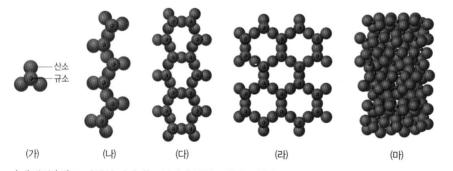

(가)   (나)   (다)   (라)   (마)

(가)에서 (마)로 가면서 나타나는 성질의 변화로 옳은 것은?

① 광물의 굳기가 점점 증가한다.

② 광물의 색이 점점 어두워진다.

③ 쪼개짐의 성질이 없어지고 깨짐이 발달한다.

④ 사면체가 공유하는 산소 원자 수가 감소한다.

⑤ 규소와 산소의 개수 비(Si : O)가 점차 감소한다.

• (가)는 독립형 구조로, 대표적인 광물은 감람석이다. (나)는 단사슬 구조의 휘석, (다)는 복사슬 구조의 각섬석, (라)는 판상 구조의 흑운모, (마)는 망상 구조인 석영이다.

07 ❯ 광물의 편광 현미경 관찰

그림은 편광 현미경의 구조를 나타낸 것이다.

• 상부 편광판을 뺀 상태를 개방 니콜, 상부 편광판을 끼운 상태를 직교 니콜이라 한다.

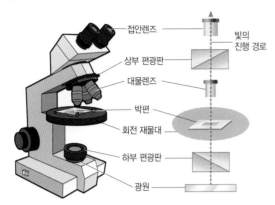

재물대 위에 각섬석 박편을 올려놓고 관찰할 때 나타나는 현상으로 옳은 것만을 보기에서 있는 대로 고른 것은?

보기
ㄱ. 상부 편광판을 뺀 상태에서 각섬석을 관찰하면 무색으로 보인다.
ㄴ. 상부 편광판을 끼운 상태에서 각섬석을 관찰하면 간섭색이 나타난다.
ㄷ. 상부 편광판을 끼운 상태에서 재물대를 회전시키면 소광 현상이 나타난다.

① ㄱ ② ㄴ ③ ㄱ, ㄷ ④ ㄴ, ㄷ ⑤ ㄱ, ㄴ, ㄷ

08 ❯ 광물의 편광 현미경 관찰

그림 (가)와 (나)는 편광 현미경의 개방 니콜과 직교 니콜에서 흑운모를 관찰한 모습을 순서 없이 나타낸 것이다.

• 흑운모는 광학적 이방체 광물로서 개방 니콜에서는 다색성을 관찰할 수 있고, 직교 니콜에서는 간섭색과 소광을 관찰할 수 있다.

(가)   (나)

이에 대한 설명으로 옳은 것만을 보기에서 있는 대로 고른 것은?

보기
ㄱ. (가)는 개방 니콜에서, (나)는 직교 니콜에서 관찰한 것이다.
ㄴ. (가)에서 재물대를 회전하면 흑운모에서 다색성이 나타난다.
ㄷ. 간섭색과 소광 현상은 (가)와 (나)에서 모두 관찰할 수 있다.

① ㄱ ② ㄷ ③ ㄱ, ㄴ ④ ㄴ, ㄷ ⑤ ㄱ, ㄴ, ㄷ

09 ❭ 퇴적암의 조직과 생성 환경

그림은 어느 퇴적암 박편을 편광 현미경의 직교 니콜에서 관찰한 모습을 나타낸 것이다.

이에 대한 설명으로 옳은 것만을 보기에서 있는 대로 고른 것은? (단, 이 암석의 주 구성 광물은 석영이다.)

> **보기**
> ㄱ. 이 암석은 풍화 침식 작용을 받은 후 운반 및 퇴적되어 생성된 것이다.
> ㄴ. 광물 입자들이 대부분 둥근 모양인 것으로 보아 운반 거리가 멀었다.
> ㄷ. 이 암석은 쇄설성 퇴적암으로서 사암이다.

① ㄱ   ② ㄴ   ③ ㄱ, ㄷ   ④ ㄴ, ㄷ   ⑤ ㄱ, ㄴ, ㄷ

• 기존의 암석이 지표 환경에서 풍화와 침식 작용을 받은 후 운반 및 퇴적되어 생성된 퇴적암은 쇄설성 퇴적암이다.

고난도
10 ❭ 화성암의 조직과 생성 환경

그림은 화성암 (가)와 (나)의 박편을 편광 현미경에서 같은 배율로 관찰한 모습을 나타낸 것이다.

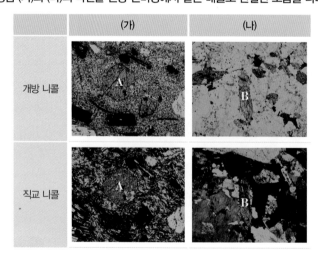

	(가)	(나)
개방 니콜	A	B
직교 니콜	A	B

이에 대한 설명으로 옳은 것만을 보기에서 있는 대로 고른 것은?

> **보기**
> ㄱ. (가)에서 광물 A는 반정으로, 바탕의 광물보다 먼저 생성되었다.
> ㄴ. (나)에서 광물 B는 광학적 등방체 광물이다.
> ㄷ. 화성암 (가)는 (나)보다 얕은 깊이에서 생성되었다.

① ㄱ   ② ㄴ   ③ ㄱ, ㄷ   ④ ㄴ, ㄷ   ⑤ ㄱ, ㄴ, ㄷ

• 화성암을 이루는 광물 입자들이 미세한 결정의 바탕(석기) 위에 비교적 큰 결정(반정)이 들어 있으면 반상 조직에 해당하고, 대체로 큰 입자들로 구성되어 있으면 조립질 조직에 해당한다.

11 〉화성암과 변성암의 조직

그림은 암석 **A**(화성암), **B**(변성암)의 사진과 이들 암석의 박편을 편광 현미경으로 관찰하여 스케치한 것이다.

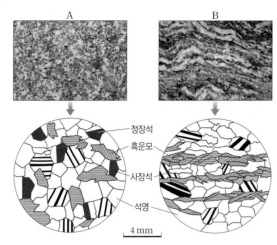

이에 대한 설명으로 옳은 것만을 보기에서 있는 대로 고른 것은?

보기
ㄱ. A는 화강암이며 조립질 조직을 보인다.
ㄴ. B는 혼펠스로, 엽리 조직이 발달해 있다.
ㄷ. A 암석이 광역 변성 작용을 받으면 B와 같은 조직을 갖는 암석으로 변한다.

① ㄱ   ② ㄴ   ③ ㄱ, ㄷ   ④ ㄴ, ㄷ   ⑤ ㄱ, ㄴ, ㄷ

• 화강암은 심성암으로 구성 광물이 비교적 크고 고른 조직을 나타내고, 편마암은 광역 변성암으로 밝고 어두운 광물이 평행하게 배열된 엽리(편마 구조)를 나타낸다.

12 〉변성암의 조직과 생성 환경

그림은 퇴적암인 셰일이 서로 다른 변성 작용을 받아 생성되는 암석을 나타낸 것이다.

이에 대한 설명으로 옳은 것만을 보기에서 있는 대로 고른 것은?

보기
ㄱ. (가)는 접촉 변성 작용, (나)는 광역 변성 작용이다.
ㄴ. 혼펠스는 방향성이 없고 치밀한 조직을 나타낸다.
ㄷ. 편마암은 편암보다 변성도가 커서 광물 입자의 크기가 더 크다.

① ㄱ   ② ㄴ   ③ ㄱ, ㄷ   ④ ㄴ, ㄷ   ⑤ ㄱ, ㄴ, ㄷ

• 셰일이 열에 의한 접촉 변성 작용을 받으면 혼펠스가 되고, 열과 압력에 의한 광역 변성 작용을 받으면 점판암 → 천매암 → 편암 → 편마암으로 변한다.

02 지구의 자원

학습 Point   광상의 형성 > 광물과 암석의 이용 > 해양 자원

 광상의 형성

지하에 유용한 광물이 채굴 가능할 정도로 농집되어 있는 장소를 광상이라 하며, 광상은 그 형성 과정에 따라 화성 광상, 퇴적 광상, 변성 광상으로 구분한다.

1. 화성 광상의 형성

마그마가 냉각되어 화성암이 생성되는 과정에서 마그마에 포함된 유용한 원소들이 분리되거나 한 곳에 집적되어 형성된 광상을 화성 광상이라고 한다. 화성 광상은 형성 과정에 따라 정마그마 광상, 페그마타이트 광상, 기성 광상, 열수 광상 등으로 구분한다.

(1) **정마그마 광상:** 고온의 마그마가 냉각되는 초기에 용융점이 높고 밀도가 큰 광물들이 정출되어 형성된 광상으로 자철석, 크롬철석, 백금, 니켈 등이 산출된다.

(2) **페그마타이트 광상:** 마그마 냉각 말기에 주변 암석을 관입하여 형성된 광상으로 석영, 장석, 운모, 녹주석, 전기석 등의 광물과 희유원소 및 철, 텅스텐, 몰리브데넘 등이 산출된다.

(3) **기성 광상:** 마그마에 있던 수증기와 휘발 성분이 주위의 암석을 뚫고 들어가 일부를 녹이고 침전하여 형성된 광상으로 주석, 몰리브데넘, 망가니즈, 텅스텐 등이 산출된다.

(4) **열수 광상:** 마그마가 냉각되면서 여러 광물이 정출되고 남은 열수 용액이 주변 암석의 틈을 따라 이동하여 형성된 광상으로, 석영맥과 함께 금, 은, 구리, 납, 아연 등이 산출된다. 해령의 열곡 근처에는 해수의 열수 작용으로 형성된 열수 광상도 분포한다.

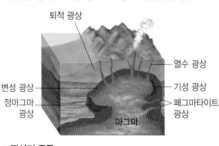
▲ 광상의 종류

광상과 광산
광상에서 광석을 채굴하는 곳을 광산이라고 한다.

희유원소(rare elements)
지구상에서 산출량이나 존재량이 적은 원소를 통틀어 희유원소라고 한다. 희유기체 원소, 희토류 원소, 백금족 원소, 우라늄 등이 이에 속한다.

희토류(Rare Earth Elements, REE)
주기율표의 17개 화학 원소의 통칭으로, 스칸듐(Sc)과 이트륨(Y), 그리고 란타넘(La)부터 루테튬(Lu)까지의 란타넘족 15개 원소를 말한다. 종종 악티늄족 원소를 포함하는 경우도 있다. 희토류는 화학적으로 매우 안정하고 열전도율이 높으며, 자성적 성질을 가지고 있으므로 전기 자동차, 태양열 발전 등에 사용되는 영구자석을 만드는 데 꼭 필요하다. 또한 스마트폰, 카메라, 컴퓨터, 광섬유 등에도 사용되며 첨단 산업에서 매우 중요한 원소이다.

시선 집중 ★ 지하자원의 분류

지구에서 자연 현상으로 지하에서 만들어진 자원을 지하자원이라고 한다. 광물과 암석 등의 지하자원은 매우 오랜 시간에 걸쳐 생성되며, 금속 광물 자원과 비금속 광물 자원, 에너지 자원으로 구분한다.

지하자원		예
금속 광물 자원		금, 은, 철, 구리, 니켈, 아연 등
비금속 광물 자원	산업 자원	점토 광물, 규조토, 석회암, 실리카, 석고, 활석, 암염 등
	보석 자원	수정, 다이아몬드, 사파이어, 루비 등
에너지 자원		석유, 석탄, 천연가스 등
기타 지하 에너지 자원		지하수, 온천수, 지열 등

▶ 지하자원의 분류와 예

2. 퇴적 광상의 형성

퇴적 광상은 지표의 기존 광상이나 유용한 광물을 포함한 암석이 풍화, 침식, 운반, 퇴적되어 형성된다. 퇴적 광상은 그 생성 원인에 따라 표사 광상, 풍화 잔류 광상, 침전 광상 등으로 구분한다.

(1) **표사 광상:** 지표의 광상이나 암석에 포함된 광물이 풍화·침식 작용을 받은 후 강물에 운반되는 동안 밀도가 큰 광물이 하천 바닥에 가라앉아 진흙층이나 기반암 위에 집적되어 형성된 광상이다. 표사 광상에서는 금, 백금, 금강석, 주석 등이 산출된다.

(2) **풍화 잔류 광상:** 기존의 암석이 풍화 작용을 받은 후 풍화의 산물이 그 자리에 남아서 형성된 광상이다. 풍화 잔류 광상으로는 장석이 풍화 작용을 받아 생성된 고령토, 알루미늄 산화물로 이루어진 보크사이트, 철분이 많이 포함된 암석이 풍화되어 생성된 갈철석이나 적철석, 화산 쇄설물의 풍화 작용으로 생성된 벤토나이트 등이 대표적이다.

(3) **침전 광상:** 해수가 증발하면서 해수에 녹아 있던 물질이 침전하여 생성된 광상으로 석고, 암염, 황산 나트륨, 탄산염 광물 등이 산출된다. 침전 광상에 속하는 호상 철광층은 선캄브리아 시대에 생성된 것으로, 해수에 용해된 철 성분이 산화된 후 침전되어 생성되었다.

3. 변성 광상의 형성

기존의 암석이 지각 변동에 의한 열과 압력에 의해 변성 작용을 받는 과정에서 생성된 광상을 변성 광상이라고 하며, 교대 광상과 광역 변성 광상으로 구분한다.

(1) **교대 광상:** 석회암과 같은 암석에 마그마가 관입할 때 광물이 용융되고, 새로운 광물이 침전되어 기존 광물을 교대하여 형성된 광상이다. 이 광상에서는 철(Fe), 구리(Cu), 납(Pb), 아연(Zn), 몰리브데넘(Mo), 주석 등이 산출된다.

(2) **광역 변성 광상:** 광역 변성 작용이 일어나면서 물과 휘발 성분이 빠져나와 생긴 열수에 의해 형성된 광상으로 우라늄, 흑연, 활석, 남정석, 홍주석 등이 산출된다.

시야 확장 ➕ 우리나라의 광물 자원

❶ **우리나라에서 산출되는 주요 광물 자원** 금속 광물 자원, 비금속 광물 자원, 화석 및 핵연료 자원, 건축용 석재와 골재 자원 등이 있다.
- 금속 광물 자원: 우리나라에서 산출되는 금속 광물은 화강암류 암석과 밀접한 관련이 있다. 대부분의 금속 광물은 중생대의 화성 활동으로 만들어진 열수 광상과 접촉 교대 광상에서 산출된다. 고철질 화성암과 관련된 정마그마 광상은 인천 연평도에 분포하며, 타이타늄 철광석이 산출된다.
- 비금속 광물 자원: 우리나라의 중요한 화석 연료 자원인 석탄은 주로 무연탄이다. 무연탄은 고생대 말기의 지층(평안 누층군)에서 산출되는데, 강원도 남동부 일대에서 충청남도 단양, 경상북도 문경, 전라남도 화순 일대에 거쳐 매장되어 있다. 퇴적 기원의 석회암(석회석)은 고생대 초기의 지층(조선 누층군)에 다량 매장되어 있으며 강원도 일대와 충청북도 일대에 석회석 광상이 여러 군데 형성되어 있고, 많은 양이 채굴된다.

❷ **우리나라의 주요 광물 산출지** 금과 은은 충북 무극, 충남 구봉, 전남 해남 등에서 산출되고, 철은 경남 김해와 강원도 삼척, 경기 소연평도 등에서, 회중석은 강원 상동 등에서, 활석은 충북 충주에서, 석회암(석회석)은 강원도와 충북 일대의 대규모 석회암층에서, 무연탄은 강원도 태백과 사북 일대에서, 고령토는 경남 하동에서 주로 산출된다. 보석 광물로는 경남 언양 부근의 자수정, 강원도 춘천 부근의 연옥 등이 있다.

보크사이트

보크사이트는 주로 수산화 알루미늄으로 이루어져 있으며, 고온 다습한 지역에서 고령토가 화학적 풍화 작용을 받아서 생성된다.

철광상과 호상 철광층
철광상의 대부분은 퇴적 광상(침전 광상)으로 만들어진 것이다. 현재 생산되는 철의 대부분은 27억 년 전~20억 년 전의 선캄브리아 시대에 해수에 용해된 철과 산소가 결합하여 만들어진 호상 철광층(Banded Iron Formation, BIF)에서 산출된다.

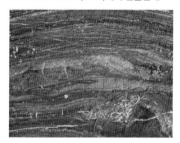

▲ **약 27억 년 전에 생성된 호상 철광층** 붉은색 층은 자철석과 적철석으로, 밝은색 층은 철을 포함한 처트 층이다. (출처: James St. John)

② 광물과 암석의 이용

우리의 일상생활이나 산업에는 광물 자원이 폭넓게 이용된다. 광물 자원은 기초 산업뿐만 아니라 비행기, 자동차, 선박 등의 제조, 반도체와 같은 첨단 산업까지 광범위하게 활용되고 있다.

1. 광물 자원의 이용

(1) 금속 광물 자원의 이용: 금속 광물 자원은 금속을 주성분으로 함유하는 광물 자원으로, 주요 금속 광물 자원은 금, 은, 구리를 함유한 황동석, 철을 함유한 자철석, 적철석, 갈철석, 알루미늄을 함유한 보크사이트, 텅스텐을 함유한 회중석, 아연을 함유한 섬아연석 등이 있다. 이러한 금속 광물에서 금속을 추출하려면 제련 과정을 거쳐야 한다.

① **알루미늄(Al):** 지각에 가장 풍부한 금속 원소로서 전기가 잘 통하므로 전선, 전자 제품 등에 이용되며, 쉽게 녹슬지 않고 가벼워서 창틀, 알루미늄 캔, 주방 용기 제조 등에 이용된다.

② **철(Fe):** 지각에 두 번째로 풍부한 금속 원소로서 각종 기계와 도구, 교량과 고층 건물의 골조, 배, 비행기, 자동차, 철로 등 인류가 사용하는 금속의 대부분을 차지한다. 또 철의 단점을 보완하는 스테인리스강을 비롯한 수많은 철 합금이 다양한 분야에서 사용된다.

③ **구리(Cu):** 구리는 부식에 강하고 전기와 열을 잘 전달하므로 전선, 전기 재료, 합금, 전자 제품 제조에 주로 이용된다.

④ **망가니즈(Mn):** 망가니즈는 철의 합금에 필요한 금속으로 이용될 뿐만 아니라 건전지, 유리, 의약품의 제조 등에도 이용된다.

⑤ **텅스텐(W):** 순수한 텅스텐은 은회색 광택을 가지는 단단한 금속으로, 전성과 연성이 뛰어나 가공하기 쉽다. 텅스텐은 과거에는 전구의 필라멘트로 사용되었으나 최근에는 절삭 공구뿐만 아니라 첨단 산업에서 널리 사용된다.

⑥ **희토류:** 네오디뮴(Nd), 스칸듐(Sc), 이트륨(Y), 란타넘(La) 등으로, 지각에 농축된 형태로는 거의 존재하지 않지만, 첨단 전자 제품과 항공 우주 산업에 필수적으로 이용된다.

광물 자원의 개발 과정

광물 자원은 일반적으로 '탐광 → 채광 → 선광 → 제련'의 과정을 거쳐 개발한다.

· **탐광:** 광맥이나 광상, 유전 등을 찾아내는 과정
· **채광:** 경제성이 확실하면 광석을 깨고 채취한 후 선별하여 운반하는 과정
· **선광:** 캐낸 광석에서 가치가 높거나 쓸모 있는 것만을 가려내는 과정
· **제련:** 선광된 광석을 용광로에 넣고 녹여서 원하는 금속만을 추출하는 과정

망가니즈(Mn)

지각에서 약 1000 ppm 정도로 존재하는 12번째로 풍부한 원소이다. 광물로는 연망가니즈석(MnO_2), 갈망가니즈석 등으로 존재한다. 망가니즈는 토양에서는 약 40 ppm, 바닷물에는 약 10 ppm 정도로 존재하지만, 해저에 존재하는 망가니즈 단괴는 약 5000억 톤에 이르는 것으로 추정된다.

텅스텐(W)

텅스텐은 모든 원소 중 녹는점이 가장 높고 (3422 °C) 밀도는 19.3 g/cm³로 금이나 우라늄과 비슷하다. 텅스텐은 주로 회중석과 철망가니즈중석에서 추출한다.

▲ 금속 광물의 이용 예

금속 광물 자원	금속 원소	용도
적철석, 자철석, 갈철석	Fe(철)	기계, 각종 철 기구, 선박, 자동차, 철로, 교량 등
보크사이트	Al(알루미늄)	합금 재료, 자동차, 항공기, 전기용품, 알루미늄 캔 등
황동석	Cu(구리)	합금 재료, 전선, 전자 제품, 동전, 파이프 등
방연석	Pb(납)	합금 재료, 케이블, 축전지, 파이프 등
섬아연석	Zn(아연)	합금 재료, 염료, 살충제, 의약품 등
망가니즈석	Mn(망가니즈)	특수강 제조, 건전지, 요업, 건조제 등
회중석, 철망가니즈중석	W(텅스텐)	특수강 제조, 합금 재료, 전구의 필라멘트, 로켓 제조 등
자연 백금	Pt(백금)	촉매, 화학 기계, 치과 재료, 장신구 등
자연금, 킴벌라이트	Au(금)	합금 재료, 치과 재료, 장신구 등
자연은, 휘은석	Ag(은)	합금 재료, 동전, 의약품, 식기, 장신구 등

▲ 금속 광물 자원과 용도

(2) **비금속 광물 자원의 이용:** 비금속 광물 자원은 비금속 원소로 이루어진 광물 자원으로, 제련 과정을 거치지 않고 이용할 수 있다.

① **석영:** 암석을 구성하는 규산염 광물 중의 하나로 비교적 함량이 많다. 각종 유리의 원료, 광학 기구, 시계의 진동자, 반도체, 내화 벽돌 등에 이용된다.

② **석회암(석회석):** 석회암을 이루는 탄산 칼슘 성분은 시멘트의 원료, 제철 용제, 석회질 비료, 카바이드 제조 등에 이용된다.

③ **장석:** 유리, 에나멜, 치과용 재료, 도자기, 타일 제조 등에 이용된다.

④ **운모:** 열전도율과 전기 전도율이 낮아서 단열재, 전기 절연체, 고무, 플라스틱, 페인트 등에 이용된다.

⑤ **세라믹:** 비금속 광물을 가공하여 만든 신소재로서 반도체의 원료, 광섬유 제조, 자동차, 의료 공학 등에 다양하게 이용된다.

⑥ **고령토:** 정장석이 풍화되어 만들어진 점토 광물이다. 백색을 띠며, 산화철 함량에 따라 적색을 띠기도 한다. 주로 도자기와 타일 제조, 페인트, 고무, 의약품, 화장품 등에 이용된다.

⑦ **규사:** 규사는 석영(SiO_2)이 주성분인 모래로, 규소(Si) 성분을 추출하여 컴퓨터, 계산기, 통신 장비, 실리콘 합금 등에 이용한다.

⑧ **활석:** 모스 굳기가 1인 광물로, 화장품, 내열재, 전기 절연체 등에 이용된다.

⑨ **방해석:** 무색투명하거나 흰색 반투명하며 유리 광택이나 진주 광택이 있고, 주로 광학 기재, 플라스틱, 합성 고무 제조, 표백분 등에 쓰인다.

⑩ **전기석:** 마찰에 의해 전기가 생기며, 가열하면 양 끝이 (+)와 (−)로 대전된다. 한 결정 내에 여러 가지 색이 함께 나타나 아름다워서 주로 보석으로 이용된다.

⑪ **황:** 황은 색이 노랗고 낮은 온도에서 녹아 액체처럼 흐르기 때문에 유황이라고도 불린다. 황은 황산 제조에 가장 많이 쓰이고 불꽃놀이, 살충제, 의약품 등에 쓰인다.

⑫ **금강석:** 모스 굳기가 10인 가장 단단한 광물로 보석, 연마재, 절단기에 이용된다.

⑬ **인회석:** 인산염 광물로, 비료의 원료가 된다.

활석

활석은 철(Fe)과 마그네슘(Mg) 함량이 풍부한 고철질 암석이나 마그네사이트가 열수 변질되어 생성된다. 활석은 보통 녹색과 흰색의 진주광택을 띠며, 촉감이 매우 부드러운 광물로 곱돌이라고도 불린다. 우리나라에서는 충북 충주 지역에 집중적으로 분포한다. 활석은 화장품, 제지, 페인트의 원료 등 그 용도가 매우 다양하다.

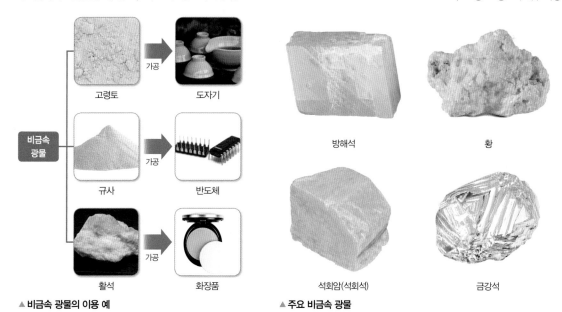

▲ 비금속 광물의 이용 예

▲ 주요 비금속 광물

- 토양은 암석이 오랫동안 풍화 작용을 받아서 생성된 것이다. 성숙 토양은 깊이에 따라 표토, 심토, 모질물로 구분한다. 표토에서는 미생물이 번식하고 식물이 잘 자랄 수 있으며, 심토층은 철분, 알루미늄, 칼슘 등의 성분이 포함되어 있어서 식물이 자라는 데 필요한 영양분을 가장 많이 함유하고 있다.
- 토양은 인류에게 중요한 천연자원 중 하나이다. 우리가 생활하는 공간이며, 우리의 식탁을 풍성하게 하는 생명체들의 공간이기도 하다. 그러나 과도한 삼림 벌채 및 농지와 택지의 개발로 토양이 유실되고, 무분별한 화학 비료의 사용으로 토양의 산성화가 급격히 진행되고 있다.

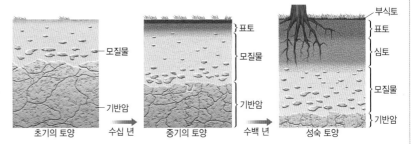

▲ **토양의 생성 과정** ① 초기의 토양: 기반암이 부서진 굵은 모질물로 이루어져 있다. ➡ ② 중기의 토양: 수십 년이 지나면 풍화 작용으로 모질물이 잘게 부서지고 모질물층이 두꺼워지며, 지표 부근에서는 식물이 부패된 부식토가 섞인 표토가 생성된다. ➡ ③ 성숙 토양: 수백 년이 지나면 표토층과 모질물층이 더욱 두꺼워지고, 표토층에서 씻겨 내려온 점토로 이루어진 심토층이 생성되며, '표토－심토－모질물' 층으로 이루어진 성숙 토양이 만들어진다.

2. 암석의 이용

(1) 암석의 이용: 암석은 옛날부터 우리 생활에 다양하게 이용되어 왔다. 암석은 썩지 않고 불에 강하며 단단할 뿐만 아니라 암석에 따라 독특한 무늬가 있어서 주춧돌, 지붕, 담장, 구들장, 맷돌, 절구, 비석, 석탑, 석등, 교량 등에 널리 이용된다.

(2) 화강암, 현무암, 점판암, 대리암의 용도

① **화강암:** 비교적 단단하고 밝은색을 띠어 주로 건축 용도로 많이 사용되며, 전통적으로 건물의 계단, 축대, 담장, 비석, 석탑, 성곽의 축성 등에 많이 사용되었다. 현재에도 화강암은 건축물의 용도로 가장 많이 사용된다.

② **현무암:** 회색~검은색을 띠며 표면에 기공이 분포하기도 하여 주로 건축 마감재, 보도와 차도용 블록, 공예품(돌하르방, 맷돌, 석등, 각종 조형물) 등으로 다양하게 사용된다.

③ **점판암(슬레이트):** 점판암은 얇은 조각으로 잘 쪼개지는 성질이 있어서 우리나라에서는 기와나 석판 등 지붕의 재료, 구들장, 숫돌, 벼루 제작 등에 많이 사용된다.

④ **대리암:** 석회암이 열변성 작용을 받아서 생성된 변성암으로 색과 무늬가 아름다워 식탁, 조각상 재료, 장식재 등으로 이용된다. 그러나 산성비에 약해서 야외의 조각상이나 노출된 건축물은 풍화 작용을 받아 손상되기도 한다.

석회암

석회암은 시멘트의 원료로 쓰이거나 비료의 원료로 이용된다.

불국사 다보탑(화강암)

제주 돌하르방(현무암)

벼루(점판암)

조각상(대리암)

▲ 화강암, 현무암, 점판암, 대리암의 이용 예

③ 해양 자원

지구 표면의 약 70 %를 차지하는 바다는 지구를 태양계에서 유일하게 생명체가 살아갈 수 있게 하는 중요한 환경이다. 바다는 인류에게 식량과 각종 광물 자원 및 에너지 자원을 공급한다.

1. 해양 자원의 종류와 분포

해양 자원은 해양에서 이용 가능한 모든 것으로, 해양 물질 자원과 해양 에너지 자원으로 구분한다.

⑴ **해양 물질 자원:** 해양 물질 자원에는 생물 자원, 광물 자원 등이 있다.

① **해양 생물 자원(수산 자원):** 바다에서 산업적으로 채취하거나 포획할 수 있는 생물 자원으로, 대부분이 식용으로 이용되며 전 세계인의 동물성 단백질 공급량의 약 15 %를 차지한다. 또한, 생물 자원은 공업 원료, 의약품, 공예품 원료 등으로도 이용되며, 해양 신소재 개발이나 해양 바이오산업에도 활용된다.

② **해저 광물 자원:** 해저에 분포하는 금속 자원과 해수에 녹아 있는 광물 자원이 있다.

• 망가니즈 각: 해수에 용해된 망가니즈(Mn), 니켈(Ni), 구리(Cu), 코발트(Co) 등의 금속 성분이 대륙 사면의 암반에 흡착되어 껍질처럼 덮여 있는 것을 망가니즈 각이라고 한다.

• 망가니즈 단괴: 수심 4000 m~6000 m의 대양저 평원에 분포하는 지름 4 cm~10 cm의 타원 모양의 금속 광물 결합체이다. 주성분인 망가니즈(28 %)를 비롯하여 니켈, 구리, 코발트, 몰리브데넘(Mo)과 희토류 등을 함유하여 그 경제적 가치가 매우 높다.

• 열수 광상: 해령 주변에서 해양 지각에 침투한 해수가 마그마에 의해 가열되고, 주변의 암석에서 구리(Cu), 은(Ag), 철(Fe), 금(Au), 황(S) 등을 녹여 형성된 열수가 분출하여 차가운 해수에 의해 냉각되면 용존 물질이 침전하는데, 이를 열수 광상이라고 한다.

③ **용존 광물 자원:** 해수에는 나트륨(Na)과 마그네슘(Mg)을 비롯하여 타이타늄(Ti), 바나듐(V), 리튬(Li) 등의 금속 자원이 녹아 있다. 리튬은 전기 자동차와 휴대 전화의 전지 등에 사용되는데 육지에서는 채광량이 적으므로, 해수에 용해된 리튬을 추출하기 위한 연구가 활발히 이루어지고 있다.

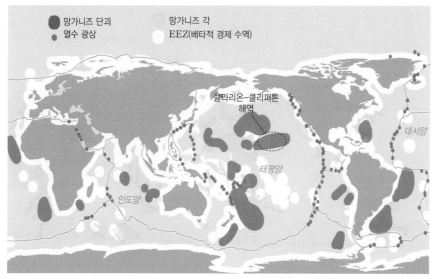

▲ **망가니즈 단괴와 그 단면**(출처: World Ocean Review)

◀ **해저 광물 자원의 분포도** 망가니즈 각은 약 800 m~2500 m 수심의 대륙 사면에 분포하고, 망가니즈 단괴는 심해저 평원에, 열수 광상은 해령 주변에 분포한다. 우리나라는 하와이 동남쪽 약 2200 km에 위치한 클라리온–클리퍼톤 해역에서 약 15만 km²의 광구를 확보하였다(출처: Miller, K. A., et al. Frontiers in Marine Science 2018, 4, 418).

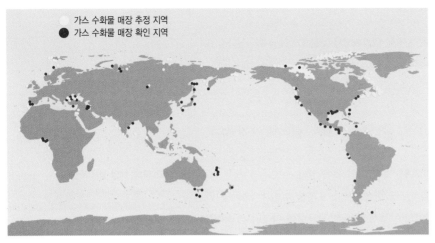

● 가스 수화물 매장 추정 지역
● 가스 수화물 매장 확인 지역

▲ **가스 수화물 분포** 2018년 현재 가스 수화물이 매장된 것으로 확인된 곳과 매장된 것으로 추정된 곳의 위치이다. (출처: Bogoyavlensky, V. et al., Geosciences 2018, 8, 453)

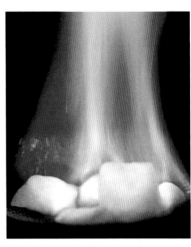

▲ **불타는 가스 수화물**(출처: USGS)

(2) 해양 에너지 자원: 해저에는 화석 연료와 가스 수화물이 다량 매장되어 있으며, 끊임없이 움직이는 해수를 이용하면 해양 재생 에너지를 얻을 수 있다.

① **화석 연료(석유와 천연가스):** 해양에서 얻을 수 있는 에너지 자원 중 가장 경제적인 가치가 높은 것은 석유와 천연가스 등의 화석 연료이다. 석유와 천연가스는 주로 대륙 연변부의 대륙붕에 다량 매장되어 있으며, 석유의 경우 현재 생산량의 약 50 % 이상을 해저 유전에서 생산하고 있다. 전 세계의 대륙붕에는 아직 개발되지 않은 많은 양의 석유와 천연가스 및 석탄이 매장되어 있다. 그러나 화석 연료는 연소 과정에서 이산화 탄소를 배출하여 지구 온난화를 유발하며, 그 매장량이 한정되어 있어서 미래에는 고갈된다는 문제점이 있다.

② **가스 수화물:** 메테인(CH_4) 등의 탄화수소 성분이 영구 동토나 심해저의 저온·고압 상태에서 물 분자와 결합하여 형성된 얼음 상태의 고체 물질로, 불을 붙이면 타는 성질이 있어서 '불타는 얼음'이라고도 한다. 대륙 연안의 수심 약 1000 m 해저에 매장되어 있으며, 전 세계의 매장량은 현재 사용되고 있는 에너지를 200년~500년 동안 사용할 수 있는 양에 해당한다. 우리나라 동해의 울릉 분지에 약 6억 톤의 가스 수화물이 매장되어 있는 것으로 추정된다. 그러나 심해저에서 채굴하기 위한 기술 개발이 필요하며, 가스 수화물이 연소할 때 이산화 탄소가 발생하고 가스 수화물의 주성분인 메테인이 온실 효과에 큰 영향을 미친다는 문제점이 있다.

③ **해양 재생 에너지:** 해수의 운동이나 해수의 수온 차에서 직접 추출하는 에너지로, 조력 발전, 조류 발전, 파력 발전, 해양 온도 차 발전 등이 해당한다. 이러한 해양 재생 에너지는 공해가 없고 무한히 재생 가능하며, 오염 물질을 배출하지 않아 에너지 자원으로서 가치가 매우 높다.

• **조력 발전:** 기조력에 의한 밀물과 썰물의 높이 차를 이용하여 발전하는 방식으로, 조수 간만의 차가 큰 하구나 만을 방조제로 막아 물을 가두어 전기를 생산한다. 우리나라 서해안은 조석 간만의 차가 커서 조력 발전에 적합하며, 경기도 안산시 시화호의 조력 발전소는 발전 용량이 254 MWh로서 세계 최대 용량이다. 그러나 조력 발전은 제방을 설치함에 따라 갯벌의 소실, 염분의 변화 등으로 인해 해양 생태계에 교란을 일으킬 수 있다.

시화호 조력 발전소

시화호 조력 발전소의 발전 설비 용량은 254 MWh로서 종전 세계 최대 규모를 자랑했던 프랑스의 랑스 조력 발전소의 용량(240 MWh)보다 많다. 연간 발전 용량도 552 GWh로 소양강 댐의 1.6배에 달한다.

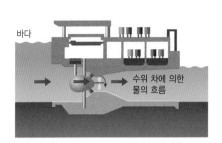

▲ 조력 발전

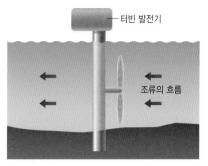

▲ 조류 발전

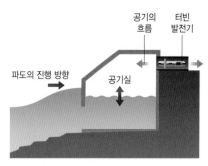

▲ 파력 발전

• 조류 발전: 폭이 좁은 해역에서 조류의 빠른 흐름을 이용하여 터빈을 돌려 전기를 생산하는 방식이다. 조류 발전은 해양 생태계에 미치는 영향이 적지만, 조류의 세기에 따라 전력 생산량의 변화가 크다는 단점이 있다. 우리나라에서는 진도의 울돌목에 조류 발전소가 있다.

• 파력 발전: 파도의 운동 에너지를 이용하여 전기를 생산하는 방식이다. 우리나라에서는 2016년 제주시 현경면 용수리 앞 해상에 파력 발전소를 설치하였다.

• 해양 온도 차 발전: 열대 해역에서 표층수와 심층수의 온도 차이를 이용하여 전기를 생산하는 방식으로, 찬물과 따뜻한 물이 접하는 곳에서 증기압을 이용하여 터빈을 돌려 발전한다. 다른 해양 재생 에너지보다 발전 효율이 낮지만, 영구적으로 운용할 수 있다.

2. 해양 자원 개발의 중요성

최근 에너지 소비 증가와 지하자원의 과잉 개발에 따라 육상 자원은 빠르게 고갈되고 있다. 이에 해양에서 미개발 자원이나 새로운 대체 에너지 개발의 중요성이 커지고 있다.

(1) **세계의 에너지 자원 소비 경향:** 국제 에너지 기구(2016)에 따르면, 앞으로 재생 에너지와 원자력 에너지의 소비는 더디게 증가하지만, 석유와 석탄, 천연가스 등의 화석 연료의 소비는 급증할 것이라고 한다.

(2) **미래를 위한 대비책:** 최근 우리나라뿐만 아니라 전 세계에서 바다를 자원 확보 및 개발을 위한 공간으로 인식하고 있다. 해양 자원 개발을 위한 조사 및 채취 기술이 나날이 발전하고 있으며, 여러 국가가 협력하여 해양 자원을 공동으로 개발하고 있다. 해양 자원은 자원 부족으로 위기에 처할 인류에게 가장 중요한 에너지를 제공할 것이다.

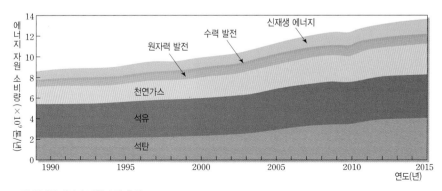

▲ 전 세계의 에너지 자원 소비 추세

해저 자원 탐사

해양 과학 기술의 발전과 더불어 해양 자원은 인류의 마지막 개발 영역으로 관심이 집중되며, 해저에 분포하는 막대한 양의 자원을 탐사하고 개발하는 다양한 기술을 구체화하고 있다.

❶ 해저 자원의 종류와 분포

해양 에너지 자원과 해저 광물 자원은 주로 대륙붕과 심해저에 분포한다. 대륙붕에는 석유, 천연가스, 석탄 등의 화석 연료가 상당량 매장되어 있다. 현재 소비되는 석유의 약 50 % 이상이 해저 유전에서 생산되는 것이며, 대부분의 해저 유전은 수심 200 m까지의 대륙붕에서 개발되었으나 최근에는 수심 1000 m 이상의 심해저에서도 유전을 개발하고 있다.

한편 심해저에 매장되어 있는 가스 수화물은 기존 천연가스 매장량의 약 100배인 10조 톤이 넘는다는 점에서 중요한 에너지 자원이다. 가스 수화물은 캐나다 북쪽의 비포트해를 비롯하여 베링해, 오호츠크해, 우리나라 동해 일대의 해저, 그리고 남극 세종 기지 주변 해역에 매장되어 있는 것으로 알려져 있다. 우리나라는 동해의 울릉도와 독도 근해에서 가스 수화물을 탐사하고, 채광 기술을 개발하고 있다. 또한 수심 4000 m~6000 m의 심해저에 분포하는 망가니즈 단괴와 해령 부근에 형성된 열수 광상은 중요한 해저 광물 자원이다.

❷ 해저 자원 탐사 방법

해저 자원을 탐사하는 방법에는 다중 채널 탄성파 탐사, 시추 파이프를 통한 얕은 깊이의 지층 탐사, 중력 탐사, 자력 탐사 등이 있다. 이렇게 여러 가지 방법으로 수집한 자료를 이용하여 수개월에 걸쳐 복잡한 컴퓨터 전산 처리 과정을 거쳐 해저 지질 구조 단면도를 작성한다. 이 밖에도 3차원 해저 지형 및 얕은 깊이의 지층 배출 가스 특성 확인을 위해 수중 카메라, 무인잠수정(ROV), 다중음향측심기(multibeam echosounder) 등을 이용한 추가 탐사를 실시한다.

▼ 해저 자원 탐사 모식도

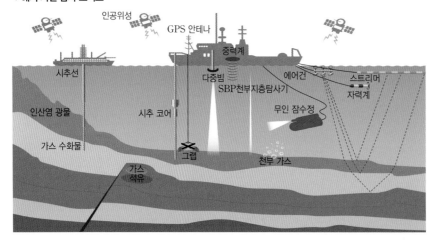

인공위성 · GPS 안테나 · 중력계 · 시추선 · 다중빔 · SBP천부지층탐사기 · 에어건 · 스트리머 · 자력계 · 인산염 광물 · 시추 코어 · 무인 잠수정 · 가스 수화물 · 그랩 · 천부 가스 · 가스 · 석유

□ **배타적 경제수역(EEZ)**

EEZ는 자국의 연안으로부터 200 해리(370.4 km)까지의 모든 자원에 대해 독점적 권리를 행사할 수 있는 UN 국제해양법상의 수역이다. 즉, EEZ 내에서 생물 및 무생물 자원에 대한 경제적 개발과 탐사 활동에 대한 주권적 권리를 가짐과 동시에 인공섬, 시설, 구조물의 설치 및 사용, 해양 과학 조사, 해양 환경의 보호와 보존에 대한 관할권을 가진다. 우리나라에서는 해양, 지구 물리, 지질 등 각 분야 전문가들로 구성된 EEZ 연구팀이 1997년부터 동해에서 시작하여 남해를 거쳐 황해까지 EEZ 경계를 따라 탄성파 탐사를 포함하여 해저 지층 탐사, 중력 탐사, 자력 탐사 등 지구 물리 탐사와 시추 코어를 통해 해저 지층의 지질 구조를 연구하고 있다.

개념 모아

정리하기

02 지구의 자원

① 광상의 형성

1 화성 광상의 형성

- (**❶**　　　) 광상: 고온의 마그마가 냉각되는 초기에 용융점이 높고 밀도가 큰 광물들이 정출되어 형성된 광상으로 자철석, 크롬철석, 백금, 니켈 등이 산출된다.
- (**❷**　　　) 광상: 마그마 냉각 말기에 주변의 암석을 관입하여 형성된 광상이다.
- (**❸**　　　) 광상: 마그마가 냉각되면서 여러 광물이 정출되고 남은 열수 용액이 주변 암석의 틈을 따라 이동하여 형성된 광상으로 석영맥과 함께 금, 은, 구리, 납, 아연 등이 산출된다.

2 퇴적 광상의 형성

- (**❹**　　　) 광상: 지표의 광상이나 광물들이 풍화 작용으로 분리되고 침식 작용으로 깎여나가 강바닥으로 운반된 후 모래 사이로 가라앉아 진흙층이나 기반암 위에 집적되어 형성된 광상이다.
- (**❺**　　　) 광상: 기존의 암석이 풍화 작용을 받은 후 풍화의 산물이 그 자리에 남아서 형성된 광상이다.
- (**❻**　　　) 광상: 해수가 증발하면서 해수에 녹아 있던 물질이 침전하여 생성된 광상이다.

3 변성 광상의 형성

- (**❼**　　　) 광상: 석회암과 같은 암석에 마그마가 관입할 때 광물이 용융되고, 새로운 광물이 침전되어 기존 광물을 교대하여 형성된 광상이다.
- (**❽**　　　) 광상: 광역 변성 작용이 일어나면서 물과 휘발 성분이 빠져나와 생긴 열수에 의해 형성된 광상으로 우라늄, 흑연, 활석, 남정석, 홍주석 등이 산출된다.

② 광물과 암석의 이용

1 광물 자원의 이용

- 주요 금속 광물 자원으로는 자연금, 자연은, 구리를 함유한 (**❾**　　), 철을 함유한 자철석, 적철석, 갈철석, 알루미늄을 함유한 (**❿**　　) 등이 있다. 이러한 금속 광물에서 금속을 뽑아내려면 용광로에 넣고 녹여서 필요한 금속만을 추출하는 (**⓫**　　) 과정을 거쳐야 한다.
- (**⓬**　　) 광물 자원에는 석영, 석회석, 장석, 활석, 운모, 고령토, 규사 등이 있으며, 이러한 광물 자원은 제련 과정을 거치지 않고 이용할 수 있다.

2 암석의 이용

- 석회암이 열변성 작용을 받아서 생성된 변성암으로 색과 무늬가 아름다워 식탁, 조각상 재료, 장식재 등으로 많이 이용되는 암석은 (**⓭**　　)이고, 비교적 단단하고 밝은색을 띠어 건물의 계단, 축대, 담장, 비석, 석탑 제조 등에 많이 이용되는 암석은 (**⓮**　　)이다.

③ 해양 자원

1 해양 자원의 종류와 분포

- (**⓯**　　　): 수심 4000 m~6000 m의 대양저 평원에 분포하는 어두운 색의 둥글둥글한 금속 광물 결합체이다.
- 해수에 녹아 있는 금속 자원 중 전기 자동차와 휴대 전화의 전지 등에 사용되는 (**⓰**　　)은 육지에서 채광량이 적어서 해수에서 추출하기 위한 연구가 활발히 진행되고 있다.
- (**⓱**　　): 메테인(CH_4) 등의 탄화수소 성분이 심해저의 저온 고압 상태에서 물 분자와 결합하여 형성된 고체 물질로, 불을 붙이면 타는 성질이 있어서 '불타는 얼음'으로도 불린다.

2 해양 자원 개발의 중요성

- 최근 에너지 소비 증가와 지하자원의 과잉 개발에 따라 육상 자원이 빠르게 고갈되고 있으므로 (**⓲**　　)에서 미개발 자원이나 새로운 대체 에너지 개발의 중요성이 증가하고 있다.

01 표는 광상의 종류에 따른 형성 과정을 나타낸 것이다.

광상	형성 과정
A	지표의 암석이나 기존의 광상이 풍화되고 운반, 퇴적되어 형성된다.
B	마그마가 냉각되어 화성암이 생성되는 과정에서 유용한 성분이 분리되거나 농집되어 형성된다.
C	기존의 암석이 열과 압력에 의해 변성 작용을 받는 과정에서 형성된다.

(1) 주로 금속 광물 자원이 산출되는 광상의 기호를 쓰시오.

(2) 암염, 고령토 등 산출되는 광상의 기호를 쓰시오.

(3) 흑연, 활석 등이 산출되는 광상의 기호를 쓰시오.

02 다음은 광물 자원에 대한 설명이다. 각각에 해당하는 광물 자원을 옳게 연결하시오.

(1) 지각의 금속 원소 중 가장 풍 •
부하며, 쉽게 녹슬지 않고 가
벼워 창틀, 캔, 주방 용기로
이용된다.
　　　　　　　　　　　• ㉠ 알루미늄

(2) 지각의 금속 원소 중 두 번째 •
로 풍부하며, 인류가 사용하
는 금속의 대부분을 차지한다.
　　　　　　　　　　　• ㉡ 희토류

(3) 네오디뮴, 스칸듐, 이트륨 등 •
으로, 지각에 농축된 형태로
는 거의 존재하지 않는다.
　　　　　　　　　　　• ㉢ 철

03 그림은 해양에서 전기 에너지
를 얻는 방법 중 한 가지를 나
타낸 것이다.
이 발전 방식의 장점만을 보기
에서 있는 대로 고르시오.

터빈 발전기 / 조류 흐름

보기
ㄱ. 온실 기체를 배출하지 않는다.
ㄴ. 대기 오염 물질을 방출하지 않는다.
ㄷ. 신재생 에너지로, 생태계에 영향을 미치지 않는다.

04 그림 (가)는 가스 수화물의 모습을, (나)는 망가니즈 단괴의 모습을 나타낸 것이다.

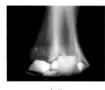

(가)　　　　　(나)

이에 대한 설명으로 옳은 것만을 보기에서 있는 대로 고르시오.

보기
ㄱ. (가)의 주성분은 메테인이다.
ㄴ. (나)는 망가니즈 외에도 철, 구리, 니켈, 코발트 등의 금속을 함유한다.
ㄷ. (가)와 (나)는 모두 우리나라 황해의 해저에 다량 분포한다.

05 해양 에너지 자원에 대한 설명으로 옳은 것은 ○, 옳지 않은 것은 ×로 표시하시오.

(1) 조력 발전은 해수면의 조차를 이용하여 발전하는 방식이다. ………………………………………… (　　)

(2) 조류 발전은 조류의 빠른 흐름을 이용하여 발전하는 방식이다. ………………………………………… (　　)

(3) 조력 발전, 조류 발전, 파력 발전 모두 생태계에 영향을 미치지 않는다. …………………………… (　　)

06 광물 자원에 대한 설명으로 옳은 것만을 보기에서 있는 대로 고르시오.

보기
ㄱ. 석회석과 고령토는 비금속 광물 자원에 해당한다.
ㄴ. 금속 광물 자원에서 금속을 얻기 위해서는 제련 과정이 필요하다.
ㄷ. 채취한 광석에서 원하는 광물만 가려내는 과정을 채광이라고 한다.

01 〉광상의 종류

그림은 광상을 생성 원인에 따라 분류한 것이다.

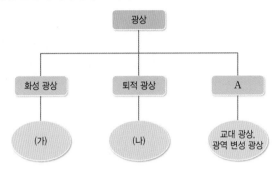

화성 광상은 마그마가 냉각되어 화성암이 생성되는 과정에서 형성된 광상이고, 퇴적 광상은 지표의 광물이나 암석이 풍화되어 만들어진 물질이 퇴적되어 형성된 광상이다. 변성 광상은 기존의 암석이 지각 변동에 의한 열과 압력에 의해 변성 작용을 받는 과정에서 생성된 광상으로, 교대 광상과 광역 변성 광상으로 구분한다.

이에 대한 설명으로 옳은 것만을 보기에서 있는 대로 고른 것은?

─ 보기 ─

ㄱ. 정마그마 광상과 열수 광상은 (가)에 해당한다.

ㄴ. 표사 광상, 침전 광상은 (나)에 해당한다.

ㄷ. 우라늄, 흑연, 활석은 A에서 얻을 수 있다.

① ㄱ　　　② ㄷ　　　③ ㄱ, ㄴ　　　④ ㄴ, ㄷ　　　⑤ ㄱ, ㄴ, ㄷ

02 〉지하자원의 종류

그림 (가)~(다)는 지하자원을 세 가지 유형으로 구분한 것이다.

화석 연료는 그 매장량에 한계가 있어서 장차 고갈된다는 문제가 있으며, 금속 광물 자원은 제련 과정을 거쳐야만 필요한 금속 성분을 얻을 수 있다. 석재로 쓰이는 것은 암석이다.

이에 대한 설명으로 옳은 것만을 보기에서 있는 대로 고른 것은?

─ 보기 ─

ㄱ. (가)의 자원은 그 매장량에 한계가 있다.

ㄴ. (나)의 자원을 얻기 위해서는 제련 과정이 필요하다.

ㄷ. (다)는 모두 퇴적 광상에서만 얻을 수 있다.

① ㄱ　　　② ㄷ　　　③ ㄱ, ㄴ　　　④ ㄴ, ㄷ　　　⑤ ㄱ, ㄴ, ㄷ

03 › 광물 자원

그림 (가)~(다)는 서로 다른 세 가지 광물 자원을 나타낸 것이다.

(가) 자연금　　　　　　　　(나) 고령토　　　　　　　　(다) 석회석

이에 대한 설명으로 옳은 것만을 보기에서 있는 대로 고른 것은?

보기
ㄱ. (가)는 금속 광물 자원으로, 지각 내에 풍부하게 존재한다.
ㄴ. (나)는 풍화 작용으로 생성된 것으로, 도자기의 원료로 쓰인다.
ㄷ. (다)는 비금속 광물 자원으로, 퇴적 광상에서 산출되며 시멘트의 원료로 이용된다.

① ㄱ　　　② ㄷ　　　③ ㄱ, ㄴ　　　④ ㄴ, ㄷ　　　⑤ ㄱ, ㄴ, ㄷ

> 금속 광물 자원 중 철, 알루미늄, 칼슘 등은 지각에 비교적 풍부하게 존재하지만, 금, 은, 구리, 니켈 등은 지각에 비교적 적게 존재한다. 고령토는 점토 광물이고, 석회석은 비금속 광물 자원으로 퇴적 광상에서 산출된다.

04 › 광상과 지하자원

그림은 자철석, 석탄, 석회석을 그 특징에 따라 구분하는 과정을 나타낸 것이다.

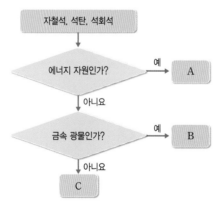

이에 대한 설명으로 옳은 것만을 보기에서 있는 대로 고른 것은?

보기
ㄱ. A는 퇴적 광상에서 채취할 수 있다.
ㄴ. B가 산출되는 광상은 정마그마 광상이다.
ㄷ. C는 주로 화성 광상에서 산출되며 시멘트의 원료로 사용된다.

① ㄱ　　　② ㄷ　　　③ ㄱ, ㄴ　　　④ ㄴ, ㄷ　　　⑤ ㄱ, ㄴ, ㄷ

> 자철석은 금속 광물 자원, 석탄은 에너지 자원, 석회석은 비금속 광물 자원에 해당한다.

05 > 금속 광물 자원

우리나라 강원도 영월 지역에 ㉠마그마가 냉각되는 과정에서 형성된 텅스텐 광상이 있다. 다음은 텅스텐 광석을 가공하는 과정을 나타낸 것이다.

텅스텐 광석　　　　　　텅스텐　　　　　　제품

이에 대한 설명으로 옳은 것만을 보기에서 있는 대로 고른 것은?

보기
ㄱ. ㉠에서 형성된 광상에서는 주로 금속 광물이 산출된다.
ㄴ. ㉡에는 제련 과정이 포함된다.
ㄷ. 텅스텐은 특수강 제조, 전구의 필라멘트 등에 쓰인다.

① ㄱ　　　② ㄴ　　　③ ㄱ, ㄷ　　　④ ㄴ, ㄷ　　　⑤ ㄱ, ㄴ, ㄷ

· 텅스텐은 금속 광물 자원으로 화성 광상에서 산출되며, 텅스텐 광석에서 텅스텐을 추출하려면 제련 과정이 필요하다.

고난도
06 > 광물 자원과 암석 자원

표는 지하 자원을 특징에 따라 분류한 것이다.

자원	특징	분류
(㉠)	화석 연료로 사용	에너지 자원
흑연, 활석, 석면	(㉡)에서 형성	(㉢) 자원
텅스텐, 철, 몰리브데넘	㉣화성 광상에서 발견	금속 광물 자원

이에 대한 설명으로 옳은 것만을 보기에서 있는 대로 고른 것은?

보기
ㄱ. ㉠은 석탄, 석유, 천연가스 등이다.
ㄴ. ㉡은 퇴적 광상, ㉣은 정마그마 광상에 해당한다.
ㄷ. ㉢은 비금속 광물에 해당한다.

① ㄱ　　　② ㄴ　　　③ ㄱ, ㄷ　　　④ ㄴ, ㄷ　　　⑤ ㄱ, ㄴ, ㄷ

· 화석 연료는 석탄, 석유, 천연가스 등이고, 흑연, 활석, 석면은 비금속 광물 자원으로 변성 광상에서 형성된다.

07 ❯ 광물 자원과 암석 자원의 분류

그림 (가)는 자원을 분류한 예를, (나)는 석탄, 고령토, 텅스텐을 구분하는 과정을 나타낸 것이다.

석탄은 에너지 자원이고, 고령토는 정장석이 풍화 작용을 받아서 생성된 것이며, 텅스텐은 화성 광상에서 산출된다.

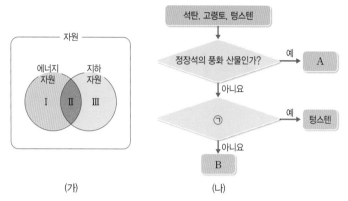

(가)   (나)

이에 대한 설명으로 옳은 것만을 보기에서 있는 대로 고른 것은?

보기
ㄱ. A는 퇴적 광상에서 산출된다.
ㄴ. B는 (가)의 Ⅱ에 속한다.
ㄷ. ㉠에 들어갈 알맞은 말은 '퇴적 광상에서 산출되는가?'이다.

① ㄱ   ② ㄷ   ③ ㄱ, ㄴ   ④ ㄴ, ㄷ   ⑤ ㄱ, ㄴ, ㄷ

08 ❯ 금속 광물 자원

그림 (가)는 망가니즈 단괴의 모습을, (나)는 보크사이트의 모습을 나타낸 것이다.

(가)   (나)

망가니즈 단괴는 대부분 심해저에 분포하며 망가니즈 외에도 구리, 니켈, 코발트 등의 금속을 함유한다. 보크사이트는 알루미늄을 함유한 금속 광물 자원이다.

이에 대한 설명으로 옳지 <u>않은</u> 것은?

① (가)는 망가니즈 외에도 구리, 니켈 등의 금속을 함유한다.
② (가)는 해수에 포함된 성분이 침전하여 생성된 것으로, 주로 대륙붕에 분포한다.
③ (나)는 퇴적 광상에서 산출되며 알루미늄의 원료로 사용된다.
④ (나)는 고온 다습한 지역에서 고령토가 화학적 풍화 작용을 받아 생성된 것이다.
⑤ (가)와 (나)에서 필요한 금속을 얻기 위해서는 모두 제련 과정이 필요하다.

09 ❯가스 수화물

그림은 해저에서 가스 수화물이 고체 상태로 안정하게 존재할 수 있는 영역을 나타낸 것이다.

이에 대한 설명으로 옳은 것만을 보기에서 있는 대로 고른 것은?

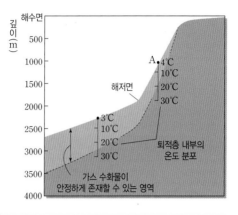

• 가스 수화물은 메테인이 주성분인 고체 물질로, 해저면 퇴적층의 압력이 높을수록 안정하게 존재할 수 있는 영역의 두께가 두꺼워진다.

보기

ㄱ. A 지점 하부 퇴적층의 온도가 10 °C~20 °C이면 가스 수화물이 고체 상태로 안정하게 존재할 수 있다.

ㄴ. 해저 퇴적층 내부의 압력이 높을수록 가스 수화물이 안정하게 존재할 수 있는 영역의 두께가 두꺼워진다.

ㄷ. 가스 수화물은 메테인이 포함된 고체 물질로, 메테인이 온실 효과에 큰 영향을 미친다는 문제점이 있다.

① ㄱ　　　② ㄷ　　　③ ㄱ, ㄴ　　　④ ㄴ, ㄷ　　　⑤ ㄱ, ㄴ, ㄷ

10 ❯해양 에너지 자원

그림 (가)와 (나)는 파력 발전과 조력 발전의 원리를 순서 없이 나타낸 것이다.

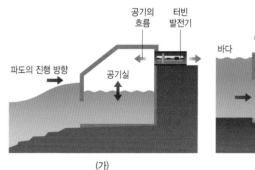

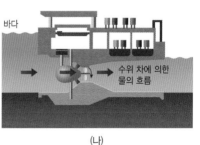

(가)　　　　　　　　　　　　(나)

• 파력 발전은 파도의 운동 에너지를 이용하여 발전하는 방식이고, 조력 발전은 수위 차를 이용하여 발전하는 방식이다.

이에 대한 설명으로 옳은 것만을 보기에서 있는 대로 고른 것은?

보기

ㄱ. (가)와 (나) 모두 일정한 발전량을 유지할 수 있다.

ㄴ. (가)와 (나)의 근원 에너지는 모두 태양과 달에 의한 만유인력이다.

ㄷ. (가)는 파도의 운동 에너지를, (나)는 조차에 의한 위치 에너지를 이용하여 발전하는 방식이다.

① ㄱ　　　② ㄷ　　　③ ㄱ, ㄴ　　　④ ㄴ, ㄷ　　　⑤ ㄱ, ㄴ, ㄷ

HighTop

3
한반도의 지질

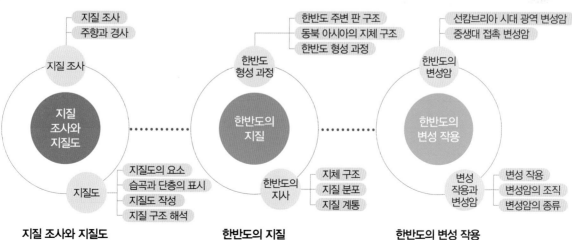

01 지질 조사와 지질도

학습 Point　　지질 조사 > 지층의 주향과 경사 > 지질도

1 지질 조사

어느 지역의 암석과 지층의 분포, 지질 구조를 조사하면 그 지역의 암석과 지층이 어떤 변화를 겪어 현재와 같은 지질 구조를 이루게 되었는지 알아낼 수 있다.

1. 지질 조사

어느 지역의 암석과 지층의 분포, 지질 구조 및 이들의 상호 관계 등을 조사하는 활동을 지질 조사라고 한다. 지질 조사의 목적은 지질도를 제작하여 그 지역의 암석의 종류, 지질 구조, 지층의 분포 등을 파악하는 데 있다. 이러한 지질도는 터널이나 교량 등과 같은 토목 공사의 기초 자료가 되고, 수력이나 원자력 발전소 등을 건설하거나 지하자원을 개발하고, 산사태와 같은 재해를 예방하는 데 중요하게 이용된다.

지형도와 노선 지질도
- 지형도: 등고선을 이용하여 지표의 고도 정보와 도로, 경지, 삼림 등의 정보를 나타낸 지도를 말한다.
- 노선 지질도: 지질 조사 경로의 지표면에 드러난 노두와 관련한 관찰 내용을 나타낸 지질도를 말한다.

노두
암석이나 지층이 지표에 드러난 것으로, 산과 해안 지역의 절벽, 계곡, 절개지 등에 잘 나타난다.

시선 집중 ★ 지질 조사 과정과 지질 조사 장비

① 조사 지역과 조사 내용 및 조사 목적을 충분히 검토한 후 조사 지역에 대해 문헌이나 각종 자료를 수집하여 조사 지역에 대한 예비 지식을 갖춘다.

② 지질 조사에 필요한 장비를 점검하고 준비하며, 조사 지역의 지형도를 구하여 지형을 알아보고 조사할 노선을 결정하여 조사 일정을 세운다.

③ 조사 지역에 도착하면 암석이나 지층이 지표에 노출된 부분인 노두가 잘 발달된 지역을 찾아서 관찰한 후, 노두의 지질학적 특징을 야외 기록장(야장)에 기록한다. 필요한 경우에는 스케치를 하거나 사진을 찍어두고, 노두의 표본을 채취한다.

④ 조사 지역에서 관찰한 내용을 지형도에 표시하여 노선 지질도를 작성한다.

⑤ 실험실로 와서 자료를 정리하고 분석하여 지질도를 작성한다.

표품 주머니
노두에서 채집한 암석의 표품을 담는다.

각도기

삼각자

필기구

지질 망치, 정
노두에서 신선한 암석 표품을 채집한다.

확대경(루페)
암석의 구성 광물과 화석 및 암석 표품을 관찰하기 위한 도구로, 약 10배율 정도를 사용하는 것이 좋다.

지형도
축적 1:50000 또는 1:25000의 지형도가 보편적으로 사용되며, 노두에서 관찰한 내용을 기호나 약자로 표시한다.

야외 기록장(야장)
지질 조사에서 관찰한 내용을 기록한다.

카메라
노두의 지질학적 특징이나 위치를 촬영하여 기록한다.

줄자
습곡이나 단층, 지층 등의 길이와 두께를 측정하기 위해서 필요하다.

클리노미터(클리노컴퍼스)
지층의 층리면이나 단층면 또는 선구조나 면구조의 기울기 및 방향을 측정하기 위한 장비이다.

묽은 염산(10 %)
탄산염 성분의 암석인지 파악하기 위해서 필요하다.

2. 지층의 주향과 경사

퇴적층은 항상 수평으로 쌓이지만, 지층이 수평으로 쌓인 후 지각 변동을 받으면 휘어지거나 끊어지기도 한다. 이때 지층이 어느 방향에서 힘을 받아 어떻게 변형되었는지를 파악하려면 지층의 주향과 경사를 측정해야 한다.

▲ 주향과 경사

(1) **주향**: 지층의 층리면이 가상의 수평면과 만나 이루는 교선의 방향을 주향이라고 한다.

① **주향의 측정**: 주향은 클리노미터의 긴 모서리를 지층면에 대고 수준기의 공기 방울이 가운데 오도록 조절한 다음, 자침이 정지했을 때 북쪽(N)을 기준으로 동쪽(E) 또는 서쪽(W)으로 클리노미터의 바깥쪽 눈금으로 자침이 가리키는 각도($°$)를 읽는다.

② **주향의 표시**: 주향은 항상 진북(N)을 기준으로 서쪽이나 동쪽으로 몇 도($°$)인지 표시한다. 진북(N)을 기준으로 동쪽(E)으로 $x°$에 주향선이 놓여 있을 때는 $Nx°E$로 표시하고, 진북(N)을 기준으로 서쪽(W)으로 $y°$에 주향선이 놓여 있을 때는 $Ny°W$로 표시한다. 예를 들어, 지층면이 북쪽에서 동쪽으로 $30°$의 각을 이룰 때 $N30°E$라고 표시한다. 자침의 N극은 항상 자북을 가리키므로 클리노미터로 측정한 주향은 자북을 기준으로 한 값이다. 따라서 주향을 지질도에 표시할 때는 그 지역의 편각만큼을 보정해야 한다.

(2) **경사**: 지층이 수평면에 대하여 기울어진 각도와 방향을 지층의 경사라고 한다.

① **경사각의 측정**: 경사는 지층면에 주향 방향에 직각으로 클리노미터의 긴 면을 수직으로 붙이고 경사추가 가리키는 안쪽 눈금의 각도($°$)를 읽는다.

② **경사의 표시**: 지층의 경사는 지층면이 수평면에 대하여 기울어진 각도와 방향을 함께 표시한다. 예를 들어 북동(NE)쪽 방향으로 $x°$만큼 경사져 있으면 $x°NE$로 표시하고, 남서(SW)쪽 방향으로 $y°$만큼 경사져 있으면 $y°SW$로 나타낸다. 경사 방향은 항상 주향에 수직이므로, 주향이 NS이면 경사 방향은 E 또는 W이며, 주향이 NE이면 경사 방향은 SE 또는 NW이다. 단, 수평층과 수직층은 경사 방향을 표시하지 않는다.

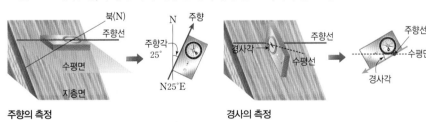

주향의 측정   경사의 측정

▲ **주향과 경사의 측정 방법**

표시법	기호	표시법	기호	표시법	기호
수평층	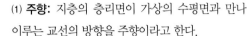	주향: EW 경사: 45°S		주향: N60°E 경사: 90°	
수직층		주향: N45°E 경사: 30°SE		주향: N45°W 경사: 30°NE	

▲ **주향과 경사의 표시 방법**   주향과 경사를 표시할 때는 주향선의 길이는 길게 하고, 경사는 주향선에 직각으로 짧게 그려 표시한다. 수평층과 수직층에는 각도 표시를 하지 않는다.

클리노미터

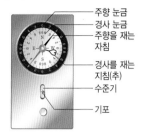

클리노미터는 지질 조사 시 평면 구조의 주향과 경사 및 선구조의 동향, 급경사, 정점 등을 측정하기 위한 기구로서, 자침, 고정 장치, 경사추, 수준기로 이루어져 있다. 주향의 눈금은 바깥쪽에, 경사의 눈금은 안쪽에 표시되어 있다. 클리노미터에는 보통 나침반과 달리 E와 W가 반대로 쓰여 있다. 이는 주향을 측정할 때 자침이 가리키는 방향을 그대로 읽도록 편의상 바꾸어 놓은 것이다.

클리노컴퍼스

일반 클리노미터와는 달리 방위각을 측정할 수 있는 거울이 붙어 있다.

주향의 편각 보정

클리노미터로 측정한 주향은 자북을 기준으로 한 것이다. 이 측정값을 지질도에 표시할 때는 그 지역의 편각만큼 보정하여 진북을 기준으로 한 값으로 표시한다.

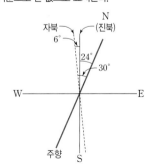

그림과 같이 측정된 주향이 N30°E이고, 이 지점의 편각이 6°W라면 실제 주향은 N24°E이다.

② 지질도

보통의 지도에는 축척과 방위 및 등고선과 함께 도로나 강, 산이 어디에 있고, 행정 구역의 경계가 어떻게 정해져 있는지가 표시되어 있다. 그러나 지질도에는 암석이나 지층의 분포 등의 지질 정보가 표시되어 있다.

1. 지질도의 기본 요소

(1) **지질도:** 지질도는 야외 지질 조사에서 얻은 정보를 지형도에 표시한 것이다. 지질도에는 암석의 종류와 분포 상태, 단층과 습곡 등의 지질 구조, 지층의 주향과 경사, 암석과 지층의 생성 순서, 광산의 위치, 화석 산지 등을 색, 기호, 선 등으로 표시한다.

(2) **지질도의 기호:** 지질도에는 암석의 종류별로 또는 시대별로 특정한 색과 기호를 사용하여 암석과 지질 구조를 구별하여 표시한다.

① 암석의 종류에 따른 색 표시법: 마그마에서 기원한 화성암은 대체로 붉은색 계열로, 물속에서 퇴적되는 퇴적암은 노란색, 주황색, 녹색 등으로 나타내고, 석회암은 주로 파란색으로 나타낸다. 변성암은 보통 갈색 계열로 표시한다.

② 암석의 종류에 따른 기호 및 표기법
- 퇴적암: 지층명과 지층의 주향과 경사를 표시하고, 퇴적 구조를 기호화하여 표시한다.
- 화성암: 화성암에서 나타나는 조직(조립질, 세립질, 반상 조직 등)의 형태를 이용하여 표시하고, 다른 암석과의 경계나 관계(관입 또는 분출)를 표시한다.
- 변성암: 쪼개짐, 편리, 편마 구조와 같은 엽리 구조를 기호화하여 표시한다.

③ 지질 구조의 표시: 단층은 지표에 나타난 단층을 굵은 선으로 표시하고, 단층선에 단층면의 주향과 경사를 표시한다. 습곡은 향사와 배사를 실선과 화살표로 표시하고, 부정합은 선으로 표시한다.
- 습곡: 습곡은 습곡축을 직선으로 그리고 양쪽에 화살표를 그려 넣어 배사나 향사를 나타낸다. 배사는 양쪽으로 벌어지는 화살표로, 향사는 모여드는 화살표로 표시한다.
- 단층: 지층 경계선은 가는 실선으로 나타내지만, 단층선은 굵은 실선으로 표시하여 구분한다. 지질도에서는 단층선을 경계로 양쪽 지층이 끊어져 나타난다.

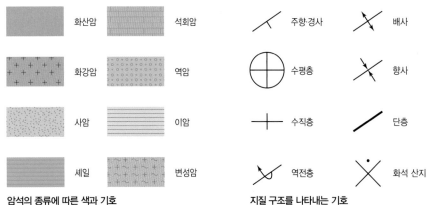

암석의 종류에 따른 색과 기호   지질 구조를 나타내는 기호

▲ 지질도에 사용하는 기호

지형도
지형도는 땅의 모양을 표시한 지도이다. 지형도에는 축척, 방위, 위치, 등고선과 같은 다양한 정보가 표시되어 있다.

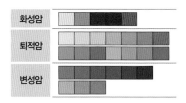

▲ 암석의 종류에 따른 색 표시법

2. 지질도의 작성

지질도에는 노선 지질도, 지질 평면도, 지질 단면도, 지질 주상도가 있다. 지질도를 작성하려면 먼저 노두에서 관찰한 사항을 지형도에 기록하여 노선 지질도를 작성하고, 노선 지질도를 종합하여 같은 종류의 암석이 나타나는 노두를 연결하여 지질 평면도를 작성한다.

⑴ **노선 지질도(route map):** 노선 지질도는 도로나 골짜기, 해안 절벽 등 정해진 노선을 따라 가면서 노두에 나타난 암석의 종류, 지질 구조, 지층의 주향과 경사 등을 지형도 위에 기호로 표시한 것으로 지질 조사의 첫 단계에 해당한다. 노선 지질도를 보면 서로 다른 암석이나 지층의 경계를 알 수 있으며, 이를 서로 연결하면 지층 경계선을 그릴 수 있다.

⑵ **지질 평면도:** 지질 평면도는 여러 곳의 노선 지질도를 종합하여 작성한 것으로, 이웃하는 동일한 암석끼리 연결하고 서로 다른 암석과는 주향과 경사를 고려하여 경계선을 그어서 완성한다. 지질 평면도는 지표면의 암석과 지층만을 나타낸 지질도이므로 이것만으로는 지하의 지질 구조를 파악하기 힘들다. 일반적으로 지질도는 좁은 의미로 지질 평면도를 일컫는다.

⑶ **지질 단면도:** 지질 단면도는 암석과 지층의 상호 관계와 지하의 지질 구조를 입체적으로 해석하기 위해 지질 평면도 상에 임의의 선을 긋고, 그 선 상의 지질 단면의 상황을 나타낸 것이다.

⑷ **지질 주상도:** 지층과 암석의 생성 순서 및 두께에 대한 자료를 종합하여 아래에서 위로 기둥 모양으로 나타낸 것을 지질 주상도라고 한다. 지질 주상도는 지층의 대비에 이용되는데, 지층의 퇴적 순서와 함께 암석의 종류, 화석의 포함 여부 등을 표시하기도 한다.

지질 구조
- 습곡: 지층이 휘어져서 주름진 구조
- 단층: 지층이 상대적으로 어긋난 구조
- 절리: 암석에 나 있는 틈이나 균열
- 향사: 습곡에서 아래로 오목한 구조
- 배사: 습곡에서 위로 볼록한 구조
- 부정합: 상하 지층 사이에 큰 시간 간격이 있는 구조

지질도에서의 주향과 경사
- 주향: 같은 높이의 등고선과 지층 경계선이 만나는 두 지점을 연결한 직선의 방향이다.
- 경사 방향: 고도가 높은 주향선에서 낮은 주향선 쪽으로 주향선에 수직으로 그린 직선의 방향이다.

▲ 노선 지질도

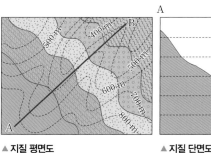

▲ 지질 평면도

	800 m
	700 m
	600 m
	500 m
	400 m

▲ 지질 단면도

| 규암 |
| 역암 |
| 사암 |
| 석회암 |
| 셰일 |

▲ 지질 주상도

3. 지질도의 해석

집중 분석 110쪽

지질도는 대부분 지형도 위에 평면도로 작성된다. 따라서 지질도(지질 평면도)에서 지층의 분포와 지하의 지질 구조 등을 입체적으로 해석하려면 등고선과 지층 경계선의 관계를 이해해야 한다.

⑴ **지층 경계선과 등고선의 관계:** 지질도(지질 평면도)에 나타나는 지층 경계선과 등고선의 관계로부터 주향, 경사 등 지층의 공간적인 분포를 알 수 있다.

① 수평층: 지층 경계선은 지형 등고선과 나란하게 나타나며, 지층의 두께는 고도 차와 동일하다.

② 수직층: 지층의 경사가 수직일 경우, 지질도 상에서 지층 경계선은 등고선에 관계없이 직선 형태로 나타난다.

③ 경사층: 지층이 경사져 있으면 지층 경계선은 등고선을 교차하는 형태로 나타난다.

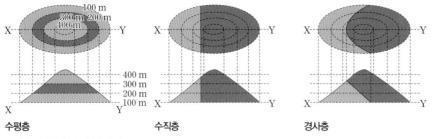

▲ 지층 경계선과 등고선의 관계

지층의 경사와 지층 경계선의 관계
지층이 누워 있는 경사각의 크기에 따라 지형도에서 지층 경계선의 형태는 변한다. 즉, 지층의 경사가 완만할수록 지형 등고선과 지층 경계선은 거의 평행한 형태를 보이고, 지층의 경사가 급할수록 지층 경계선은 거의 직선의 형태를 보인다.

(2) 지질 구조와 지층 경계선의 관계

① 단층: 어떤 지층 경계선이 다른 지층 경계선을 끊으면서 경계선의 양쪽에 같은 지층이 반복적으로 나타난다.

② 습곡: 지층 경계선이 대칭으로 나타난다. 대칭축에서 바깥쪽으로 경사져 있으면 배사, 안쪽으로 경사져 있으면 향사 구조이다.

③ 부정합: 일부 지층 경계선이 다른 지층 경계선에 덮인 모양으로 나타난다.

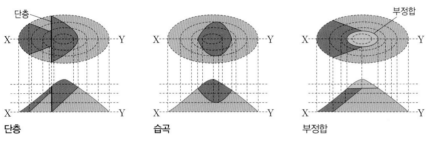

▲ 지질 구조와 지층 경계선의 관계

(3) 지층 경계선과 경사 방향의 관계:

경사층의 지질도에서 등고선과 지층 경계선을 이용하여 주향선을 그으면 지층의 경사 방향을 파악할 수 있다. 주향선은 같은 높이의 등고선과 지층 경계선이 만나는 두 지점을 연결한 직선이고, 경사 방향은 고도가 높은 주향선에서 낮은 주향선 쪽으로 주향선에 수직으로 그린 직선 방향이다. 즉, 아래 왼쪽 그림과 같은 지형의 모습을 나타낸 지질도(아래 오른쪽 그림)에서 같은 높이의 등고선과 지층 경계선이 만나는 두 지점(붉은 점)을 연결하여 고도별 주향선(붉은 실선)을 그리면 경사 방향을 알아낼 수 있다.

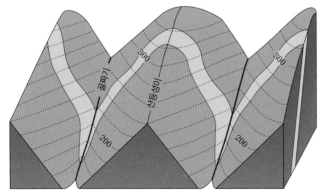

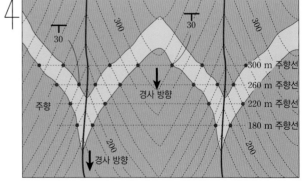

▲ 지형의 모습에 따른 지층 경계선과 경사 방향의 관계

⑷ 경사층에서 경사각과 지층의 두께: 경사층의 지질도에서 두 주향선 사이의 수평 거리와 고도 차를 이용하여 지층의 경사각과 두께를 구할 수 있다.

① **지층의 경사각(θ):** 지층 경계선과 등고선을 이용하여 그린 고도가 다른 두 주향선 사이의 수평 거리가 S, 두 주향선의 고도 차가 H이면 경사각(θ)은 다음과 같이 구할 수 있다.

$$경사각(\theta): \tan\theta = \frac{H}{S}$$

② **지층의 두께(d):** 경사층의 상하부 지층 경계선에서 고도가 같은 주향선 사이의 수평 거리가 l, 지층의 경사각이 θ이면 지층의 두께(d)는 다음과 같이 구할 수 있다.

$$지층의\ 두께(d): d = l \cdot \sin\theta$$

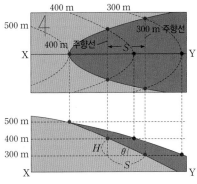

▲ 경사층의 지질도에서 경사각(θ)

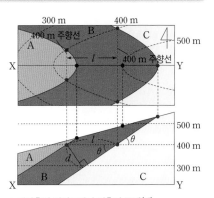

▲ 경사층의 지질도에서 지층의 두께(d)

지질도에서의 주향과 경사
· 주향: 같은 높이의 등고선과 지층 경계선이 만나는 두 지점을 연결한 직선의 방향이다.
· 경사 방향: 고도가 높은 주향선에서 낮은 주향선 쪽으로 주향선에 수직이 되도록 그린 직선의 방향이다.

지질도에서 경사각과 지층의 두께를 구할 때 유의할 점
지질도 상에서 두 주향선 사이의 수평 거리를 자로 재고, 지질도의 축척을 이용하여 계산한 실제 거리를 이용하여 경사각과 지층의 두께를 구해야 한다.

예제

그림은 어느 지역의 지질도를 나타낸 것이다.

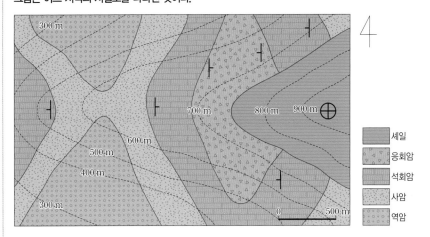

	셰일
	응회암
	석회암
	사암
	역암

⑴ 이 지역에 나타나는 지질 구조를 쓰시오.
⑵ 이 지역에서 발견되는 암석을 오래된 것부터 순서대로 나열하시오.
⑶ 이 지역에서 과거에 어떤 지각 변동이 있었는지 쓰시오.

정답 ⑴ 이 지역에는 습곡 구조(서쪽에 배사, 동쪽에 향사)와 부정합이 나타난다.
⑵ 이 지역에서 발견되는 암석은 역암 → 사암 → 석회암 → 응회암 → 셰일 순으로 생성되었다.
⑶ 이 지역에서 응회암층이 발견되므로 과거에 화산 활동이 있었고, 습곡 구조가 나타나므로 지층이 생성된 후 횡압력을 받은 것을 알 수 있다. 또한, 부정합이 나타나므로 융기 → 침식 → 침강 → 퇴적 순의 지각 변동을 받았다.

지질도에서 주향과 경사 및 지질 구조의 해석

지질도를 보고 지층과 암석의 분포 및 지질 구조를 해석하기 위해서는 먼저 지층의 주향과 경사를 파악해야 하고, 지질 단면도를 작성하여 지층과 암석의 선후 관계 및 지각 변동 등을 알아낸다.

① 지질도에서 주향과 경사 구하기

그림은 어느 지역의 지질도(지질 평면도)를 나타낸 것이다. 이 지질도에서 주향과 경사를 구하는 방법은 다음과 같다.

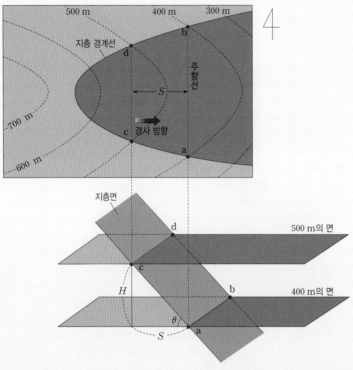

- **주향**: 지질도에서 지층 경계선이 하나의 등고선과 만나는 두 점을 연결한 방향이 주향이다. 그림에서 400 m 등고선과 지층 경계선이 만나는 점 a, b를 연결한 방향 또는 500 m 등고선과 지층 경계선이 만나는 점 c, d를 연결한 방향이 주향이 된다.
- **경사**: 하나의 지층 경계선이 만드는 여러 개의 주향선을 찾아 등고선의 높이가 높은 주향선(500 m 주향선)에서 등고선의 높이가 낮은 주향선(400 m 주향선)의 방향으로 수직으로 선을 그으면, 그 선이 경사의 방향이다. 경사각(θ)은 하나의 지층 경계선이 만드는 고도가 다른 두 주향선의 실제 수평 거리 S와 두 주향선의 고도 차 H를 이용하여 다음과 같이 구할 수 있다.

$$\text{경사각}(\theta): \tan\theta = \frac{\text{등고선의 높이 차이}}{\text{두 주향선 사이의 거리}} = \frac{H}{S}$$

이로부터 주향선 사이의 간격(S)이 좁을수록 지층의 경사가 급하다는 것을 알 수 있다.

지질도에서 경사각을 구할 때 유의할 점
지질도 상에서 두 주향선 사이의 수평 거리를 자로 재고, 지질도의 축척을 이용하여 계산한 실제 거리를 이용하여 경사각을 구해야 한다.

❷ 지질 단면도 그리기

지질 단면도는 지질 구조와 지층의 분포 등을 입체적으로 해석하기 위하여 지질도 상에 임의의 선을 그어 그 선 상의 지질 단면을 표시한 것이다.

그림은 어느 지역의 지질도(지질 평면도)를 나타낸 것이다. 이 지질도의 지층 경계선과 등고선을 이용하여 지질 단면도를 그리는 방법은 다음과 같다.

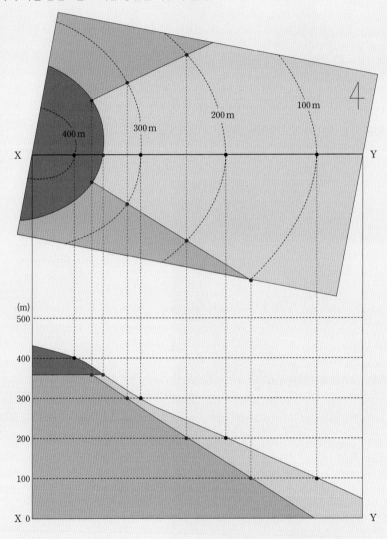

① 지질도에 선분 X−Y를 긋는다.

▶

② 선분 X−Y와 등고선이 만나는 점(파란색 점)을 수직으로 점선으로 내려 그어서 각 고도의 점을 찍고 이 점을 이어서 X에서 Y까지의 지형 단면을 그린다.

▶

③ 같은 높이의 등고선과 지층 경계선이 만나는 두 점(빨간색 점)을 이어 각 고도별 주향선을 그리고, 이 선을 단면도에 수직으로 내려 점을 찍은 후 이 점들을 이어 지층 경계선을 그린다.

▶

④ 지층의 경사 방향으로 지층을 그린 후 표면의 암석을 고려하여 색을 칠해 지질 단면도를 완성한다.

❸ 지층의 두께 구하기

- **수평층**: 수평층은 지층의 경계면이 등고선과 나란하므로 지층 경계선의 높이 차이가 지층의 두께를 나타낸다.

- **수직층**: 지층 경계선의 수평 거리가 지층의 두께에 해당한다.

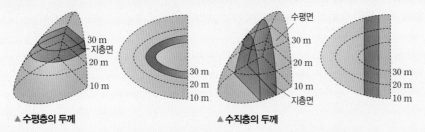

▲ 수평층의 두께   ▲ 수직층의 두께

- **경사층**: 경사층에서 지층의 두께를 구할 때는 같은 고도의 등고선과 만나는 같은 지층의 두 주향선을 이용한다.

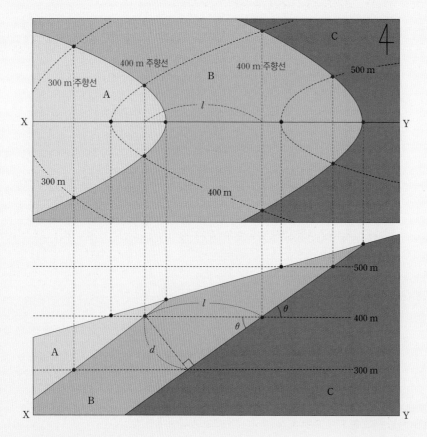

경사각이 θ이고, 두께를 구하려는 지층 B의 같은 고도의 등고선과 만나는 두 주향선 사이의 수평 거리를 l이라고 할 때, 지층 B의 두께(d)는 다음과 같이 구할 수 있다.

$$\text{지층의 두께: } d = l \sin \theta$$

경사층의 두께 구하기
예를 들어, 경사각 $\theta = 30°$이고, 두 주향선 사이의 수평 거리 $l = 200(\text{m})$이면 지층 B의 두께는 다음과 같이 구할 수 있다.

$$d = 200 \times \sin 30°$$
$$= 200 \times \frac{1}{2} = 100(\text{m})$$

❹ 지질 구조의 해석

그림은 어느 지역의 지질도로, A−A′ 방향의 지질 단면도를 그려서 지질 구조를 해석해 보자.

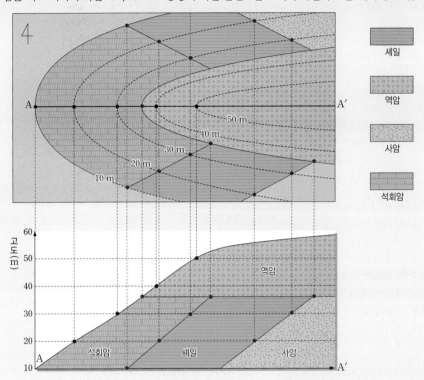

셰일

역암

사암

석회암

❶ 수평층과 경사층

지층 경계선이 등고선과 나란한 역암층은 수평층이고, 등고선과 지층 경계선이 비스듬히 교차하는 석회암층, 셰일층, 사암층은 경사층이다.

▶

❷ 셰일층의 주향과 경사

주향은 지층 경계선이 동일한 고도와 만나는 두 점을 연결한 직선 방향이므로 NS(남북 방향)이고, 경사는 고도가 높은 주향선에서 고도가 낮은 주향선에 수직 방향이므로 W(서쪽) 방향이다.

▶

❸ 지질 구조 파악

역암층은 석회암층과 셰일층 및 사암층 위에 수평으로 퇴적되었으므로 부정합 관계이다.

▶

❹ 지각 변동 해석

가장 먼저 사암층이 퇴적되었고, 그 위에 셰일층과 석회암층이 차례로 퇴적되었다. 그 후 습곡 작용을 받아 지층이 경사진 뒤에 융기하여 침식 작용을 받았으며, 다시 침강하여 역암이 퇴적된 후 융기하여 현재의 지표면을 이루었다.

〉정답과 해설 **182**쪽

유제

그림은 어느 지역의 지질도를 나타낸 것으로, 검은 점선은 등고선이고, 실선은 지층 경계선이다. (단, A~C는 모두 퇴적암층이고 지층의 역전은 없다.) 이에 대한 설명으로 옳은 것만을 보기에서 있는 대로 고른 것은?

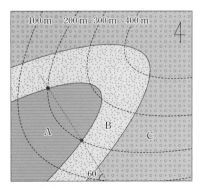

보기
ㄱ. A층의 주향은 N30°W이다.
ㄴ. A와 B층의 경사 방향은 NW이다.
ㄷ. 지층이 생성된 순서는 C → B → A 순이다.

① ㄱ   ② ㄴ   ③ ㄱ, ㄷ   ④ ㄴ, ㄷ   ⑤ ㄱ, ㄴ, ㄷ

01 지질 조사와 지질도

① 지질 조사

1 지질 조사
- (**❶**   ): 야외 지질 조사에서 지층의 층리면이나 단층면 또는 선구조나 면구조의 기울기 및 방향을 측정하기 위한 장비이다(단, 거울이 붙어 있지 않다).

2 지층의 주향과 경사
- 지층의 층리면이 가상의 수평면과 만나 이루는 교선의 방향을 (**❷**   )이라 하고, 지층이 수평면에 대하여 기울어진 각도와 방향을 지층의 (**❸**   )라고 한다.
- 주향을 표시할 때는 (**❹**   )을 기준으로 주향선이 동쪽(E)이나 서쪽(W) 방향인지 나타내는 각도로 표시한다.
- 지층의 경사각을 측정할 때는 (**❺**   ) 방향에 직각으로 클리노미터의 긴 면을 수직으로 붙이고 경사추가 가리키는 (**❻**   ) 눈금을 읽는다.
- 주향과 경사를 표시할 때는 (**❼**   )의 길이는 길게 하고, (**❽**   )는 주향선에 직각으로 짧게 그린다.

② 지질도

1 지질도의 기본 요소
- (**❾**   ): 야외 지질 조사에서 얻은 정보를 지형도에 표시한 것으로 암석의 종류와 분포 상태, 지질 구조, 지층의 주향과 경사, 암석과 지층의 생성 순서 등이 표시되어 있다.
- 지질도에는 (**❿**   )의 종류에 따라 색깔이 다르게 표시되어 있고, (**⓫**   )는 선이나 부호로 표시되어 있다.

2 습곡과 단층의 표시
- 습곡은 습곡축을 직선으로 나타내고 양쪽에 (**⓬**   )를 그려 넣어 배사나 향사를 나타낸다.
- 지층 경계선은 가는 선으로 나타내지만, (**⓭**   )은 굵은 선으로 표시한다.

3 지질도의 작성
- (**⓮**   ): 도로나 골짜기, 해안 절벽 등 정해진 노선을 따라 가면서 노두에 나타난 암석의 종류, 지질 구조, 지층의 주향과 경사 등을 지형도 위에 기호로 표시한 것을 말한다.
- (**⓯**   ): 여러 곳의 노선 지질도를 종합하여 작성한 것으로, 이웃하는 동일한 암석끼리 연결하고 서로 다른 암석과는 주향과 경사를 고려하여 경계선을 그어서 완성한다.
- (**⓰**   ): 암석과 지층의 상호 관계와 지하의 지질 구조를 입체적으로 해석하기 위해 지질도 상에서 주향에 직각 방향으로 작성한 지질 단면 상황을 나타낸 것을 말한다.
- (**⓱**   ): 지층과 암석의 생성 순서 및 두께에 대한 자료를 종합하여 아래에서 위로 향하여 순서대로 기둥 모양으로 나타낸 것을 말한다.

4 지층 경계선과 등고선의 관계
- 지층 경계선이 지형 등고선의 모양과 동일하게 나타나면 (**⓲**   )층이며, 지층 경계선이 등고선과 관계없이 직선 형태로 나타나면 (**⓳**   )층이고, 지층 경계선이 등고선을 교차하는 모양으로 나타나면 (**⓴**   )층이다.
- (**㉑**   ): 어떤 지층 경계선이 다른 지층 경계선을 끊으면서 경계선의 양쪽에 같은 지층이 반복적으로 나타나는 지질 구조이다.
- (**㉒**   ): 지층 경계선이 대칭으로 나타나는 지질 구조로서 대칭축에서 바깥쪽으로 경사져 있으면 배사, 안쪽으로 경사져 있으면 향사 구조이다.
- (**㉓**   ): 지층 경계선이 반복적이지 않고, 일부 지층 경계선이 다른 지층 경계선에 덮이는 구조이다.

01 다음 설명 중 옳은 것은 ○, 옳지 않은 것은 ×로 표시하시오.

(1) 지층의 경사는 지층의 층리면과 수평면이 이루는 각도만 표시한다. ·······························( )

(2) 지층의 주향은 진북(N)을 기준으로 동쪽(E)이나 서쪽(W)으로 이루는 각으로 표시한다. ··········( )

(3) 지층 경계선은 가는 실선으로 구분하고, 단층은 굵은 실선으로 표시한다. ·······························( )

(4) 지질도에 암석을 표시할 때 일반적으로 화성암은 붉은색 계열로, 퇴적암은 푸른색 계열로 나타낸다. ···( )

(5) 야외 지질 조사에서 노두를 조사하여 작성한 지질도를 지질 평면도라고 한다. ·······················( )

02 그림은 어느 지역의 지층면이 기울어져 있는 모습을 나타낸 것이다.
이 지층의 주향과 경사를 각각 구하시오.

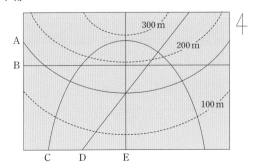

(1) 주향:

(2) 경사:

03 그림은 서로 다른 두 지층이 만나는 지층 경계선 A~E를 임의로 하나의 지형도에 나타낸 것이다. (단, 점선은 등고선이다.)

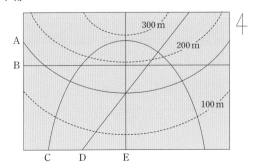

(1) 수평층과 경사층은 각각 어느 것인지 기호로 쓰시오.

(2) 수직층은 어느 것인지 기호로 쓰시오.

04 그림은 어느 지역에 분포하는 암석의 종류 및 주향과 경사를 나타낸 것이다.

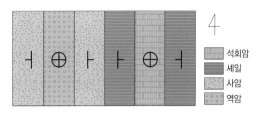

석회암
셰일
사암
역암

이 지역에 나타나는 지질 구조를 쓰시오.

05 그림 (가)와 (나)는 서로 다른 지역의 지질도를 나타낸 것이다.

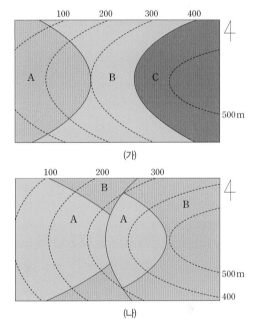

(가)

(나)

(가)와 (나)에 나타나는 지질 구조를 각각 쓰시오.

06 그림은 어떤 지역의 지질도를 나타낸 것이다.

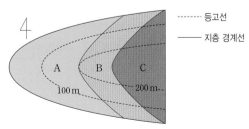

······ 등고선
── 지층 경계선

이 지역의 지층을 생성 순서가 오래 된 것부터 나열하시오. (단, 지층의 역전은 없다.)

01 ▶ 지층의 주향과 경사

그림 (가)와 (나)는 클리노미터를 이용하여 어떤 지층의 주향과 경사를 측정한 결과를 각각 나타낸 것이다. (단, 지층의 경사 방향은 남쪽이다.)

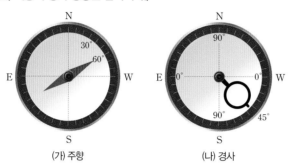

(가) 주향   (나) 경사

이 지층의 주향과 경사를 옳게 표시한 것은?

주향은 클리노미터의 자침이 진북 방향(N)과 이루는 각이다. 경사 방향은 주향과 직각 방향이고, 경사각은 클리노미터의 경사추가 가리키는 눈금을 E나 W로부터 읽어 측정한다.

① 60° 45°

② 45° 60°

③ 60° 45°

④ 45° 60°

⑤ 60° 45°

02 ▶ 지질도 해석

그림은 어느 지역의 지질도를 나타낸 것이다.

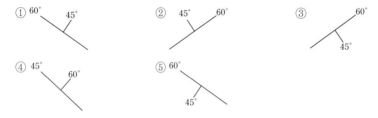

300m ▨ 석회암
200m ▨ 셰일
100m ⠿ 사암
      ⠿ 역암

주향은 진북(N) 방향에 대하여 주향선이 이루는 각이다. 지층 경계선이 등고선과 나란하면 수평층으로, 그 하부 지층과 부정합 관계이다.

이에 대한 설명으로 옳은 것만을 보기에서 있는 대로 고른 것은? (단, 지층의 역전은 없다.)

보기
ㄱ. 셰일층의 주향은 N80°E이다.
ㄴ. 사암층의 경사 방향은 남서쪽이다.
ㄷ. 이 지역에서 가장 먼저 퇴적된 지층은 석회암층이다.

① ㄱ   ② ㄴ   ③ ㄱ, ㄷ   ④ ㄴ, ㄷ   ⑤ ㄱ, ㄴ, ㄷ

03 〉지질도 해석
그림은 어느 지역의 지질도를 나타낸 것이다.

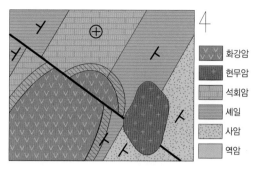

화강암	
현무암	
석회암	
셰일	
사암	
역암	

이 지역에서 일어난 지질학적 현상으로 옳은 것만을 보기에서 있는 대로 고른 것은? (단, 지층의 역전은 없고, 빗금친 부분은 변성 작용을 받은 부분이다.)

보기
ㄱ. 이 지역에는 향사 구조와 단층이 존재한다.
ㄴ. 화강암이 관입한 후에 단층 작용이 일어났다.
ㄷ. 가장 나중에 생성된 암석은 현무암이다.

① ㄱ   ② ㄴ   ③ ㄱ, ㄷ   ④ ㄴ, ㄷ   ⑤ ㄱ, ㄴ, ㄷ

- 위로 볼록한 습곡이면 배사 구조가 발달해 있다. 북서에서 남동 방향으로 길게 자른 직선은 단층을 나타낸다.

고난도
04 〉지질도 해석
그림은 어느 지역의 지질도를 나타낸 것으로 점선은 등고선이고, 실선은 지층 경계선이다.

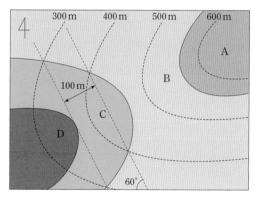

이에 대한 설명으로 옳은 것만을 보기에서 있는 대로 고른 것은? (단, 지층의 역전은 없다.)

보기
ㄱ. C층의 주향은 N30°W, 경사는 45°SW이다.
ㄴ. 지층은 B → C → D → A 순으로 생성되었다.
ㄷ. A 지층은 B, C, D 지층과 부정합 관계이다.

① ㄱ   ② ㄴ   ③ ㄱ, ㄷ   ④ ㄴ, ㄷ   ⑤ ㄱ, ㄴ, ㄷ

- C 지층에서 두 주향선의 수평 거리가 100 m로서, 두 주향선의 고도차 100 m와 같으므로 경사각은 45°이다. 그리고 지층 경계선이 등고선과 나란하면 수평층이다.

05 > 지질도 해석

그림은 어느 지역의 지질도를 나타낸 것으로, 점선은 등고선이고 실선은 지층 경계선이다.

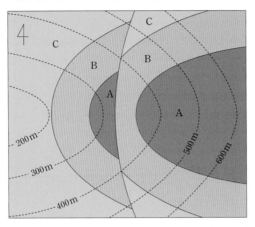

이에 대한 설명으로 옳은 것만을 보기에서 있는 대로 고른 것은? (단, 지층의 역전은 없다.)

> 보기

ㄱ. 지층 B와 C에는 역단층이 분포한다.

ㄴ. 지층의 생성 순서는 C → B → A 순이다.

ㄷ. 지층과 단층의 경사 방향은 모두 서쪽이다.

① ㄱ   ② ㄴ   ③ ㄷ   ④ ㄱ, ㄴ   ⑤ ㄱ, ㄷ

• 지질도에서 경계선을 기준으로 지층이 반복되어 나타나면 단층 구조이다. 역단층은 상반이 하반에 대해 위로 이동한 것이고, 정단층은 상반이 하반에 대하여 아래쪽으로 이동한 것이다.

06 > 지질 구조의 해석

그림은 평탄한 지역에서 길을 따라 가면서 지층의 주향과 경사를 측정하여 기록한 노선 지질도로, A, B, X, Y는 모두 퇴적암층이다.

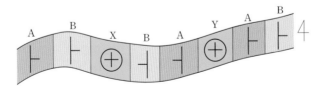

이 지역의 지질에 대한 설명으로 옳은 것은? (단, 지층의 역전은 없다.)

① X와 B는 부정합 관계이다.

② X층과 Y층의 퇴적 시기는 같다.

③ 이 지역에서 가장 새로운 지층은 Y층이다.

④ X는 향사축에 해당하고, Y는 배사축에 해당한다.

⑤ 이 지역은 퇴적 후 장력을 받아 정단층이 형성되었다.

• 습곡 지층에서 위쪽으로 볼록한 모양이면 배사 구조이고, 아래쪽으로 오목한 모양이면 향사 구조이다.

07 ❯ 지질도 해석

그림은 어느 지역의 지질도를 나타낸 것으로, 점선은 등고선이고 실선은 지층 경계선이다.

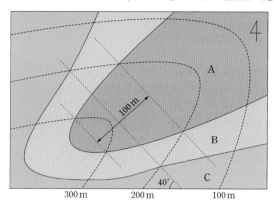

이에 대한 설명으로 옳은 것만을 보기에서 있는 대로 고른 것은? (단, 지층의 역전은 없다.)

> 보기

ㄱ. A 지층의 경사는 30°NE이다.

ㄴ. C 지층의 주향은 N50°W이다.

ㄷ. 지층의 생성 순서는 C → B → A 순이다.

① ㄱ   ② ㄴ   ③ ㄷ   ④ ㄴ, ㄷ   ⑤ ㄱ, ㄷ

• 지층의 경사 방향은 고도가 높은 주향선에서 고도가 낮은 주향선 방향이다. 같은 높이의 등고선과 지층 경계선이 만나는 두 점을 연결한 선이 주향선이다.

08 ❯ 지질도 해석

그림은 어느 지역의 지질도를 나타낸 것으로, 점선은 등고선이고 실선은 지층 경계선이다.

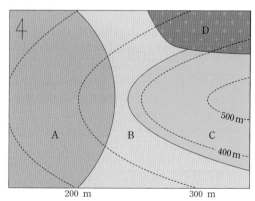

이에 대한 설명으로 옳은 것만을 보기에서 있는 대로 고른 것은? (단, A, B, C는 퇴적암층이고, D는 화성암층이며, 지층의 역전은 없다.)

> 보기

ㄱ. A의 주향은 NS 방향이며, 동쪽으로 경사진 지층이다.

ㄴ. C는 수평층으로, B와 부정합 관계이다.

ㄷ. 가장 나중에 형성된 지층은 D이다.

① ㄱ   ② ㄴ   ③ ㄱ, ㄷ   ④ ㄴ, ㄷ   ⑤ ㄱ, ㄴ, ㄷ

• C 지층의 경계선은 등고선과 나란하므로 수평층이고, B 지층을 부정합으로 덮고 있다.

02 한반도의 지질

학습 Point 한반도의 지체 구조 〉 한반도의 지질 분포와 지질 계통 〉 한반도의 형성 과정

한반도의 지사

우리나라의 강원도 지역에서는 고생대의 화석이 산출되지만, 경상도 지역에서는 중생대의 공룡 발자국 화석이 많이 산출된다. 그러나 경기도에는 화석이 거의 산출되지 않는 변성암이 넓게 분포하고 있다. 이러한 한반도의 지질 분포를 통해 한반도의 지사를 알아낼 수 있다.

1. 한반도의 지체 구조

한반도는 육괴와 퇴적 분지 및 습곡대로 이루어진 10여 개의 크고 작은 지체 구조로 구분된다.

(1) **육괴**: 지형적으로나 구조적으로 특정한 방향성을 나타내지 않는 암석이 분포하는 지역을 말한다.

① 육괴의 구분: 임진강대를 기준으로 남부에는 경기 육괴와 영남 육괴가, 북부에는 낭림 육괴가 분포한다.

② 육괴의 암석: 주로 선캄브리아 시대에 생성된 변성암류(편마암과 편암)로 구성되며, 과거에 조산 운동을 받아 육지로 드러나 있다.

(2) **퇴적 분지**: 육괴와 육괴 사이에 분포하는 퇴적암 지형으로, 고생대 이후 지역에 따라 바다나 호수에서 퇴적층이 쌓인 곳이다.

① 퇴적 분지의 구분: 주로 경상도 지방에 분포하는 경상 분지, 경기 육괴와 영남 육괴 사이에 분포하는 태백산 분지, 경기 육괴와 낭림 육괴 사이에 분포하는 평남 분지, 동해안에 소규모로 분포하는 포항 분지와 길주-명천 분지로 구분한다.

② 퇴적 분지의 암석: 여러 종류의 퇴적암과 화산 분출로 생성된 응회암 등이 분포한다. 평남 분지는 고생대의 퇴적암으로, 경상 분지는 중생대 백악기의 육성 퇴적암과 화산암으로 이루어져 있다. 태백산 분지에는 변성 작용을 받지 않은 고생대와 중생대의 퇴적암류가 분포한다.

(3) **습곡대**: 암석이 습곡이나 단층에 의해 복잡하게 변형된 지역이다. 경기 육괴와 영남 육괴 사이에 북동-남서 방향으로 길게 분포하는 옥천 습곡대는 북동부의 비변성대인 태백산 분지와 남서부의 변성대인 옥천 분지로 구분된다. 옥천 분지에는 심한 습곡 작용과 변성 작용을 받은 변성 퇴적암류와 백악기에 관입한 화강암체가 분포한다.

지체 구조
어느 지역을 암석의 종류와 연령, 지각 변동에 의한 특정적인 지질 구조 등에 따라 나눈 것을 말한다.

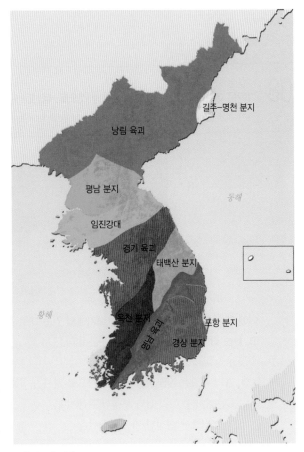

▲ **한반도의 지체 구조**

최근 연구 결과에 따르면 황해도 이북과 영남 지방의 땅덩어리는 중국 북부를 포함한 한중 지괴의
일부였는데, 남중국을 포함한 남중 지괴가 중생대 백악기 초에 한중 지괴와 충돌하면서 남중 지괴
의 가장자리에 있던 퇴적물이 한중 지괴에 달라붙어 임진강대와 경기 육괴를 형성했다고 한다. 그
증거로 임진강대와 충남 홍성 일대에서 에클로자이트가 발견되는데, 에클로자이트는 두 대륙의 충
돌 시 지하의 고온 고압 환경에서 생성된 것으로, 충돌대의 연장선에 있는 중국에서도 발견된다.

2. 한반도의 지질 분포

한반도에는 선캄브리아 시대부터 신생대에 이르기까지의 거의 모든 지질 시대에 형성된
지층과 암석이 분포하며, 구성 암석의 종류, 지질 구조 등에서 현저한 차이를 보인다.

(1) **암석 종류별 분포:** 한반도에 분포하는 암석 중 가장 넓은 면적을 차지하는 것은 변성암
류로 약 40 %를 차지하며, 대부분 선캄브리아 시대에 생성된 것이다. 그 다음으로 화성암
류가 약 35 %의 면적을 차지하며, 대부분 중생대에 관입한 화강암이다. 퇴적암류는 약
25 %의 면적을 차지하는데, 주로 고생대의 바다와 중생대의 육지에서 생성된 것이다.

(2) **지질 시대별 분포:** 한반도 전체 면적에서 선캄브리아 시대의 암석이 약 43 %, 고생대의
암석이 약 11 %, 중생대의 암석이 약 40 %, 신생대의 암석이 약 6 %를 차지한다.

한반도의 지체 구조
한반도에 분포하는 암석과 지층은 여러 차
례의 조산 운동과 화산 활동을 거치면서 매
우 복잡한 지질 구조를 이루었다.

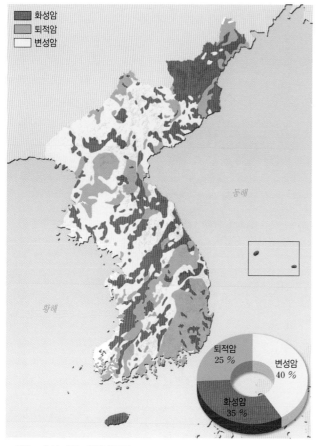

▲ 한반도에 분포하는 암석의 종류

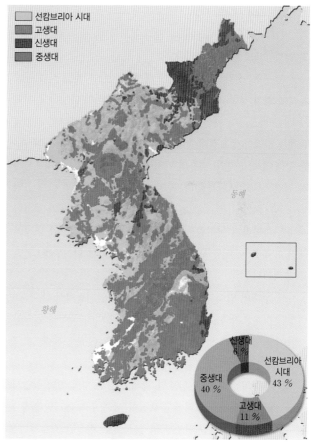

▲ 한반도에 분포하는 암석이 생성된 지질 시대

3. 한반도의 지질 계통

어떤 지역에 분포하는 암석과 지층을 생성 시대 순으로 배열하여 상호 관계를 나타낸 것을 지질 계통이라고 한다. 한반도의 지질 계통에서 포괄적인 지질 역사를 파악할 수 있다.

연대(백만 년 전)	지질 시대		한반도 북부	한반도 중부	한반도 남부	조산 운동
	신생대	제4기	연일층군			
		네오기				불국사 변동
66 ▶		팔레오기				
	중생대	백악기	경상 누층군			
		쥐라기				대보 조산 운동
		트라이아스기	대동 누층군			송림 조산 운동
252 ▶	고생대	페름기	평안 누층군		평안 누층군	
		석탄기				
		데본기	대결층 (부정합)		대결층 (부정합)	
		실루리아기				
		오르도비스기	조선 누층군		조선 누층군	
541 ▶		캄브리아기				
	선캄브리아 시대 (시생 누대, 원생 누대)			옥천 누층군 상원 누층군		
2500 ▶			낭림 육괴	경기 육괴	영남 육괴	

▲ 한반도의 지질 계통

(1) **선캄브리아 시대의 지질**: 선캄브리아 시대에 생성된 암석은 경기 육괴, 영남 육괴 및 낭림 육괴에 널리 분포하며, 주로 편마암, 편암 등의 변성암으로 이루어져 있다.

① 지질 구조: 선캄브리아 시대에 형성된 지층은 지질 시대 동안 여러 차례에 걸쳐 강한 지각 변동을 받아 구성 암석이 다양하고 지질 구조가 매우 복잡하며 화석이 거의 산출되지 않는다. 따라서 지층의 선후 관계를 파악하거나 절대 연령을 정확하게 측정하는 데 어려움이 있다.

② 구성 암석: 한반도 지층의 기저를 형성하고 있으며, 대부분 편마암과 편암으로 이루어져 있다. 지역에 따라 이들 암석과 함께 규암과 대리암 및 각섬암이 분포한다. 그러나 지층의 선후 관계와 정확한 지질 시대를 파악하기 어려워서 육괴에 분포하는 변성암류를 변성암 복합체라고 부른다. 이들 변성암의 나이는 약 30억 년~7억 8천만 년으로 추정된다.

• 시생 누대의 암석: 경기 육괴에 속하는 인천광역시 대이작도에서 변성암이 온도가 높아지며 부분적으로 녹았다가 굳어져 변성암과 화강암이 불규칙하게 엉켜 있는 암석인 혼성암이 발견된다. 이 혼성암은 약 25억 년 전에 생성된 것이다.

• 원생 누대의 암석: 평안남도와 황해도 일부 지역, 인천광역시의 백령도, 대청도, 소청도 일대에 분포한다. 소청도의 대리암층에서는 원생 누대 후기에 남세균(남조류)의 활동으로 형성된 스트로마톨라이트가 산출된다.

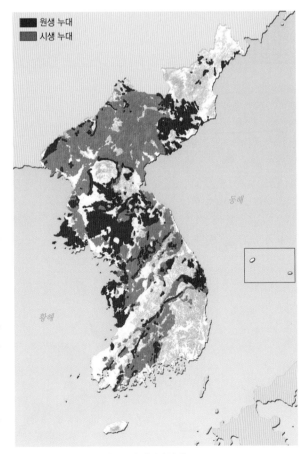

원생 누대
시생 누대

▲ 한반도에 분포하는 선캄브리아 시대의 암석

(2) **고생대의 지질:** 고생대에는 한반도에서 조산 운동과 같은 대규모의 지각 변동은 일어나지 않았으며, 단지 해수면 높이의 변동에 따른 해침과 해퇴가 반복되며 퇴적층이 형성되었다. 한반도의 고생대 지층은 크게 전기의 조선 누층군과 후기의 평안 누층군으로 구분한다. 또한, 고생대에 우리나라는 적도 근처의 위도에 분포하였던 것으로 추정된다.

① **조선 누층군:** 고생대 전기인 캄브리아기부터 오르도비스기 중기까지의 기간에 평남 분지와 태백산 분지에 퇴적된 두꺼운 해성층으로, 남한에서는 강원도 태백, 삼척, 영월, 평창, 정선 지역에 분포한다.

• 조선 누층군은 주로 석회암과 사암, 셰일 및 이암 등으로 이루어져 있으며, 석회암과 셰일에서는 삼엽충, 두족류, 완족류, 필석류, 코노돈트 등의 화석이 풍부하게 산출된다. 특히 조선 누층군의 석회암층은 우리나라의 중요한 지하자원으로 이용되고 있다.

삼엽충 　　　　　 필석 　　　　　 산호 　　　　　 고사리

▲ 조선 누층군에서 발견되는 화석 　　　　▲ 평안 누층군에서 발견되는 화석

고생대의 대결층
전기 고생대의 조선 누층군이 두껍게 쌓인 후 남한 지역에서는 해퇴가 일어나 퇴적이 중단되었다. 침식 작용이 계속되다가 중기 석탄기에 해침이 다시 일어나 후기 고생대의 평안 누층군이 두껍게 쌓였다. 따라서 조선 누층군과 평안 누층군 사이(오르도비스기 후기~석탄기 초기)에는 약 1.5억 년 동안 퇴적물이 쌓이지 않아 한반도의 지사 중 가장 큰 규모의 부정합이 형성되었으며, 이를 고생대의 대결층이라고 하였다. 그러나 최근 강원도 정선의 회동리층과 경기도 북부 연천의 미산층, 태안층과 같은 고생대 중기의 퇴적층이 발견되어 이에 대한 연구가 계속되고 있다.

육성층과 해성층
육성층은 호수, 하천, 사막 등 육지 환경에서 생성된 지층을 말하고, 해성층은 바다 환경에서 생성된 지층을 말한다.

② **평안 누층군:** 평안 누층군은 고생대 석탄기 후기부터 중생대 트라이아스기 초기에 걸쳐 퇴적된 지층으로 대부분 조선 누층군이 분포하는 지역에 분포하며, 조선 누층군을 부정합으로 덮고 있다. 평안 누층군은 주로 강릉, 삼척, 영월, 단양, 정선, 문경, 보은 등에 분포하며, 이 지역은 대부분 탄전 지역에 해당한다.

• 평안 누층군의 하부 지층: 얕은 바다에서 쌓인 해성층으로 주로 사암과 셰일로 이루어져 있으며, 석회암층을 포함한다. 이 석회암층에서는 석탄기의 방추충, 산호, 완족류 등의 화석이 발견된다.

• 평안 누층군의 상부 지층: 육지의 호수 환경에서 퇴적된 육성층으로, 주로 사암과 셰일로 이루어져 있으며, 그 사이에 석탄층(무연탄)을 포함한다. 주로 방추충, 완족류, 양치식물 등의 화석이 발견된다.

• 평안 누층군의 하부는 해성층, 상부는 육성층인 사실로부터 고생대 말에는 한반도의 일부가 해수면 아래에 있다가 육지로 드러났음을 추정할 수 있다.

③ **회동리층, 태안층과 연천층군:** 한반도에는 고생대 전기에 조선 누층군이 퇴적된 후 고생대 후기에 평안 누층군이 퇴적되기까지 오르도비스기 후기~ 석탄기 초기에는 지층이 퇴적되지 않아 대결층을 이루고 있다고 알려져 있었다. 그러나 강원도 정선군 회동리 일대에 실루리아기에 퇴적된 회동리층이 소규모로 분포하며, 충청남도 태안군 일대의 태안층과 경기도 연천군 일대의 연천층군은 데본기에 퇴적된 것으로 밝혀져 현재 연구가 진행되고 있다.

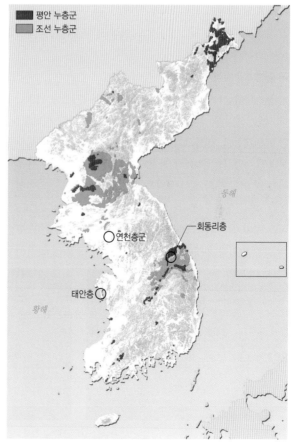

■ 평안 누층군
　 조선 누층군

연천층군
회동리층
태안층
동해
황해

▲ 한반도에 분포하는 고생대의 암석

(3) **중생대의 지질:** 중생대는 한반도에서 조산 운동과 화성 활동이 가장 활발했던 시기였으며, 중생대의 지층은 모두 하천이나 호수에서 형성된 육성층이다. 중생대의 암석은 크게 화강암류와 퇴적암류로 구분되는데, 화강암류는 트라이아스기의 송림 화강암과 쥐라기의 대보 화강암, 백악기의 불국사 화강암으로 이루어져 있으며, 퇴적암류는 중생대 전기의 대동 누층군과 후기의 경상 누층군으로 이루어져 있다.

① 지각 변동과 화성 활동

• 송림 변동(송림 조산 운동): 트라이아스기에 일어난 조산 운동으로, 이때 관입한 화강암을 송림 화강암이라 한다. 송림 변동으로 고생대층이 습곡과 단층 작용을 받아 복잡하게 변형되었으며, 단층선을 따라 퇴적 분지가 형성되며 대동 누층군이 퇴적되었다.

• 대보 조산 운동: 쥐라기 말에 일어난 조산 운동으로, 그 이전에 퇴적된 고생대층과 대동 누층군을 심하게 변형시켜 습곡과 단층 구조를 형성하였다. 대보 조산 운동 당시 대규모의 화강암류가 북동−남서 방향으로 관입하였으며, 이를 대보 화강암이라고 한다.

• 불국사 변동: 백악기 후기에 한반도 남부를 중심으로 화강암의 관입과 화산 활동이 광범위하게 일어났는데, 이를 불국사 변동이라고 한다. 이때 경상 분지를 중심으로 여러 지역에 관입한 화강암류를 불국사 화강암이라고 한다.

② 중생대의 퇴적층

• 대동 누층군: 트라이아스기 후기에서 쥐라기까지 형성된 소규모의 분지 퇴적층으로, 주로 사암, 셰일 및 역암으로 구성되며, 지역에 따라 석탄층을 포함한다. 대동 누층군에서는 담수 연체동물, 민물고기 등의 동물 화석과 소철류, 은행류 등의 식물 화석이 산출된다.

• 경상 누층군: 백악기에 하천과 호수 환경인 경상 분지에서 형성된 지층으로 사암, 셰일, 이암 및 역암 등의 쇄설성 퇴적암과 그 상부의 화산 쇄설성 퇴적암인 응회암으로 이루어져 있다. 경상 누층군에서는 공룡 발자국과 골격, 공룡 알과 이빨 화석 및 어류와 조개 화석, 여러 가지 식물 등의 화석이 발견된다. 특히, 경상남도 고성, 전라남도 해남, 화순 등에서는 공룡 발자국 화석이, 경기도 화성에서는 공룡 알 화석이 매우 풍부하게 발견된다.

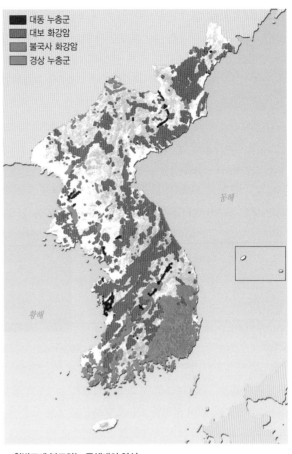

대동 누층군
대보 화강암
불국사 화강암
경상 누층군

동해

황해

▲ 한반도에 분포하는 중생대의 암석

중생대의 지각 변동과 지층의 형성

• 송림 변동: 곤드와나 대륙에서 한중 지괴와 남중 지괴가 멀어지면서 북쪽으로 이동하다가 트라이아스기부터 두 지괴가 충돌하기 시작하였다. 이 충돌로 송림 변동이 일어나서 고생대 지층이 변형되었으며, 이때 형성된 단층선을 따라 퇴적 분지가 형성되며 대동 누층군이 퇴적되었다.

• 대보 조산 운동: 쥐라기에 한중 지괴와 남중 지괴가 합쳐지면서 일어난 지각 변동으로, 지층이 크게 변형되었으며 대규모의 화강암류가 관입하였다.

• 불국사 변동: 백악기에 고태평양판(현재 북서태평양 지역에 존재했던 태평양판)이 한반도 아래로 섭입하면서 일어났던 지각 변동으로, 마그마의 관입과 분출이 활발하게 일어났다.

우리나라의 공룡 화석

경남 고성에 있는 5000여 점의 공룡 발자국 화석과 해남에서 발견된 초대형 초식 공룡 발자국 화석은 전 세계가 주목할 만큼 매우 희귀한 것이다.

공룡 발자국 화석

공룡 알 화석

▲ 우리나라에서 발견되는 공룡 화석

(4) **신생대의 지질:** 신생대에는 일부 지역의 화산 활동을 제외하면 대규모의 지각 변동이 거의 없이 비교적 평온하였으며, 한반도가 현재의 모습으로 완성되었다. 한반도의 신생대 지층은 주로 동해안을 따라 소규모로 분포하며, 퇴적암류와 화산암류로 구성된다.

① 신생대의 퇴적층

• 네오기층: 주로 동해안을 따라 분포하는 퇴적암층으로, 함경북도, 평안남도, 황해도 일대에 소규모의 육성층이 분포한다. 동해가 형성되기 시작한 이후에는 동해안을 따라 길주−명천 분지와 포항 분지 등에 해성층이 퇴적되었다. 이 시기의 지층은 고화가 덜 된 사암, 셰일, 이암, 역암, 응회암으로 구성되며, 유공충과 연체동물, 규화목 및 식물 화석이 발견된다.

• 제4기층: 신생대 제4기에는 전 세계적으로 빙하기가 시작되면서 해수면이 하강하여 많은 지역이 육지로 드러났다. 우리나라의 제4기층은 제주도 서귀포와 성산포 지역 해안에 소규모로 분포하며, 화산 쇄설물 기원의 고화되지 않은 퇴적물로 이루어져 있다. 서귀포 지역의 제4기층에서는 유공충, 산호, 완족류, 이매패 등의 화석이 발견된다.

② **신생대의 화산 활동:** 네오기에 한반도에서는 포항 지역과 길주−명천 지역에서 화산 활동이 일어났다. 제4기에는 제주도, 울릉도, 독도, 철원 일대, 백두산 등지에서 활발한 화산 활동으로 많은 양의 용암과 화산 쇄설물이 분출하면서 백두산, 제주도, 울릉도, 독도 등이 형성되었다.

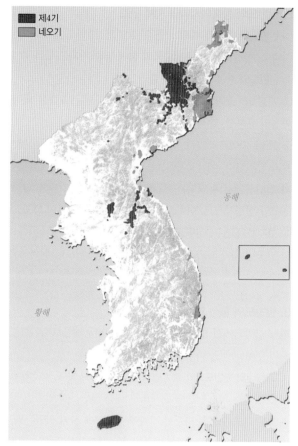

▲ 한반도에 분포하는 신생대 암석

② 한반도의 형성 과정

지질학자들은 한반도의 형성 과정을 판 구조론적인 입장에서 설명하고 있다. 고지자기 연구에 의하면 한반도를 형성한 땅덩어리는 고생대에는 남반구에 위치하여 있었으나 점차 북상하여 현재의 위치까지 이동하게 되었다고 본다.

1. 한반도 주변의 판 구조

(1) **한반도 주변 판의 분포:** 한반도는 유라시아판에 속해 있고, 한반도와 일본 열도 주변에는 유라시아판, 태평양판, 북아메리카판, 필리핀판이 분포한다.

(2) **한반도 주변 판의 상대적 이동:** 한반도 주변에서는 유라시아판, 필리핀판, 태평양판이 수렴하고 있다. 유라시아판과 태평양판의 경계에서는 태평양판이 유라시아판 아래로 섭입하며, 태평양판과 필리핀판의 경계에서는 태평양판이 필리핀판 아래로 섭입하고 있다. 유라시아판과 필리핀판의 경계에서는 필리핀판이 유리시아판 아래로 섭입하고 있고, 태평양판과 북아메리카판의 경계에서는 태평양판이 북아메리카판 아래로 섭입하고 있다. 일본 열도는 세 개의 판(유라시아판, 태평양판, 필리핀판) 경계에 위치하여 지진과 화산 활동이 활발한 반면, 한반도는 상대적으로 판의 경계에서 떨어져 있다.

▲ 한반도 주변 판의 상대적 이동

2. 한반도와 동북아시아의 지체 구조

(1) **한반도와 중국의 지괴:** 최근 연구 결과, 한반도 북부와 남부 일부는 북중국과 함께 한중 지괴로, 한반도 중부는 남중국과 함께 남중 지괴로 묶을 수 있는 것으로 밝혀졌다.

(2) **한반도와 중국 지괴의 유사 증거**

① **지질학적 증거:** 한반도와 중국에서 발견되는 고생물 화석의 유사성, 화성 활동 및 변성 과정의 유사성, 암석의 절대 연령 분포가 비슷하다.

② **에클로자이트의 발견:** 한중 지괴와 남중 지괴의 충돌대에서 초고압 변성암인 에클로자이트가 발견된다. 에클로자이트는 판이 충돌하는 지역에서 높은 압력을 받아 생성된다. 중국과 한반도에서 발견되는 에클로자이트는 한중 지괴와 남중 지괴가 충돌하면서 만들어진 초고압 변성암으로, 한반도와 중국 대륙은 두 지괴의 충돌로 형성되었음을 뒷받침한다.

③ **고지자기 연구:** 한반도와 중국 대륙의 각 지역에 대한 고지자기 연구를 통해 한중 지괴와 남중 지괴가 과거 지질 시대 동안 비슷한 위도에 위치하고 있었음을 알아냈다.

3. 한반도의 형성 과정

현재 한반도에서 발견되는 고생물 화석이나 에클로자이트, 고지자기 분포 등을 통해 한반도의 형성 과정을 파악할 수 있다.

(1) **고생대의 한반도:** 약 5억 년 전인 고생대 초에 오늘날의 동아시아를 이루는 한중 지괴와 남중 지괴는 과거 남반구 곤드와나 대륙 연변부에 있었던 것으로 추정된다. 고생대에 이들 지역은 적도 부근의 따뜻한 지역에서 바다에 잠겨 있었는데, 이는 한반도의 고생대 지층에 따뜻한 바다에서 퇴적되어 만들어지는 석회암이 많이 분포하며 고생대의 따뜻한 바다에서 번성하던 삼엽충 화석과 온난 다습한 환경에서 살았던 고사리 화석이 발견되는 것을 통해 알 수 있다.

(2) **중생대의 한반도:** 고생대 말 한중 지괴와 남중 지괴는 곤드와나 대륙에서 분리되어 북상하기 시작하였고, 중생대 트라이아스기 말에 두 지괴가 충돌하며 송림 변동이 일어나 많은 고생대 지층이 변형되었다. 쥐라기 초에 두 지괴가 합쳐지면서 한반도에는 대보 조산 운동이 일어났다. 이렇게 병합한 두 지괴는 계속 북상하면서 유라시아 대륙과 충돌하여 쥐라기 말에는 한반도와 동북아시아의 모습이 현재와 비슷하게 되었다. 백악기에는 고태평양판이 한반도 아래로 섭입하면서 불국사 변동이 일어나 마그마의 관입과 분출이 활발하였고, 불국사 화강암과 화산 퇴적물은 이 시기에 형성된 경상 분지에 주로 분포한다.

▲ 현재 동북아시아의 한중 지괴, 남중 지괴의 분포와 에클로자이트의 발견 지역

에클로자이트

주로 현무암이나 반려암 등의 고철질 화성암이 섭입대에서 맨틀로 섭입하면서 변성 작용을 받아 만들어지는 초고압 변성암이다. 한반도와 중국에서 발견되는 에클로자이트는 한중 지괴와 남중 지괴가 충돌할 때 지하 약 50 km ~ 60 km에서 약 800 ℃, 1만 5000기압 ~ 1만 7000기압의 고온 고압 환경에서 변성 작용을 받아 만들어진 뒤 지상으로 서서히 올라와 지표면에 노출된 것으로 보고 있다.

▲ 에클로자이트의 편광 현미경 사진

▼ **중생대의 한반도 형성 과정**

트라이아스기 말 한중 지괴와 남중 지괴가 충돌하기 시작하였다.

쥐라기 초 한중 지괴와 남중 지괴가 합쳐지면서 한반도에는 대보 조산 운동이 일어났다.

쥐라기 말 한중 지괴와 남중 지괴의 충돌과 결합이 마무리되면서 한반도가 현재의 모습을 갖추었다.

백악기 초 한반도를 비롯한 동북아시아의 모습이 갖추어졌으며, 불국사 변동이 일어났다.

(3) **신생대의 한반도**: 신생대 초에 한반도는 충돌대인 임진강대를 경계로 북부에는 낭림 육괴가, 중부에는 경기 육괴가, 남부에는 영남 육괴가 자리잡았다. 약 2500만 년 전에는 태평양판이 일본 열도 아래로 섭입하면서 동해가 확장되기 시작하였다. 제4기에는 화산 분출로 울릉도와 독도, 제주도가 만들어졌으며, 마지막 빙하기가 끝날 무렵에 황해가 만들어지면서 오늘날 한반도의 모습을 띠게 되었다.

① **화산 활동**: 약 450만 년 전에 화산 분출이 일어나 울릉도와 독도가 만들어졌고, 백두산이 형성되었다. 약 170만 년 전에 일어난 화산 분출로 제주도가 만들어졌다.

② **동해의 형성 과정**: 과학자들은 포항 부근의 영남 분지와 영일 분지 및 울릉 분지 등에 대한 고생물, 암석, 고지자기, 지구 물리 탐사 등의 연구 결과를 정리하여 동해가 다음과 같은 단계를 거쳐 형성되었다는 모형을 제시하였다.

• 약 2500만 년 전: 태평양판이 유라시아판 아래로 섭입하면서 한반도와 거의 붙어 있던 일본 열도가 태평양 쪽으로 멀어지면서 동해가 확장되기 시작하였다. 이때 섭입대의 위치는 현재보다 한반도에 가까웠다.

• 약 1800만 년 전: 일본 열도가 태평양 쪽으로 이동하면서 동해가 확장되기 시작하였고, 동해의 여러 지역에서 화산 활동이 활발하게 일어났다.

• 약 1200만 년 전: 동해의 확장이 완료되었고, 한반도는 이 무렵에 현재의 모습을 갖추었다. 그 후 약 1천만 년 전부터 태평양판과 필리핀 판이 북쪽으로 이동하면서 미는 힘에 의해 동해의 확장 운동은 멈추고, 현재 동해는 수축 단계에 접어든 것으로 알려져 있다.

한반도의 형성 과정

현재까지의 연구 결과에 따르면, 한반도는 지질 시대 동안 판의 충돌, 섭입, 확장 등의 복합적인 판 구조 운동으로 형성되었다.

• 고생대: 한반도를 이루는 한중 지괴와 남중 지괴는 남반구 곤드와나 대륙 부근에 있었다.
• 중생대: 한중 지괴와 남중 지괴가 충돌하며 북상하여 동북아시아 지역이 형성되었다.
• 신생대: 한반도와 일본 열도 사이가 확장되면서 동해가 형성되었다.

▲ **동해의 형성 과정**

시야 확장 ➕ 독도의 형성 과정

• 우리나라에서 가장 오래된 화산섬인 독도는 신생대 제4기(약 460만 년 전)에 해저 약 2000 m에서 분출한 용암이 굳어져 형성되기 시작하였다. 이후 여러 차례 화산 분출이 계속되며 화산체의 크기가 커졌고, 약 270만 년 전에 해수면 위로 드러났다. 하나의 섬이었던 독도는 약 250만 년 전 바닷물의 침식 작용으로 동도와 서도로 나누어졌고, 그후 계속된 침식 작용으로 약 210만 년 전부터 현재의 모습을 갖추었다.

• 독도는 현무암, 조면암, 응회암 등으로 이루어져 있다. 독도의 형성 원인으로는 열점에 의한 화산 활동으로 만들어졌다는 학설과 일본 해구에서 섭입하는 태평양판이 상부 맨틀과 하부 맨틀의 경계에 정체되면서 맨틀 물질이 상승하여 만들어졌다는 학설 등이 있다.

차이를 만드는

심화

강원도 태백의 구문소와 한반도 고생대 지층의 퇴적 환경

강원도 태백의 구문소는 천연기념물 제 417호로 지정된 곳으로, 전기 고생대의 지층과 하식 지형이 잘 보존되어 있다. 구문소는 한반도의 고생대 지사를 관찰할 수 있는 국내 최고 지질학의 보고이다.

❶ 구문소

구문소에는 약 5억 년 전~4억 4000만 년 전인 고생대 오르도비스기에 형성된 석회암층인 막골층과 셰일층인 직운산층이 드러나 있다. 막골층에는 건열, 연흔과 같은 퇴적 구조와 습곡이 발달해 있으며, 생물에 의한 교란 구조도 보존되어 있다. 또한, 직운산층에서는 삼엽충류, 완족류, 두족류, 복족류, 필석류 등 다양한 화석이 대량으로 발견된다. 구문소는 한반도의 고생대 환경과 생물 분포를 알 수 있는 지질학의 보고로, 천연기념물 제 417호로 지정되어 보호되고 있다.

▲ 강원도 태백의 구문소(출처: 한국관광공사)

❷ 강원도 태백 지역의 고생대 퇴적 환경

구문소의 고생대 전기 지층에는 석회암층이 분포하며, 삼엽충과 완족류 화석이 산출되고, 인근의 태백과 영월 지역에 분포하는 고생대 후기 지층에서는 고사리와 방추충 화석이 산출된다. 이로부터 지층이 생성될 당시의 퇴적 환경을 추정해 볼 수 있다.

퇴적 시기	화석	서식 환경	퇴적 환경
고생대 전기	삼엽충	삼엽충은 수온이 따뜻하고 물의 깊이가 얕아 햇빛이 잘 도달하는 바다에서 서식하였던 생물이다.	따뜻하고 얕은 바다 환경이었을 것이다.
	완족류	고생대에 삼엽충과 더불어 번성한 동물로, 두 개의 패각으로 둘러 싸인 해양성 동물이다. 완족류는 따뜻하고 얕은 바다에서 서식하였다.	
고생대 후기	고사리	온난 습윤한 육상 환경에서 서식한 것으로, 대표적인 시상 화석이다.	온난 다습한 기후의 대륙 가장자리 환경이었을 것이다.
	방추충	고생대 석탄기 중기에서부터 페름기 말기까지 살다가 멸종한 원생 동물로, 따뜻하고 얕은 바다의 바닥에서 서식하였다.	

▲ 태백 지역의 고생대 전기와 후기 지층에서 발견되는 화석과 서식 환경

▲ 구문소에서 산출되는 삼엽충 화석(출처: 한국관광공사)

(1) **고생대 전기**: 초대륙 판게아가 형성되기 이전으로, 대륙이 여러 조각으로 흩어져 분포했다. 또한, 고생대 전기에는 생물의 서식 지역이 바다로 제한되었다. 태백 지역의 고생대 전기 지층에서 삼엽충과 완족류 화석이 발견되는 것으로 보아 한반도 전기 고생대 지층은 적도 부근의 얕은 바다에서 형성되었을 것으로 유추할 수 있다.

(2) **고생대 후기**: 초대륙 판게아가 형성되었으며, 생물 다양성이 증가한 시기로 식물이 육상으로 진출하여 내륙에 분포하기 시작하였다. 태백과 영월 지역의 고생대 후기 지층에서 고사리와 방추충 화석이 발견되는 것으로 보아 태백산 분지는 당시 온난 다습한 기후의 대륙 가장자리의 퇴적 환경이었음을 유추할 수 있다.

▲ 구문소에서 산출되는 두족류 화석(출처: 문화재청)

02 한반도의 지질

개념 모아 정리하기

① 한반도의 지사

1 한반도의 지체 구조

- (**❶**   ): 지형적으로나 구조적으로 특정한 방향성을 나타내지 않는 암석들이 분포하는 지역을 말한다.
- 한반도의 육괴는 주로 (**❷**   ) 시대의 변성암으로 이루어져 있다.
- (**❸**   ): 육괴와 육괴 사이에 분포하는 퇴적암 지형으로, 고생대 이후에 지역에 따라 바다나 호수가 형성되어 퇴적층이 쌓인 곳을 말한다.

2 한반도의 지질 분포

- 한반도에 분포하는 암석 중 가장 넓은 면적을 차지하는 것은 (**❹**   )으로 약 40 %를 차지하며, 그 다음으로 넓은 면적을 차지하는 것은 (**❺**   )으로 약 35 %를 차지한다.
- 한반도의 지질 시대별 암석 분포는 선캄브리아 시대의 암석이 약 43 %, (**❻**   )의 암석이 약 11 %, (**❼**   )의 암석이 약 40 %, 신생대의 암석이 약 6 %를 차지한다.

3 한반도의 지질 계통

- 한반도에서 선캄브리아 시대에 생성된 암석은 (**❽**   ) 육괴, 영남 육괴 및 낭림 육괴에 널리 분포하며, 이들 암석은 지질 시대를 구분하기 어려워 (**❾**   ) 복합체라고 부른다.
- 한반도의 고생대 지층은 크게 고생대 전기의 (**❿**   )과 후기의 (**⓫**   )으로 구분한다.
- 중생대는 한반도에서 조산 운동과 (**⓬**   ) 활동이 가장 활발했던 시기였으며, 중생대의 지층은 모두 육성층으로 퇴적암류는 중생대 전기의 대동 누층군과 후기의 (**⓭**   )으로 구분한다.
- 신생대 (**⓮**   )에는 제주도, 울릉도, 독도, 철원 일대, 백두산 등지에서 화산 활동이 활발하게 일어났다.

② 한반도의 형성 과정

1 한반도 주변의 판 구조

- 한반도와 일본 열도 주변에는 (**⓯**   )판, 태평양판, 북아메리카판, 필리핀판이 분포한다.
- 유라시아판과 태평양판의 경계에서는 (**⓰**   )판이 유라시아판 아래로 섭입하며, 태평양판과 필리핀판의 경계에서는 태평양판이 (**⓱**   )판 아래로 섭입하고 있다.

2 한반도와 동북아시아의 지체 구조

- 한반도의 북부와 남부 일부는 북중국과 함께 (**⓲**   ) 지괴로 묶을 수 있으며, 한반도 중부는 남중국과 함께 (**⓳**   ) 지괴로 묶을 수 있다.
- 한중 지괴와 남중 지괴가 충돌하여 현재와 같은 분포를 이루었다는 증거로 충돌대에서 발견되는 초고압 변성암인 (**⓴**   )를 들 수 있다.

3 한반도의 형성 과정

- 약 5억 년 전인 고생대 초에 오늘날의 동아시아를 이루는 한중 지괴와 남중 지괴는 남반구 적도 부근에 있었던 (**㉑**   ) 대륙의 연변부에 위치하였다.
- 중생대 트라이아스기 말에 한중 지괴와 남중 지괴가 충돌하기 시작하여 (**㉒**   ) 초에 합쳐졌고, 합쳐진 땅덩어리는 계속 북상하면서 (**㉓**   ) 대륙과 충돌하며 쥐라기 말에는 한반도와 동북아시아의 모습이 현재와 비슷하게 되었다
- 약 2500만 년 전에는 태평양판이 유라시아판 아래로 섭입하면서 (**㉔**   )가 확장되기 시작하였고, 한반도와 거의 붙어 있던 (**㉕**   )가 태평양 쪽으로 이동하였다.

01 그림은 한반도의 지체 구조를 나타낸 것이다.
이에 대한 설명으로 옳은 것만을 보기에서 있는 대로 고르시오.

보기
ㄱ. A는 퇴적 분지이다.
ㄴ. B에는 지형적으로나 구조적으로 특정한 방향성을 보이는 암석이 분포한다.
ㄷ. C와 D는 옥천 습곡대로 단층이나 습곡에 의해 복잡하게 변형되었다.
ㄹ. E는 쥐라기에 하천과 호수에서 생성된 퇴적암과 화산암으로 이루어져 있다.

02 다음 중 우리나라 지질의 일반적인 특징을 설명한 것으로 옳은 것은 ○, 옳지 않은 것은 ×로 표시하시오.

(1) 선캄브리아 시대 암석은 대부분 변성암이다. ‥(　)
(2) 고생대 전기 지층은 바다에서 형성되었다. ‥‥‥(　)
(3) 우리나라의 석회암은 대부분 고생대 말에서 중생대 초에 퇴적된 것이다. ‥‥‥‥‥‥‥‥‥‥(　)
(4) 제주도와 백두산은 중생대 화산 활동에 의해서 형성되었다. ‥‥‥‥‥‥‥‥‥‥‥‥‥‥(　)

03 다음은 우리나라 두 지역 지층의 특징을 설명한 것이다. 각 지층의 명칭과 생성 시대를 쓰시오

(1) 주로 강원도 일대에 분포하며 석회암층에서 삼엽충, 필석류, 두족류 등의 화석이 발견된다.
(2) 주로 경상도 지방에 분포하며 역암, 사암, 셰일 등의 퇴적물로 되어 있고, 공룡 발자국의 화석이 많이 발견된다.

04 그림은 우리나라 지질 계통의 일부를 나타낸 것이다.

지질 시대		지질 계통
신생대	제4기	연일층군
	네오기	
	팔레오기	
중생대	백악기	C
	쥐라기	B
	트라이아스기	
고생대	페름기	A
	석탄기	

(1) A, B, C의 지층명을 각각 쓰시오.
(2) A∼C 중 공룡 발자국 화석이 주로 발견되는 지층의 기호를 쓰시오.

05 그림은 한반도의 암석 분포를 나타낸 것이다.
이에 대한 설명으로 옳은 것만을 보기에서 있는 대로 고르시오.

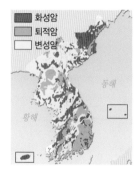

화성암
퇴적암
변성암

보기
ㄱ. 변성암은 가장 넓은 면적을 차지하는 암석이다.
ㄴ. 화성암은 한반도 중부에서는 대체로 남서−북동 방향으로 분포한다.
ㄷ. 퇴적암은 주로 고생대와 중생대에 생성된 것이다.

06 그림 (가)와 (나)는 한반도를 형성한 두 지괴의 충돌 전후의 위치를 각각 나타낸 것이다.

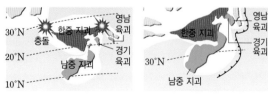

(가) 충돌 전　　　　　　(나) 충돌 후

(1) 남중 지괴와 한중 지괴의 충돌이 일어난 시기를 쓰시오.
(2) 이 충돌로 한반도에서 일어난 대규모 지각 변동의 명칭을 쓰시오.

01 > 한반도의 지체 구조
그림은 한반도 지체 구조의 일부를 나타낸 것이다.

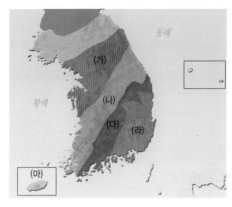

(가)~(마)에 대한 설명으로 옳은 것은?

① (가)에는 주로 선캄브리아 시대의 변성암이 분포한다.

② (나)는 습곡대로서 남서쪽은 비변성대이고, 북동쪽은 변성대이다.

③ (다)에는 고생대 석회암이 넓게 분포한다.

④ (라)는 중생대 퇴적암 지역으로서 공룡과 암모나이트 화석이 산출된다.

⑤ (마)에는 중생대와 신생대의 화산 활동에 따른 응회암층이 넓게 분포한다.

• (가)는 경기 육괴, (나)는 옥천 습곡대, (다)는 영남 육괴, (라)는 경상 분지, (마)는 제주도의 화산암 지대이다.

02 > 한반도의 지질 분포
그림은 한반도의 중부와 남부에 분포하는 암석의 종류를 나타낸 것이다.

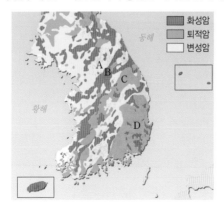

이에 대한 설명으로 옳은 것만을 보기에서 있는 대로 고른 것은?

보기
ㄱ. A에는 선캄브리아 시대의 화성암, 퇴적암, 변성암이 복합적으로 분포한다.

ㄴ. B는 대보 조산 운동으로 관입한 화강암으로, 북동−남서의 방향성을 나타낸다.

ㄷ. C에는 석회암이 풍부하게 분포하고, D 지층에서는 공룡 발자국 화석이 산출된다.

① ㄱ　　　② ㄴ　　　③ ㄱ, ㄷ　　　④ ㄴ, ㄷ　　　⑤ ㄱ, ㄴ, ㄷ

• 경기 육괴는 대부분 변성암이 분포하고, 대보 화강암은 우리나라 중부와 남부 지방에서 대체로 북동−남서의 방향성을 갖는다. 경상 누층군은 중생대의 육성층이다.

03 > 한반도의 지질 계통

표는 한반도 중부와 남부의 서로 다른 지역에 분포하는 두 지층 (가), (나)의 특징을, 그림은 두 지층 (가), (나)의 위치를 순서 없이 나타낸 것이다.

지층	특징
(가)	• 대부분 석회암으로 이루어진다. • 삼엽충과 필석 화석이 산출된다.
(나)	• 연흔과 건열이 나타난다. • 공룡 발자국과 식물 화석이 산출된다.

> A에는 고생대층이 분포하고, B는 중생대의 경상 누층군이 분포하는 지역이다.

이에 대한 설명으로 옳은 것만을 보기에서 있는 대로 고른 것은?

보기
ㄱ. (가) 지층은 A에 위치하며, 고생대에 형성되었다.
ㄴ. (나) 지층은 B에 위치하며, 경상 누층군에 속한다.
ㄷ. (가) 지층은 육성층이고, (나) 지층은 해성층이다.

① ㄱ   ② ㄷ   ③ ㄱ, ㄴ   ④ ㄴ, ㄷ   ⑤ ㄱ, ㄴ, ㄷ

04 > 지질도와 한반도의 지질

고난도

그림은 우리나라 어느 지역의 지질도를 나타낸 것이다. 화성암 E는 대보 화강암이고, 화성암 F는 불국사 변동 과정에서 관입한 암맥이며, $f-f'$은 단층이다.

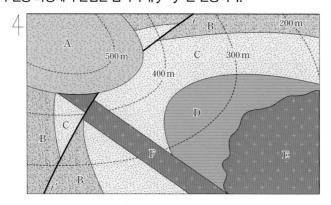

> 관입한 암석은 관입 당한 암석보다 나중에 생성된 것이고, 지층이 단층에 의해 끊어져 있으면 단층보다 지층이 먼저 생성된 것이다.

이에 대한 설명으로 옳지 <u>않은</u> 것은? (단, 지층의 역전은 없다.)

① 지층 A는 신생대에 생성되었을 가능성이 크다.
② 경사층 C, D는 대보 화강암이 관입하기 전에 형성되었다.
③ 지층 D는 경상 누층군으로 공룡 발자국 화석이 발견될 수 있다.
④ 단층 $f-f'$은 중생대 말 이후에 형성되었다.
⑤ A와 C는 경사 부정합 관계이다.

05 > 지질도와 한반도의 지질 계통

그림은 우리나라 어느 지역의 지질 단면도를 나타낸 것이다. 암석 A는 약 1억 년 전에, 화성암 D는 약 2000만 년 전에, 화성암 E는 약 1000만 년 전에 생성된 것이고, B와 C는 퇴적암층이다.

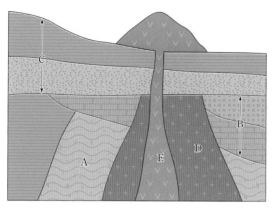

B와 C의 지층명을 옳게 짝 지은 것은?

	지층 B	지층 C
①	조선 누층군	평안 누층군
②	평안 누층군	연일층군
③	대동 누층군	경상 누층군
④	경상 누층군	연일층군
⑤	조선 누층군	대동 누층군

> • 조선 누층군은 고생대 전기에, 평안 누층군은 고생대 후기에, 대동 누층군은 중생대 중기에, 경상 누층군은 중생대 후기에, 연일층군은 신생대에 형성된 지층이다.

06 > 한반도의 지질 계통

표는 한반도에 분포하는 지층 (가), (나), (다)의 특징을 정리한 것이다.

지층	특징
(가)	• 석회암, 사암, 셰일로 이루어져 있다. • 삼엽충, 두족류, 완족류 화석이 산출된다.
(나)	• 사암, 셰일, 이암, 응회암으로 이루어져 있다. • 유공충과 연체동물, 규화목 화석이 산출된다.
(다)	• 셰일, 사암, 역암이 분포한다. • 공룡 발자국과 공룡 알 화석이 산출된다.

이에 대한 설명으로 옳지 <u>않은</u> 것은?

① (가)는 고생대에 바다에서 퇴적된 지층이다.

② (나)는 대보 조산 운동으로 심하게 변형되었다.

③ (다)는 중생대에 호수 또는 하천 환경에서 퇴적되었다.

④ 동해는 (나)가 퇴적된 시기에 형성되었다.

⑤ 지층의 생성 순서는 (가) → (다) → (나) 순이다.

> • (가)는 고생대의 해성층이고, (나)는 신생대의 육성 및 해성층이며, (다)는 중생대의 육성층이다.

07 > 한반도의 지질 계통

그림은 한반도의 중부와 남부에 분포하는 생성 시기가 다른 화성암 A, B, C를 나타낸 것이다.

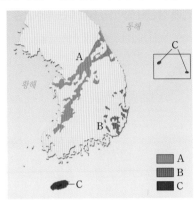

• A는 대보 화강암이고, B는 불국사 화강암이며 C는 신생대의 화산암이다.

이에 대한 설명으로 옳은 것만을 보기에서 있는 대로 고른 것은?

보기
ㄱ. A는 쥐라기에 관입한 화강암이다.
ㄴ. 구성 광물 입자의 크기는 B가 C보다 크다.
ㄷ. 화성암의 생성 순서는 B → A → C 순이다.

① ㄴ   ② ㄷ   ③ ㄱ, ㄴ   ④ ㄱ, ㄷ   ⑤ ㄴ, ㄷ

08 > 한반도의 지질 계통

그림은 한반도의 중부와 남부에서 지층 A, B, C의 분포를, 표는 각 지층의 특징을 나타낸 것이다.

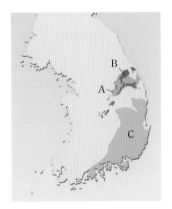

지층	특징
A	• 두꺼운 석회암층이 분포한다. • 필석 화석이 산출된다.
B	• 해성층과 육성층이 나타난다. • 방추충 화석이 산출된다.
C	• 육성층이 두껍게 발달해 있다. • 새 발자국 화석이 산출된다.

• A는 고생대 전기의 조선 누층군이고 B는 고생대 후기~중생대 초기의 평안 누층군이다. C는 중생대 백악기의 경상 누층군이다.

이에 대한 설명으로 옳은 것만을 보기에서 있는 대로 고른 것은?

보기
ㄱ. 지층의 생성 순서는 A → B → C 순이다.
ㄴ. B에서는 고사리 화석과 석탄층이 발견된다.
ㄷ. C의 상부에는 응회암과 화산 쇄설물이 분포한다.

① ㄱ   ② ㄷ   ③ ㄱ, ㄴ   ④ ㄴ, ㄷ   ⑤ ㄱ, ㄴ, ㄷ

09

> 한반도의 지질 계통

다음은 한반도에서 어느 지질 시대에 형성된 지층의 분포와 특징을 나타낸 것이다.

[지층의 분포]

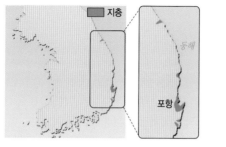

[지층의 특징]

• 주요 구성 암석은 사암, 셰일, 이암, 역암이다.

• 현무암, 응회암, 갈탄층이 부분적으로 분포한다.

• 규화목, 단풍잎 화석, 유공충 화석이 산출된다.

이에 대한 설명으로 옳은 것만을 보기에서 있는 대로 고른 것은?

> 보기

ㄱ. 이 지층은 신생대 제4기에 형성되었다.

ㄴ. 이 지층에는 육성층과 해성층이 모두 존재한다.

ㄷ. 이 시기의 화산 활동으로 제주도와 독도가 형성되었다.

① ㄱ   ② ㄴ   ③ ㄱ, ㄴ   ④ ㄴ, ㄷ   ⑤ ㄱ, ㄴ, ㄷ

• 포항 지역에 분포하는 지층은 신생대 전기의 퇴적층으로 육성 및 해성층이다.

10

> 한반도의 형성 과정

그림 (가)와 (나)는 한반도가 형성되는 과정의 일부를 나타낸 것이다.

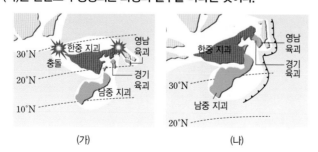

(가)   (나)

이에 대한 설명으로 옳은 것만을 보기에서 있는 대로 고른 것은?

> 보기

ㄱ. 영남 육괴는 한중 지괴에, 경기 육괴는 남중 지괴에 속해 있었다.

ㄴ. 한중 지괴와 남중 지괴의 충돌은 백악기 초에 시작되었다.

ㄷ. 여러 지괴가 충돌하여 합쳐지는 과정에서 지각 변동이 활발하게 일어났다.

① ㄱ   ② ㄴ   ③ ㄱ, ㄷ   ④ ㄴ, ㄷ   ⑤ ㄱ, ㄴ, ㄷ

• 한중 지괴와 남중 지괴가 충돌하여 한반도의 지체 구조가 형성되었다.

03 한반도의 변성 작용

학습 Point　변성 작용　＞　변성암　＞　한반도의 변성암

 변성 작용과 변성암

　기존의 암석이 어떤 요인에 의해 생성 당시와는 다른 온도와 압력 조건에 놓이면 암석을 이루는 광물이 변화되며 암석의 조직도 변하는데, 이러한 작용을 변성 작용이라고 한다. 이렇게 변성 작용을 받아서 생성된 암석을 변성암이라고 한다.

1. 변성 작용

(1) **변성 작용**: 암석이 생성된 당시의 환경보다 높은 온도나 압력 조건에 놓이면 새로운 온도와 압력 조건에 맞춰 암석에 변화가 일어난다. 즉, 암석이 고체 상태를 유지하면서 암석을 이루는 광물 입자의 배열(조직)이 달라지고, 광물이 커지거나 새로운 광물이 생성되면서 화학 조성이 달라지는 것을 변성 작용이라고 한다.

(2) **변성 작용의 요인**: 변성 작용의 요인에는 온도와 압력, 유체의 영향, 시간 등이 있으며, 온도와 압력이 암석의 상태를 바꾸는 가장 중요한 요인이다.

① 온도: 지온 구배에 따른 지구 내부의 열과 마그마의 관입에 의한 열은 변성 작용을 일으킨다. 암석이 새로운 온도 환경에 놓이면 새로운 변성 광물이 만들어진다. 일반적으로 변성 작용이 일어나는 온도는 약 $100\,℃\sim800\,℃$이다.

② 압력: 지구 내부의 압력 또는 판의 충돌 경계에서의 압력은 암석의 조직과 광물 조성을 변화시킨다. 일반적으로 변성 작용이 일어나는 압력은 약 2000 기압～15000 기압이다.

③ 유체: 암석 내부에 포함된 물(H_2O)이나 CO_2, CH_4, N_2 등의 유체는 변성 작용을 촉진하며 새로운 광물을 생성하는 역할을 한다.

(3) **재결정 작용**: 변성 작용이 일어나는 동안 온도와 압력의 영향으로 광물의 내부 결합 구조가 달라져 다른 광물로 바뀌는데, 이를 재결정 작용이라고 한다. 예를 들어, 석회암이 대리암으로 변성되면 석회암의 작은 방해석 결정이 크게 자란다. 또한 사암이 규암으로 변성될 때, 사암을 이루는 석영 입자들이 재결정 작용으로 커지면서 입자 사이의 빈 공간을 결정들이 모두 채워서 빈틈없는 규암이 된다.

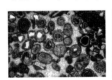　　　

석회암 ⟶ 대리암　　　사암 ⟶ 규암

▲ **재결정 작용으로 광물 입자의 크기가 커진 대리암과 규암의 편광 현미경 사진**

변성 작용에서 시간의 영향
암석이 변성 작용을 받으면 암석의 구성 광물 사이에서 화학 반응이 일어나며, 이 화학 반응은 평형 상태에 이를 때까지 매우 느리게 진행된다. 따라서 광물 사이에서 일어나는 화학 반응이 완료되기까지 매우 오랜 시간이 걸린다. 일반적으로 조립질 변성암은 고온 고압 하에서 수백만 년 이상 지속되는 변성 작용에 의해서 생성되며, 세립질의 변성암은 비교적 저온 저압 하에서 수십만 년 정도의 상대적으로 짧은 시간 동안 변성 작용을 받아서 생성된다고 알려졌다.

변성 작용을 일으키는 열의 근원
지구 내부의 열의 근원은 두 가지로 나눌 수 있다. 하나는 지구 내부로 들어갈수록 증가하는 온도(지온 구배에 따른 지구 내부의 열)이고 또 다른 하나는 마그마가 냉각되면서 주변 암석에 전달하는 열이다.

2. 변성 작용의 종류 집중 분석 144쪽

변성 작용에는 열에 의한 접촉 변성 작용과 온도와 압력 상승에 의한 광역 변성 작용이 있다.

(1) 접촉 변성 작용: 마그마가 관입할 때 발생한 열로 인해 일어나는 변성 작용으로, 비교적 좁은 지역에서 일어난다. 기존의 암석이 있던 곳에 마그마가 관입하면 열과 휘발 성분으로 인해 마그마와의 접촉부에서 광물의 재결정 작용이 일어나 조직이 치밀하고 단단해진다.

① **접촉 변성 작용의 범위:** 접촉 변성 작용은 관입한 마그마의 접촉부로부터 약 $2\,km \sim 3\,km$까지의 비교적 좁은 범위에서 일어나며, 마그마의 접촉부에서 멀어질수록 변성도가 감소하면서 저온성 변성 광물이 생성된다.

▲ 접촉 변성 작용

② **퇴적암의 접촉 변성 작용:** 퇴적암이 접촉 변성 작용을 받으면 셰일은 혼펠스로, 사암은 규암으로, 석회암은 대리암으로 변한다.

(2) 광역 변성 작용: 두 대륙판이 충돌하거나 해양판이 대륙판 아래로 섭입하면서 발생하는 조산 운동과 같은 대규모의 지각 변동이 일어나는 곳에서 암석이 높은 온도와 큰 압력을 받아 일어나는 변성 작용을 광역 변성 작용이라고 한다. 일반적으로 지하 깊은 곳으로 갈수록 온도와 압력이 증가하므로 변성도가 증가하며, 변성도에 따라 광물 조성, 암석의 구조와 조직 등이 달라진다.

① **광역 변성 작용의 범위:** 광역 변성 작용은 대규모의 지각 변동에 수반되므로 그 거리 범위는 수백 $km \sim$ 수천 km에 이르고, 면적은 수만 km^2 이상에 이른다.

② **셰일의 광역 변성 작용:** 셰일이 저온 저압의 광역 변성 작용을 받으면 운모질의 세립질 암석인 점판암으로 변한다. 점판암이 변성도가 증가하면 천매암이 되고, 천매암의 변성도가 더욱 증가할수록 편암, 편마암이 된다. 즉, 셰일이 광역 변성 작용을 받을 때 온도와 압력이 높아지면 변성도가 증가하면서 셰일 → 점판암 → 천매암 → 편암 → 편마암이 된다.

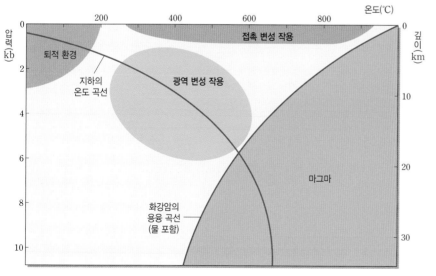

▲ 변성 작용의 온도와 압력 범위

접촉 변성대

화성암 관입암체 주변에 형성되는 변성대를 말한다.

규암과 대리암

규암과 대리암은 접촉 변성 작용뿐만 아니라 광역 변성 작용에 의해서도 형성될 수 있다.

교대 변성 작용

마그마가 냉각될 때 온도가 $250\,°C$ 이상인 열수 용액이 생성되는데, 이 열수 용액에 의해 암석의 화학 조성이 변하는 것을 교대 변성 작용이라고 한다. 예를 들어 석회암은 교대 변성 작용을 통해 석류석, 투휘석, 방해석 등을 포함하는 암석으로 변한다.

혼성암

고변성 작용과 암석의 용융이 함께 일어난 것으로, 변성암과 화성암이 불규칙하게 섞여 있는 암석이다. 혼성암은 편마암이나 화강암으로 이루어진 조산대 중심에 분포한다.

암석이 지하 깊은 곳으로 이동하며 온도와 압력이 높아지는 환경 중 하나는 판의 수렴 경계이다. 섭입대에서는 해양판과 그 위에 쌓인 퇴적암이 지하 깊은 곳으로 섭입하고, 대륙판과 대륙판의 충돌대에서 대륙 지각이 두꺼워지며 암석이 지하 깊은 곳으로 내려간다. 이렇게 지하 깊은 곳으로 내려간 암석은 높은 온도와 압력을 받아 변성 작용이 일어난다. 또한 판 경계의 하부에 위치한 맨틀의 부분 용융으로 생성된 마그마가 상승할 때, 상부의 지각에 관입한 마그마가 냉각되면서 주변에 열을 전달하여 기존의 암석에서 변성 작용이 일어난다.

• 접촉 변성 작용: 섭입하는 해양판 상부의 맨틀이 부분 용융하여 생성된 마그마가 상승하고, 이 마그마가 관입하는 주변부의 기존 암석에서 주로 온도 상승에 의한 접촉 변성 작용이 일어난다.

• 광역 변성 작용: 해양판이 대륙판 또는 해양판 아래로 섭입하는 섭입대와 대륙판과 대륙판이 충돌하는 충돌대에서는 대륙 지각에 횡압력이 작용하고, 이로 인해 지각의 두께가 두꺼워져서 지각 내부의 온도와 압력이 모두 상승한다. 그 결과 광역 변성 작용이 일어나며, 기존 암석의 종류 및 온도와 압력 조건에 따라 다양한 종류의 변성암이 생성된다.

▲ 섭입대에서 일어나는 변성 작용

3. 변성암의 조직

화성암이나 퇴적암과는 달리 접촉 변성암에서는 혼펠스 조직과 입상 변정질 조직 등이 발달하고, 광역 변성암에서는 광물이 평행하게 배열된 엽리 조직인 편리와 편마 구조 등이 발달한다.

(1) 접촉 변성암의 조직: 접촉 변성암에서는 혼펠스 조직과 입상 변정질 조직이 나타난다.

① 혼펠스 조직: 마그마와의 접촉부에서 광물이 재결정 작용을 받아 입자가 작은 광물들이 치밀하고 단단하게 짜인 조직을 혼펠스 조직이라고 한다. 주로 셰일이 접촉 변성 작용을 받아서 만들어진 혼펠스에 발달해 있다.

② 입상 변정질 조직: 광물이 재결정 작용을 받아 입자들의 방향성이 없고 크기가 거의 비슷한 굵은 광물 입자들로 치밀하게 짜인 조직을 입상 변정질 조직이라고 한다. 주로 규암과 대리암에 발달해 있다.

혼펠스 조직(혼펠스)　　　　　　　입상 변정질 조직(대리암)

▲ 혼펠스 조직과 입상 변정질 조직의 편광 현미경 사진 비교

(2) **광역 변성암의 조직:** 암석이 높은 압력에서 재결정 작용을 받으면 광물 입자의 크기가 커지고 광물들이 재배열되는데, 광물들이 압력에 직각 방향으로 평행하게 배열된 구조를 엽리 조직이라고 한다. 엽리 조직에는 편리와 편마 구조 등이 있으며, 엽리 조직은 광역 변성암에 발달해 있다.

① **편리:** 세립질 암석에 압력이 가해지면 운모류와 같은 특정한 광물이 압력에 직각 방향으로 성장하여 평행하게 배열되는데, 이러한 조직을 편리라고 한다. 편리 조직을 나타내는 암석을 편암이라고 한다.

② **편마 구조:** 조립질 암석이 높은 압력을 받거나 편리 조직이 발달한 암석이 더욱 높은 압력과 열을 받으면 재결정 작용으로 결정이 커져서 조립질 암석으로 변하고, 유색 광물과 무색 광물이 교대로 평행한 줄무늬를 이룬다. 이러한 조직을 편마 구조라고 하며, 편마 구조를 나타내는 암석을 편마암이라고 한다.

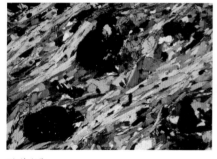

편리(편암)　　　　　　　　　편마 구조(편마암)

▲ 편리와 편마 구조의 편광 현미경 사진

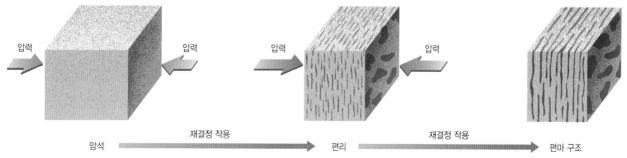

▲ 엽리 조직(편리와 편마 구조)의 형성 과정

4. 변성암의 종류

접촉 변성암에는 혼펠스, 대리암, 규암 등이 있고, 광역 변성암에는 점판암(슬레이트), 천매암, 편암, 편마암 등이 있다.

변성 작용	원래의 암석	변성암		
		변성 후 암석	조직	엽리 유무
접촉 변성 작용	사암	규암	입상 변정질 조직	엽리 없음
	석회암	대리암		
	셰일	혼펠스	혼펠스 조직	
광역 변성 작용	셰일	점판암	쪼개짐 （세립질 ↓ 조립질）	엽리 발달
		천매암		
		편암	편리	
		편마암	편마 구조	
	현무암	각섬암		
	화강암	(화강) 편마암		

▲ **변성암의 종류** 변성암은 기존 암석의 종류와 변성 작용에 따라 분류한다.

(1) 접촉 변성암: 관입한 마그마의 접촉부에서 생성된 대표적인 접촉 변성암에는 혼펠스, 대리암, 규암 등이 있다.

① **혼펠스:** 셰일이 접촉 변성 작용을 받아 생성된 세립질의 변성암으로, 치밀하고 견고한 혼펠스 조직이 나타나며 대체로 어두운색을 띤다.

② **대리암:** 석회암이나 돌로마이트가 주로 열에 의한 재결정 작용을 받아 생성된 암석으로, 입상 변정질 조직을 나타낸다. 주로 건축재나 조각상, 비석 등에 쓰이는데, 주성분은 탄산 칼슘($CaCO_3$)이므로 산성비에 의한 풍화 작용을 잘 받는다.

③ **규암:** 사암이 주로 열에 의한 재결정 작용을 받아 생성된 암석으로, 입상 변정질 조직을 나타낸다. 주로 석영(SiO_2) 성분으로 되어 있어서 풍화 작용에 매우 강하다.

혼펠스

대리암

규암

▲ **대표적인 접촉 변성암**

(2) 광역 변성암: 대규모의 조산 운동이 일어날 때와 같은 고온 고압 환경에서 생성된 대표적인 광역 변성암에는 점판암(슬레이트), 천매암, 편암, 편마암 등이 있다.

① **점판암(슬레이트):** 셰일이 광역 변성 작용을 가장 적게 받으면 점판암이 된다. 점판암은 광물 입자가 매우 작아 육안으로는 식별할 수 없고, 광물의 재결정 작용은 일어나지 않으며, 쪼개짐만 발달하여 얇은 판 모양으로 잘 쪼개진다. 옛날에는 지붕이나 구들장에 많이 사용하였으나 지금은 건축 자재나 벼루를 만드는데 주로 이용된다.

② **천매암:** 슬레이트가 더 강한 광역 변성 작용을 받으면 천매암이 된다. 천매암의 결정은 현미경으로 관찰할 수 있으며, 편리면에서 미립의 운모에 의해 강한 광택이 나타난다.

변성도와 지온 구배율

광역 변성암의 변성도는 저압형, 중압형, 고압형으로 나눌 수 있다. 지하로 깊이 내려갈수록 온도와 압력이 증가하므로, 변성도에 따라 지온 구배율이 달라진다. 저압형 변성 작용의 지온 구배은 30 ℃/km 이상이고, 중압형 변성 작용은 약 20 ℃/km, 고압형은 약 10 ℃/km 정도이다. 점판암은 저변성도 변성암이고, 천매암과 편암은 중간 정도 변성암이며 편마암은 고변성도 변성암이다. 저변성도 변성암은 지각 내의 저온 저압 환경에서 형성된 변성암이고, 고변성도 변성암은 깊은 지각 내의 고온 고압 환경에서 생성된 변성암이다.

③ 편암: 천매암이 더욱 높은 압력과 온도에서 광역 변성 작용을 받으면 편암이 된다. 편암은 결정이 육안으로도 구별되며, 편리가 뚜렷하게 발달해 있다. 편암에는 셰일 기원의 편암 외에도 화성암 기원의 편암(흑운모 편암, 각섬석 편암) 등이 있다.

④ 편마암: 편암이 더욱 더 높은 압력과 온도에서 광역 변성 작용을 받으면 편마암이 된다. 편마암의 주요 구성 광물은 석영, 정장석, 사장석, 흑운모, 각섬석 등으로, 변성 작용을 받으며 재결정 작용이 일어나서 광물 결정이 성장하여 편리는 없어지고, 유색 광물(주로 흑운모)과 무색 광물(석영과 장석류)이 교대로 평행한 줄무늬를 이룬다. 편마암은 무늬가 아름다워 장식용 정원석, 축대 등에 이용된다. 편마암은 셰일 등의 퇴적암 기원의 준편마암(석영과 장석을 많이 포함)과 화성암 기원의 정편마암으로 구분하기도 하며, 정편마암에는 화강 편마암, 섬록 편마암 등이 있다.

호상 편마암

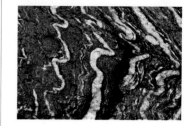

무색 광물과 유색 광물에 의한 밝고 어두운 줄무늬가 발달한 편마암을 호상 편마암이라고 한다.

점판암

천매암

편암

편마암

▲ 대표적인 광역 변성암

시야확장 ➕ 변성 환경의 지시 광물

온도와 압력에 따라 각각 특정한 영역에서 안정한 변성 광물을 변성 지시 광물이라고 한다.

• 셰일이 광역 변성 작용을 받아 점차 변성도가 높아지면서 점판암(슬레이트) → 천매암 → 편암 → 편마암 순으로 변하고, 각 암석에 나타나는 지시 광물도 녹니석 → 흑운모 → 근청석 → 규선석 → 석류석 순으로 변한다.

• 특히 홍주석, 남정석, 규선석은 화학 조성이 Al_2SiO_5로 같지만, 변성 작용 당시의 온도와 압력 조건에 따라 재결정 작용을 받아 결정 구조가 달라져서 서로 다른 광물이 형성된다. 홍주석은 고온·저압 환경에서, 남정석은 저온·고압 환경에서, 규선석은 고온·고압 환경에서 생성되고 각각 그 상태에서 안정하게 존재한다. 따라서 어떤 지역의 변성암에 이들 광물이 포함되어 있으면 변성 당시의 온도와 압력을 추정할 수 있다.

▲ 홍주석

▲ 남정석

▲ 규선석

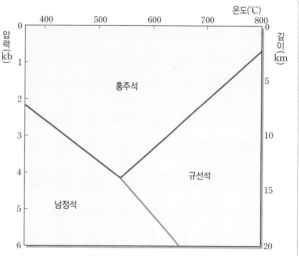

▲ 변성 지시 광물의 안정 영역   홍주석, 남정석, 규선석은 변성 온도와 압력을 지시하는 대표적인 변성 광물이다. 홍주석은 고온·저압 환경에서, 남정석은 저온·고압 환경에서, 규선석은 고온·고압 환경에서 생성되는 변성 지시 광물이다.

② 한반도의 변성암

한반도를 구성하는 암석의 약 40 %는 변성암으로서, 화성암이나 퇴적암보다 분포 면적이 넓다. 선캄브리아 시대부터 중생대까지 한반도를 형성한 판의 이동에 따라 변성 작용을 여러 번 겪으면서 다양한 변성도를 보이는 변성암이 형성되었다.

1. 선캄브리아 시대의 광역 변성암

한반도 중부에 있는 경기 육괴와 영남 지역에 있는 영남 육괴에는 대부분 선캄브리아 시대에 광역 변성 작용을 받아 생성된 편마암, 편암, 규암 등이 분포한다.

(1) **선캄브리아 시대 변성암의 특징:** 주로 편마암, 편암, 규암 등으로 이루어지며, 편리나 편마 구조와 같은 엽리가 뚜렷하게 나타난다. 선캄브리아 시대의 변성암은 북동−남서의 방향성을 보이며 분포한다.

(2) **경기 육괴와 영남 육괴의 변성암:** 경기 육괴와 영남 육괴는 약 20억 년 전～18억 년 전에 광역 변성 작용을 받아 형성된 편마암, 편암, 각섬암, 규암, 혼성암 등으로 이루어져 있으며, 다양한 형태의 지질 구조를 나타낸다.

▲ **경기 육괴에서 주로 발견되는 안구상 편마암** 장석이 렌즈 모양으로 배열된 편마암이다.

(3) **한반도에서 가장 오래된 암석:** 현재까지 알려진 한반도에서 가장 오래된 암석은 인천 광역시 대이작도에 분포하는 편마암이다. 이 편마암은 경기 육괴에 속하며, 약 25억 년 전에 광역 변성 작용을 받아 형성되었다.

선캄브리아 시대 변성암류

▲ **선캄브리아 시대 변성암 복합체**

2. 중생대의 광역 변성암

태백산 분지, 옥천 분지, 임진강대, 경기 육괴 등에는 중생대 트라이아스기에 한반도에 영향을 미친 송림 변동으로 광역 변성 작용을 받아 생성된 점판암, 천매암, 편암, 대리암 등이 분포한다.

(1) **태백산 분지의 변성암:** 중생대 초에 송림 변동으로 광역 변성 작용을 겪으며 조선 누층군에 속하는 일부 석회암은 대리암이 되었고, 평안 누층군에 속하는 일부 쇄설성 퇴적암은 천매암 또는 편암이 되었으며, 이 지역에 습곡 및 단층 구조가 형성되었다.

(2) **옥천 분지의 변성암:** 기존의 쇄설성 퇴적암이 광역 변성 작용을 받아 점판암, 천매암, 편암으로 변성되었다.

(3) **임진강대의 변성암:** 고생대 중기에 형성되었던 퇴적암이 광역 변성 작용을 받아 남정석 편암으로 변성되었다.

(4) **경기 육괴의 변성암:** 기존의 퇴적암이 변성 작용을 받아 형성된 남정석 편암이 더욱더 높은 온도와 압력에서 변성 작용을 받으면 고철질 변성암이 된다. 경기 육괴 서쪽에 위치한 충청남도 홍성 지역에서는 휘석, 석류석 등의 고온−고압의 변성 지시 광물을 포함하는 고철질 변성암이 발견된다.

▲ **남정석 편암** 푸른색의 남정석, 어두운색의 십자석, 붉은색의 석류석 등의 변성 지시 광물을 포함한다.

3. 중생대의 접촉 변성암

중생대 중기에 일어난 대보 조산 운동과 중생대 후기에 일어난 불국사 변동으로 활발한 화성 활동과 함께 마그마가 한반도 전역에 걸쳐 관입하면서 접촉 변성 작용이 일어났다. 이때 관입한 화성암체와 접하는 기존의 퇴적암은 고온의 마그마와 유체로 인해 변성되어 조직이 치밀하고 단단한 혼펠스가 되었다.

(1) **중생대 화강암의 분포:** 한반도에 분포하는 화강암은 중생대 쥐라기 말에 일어난 대보 조산 운동으로 관입한 대보 화강암과 백악기 말에 일어난 불국사 변동으로 관입한 불국사 화강암이 대부분이다. 대보 화강암은 한반도 중부와 남부 지방에서는 대체로 북동−남서의 방향성을 갖지만 한반도 북부 지방에서는 방향성이 없이 분포한다. 불국사 화강암은 특정한 방향성이 없이 분포하는데, 주로 경상 누층군이 분포하는 지역에 가장 많이 분포하고 다른 지역에는 소규모로 분포한다.

(2) **중생대 화강암 주변의 변성암:** 대보 화강암체나 불국사 화강암체와 접하고 있는 지역인 옥천 분지, 경상 분지에는 기존의 셰일과 석회암 등의 퇴적암이 고온의 마그마에 의한 열과 마그마에 포함된 유체에 의한 접촉 변성 작용을 받아 생성된 혼펠스나 대리암 등이 분포한다.

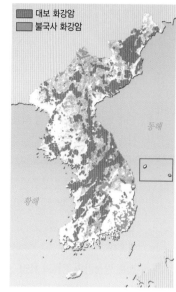

▲ **중생대 화강암의 분포**

시야 확장 ➕ 지구상에서 가장 오래된 암석

- 현재까지 발견된 지구상에서 가장 오래된 암석은 캐나다 북서부에서 발견된 아카스타 편마암이다. 1999년에 학계에 보고된 이 편마암의 절대 연령은 약 40억 3000만 년으로, 지구 탄생으로부터 약 5억 3000만 년 뒤에 생성된 것이다. 이 암석의 절대 연령은 수십 억 년 동안 이 암석이 겪었던 지각 변동을 견뎌낼 만큼 단단한 광물인 지르콘(지르코늄 규산염 광물)의 방사성 동위 원소를 이용하여 측정하였다. 이 암석은 변성암이므로, 변성 작용을 겪기 전인 원암이 생성된 시기는 더 오래전으로 거슬러 올라간다.
- 오스트레일리아 서부 잭 힐스에는 80 km 길이의 오래된 퇴적암과 변성암 지대가 분포하는데, 이곳의 암석에서 발견된 지르콘에서 측정한 절대 연령은 약 44억 년이다.
- 세계에서 가장 오래된 땅덩어리는 오스트레일리아 서부의 필바라(34억 년 전 이전), 캐나다 순상지(36억 년 전~24억 년 전), 인도 다르와(30억 년 전 이전), 발트 순상지(35억 년 전) 등이 꼽힌다. 중국 대륙도 매우 오래된 땅덩어리이며, 한반도도 그 연장선에 분포한다는 사실이 최근 연구 결과를 통해 밝혀지고 있다.

▲ **아카스타 편마암 복합체**(출처: AGU)

▲ **아카스타 편마암**

변성 작용의 유형과 변성암의 종류

변성암이란 변성 작용에 의하여 형성된 암석으로서 기존 암석이 생성 당시와 다른 환경에 놓여 고체 상태에서 광물 성분이나 조직이 변하여 생성된 암석이다. 이러한 변성 작용에는 접촉 변성 작용, 광역 변성 작용, 파쇄 변성 작용, 교대 (열수) 변성 작용 등이 있다.

❶ 접촉 변성 작용(열 변성 작용)

(1) **접촉 변성 작용이 일어나는 환경:** 접촉 변성 작용은 마그마의 관입 접촉부를 따라 일어난다. 지각에 관입한 마그마는 열을 주변의 암석으로 서서히 방출하며 고결되는데, 이때 방출한 열과 함께 마그마로부터 분리된 화학 성분(물, 휘발 성분)에 의해 주변 암석이 변성된다. 온도와 화학 성분에 따라 변성되는 범위는 다르지만, 대체로 마그마 접촉부로부터 $2 \, km \sim 3 \, km$까지의 범위이며 온도의 범위는 약 $300 \, ℃ \sim 800 \, ℃$이다. 이 범위 내에서는 압력의 영향은 고려되지 않으며, 마그마의 접촉부에서 멀어질수록 저온성 변성 광물이 형성된다.

(2) **접촉 변성암의 종류와 특징**

① **혼펠스:** 점토질 암석 중 셰일이 접촉 변성 작용을 받으면 재결정 작용으로 혼펠스가 되며, 세립질의 치밀하고 단단하게 짜인 혼펠스 조직을 나타낸다. 주 구성 광물은 석영, 흑운모, 백운모, 장석이며, 변성 광물로 석류석, 홍주석, 근청석, 녹니석 등을 포함하기도 한다.

② **대리암:** 석회질 암석 중 석회암이 접촉 변성 작용을 받으면 재결정 작용을 받아 입상 변정질 조직의 대리암으로 변하는데, 대리암의 주성분은 방해석이지만 변성 광물로 규회석, 투휘석, 투각섬석, 석류석 등의 광물을 포함하기도 한다. 예를 들어, 방해석에서 변성 광물인 석류석이 생성되는 과정은 다음과 같다.

$$3SiF_4 + 2FeF_3 + 12CaCO_3 \rightarrow Ca_3Fe_2Si_3O_{12} + 9CaF_2 + 12CO_2$$
$$\text{방해석} \qquad\qquad \text{석류석}$$

③ **규암:** 주로 석영(SiO_2) 성분의 모래로 이루어진 사암이 열에 의한 재결정 작용을 받아 생성된 암석으로 입상 변정질 조직을 나타낸다. 사암이었을 때는 입자와 입자 사이에 약간의 공극이 있는 쇄설성 조직이었으나, 변성 작용을 받은 규암은 입자들이 매우 치밀하게 붙어 있는 입상 변정질 조직을 나타낸다. 따라서 규암은 매우 단단하고 풍화 작용에 강하다.

❷ 광역 변성 작용

(1) **광역 변성 작용이 일어나는 환경:** 조산 운동과 같은 큰 지각 변동이 일어나는 조산대 하부에서 높은 열과 큰 압력에 의해서 일어나는 변성 작용으로 재결정 작용과 함께 광물의 변형 작용이 수반된다. 대부분의 광역 변성 작용은 판과 판이 수렴하는 경계에서 일어나는데, 두 대륙판이 충돌하는 경계나 해양판이 대륙판이나 해양판 아래로 섭입하는 경계에서 주로 일어난다.

(2) **광역 변성암의 종류와 특징:** 광역 변성 작용을 받은 암석은 일반적으로 얇은 판상으로 쪼개지거나 엽리 조직이 나타난다. 엽리는 암석이 높은 열과 압력을 받아 재결정 작용이 일어날 때 운모와 같은 판상 광물이 압력 방향에 수직인 면과 평행을 이루며 배열되어 생성되는 조직으로, 편리와 편마 구조가 있다.

변성 작용과 화성 작용

퇴적 분지에 쌓인 퇴적물들은 속성 작용을 거쳐 퇴적암이 되고, 퇴적 분지가 점차 침강하여 압력과 온도가 높아지거나 지각 내부에 마그마가 관입하면 그 열로 주변 암석이 가열되어 변성 작용이 진행된다. 변성 작용은 고체 상태에서 진행되는 것이므로 암석이 용융되는 환경이 되면 변성 작용의 영역을 지나 마그마가 형성되는 화성 작용의 영역이 된다.

변성 작용의 영역

• 변성 작용은 약 $300 \, ℃$ 이상의 온도와 수백 MPa 이상의 압력 (수 km 깊이 이상의 압력에 해당함)의 영향을 받은 퇴적암과 화성암에서의 광물 조합과 조직의 변화를 의미한다.

• 변성 작용과 용융되는 범위의 경계에서는 화성암과 변성암 부분이 같이 섞여 있는데 이를 혼성암(migmatite)이라 한다.

• 저변성 작용은 $300 \, ℃ \sim 500 \, ℃$의 온도와 낮은 압력 하에서, 고변성 작용은 약 $500 \, ℃$ 이상의 온도와 높은 압력 하에서 일어난다.

편리와 편마 구조

편리는 주로 운모와 같은 판상의 광물로 이루어지며, 편마 구조는 재결정된 석영이나 장석들이 이루는 흰색 줄무늬와 흑운모를 주로 하는 검은색 줄무늬가 교차하여 띠를 이루는 것이 보통이다.

① 점판암: 셰일의 변성 정도가 가장 낮은 암석으로 결정 입자가 매우 작아 육안으로는 광물을 식별할 수 없다. 점판암은 잘 쪼개지는 성질이 있으며 쪼개짐이 특히 잘 발달한 것은 판암 또는 운모 판암이라 하여 건축 자재로 많이 쓰인다.

② 천매암: 점판암이 온도와 압력이 더욱 증가하여 변성 작용을 받은 것으로 결정은 현미경으로 관찰할 수 있다. 천매암은 세립질이고 편리가 잘 발달해 있으며, 편리면은 다량 함유되어 있는 운모의 영향으로 강한 광택을 나타낸다. 주요 구성 광물은 미립의 석영과 운모이나 변성 광물로 녹니석, 석류석 등을 포함하기도 한다. 우리나라에서 천매암은 옥천 변성대에 대규모로 분포한다.

③ 편암: 천매암이 더욱더 높은 온도와 압력 하에서 변성 작용을 받으면 편암이 된다. 편암은 운모에 의한 편리가 가장 잘 발달된 암석으로, 편리면을 따라 비교적 잘 쪼개진다. 주 구성 광물은 흑운모, 백운모, 녹니석 등의 판상 광물이며 각섬석, 흑연, 녹염석 등을 함유하기도 한다. 이외에도 변성도가 높은 편암에서는 석류석, 십자석, 남정석, 홍주석 등의 변성 광물이 변성 반정을 이루며, 재결정된 석영과 공존하기도 한다.

④ 편마암: 편암이 더욱더 높은 온도와 압력 하에서 변성 작용을 받으면 편마암이 된다. 편마암은 천매암이나 편암보다 조립질이고 편마 구조를 나타내는데, 편마 구조는 호상 편마암에 가장 잘 발달해 있다. 편마 구조에는 석영, 사장석, 정장석 등 밝은색 광물이 주로 배열된 층과 흑운모나 각섬석 등의 어두운색 광물이 주로 배열된 층이 교대로 나타난다. 편마암의 구성 광물은 장석이 가장 많으며, 석영, 운모, 각섬석, 석류석 등이다.

❸ 기타 변성 작용

(1) **파쇄 변성 작용(동력 변성 작용):** 지표 가까이 있는 암석이 온도 변화는 거의 없이 압력을 받아 파쇄되면서 일어나는 변성 작용으로, 단층 부근이나 습곡대에서 발달한다. 파쇄 변성암에는 단층 각력암, 압쇄암, 안구상 편마암 등이 있다.

(2) **교대(열수) 변성 작용:** 마그마가 냉각되면서 고결될 때 생성되는 열수에 의해 암석이나 기존 광상에 물질이 첨가되어 일어나는 변성 작용을 말한다.

편암의 변성 반정(석류석)

편암에는 편리와 무관하게 광물 알갱이가 알알이 박혀있는 경우가 있는데, 이를 변성 반정이라고 한다. 편암의 가장 대표적인 변성 반정은 석류석이다.

편마암의 구분

편마암은 기원암의 종류에 따라 화성암이 변한 정편마암, 퇴적암이 변한 준편마암으로 구분한다. 정편마암에는 화강암이 변한 화강 편마암, 섬록암이 변한 섬록 편마암 등이 있으며, 구성 광물을 기준으로 흑운모 편마암, 각섬석 편마암 등으로 구분하기도 한다.

매몰 변성 작용

화산 쇄설물을 포함한 퇴적물이 퇴적 분지에 깊이 매몰될 때 일어나는 변성 작용으로, 약 300 ℃ 이상의 온도에서 공극수 내의 화학 성분이 재결정 작용을 촉진하여 새로운 광물이 형성된다. 광물 조성은 완전히 변해도 매몰 변성암에는 퇴적암의 조직이 남아 있다. 매몰 변성 작용의 증거에 해당하는 대표적인 광물에는 불석(zeolite)이 있다.

> 정답과 해설 **187**쪽

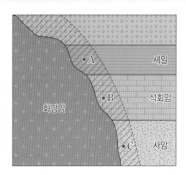

그림은 어느 지역의 지질 단면도를 나타낸 것으로, 화강암과 접촉해 있는 빗금 친 부분의 암석 A, B, C는 각각 변성 작용을 받은 것이다.
이에 대한 설명으로 옳은 것만을 보기에서 있는 대로 고른 것은?

┌─ 보기 ─────────────────────────────────┐
ㄱ. A, B, C는 모두 접촉 변성 작용을 받았다.
ㄴ. A, B, C 중 묽은 염산과 반응하는 것은 B이다.
ㄷ. A는 입상 변정질 조직을, B와 C는 혼펠스 조직을 이룬다.
└──────────────────────────────────────┘

① ㄱ   ② ㄷ   ③ ㄱ, ㄴ   ④ ㄴ, ㄷ   ⑤ ㄱ, ㄴ, ㄷ

03 한반도의 변성 작용

① 변성 작용과 변성암

1 변성 작용
• 변성 작용을 일으키는 요인에는 온도와 (❶   ), 유체의 영향, 시간 등이 있다.
• (❷   ): 변성 작용이 일어나는 동안 온도와 압력의 영향으로 광물의 내부 결합 구조가 달라져 크기가 변화하고 새로운 광물이 생성되는 것을 말한다.

2 변성 작용의 종류
• 기존의 암석이 관입한 마그마로부터 (❸   )과 휘발 성분을 공급받으면 새로운 광물이 생기거나 광물 입자의 크기가 커지는데, 이처럼 주로 열에 의해 일어나는 변성 작용을 (❹   ) 작용이라고 한다.
• 두 대륙판이 충돌하거나 해양판이 대륙판 아래로 섭입하면서 발생하는 (❺   ) 운동과 같은 대규모의 지각 변동이 일어나는 곳에서 높은 온도와 압력에 의해 일어나는 변성 작용을 (❻   ) 작용이라고 한다.

3 변성암의 조직
• (❼   ) 조직: 마그마와의 접촉부에서 암석이 재결정 작용을 받아 입자가 작은 광물들이 치밀하고 단단하게 짜인 조직을 말한다.
• (❽   ) 조직: 광물이 재결정 작용을 받아 입자들의 방향성이 없고 크기가 거의 비슷한 굵은 광물 입자들로 치밀하게 짜인 조직을 말하며, 주로 규암과 대리암에 발달해 있다.
• (❾   ) 조직: 암석이 높은 압력 하에서 재결정 작용을 받으면 광물 입자의 크기가 커지고 광물들이 재배열되는데, 광물들이 압력에 직각 방향으로 평행하게 배열된 구조를 말한다.
• 세립질의 암석에 압력이 가해지면 특정 광물이 압력에 (❿   ) 방향으로 성장하여 평행하게 배열되는데, 이러한 조직을 (⓫   )라고 한다.
• 조립질의 암석이 큰 압력을 받거나 편리 조직이 발달한 암석이 더욱 큰 압력과 열을 받으면 재결정 작용으로 결정이 커져서 조립질 암석으로 변하고, (⓬   ) 광물과 무색 광물이 교대로 평행한 줄무늬를 이루는데, 이를 (⓭   )라고 한다.

4 변성암의 종류와 조직
• 셰일이 접촉 변성 작용을 받아 생성된 세립질의 변성암은 (⓮   )이고, 석회암이나 돌로마이트가 주로 열에 의한 재결정 작용을 받아 생성된 변성암은 (⓯   )이다.
• 셰일이 광역 변성 작용을 가장 적게 받아 생성된 것으로, 판 모양으로 잘 쪼개지는 암석은 (⓰   )이고, 이 암석이 더욱 심한 변성 작용을 받아 생성된 암석은 (⓱   )이다.
• 천매암이 더욱더 큰 압력과 높은 온도에서 변성 작용을 받아서 생성되어 편리가 가장 뚜렷하게 발달해 있는 암석은 (⓲   )이고, 이 암석이 더욱더 큰 압력과 높은 온도에서 변성 작용을 받아 유색 광물과 무색 광물이 교대로 평행한 줄무늬를 이루는 암석은 (⓳   )이다.

② 한반도의 변성암

1 선캄브리아 시대의 광역 변성암
선캄브리아 시대에 광역 변성 작용을 받아서 생성된 변성암은 주로 (⓴   )에 분포하며, 이들 변성암은 편마암, 편암, 규암 등의 (㉑   ) 복합체를 이루고 있다.

2 고생대 말~중생대 초의 광역 변성암
고생대 말에서 중생대 초까지 한반도에 영향을 미친 (㉒   ) 변동으로 옥천 분지, 태백산 분지, 임진강대 등에 분포하던 기존의 암석이 광역 변성 작용을 받았다.

3 중생대 화성암과의 접촉 변성암
한반도에는 중생대의 (㉓   ) 조산 운동으로 관입한 대보 화강암과 (㉔   ) 변동으로 관입한 불국사 화강암이 분포한다. 이 화강암체들과 접하는 옥천 분지와 경상 분지에는 기존의 퇴적암이 접촉 변성 작용을 받아 생성된 (㉕   )나 대리암이 분포한다.

01 변성 작용에 대한 설명으로 옳은 것은 ○, 옳지 <u>않은</u> 것은 ×로 표시하시오.

(1) 변성 작용의 요인에는 열과 압력, 유체의 영향 등이 있다. ·· (　　)

(2) 재결정 작용으로 광물의 내부 결합 구조와 크기가 변하지만 새로운 광물은 생성되지 않는다. ········ (　　)

(3) 접촉 변성암은 기존의 암석이 마그마의 접촉부에서 열과 물질을 공급받아 생성된다. ················· (　　)

(4) 광역 변성암은 열의 영향은 받지 않고 압력의 영향만 받아 생성된다. ································· (　　)

02 그림은 판 경계와 내부 온도 분포를 나타낸 것이다.

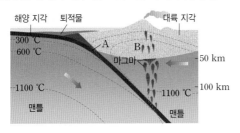

이에 대한 설명으로 옳은 것만을 보기에서 있는 대로 고르시오.

보기
ㄱ. A 지역에서는 깊이가 깊어질수록 변성도가 점차 증가한다.
ㄴ. B 지역에서 지각의 온도가 주변보다 높은 까닭은 상승하는 마그마의 영향 때문이다.
ㄷ. A 지역에는 광역 변성암이, B 지역에는 접촉 변성암이 주로 분포한다.

03 다음은 변성암에서 나타나는 조직을 설명한 것이다. 각각의 조직이 무엇인지 쓰시오.

(1) 마그마와의 접촉부에서 암석이 재결정 작용을 받아 입자가 작은 광물이 치밀하고 단단하게 짜인 조직

(2) 재결정 작용을 받아 입자들의 방향성이 없고 크기가 거의 비슷한 굵은 광물 입자들로 짜인 조직

(3) 광물이 압력에 직각 방향으로 평행하게 배열된 조직

04 다음은 변성암 (가), (나)의 모습을 스케치하고 그 특징을 기록한 것이다.

| (가) | 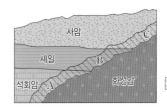 | • 휘어진 구조가 보임.
• 밝은색과 어두운색의 광물이 교대로 띠를 이룸. |
| (나) | | • 어두운색을 띠며, 얇은 판 모양으로 잘 쪼개짐.
• 쪼개진 면에서 화석이 산출됨. |

(1) (가)의 변성암은 어떤 구조를 이루는지 쓰시오.
(2) (나)의 변성암의 암석 명을 쓰시오.

05 그림은 어느 지역의 지질 단면도를 나타낸 것이다.

이에 대한 설명으로 옳은 것만을 보기에서 있는 대로 고르시오.

보기
ㄱ. A에서 산출되는 암석은 대리암이다.
ㄴ. B에서 산출되는 암석에는 엽리가 발달한다.
ㄷ. A와 C의 암석은 모두 묽은 염산과 반응한다.

06 한반도에 분포하는 변성암에 대한 설명으로 옳은 것만을 보기에서 있는 대로 고르시오.

보기
ㄱ. 광역 변성암은 모두 선캄브리아 시대에 생성된 것이다.
ㄴ. 육괴에 분포하는 암석은 대부분 광역 변성 작용에 의한 편암과 편마암이다.
ㄷ. 태백산 분지와 옥천 분지의 쇄설성 퇴적암의 일부는 송림 변동에 의해 접촉 변성 작용을 받았다.
ㄹ. 대보 조산 운동과 불국사 변동에 의해 관입한 화강암은 접촉 변성 작용을 일으켜 혼펠스를 형성하였다.

01 ➤변성 작용의 종류

그림 (가)는 지하의 온도, 압력 분포와 변성암이 생성될 수 있는 환경 A, B를, (나)는 어느 변성암의 모습을 나타낸 것이다.

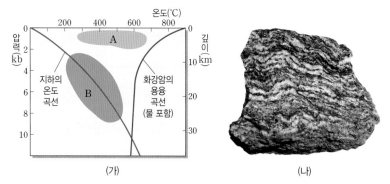

(가)   (나)

이에 대한 설명으로 옳은 것만을 보기에서 있는 대로 고른 것은?

보기

ㄱ. A에서는 접촉 변성 작용이 일어난다.

ㄴ. B는 주로 판의 수렴 경계에 해당한다.

ㄷ. (나)의 암석은 주로 B보다 A의 환경에서 잘 생성된다.

① ㄱ   ② ㄷ   ③ ㄱ, ㄴ   ④ ㄴ, ㄷ   ⑤ ㄱ, ㄴ, ㄷ

• 접촉 변성암은 압력보다는 열의 영향을 받아서 생성되고, 광역 변성암은 열과 압력의 영향을 함께 받아서 생성된다.

02 ➤변성암의 생성 환경

그림 (가)는 두 대륙판의 충돌로 형성된 히말라야산맥의 단면을, (나)는 지하의 온도 분포와 화강암의 용융 곡선을 나타낸 것이다.

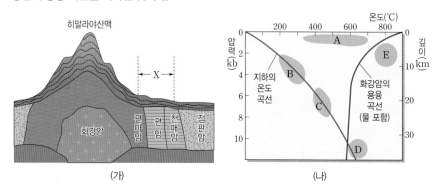

(가)   (나)

그림 (가)의 X 지역에 분포하는 변성암이 생성될 수 있는 온도와 압력 조건으로 가장 적절한 것을 그림 (나)에서 고르면?

① A   ② B   ③ C   ④ D   ⑤ E

• 퇴적암인 셰일이 광역 변성 작용을 받으면 온도와 압력이 증가하면서 점판암(슬레이트) → 천매암 → 편암 → 편마암 순으로 변성암이 생성된다.

03 ❯ 변성암의 종류와 특징

그림 (가)~(라)는 퇴적암인 셰일이 광역 변성 작용을 받을 때 변성도에 따라 생성된 변성암을 순서 없이 나타낸 것이다.

(가) 점판암

(나) 편암

(다) 천매암

(라) 편마암

이에 대한 설명으로 옳은 것만을 보기에서 있는 대로 고른 것은?

보기
ㄱ. (다)는 (나)보다 편리 조직이 더 발달해 있다.
ㄴ. 광물 입자의 크기는 (가)<(다)<(나)<(라)이다.
ㄷ. 변성도가 가장 낮은 것은 (가)이고, 가장 높은 것은 (라)이다.

① ㄱ   ② ㄷ   ③ ㄱ, ㄴ   ④ ㄴ, ㄷ   ⑤ ㄱ, ㄴ, ㄷ

> 셰일이 광역 변성 작용을 받으면 변성도에 따라 점판암, 천매암, 편암, 편마암으로 변하며, 이들 변성암에는 압력에 직각 방향으로 엽리가 발달한다.

04 ❯ 변성암의 종류

그림은 퇴적암 지층을 화강암질 마그마(B)가 관입한 후 현무암질 마그마(A)가 분출한 지역의 지질 단면도를 나타낸 것이다.

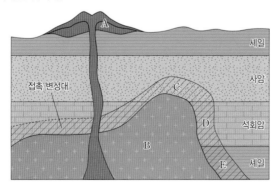

이에 대한 설명으로 옳은 것만을 보기에서 있는 대로 고른 것은?

보기
ㄱ. 광물 입자의 크기는 A가 B보다 작다.
ㄴ. C와 D는 입상 변정질 조직을 이룬다.
ㄷ. E는 엽리가 잘 발달한 점판암이다.

① ㄱ   ② ㄷ   ③ ㄱ, ㄴ   ④ ㄴ, ㄷ   ⑤ ㄱ, ㄴ, ㄷ

> 화산암은 마그마의 냉각 속도가 빠르고, 심성암은 마그마의 냉각 속도가 느리다. 접촉 변성 작용을 받으면 사암은 규암으로, 석회암은 대리암으로, 셰일은 혼펠스로 변한다.

05 〉 변성암의 종류

그림은 셰일이 서로 다른 변성 작용 (가), (나)를 받아 생성되는 암석을 나타낸 것이다.

이에 대한 설명으로 옳은 것만을 보기에서 있는 대로 고른 것은?

┌─ 보기 ───
│ ㄱ. (가)는 주로 열에 의한 변성 작용, (나)는 열과 압력에 의한 변성 작용이다.
│ ㄴ. 혼펠스는 셰일보다 조직이 치밀하고, 더 단단하다.
│ ㄷ. (가)의 과정에서 점판암이, (나)의 과정에서 천매암이 생성될 수 있다.
└───

① ㄱ   ② ㄷ   ③ ㄱ, ㄴ   ④ ㄴ, ㄷ   ⑤ ㄱ, ㄴ, ㄷ

• 셰일이 온도 증가에 따른 접촉 변성 작용을 받으면 혼펠스가 되고, 온도와 압력의 증가에 따른 광역 변성 작용을 받으면 점판암, 천매암, 편암, 편마암이 된다.

06 〉 화성암과 변성암

그림은 화강암(A)과 화강 편마암(B)의 모습과 그 박편을 편광 현미경으로 관찰한 모습을 나타낸 것이다.

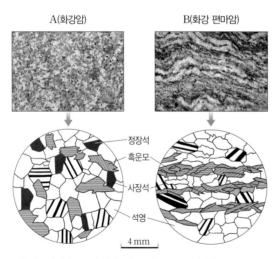

이에 대한 설명으로 옳은 것만을 보기에서 있는 대로 고른 것은?

┌─ 보기 ───
│ ㄱ. A와 B의 구성 광물은 유사하다.
│ ㄴ. A가 용융된 후 재결정 작용을 받으면 B가 된다.
│ ㄷ. A는 입상 변정질 조직을 나타내고, B는 편마 구조를 나타낸다.
└───

① ㄱ   ② ㄴ   ③ ㄱ, ㄷ   ④ ㄴ, ㄷ   ⑤ ㄱ, ㄴ, ㄷ

• 화강암은 마그마가 지하 깊은 곳에서 천천히 냉각되어 생성된 것이고, 화강 편마암은 화강암이 고온 고압 하에서 광역 변성 작용을 받아서 생성된 것이다.

07 ▶ 변성암의 조직

그림 (가)는 어느 지역의 지질 단면도이고, (나)는 이 지역의 A, B, C에서 채취한 암석의 박편을 편광 현미경으로 관찰하여 스케치한 것이다.

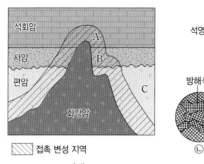

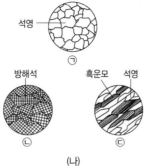

(가)　　　　　　　　(나)

A, B, C에서 채취한 암석과 그 박편을 스케치한 것을 옳게 짝 지은 것은?

	A	B	C
①	㉠	㉡	㉢
②	㉠	㉢	㉡
③	㉡	㉠	㉢
④	㉡	㉢	㉠
⑤	㉢	㉠	㉡

석회암이 접촉 변성 작용을 받으면 대리암으로 변성되고, 사암이 접촉 변성 작용을 받으면 규암으로 변성된다. 편암에서는 광물들이 압력에 직각 방향으로 평행하게 배열된 편리가 나타난다.

08 ▶ 변성 작용

그림 (가)는 해양판과 대륙판의 수렴 경계를 나타낸 것이고, (나)와 (다)는 이 지역에서 산출된 암석의 모습과 그 특징을 정리한 것이다.

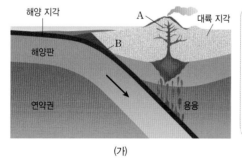

밝은색과 어두운색 광물이 교대로 줄무늬를 이룬다.

검은색으로 보이며 표면에는 기공이 많이 나타난다.

(가)　　　　　　(나)　　　　　(다)

이에 대한 설명으로 옳은 것만을 보기에서 있는 대로 고른 것은?

보기
ㄱ. A 지역에서는 광역 변성 작용이 일어난다.
ㄴ. (나) 암석은 B 지역에서 생성될 수 있다.
ㄷ. (다) 암석에서 엽리 조직을 관찰할 수 있다.

① ㄱ　　　② ㄴ　　　③ ㄷ　　　④ ㄱ, ㄴ　　　⑤ ㄴ, ㄷ

해양판이 대륙판 아래로 섭입하는 지역에서는 광역 변성 작용이, 마그마가 상승하는 지역에서는 접촉 변성 작용이 일어난다.

09 > 한반도의 광역 변성 작용

다음은 우리나라 어느 지역의 지질 조사 결과를 정리한 것이다.

[야외 관찰]

- 습곡 구조가 관찰된다.
- 검은 띠와 흰 띠의 줄무늬가 교대로 나타난다.
- 광물 입자는 맨눈으로 구별할 수 있을 정도로 크다.

[편광 현미경 관찰]

- 구성 광물들이 재결정되어 그림처럼 검은 띠가 일정한 방향으로 배열되어 있다.
- 구성 광물은 흑운모, 사장석, 석영, 홍주석 등이다.
- 미세한 습곡 구조가 관찰된다.

이에 대한 설명으로 옳지 않은 것은?

① 야외에서 관찰한 줄무늬는 층리이다.

② 답사 지역의 암석은 광역 변성 작용을 받았다.

③ 이 암석은 선캄브리아 시대에 생성된 편마암이다.

④ 현미경 관찰에서 검은 띠를 이루는 광물은 흑운모이다.

⑤ 답사 지역은 한반도의 지체 구조에서 육괴에 해당한다.

10 > 변성암의 생성

그림은 어느 지역의 지질 단면도를 나타낸 것이다.

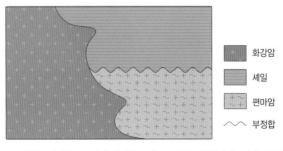

화강암	
셰일	
편마암	
부정합	

이에 대한 설명으로 옳은 것만을 보기에서 있는 대로 고른 것은? (단, 지층의 역전은 없다.)

보기

ㄱ. 편마암은 셰일에 화강암질 마그마가 관입할 때 접촉 변성 작용으로 생성되었다.

ㄴ. 이 지역은 편마암이 생성된 후 융기 → 침식 → 침강 순의 지각 변동을 겪었다.

ㄷ. 이 지역의 암석은 편마암 → 셰일 → 화강암 순으로 생성되었다.

① ㄱ   ② ㄴ   ③ ㄱ, ㄷ   ④ ㄴ, ㄷ   ⑤ ㄱ, ㄴ, ㄷ

- 습곡 구조가 나타나면 광역 변성 작용으로 큰 횡압력을 받았다는 증거이고, 검은 띠와 흰 띠의 줄무늬가 교대로 나타나는 것은 편마 구조이다. 한반도의 광역 변성암은 대부분 육괴에 분포한다.

- 편마암은 셰일이 광역 변성 작용을 받아서 생성된다. 부정합은 융기와 침식 및 침강의 지각 변동을 받아서 생성된다.

11 ❯ 한반도의 변성암

그림은 한반도 중부와 남부의 주요 지층과 암석의 분포를 나타낸 것이다.

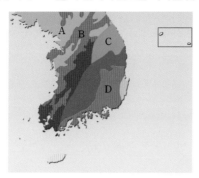

A~D 지역에 대한 설명으로 옳은 것만을 보기에서 있는 대로 고른 것은?

┌ 보기 ───

ㄱ. A에는 주로 선캄브리아 시대의 변성암이, B에는 주로 중생대의 화강암이 분포한다.

ㄴ. C에는 고생대의 해성층이, D에는 중생대의 육성층이 분포한다.

ㄷ. C의 퇴적암은 A의 변성암보다 먼저 생성되었다.

└──

① ㄱ   ② ㄷ   ③ ㄱ, ㄴ   ④ ㄴ, ㄷ   ⑤ ㄱ, ㄴ, ㄷ

• 한반도의 지체 구조에서 육괴는 주로 선캄브리아 시대의 변성암으로 이루어져 있고, 분지는 주로 퇴적암류로 이루어져 있다.

12 ❯ 한반도의 변성암

다음은 선캄브리아 시대의 변성암, 고생대 및 중생대의 퇴적암 분포 지역과 그림의 세 지역 A, B, C의 특징을 순서 없이 나타낸 것이다.

(가) 공룡과 새의 발자국 화석이 많이 발견된다.

(나) 석회암층과 석탄층이 두껍게 분포한다.

(다) 선캄브리아 시대의 변성암이 넓게 분포한다.

• A는 경기 육괴에, B는 태백산 분지에, C는 경상 분지에 위치한다. 태백산 분지에는 고생대의 조선 누층군이 퇴적되어 있고, 경상 분지에는 중생대의 육성층이 퇴적되어 있다.

A, B, C 지역에 해당하는 특징을 옳게 짝 지은 것은?

	A	B	C
①	(가)	(나)	(다)
②	(가)	(다)	(나)
③	(나)	(다)	(가)
④	(다)	(가)	(나)
⑤	(다)	(나)	(가)

01 ▷ 지구형 행성의 탄생과 환경

표는 지구형 행성인 금성, 지구, 화성의 물리량을 나타낸 것이다.

구분	금성	지구	화성
평균 표면 온도(°C)	480	15	−63
주요 대기 성분	CO_2	N_2, O_2	CO_2
대기압(기압)	95	1	0.01
자기장의 세기(지구=1)	0.001 이하	1	약 0.001
오존층	없음	있음	없음

이에 대한 설명으로 옳지 않은 것은?

① 금성, 지구, 화성은 태양계 성운에서 거의 동시에 탄생하였다.

② 금성, 지구, 화성은 규산염질 암석과 철, 니켈 등의 금속으로 구성된다.

③ 금성의 표면 온도가 높은 주된 까닭은 태양과의 거리가 가깝기 때문이다.

④ 지구와는 달리 금성과 화성의 표면에서는 물이 액체 상태로 존재할 수 없다.

⑤ 지구의 자기장과 오존층은 지구상에 생명체가 존재하는데 큰 영향을 미친다.

> 금성, 지구, 화성은 규산염질 암석과 철, 니켈 등의 금속으로 구성되어 있다. 대기 중에 이산화 탄소 농도가 높으면 온실 효과가 증대되어 표면 온도가 높아진다. 한편 지구 자기장은 태양으로부터 오는 대전 입자를 차단하며, 오존층은 태양의 유해한 자외선을 흡수한다.

02 ▷ 지각 열류량

그림은 해령(A)으로부터 거리에 따른 지각 열류량과 지형의 단면을 나타낸 것이다.

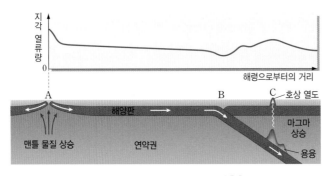

이에 대한 설명으로 옳은 것만을 보기에서 있는 대로 고른 것은?

보기
```
ㄱ. A에서 지각 열류량이 높은 까닭은 맨틀 대류의 상승 때문이다.
ㄴ. B는 해구로서, 맨틀 대류가 하강하므로 지각 열류량이 낮다.
ㄷ. B보다 C의 지각 열류량이 높은 까닭은 마그마 상승에 따른 화산 활동 때문이다.
```

① ㄱ　　　② ㄷ　　　③ ㄱ, ㄴ　　　④ ㄴ, ㄷ　　　⑤ ㄱ, ㄴ, ㄷ

> 해령의 하부에서는 맨틀 대류의 상승으로 마그마가 생성되고, 해구에서는 맨틀 대류가 하강한다.

03

> 지구 내부의 층상 구조와 물리량

그림은 지구 내부의 층상 구조와 지진파의 속도 및 압력, 밀도, 온도 분포를 나타낸 것이다.

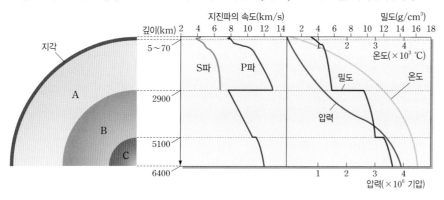

이에 대한 설명으로 옳은 것만을 보기에서 있는 대로 고른 것은?

> 보기

ㄱ. 지진파의 속도 불연속면에서는 밀도, 압력, 온도가 모두 급격히 변한다.

ㄴ. 약 2900 km 깊이와 5100 km 깊이는 불연속면으로, 물질의 상태가 크게 변한다.

ㄷ. 지진파의 속도 분포로 보아 A층은 고체 상태, B와 C층은 액체 상태의 물질이다.

① ㄱ 　　② ㄴ 　　③ ㄱ, ㄷ 　　④ ㄴ, ㄷ 　　⑤ ㄱ, ㄴ, ㄷ

• 지진파의 속도 불연속면은 모호면, 구텐베르크면, 레만면이 있으며, 이들 불연속면에서 물질의 상태가 바뀌거나 밀도가 급격히 변한다.

04

> 중력 이상

표는 지표 위의 서로 다른 세 지점 A, B, C에서 측정한 중력 이상을, 그림은 단진자의 모습을 나타낸 것이다.

측정 지점	A	B	C
위도	45°N	45°N	0°
중력 이상(mGal)	0	+30	0

이에 대한 설명으로 옳은 것만을 보기에서 있는 대로 고른 것은?

> 보기

ㄱ. 표준 중력의 크기는 A = B > C이다.

ㄴ. 실측 중력의 크기는 A < B이다.

ㄷ. 단진자의 주기는 B > C이다.

① ㄱ 　　② ㄷ 　　③ ㄱ, ㄴ 　　④ ㄴ, ㄷ 　　⑤ ㄱ, ㄴ, ㄷ

• 중력 이상은 실측 중력과 표준 중력과의 차이이다. 표준 중력은 이론적으로 구한 중력으로 위도에 따라서만 변한다.

05 > 지구 자기장의 3요소
그림은 세계의 편각 분포를 나타낸 것으로, 음(−)의 값은 서편각을 나타낸다.

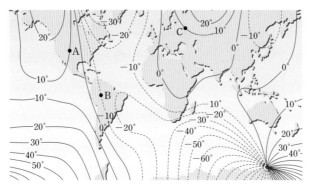

편각은 자북과 진북(지리학상의 북극) 사이의 각이고, 복각은 자침이 수평면에 대하여 기울어진 각이다. 복각의 크기는 자극에서 최대이고 자기 적도에서 최소이며, 복각이 클수록 연직 자기력은 커지고 수평 자기력은 작아진다.

이에 대한 설명으로 옳은 것만을 보기에서 있는 대로 고른 것은?

> 보기
> ㄱ. A와 C에서의 편각은 같으며 모두 동편각이다.
> ㄴ. A~C 중 B에서는 복각이 가장 크고, 수평 자기력이 가장 작다.
> ㄷ. B에서 A까지 직선으로 이동할 때 나침반의 자침은 시계 반대 방향으로 회전한다.

① ㄱ   ② ㄷ   ③ ㄱ, ㄴ   ④ ㄴ, ㄷ   ⑤ ㄱ, ㄴ, ㄷ

06 > 광물의 편광 현미경 관찰
그림 (가)는 어떤 광물을 통해 선을 관찰한 모습을, (나)는 편광 현미경으로 광물을 관찰하는 모습을 나타낸 것이다.

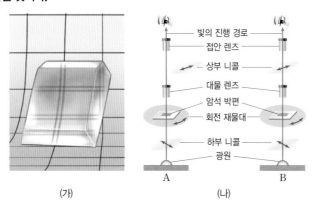

(가)   (나)

상부 니콜(상부 편광판)을 뺀 상태를 개방 니콜이라 하고, 상부 니콜을 끼운 상태를 직교 니콜이라고 한다. 개방 니콜에서는 다색성을, 직교 니콜에서는 간섭색과 소광 현상을 관찰할 수 있다.

이에 대한 설명으로 옳은 것만을 보기에서 있는 대로 고른 것은?

> 보기
> ㄱ. (가)의 광물은 광학적 이방체이다.
> ㄴ. (나)에서 A는 직교 니콜, B는 개방 니콜이다.
> ㄷ. (가)의 광물을 (나)의 B에서 관찰하면 다색성을 볼 수 있다.

① ㄱ   ② ㄷ   ③ ㄱ, ㄴ   ④ ㄴ, ㄷ   ⑤ ㄱ, ㄴ, ㄷ

• 탄산염 광물은 묽은 염산과 반응을 하고, 규소(Si)와 산소(O)를 포함하는 광물은 규산염 광물이다. 규산염 광물은 SiO_4 사면체 구조를 이룬다.

07 ❯ 광물의 물리적 성질

표는 몇 가지 광물의 물리적 특성을 나타낸 것이다.

광물(화학식)	굳기	색	조흔색	쪼개짐과 깨짐
방해석($CaCO_3$)	3	무색	백색	3방향
정장석($KAlSi_3O_8$)	6	엷은 분홍색	백색	2방향
석영(SiO_2)	7	무색	—	깨짐
금(Au)	2.5~3	황색	황색	깨짐
황철석(FeS_2)	6~6.5	황색	흑색	깨짐

이에 대한 설명으로 옳은 것만을 보기에서 있는 대로 고른 것은?

보기
ㄱ. 묽은 염산을 떨어뜨렸을 때 거품을 내는 광물은 방해석이다.
ㄴ. 정장석과 석영은 SiO_4 사면체 구조를 이룬다.
ㄷ. 금과 황철석은 굳기로 구별할 수 있다.

① ㄱ   ② ㄷ   ③ ㄱ, ㄴ   ④ ㄴ, ㄷ   ⑤ ㄱ, ㄴ, ㄷ

• (가)는 미세한 바탕(석기)에 큰 결정이 있는 조직이고, (나)는 광물의 결정이 비교적 크고 고른 조직을 나타낸다. 두 암석의 구성 광물은 모두 규산염 광물이고, 규산염 광물은 대부분 광학적 이방체에 해당한다.

08 ❯ 화성암의 조직

그림 (가)와 (나)는 서로 다른 화성암 박편을 편광 현미경으로 관찰하여 스케치한 모습과 주요 구성 광물을 나타낸 것이다.

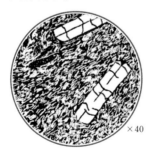
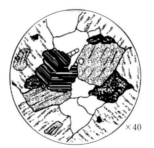

(가) 사장석, 휘석, 각섬석   (나) 정장석, 석영, 흑운모

두 암석을 비교한 것으로 옳은 것만을 보기에서 있는 대로 고른 것은?

보기
ㄱ. (가)는 세립질 조직이고, (나)는 조립질 조직이다.
ㄴ. (가)는 (나)보다 마그마의 냉각 속도가 빨랐다.
ㄷ. (가)와 (나)의 주요 구성 광물은 모두 광학적 이방체이다.

① ㄱ   ② ㄷ   ③ ㄱ, ㄴ   ④ ㄴ, ㄷ   ⑤ ㄱ, ㄴ, ㄷ

09 › 지하자원
그림은 지하자원의 종류와 그 예를 나타낸 것이다.

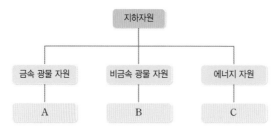

이에 대한 설명으로 옳은 것만을 보기에서 있는 대로 고른 것은?

보기
ㄱ. 보크사이트와 황동석은 A에 해당한다.
ㄴ. 고령토와 석회석은 B에 해당하며 퇴적 광상에서 산출된다.
ㄷ. 해저에 분포하는 가스 수화물과 망가니즈 단괴는 C에 해당한다.

① ㄱ   ② ㄷ   ③ ㄱ, ㄴ   ④ ㄴ, ㄷ   ⑤ ㄱ, ㄴ, ㄷ

보크사이트는 알루미늄의 원광이고, 황동석은 구리의 원광이다. 고령토와 석회석은 비금속 광물 자원이고, 망가니즈 단괴는 해저에 분포하는 금속 광물 자원이다.

10 › 지질도 해석
그림은 어느 지역의 지질도(지질 평면도)를 나타낸 것이다.

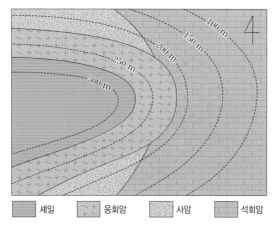

| 셰일 | 응회암 | 사암 | 석회암 |

이에 대한 설명으로 옳은 것만을 보기에서 있는 대로 고른 것은?

보기
ㄱ. 석회암층의 주향은 NS(남북) 방향이다.
ㄴ. 사암층의 경사는 동쪽 방향이다.
ㄷ. 지층의 생성 순서는 사암 → 석회암 → 응회암 → 셰일 순이다.

① ㄱ   ② ㄴ   ③ ㄱ, ㄷ   ④ ㄴ, ㄷ   ⑤ ㄱ, ㄴ, ㄷ

지층의 주향은 동일한 등고선과 지층 경계선이 만나는 두 점을 연결한 직선의 방향이고, 경사 방향은 고도가 높은 주향선에서 고도가 낮은 주향선 방향이다. 그리고 경사층을 수평으로 덮고 있는 수평층은 경사층과 부정합 관계이다.

11 〉한반도의 지질

그림 (가)는 한반도의 대표적인 퇴적암층의 분포 지역을, (나)는 그 중 한 지역의 지층 단면도와 산출되는 화석을 나타낸 것이다.

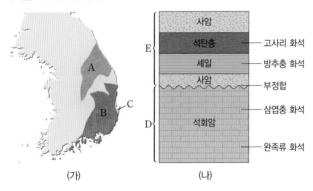

(가)　　　　　　　　(나)

• 우리나라에서 고생대의 퇴적층에는 전기의 조선 누층군과 후기의 평안 누층군이 있고, 중생대의 퇴적층에는 전기의 대동 누층군과 후기의 경상 누층군이 있으며, 신생대의 퇴적층에는 중기의 연일층군 등이 있다.

이에 대한 설명으로 옳지 않은 것은?

① A는 고생대에, B는 중생대에, C는 신생대에 퇴적된 지층이다.

② D는 조선 누층군이고, E는 평안 누층군에 해당한다.

③ A가 퇴적되는 동안 한반도를 이루는 땅덩어리는 적도 부근에 있었다.

④ B가 퇴적된 후 대보 조산 운동에 의한 대보 화강암이 관입하였다.

⑤ C가 퇴적되는 동안 일본 열도가 분리되면서 동해가 형성되었다.

12 〉변성암의 종류

표는 서로 다른 변성암 (가)~(다)의 모습과 그 특징을 각각 정리한 것이다.

(가)	(나)	(다)
• 중간 정도의 변성 작용을 받음. • 결정은 세립질이고 편리면은 운모의 영향으로 강한 광택을 띠고 있음.	• 강한 변성 작용을 받음. • 잘 발달된 편리를 따라 비교적 잘 쪼개짐. • 흑운모, 백운모, 녹니석 등의 판상 광물로 구성됨.	• 점토질 암석이 변성 작용을 받아서 생성됨. • 세립질의 입자가 치밀하고 단단하게 짜인 조직을 나타냄

• 셰일(점토질 암석)이 접촉 변성 작용을 받으면 혼펠스가 되고, 광역 변성 작용을 받으면 온도와 압력이 증가하면서 점판암 → 천매암 → 편암 → 편마암이 된다.

이에 대한 설명으로 옳은 것만을 보기에서 있는 대로 고른 것은?

> **보기**
> ㄱ. (가)는 천매암, (나)는 편암, (다)는 점판암이다.
> ㄴ. (가)와 (나)는 광역 변성암, (다)는 접촉 변성암이다.
> ㄷ. (나)가 더 높은 온도와 압력으로 변성 작용을 받으면 편마암이 된다.

① ㄱ　　　② ㄴ　　　③ ㄱ, ㄷ　　　④ ㄴ, ㄷ　　　⑤ ㄱ, ㄴ, ㄷ

01 그림은 지구 내부에서 지진파가 전파되는 모습을 나타낸
것이다. 만약 같은 크기의 지구에서 외핵의 두께가 증가하
고 그 만큼 맨틀의 두께가 감소할 경우에 나타날 수 있는
변화에 대한 물음에 답하시오. (단, 외핵과 맨틀의 두께가
변할 때 각 층의 밀도는 변함없다.)

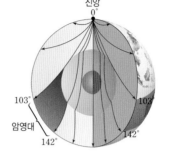

⑴ 지구의 질량 변화와 관련하여 어느 한 지점에서 중력
가속도의 변화에 따라 단진자의 주기가 어떻게 변할지
서술하시오.

⑵ 지진파의 암영대가 무엇이고 왜 생기며, 외핵의 크기 변화로 인해 암영대의 범위가 어떻게
변할지 서술하시오.

02 그림 (가)는 균질한 지구 타원체 상의 지표면의 한 점 P에 작용하는 만유인력, 원심력, 중력의
관계를 나타낸 것이고, 그림 (나)는 지구 타원체 상에서 자북극과 지리상 북극 및 지표면의 세
지점 A, B, C를 나타낸 것이다.

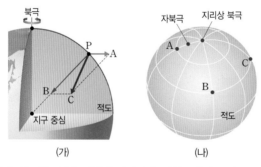

(가) 　　　　　 (나)

⑴ (가)에서 세 힘 A, B, C는 각각 어떻게 정의되며, 저위도에서 고위도로 가면서 세 힘의 크
기는 어떻게 변하는지 서술하시오.

⑵ (가)를 참고하여 표준 중력이란 무엇인지 서술하고, (나)에서 A, B, C 세 지점의 표준 중력
의 크기를 비교하여 서술하시오.

⑶ 지구 자기의 3요소인 편각, 복각, 수평 자기력에 대해 서술하고, (나)에서 A, B, C 세 지점
의 편각, 복각, 수평 자기력의 크기를 각각 비교하여 서술하시오.

03 그림 (가)는 지구 내부의 층상 구조를, (나)는 깊이에 따른 온도 분포를 개략적으로 나타낸 것이다. 그림 (나)에서 X는 암석의 용융 온도선과 지구 내부 온도 분포선이 만나는 지점이다.

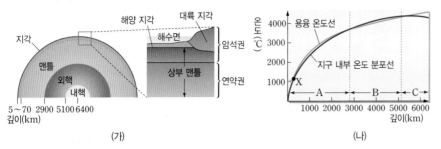

(가)　　　　　　　　　　(나)

(1) (가)에서 대륙 지각과 해양 지각의 구성 암석과 밀도를 비교하고, 대륙 지각이 해양 지각보다 두꺼운 까닭을 지각 평형설과 관련지어 서술하시오.

(2) 암석권과 연약권에 대해 설명하고, (나)에서 X 지점은 암석권과 연약권 중 어디에 해당하는지 서술하시오.

(3) (나)의 온도 분포를 이용하여 A, B, C의 물질의 상태를 서술하시오.

KEY WORDS
(1) 대륙 지각, 해양 지각, 암석의 밀도, 지각 평형설
(2) 암석권, 연약권, 부분 용융
(3) 맨틀, 외핵, 내핵, 고체 상태, 액체 상태

04 그림 (가)는 편광 현미경의 간략한 구조를, (나)는 어떤 화성암의 박편을 직교 니콜에서 관찰한 모습을, (다)는 방해석, 감람석, 흑운모의 세 광물을 분류하여 벤 다이어그램으로 나타낸 것이다. (단, 그림 (나)에서 A, B, C는 각각 감람석, 휘석, Na-사장석 중 하나이다.)

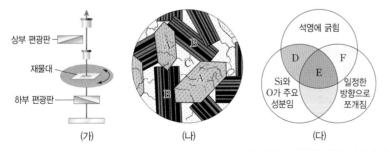

(가)　　　　　　(나)　　　　　　(다)

(1) (가)의 개방 니콜과 직교 니콜에서 관찰할 수 있는 광물의 광학적 성질을 각각 서술하시오.

(2) (나)에서 광물 A, B, C의 결정형과 생성 순서를 설명하고, 이에 해당하는 광물을 각각 쓰시오.

(3) (다)에서 D, E, F에 해당하는 광물을 각각 쓰시오. (단, 방해석, 감람석, 흑운모, 석영의 굳기는 각각 3, 6.5, 2.5, 7이다.)

KEY WORDS
(1) 편광 현미경, 개방 니콜, 직교 니콜, 다색성, 간섭색, 소광
(2) 자형, 반자형, 타형
(3) 굳기, 규산염 광물, 쪼개짐

05 암석은 성인에 따라 크게 화성암, 퇴적암, 변성암으로 구분한다. 표는 성인이 다른 암석 A, B, C의 모습과 그 특징을 정리한 것이다.

특징 \ 암석	A	B	C
모습			
생성 작용	속성 작용	재결정 작용	결정 분화 작용
광물의 크기	세립질	중립질	조립질
주요 구성 광물	석영	방해석	석영, 장석, 운모

(1) A의 속성 작용, B의 재결정 작용, C의 결정 분화 작용에 대해 각각 서술하시오.

_____

(2) 암석 A, B, C는 각각 어떤 암석이며, 어떤 조직을 이루는지 쓰시오.

_____

KEY WORDS
(1) 퇴적암, 속성 작용, 변성암, 재결정 작용, 화성암, 결정 분화 작용, 마그마
(2) 세립질, 쇄설성 조직, 중립질, 입상 변정질 조직, 조립질 조직

06 그림 (가)와 (나)는 두 종류의 해양 자원을, (다)와 (라)는 파력 발전과 조력 발전의 원리를 각각 나타낸 것이다.

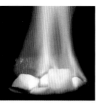

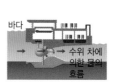

(가) 망가니즈 단괴   (나) 가스 수화물   (다) 파력 발전   (라) 조력 발전

(1) (가)의 망가니즈 단괴가 분포하는 장소와 이로부터 얻을 수 있는 금속 광물 자원을 설명하고, (나)의 가스 수화물은 어떤 물질이고 그 용도는 무엇이며 우리나라에서 분포하는 지역을 서술하시오.

_____

(2) (다)의 파력 발전의 원리와 장단점을 서술하시오.

_____

(3) (라)의 조력 발전의 원리와 장단점 및 우리나라에서 조력 발전이 적합한 지역을 서술하시오.

KEY WORDS
(1) 망가니즈 단괴, 심해저, 가스 수화물, 메테인, 에너지 자원
(2) 파력 발전, 파도, 운동 에너지
(3) 조력 발전, 조수 간만의 차

07 그림은 퇴적암층 (가), (나), (다), (라)와 역암층이 분포하는 어느 지역의 지질도(지질 평면도)에 도로를 표시한 것이다. (단, 지층의 역전은 없다.)

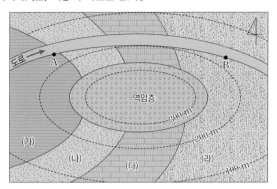

(1) 지층의 주향과 경사 방향을 구하는 방법과 (가) 지층의 주향과 (가), (나), (다) 지층의 경사 방향을 서술하시오.

(2) 동서 방향으로 지질 단면도를 그리고, 도로를 따라 A에서 B로 갈수록 지층의 나이가 어떻게 변하며, 이 지역에서 일어났던 지각 변동의 순서와 형성된 지질 구조를 서술하시오.

08 그림 (가)는 우리나라의 지체 구조를, 표 (나)는 우리나라의 지질 계통을 나타낸 것이다.

지질 시대		지질 계통
신생대	제4기	
	네오기	
	팔레오기	
중생대	백악기	Z
	쥐라기	
	트라이아스기	
고생대	페름기	Y
	석탄기	
	데본기	
	실루리아기	
	오르도비스기	
	캄브리아기	X
선캄브리아 시대		

(가)   (나)

(1) (가)에서 A, B, C, D, E에 주로 분포하는 암석과 각각이 생성된 지질 시대를 서술하시오.

(2) (나)의 X, Y, Z에 해당하는 지층명과 구성 암석을 쓰시오.

(3) (나)의 X, Y, Z 중 대보 조산 운동의 영향을 받은 지층과 그에 따른 화성암의 분포 및 불국사 변동의 영향을 받은 지층과 그에 따른 화성암의 분포를 서술하시오.

예시 문제

다음 제시문을 읽고 물음에 답하시오.

● 출제 의도
지구 내부를 연구하는 방법을 설명하고, 지구 내부의 지진파 불연속면의 발견 경위와 지각, 맨틀, 핵의 구성 물질을 파악하는 능력을 평가한다.

병원에서 CT나 MRI를 이용하여 사람 몸속의 상태를 알아볼 수 있는 것처럼, 과학자들은 지구 내부를 통과하는 지진파를 분석하거나 중력과 자기장 등을 연구하여 지구의 내부 구조를 알아내고 있는데, 가장 효과적인 방법은 지진파를 이용한 연구이다. 지진에 의해 발생하는 지진파는 단단하고 밀도가 큰 암석에서는 빨리 전파되지만 밀도가 작거나 연한 암석에서는 전파 속도가 느려진다. 또 물질의 상태가 바뀌면 그 경계면에서 반사하거나 굴절하기도 한다. 이러한 지진파 자료를 분석한 결과 지구 내부에는 지진파 속도의 불연속면이 몇 군데 존재하며, 이 불연속면을 경계로 그림과 같이 지구 내부를 지각, 맨틀, 외핵 및 내핵으로 구분한다. 이와 같이 층상 구조를 이루고 있는 지구 내부의 구성 물질은 서로 다르며, 지구 내부로 들어갈수록 온도 및 압력이 모두 증가한다.

지진파 외에도 지구 내부를 연구하는 방법으로는 굴착(시추) 연구, 운석 연구, 화산 분출물 연구, 지각 열류량 연구, 중력과 자기력 연구, 고온 고압 실험 연구 등이 있다. 또한 태양계 내의 다른 행성을 연구함으로써 지구의 생성 과정 및 지구 내부에 대한 정보를 얻을 수 있다. 화산 분출물인 현무암질 마그마와 함께 분출된 포획암은 주로 감람석과 휘석으로 이루어졌으며, 상부 맨틀을 이루고 있는 물질 덩어리로서 적어도 지구 내부 약 200 km 깊이 정도의 상태에 대한 정보를 제공해 주고 있다. 한편 지구상에 매년 수 톤씩 떨어지고 있는 운석은 지구를 구성하는 초기의 물질과 지구의 맨틀 및 핵의 구성 물질을 추정하는 데 매우 중요한 물질로 이용되고 있다. 그리고 과학자들은 지구 내부의 상태와 유사한 조건의 고온 고압 환경을 만들어서 운석을 통해 추정한 지구 내부의 물질이 맨틀과 핵 부분에서 어떤 상태로 존재하고 있는지를 연구하고 있다. 그 밖에 태양계 내의 수성과 금성, 화성 등은 지구의 형성과 진화 과정 등을 연구하는 좋은 실험실이 되고 있다. 따라서 과학자들은 우주 탐사선을 보내 각 행성의 내부 구조, 표면 상태 및 구성 물질 등을 연구하여 지구의 내부를 밝히는 데 이용하고 있다.

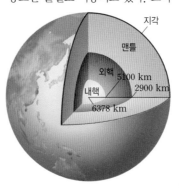

1 지구 내부 구조를 연구하는 방법을 설명하고, 그 중 가장 효과적인 방법은 무엇인지 서술하시오.

2 지구 내부에 존재하는 지진파의 불연속면의 깊이와 명칭 및 이들 불연속면을 발견한 경위를 서술하시오.

3 지구 내부가 지각, 맨틀, 외핵, 내핵의 층상 구조를 이루는 까닭을 설명하고 지각, 맨틀, 핵의 구성 물질의 종류와 상태 및 주요 구성 원소를 서술하시오.

문제 해결 과정

1 지구 내부를 연구하는 방법에는 여러 가지가 있으며, 그 중 가장 효과적인 방법은 지진파의 분석 연구임을 설명한다.

2 지진파의 불연속면에는 깊이에 따라 모호면, 구텐베르크 불연속면, 레만 불연속면이 있음을 설명하고 각 불연속면의 발견 경위를 서술한다.

3 지구 내부가 층상 구조를 이루고 있는 까닭이 구성 물질의 밀도 차 때문임을 설명하고, 지각, 맨틀, 외핵 및 내핵의 구성 물질의 종류와 상태, 주요 구성 원소를 서술한다.

예시 답안

1 지구 내부를 연구하는 방법으로는 지진파의 분석 연구, 굴착(시추) 연구, 운석 연구, 화산 분출물 연구, 지각 열류량 연구, 중력과 자기력 연구, 고온·고압 실험 연구 등이 있다. 이 중에서 가장 효과적인 방법은 지진파의 분석 연구이다.

2 지구 내부에 존재하는 지진파의 속도 불연속면에는 모호면, 구텐베르크 불연속면, 레만 불연속면이 있다. 모호면은 유고슬라비아의 지진학자인 모호로비치치가 1909년 발칸 반도에서 일어난 지진 기록을 분석하여 지하 약 40 km 깊이에 지진파의 속도가 갑자기 빨라지는 불연속면이 있음을 발견하고, 이 불연속면을 경계로 윗부분을 지각, 아랫부분을 맨틀로 구분하였다. 따라서 모호면은 지각과 맨틀의 경계면이 된다. 한편 1914년 독일의 지진학자 구텐베르크는 진앙에서 각거리 $103°$~$142°$인 구역에는 지진파가 도달하지 않는 암영대가 생긴다는 사실을 발견하고, 이는 지하 약 2900 km 깊이에서 S파는 더 이상 전파하지 못하고, P파의 속도는 크게 감소하고 굴절하여 전파하기 때문이라고 해석하여 불연속면을 발견하였다. 따라서 이 불연속면을 구텐베르크 불연속면이라 하며 맨틀과 외핵의 경계면이다. 그리고 덴마크의 지진학자 레만은 1936년 진앙에서 각거리 $110°$ 부근의 암영대에 약한 P파가 도달한다는 사실을 발견하고, 이는 약 5100 km 깊이의 경계면 때문이라고 해석하였다. 따라서 이 경계를 레만 불연속면이라 하며, 이를 경계로 내핵과 외핵으로 구분하게 되었다.

3 지구 내부가 지각, 맨틀, 외핵 및 내핵으로 층상 구조를 이루고 있는 까닭은 구성 물질의 밀도차 때문이다. 지각과 맨틀은 주로 산소와 규소를 주성분으로 하는 규산염 광물의 암석으로 구성되어 있는데, 대륙 지각은 화강암질 암석으로, 해양 지각은 현무암질 암석으로, 맨틀은 주로 감람암질 암석으로 이루어져 있다. 따라서 지각과 맨틀은 고체 상태이다. 외핵은 주로 철과 니켈, 규소 등의 금속 화합물로 구성되어 있으며 액체 상태이고, 내핵은 철과 니켈 성분의 금속 고체 상태이다.

문제 해결을 위한 배경 지식

• 지구 내부를 연구하는 방법 중 가장 효과적인 것은 지구 내부를 통과하는 지진파의 분석 연구이다.

• 모호면은 지각과 맨틀의 경계면이고, 구텐베르크 불연속면은 맨틀과 외핵의 경계면으로서 지진파의 암영대 발견으로 알게 되었다. 레만 불연속면은 외핵과 내핵의 경계면이다.

• 지각과 맨틀은 규산염 광물을 주성분으로 하는 암석으로 되어 있고, 핵은 철과 니켈 등의 금속이 주성분인데, 외핵은 액체 상태이고, 내핵은 고체 상태이다.

실전 문제

> 정답과 해설 197쪽

출제 의도
광물의 정의로부터 어떤 물질이 광물인지를 파악하고, 주요 규산염 광물의 SiO_4 사면체 결합 구조에 따른 특징과 광물의 구별법을 논리적으로 서술하는 능력을 평가한다.

1 다음 제시문을 읽고 물음에 답하시오.

암석은 다양한 광물로 이루어져 있다. 광물은 암석을 이루는 기본 알갱이로서 대부분 원소들로 구성된 화합물이다. 광물은 자연에서 산출되는 무기물의 고체로서 일정한 범위의 화학 조성과 물리적 성질을 가지며, 규칙적인 원자 배열을 이루고 있는 물질을 말한다. 암석을 이루는 광물을 조암 광물이라고 하는데, 조암 광물의 약 92 %는 규소와 산소를 주성분으로 하는 규산염 광물이다. 주요 규산염 광물에는 감람석, 휘석, 각섬석, 사장석, 정장석, 석영, 흑운모 등이 있다. 이들 광물은 화성암의 주요 구성 광물로 산출되고, 퇴적암과 변성암에도 상당히 많은 양이 존재한다. 규산염 광물은 1개의 규소(Si) 원자와 4개의 산소(O) 원자가 결합한 SiO_4 사면체 구조를 기본 단위로 한다. 이러한 SiO_4 사면체는 이웃한 사면체와 산소 원자를 여러 가지 형태로 공유하여 다양한 규산염 광물을 만드는데, SiO_4 사면체가 산소 원자를 공유하는 방법에 따라 독립형 구조, 단사슬 구조, 복사슬 구조, 판상 구조, 망상 구조 등을 이룬다. 광물에 따라서는 독특한 외형을 이루고 있는 것도 있지만 그렇지 않은 것도 있다. 광물을 구별하는 방법에는 물리적 성질과 화학적 성질 및 편광 현미경 관찰을 이용한 광학적 성질을 이용하는 방법 등이 있다.

구조	독립형 구조	단사슬 구조	복사슬 구조	판상 구조	망상 구조
Si : O	1 : 4	1 : 3	4 : 11	2 : 5	1 : 2
결합 구조	—산소 —규소				
광물의 예	감람석	휘석	각섬석	흑운모	석영

▲ 규산염 광물의 결합 구조

(1) 일반적으로 인조 다이아몬드, 유리, 수은, 석탄, 석유 등은 광물로 취급하지 않는데, 그 까닭이 무엇인지 광물의 정의를 바탕으로 서술하시오.

(2) 그림의 SiO_4 사면체 결합 구조에서 감람석 → 휘석 → 각섬석 → 흑운모 → 석영으로 가면서 Si : O의 비율과 광물의 용융점, 풍화에 대한 안정도는 어떻게 변화하는지 서술하시오.

(3) 광물을 구별하는 물리적 성질에는 어떤 것들이 있으며, 편광 현미경의 개방 니콜과 직교 니콜에서 관찰할 수 있는 광물의 광학적 성질이 무엇인지 서술하시오.

답안

문제 해결을 위한 배경 지식

• 조암 광물 중 가장 많은 것은 규산염 광물이다. 주요 규산염 광물에는 감람석, 휘석, 각섬석, 정장석, 흑운모, 석영 등이 있는데, 이들 규산염 광물이 마그마로부터 정출된 순서는 감람석 → 휘석 → 각섬석 → 흑운모 → 정장석 → 석영' 순이다. SiO_4 사면체 구조에서 '감람석 → 휘석 → 각섬석 → 흑운모 → 석영으로 가면서 이웃하는 사면체끼리 공유하는 산소 원자의 수가 많아진다.

• 광물의 물리적 성질에는 색, 조흔색, 광택, 쪼개짐, 깨짐, 굳기 등이 있으며, 편광 현미경의 개방 니콜 상태에서는 다색성을, 직교 니콜 상태에서는 간섭색과 소광 현상을 관찰할 수 있다.

2 다음 제시문을 읽고 물음에 답하시오.

우리나라의 지질은 선캄브리아 시대의 변성암과 화성암에서부터 고생대와 중생대를 거쳐 신생대 퇴적암까지 다양한 암석으로 구성되며, 그 분포도 매우 다양하다. 암석의 분포 면적을 보면 선캄브리아 시대의 변성암류가 가장 많아 약 40 %를 차지하며, 그 다음으로는 중생대에 관입한 화성암류가 약 35 %, 그리고 고생대 및 중생대와 신생대의 퇴적암류가 약 25 %를 차지한다. 한반도에 분포하는 암석의 종류와 나이, 지각 변동에 따른 지질 구조 등의 기준에 따라 한반도를 몇 개의 지역으로 나눈 것을 지체 구조라고 한다. 이러한 지체 구조는 그림과 같이 육괴와 분지로 구분되는데, 육괴는 낭림 육괴, 경기 육괴, 영남 육괴가 있고, 분지는 평남 분지, 옥천 분지, 태백산 분지, 경상 분지 등이 있다. 한편 우리나라는 면적이 비교적 좁지만 여러 지질 시대에 걸쳐 생성된 퇴적암 지층에서 다양한 종류의 화석도 산출된다. 우리나라의 주요 지질 계통은 선캄브리아 시대의 변성암 복합체, 고생대 전기의 조선 누층군과 후기의 평안 누층군, 중생대 전기의 대동 누층군과 후기의 경상 누층군, 신생대 중기의 연일층군 등으로 구분된다.

▲ 한반도의 지체 구조

(1) 최근 임진강대(A)와 중국에서 초고압 변성암인 에클로자이트가 발견되었다. 이러한 에클로자이트는 주로 어떤 환경에서 생성되며, 한반도의 형성 과정에서 무엇을 의미하는지 서술하시오.

(2) 그림은 우리나라의 주요 암석과 지층 분포를 나타낸 것이다. B, C, D, E에 분포하는 암석의 종류(화성암, 퇴적암, 변성암)와 생성된 지질 시대를 각각 서술하시오.

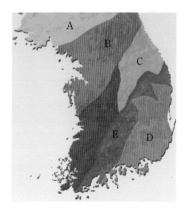

(3) 그림의 C 지역에 분포하는 지층의 명칭과 산출되는 주요 지하자원 및 발견되는 화석을, D 지역을 이루는 지층의 명칭과 지질 시대, 구성 암석 및 발견되는 화석을 각각 서술하시오.

답안

부록

I 고체 지구

1. 지구의 형성과 역장

01 지구의 형성과 지구 내부 에너지

개념 모아 정리하기　　　　　　　　　020쪽

❶ 태양계 성운　❷ 원시 태양　❸ 미행성체　❹ 지구형
❺ 목성형　❻ 마그마 바다　❼ 맨틀　❽ 지각　❾ 원시 대기
❿ 원시 바다　⓫ 이산화 탄소　⓬ 산소　⓭ 미행성체
⓮ 열에너지　⓯ 방사성 동위 원소　⓰ 낮고　⓱ 높다
⓲ 해구　⓳ 지각 변동

개념 기본 문제　　　　　　　　　021쪽

01 (1) ○　(2) ○　(3) ○　(4) ×　　**02** ㄱ, ㄷ　　**03** ㄱ, ㄴ
04 ㄴ, ㄹ　　　**05** (1) A: 질소, B: 산소, C: 이산화 탄소
(2) 바다에 용해되었기 때문　(3) B, C　**06** ㄱ, ㄴ, ㄷ　**07** ㄷ, ㄹ

01 (1) 태양계 성운은 중력 수축으로 형성되었다.
(2) 태양계 성운은 회전하면서 수축하여 가운데가 볼록한 원
반 모양을 이루었다.
(3) 태양계 성운의 중심부에서 원시 태양이 탄생하고, 원반부
의 고리에서 수많은 미행성체가 형성되었으며, 미행성체들의
충돌과 병합으로 지구를 비롯한 원시 행성이 탄생하였다.
(4) 원시 태양에 가까운 영역에서는 무거운 성분의 암석 물질
이 뭉쳐 지구형 행성을 형성하였고, 원시 태양에서 먼 영역에
서는 얼음 및 얼음으로 둘러싸인 티끌과 태양풍에 의해 밀려
난 기체(수소, 헬륨 등) 등의 가벼운 성분의 물질이 뭉쳐 목성
형 행성을 형성하였다.

02 ㄱ. 태양계의 행성들은 회전하는 태양계 성운의 원반에서 미
행성체들의 충돌 및 병합으로 형성되었다.
ㄷ. 원시 태양에 가까운 곳에서는 규소, 철 등의 무거운 성분
의 물질이 뭉쳐 지구형 행성이, 먼 곳에서는 가벼운 성분이
뭉쳐 목성형 행성이 형성되었다. 따라서 지구형 행성은 목성
형 행성보다 철의 구성비가 많다.

바로 알기 ㄴ. 지구형 행성은 목성형 행성보다 평균 밀도가 크고, 철
과 니켈 등 금속 물질의 구성비가 크다.

03 ㄱ. 미행성체의 충돌이 계속됨에 따라 A 과정에서 원시 지구
의 크기와 질량이 점차 커졌다.
ㄴ. 마그마 바다가 형성된 후 B 과정에서 무거운 금속 물질
은 지구 중심부로 이동하여 핵을 형성하였고, 가벼운 암석 물
질은 바깥쪽으로 떠올라 맨틀을 형성하였다.

바로 알기 ㄷ. A 과정에서는 지구의 온도가 상승하였지만, 마그마
바다가 형성되며 핵과 맨틀이 분리된(B 과정) 이후 미행성체의 충돌이
잦아들면서 지구의 온도는 낮아져 원시 지각이 형성된 후 원시 바다가
형성되었다.

04 ㄴ, ㄹ 원시 지구 표면에 미행성체가 충돌하면서 발생한 열과
원시 지구의 구성 물질에 포함된 방사성 동위 원소의 붕괴열
로 지구 내부와 지표의 온도가 점점 높아졌고, 그 결과 마그
마 바다가 형성되었다.

바로 알기 ㄱ, ㄷ 태양 복사 에너지와 태양의 중력 수축 에너지는 원
시 지구의 마그마 바다 형성과 직접적 관련이 없다.

05 (1) A는 질소, B는 산소, C는 이산화 탄소이다.
(2) C 기체(이산화 탄소)의 대기 중 농도가 감소한 주된 원인
은 원시 해양이 형성된 후에 대기 중의 이산화 탄소가 대부분
바다에 용해되었기 때문이다.
(3) 식물은 광합성을 통해 대기 중의 이산화 탄소(C)를 흡수
하고 산소(B)를 방출하므로, 식물의 광합성과 관련 있는 기
체는 B와 C이다.

06 ㄱ. 해구에서는 차가운 암석권이 섭입하여 맨틀 물질이 하강
하므로 지각 열류량이 낮게 나타난다.
ㄴ. 해령에서는 맨틀 물질이 상승하며 마그마가 분출하므로
지각 열류량이 해구에서보다 높게 나타난다.
ㄷ. 호상 열도에서는 화산 활동이 활발하게 일어나므로 해구
에서보다 지각 열류량이 높다.

07 ㄷ. 해양 지각 하부에서는 대륙 지각 하부에서보다 맨틀 대류
가 활발하게 일어나면서 지구 내부 에너지가 더 많이 전달된
다. 따라서 해양 지각에서의 평균 지각 열류량은 대륙 지각에
서보다 더 높게 나타난다.

ㄹ. 화강암과 현무암 중 방사성 동위 원소 함량이 더 높은 암석은 화강암이므로, 화강암이 더 많은 붕괴열을 방출한다.

바로 알기 ㄱ. 대륙 지역에서는 순상지에서 지각 열류량이 가장 낮게 나타난다.

ㄴ. 지질 시대별 조산대의 지각 열류량은 '신생대>중생대>고생대>선캄브리아 시대' 순으로 나타나며, 지질 시대가 오래될수록 지각 열류량이 작게 나타난다.

개념 적용 문제

01 ②   02 ③   03 ②   04 ⑤   05 ③   06 ⑤
07 ③   08 ①

---

01 ① 태양계 성운은 자체 중력에 의해 수축하면서 회전하기 시작했고, 회전 속도가 빨라지면서 성운의 중심부는 볼록한 원반 모양을 이루었다.

③ 태양계 성운의 원반부에서 고리 부분에 분포하던 먼지와 얼음 알갱이 등의 고체 입자들이 모여서 미행성체들을 형성하였다.

④ 태양에 가까운 영역에서는 태양의 복사열로 인해 가벼운 성분의 물질이 증발하고 규소, 철, 니켈 등과 같은 암석과 금속 성분의 물질이 모여 지구형 행성이 형성되었다.

⑤ 태양에서 멀리 떨어진 영역에서는 주로 수소, 메테인, 암모니아 등의 가벼운 성분으로 이루어진 목성형 행성이 형성되었다.

바로 알기 ② 원반의 중심부에서 형성된 원시 태양이 계속하여 수축하면서 중심핵의 온도가 높아져서 주계열성인 태양이 된 이후에 중심핵에서 수소 핵융합 반응이 일어나기 시작하였다.

---

02 ㄱ. 마그마 바다가 형성되며 이후 무거운 금속 물질은 지구 중심부로 이동하고 가벼운 물질은 바깥쪽으로 이동하여 핵과 맨틀이 분리되었다. 따라서 지구 중심부의 밀도는 A에서보다 B에서 컸다.

ㄴ. 지구 표면의 온도는 마그마의 바다 형성 이후 미행성체의 충돌이 점차 잦아들면서 A → B → C로 가면서 점차 낮아졌다.

바로 알기 ㄷ. 미행성체의 충돌이 잦아들며 지표가 점차 식어 원시 지각이 형성되었고, 그 후에 원시 바다가 형성되었다.

---

03 ㄴ. 원시 바다가 형성된 이후 대기 중의 이산화 탄소가 바닷물에 대부분 용해되어 대기 중 이산화 탄소의 농도가 많이 감소하였다.

바로 알기 ㄱ. A 시기에는 미행성체의 충돌로 원시 지구의 크기와 질량이 증가하였고, 원시 지각은 핵과 맨틀이 분리된 이후에 형성되었다. B의 마그마의 바다 형성 이후 무거운 물질은 중심부로 이동하고 가벼운 물질은 바깥쪽으로 이동하여 중심부에 핵이 형성되고, 바깥쪽에 맨틀이 형성되었다.

ㄷ. 최초의 생명체가 출현한 시기는 약 35억 년 전이고, 바다에서 생명체의 광합성으로 산소가 생성되었다. 이후 대기 중 산소 농도가 증가하기 시작한 것은 약 22억 년 전부터이다.

---

04 ㄱ. 원시 대기에서 농도가 가장 높다가 (가) 시기 동안 급격히 감소한 기체 A는 이산화 탄소이다. 약 22억 년 전부터 대기 중 농도가 증가하기 시작한 기체 B는 산소이다.

ㄴ. (가) 시기 동안 대기 중 이산화 탄소 농도가 급격히 감소한 주요인은 원시 바다가 형성되면서 바닷물에 이산화 탄소가 용해되었기 때문이다. 바닷물에 용해된 이산화 탄소는 탄산 이온으로 존재하다가 칼슘과 결합하여 탄산 칼슘을 형성하였고, 탄산 칼슘은 해저에 침전되어 석회암을 형성하며 지권에 고정되었다.

ㄷ. 해양 생물(남세균)이 출현하여 광합성을 하는 과정에서 배출된 산소 기체는 바닷물에 용해되었고, 이후 대기 중으로 방출되어 대기 중 산소 농도가 증가하기 시작하였다. 그 후 오존층이 형성되었고, 육상 식물이 출현하여 대기 중 산소 농도가 더욱 증가하였다.

---

05 ㄱ. 원시 지구의 생성 초기에 미행성체가 계속하여 충돌·병합하면서 고체 물질이 지구에 유입되므로 지구의 질량과 크기가 증가하였다.

ㄷ. 원시 지구에 마그마 바다가 형성된 시기에 무거운 금속 물질은 지구 중심부로 가라앉아 핵을 형성하였고, 가벼운 규산염 물질은 떠올라 맨틀을 형성하였다.

바로 알기 ㄴ. 원시 지구에 마그마 바다가 형성되었을 당시에 원시 대기의 주성분은 지표의 활발한 화산 활동으로 배출된 화산 가스로서, 수증기, 이산화 탄소, 메테인, 암모니아, 질소, 수소 등의 기체였다. 원시 바다가 형성된 후 약 35억 년 전에 바다에서 광합성을 하는 생물체가 출현하면서 산소가 배출되기 시작하였으나 그 대부분이 바닷물에 용해되며 다른 물질과 결합하여 대기 중에 축적되지 못하였다. 이후 생물의 광합성에 의한 산소 생산량이 증가하면서 약 22억 년 전부터 대기 중에 산소가 축적되기 시작하며 대기 중 산소 농도가 증가하기 시작하였다.

06 ㄱ. 주어진 그림에서 지각 열류량의 분포를 보면 해령에서 가장 높고 해구에서 가장 낮은 것을 알 수 있다.

ㄴ. 해령에서는 맨틀 물질이 상승하므로 지각 열류량이 높게 나타나고, 해구에서는 맨틀 물질이 하강하므로 지각 열류량이 낮게 나타난다. 따라서 맨틀 대류의 상승과 하강은 지각 열류량의 크기에 영향을 미친다.

ㄷ. 암석에서 방출되는 방사성 원소의 붕괴열로 보면 대륙 지역의 지각 열류량이 해양 지역보다 높아야 하지만, 실제로는 해양 지각의 평균 열류량이 대륙 지각보다 높게 나타난다. 그 까닭은 해양 지각이 대륙 지각보다 두께가 얇고, 해양 지각 하부에서는 대륙 지각 하부에서보다 맨틀 대류가 활발하게 일어나면서 지구 내부 에너지가 더 많이 전달되기 때문이다.

07 ㄱ. 대륙 지역에서 지질 시대가 오래된 지역일수록 지각 열류량은 낮게 나타나는 까닭은 지구 생성 당시에 축적된 열이나 암석에 포함된 방사성 동위 원소의 붕괴열이 오랜 시간이 지나면서 많이 방출되었기 때문이다.

ㄴ. 신생대 화산대에서 지각 열류량이 가장 높게 나타나는 까닭은 맨틀에서 뜨거운 마그마가 상승하며 지각으로 열이 공급되기 때문이다.

바로 알기 ㄷ. 선캄브리아 시대의 순상지는 지질 시대가 가장 오래된 지역이다. 따라서 지구 생성 당시에 축적된 열이나 암석의 방사성 원소 붕괴열이 오랜 시간 동안 많이 방출되었기 때문에 지각 열류량이 가장 낮다. 그러나 대륙 지각의 암석에 포함된 방사성 동위 원소(U, Th, K)의 반감기가 매우 길어서, 방사성 동위 원소의 붕괴열이 전혀 발생하지 않는 것은 아니다.

08 ㄱ. 주어진 그림에서 A는 해양 암석권이고 B는 대륙 암석권을 나타낸다. A의 해양 암석권 아래에서는 주로 상승하는 맨틀의 대류에 의해 열이 전달된다. 반면 B의 대륙 암석권에서는 지각에 포함된 방사성 동위 원소의 붕괴로 생성된 열이 주로 전도에 의해 전달된다.

바로 알기 ㄴ. (나)의 깊이에 따른 온도 분포를 보면, 기울기가 세로축 방향으로 기울어질수록 온도 상승률, 즉 지온 구배율이 낮아진다는 것을 나타낸다. 따라서 깊이가 깊어질수록 B 지역에서보다 A 지역에서의 지온 구배율이 증가한다.

ㄷ. 해양 지각은 현무암질 암석으로 이루어져 있고, 대륙 지각은 화강암질 암석으로 이루어져 있으며, 방사성 동위 원소는 화강암질 암석에 더 많이 포함되어 있다. 따라서 암석에 포함된 방사성 동위 원소의 붕괴로 생성된 열은 A에서보다 B에서 더 많다.

02 지진파와 지구 내부 구조

탐구 확인 문제 037쪽

01 ⑤ **02** 1440 km

01 ① 세 관측소에서 구한 진원 거리를 반지름으로 하는 원을 그렸을 때 공통현의 교점이 진앙이므로, 진앙은 빗금 친 부분에 위치한다.

② 원의 반지름이 클수록 진원 거리가 멀어지는 것이므로 PS시도 길어진다.

③ 진원 거리가 멀어질수록 진앙 거리도 멀어진다.

④ 지진의 규모는 지진이 발생하였을 때 방출되는 에너지를 나타내는 수치로, 동일한 지진에 대해서는 장소와 관계없이 같다.

바로 알기 ⑤ 진도는 지진에 대해 사람이 느끼는 정도나 피해를 나타내는 수치로, 동일한 지진이라도 장소에 따라 다르게 나타난다. A, B, C 관측소에서 기록된 지진파의 진폭은 알 수 없으므로 지진의 진도는 비교할 수 없다.

02 지진 기록에서 PS시는 3분(180초)이고 $V_P = 8$ km/s, $V_S = 4$ km/s이므로 진원 거리(d)는 다음과 같이 구할 수 있다.

$$d = \text{PS시} \times \frac{V_P V_S}{V_P - V_S} = 180 \times \frac{8 \times 4}{8 - 4} = 1440 \, (\text{km})$$

개념 모아 정리하기 040쪽

❶ P ❷ S ❸ 표면 ❹ 레일리 ❺ PS시 ❻ 주시 곡선
❼ PS시 ❽ 주시 곡선 ❾ 진앙 ❿ 모호로비치치
⓫ 구텐베르크 ⓬ 레만 ⓭ 대륙 ⓮ 해양 ⓯ 맨틀
⓰ 연약권 ⓱ 외핵 ⓲ 내핵 ⓳ 밀도 ⓴ 프래트
㉑ 에어리 ㉒ 융기 ㉓ 침강

개념 기본 문제 041쪽

01 (1) × (2) × (3) ○ (4) ○ **02** ㄴ, ㄷ **03** 960 km
04 (1) − ㉠, (2) − ㉢, (3) − ㉡ **05** ㄱ, ㄷ
06 (1) 얇아진다. (2) 연약권 **07** ㄱ, ㄷ

01 (1) P파는 전파 방향과 매질의 진동 방향이 나란한 종파로, 전파 속도가 가장 빠른 지진파이다.

(2) S파는 전파 방향과 매질의 진동 방향이 수직인 횡파로, 고체 상태의 매질만 통과한다.

(3) 표면파는 진폭이 가장 커서 가장 큰 피해를 주는 지진파이다.

(4) 지진 관측소에 P파가 도달한 후 S파가 도달할 때까지의 시간을 PS시라고 한다.

02 ㄴ. S파는 고체 매질만 전파하며, 표면파는 지표면과 그 부근을 따라 전파한다.

ㄷ. PS시는 P파가 도달한 후 S파가 도달할 때까지의 시간이므로 2분(120초)이다.

바로 알기 ㄱ. A는 P파, B는 S파, C는 표면파이다. P파는 전파 속도가 가장 빠르고, 표면파는 진폭이 가장 커서 가장 큰 피해를 준다.

03 주어진 지진 기록에서 PS시는 2분(120초), $V_P=8\,km/s$, $V_S=4\,km/s$이므로 진원 거리(d)를 구하면 다음과 같다.

$$d=\text{PS시}\times\frac{V_P V_S}{V_P - V_S}=120\times\frac{8\times4}{8-4}=960\,(km)$$

04 (1) 모호면은 지각과 맨틀의 경계면(㉠)이다.

(2) 레만 불연속면은 외핵과 내핵의 경계면으로, 암영대 내의 각거리 110° 부근에 도달하는 약한 P파의 관측을 통해 발견한 불연속면(㉢)이다.

(3) 구텐베르크 불연속면은 약 2900 km 깊이에 분포하는 맨틀과 외핵의 경계면(㉡)이다.

05 ㄱ. ㉠은 P파이고, ㉡은 S파이다. P파는 S파보다 전파 속도가 빠르다.

ㄷ. B층과 C층의 경계면은 약 2900 km 깊이의 구텐베르크 불연속면이다. 이 불연속면에서 지진파 속도가 가장 크게 변하는 까닭은 물질의 상태가 고체에서 액체로 변화하기 때문이다.

바로 알기 ㄴ. A층은 지각, B층은 맨틀, C층은 외핵, D층은 내핵이다. 따라서 A, B, D층은 고체이고, 외핵인 C층만 액체 상태이다.

06 (1) 지각은 밀도가 큰 맨틀 위에 떠 있으면서 평형을 유지하려는 성질이 있다. 따라서 대륙 지각이 침식 작용으로 깎여나가면 대륙 지각이 융기하고, 지각과 맨틀의 경계면인 모호면의 깊이가 얕아진다.

(2) 지진파의 저속도층은 연약권의 약 $100\,km \sim 220\,km$ 깊이에 분포한다.

07 ㄱ. 프래트설은 지각의 밀도는 서로 다르나 모호면(보상면)의 깊이는 일정하다고 설명한다.

ㄷ. 지표에서 풍화·침식 작용이 일어나는 곳의 지각이 융기하는 현상은 에어리설로 잘 설명할 수 있다.

바로 알기 ㄴ. 에어리설은 지각의 밀도는 균일하며 높이 솟은 지역일수록 모호면의 깊이가 깊다고 설명한다.

개념 적용 문제 042쪽

| 01 ② | 02 ⑤ | 03 ③ | 04 ⑤ | 05 ③ | 06 ③ |
| 07 ③ | 08 ③ | 09 ④ | 10 ⑤ | 11 ⑤ | 12 ③ |

01 ㄷ. B 관측소에서 PS시는 3분(180초)이고 $V_P=8\,km/s$, $V_S=4\,km/s$이므로 진원 거리(d)는 다음과 같이 구할 수 있다.

$$d=\text{PS시}\times\frac{V_P V_S}{V_P - V_S}=180\times\frac{8\times4}{8-4}=1440\,(km)$$

바로 알기 ㄱ. 지표상에 있는 A 관측소에 최초로 P파가 도달한 시각이 09시 13분이므로 지진이 발생한 시각은 이보다 빠르다.

ㄴ. PS시는 관측소에 P파가 도달한 후 S파가 도달할 때까지의 시간을 말한다. 따라서 A 관측소에서 PS시는 2분이고, B 관측소에서 PS시는 3분이다.

02 ① 지진파의 속도는 P파>S파>표면파이다.

② 지진파의 진폭이 클수록 지표면이 많이 흔들린다. 따라서 지표면이 흔들리는 정도는 표면파>S파>P파이다.

③ (가)의 지진 기록에서 P파는 4분에, S파는 7분에 도착하였으므로 PS시는 약 3분이다.

④ 같은 진앙 거리에 도달하는 데 걸리는 시간이 X가 Y보다 길므로 X가 Y보다 전파 속도가 더 느리다. 따라서 X는 S파, Y는 P파의 주시 곡선이다.

바로 알기 ⑤ (가)의 지진 기록에서 PS시는 3분이다. 따라서 (나)의 주시 곡선에서 X와 Y의 시간 간격(PS시)이 3분에 해당하는 진앙 거리를 읽으면 약 3000 km이다.

03 ㄱ. 진원 거리(d)는 PS시와 P파의 속도(V_P), S파의 속도(V_S)로부터 다음과 같이 구할 수 있다.

$$d = \text{PS시} \times \frac{V_P V_S}{V_P - V_S}$$

A 관측소에서 진원 거리(d)는 160 km이고, V_P는 8 km/s, V_S는 4 km/s이므로, PS시는 다음과 같이 구할 수 있다.

$$\text{PS시} = d \times \frac{V_P - V_S}{V_P V_S} = 160 \times \frac{8-4}{8 \times 4} = 20 \,(\text{초})$$

따라서 A 관측소에서의 PS시는 20초이다.

ㄴ. 세 지진 관측소에서 구한 진원 거리를 반지름으로 하는 원을 그렸을 때 세 원의 공통현의 교점이 진앙이다. 따라서 그림에서 P 지점은 진앙에 해당하며, P의 연직 아래 지하에 진원이 위치한다.

바로 알기 ㄷ. 각 관측소에서 그린 원의 반지름은 진원 거리에 해당한다.

04 ㄱ. 지진파(P파)의 전파 속도는 매질의 밀도가 클수록 빨라지므로, 지각에서보다 맨틀에서 더 빠르다.

ㄴ. 진앙에서 지각을 통해서 직접 전파하는 A의 주시 곡선은 C에 해당하고, 맨틀을 통해 굴절하여 전파하는 B의 주시 곡선은 D에 해당한다.

ㄷ. 지각의 두께가 두꺼워지면 직접파와 굴절파가 동시에 도달하는 교차점(X)까지의 거리가 진앙에서 멀어지므로, 이를 이용하여 지각의 두께를 구할 수 있다.

05 ㄱ. 진앙에서 각거리 103°까지는 맨틀을 통과해온 P파와 S파가 모두 도달하며, 각거리 103°~142° 사이는 P파와 S파의 암영대에 해당한다.

ㄴ. 지진파의 암영대가 생기는 까닭은 외핵의 구성 물질이 맨틀과 다르고 외핵이 액체 상태이기 때문이다. 즉, 맨틀과 외핵의 경계면인 약 2900 km 깊이에서 P파가 크게 굴절하여 진행하고, S파는 더 이상 통과하지 못하기 때문이다.

바로 알기 ㄷ. S파의 암영대가 P파의 암영대보다 넓은 까닭은 약 2900 km 깊이에 존재하는 구텐베르크 불연속면 때문이다.

06 ㄱ. P파의 속도는 S파보다 빠르므로, 주시 곡선에서 A는 S파, B는 P파에 해당한다.

ㄷ. 진앙 거리로부터 각거리 110°에 도달한 약한 P파는 외핵을 통과한 P파가 외핵과 내핵의 경계면에서 굴절하여 도달한 것이다. 따라서 이로부터 외핵과 상태가 다른 내핵이 존재함을 알게 되었다.

바로 알기 ㄴ. 지구의 반지름을 r이라고 하면, 진앙으로부터 각거리 45°인 지점의 진앙 거리(d)는 다음과 같이 구할 수 있다.

$$2\pi r : 360° = d : 45°$$
$$\therefore d = 4800 \,(\text{km})$$

(나)의 주시 곡선에서 진앙 거리가 4800 km인 지점의 P파의 도달 시각은 약 8분, S파의 도달 시각은 약 15분이므로 PS시는 약 7분이다.

07 ㄱ. 상부 맨틀의 약 100 km~400 km 깊이는 연약권으로, 맨틀 물질이 부분 용융되어 있으며, 약 100 km~220 km 깊이 사이에는 지진파의 속도가 급격히 느려지는 지진파 저속도층이 존재한다.

ㄴ. 깊이에 따른 지구 내부 온도의 상승률, 즉 지온 구배율은 A 구간(맨틀)이 B 구간(외핵)보다 크다.

바로 알기 ㄷ. 약 5100 km 깊이는 외핵과 내핵의 경계면이다. 이 경계면에서 밀도가 크게 변하는 주요인은 구성 물질의 상태가 액체에서 고체로 달라지기 때문이다. 외핵과 내핵을 구성하는 물질(화학 조성)은 주로 철과 니켈로, 서로 비슷하다.

08 ㄱ. A는 암석권으로, 대륙 지역이 해양 지역보다 두껍다.

ㄴ. B는 연약권이다. 연약권의 상부에는 지진파 저속도층이 존재하는데, 이는 맨틀 물질이 부분 용융되어 있어서 지진파의 속도가 감소하기 때문이다.

바로 알기 ㄷ. 모호로비치치 불연속면은 지각과 맨틀의 경계면으로, 지진파의 속도가 급격히 증가한다. 약 100 km 깊이에 분포하는 A와 B의 경계는 암석권과 연약권을 구분 짓는 경계에 해당한다.

09 A는 지각, B는 맨틀, C는 외핵, D는 내핵이다.

④ 맨틀과 핵의 구성 물질의 상태와 물리적 특성은 지진파를 통해 추정할 수 있고, 화학 조성은 고온 고압 실험이나 운석 연구를 통해 추정할 수 있다.

바로 알기 ① 대륙 지각은 해양 지각보다 밀도는 작으나 두께는 더 두껍다.

② 맨틀은 고체 상태이지만, 상부 맨틀의 연약권은 부분적으로 용융 상태이다.

③ 외핵과 내핵의 주성분은 철과 니켈이다.

⑤ 지각과 맨틀에 가장 많은 원소는 산소이고, 지구 전체로 볼 때 가장 많은 원소는 철이다.

10 ㄱ. 근거리 주시 곡선의 연구 결과, 지각의 하부에서 지진파의 속도가 갑자기 증가하는 불연속면(모호면)이 분포한다는 것을 발견하여 맨틀의 존재를 알게 되었다.

ㄴ. A 구간에 지진파가 도달하지 않는 까닭은 맨틀과 외핵의 경계면(구텐베르크 불연속면)에서 지진파가 굴절되었기 때문이다. 또한, B 구간에 S파가 도달하지 않는 까닭은 맨틀 하부에 분포하는 외핵이 액체 상태의 물질로 이루어졌기 때문이다.

ㄷ. 각거리 110° 부근에서 약한 P파가 관측된 것은 외핵이 액체 상태인 것과 달리 내핵은 고체 상태여서 외핵과 내핵의 경계면(레만 불연속면)에서 P파가 반사되었기 때문이다.

11 ㄱ. 대륙 지역(A)에서 지각의 상부가 풍화·침식 작용으로 깎여나가면 지각의 무게가 감소하므로 대륙 지각이 융기한다. 대륙에서 운반된 퇴적물이 해양 지역(B)에 퇴적되면 지각의 무게가 증가하므로 해양 지각이 침강한다.

ㄴ. 대륙 지각이 융기하면 모호면의 깊이가 얕아지고, 해양 지각이 침강하면 모호면의 깊이가 깊어지므로 대륙과 해양 지역에서 융기와 침강이 진행될수록 모호면의 깊이 차이가 작아진다.

ㄷ. 대륙과 해양에서 모호면의 깊이가 다른 것은 에어리설로, 대륙 지각과 해양 지각의 구성 물질, 즉 밀도가 다른 것은 프래트설로 설명된다.

12 ㄱ. 평균 밀도는 대륙 지각이 약 $2.7\,\mathrm{g/cm^3}$, 해양 지각이 약 $3.0\,\mathrm{g/cm^3}$이고 상부 맨틀은 약 $3.3\,\mathrm{g/cm^3}$이다.

ㄷ. 에어리설은 밀도가 같은 지각에서 해발 고도가 높을수록 해수면을 기준으로 한 모호면의 깊이가 깊다는 것으로 B와 C의 모호면의 깊이 차를 설명할 수 있다.

바로 알기 ㄴ. 해수면을 기준으로, 모호면의 깊이가 다르면 그 상부의 지각 기둥의 무게가 다르다. 그러나 보상면(지각 평형 깊이)에서 각 지점에 작용하는 무게는 모두 같다.

03 지구의 역장

개념 모아 정리하기   057쪽

❶ 만유인력   ❷ 질량   ❸ 거리   ❹ 원심력
❺ 중력   ❻ 적도   ❼ 절대   ❽ 상대   ❾ 표준 중력
❿ 중력 이상   ⓫ 큰   ⓬ 작은   ⓭ 중력 탐사   ⓮ 쌍극자
⓯ 자남극(또는 지자기 남극)   ⓰ 자북극(또는 지자기 북극)
⓱ 다이너모 이론   ⓲ 편각   ⓳ 복각   ⓴ 수평 자기력
㉑ 연직 자기력   ㉒ 일변화   ㉓ 태양 복사   ㉔ 영년 변화
㉕ 자기 폭풍   ㉖ 자기권   ㉗ 밴앨런대

개념 기본 문제   058쪽

01 (1) A: 원심력, B: 만유인력, C: 중력   (2) A   (3) B, C
02 약 $9.9\,\mathrm{m/s^2}$ **03** ㉠: 표준 중력, ㉡: 실측 중력,
㉢: 중력 이상   **04** (1) 편각: ∠NOP, 복각: ∠POQ
(2) 복각(∠POQ)과 연직 자기력($\overrightarrow{OR}$)   (3) 수평 자기력($\overrightarrow{OP}$)
05 ㄱ, ㄴ, ㄷ   **06** (1) 태양 복사 에너지의 입사량 변화
(2) 자기 폭풍

01 (1) A는 원심력, B는 만유인력, C는 중력이다.

(2) 원심력의 크기는 지구 자전축으로부터의 거리가 멀수록 커지므로 적도에서 최대이고 극에서 최소이다.

(3) 극에서는 원심력의 크기가 최소이므로 중력의 크기는 극에서 최대이다.

02 길이가 l인 단진자의 주기는 $T=2\pi\sqrt{\dfrac{l}{g}}$이므로, 중력 가속도는 $g=\dfrac{4\pi^2 l}{T^2}$이다. 단진자의 10회 왕복 시간 평균이 20초이므로 단진자의 주기는 2.0초이다. 따라서 중력 가속도는 다음과 같이 구할 수 있다.

$$g=\frac{4\times(3.14)^2\times 1}{(2.0)^2}\fallingdotseq 9.9\,(\mathrm{m/s^2})$$

03 지구 타원체상에서 만유인력과 원심력의 합력으로 구한 이론적인 중력을 표준 중력이라고 한다. 그리고 지표상에서 단진자를 이용하여 실제로 구한 중력을 실측 중력이라 하며, 실측 중력과 표준 중력의 차이를 중력 이상이라고 한다.

04 (1) 편각은 진북과 자침의 N극이 가리키는 방향인 자북이 이루는 각이므로 ∠NOP이고, 복각은 자침이 수평면에 대해 기울어진 각이므로 ∠POQ이다.

(2), (3) 지구 자기 3요소 중 자극에서 최대가 되는 것은 복각(∠POQ)과 연직 자기력($\overrightarrow{OR}$)이고, 자기 적도에서 최대가 되는 것은 수평 자기력($\overrightarrow{OP}$)이다.

05 ㄱ. B 지점에서는 자북 방향과 진북 방향이 일치하므로 편각은 0°이고, E 지점에서는 자북 방향이 진북 방향에 대하여 서쪽(왼쪽)에 위치하므로 편각은 (−)이다.

ㄴ. A, C, D 중 수평 자기력이 가장 작은 곳은 자북극에 가장 가까운 D 지점이다.

ㄷ. A, C, D 중 연직 자기력이 가장 작은 곳은 자북극에서 가장 멀리 떨어진 A 지점이다.

06 (1) (가)는 지구 자기의 일변화를, (나)는 자기 폭풍을 나타낸 것이다. 지구 자기의 일변화는 주로 태양 복사 에너지에 의해 지구 대기의 전리층에 형성된 유도 전류가 자기장을 발생시키기 때문에 나타난다. 태양의 고도에 따라 태양 복사 에너지의 입사량이 달라지므로 낮에는 자기장의 세기가 강해지고 밤에는 약해진다.

(2) 자기 폭풍은 태양 활동이 활발해져 흑점 부근에서 플레어(폭발 현상)가 발생할 때 나타나는 지구 자기장의 급격한 변화이다.

개념 적용 문제   059쪽

| 01 ⑤ | 02 ③ | 03 ① | 04 ③ | 05 ② | 06 ③ |
| 07 ③ | 08 ④ | 09 ③ | 10 ② | | |

01 ① A는 원심력, B는 만유인력, C는 중력이다.

②, ③ 원심력(A)의 크기는 적도에서 최대, 극에서는 0이다. 극에서는 만유인력(B)과 중력(C)의 크기가 최대가 되며 둘 다 지구 중심 방향을 향한다.

④ 단진자의 주기는 중력(중력 가속도)이 클수록 짧아진다. 고위도로 갈수록 중력의 크기가 커지므로 단진자의 주기는 고위도로 갈수록 짧아진다.

바로 알기 ⑤ 중력의 크기는 적도에서 최소, 극에서 최대이다.

02 ㄱ. (나)에서 A는 만유인력이고, B는 원심력이다. 적도에서의 중력은 만유인력 − 원심력 = 981.4 − 3.4 = 978.0 (Gal)이고, 극에서의 중력은 만유인력 = 중력 = 983.2 (Gal)이다.

ㄷ. 지구 타원체 상에서 만유인력과 원심력의 합력으로 구해지는 중력은 표준 중력이다.

바로 알기 ㄴ. 만유인력(A)과 원심력(B)이 이루는 각도는 적도에서는 180°이고, 고위도로 갈수록 작아진다.

03 ㄱ. 진자의 10회 왕복 평균 시간은 20.0초이므로 진자의 주기(T)는 2.0초이다. 따라서 중력 가속도는 다음과 같이 구할 수 있다.

$$g = \frac{4\pi^2 l}{T^2} = \frac{4\pi^2 \times 1}{2^2} = \pi^2 \,(\mathrm{m/s^2})$$

바로 알기 ㄴ. 표준 중력의 크기는 중위도보다 저위도에서 작다. $T = 2\pi\sqrt{\dfrac{l}{g}}$ 에서 중력(g)이 작아지면 진자의 주기(T)는 길어진다.

ㄷ. 지구 자전 속도가 빨라지면 지구 자전에 의한 원심력의 크기가 커지므로 중력의 크기(g)가 작아져서 진자의 주기(T)가 길어진다

04 ㄱ. 표준 중력은 밀도가 균일한 지구 타원체를 가정하고 이론적으로 구한 중력이므로, 동일 위도에서는 표준 중력의 크기가 같다.

ㄷ. 표준 중력의 크기는 적도에서 최소이고 극에서 최대이며, 지구 자전에 의한 원심력의 크기는 적도에서 최대이고 극에서 0이다. A에서는 B에서보다 표준 중력이 작으므로, A는 B보다 저위도에 위치하는 것을 알 수 있다. 따라서 지구 자전에 의한 원심력의 크기는 저위도의 A에서 고위도의 B로 갈수록 작아진다.

바로 알기 ㄴ. 표준 중력의 방향이 지구 중심 방향과 일치하는 곳은 적도 또는 극이다. B에서는 표준 중력의 방향이 지구 중심 방향과 일치하고, A보다 표준 중력이 커서 고위도에 위치하므로 B는 극에 위치한다.

05 ㄴ. X에서는 중력 이상이 (+)이므로 실측 중력이 표준 중력보다 크고, Y에서는 중력 이상이 (−)이므로 실측 중력이 표준 중력보다 작다.

바로 알기 ㄱ. 표준 중력은 위도에 따라 달라진다. 따라서 (가)와 (나)는 위도가 서로 다르므로 표준 중력은 서로 다르다.

ㄷ. X의 중력 이상이 (+)이므로 A의 밀도는 주변 암석보다 크고, Y의 중력 이상은 (−)이므로 B의 밀도는 주변 암석보다 작다.

06 ㄱ. 진북과 자북이 이루는 각이 편각이므로, 편각은 A 지점이 B 지점보다 크고, B 지점의 편각은 0°이다. 복각은 자북극(지자기 북극)에 가까울수록 크다. 따라서 자북극에서 가장 먼 C 지점의 복각이 가장 작다.

ㄷ. 표준 중력은 위도에 따라서만 변하므로 동일 위도 상에서는 같고, 고위도로 갈수록 증가한다. 따라서 표준 중력의 크기는 A＝B＞D＞C이다.

바로 알기 ㄴ. 단진자의 주기는 $T = 2\pi\sqrt{\dfrac{l}{g}}$($l$: 진자의 길이, g: 중력 가속도)이다. 지구 타원체의 구성 물질이 균질하다고 가정하였으므로, 중력은 위도에 따라서만 변한다. 즉, 중력은 저위도에서 고위도로 갈수록 커지므로 저위도인 C에서의 중력은 고위도인 D에서보다 작다. 따라서 단진자의 주기는 C 지점이 D 지점보다 길다.

07 ㄱ. ㉠은 복각이다. A 지점의 복각은 약 ＋30°이고, B 지점의 복각은 약 ＋50°이므로 A 지점이 B 지점보다 작다.

ㄷ. 위도 0°~60° 사이에서 저위도의 등복각선은 고위도보다 밀집되어 있다. 즉, 저위도에서 등복각선이 밀집되어 있는 것으로 보아 위도에 따른 복각의 변화율이 고위도보다 크다는 것을 알 수 있다.

바로 알기 ㄴ. ㉡은 수평 자기력으로, 복각이 커질수록 자침이 수평면에 대하여 많이 기울어지므로 그 크기가 작아진다. 따라서 A 지점에서 C 지점으로 갈수록 자북극에 가까워져서 복각이 커지므로 수평 자기력은 작아진다.

08 ㄱ, ㄴ 자북극에서는 수평 자기력이 0이고, 복각이 90°이다. 따라서 수평 자기력이 작은 Q 지점이 P 지점보다 자북극에 더 가까이 위치하므로 복각도 더 크다.

바로 알기 ㄷ. 편각은 진북과 자북 사이의 각이고, 지리상 북극은 경도선을 이은 선 위에 위치하므로 P 지점에서 Q 지점으로 이동하면 자침은 서쪽(시계 반대 방향)으로 더 움직인다.

09 ㄱ. 오로라는 태양으로부터 날아오는 대전 입자가 지구 자기장에 붙들려 지구 대기 중의 분자나 원자와 충돌할 때 빛을 내는 현상이다.

ㄴ. 지구 자기장의 밴앨런대에는 태양풍의 대전 입자들(전자와 양성자)이 밀집되어 있으며, 밴앨런대는 내대와 외대로 구분된다.

바로 알기 ㄷ. 오로라는 극에 가까운 고위도 지역(A)에서만 관측할 수 있다.

10 ㄷ. 태양의 흑점 수가 많아지면 태양 활동이 활발해지고, 그에 따라 강한 태양풍이 발생하고 대전 입자가 지구에 많이 유입되므로 지구 자기장이 급격하게 변하는 자기 폭풍이 발생한다. 이러한 자기 폭풍은 전리층을 교란시켜 장거리 무선 통신 두절(델린저 현상)을 일으키기도 한다.

바로 알기 ㄱ. 태양에서 방출된 고에너지의 X선이나 자외선 및 대전 입자들이 지구 대기의 전리층에 영향을 미쳐 유도 전류를 발생시키고, 태양의 고도에 따라 지구 대기의 전리층이 영향을 받는 정도가 달라지므로 지구 자기의 일변화가 발생한다.

ㄴ. 지구 자기의 일변화는 태양 복사 에너지의 영향으로 발생한다. 낮에는 지구 자기장의 세기가 강해지고 밤에는 약해진다. 또한, 태양 복사 에너지가 강한 여름이 약한 겨울보다 지구 자기장의 세기 변화 폭이 크게 나타난다.

2. 지구 구성 물질과 자원

01 광물

01 ④   02 ③

01 ㄴ. (가)는 개방 니콜, (나)는 직교 니콜에서 관찰한 것으로, 흑운모와 같은 광학적 이방체 유색 광물은 개방 니콜에서 색이 변하는 다색성을 관찰할 수 있다.

ㄷ. (나)의 직교 니콜에서는 간섭색과 360° 회전할 때 4번 어두워지는 소광 현상을 관찰할 수 있다.

바로 알기 ㄱ. (가)는 개방 니콜에서 관찰한 것이고, (나)는 직교 니콜에서 관찰한 것이다.

02 ㄱ, ㄴ 복굴절을 일으키는 광물은 광학적 이방체 광물이다. 광학적 이방체 유색 광물의 박편을 편광 현미경으로 관찰할 때 다색성은 개방 니콜에서, 간섭색은 직교 니콜에서 관찰할 수 있다.

바로 알기 ㄷ. 소광 현상은 직교 니콜에서 관찰할 수 있다.

❶무기물   ❷화학 조성   ❸원자 배열   ❹결정질   ❺규산염
❻산소   ❼규소   ❽SiO₄   ❾조흔색   ❿쪼개짐   ⓫굳기
⓬모스 굳기계   ⓭개방 니콜   ⓮직교 니콜   ⓯다색성
⓰간섭색   ⓱소광   ⓲흑운모   ⓳흑운모   ⓴세립질
㉑조립질   ㉒쇄설성   ㉓혼펠스   ㉔혼펠스   ㉕엽리

01 (1) ×   (2) ○   (3) ×   (4) ×   02 ㄴ, ㄷ   03 ㄱ, ㄴ
04 A → B → C   05 (1) ㄱ, ㄷ   (2) ㄴ, ㄹ   06 ㄱ, ㄴ

01 (1) 광물은 자연에서 산출되는 무기물의 고체로서 일정한 범위의 화학 조성과 물리적 성질을 가지며, 규칙적인 원자 배열을 이루고 있는 물질이다. 즉, 광물은 여러 가지 원소나 화합물로 이루어질 수 있다.

(2), (3) 조암 광물의 대부분은 규산염 광물이며, 규산염 광물 중 가장 많은 것은 장석류이다.

(4) 지각을 구성하는 8대 원소 중 가장 많은 것은 산소(O)이다.

02 ㄴ, ㄷ 방해석과 석영의 색과 조흔색은 같으므로 굳기와 염산 반응으로 구별할 수 있다. 방해석은 $CaCO_3$ 성분으로 되어 있으므로 묽은 염산을 떨어뜨리면 거품이 발생한다.

바로 알기 ㄱ, ㄹ 방해석과 석영의 색과 조흔색은 같으므로 색과 조흔색으로는 구별할 수 없다.

03 ㄱ. SiO_4 사면체는 4개의 산소 이온이 꼭짓점을 이루는 사면체의 중심에 규소 이온 1개가 있는 구조를 이룬다. 따라서 A는 산소이고, B는 규소이다.

ㄴ. 산소 이온은 O^{2-}이고, 규소 이온은 Si^{4+}이므로 SiO_4 사면체는 전하가 (-4)인 음이온(SiO_4^{4-})이다.

바로 알기 ㄷ. SiO_4 사면체는 이웃 사면체와 산소 원자를 서로 공유하면서 다양한 결합 구조를 이룬다.

04 A는 자형, B는 반자형, C는 타형이다. 마그마에서 광물이 생성될 때 가장 먼저 정출되는 광물은 결정이 성장하기에 충분한 공간이 있으므로 결정면이 잘 발달한 자형으로 산출된다. 그러나 이후에는 먼저 정출된 광물들 때문에 결정이 성장할 공간이 부족하여 그 다음에 정출되는 광물들은 결정면의 일부만 발달한 반자형으로, 최후에 정출되는 광물들은 결정면이 발달하지 못한 타형으로 산출된다. 따라서 광물의 생성 순서는 'A → B → C' 순이다.

05 (1) 편광 현미경의 상부 편광판을 뺀 상태인 개방 니콜에서는 색과 다색성을 관찰할 수 있다.

(2) 상부 편광판을 끼운 상태인 직교 니콜에서는 복굴절을 일으키는 광물의 간섭색과 소광 현상을 관찰할 수 있다.

06 ㄱ. (가)는 풍화된 광물 알갱이들이 서로 맞물려 있는 쇄설성 조직이므로 퇴적암(사암)이다.

ㄴ. (나)는 광물 알갱이들이 납작하게 변형되어 한 방향으로 나란히 배열되었으므로 변성암(편암)의 엽리 조직(편리)이다.

바로 알기 ㄷ. 사암이 주로 열에 의해 접촉 변성 작용을 받으면 규암이 된다. 편암은 셰일이 열과 압력에 의한 광역 변성 작용을 받아 생성된다.

01 ③	02 ②	03 ⑤	04 ③	05 ②	06 ⑤
07 ④	08 ③	09 ⑤	10 ③	11 ③	12 ⑤

01 ㄱ. 망치로 깨뜨렸을 때 세 방향의 평탄한 면이 관찰되는 것은 세 방향의 쪼개짐이 발달한 광물이기 때문이다.

ㄷ. 광물의 표면에 묽은 염산을 떨어뜨릴 때 거품이 발생하는 것은 광물이 탄산 칼슘($CaCO_3$) 성분으로 이루어져 있기 때문이다. 따라서 이 광물은 방해석이다.

바로 알기 ㄴ. 초벌구이 도자기판은 조흔판이다. 조흔판에 그었을 때 나타나는 색은 광물의 조흔색(백색)이다. 주어진 광물을 유리판에 그었을 때 유리판이 긁히지 않는 것은 이 광물의 굳기가 유리의 굳기보다 작다는 것을 의미한다.

02 ㄴ. 석영의 굳기가 정장석보다 크므로 석영으로 정장석을 긁으면 정장석이 긁힌다.

바로 알기 ㄱ. 손톱의 굳기가 2.5이므로 굳기가 1인 활석은 손톱에 긁히지만, 굳기가 3인 방해석은 손톱에 긁히지 않는다.

ㄷ. 모스 굳기는 상대적인 굳기를 나타낸 것이므로 금강석의 굳기가 활석보다 10배 단단한 것은 아니다. 실제 단단한 정도(절대 굳기)를 비교하면 금강석이 활석보다 500배 이상 단단하다.

03 (가)는 단사슬 구조, (나)는 복사슬(이중 고리) 구조, (다)는 판상 구조를 나타낸 것이다.

ㄱ. 휘석은 단사슬 구조를 이루며 결합하는 광물이다.

ㄴ. 각섬석은 복사슬 구조를 이루며 결합하는 광물이다.

ㄷ. 판상 구조 광물에서는 1방향의 쪼개짐이 발달한다.

04 휘석, 흑운모, 석영은 모두 규산염 광물이고, 자철석은 금속 광물이다. 규산염 광물 중 유색 광물이 아닌 것은 석영(B)이고, 2방향의 쪼개짐이 발달하는 것은 휘석(D)이다. 흑운모(C)는 1방향의 쪼개짐이 발달한다.

ㄱ. A는 자철석으로 금속 광물에 해당한다.

ㄷ. SiO_4 사면체의 공유 산소 수는 석영(B)>흑운모(C)>휘석(D)이다.

바로 알기 ㄴ. 다색성은 광학적 이방체이며 유색 광물인 흑운모(C)와 휘석(D)에서는 나타나지만, 무색 광물인 석영(B)에서는 나타나지 않는다.

05 흑운모와 방해석은 모두 광학적 이방체 광물인데, 흑운모는 규산염 광물이고 방해석은 탄산염 광물이다. 석류석은 규산염 광물이지만 광학적 등방체이고, 금강석은 광학적 등방체에 해당하며 규산염 광물이 아니다. 따라서 A는 방해석이고, B는 흑운모, C는 석류석, D는 금강석이다.

06 ⑤ 규소와 산소의 개수 비(Si : O)는 감람석은 1 : 4, 휘석은 1 : 3, 각섬석은 4 : 11(=1 : 2.75), 흑운모는 2 : 5(=1 : 2.5), 석영은 1 : 2이다. 따라서 (가)에서 (마)로 가면서 Si : O의 비가 점차 감소한다.

바로 알기 ① 광물의 굳기는 (가)의 감람석은 6.5~7, (나)의 휘석은 5~6.5, (다)의 각섬석은 5~6, (라)의 흑운모는 2.5~3, (라)의 석영은 7이다.

② 감람석(황녹색), 휘석(흑색, 녹색), 각섬석(암녹색), 흑운모(흑색, 갈색)는 모두 유색 광물이고, 석영은 무색 광물이므로 (가)에서 (마)로 가면서 색깔이 점차 어두워진다고 할 수 없다.

③ 감람석과 석영은 깨짐의 성질이 있고, 휘석은 2방향, 각섬석은 2방향, 흑운모는 1방향의 쪼개짐이 발달한다.

④ 감람석은 이웃하는 규산염 사면체와 산소 원자를 공유하지 않고, 휘석은 2개의 산소를, 각섬석은 2개~3개의 산소를, 흑운모는 3개의 산소를, 석영은 4개의 산소를 공유한다. 따라서 (가)에서 (마)로 가면서 이웃하는 사면체와 공유하는 산소 원자 수가 증가한다.

07 ㄴ. 상부 편광판을 끼운 상태인 직교 니콜에서 재물대를 회전하며 각섬석을 관찰하면 여러 가지 색으로 보이는데 이것을 간섭색이라고 한다.

ㄷ. 직교 니콜에서 재물대를 360° 회전하는 동안 90°마다 어두워지는 소광 현상이 4번 나타난다.

바로 알기 ㄱ. 상부 편광판을 뺀 개방 니콜에서 각섬석을 관찰하면 옅은 녹색~갈색으로 보이고, 재물대를 회전하면 색과 밝기가 미세하게 변하는 다색성이 나타난다.

08 ㄱ. (가)는 흑운모가 갈색으로 나타나고 주위의 다른 광물은 색이 흐릿하게 나타나므로 개방 니콜에서 관찰한 것이고, (나)는 흑운모 주위의 다른 광물의 간섭색이 나타나므로 직교 니콜에서 관찰한 것이다.

ㄴ. (가)의 개방 니콜에서 재물대를 회전하면 흑운모의 색과 밝기가 변하는 다색성이 나타난다.

바로 알기 ㄷ. 간섭색과 소광 현상은 직교 니콜에서만 관찰할 수 있다.

09 ㄱ. 이 퇴적암은 풍화 침식 작용을 받아 유수나 바람에 의해
운반된 후 퇴적되어 생성된 쇄설성 퇴적암이다.

ㄴ. 광물 입자들이 대부분 둥근 모양인 것으로 보아 먼 거리
로 운반되면서 마모가 많이 되었다는 것을 알 수 있다.

ㄷ. 구성 광물 입자들이 대부분 석영으로 이루어진 퇴적암은
사암이다.

10 ㄱ. (가)는 화성암의 반상 조직으로, A는 주변에 있는 석기보
다 먼저 생성된 반정이다.

ㄷ. (가)의 반상 조직은 반심성암에서 나타나고, (나)의 조립
질 조직은 심성암에서 나타난다. 따라서 (가)는 (나)보다 얕
은 깊이에서 생성되었다.

바로 알기 ㄴ. 광물 B는 개방 니콜과 직교 니콜에서 모두 관찰되므
로 광학적 이방체이다. 광학적 등방체 광물은 직교 니콜에서는 깜깜하
여 관찰되지 않는다.

11 ㄱ. 화성암 A는 석영, 사장석, 정장석, 흑운모로 구성되어 있
으므로 화강암이고, 광물 입자들이 비교적 크고 고른 조립질
조직을 보인다.

ㄷ. 화강암이 광역 변성 작용을 받으면 화강 편마암으로 변
한다.

바로 알기 ㄴ. 변성암 B는 흑운모와 사장석, 석영으로 구성되어 있
으며, 흑운모와 사장석이 변형되어 평행한 줄무늬를 이루므로 엽리(편
마 구조)가 발달한 편마암이다. 혼펠스는 셰일이 접촉 변성 작용을 받
아 생성된다.

12 ㄱ. 셰일이 열에 의한 접촉 변성 작용을 받으면 혼펠스가 되
며, 열과 압력에 의한 광역 변성 작용을 받으면 점판암, 천매
암, 편암, 편마암이 된다.

ㄴ. 접촉 변성 작용을 받아 생성된 혼펠스는 방향성이 없고
치밀하고 단단한 혼펠스 조직을 나타낸다.

ㄷ. 편마암은 편암보다 변성도가 크므로 입자의 크기는 편암
보다 크다.

02 지구의 자원

개념 기본 문제   096쪽

01 (1) B   (2) A   (3) C   **02** (1) − ㉠, (2) − ㉢, (3) − ㉡

03 ㄱ, ㄴ, ㄷ   **04** ㄱ, ㄴ   **05** (1) ○ (2) ○ (3) ×   **06** ㄱ, ㄴ

01 A는 퇴적 광상, B는 화성 광상, C는 변성 광상이다.

(1) 주로 금속 광물 자원이 산출되는 광상은 화성 광상(B)이다.

(2) 암염, 고령토 등이 산출되는 광상은 퇴적 광상(A)이다.

(3) 흑연, 활석 등이 산출되는 광상은 변성 광상(C)이다.

02 (1) 지각의 금속 원소 중 가장 풍부하며 쉽게 녹슬지 않고 가
벼워 창틀, 캔, 주방 용기로 이용되는 금속은 알루미늄(Al)
이다.

(2) 지각의 금속 원소 중 두 번째로 풍부하고, 인류가 사용하
는 금속의 대부분을 차지하는 금속은 철(Fe)이다.

(3) 희토류는 네오디뮴, 스칸듐, 이트륨, 란타넘 등을 통칭하
는 것으로, 지각에 농축된 형태로는 거의 존재하지 않는다.

03 그림은 조류 발전 방식을 나타낸 것이다.

ㄱ, ㄴ 조류 발전은 빠른 조류의 흐름을 이용하여 발전하는
방식으로 온실 기체와 대기 오염 물질을 배출하지 않는다.

ㄷ. 조류 발전은 무한히 재생 가능하므로 재생 에너지에 해
당하고, 생태계에 영향을 미치지 않는 친환경 에너지이다.

04 ㄱ. 가스 수화물의 주성분은 메테인(CH_4)이다.

ㄴ. 망가니즈 단괴는 주성분인 망가니즈 외에도 구리, 니켈,
코발트 등의 금속을 함유한다.

바로 알기 ㄷ. 우리나라 동해의 울릉도 근해 해저에는 가스 수화물이
매장되어 있지만, 망가니즈 단괴는 주로 태평양의 대양저 평원에 분포
한다.

05 (1) 조력 발전은 해수면의 만조와 간조 때의 조차를 이용하여 발전하는 방식이다.

(2) 조류 발전은 조류의 빠른 흐름을 이용하여 터빈을 돌려 발전하는 방식이다.

(3) 조력 발전은 제방을 설치함에 따라 갯벌의 소실, 염분의 변화 등으로 인해 해양 생태계에 교란을 일으킬 수 있다. 그러나 조류 발전과 파력 발전은 생태계에 영향을 미치지 않는 친환경 에너지이다.

06 ㄱ. 석회석과 고령토는 비금속 광물 자원에 해당한다.

ㄴ. 금속 광물 자원에서 금속을 얻기 위해서는 제련 과정이 필요하다.

바로 알기 ㄷ. 채취한 광석에서 원하는 광물만 가려내는 과정을 선 광이라고 한다. 채광은 원하는 광석을 채취하는 과정이다.

개념 적용 문제   097쪽

| 01 ⑤ | 02 ③ | 03 ④ | 04 ③ | 05 ⑤ | 06 ③ |
| 07 ③ | 08 ② | 09 ⑤ | 10 ② |

01 ㄱ. 화성 광상의 종류에는 정마그마 광상, 페그마타이트 광상, 기성 광상, 열수 광상이 있다.

ㄴ. 표사 광상, 침전 광상은 모두 퇴적 광상에 해당한다.

ㄷ. 교대 광상과 광역 변성 광상은 변성 광상에 해당하므로 A는 변성 광상이다. 우라늄, 흑연, 활석은 변성 광상(A)에서 얻을 수 있다.

02 ㄱ. (가)는 에너지 자원 중 화석 연료에 해당하며, 그 매장량에 한계가 있어서 자원 고갈 문제가 심각하다.

ㄴ. (나)는 금속 광물 자원으로, 이들 금속을 얻기 위해서는 제련 과정이 필요하다.

바로 알기 ㄷ. (다)는 비금속 광물 자원으로, 석회석과 점토는 퇴적 광상에서 얻을 수 있지만 석재로 쓰이는 암석에는 화성암과 변성암 등이 포함된다. 따라서 (다)는 모두 퇴적 광상에서만 얻을 수 있는 것이 아니다.

---

03 ㄴ. 고령토는 정장석이 풍화 작용을 받아서 생성된 점토 광물이고, 주로 도자기를 만드는데 쓰인다.

ㄷ. 석회석은 비금속 광물 자원으로, 퇴적 광상에서 산출되며 시멘트의 주원료로 사용된다.

바로 알기 ㄱ. 금속 광물 자원 중 철, 알루미늄, 칼슘 등은 지각에 비교적 풍부하게 존재하지만, 금, 은, 구리, 니켈 등은 지각에 비교적 적게 존재한다.

04 ㄱ. 에너지 자원에 해당하는 A는 석탄이다. 석탄은 퇴적 광상에서 채취할 수 있다.

ㄴ. B는 금속 광물인 자철석에 해당하며, 자철석은 주로 화성(정마그마) 광상에서 산출된다. 정마그마 광상에서 산출되는 주요 광물 자원으로는 자철석, 크롬 철석, 백금, 니켈 등이 있다.

바로 알기 ㄷ. C는 석회석이다. 석회석은 퇴적 광상에서 산출되며, 시멘트의 원료로 사용된다.

05 ㄱ. 마그마가 냉각되는 과정에서 유용한 물질이 농집된 광상을 화성 광상이라고 하며, 주로 금속 광물이 산출된다. 텅스텐은 이러한 화성 광상(페그마타이트 광상)에서 산출된다.

ㄴ. 광상에서 금속 광물 자원을 추출하려면 제련 과정이 필요하다. 따라서 제련 과정은 ⓒ에 포함된다.

ㄷ. 텅스텐은 특수강 제조, 합금 재료, 전구의 필라멘트 등에 쓰인다.

06 ㄱ. ㉠은 에너지 자원이며 화석 연료이므로, 석탄, 석유, 천연가스 등이다.

ㄷ. 흑연, 활석, 석면 등은 비금속 광물 자원에 해당한다.

바로 알기 ㄴ. 흑연, 활석, 석면 등의 자원이 산출되는 광상 ⓒ은 변성 광상이다. 텅스텐, 철, 몰리브데넘, 금 등의 금속 광물이 산출되는 광상 ㉣은 화성 광상인 페그마타이트 광상이다. 정마그마 광상에서는 자철석, 크롬철석, 백금, 니켈 등이 산출된다.

07 ㄱ. 정장석의 풍화 산물인 A는 고령토이다. 고령토는 퇴적 광상에서 산출된다.

ㄴ. B는 석탄에 해당한다. 석탄은 지하자원이면서 에너지 자원이므로 (가)의 Ⅱ에 속한다.

바로 알기 ㄷ. 금속 광물인 텅스텐은 마그마가 냉각되는 과정에서 생성된 화성 광상에서 산출된다. 따라서 ㉠에 들어갈 알맞은 말은 '화성 광상에서 산출되는가?'이다.

08 ① 망가니즈 단괴는 해수와 퇴적물에 포함된 성분이 침전하여 생성된 것으로, 망가니즈 외에도 구리, 니켈, 코발트 등의 금속을 함유한다.

③, ④ 보크사이트는 고온 다습한 지역에서 고령토가 화학적 풍화 작용을 받아 생성되므로, 보크사이트 광상은 퇴적 광상에 해당하며, 알루미늄의 원료로 사용된다.

⑤ 망가니즈 단괴와 보크사이트는 모두 금속을 포함한 광물 자원이므로, 제련 과정을 통해 필요한 금속을 얻을 수 있다.

바로 알기 ② 망가니즈 단괴는 주로 수심 4000 m~6000 m의 대양저 평원에 분포한다.

09 ㄱ. 주어진 자료에서 A 지점 하부에서 가스 수화물이 안정하게 존재할 수 있는 퇴적층의 온도 범위는 약 4 °C~20 °C 사이이다.

ㄴ. 수심이 깊어짐에 따라 해저면 퇴적층의 압력이 높아진다. 따라서 가스 수화물은 해저 퇴적층의 압력이 높을수록 안정하게 존재할 수 있는 영역의 두께가 두껍다.

ㄷ. 가스 수화물은 메테인을 포함하는 고체 물질로, 메테인이 온실 효과에 큰 영향을 미친다는 문제점이 있다.

10 그림 (가)는 파력 발전의 원리를, (나)는 조력 발전의 원리를 나타낸 것이다.

ㄷ. 파력 발전은 파도의 운동 에너지를 전기 에너지로 전환하는 것이고, 조력 발전은 만조와 간조 때 생기는 조차에 의한 위치 에너지를 전기 에너지로 전환하는 것이다.

바로 알기 ㄱ. 조력 발전은 규칙적으로 흐르는 조류를 이용하여 발전하는 방식이므로 거의 일정한 발전량을 유지할 수 있다. 그러나 파력 발전은 바람의 세기 변화에 따라 파도의 운동 에너지 변화가 크므로 일정한 발전량을 유지하기 어렵다.

ㄴ. 바다에서의 파도는 바람에 의해 발생하고, 바람을 일으키는 근원 에너지는 태양 복사 에너지이다. 조력 발전은 달과 태양에 의한 기조력 때문에 발생하는 조석 현상이 원인이다.

3. 한반도의 지질

01 지질 조사와 지질도

집중 분석　　　　　　　　　　　　　113쪽

유제 ③

유제 ㄱ. 주향은 진북 방향과 주향선이 이루는 각을 말하므로, A층의 주향은 N30°W이다.

ㄷ. A, B, C 세 지층은 모두 남서쪽으로 경사져 있으므로 가장 하부의 지층은 C이고 가장 상부의 지층은 A이다. 따라서 지층이 생성된 순서는 C → B → A 순이다.

바로 알기 ㄴ. 지층의 경사 방향은 고도가 높은 주향선에서 고도가 낮은 주향선으로의 방향이므로 남서(SW) 쪽이다.

개념 모아 정리하기　　　　　　　　114쪽

❶ 클리노미터　❷ 주향　❸ 경사　❹ 진북(N)　❺ 주향
❻ 안쪽　❼ 주향선　❽ 경사　❾ 지질도　❿ 암석
⓫ 지질 구조　⓬ 화살표　⓭ 단층　⓮ 노선 지질도
⓯ 지질도(지질 평면도)　⓰ 지질 단면도　⓱ 지질 주상도
⓲ 수평　⓳ 수직　⓴ 경사　㉑ 단층　㉒ 습곡　㉓ 부정합

개념 기본 문제　　　　　　　　　　115쪽

01 (1) ×　(2) ○　(3) ○　(4) ○　(5) ×　　**02** (1) 주향: N45°E
(2) 경사: 30°SE　　**03** (1) 수평층: A, 경사층: C　(2) B, D, E
04 습곡(또는 습곡 구조)　　**05** (가): 부정합 (나): 정단층
06 A → B → C

01 (1) 지층의 경사는 지층의 경사 방향과 함께 지층의 경사각을 표시한다.

(5) 야외 지질 조사에서 노두를 조사하여 작성한 지질도를 노선 지질도라고 한다.

02 (1) 지층면이 수평면과 만나서 이루는 교선의 방향이 진북을 기준으로 동쪽 45° 방향을 가리키므로 주향은 N45°E이다.

(2) 지층면이 수평면에 대하여 남동쪽으로 30° 기울어져 있으므로 경사는 30°SE이다.

03 ⑴ 수평층은 지층 경계선이 등고선과 나란하게 나타나므로 A이고, 경사층은 지층 경계선이 등고선을 비스듬히 교차하므로 C이다.

⑵ 수직층은 지층 경계선이 등고선을 직선으로 지나므로 B, D, E이다.

04 역암층을 중심으로 좌우의 지층이 서로 반대 방향으로 경사져 있으므로 배사 구조가 나타나고, 석회암층을 중심으로 좌우 지층의 경사 방향이 서로 마주보므로 향사 구조가 나타난다. 따라서 이 지역에서 나타나는 지질 구조는 습곡이다.

05 (가)와 (나)의 지질도에서 지질 단면도를 그려보면 각각 다음과 같다.

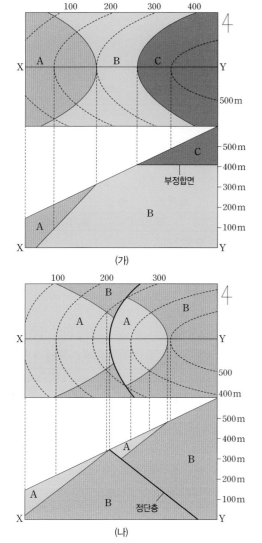

(가)

(나)

따라서 (가)에 나타나는 지질 구조는 부정합이고, (나)에 나타나는 지질 구조는 정단층이다.

06 주어진 지질도에서 주향선은 남북 방향이고, 지층의 경사 방향은 동쪽이다. 따라서 가장 하부의 지층은 A이고, 가장 상부의 지층은 C이므로 생성 순서는 A → B → C 순이다.

개념 적용 문제　　　　　　　　　　　　　　116쪽

01 ⑤	**02** ②	**03** ④	**04** ⑤	**05** ⑤	**06** ④
07 ④	**08** ④				

01 주향은 클리노미터의 자침이 진북 방향(N)과 이루는 각이므로 N60°W이다. 경사각은 클리노미터의 경사추가 가리키는 눈금을 읽어 측정하므로 45°이고, 경사 방향이 남쪽이므로 이 지층의 경사는 45°SW이다. 주향과 경사를 지질도에 부호로 표시할 때 주향은 긴 실선과 진북에 대한 각도(60°)로 표시하고, 경사는 주향에 직각 방향으로 짧은 실선과 경사각 45°로 표시한다.

02 ㄴ. 경사 방향은 고도가 높은 주향선에서 고도가 낮은 주향선 방향이므로 남서쪽이다.

바로 알기 ㄱ. 셰일층의 주향선이 진북을 기준으로 서쪽으로 10° 방향이므로 셰일층의 주향은 N10°W이다.

ㄷ. 셰일, 사암, 역암층이 모두 남서쪽으로 경사져 있으므로 가장 하부 지층은 역암이고 그 위에 차례로 사암층과 셰일층이 퇴적된 후 석회암층이 부정합으로 가장 나중에 퇴적되었다.

03 ㄴ. 화강암이 단층선에 의해 잘려져 있으므로 화강암이 관입한 후에 단층 작용이 있었음을 알 수 있다.

ㄷ. 이 지역에서 있었던 지각 변동과 암석의 생성 순서는 석회암 → 셰일 → 사암 → 습곡 작용 → 화강암 관입 → 단층 작용 → 현무암 분출 순이다. 따라서 가장 나중에 생성된 암석은 현무암이다.

바로 알기 ㄱ. 수평층인 석회암층을 기준으로 오른쪽의 셰일층과 사암층은 남동쪽으로 경사져 있고, 왼쪽의 셰일층은 북서쪽으로 경사져 있다. 따라서 위로 볼록한 습곡 구조인 배사 구조가 발달해 있다. 그리고 북서에서 남동 방향으로 길게 자른 직선은 단층을 나타낸다.

04 ㄱ. C층의 주향선이 북쪽(N)으로부터 30°만큼 서쪽(W)을 향하므로 주향은 N30°W이다. C층의 경사 방향은 고도가 높은 400 m 주향선에서 고도가 낮은 300 m 주향선 쪽으로의 방향이므로 남서(SW)쪽이고, 두 주향선의 수평 거리가 100 m로서 두 주향선의 고도차 100 m와 같으므로 경사각은 45°이다. 따라서 C층의 경사는 45°SW이다.

ㄴ. B와 C, D 지층은 모두 남서쪽으로 경사져 있으므로 가장 하부 지층은 B이고, 그 위에 C와 D 지층이 차례로 쌓인 후 융기하여 침식 작용을 받은 다음 침강하여 A층이 수평으로 쌓였다. 따라서 지층은 B → C → D → A 순으로 생성되었다.

ㄷ. 가장 나중에 수평으로 쌓인 A 지층은 B, C, D 지층과 부정합 관계이다.

05 ㄱ. 지질도에서 단층의 상반이 하반에 대해 위로 이동했으므로 이 단층은 역단층이다.

ㄷ. 지층의 경사 방향은 고도가 높은 주향선에서 고도가 낮은 주향선 방향이므로 서쪽이고, 단층의 경사 방향도 서쪽이다.

바로 알기 ㄴ. 이 지역에는 역단층이 분포하고 지층이 서쪽으로 경사져 있으므로 동쪽에 있는 지층이 먼저 생성되었다. 그러므로 지층의 생성 순서는 A → B → C이다

06 ④ X층을 기준으로 왼쪽에 있는 지층 A, B의 경사 방향은 동쪽이고, 오른쪽에 있는 지층 A, B의 경사 방향은 서쪽이므로 X층은 아래로 오목한 향사축에 해당한다. 그리고 Y층을 기준으로 양쪽에 있는 지층 A, B의 경사 방향은 각각 서쪽과 동쪽이므로 Y층은 위로 볼록한 배사축에 해당한다.

바로 알기 ①, ⑤ 이 지역에서 부정합이나 단층은 나타나지 않는다. ②, ③ 이 지역의 지층은 Y층 → A층 → B층 → X층 순으로 퇴적되었으며, 이 지역에서 가장 새로운 지층은 X층이다.

07 ㄴ. 같은 높이의 등고선과 지층 경계선이 만나는 두 점을 연결한 선이 주향선이다. 주향은 주향선이 가리키는 방향을 북쪽(N)을 기준으로 표시한 각이다. 따라서 C 지층의 주향은 N50°W이다.

ㄷ. A, B, C 세 지층의 경사 방향이 북동쪽이므로 가장 하부의 지층은 C이고 가장 상부의 지층은 A이다. 따라서 지층의 생성 순서는 C → B → A이다.

바로 알기 ㄱ. A 지층과 B 지층의 경계선에 그은 200 m와 300 m 주향선 사이의 거리가 100 m이므로 두 주향선의 고도 차(100 m)와 같다. A 지층의 경사각(θ)은 $\tan \theta = \dfrac{100}{100} = 1$이므로 $\theta = 45°$이다. 또한, A 지층의 경사 방향은 고도가 높은 주향선에서 고도가 낮은 주향선 쪽이므로 북동(NE)쪽이다. 따라서 A 지층의 경사는 45°NE이다.

08 ㄴ. C 지층의 경계선은 등고선과 나란하므로 수평층이고, B 지층을 부정합으로 덮고 있다.

ㄷ. A, B 지층은 서쪽으로 경사져 있으므로 아래쪽에 있는 B가 먼저 생성되었다. 따라서 이 지역의 지층과 암석의 생성 순서는 B → A → C → D 순이다.

바로 알기 ㄱ. A 지층에서 주향은 남북(NS) 방향이고, 경사 방향은 고도가 높은 300 m 주향선에서 고도가 낮은 200 m 주향선 방향이므로 서쪽이다.

02 한반도의 지질

개념 모아 정리하기   129쪽

❶ 육괴   ❷ 선캄브리아   ❸ 퇴적 분지   ❹ 변성암   ❺ 화성암
❻ 고생대   ❼ 중생대   ❽ 경기   ❾ 변성암   ❿ 조선 누층군
⓫ 평안 누층군   ⓬ 화성   ⓭ 경상 누층군   ⓮ 제4기
⓯ 유라시아   ⓰ 태평양   ⓱ 필리핀   ⓲ 한중   ⓳ 남중
⓴ 에클로자이트   ㉑ 곤드와나   ㉒ 쥐라기   ㉓ 유라시아
㉔ 동해   ㉕ 일본 열도

개념 기본 문제   130쪽

01 ㄱ, ㄷ   **02** (1) ○ (2) ○ (3) × (4) ×   **03** (1) 조선 누층군 – 고생대(캄브리아기) (2) 경상 누층군 – 중생대(백악기)
04 (1) A: 평안 누층군, B: 대동 누층군, C: 경상 누층군 (2) C
05 ㄱ, ㄴ, ㄷ   **06** (1) 중생대 (2) 송림 변동, 대보 조산 운동, 불국사 변동

01 A는 평남 분지, B는 경기 육괴, C는 태백산 분지, D는 옥천 분지, E는 경상 분지이다.

ㄱ. A는 평남 분지로, 고생대에 퇴적층이 쌓여 형성된 퇴적 분지이다.

ㄷ. C(태백산 분지)와 D(옥천 분지)는 옥천 습곡대로 단층이나 습곡에 의해 복잡하게 변형되었다.

ㄴ. B는 경기 육괴로, 육괴는 지형적으로나 구조적으로 특정한 방향성을 나타내지 않는 암석들이 분포하는 지역을 말한다.
ㄹ. 경상 분지(E)에는 백악기의 육성 퇴적물과 화산 활동에 따른 화산 쇄설물이 퇴적되어 있다.

02 (1) 선캄브리아 시대 암석은 대부분 변성암이다.
(2) 고생대 전기 지층은 조선 누층군으로, 바다에서 형성된 해성층이다.
(3) 우리나라의 석회암은 조선 누층군에 포함되어 있으며, 조선 누층군은 고생대 초에 퇴적된 것이다. 고생대 말에서 중생대 초에 퇴적된 지층은 평안 누층군이다.
(4) 제주도와 백두산은 신생대 제4기의 화산 활동으로 형성되었다.

03 (1) 우리나라에서 석회암층은 주로 강원도와 충청북도 일대에 분포하며, 고생대 캄브리아기에 형성된 조선 누층군에 해당한다. 이 석회암층에서는 삼엽충, 필석류, 두족류, 코노돈트 등의 화석이 발견된다.
(2) 중생대 백악기에 형성된 경상 누층군은 주로 경상도 지방에 분포하고, 역암, 사암, 셰일 등의 쇄설성 퇴적암으로 이루어져 있으며, 공룡 발자국 등의 화석이 발견된다.

04 (1) A는 고생대 석탄기에서 중생대 트라이아스기에 걸쳐 퇴적된 평안 누층군이다. B는 중생대 쥐라기에 퇴적된 대동 누층군으로 육성층이다. 그리고 C는 중생대 백악기에 주로 경상도 지방에 퇴적된 경상 누층군으로 육성층이다.
(2) 경상 누층군(C)에서는 공룡 발자국 화석과 연체동물, 절지동물, 식물 화석 등이 산출된다.

05 ㄱ. 한반도에 분포하는 암석 중 가장 넓은 면적인 약 40 %를 차지하는 변성암류는 대부분 선캄브리아 시대에 생성되었다.
ㄴ. 화성암류는 한반도 면적의 약 35 %를 차지하며 대부분 중생대에 관입한 화강암으로 이루어져 있다. 이러한 화강암은 한반도 중부에서는 대체로 남서－북동 방향으로 분포하는 경향이다.
ㄷ. 퇴적암류는 약 25 %를 차지하는데, 주로 고생대의 바다와 중생대의 육지에서 퇴적된 암석으로 구성되어 있다

06 (1) 한중 지괴와 남중 지괴는 중생대 트라이아스기 말부터 부터 백악기 초까지 충돌하여 병합하였다.
(2) 중생대에 한중 지괴와 남중 지괴의 충돌로 한반도에서는 송림 변동, 대보 조산 운동, 불국사 변동 등의 지각 변동이 일어났다.

개념 적용 문제　　　　　　　　　　　131쪽

| 01 ① | 02 ④ | 03 ③ | 04 ③ | 05 ④ | 06 ② |
| 07 ③ | 08 ⑤ | 09 ② | 10 ③ | | |

01 ① (가)는 경기 육괴로서 주로 선캄브리아 시대의 변성암이 분포한다.
② (나)는 옥천 습곡대이다. 옥천 습곡대의 남서쪽은 옥천 분지로서 변성 작용을 받은 변성 퇴적암류가 분포하고, 북동쪽은 태백산 분지로서 변성 작용을 받지 않은 고생대의 퇴적암이 분포한다.
③ (다)는 영남 육괴로서, 선캄브리아 시대의 변성암이 주로 분포한다.
④ (라)는 경상 분지로서, 중생대의 육성 퇴적층이 넓게 분포한다. 경상 분지에서는 공룡 발자국 화석이 많이 분포한다. 그러나 암모나이트는 중생대의 바다 생물 화석이므로, 육성층인 경상 분지에서는 산출되지 않는다.
⑤ (마)는 제주도로서, 신생대 제4기의 화산 활동으로 생성된 화성암(주로 현무암)과 응회암층이 분포한다.

02 ㄴ. B는 중생대 쥐라기의 대보 조산 운동으로 관입한 대보 화강암으로 '북동－남서'의 방향성을 나타낸다.
ㄷ. C는 태백산 분지로, 고생대의 조선 누층군이 퇴적된 지역에는 석회암이 풍부하게 분포한다. 그리고 D는 경상 분지로서 중생대의 육성 퇴적물이 쌓인 지역이고, 공룡 발자국 화석이 많이 산출된다.
ㄱ. A는 경기 육괴에 해당하는 지역으로, 주로 선캄브리아 시대의 변성암 복합체가 분포한다.

03 ㄱ. (가)는 고생대 전기에 퇴적된 조선 누층군이다. 조선 누층군은 주로 강원도에 분포하므로 그림의 A 지역에 위치한다.
ㄴ. (나)는 중생대의 백악기에 퇴적된 경상 누층군이다. 경상 누층군은 대부분 경상도 지방에 분포하므로 B 지역에 위치한다.
ㄷ. (가)의 조선 누층군은 해성층이고, (나)의 경상 누층군은 육성층이다.

04 주어진 지질도에서 지질 단면도를 그려보면 다음과 같다.

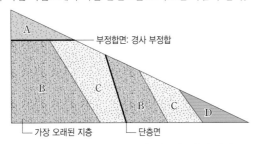

① 지층 A는 중생대 말의 불국사 변동을 받지 않았으므로 그 이후에 생성된 신생대층일 가능성이 크다.

② 경사층 D에 대보 화강암이 관입하였으므로, C와 D는 대보 화강암이 관입하기 전에 형성되었다고 판단할 수 있다.

④ 중생대 말에 관입한 불국사 화강암이 $f-f'$ 단층이 끊었으므로, $f-f'$ 단층은 중생대 말 이후에 형성되었다.

⑤ A와 C는 부정합 관계이면서 지층의 경사가 다르므로, 경사 부정합 관계이다.

바로 알기 ③ 지층 D는 대보 화강암의 관입을 받았으므로, 쥐라기 말 이전에 형성된 지층이다. 즉, 백악기의 경상 누층군이 아니다.

05 지층과 암석의 생성 순서는 A → B → D → C → E이고, 암석 A는 약 1억 년 전(중생대)에, 화성암 D는 약 2000만 년 전(신생대 네오기)에, 화성암 E는 약 1000만 년 전(신생대 제4기)에 생성된 것이다. 따라서 지층 B는 중생대 말에 형성된 경상 누층군이고, 지층 C는 약 2000만 년 전~1000만 년 전에 형성되었으므로 신생대 네오기에 퇴적된 연일층군으로 판단할 수 있다.

06 ① (가)는 고생대 전기에 바다에서 퇴적된 지층인 조선 누층군에 해당한다. 조선 누층군에서는 삼엽충, 필석류, 완족류 등의 화석이 산출된다.

③ (다)는 중생대 후기 지층인 경상 누층군에 해당한다. 경상 누층군은 하천과 호수와 같은 육상 퇴적물로 이루어져 있으며, 공룡 발자국과 공룡 알 화석이 산출된다.

④ (나)는 신생대 네오기에 퇴적된 연일층군에 해당한다. 이 시기에 한반도와 일본 열도 사이가 확장되면서 동해가 형성되었다.

⑤ (가)는 고생대, (나)는 신생대, (다)는 중생대이므로 지층의 생성 순서는 (가) → (다) → (나)이다.

바로 알기 ② 연일층군은 신생대 네오기에 형성되었으므로 중생대의 대보 조산 운동을 겪지 않았다.

07 ㄱ. A는 중생대 쥐라기의 대보 조산 운동 당시에 마그마가 관입하여 생성된 대보 화강암이다.

ㄴ. B는 중생대 백악기 후기의 불국사 변동 당시에 관입하여 생성된 불국사 화강암이고, C는 신생대 제4기에 화산 분출로 생성된 화산암이다. 구성 광물의 크기는 심성암인 화강암 B가 화산암인 C보다 크다.

바로 알기 ㄷ. A의 대보 화강암은 중생대 쥐라기에 생성되었고, B의 불국사 화강암은 중생대의 백악기에 생성되었으며, C는 신생대 제4기에 생성되었다. 따라서 화성암의 생성 순서는 A → B → C 이다.

08 ㄱ. A는 고생대 전기(캄브리아기~오르도비스 중기)에 형성된 조선 누층군이고, B는 고생대 후기(석탄기)~중생대 초기(트라이아스기)에 형성된 평안 누층군이며, C는 중생대 백악기에 형성된 경상 누층군이다. 따라서 지층의 생성 순서는 A → B → C이다.

ㄴ. B의 평안 누층군의 하부는 해성층이지만 상부는 육성층이다. 따라서 육지 환경에서 퇴적된 상부 지층에서는 고사리 화석과 석탄층이 발견된다.

ㄷ. 경상 누층군의 하부는 셰일, 사암, 역암 등의 육성층으로 이루어져 있으며, 상부는 백악기의 불국사 변동 당시의 화산 활동으로 형성된 응회암과 화산 쇄설물을 포함한다.

09 ㄴ. 그림에 표시된 지층은 포항 부근에서 동해안을 따라 분포하는 신생대 네오기의 연일층군이다. 이 지층에는 규화목, 단풍잎 화석 등을 포함하는 육성층과 유공충 화석 등을 포함하는 해성층이 모두 존재한다.

바로 알기 ㄱ. 연일층군은 신생대 네오기에 형성되었다.

ㄷ. 네오기의 화산 활동은 포항 지역과 길주-명천 지역에서 일어났으며, 이후 제4기에 일어난 화산 활동으로 제주도, 울릉도, 독도가 형성되었다.

10 ㄱ. 영남 육괴는 한중 지괴에, 경기 육괴는 남중 지괴에 속해 있었고, 두 지괴는 트라이아스기 말에 충돌하기 시작하였다.

ㄷ. 중생대에는 여러 지괴가 충돌하여 합쳐지는 과정에서 송림 변동, 대보 조산 운동, 불국사 변동 등의 지각 변동이 활발하게 일어났다.

바로 알기 ㄴ. 한중 지괴와 남중 지괴는 트라이아스기 말에 충돌하기 시작하였고, 쥐라기 초에 두 지괴가 합쳐졌다.

03 한반도의 변성 작용

집중 분석   145쪽

유제 ③

유제 ㄱ. 관입한 화강암과 접촉하고 있는 A, B, C는 모두 열에 의한 접촉 변성 작용을 받았다.

ㄴ. A는 혼펠스, B는 대리암, C는 규암이다. 혼펠스의 주요 구성 광물은 석영, 운모, 장석 등이고, 대리암은 주로 방해석($CaCO_3$)으로 이루어져 있으며, 규암은 모래의 주성분인 석영으로 이루어져 있다. 따라서 묽은 염산과 반응하는 암석은 방해석 성분의 대리암이다.

바로 알기 ㄷ. A의 혼펠스는 치밀하고 견고한 혼펠스 조직을 이루고, B의 대리암과 C의 규암은 입상 변정질 조직을 이룬다.

개념 모아 정리하기   146쪽

❶ 압력 ❷ 재결정 작용 ❸ 열 ❹ 접촉 변성 ❺ 조산
❻ 광역 변성 ❼ 혼펠스 ❽ 입상 변정질 ❾ 엽리 ❿ 직각
⓫ 편리 ⓬ 유색 ⓭ 편마 구조 ⓮ 혼펠스 ⓯ 대리암
⓰ 점판암(슬레이트) ⓱ 천매암 ⓲ 편암 ⓳ 편마암 ⓴ 육괴
㉑ 변성암 ㉒ 송림 ㉓ 대보 ㉔ 불국사 ㉕ 혼펠스

개념 기본 문제   147쪽

01 (1) ○ (2) × (3) ○ (4) ×   **02** ㄱ, ㄴ, ㄷ
03 (1) 혼펠스 조직 (2) 입상 변정질 조직 (3) 엽리 (조직)
04 (1) 편마 구조 (2) 점판암(슬레이트) **05** ㄱ **06** ㄴ, ㄹ

01 (2) 재결정 작용으로 광물의 내부 결합 구조와 크기가 변하고 새로운 광물이 생성된다.
(4) 광역 변성암은 열과 압력의 영향을 모두 받아 생성된다.

02 ㄱ. A 지역은 해양판이 대륙판 아래로 섭입하는 지역으로, 광역 변성 작용이 일어난다. 따라서 깊이가 깊어질수록 온도와 압력이 증가하므로 변성도가 증가한다.
ㄴ. B 지역에서 지각의 온도가 주변보다 높은 까닭은 상승하는 마그마의 영향 때문이다.

ㄷ. A 지역에서는 열과 압력의 영향에 의한 광역 변성암이 생성되고, B 지역에서는 마그마의 열에 의한 접촉 변성암이 주로 생성된다.

03 (1) 마그마와의 접촉부에서 암석이 재결정 작용을 받아 입자가 작은 광물들이 치밀하고 단단하게 짜인 조직은 혼펠스 조직이다. 혼펠스 조직은 혼펠스에서 잘 나타난다.
(2) 마그마의 접촉부에서 재결정 작용을 받아 입자들의 방향성이 없고 크기가 거의 비슷한 굵은 광물 입자들로 치밀하게 짜인 조직은 입상 변정질 조직이다. 입상 변정질 조직이 나타나는 변성암은 대리암과 규암이다.
(3) 광물이 압력에 직각 방향으로 평행하게 배열된 조직은 엽리로, 편암의 편리와 편마암의 편마 구조가 있다.

04 (1) (가)에서 관찰되는 휘어진 구조(습곡 구조)는 광역 변성 작용을 받았다는 것을 나타내고, 밝은색과 어두운색의 광물이 교대로 띠를 이루고 있는 조직은 편마 구조이다.
(2) 어두운 색을 띠며 얇은 판 모양으로 쪼개지는 변성암은 점판암(슬레이트)이다.

05 ㄱ. A는 석회암이 접촉 변성 작용을 받아서 생성된 암석이므로 대리암이다.
바로 알기 ㄴ. B는 셰일이 접촉 변성 작용을 받아서 생성된 암석이므로 혼펠스이다. 혼펠스는 치밀하고 견고한 혼펠스 조직을 이룬다.
ㄷ. A는 대리암이고, C는 사암이 접촉 변성 작용을 받아서 생성된 규암이다. 따라서 방해석 성분으로 이루어진 대리암만 묽은 염산과 반응한다.

06 ㄴ. 한반도의 육괴에 분포하는 암석은 대부분 광역 변성 작용에 의한 편암과 편마암류의 변성암 복합체이다.
ㄹ. 대보 조산 운동으로 관입한 대보 화강암과 불국사 변동으로 관입한 불국사 화강암은 기존 암석인 셰일에 접촉 변성 작용을 일으켜 혼펠스를 형성하였다.
바로 알기 ㄱ. 한반도의 광역 변성암은 대부분 선캄브리아 시대에 생성된 것이지만, 중생대 초의 송림 변동에 의해서 생성된 광역 변성암도 있다.
ㄷ. 태백산 분지와 옥천 분지의 쇄설성 퇴적암의 일부는 송림 변동에 의해 광역 변성 작용을 받았다. 이에 따라 점판암, 천매암, 편암 등이 생성되었다.

개념 적용 문제   148쪽

01 ③	02 ③	03 ④	04 ③	05 ③	06 ①
07 ③	08 ②	09 ①	10 ④	11 ③	12 ⑤

01 ㄱ. A는 주로 마그마의 접촉부에서 열에 의한 접촉 변성 작용이 일어나는 환경이다.

ㄴ. B는 열과 압력의 영향을 함께 받아 광역 변성 작용이 일어나는 환경이다. 이러한 광역 변성 작용은 주로 판의 수렴 경계에 형성된 조산 운동 지역에서 일어난다.

바로 알기 ㄷ. (나)의 암석은 밝은색의 광물과 어두운색의 광물이 교대로 띠를 이루는 것으로 보아 편마암이다. 편마암은 광역 변성 작용에서 가장 변성도가 큰 환경에서 생성된다. 따라서 A보다 B의 환경에서 잘 생성된다.

02 두 대륙판의 충돌대에서는 높은 온도와 큰 압력이 작용하므로 넓은 지역에 걸쳐 광역 변성 작용이 일어난다. A는 주로 열에 의한 접촉 변성 작용이 일어나는 영역이고, B와 C는 열과 압력의 영향으로 광역 변성 작용이 일어나는 영역인데, B는 변성도가 중간 정도인 영역으로 천매암이나 편암이 생성되는 환경이고, C는 변성도가 매우 큰 영역으로 편암이나 편마암이 생성되는 환경이다. D와 E는 화강암의 용융 곡선보다 오른쪽에 위치하므로 암석이 용융되는 환경이어서 변성 작용은 일어날 수 없다.

03 세일이 광역 변성 작용을 받으면 온도와 압력이 증가함에 따라 점판암 → 천매암 → 편암 → 편마암 순으로 변한다.

ㄴ. 온도와 압력이 증가하면 재결정 작용으로 구성 광물 입자의 크기가 증가한다. 따라서 광물 입자의 크기는 (가) 점판암＜(다) 천매암＜(나) 편암＜(라) 편마암이다.

ㄷ. 변성도가 가장 낮은 것은 (가)의 점판암이고, 가장 높은 것은 (라)의 편마암이다.

바로 알기 ㄱ. (다)의 천매암은 (나)의 편암보다 변성도가 작으므로 편리가 덜 발달해 있다.

04 ㄱ. A는 마그마가 빠르게 냉각되어 생성된 화산암이고, B는 마그마가 천천히 냉각되어 생성된 심성암이다. 따라서 광물 입자의 크기는 화산암(A)이 심성암(B)보다 작다.

ㄴ. C는 사암이 접촉 변성 작용을 받아 생성된 규암이고, D는 석회암이 접촉 변성 작용을 받아 생성된 대리암이다. 규암과 대리암은 재결정 작용을 받아 입자들의 방향성이 없고 크

기가 거의 비슷한 굵은 광물 입자들로 치밀하게 짜여진 입상 변정질 조직을 이룬다.

바로 알기 ㄷ. E는 세일이 접촉 변성 작용을 받아 생성된 혼펠스이다. 점판암은 세일이 광역 변성 작용을 받을 때 생성된다.

05 ㄱ. (가)는 세일이 열에 의한 접촉 변성 작용을 받아 혼펠스가 되는 과정이고, (나)는 세일이 열과 압력에 의한 광역 변성 작용을 받아 편암과 편마암이 생성되는 과정이다.

ㄴ. 접촉 변성 작용을 받아 생성된 혼펠스는 세일보다 조직이 치밀하고, 더 단단하다.

바로 알기 ㄷ. (나)의 광역 변성 작용 과정에서 세일은 온도와 압력이 점차 증가하면 점판암 → 천매암 → 편암 → 편마암이 된다.

06 ㄱ. 화강암의 구성 광물은 정장석, 흑운모, 사장석, 석영이고, 화강 편마암의 구성 광물은 흑운모, 사장석, 석영이다. 따라서 두 암석의 구성 광물은 유사하다.

바로 알기 ㄴ. 화강암이 고온 고압 하에서 광역 변성 작용을 받으면 화강 편마암이 된다.

ㄷ. 화강암은 구성 광물이 비교적 크고 고른 조립질 조직을 나타내고, 편마암은 구성 광물이 납작하게 변형되어 압력에 직각 방향으로 나란히 배열된 편마 구조를 나타낸다.

07 A는 석회암이 접촉 변성 작용을 받은 부분이므로, 석회암의 구성 광물인 방해석이 재결정 작용을 받아 생성된 대리암(ⓒ)이 분포한다. B는 사암이 접촉 변성 작용을 받은 부분이므로 사암의 구성 광물인 석영이 재결정 작용을 받아 생성된 규암(ⓐ)이 분포한다. C는 광역 변성암인 편암이므로 흑운모와 석영이 한 방향으로 배열된 엽리 조직(ⓑ)이 나타난다.

08 ㄴ. (나) 암석은 밝고 어두운 줄무늬가 교대로 나타나므로 편마 구조가 발달한 광역 변성암(편마암)이다. 해양판과 대륙판의 수렴 경계 부근인 B 지역에는 조산 운동이 일어나면서 광역 변성암이 생성된다.

바로 알기 ㄱ. A 지역에서는 그 하부의 맨틀이 부분 용융하여 생성된 마그마가 지표로 분출하면서 화산 활동이 일어나므로 높은 열에 의한 접촉 변성 작용이 일어난다.

ㄷ. (다) 암석은 전체적으로 어둡게 보이고, 표면에 기포가 빠져 나간 흔적인 기공이 보이므로 현무암이다. 현무암은 화산암으로 A 지역에 분포하며, 광역 변성암에서 발달하는 조직인 엽리 조직은 나타나지 않는다.

09 ①, ② 주어진 암석에서 습곡 구조가 관찰되고, 검은 띠와 흰 띠의 줄무늬가 나타나므로 이 암석은 광역 변성 작용을 받아 생성된 편마 구조가 발달해 있는 편마암이다. 층리는 퇴적암에서 나타나는 줄무늬이다.

③ 한반도의 변성암 중 편마암은 대부분 선캄브리아 시대에 생성되었다.

④ 구성 광물(흑운모, 장석, 석영, 홍주석) 중 검은 띠를 이루는 광물은 흑운모이다.

⑤ 한반도의 지체 구조에서 선캄브리아 시대의 변성암은 대부분 육괴에 분포한다.

10 ㄴ. 편마암과 셰일은 부정합 관계이므로 편마암이 생성된 이후 융기 → 침식 → 침강 → 퇴적의 지각 변동을 겪었다.

ㄷ. 편마암이 생성된 후 편마암과 부정합 관계로 셰일이 퇴적되었고, 그 후 화강암이 관입하였다. 따라서 암석은 편마암 → 셰일 → 화강암 순으로 생성되었다.

(바로 알기) ㄱ. 편마암은 셰일이 광역 변성 작용을 받아서 생성된다. 셰일은 온도와 압력이 증가함에 따라 슬레이트(점판암) → 천매암 → 편암 → 편마암 순으로 변한다.

11 ㄱ. A의 경기 육괴에는 주로 선캄브리아 시대의 변성암이 분포하고, B에는 북동─남서 방향으로 중생대 쥐라기에 관입한 대보 화강암이 주로 분포한다.

ㄴ. C에는 고생대 전기에 바다에서 퇴적된 조선 누층군이 분포하고, D에는 중생대에 육상에서 퇴적된 경상 누층군이 분포한다.

(바로 알기) ㄷ. C의 퇴적암(조선 누층군)은 고생대 캄브리아기에 생성되었고, A의 변성암은 선캄브리아 시대에 생성되었다. 따라서 A의 변성암이 C의 퇴적암보다 먼저 생성되었다.

12 (가) 공룡과 새 발자국 화석은 경상 분지에 분포하는 쇄설성 퇴적암에서 관찰된다. 따라서 (가)는 경상 분지에 위치하는 C 지역의 특징에 해당된다.

(나) 우리나라에서 석회암과 석탄층이 넓게 분포하는 지역은 태백산 분지이다. 따라서 (나)는 태백산 분지에 위치하는 B 지역의 특징에 해당한다.

(다) 우리나라에서 선캄브리아 시대의 변성암이 널리 분포하는 지체 구조는 경기 육괴와 영남 육괴이다. 따라서 (다)는 경기 육괴 서부 지역인 A 지역의 특징에 해당한다.

통합 실전 문제   154쪽

01 ③	02 ⑤	03 ②	04 ③	05 ①	06 ①
07 ⑤	08 ④	09 ③	10 ①	11 ④	12 ④

01 ① 수성, 금성, 지구, 화성은 지구형 행성으로, 태양계 성운의 원반부 안쪽에서 수많은 미행성체들의 충돌로 거의 동시에 탄생하였다.

② 태양에서 가까운 영역에서는 태양의 복사열로 인해 가벼운 물질은 증발하고, 무거운 성분인 규소, 철, 니켈 등으로 이루어진 지구형 행성인 수성, 금성, 지구, 화성이 형성되었다.

④ 금성은 표면 온도가 너무 높아서 액체 상태의 물이 모두 증발하여 수증기로 존재하고, 화성은 표면 온도가 너무 낮아서 물이 액체 상태로 존재할 수 없어서 극 부근에서만 고체 상태로 존재한다.

⑤ 지구의 자기장은 태양으로부터 오는 대전 입자를 차단하며, 오존층은 태양의 해로운 자외선을 흡수하므로 지구상에 생명체가 존재하는데 큰 영향을 미친다.

(바로 알기) ③ 금성의 표면 온도가 높은 주된 까닭은 태양으로부터의 거리보다는 대기 중에 매우 높은 농도로 존재하는 이산화 탄소에 의한 온실 효과 때문이다.

02 ㄱ. A는 해령으로서, 맨틀 대류의 상승부이다. 해령의 하부에서는 마그마가 생성되어 상승하므로 지각 열류량이 높게 나타난다.

ㄴ. B는 해구로서, 맨틀 대류가 하강하므로 지각 열류량이 낮게 나타난다.

ㄷ. C에서는 해구에서 섭입하는 해양판 상부의 맨틀이 부분 용융되어 생성된 마그마가 지표로 분출하며 화산 활동이 일어나므로, 지각 열류량이 높게 나타난다.

03 지진파의 속도 불연속면은 약 40 km~50 km 깊이의 모호면, 약 2900 km 깊이의 구텐베르크면, 약 5100 km 깊이의 레만면이 있다.

ㄴ. 약 2900 km 깊이의 구텐베르크면은 맨틀과 외핵의 경계면으로 물질의 상태가 고체(맨틀)에서 액체(외핵)로 변하고, 약 5100 km 깊이의 레만면은 외핵과 내핵의 경계면으로 액체(외핵)에서 고체(내핵)로 변한다.

바로 알기 ㄴ. 지진파의 속도 불연속면에서 밀도는 급격히 변하지만 압력과 온도는 급격히 변하지 않는다.

ㄷ. A층은 맨틀로 고체 상태이고, B층은 외핵으로 액체 상태이며, C층은 내핵으로 고체 상태이다.

04 ㄱ. 표준 중력은 균질한 지구 타원체를 가정하고 위도에 따라 이론적으로 구한 중력이므로, 동일 위도에서는 같고 고위도로 갈수록 커진다. 따라서 표준 중력의 크기는 위도가 같은 A와 B에서 같고, 적도 지방인 C에서 가장 작다.

ㄴ. 중력 이상 = 실측 중력 − 표준 중력이다. A 지점은 실측 중력과 표준 중력이 같고, B 지점은 중력 이상이 +30 mGal이므로 실측 중력은 표준 중력보다 +30 mGal 더 크다. 따라서 실측 중력의 크기는 A<B이다.

바로 알기 ㄷ. C 지점은 중력 이상이 0이므로 실측 중력과 표준 중력이 같고, B 지점은 중력 이상이 +30 mGal이므로 실측 중력이 C 지점의 실측 중력보다 크다. 진자의 주기$(T)=2\pi\sqrt{\dfrac{l}{g}}$ (l: 진자의 길이, g: 실측 중력 가속도)이므로 진자의 주기는 B<C이다.

05 ㄱ. 편각은 어느 지점에서 진북 방향과 자북 방향이 이루는 각이다. A와 C의 편각은 +10°(동편각 10°)로 서로 같다.

바로 알기 ㄴ. 복각은 자침이 수평 방향에 대하여 기울어진 각이므로 복각은 자극에 가까울수록 커지고, 자기 적도에서 최소이다. 복각이 클수록 연직 자기력은 커지고 수평 자기력은 작아진다. B는 세 지점 중 가장 저위도에 위치하므로 복각이 가장 작고 수평 자기력은 가장 크다.

ㄷ. B는 편각이 −10°(서편각 10°)이고, A는 편각이 +10°(동편각 10°)이므로, B에서 A까지 최단 경로로 이동할 때 나침반의 자침은 시계 방향으로 회전한다.

06 ㄱ. (가)는 선이 2중으로 보이므로 복굴절을 일으키는 광물(방해석)로 선을 관찰한 모습이다. 이처럼 복굴절을 일으키는 광물은 광학적 이방체이다.

바로 알기 ㄴ. (나)에서 A는 상부 니콜을 뺀 상태이므로 개방 니콜이고, B는 상부 니콜을 끼운 상태이므로 직교 니콜이다.

ㄷ. 간섭색과 소광 현상은 직교 니콜(B)에서 관찰할 수 있고, 다색성은 개방 니콜(A)에서 관찰할 수 있다.

07 ㄱ. 방해석($CaCO_3$)은 탄산염 광물이므로 묽은 염산을 떨어뜨렸을 때 거품을 낸다.

ㄴ. 정장석과 석영은 규소(Si)와 산소(O)를 포함하는 규산염 광물로, SiO_4 사면체 구조를 이룬다.

ㄷ. 금과 황철석은 색과 깨짐은 같지만 굳기와 조흔색이 다르다. 따라서 굳기로 구별할 수 있고, 조흔색으로도 구별할 수 있다.

08 ㄴ. (가)의 반상 조직은 마그마가 비교적 얕은 지하에서 냉각되어 생성된 반심성암이나 마그마가 지표로 분출되어 생성된 화산암에서 나타나는 조직이며, (나)의 조립질 조직은 마그마가 지하 깊은 곳에서 천천히 냉각되어 생성된 심성암에서 나타나는 조직이다. 따라서 (가)는 (나)보다 마그마의 냉각 속도가 빨랐다.

ㄷ. 사장석, 휘석, 각섬석, 정장석, 석영, 흑운모는 모두 규산염 광물이고, 그림의 규산염 광물은 모두 광학적 이방체에 해당한다.

바로 알기 ㄱ. (가)는 미세한 바탕(석기)에 큰 결정이 있는 반상 조직이고, (나)는 광물의 결정이 비교적 크고 고른 조립질 조직이다. 세립질 조직은 광물이 미세한 결정으로 이루어진 조직이다.

09 ㄱ. 보크사이트에서는 알루미늄(Al)을 얻을 수 있고, 황동석에서는 구리(Cu)를 얻을 수 있다. 따라서 보크사이트와 황동석은 금속 광물 자원에 해당한다.

ㄴ. 고령토는 장석이 풍화된 후 퇴적되어 생성된 것이고, 석회석(석회암)은 바다에서 탄산 칼슘($CaCO_3$) 성분이 침전되어 생성된 것이다. 따라서 고령토와 석회석은 비금속 광물 자원에 해당하며, 퇴적 광상에서 산출된다.

바로 알기 ㄷ. 가스 수화물은 심해저에 분포하는 고체 상태의 메테인(CH_4)으로서, 에너지 자원에 해당한다. 그러나 망가니즈 단괴는 해저에 분포하는 금속 광물 자원이다.

10 ㄱ. 지질도에서 주향은 지층 경계선이 등고선과 만나는 두 점을 잇는 선의 방향이므로 석회암층의 주향은 NS(남북) 방향이다.

바로 알기 ㄴ. 지층의 경사 방향은 고도가 높은 주향선에서 고도가 낮은 주향선 쪽으로의 방향이다. 따라서 사암층과 석회암층의 지층 경계선으로 지층의 경사 방향을 판단해 보면 사암층은 서쪽으로 경사져 있다.

ㄷ. 지층의 경사 방향으로 판단해 보면 석회암과 사암은 서쪽으로 경사진 지층이므로, 경사 방향 아래의 석회암이 먼저 퇴적된 후 사암이 퇴적되었다. 또 응회암과 셰일은 수평층으로, 하부의 지층을 부정합으로 덮고 있다. 따라서 지층의 생성 순서는 석회암 → 사암 → 응회암 → 셰일이다.

11 ① 강원도인 A 지역에는 고생대의 퇴적암이 분포하고, 주로 경상도 지역인 B에는 중생대의 퇴적암층이 분포하며, 포항 일대인 C 지역에는 신생대(네오기)의 퇴적암층이 분포한다.

② (나) 지역의 지층 단면을 보면 하부의 석회암층에서는 완족류와 삼엽충 화석이 산출되므로 고생대 전기의 조선 누층군이고, 부정합으로 덮인 상부 지층에서는 방추충과 고사리 화석이 산출되므로 고생대 후기의 평안 누층군이다.

③ 조선 누층군(A)이 퇴적된 시기는 고생대 전기(캄브리아기)이다. 고생대 전기에 한반도를 형성한 땅덩어리들(한중 지괴와 남중 지괴)은 적도 부근에 있었던 곤드와나 대륙의 연변부에 위치하였다.

⑤ C는 신생대의 네오기(약 2300만 년 전~약 500만 년 전)에 퇴적된 연일층군이다. 일본 열도가 한반도에서 분리되면서 약 1800만 년 전부터 동해가 확장되기 시작하여 약 1200만 년 전에 동해의 확장이 완료되었다.

바로 알기 ④ B는 중생대 백악기에 퇴적된 경상 누층군이다. 대보 조산 운동은 중생대 쥐라기에 일어났던 조산 운동이다.

12 (가)는 천매암으로, 점판암이 온도와 압력이 더욱 증가하여 변성 작용을 받은 것이다. 천매암은 세립질이고 편리가 잘 발달하여 있다. 편리면은 강한 광택을 띠고 있는데, 이것은 다량 함유되어 있는 운모의 영향 때문이다. (나)는 편암으로, 천매암이 더욱 높은 온도와 압력에서 변성 작용을 받아서 생성된 것이다. 편암은 운모에 의한 편리가 가장 잘 발달된 암석으로 편리를 따라 비교적 잘 쪼개진다. 편암의 주요 구성 광물은 흑운모, 백운모, 녹니석 등의 판상 광물이며 각섬석, 흑연, 녹염석 등을 함유하기도 한다. (다)는 혼펠스로, 셰일이 열에 의한 접촉 변성 작용을 받아서 생성된 것이다. 혼펠스는 세립질의 입자가 치밀하고 단단하게 짜인 혼펠스 조직을 나타낸다.

ㄴ. 천매암과 편암은 광역 변성 작용을 받아서 생성된 암석이고, 혼펠스는 접촉 변성 작용을 받아서 생성된 암석이다.

ㄷ. 편암이 더욱 큰 압력과 높은 온도에서 변성 작용을 받으면 편마암이 된다.

바로 알기 ㄱ. (가)는 천매암, (나)는 편암, (다)는 혼펠스이다.

사고력 확장 문제   160쪽

01 (1) '지구의 질량 = 지구의 평균 밀도 × 지구의 부피'이다. 지구의 크기(부피)는 변화가 없고, 맨틀의 밀도보다 외핵의 밀도가 크므로 외핵의 두께가 증가하고 맨틀의 두께가 감소하면 지구의 평균 밀도가 증가한다. 따라서 지구의 질량은 증가한다. 단진자의 주기는 그 지점의 중력 가속도에 따라 변한다. 단위 질량의 물체에 작용하는 중력 가속도$(g) = \dfrac{GM}{R^2}$(G: 만유인력 상수, M: 지구의 질량, R: 지구 반지름)에서 지구의 반지름은 일정하고 지구의 질량이 증가하면 중력 가속도가 커진다. 단진자의 주기$(T) = 2\pi\sqrt{\dfrac{l}{g}}$($l$: 진자의 길이)이므로 중력 가속도$(g)$가 커지면 단진자의 주기는 짧아진다.

(2) 지진파의 암영대란 지구 내부를 전파하는 지진파가 도달하지 않는 지역으로 진앙으로부터 각거리가 $103°\sim142°$ 사이인 구역이다. 이처럼 암영대가 생기는 까닭은 맨틀과 외핵의 경계면(약 2900 km 깊이의 구텐베르크 불연속면)에서 P파는 크게 굴절하여 진행하고 S파는 더 이상 전파하지 못하기 때문이다. 따라서 외핵의 크기가 커지면 암영대의 범위는 넓어진다.

모범 답안 (1) 맨틀의 밀도보다 외핵의 밀도가 크므로 외핵의 두께가 증가하고 맨틀의 두께가 감소하면 지구의 평균 밀도가 증가하고 지구의 질량이 증가한다. 지표에서 단위 질량의 물체에 작용하는 중력 가속도$(g) = \dfrac{GM}{R^2}$(G: 만유인력 상수, M: 지구의 질량, R: 지구 반지름)에서 지구의 반지름이 일정하고 질량이 증가하면 중력 가속도가 커진다. 단진자의 주기$(T) = 2\pi\sqrt{\dfrac{l}{g}}$($l$: 진자의 길이)이므로 중력 가속도$(g)$가 커지면 단진자의 주기는 짧아진다.

(2) 지진파의 암영대란 지구 내부를 전파하는 지진파가 도달하지 않는 지역으로 진앙으로부터 각거리가 $103°\sim142°$ 사이인 구역이다. 이처럼 암영대가 생기는 까닭은 맨틀과 외핵의 경계면에서 P파는 크게 굴절하여 진행하고 S파는 더 이상 전파하지 못하기 때문이다. 따라서 외핵의 크기가 커지면 암영대의 범위는 넓어진다.

	채점 기준	배점(%)
(1)	지구의 질량 변화, 중력의 크기 변화, 단진자의 주기 변화를 모두 옳게 서술한 경우	60
	지구의 질량 변화, 중력의 크기 변화, 단진자의 주기 변화 중 한 가지만 옳게 서술한 경우	20
(2)	암영대의 정의, 생기는 이유, 외핵의 크기 변화에 따른 암영대의 변화를 모두 옳게 서술한 경우	40
	암영대의 정의, 생기는 이유, 외핵의 크기 변화에 따른 암영대의 변화 중 한 가지만 옳게 서술한 경우	10

02 (1) 힘 A는 원심력, B는 만유인력, C는 중력이다. 원심력은 지구 자전에 의해 생기는 힘으로 자전축에 직각 방향으로 바깥쪽으로 향한다. 단위 질량의 물체에 작용하는 원심력은 $f = r\omega^2$(r: 회전 반지름, ω: 지구 자전 각속도)이므로 원심력의 크기는 회전 반지름이 가장 긴 적도에서 최대이고, 고위도로 갈수록 작아져서 극에서는 0이다. 지표상의 단위 질량의 물체에 작용하는 만유인력의 크기 $F = \dfrac{GM}{R^2}$(G: 만유인력 상수, M: 지구 질량, R: 지구 반지름)이므로 지구의 반지름이 클수록 작아진다. 지구 타원체에서 지구 반지름은 적도 지방에서 가장 크고 고위도로 갈수록 작아져서 극에서 가장 작다. 따라서 만유인력의 크기는 저위도에서 고위도로 갈수록 커진다. 중력은 만유인력과 원심력의 합력으로 정의되는 힘이다. 적도 지방에서는 만유인력이 최소이고 원심력이 최대이므로 중력은 최소이고, 고위도로 갈수록 만유인력은 커지고 원심력은 작아지므로 중력이 커져서 극에서 최대가 되며 만유인력의 크기와 같아진다.

(2) 표준 중력은 지구 내부가 균질하다고 가정하고 지구 타원체 상에서 만유인력과 원심력의 합력으로 구한 이론적인 중력값을 말한다. 따라서 표준 중력은 위도에 따라서만 변하므로 동일 위도에서는 어디서나 같은 값이고 고위도로 갈수록 커진다. (나)에서 B와 C는 동일 위도 상에 위치하므로 표준 중력은 같고, 가장 고위도에 위치한 A의 표준 중력은 B, C보다 크다. 즉, 표준 중력의 크기는 'A>B=C'이다.

(3) 편각은 자북과 지리상 북극(진북)이 이루는 각이고, 복각은 나침반이 수평면에 대해서 기울어진 각을 말하며, 수평 자기력은 어떤 지점에서 전자기력의 수평 성분을 말한다. A와 C에서는 자북과 진북 방향이 같으므로 편각은 0°이고, B에서는 자북 방향이 진북 방향에 대해 서쪽으로 $x°$만큼 떨어져 있어서 편각이 (−)의 값으로 나타난다. 따라서 편각의 크기는 B<A=C이다. 복각의 크기는 자극에서는 90°가 되고 자극에서 멀어질수록 작아져서 적도에서는 0°가 된다. 따라서 자극에 가장 가까운 A에서 복각이 가장 크고, 자극에서 가장 먼 C에서 가장 작다. 즉, 복각의 크기는 'A>B>C'이다. 수평 자기력의 크기는 자기 적도에서 가장 크고 자기 적도에서 멀어질수록 작아져서 자극에서는 0이 된다. 따라서 수평 자기력의 크기는 'A<B<C'이다.

모범 답안 (1) 힘 A는 원심력, B는 만유인력, C는 중력이다. 원심력은 지구 자전에 의해 생기는 힘으로 단위 질량의 물체에 작용하는 원심력의 크기 $f = r\omega^2$(r: 회전 반지름, ω: 지구 자전 각속도)이므로 회전 반지름이 가장 긴 적도에서 최대이고, 고위도로 갈수록 작아져서

극에서는 0이 된다. 단위 질량의 물체에 작용하는 만유인력의 크기 $F = \dfrac{GM}{R^2}$(G: 만유인력 상수, M: 지구 질량, R: 지구 반지름)이므로 지구 반지름이 클수록 작아져서 만유인력의 크기는 저위도에서 고위도로 갈수록 커진다. 중력은 만유인력과 원심력의 합력으로 정의되는 힘이다. 적도 지방에서는 만유인력이 최소이고 원심력이 최대이므로 중력의 크기는 최소이고, 고위도로 갈수록 만유인력은 커지고 원심력은 작아지므로 중력의 크기는 커져서 극에서 최대가 된다.

(2) 표준 중력은 균질한 물질의 지구 타원체 상에서 만유인력과 원심력의 합으로 구한 이론적인 중력값을 말한다. 따라서 표준 중력은 위도에 따라서만 변한다. (나)에서 B와 C는 동일 위도 상에 위치하므로 표준 중력은 같고, 가장 고위도에 위치한 A의 표준 중력은 B, C보다 크다. 즉, 표준 중력의 크기는 'A>B=C'이다.

(3) 편각은 자북과 지리상 북극(진북)이 이루는 각이고, 복각은 나침반이 수평면에 대해서 기울어진 각을 말하며, 수평 자기력은 어떤 지점에서 전자기력의 수평 성분을 말한다. A와 C에서는 자북과 진북 방향이 같으므로 편각은 0°이고, B에서는 자북 방향이 진북 방향과 서쪽으로 $x°$만큼 떨어져 있다. 따라서 편각의 크기는 B<A=C이다. 복각의 크기는 자극에서는 90°가 되고 자극에서 멀어질수록 작아져서 적도에서는 0°가 된다. 따라서 복각의 크기는 A>B>C이다. 수평 자기력의 크기는 자기 적도에서 가장 크고 자기 적도에서 멀어질수록 작아져서 자극에서는 0이 된다. 따라서 수평 자기력의 크기는 'A<B<C'이다.

	채점 기준	배점(%)
(1)	세 힘을 모두 옳게 정의하고, 위도에 따른 크기를 옳게 비교한 경우	40
	세 힘의 정의와 위도에 따른 크기 비교 중 한 가지만 옳게 서술한 경우	20
(2)	표준 중력을 옳게 서술하고, 세 지점의 표준 중력을 옳게 비교한 경우	20
	표준 중력의 서술이나 세 지점의 표준 중력 비교 중 한 가지만 옳은 경우	10
(3)	지구 자기 3요소를 옳게 서술하고, 세 지점의 편각, 복각, 수평 자기력의 비교가 옳은 경우	40
	지구 자기의 3요소 서술이나 세 지점의 편각, 복각, 수평 자기력의 비교 중 한 가지만 옳은 경우	20

03 (1) 대륙 지각은 화강암질 암석으로 이루어져 있고 평균 밀도는 $2.7\,g/cm^3$이며, 해양 지각은 현무암질 암석으로 이루어져 있고 평균 밀도는 $3.0\,g/cm^3$이므로 해양 지각의 밀도가 대륙 지각의 밀도보다 크다. 지각 평형설은 밀도가 작은 지각이 밀도가 큰 맨틀 위에 떠 있으면서 평형을 유지하고 있다는 이론이다. 대륙 지각과 해양 지각이 평형이 일어나는 맨틀의 어떤 깊이, 즉 보상면에 미치는 압력이 같아야 한다. 따라서 지각 평형을 유지하기 위해 밀도가 작은 대륙 지각이 밀도가 큰 해양 지각보다 위로 높이 솟아 있고, 맨틀 속으로 더 깊이 들어가 있어서 대륙 지각이 해양 지각보다 두꺼운 것이다.

(2) 암석권은 단단한 암석으로 이루어진 부분으로 지각과 상부 맨틀의 일부를 포함한 약 $100\,km$ 두께에 해당하고, 연약권은 암석권 아래 상부 맨틀의 약 $100\,km\sim400\,km$ 사이로서 맨틀 물질이 부분적으로 용융되어 있는 부분을 말한다. 따라서 암석의 용융 온도선과 지온선이 만나는 X의 깊이는 부분 용융이 일어나는 곳으로 연약권에 해당한다.

(3) A 구간은 맨틀로서 지구 내부 온도가 암석의 용융 온도보다 낮으므로 고체 상태이고, B 구간은 외핵으로 지구 내부 온도가 암석의 용융 온도보다 높으므로 액체 상태이다. 그리고 C 구간은 내핵으로 지구 내부 온도가 암석의 용융 온도보다 낮으므로 고체 상태이다.

모범 답안 (1) 대륙 지각은 화강암질 암석(평균 밀도 $2.7\,g/cm^3$)으로 이루어져 있고, 해양 지각은 현무암질 암석(평균 밀도 $3.0\,g/cm^3$)으로 이루어져 있으므로 해양 지각의 밀도가 대륙 지각의 밀도보다 크다. 지각 평형설이란 밀도가 작은 지각이 밀도가 큰 맨틀 위에 떠 있으면서 평형을 유지하고 있다는 이론이다. 따라서 지각 평형을 유지하기 위해 밀도가 작은 대륙 지각이 밀도가 큰 해양 지각보다 위로 높이 솟아 있고, 맨틀 속으로 더 깊이 들어가 있어서 대륙 지각이 해양 지각보다 두꺼운 것이다.

(2) 암석권은 단단한 암석으로 이루어진 부분으로 지각과 상부 맨틀의 일부를 포함한 약 $100\,km$ 두께에 해당하고, 연약권은 암석권 아래 상부 맨틀의 약 $100\,km\sim400\,km$ 사이로서, 맨틀 물질이 부분적으로 용융되어 있는 부분을 말한다. 따라서 암석의 용융 온도선과 지구 내부 온도 분포선이 만나는 X의 깊이는 부분 용융이 일어나는 곳으로 연약권에 해당한다.

(3) A 구간(맨틀)은 지구 내부 온도가 암석의 용융 온도보다 낮으므로 고체 상태이고, B 구간(외핵)은 지구 내부 온도가 암석의 용융 온도보다 높으므로 액체 상태이다. 그리고 C 구간(내핵)은 지구 내부 온도가 암석의 용융 온도보다 낮으므로 고체 상태이다.

채점 기준		배점(%)
(1)	대륙 지각과 해양 지각의 구성 암석과 밀도, 지각 평형설에 따른 지각의 두께를 옳게 서술한 경우	40
	대륙 지각과 해양 지각의 구성 암석과 밀도, 지각 평형설에 따른 지각의 두께 중 한 가지만 옳게 서술한 경우	20
(2)	암석권과 연약권에 대한 설명, X점의 위치를 옳게 설명한 경우	30
	암석권과 연약권에 대한 설명, X점의 위치 중 한 가지만 옳게 설명한 경우	10
(3)	온도 분포와 A, B, C 부분의 물질의 상태를 모두 옳게 서술한 경우	30
	온도 분포와 A, B, C 부분의 물질의 상태 중 한 가지만 옳게 서술한 경우	10

04 (1) 편광 현미경에서 상부 편광판을 뺀 상태를 개방 니콜이라 하고, 상부 편광판을 끼운 상태를 직교 니콜이라고 한다. 개방 니콜에서 광물의 색을 관찰할 수 있고, 재물대를 회전시키면 회전 각도에 따라 광물이 빛을 흡수하는 정도가 달라져 광물의 색과 밝기가 미세하게 변하는 현상인 다색성을 관찰할 수 있다. 직교 니콜에서 재물대를 회전하며 광학적 이방체 광물을 관찰하면 여러 가지 색이 나타나는데, 이것을 간섭색이라고 한다. 흑운모와 같은 유색 광물은 간섭색이 나타나지만 석영이나 장석과 같은 무색 광물은 간섭색이 다양하지 않다. 또한 직교 니콜에서 광학적 이방체 광물은 재물대를 $360°$ 회전시킬 때 $90°$마다 한번씩 4번 어두워지는 소광 현상이 나타난다.

(2) 광물 A는 마그마에서 가장 먼저 정출된 것으로 자신의 고유한 결정 형태를 이루므로 자형이고, B는 일부만 결정 형태를 이루므로 반자형이며, C는 가장 나중에 정출된 것으로 고유한 광물 형태를 이루지 못하는 타형이다. 감람석, 휘석, Na - 사장석 중 가장 먼저 생성된 광물은 감람석이고, 다음으로 생성된 광물은 휘석이며 가장 나중에 생성된 광물은 Na - 사장석이다. 따라서 감람석은 자형인 A에 해당하고, 휘석은 반자형인 B에 해당하며 Na - 사장석은 타형인 C에 해당한다.

(3) D는 규산염 광물이면서 굳기가 7인 석영에 긁히는 광물이므로 감람석이나 흑운모이고, E는 규산염 광물이면서 일정한 방향으로 쪼개지고 석영에 긁히는 광물이므로 흑운모이다. F는 비규산염 광물이면서 석영에 긁히고 일정한 방향으로 쪼개지는 성질이 있는 광물이므로 방해석이다. 따라서 D는 감람석, E는 흑운모, F는 방해석이다.

모범 답안 (1) 개방 니콜에서는 광물의 색을 관찰할 수 있고, 재물대를 회전시키면 회전 각도에 따라 광물이 빛을 흡수하는 정도가 달라져 광물의 색과 밝기가 미세하게 변하는 현상인 다색성을 관찰할 수 있다. 직교 니콜에서는 알록달록한 색깔을 나타내는 간섭색을 관찰할 수 있고, 또한 직교 니콜 상태에서 재물대를 360° 회전시킬 때 90°마다 간섭색이 어두워지는 소광 현상을 관찰할 수 있다.

(2) 광물 A는 마그마에서 가장 먼저 정출된 것으로 고유한 결정 형태를 이루므로 자형이고, B는 일부만 결정 형태를 이루므로 반자형이며, C는 가장 나중에 정출된 것으로 고유한 결정 형태를 이루지 못하는 타형이다. 감람석은 가장 먼저 생성된 광물이므로 자형인 A에 해당하고, 휘석은 감람석 다음으로 생성된 광물로 반자형인 B에 해당하며, Na−사장석은 가장 나중에 생성된 광물로 타형인 C에 해당한다.

(3) D는 규산염 광물이면서 굳기가 7인 석영에 긁히는 광물이므로 감람석 또는 흑운모이고, E는 규산염 광물이면서 일정한 방향으로 쪼개지고 석영에 긁히는 광물이므로 흑운모이다. F는 비규산염 광물이면서 석영에 긁히고 일정한 방향으로 쪼개지는 성질이 있는 광물이므로 방해석이다. 따라서 D는 감람석, E는 흑운모, F는 방해석이다.

	채점 기준	배점(%)
(1)	개방 니콜과 직교 니콜에서 관찰할 수 있는 광학적 성질을 모두 옳게 서술한 경우	40
	개방 니콜과 직교 니콜에서 관찰할 수 있는 광학적 성질을 한 가지만 옳게 서술한 경우	20
(2)	광물의 결정 형태 세 가지의 서술과 광물 A, B, C를 모두 옳게 설명한 경우	30
	광물의 결정 형태 세 가지의 서술이나 광물 A, B, C의 설명 중 한 가지만 옳은 경우	10
(3)	광물 D, E, F를 모두 옳게 설명한 경우	30
	광물 D, E, F 중 한 가지만 옳게 설명한 경우	10

05 (1) 속성 작용은 퇴적물이 퇴적된 후 위에서 누르는 압력에 의해 압축 작용을 받아 다져지고, 퇴적물 입자 사이에 교결 물질($CaCO_3$, SiO_2 등)이 입자를 서로 엉겨 붙게 하는 교결 작용을 받아 퇴적암이 되는 과정을 말한다. 재결정 작용은 기존의 암석이 온도와 압력의 영향으로 광물의 크기와 조직이 달라지고 새로운 광물이 생성되는 작용으로, 변성암이 생성될 때 일어난다. 결정 분화 작용은 마그마의 온도에 따라 광물이 정출되는 작용으로, 화성암이 생성될 때 일어난다.

(2) 암석 A는 세립질의 석영 성분으로 구성된 퇴적암이다. 석영 성분은 모래의 주성분이므로 모래가 퇴적되어 생성된 암석은 사암이고, 사암은 쇄설성 조직을 이룬다. 암석 B는 구성 광물이 중립질의 방해석이고, 재결정 작용을 받은 것이므로 접촉 변성암에 해당한다. 석회암이 재결정 작용을 받으면 대리암이 되며, 대리암은 입상 변성질 조직을 이룬다. 암석 C는 구성 광물이 석영, 장석, 운모인 화성암이고, 광물의 크기

가 조립질이므로 지하 깊은 곳에서 마그마가 서서히 냉각되어 생성된 화강암이다. 화강암은 조립질 조직을 이룬다.

모범 답안 (1) 속성 작용은 퇴적물이 퇴적된 후 위에서 누르는 압력에 의해 압축 작용을 받아 다져지고 퇴적물 입자들을 서로 엉겨 붙게 하는 교결 작용을 받아 퇴적암이 되는 과정을 말한다. 재결정 작용은 기존의 암석이 온도와 압력의 영향으로 광물의 크기와 조직이 달라지고 새로운 광물이 생성되는 작용으로, 변성 작용을 받을 때 일어난다. 결정 분화 작용은 마그마의 온도에 따라 광물이 정출되는 작용으로 화성암이 생성될 때 일어난다.

(2) 암석 A는 세립질의 석영으로 구성된 퇴적암으로 사암이고, 쇄설성 조직을 이룬다. 암석 B는 구성 광물이 중립질의 방해석이고 재결정 작용을 받은 것이므로 접촉 변성암에 해당하여 대리암이고, 입상 변성질 조직을 이룬다. 암석 C는 구성 광물이 석영, 장석, 운모이며 조립질의 화성암이므로, 지하 깊은 곳에서 마그마가 서서히 냉각되어 생성된 화강암이다. 화강암은 조립질 조직을 이룬다.

	채점 기준	배점(%)
(1)	속성 작용, 재결정 작용, 결정 분화 작용을 모두 옳게 서술한 경우	50
	속성 작용, 재결정 작용, 결정 분화 작용 중 한 가지만 옳게 서술한 경우	20
(2)	암석 A, B, C의 명칭과 조직을 모두 옳게 설명한 경우	50
	암석 A, B, C의 명칭과 조직 중 한 가지만 옳게 설명한 경우	20

06 (1) 망가니즈 단괴는 수심 3000 m∼6000 m의 평탄한 심해저에 분포하는 어두운 색의 둥글둥글한 금속 광물 집합체이다. 태평양 해저에 가장 많이 분포하며, 대서양과 인도양, 대륙 부근에는 그다지 많지 않다. 망가니즈 단괴의 주성분은 망가니즈(15 %∼30 %)이고 니켈(약 1.2 %), 구리(약 1.1 %), 코발트(약 0.2 %) 등의 유용한 금속 광물을 다량 함유하고 있다. 가스 수화물은 영구 동토나 저온 고압 상태의 심해저에서 메테인(CH_4)이 물 분자와 결합해서 생긴 얼음(고체) 상태의 물질인데, 불을 붙이면 타는 성질이 있어서 '불타는 얼음'으로도 불린다. 가스 수화물은 화석 연료를 대체할 차세대 에너지원으로 각광 받고 있다. 우리나라에는 울릉도 주변 해역에 다량 매장되어 있다.

(2) 파력 발전은 파도의 운동 에너지를 이용하여 전기를 생산하는 방식이다. 파력 발전의 장점은 오염 물질을 배출하지 않는 친환경 에너지이지만, 바람의 세기 변화에 의해 발생하는 파도의 운동 에너지 양의 변화가 심하므로 일정한 발전량을 유지하기 어렵다는 단점이 있다.

(3) 조력 발전은 밀물과 썰물의 높이 차를 이용하여 발전하는 방식으로 조수 간만의 차가 큰 하구나 만을 방조제로 막아 물을 가두어 전기를 생산한다. 조력 발전의 장점은 오염 물질을 배출하지 않는 친환경 에너지이지만 제방을 설치함에 따라 갯벌의 소실, 염분의 변화 등으로 인해 해양 생태계에 교란을 일으킬 수 있다는 단점이 있다. 우리나라에서는 서해안이 조수 간만의 차가 커서 조력 발전에 적합하다.

모범 답안 (1) 망가니즈 단괴는 수심 3000 m 이상의 심해저에 분포하는 어두운 색의 둥글둥글한 금속 광물 집합체이다. 태평양 해저에 가장 많이 분포한다. 망가니즈 단괴의 주성분은 망가니즈(Mn)이고 니켈(Ni), 구리(Cu), 코발트(Co) 등의 유용한 금속 광물을 다량 함유하고 있다. 가스 수화물은 영구 동토나 저온 고압 상태의 심해저에서 메테인(CH_4)이 물 분자와 결합해서 생긴 얼음(고체) 상태의 물질로, 불을 붙이면 타는 성질이 있다. 가스 수화물은 화석 연료를 대체할 차세대 에너지원으로 각광 받고 있다. 우리나라에서는 울릉도 주변 해역에 다량 매장되어 있다.

(2) 파력 발전은 파도의 운동 에너지를 이용하여 전기를 생산하는 방식이다. 파력 발전의 장점은 오염 물질을 배출하지 않는 친환경 에너지이지만 바람의 세기 변화에 의해 발생하는 파도의 운동 에너지 양의 변화가 심하므로 일정한 발전량을 유지하기 어렵다는 단점이 있다.

(3) 조력 발전은 밀물과 썰물의 높이 차를 이용하여 발전하는 방식으로 조수 간만의 차가 큰 하구나 만을 방조제로 막아 물을 가두어 전기를 생산한다. 조력 발전의 장점은 오염 물질을 배출하지 않는 친환경 에너지이지만 제방을 설치함에 따라 갯벌의 소실, 염분의 변화 등으로 인해 해양 생태계에 교란을 일으킬 수 있다는 단점이 있다. 우리나라에서는 황해안이 조석 간만의 차가 커서 조력 발전에 적합하다.

	채점 기준	배점(%)
(1)	망가니즈 단괴와 가스 수화물 두 가지를 모두 옳게 서술한 경우	40
	망가니즈 단괴와 가스 수화물 중 한 가지만 옳게 서술한 경우	20
(2)	파력 발전의 원리와 장단점을 모두 옳게 설명한 경우	30
	파력 발전의 원리와 장단점 중 한 가지만 옳게 설명한 경우	10
(3)	조력 발전의 원리와 장단점 및 우리나라의 조력 발전 적합지 모두 옳게 서술한 경우	30
	조력 발전의 원리와 장단점 및 우리나라의 조력 발전 적합지 중 한 가지만 옳게 서술한 경우	10

07 (1) 지층의 주향은 동일한 등고선과 지층 경계선이 만나는 두 점을 연결한 직선의 방향이고, 지층의 경사 방향은 고도가 높은 주향선에서 고도가 낮은 주향선으로 직각 방향이다. (가) 지층의 주향은 200 m 등고선과 만나는 두 지점을 연결해 보면 NS(남북) 방향이다. (가), (나), (다) 지층의 경사 방향은 200 m 등고선의 주향선에서 100 m 등고선의 주향선으로의 방향이므로 모두 서쪽이다.

(2) 주어진 지질도의 지질 단면도를 그려보면 다음 그림과 같다.

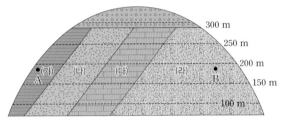

(가), (나), (다), (라) 지층은 모두 서쪽으로 경사져 있으므로 가장 하부에 있는 지층 (라)가 가장 먼저 생성된 것이고, 가장 상부에 있는 지층 (가)가 가장 나중에 생성된 것이다. 따라서 도로를 따라 A에서 B로 갈수록 지층의 나이는 많아진다. 이 지역에서 있었던 지각 변동은 (라)층 퇴적 → (다)층 퇴적 → (나)층 퇴적 → (가)층 퇴적 → 지층 (가), (나), (다), (라)의 경사 → 융기 → 침식(부정합면 형성) → 침강 → 역암층 퇴적 → 융기 → 현재의 지표면 형성 순이다. 따라서 이 지역에 나타나는 지질 구조는 경사층과 부정합이다.

모범 답안 (1) 지층의 주향은 동일한 등고선과 지층 경계선이 만나는 두 점을 연결한 직선의 방향이고, 지층의 경사 방향은 고도가 높은 주향선에서 고도가 낮은 주향선으로 직각 방향이다. (가) 지층의 주향은 200 m 등고선과 만나는 두 지점을 연결해 보면 남북 방향이고, (가), (나), (다) 지층의 경사 방향은 모두 서쪽이다.

(2) 주어진 지질도의 지질 단면도를 그려보면 다음 그림과 같다.

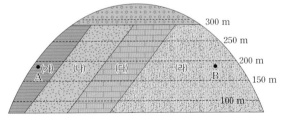

(가), (나), (다), (라) 지층은 모두 서쪽으로 경사져 있으므로 생성 순서는 (라) → (다) → (나) → (가) 순이다. 따라서 도로를 따라 A에서 B로 갈수록 지층의 나이는 많아진다. 이 지역에서 있었던 지각 변동은 (라)층 퇴적 → (다)층 퇴적 → (나)층 퇴적 → (가)층 퇴적 → 지층 (가), (나), (다), (라)의 경사 → 융기 → 침식(부정합면 형성) → 침강 → 역암층 퇴적 → 융기 → 현재의 지표면 형성 순이다. 따라서 이 지역에 나타나는 지질 구조는 경사층과 부정합이다.

채점 기준		배점(%)
(1)	주향과 경사 구하는 방법과 (가) 지층의 주향과 (가), (나), (다) 지층의 경사 방향을 모두 옳게 서술한 경우	40
	주향과 경사 구하는 방법과 (가) 지층의 주향과 (가), (나), (다) 지층의 경사 방향 중 한 가지만 옳게 서술한 경우	10
(2)	지질 단면도를 옳게 그리고 A~B의 나이와 지각 변동 및 지질 구조를 모두 옳게 서술한 경우	60
	지질 단면도, A~B의 나이, 지각 변동, 지질 구조 중 한 가지만 옳게 서술한 경우	10

08 (1) A는 경기 육괴로, 주로 선캄브리아 시대의 변성암 복합체(편마암과 편암류)가 분포한다. 북동─남서 방향으로 분포하는 B는 중생대 쥐라기에 관입한 대보 화강암이다. 강원도 지방인 C에 분포하는 암석은 태백산 분지의 퇴적암으로, 고생대 전기의 조선 누층군과 고생대 후기의 평안 누층군에 해당한다. 주로 경상도 지방에 분포하는 D는 경상 분지의 퇴적암으로, 중생대 백악기에 생성된 경상 누층군이다. 제주도(E)에 분포하는 암석은 화산암으로, 신생대 제4기의 화산 활동으로 생성된 현무암류이다.

(2) X는 고생대 전기에 바다에서 퇴적된 조선 누층군으로 석회암, 사암, 셰일 등으로 이루어져 있다. Y는 고생대 후기에 바다와 육지에서 퇴적된 평안 누층군으로, 하부는 셰일, 석회암 등의 해성층이고, 중부는 무연탄층을 포함하며, 상부는 사암, 셰일 등의 육성층이다. Z는 백악기에 퇴적된 경상 누층군으로, 육상 퇴적물과 화산 활동으로 분출된 화산 쇄설물로 이루어져 있다.

(3) 대보 조산 운동은 쥐라기 말에 일어났던 지각 변동이다. 따라서 대보 조산 운동은 쥐라기 이전에 생성된 지층인 평안 누층군(Y)과 조선 누층군(X)을 교란시켰다. 대보 조산 운동으로 대규모의 화강암이 관입하였는데, 이를 대보 화강암이라고 하며, 한반도 중부에서 대체로 북동─남서의 방향성을 나타내며 분포한다. 불국사 변동은 백악기 후기에 한반도 남부를 중심으로 화산 활동을 일으킨 지각 변동이다. 불국사 변동으로 경상 분지를 비롯하여 월출산, 속리산, 설악산 등에 화강암이 관입하였는데, 이를 불국사 화강암이라고 한다.

모범 답안 (1) A는 경기 육괴로, 주로 선캄브리아 시대에 생성된 변성암 복합체가 분포한다. 북동─남서 방향으로 분포하는 B는 중생대 쥐라기에 관입한 대보 화강암이다. C에 분포하는 암석은 퇴적암으로, 고생대 전기에 생성된 조선 누층군과 고생대 후기에 생성된 평안 누층군이다. D는 퇴적암으로 중생대의 백악기에 퇴적된 경상 누층군이다. 제주도(E)에 분포하는 암석은 화산암으로, 신생대 제4기의 화산 활동으로 분출된 현무암류이다.

(2) X는 고생대 전기에 바다에서 퇴적된 조선 누층군으로, 석회암, 사암, 셰일 등으로 이루어져 있다. Y는 고생대 후기의 평안 누층군으로, 하부는 셰일, 석회암 등의 해성층이고, 상부는 사암, 셰일 등의 육성층이다. Z는 백악기에 퇴적된 경상 누층군으로, 육상 퇴적물과 화산 쇄설물로 이루어져 있다.

(3) 대보 조산 운동은 쥐라기 말에 일어났던 지각 변동이므로 대보 조산 운동은 쥐라기 이전에 생성된 지층인 평안 누층군(Y)과 조선 누층군(X)을 교란시켰다. 대보 조산 운동으로 대규모의 화강암이 관입하였는데, 이를 대보 화강암이라고 한다. 대보 화강암은 한반도 중부에서 대체로 북동─남서의 방향성을 나타내며 분포한다. 불국사 변동은 백악기 후기에 한반도 남부를 중심으로 화산 활동을 일으킨 지각 변동이다. 불국사 변동으로 경상 분지를 비롯하여 속리산, 설악산 등에 관입한 화강암을 불국사 화강암이라고 한다.

채점 기준		배점(%)
(1)	A, B, C, D, E의 암석과 지질 시대를 모두 옳게 서술한 경우	40
	A, B, C, D, E의 암석과 지질 시대의 서술 중 2~3개만 옳게 서술한 경우	20
(2)	X, Y, Z에 해당하는 지층명과 구성 암석을 모두 옳게 서술한 경우	20
	X, Y, Z에 해당하는 지층명과 구성 암석 중 한 가지만 옳게 서술한 경우	10
(3)	대보 조산 운동의 영향을 받은 지층, 대보 화강암의 분포 및 불국사 화강암의 분포를 모두 옳게 서술한 경우	40
	대보 조산 운동의 영향을 받은 지층과 대보 화강암의 분포 및 불국사 화강암의 분포 중 한 가지만 옳게 서술한 경우	10

실전 문제

1 (1) 광물의 정의에 들어맞지 않는 부분을 설명한다.

(2) 감람석, 휘석, 각섬석, 흑운모, 석영의 Si : O의 비율로부터 Si에 대한 O의 개수 비를 이해하고, 이들 규산염 광물이 마그마로부터 생성된 순서를 파악하여 용융점과 풍화에 대한 안정도를 설명한다.

(3) 광물의 물리적 성질에는 어떤 것들이 있는지 서술하고, 편광 현미경의 개방 니콜과 직교 니콜에서 관찰할 수 있는 광학적 성질을 설명한다.

예시 답안 (1) 광물은 '천연산, 무기물, 고체, 원소나 화합물, 규칙적인 원자 배열'을 갖춘 물질이다. 인조 다이아몬드와 유리는 인공적으로 만든 물질로서 '천연산(자연에서 산출되는) 물질'이 아니므로 광물의 정의에 들어맞지 않고, 자연에서 액체 상태의 물질인 수은은 '고체'가 아니므로 광물의 정의에 들어맞지 않는다. 그리고 식물이나 동물의 유해가 탄화되어 생성된 유기물인 석탄과 석유는 '무기물'이 아니므로 광물의 정의에 들어맞지 않는다.

(2) SiO_4 사면체 결합 구조에서 Si : O의 비는 감람석은 1 : 4, 휘석은 1 : 3, 각섬석은 4 : 11, 흑운모는 2 : 5, 석영은 1 : 2이다. 따라서 '감람석 → 휘석 → 각섬석 → 흑운모 → 석영'으로 가면서 (O의 개수/Si의 개수) 값은 4, 3, $\frac{11}{4}$(=2.75), $\frac{5}{2}$(=2.5), 2로 점차 작아진다. 마그마로부터 규산염 광물이 정출된 순서는 가장 고온에서 감람석이 먼저 정출되고 점차 마그마의 온도가 낮아지면서 '휘석 → 각섬석 → 흑운모'가 정출되며 가장 저온에서 석영이 정출된다. 그러므로 가장 먼저 정출된 감람석의 용융점이 가장 높고 '감람석 → 휘석 → 각섬석 → 흑운모 → 석영'으로 가면서 용융점은 낮아진다. 광물의 풍화 작용은 저온·저압의 환경인 지표에서 일어난다. 따라서 고온에서 가장 먼저 정출된 감람석이 풍화에 가장 약하고, '휘석 → 각섬석 → 흑운모 → 석영'으로 가면서 저온의 마그마에서 정출된 것이므로 풍화에 대한 안정도가 증가한다.

(3) 광물의 물리적 성질에는 색, 조흔색, 광택, 쪼개짐, 깨짐, 굳기 등이 있다. 광물의 색은 순수한 광물이 나타내는 본래의 색(자색)을 말한다. 그러나 불순물이 섞이면 색이 달라지는데, 이처럼 달라진 색을 타색이라고 한다. 조흔색은 조흔판에 광물을 그었을 때 나타나는 광물 가루의 색을 말한다. 광택은 광물의 표면에서 빛이 반사할 때 우리 눈이 느끼는 감각을 말하며, 크게 금속광택과 비금속 광택으로 구분한다. 쪼개짐은 광물에 기계적인 힘을 가할 때 일정한 방향으로 평탄하게 갈라지는 현상을 말하며, 깨짐은 광물이 힘을 받았을 때 불규칙하게 깨지는 현상을 말한다. 굳기는 광물의 상대적인 단단한 정도로서 보통 모스 굳기계로 1에서 10까지 나타낸다. 편광 현미경에서 상부 편광판을 뺀 상태를 개방 니콜, 상부 편광판을 끼운 상태를 직교 니콜이라고 한다. 개방 니콜에서 광물의 색을 관찰할 수 있고, 재물대를 회전시키면 회전 각도에 따라 광물의 색과 밝기가 미세하게 변하는 다색성을 관찰할 수 있다. 직교 니콜은 상부 편광판과 하부 편광판을 서로 직각이 되게 배치한 것이므로 복굴절하지 않는 광물(광학적 등방체 광물)의 경우에는 빛이 상부 편광판을 통과하지 못하여 항상 깜깜하게 보인다. 그러나 복굴절하는 광물(광학적 이방체 광물)의 경우에는 복굴절된 두 광선이 서로 간섭을 일으켜 알록달록한 색으로 보이는 간섭색과 재물대를 360° 회전시키는 동안 어두워지는 현상이 4번 나타나는 소광 현상을 관찰할 수 있다.

2 (1) 에클로자이트는 어떤 환경에서 생성되는 변성암이며, 한중 지괴와 남중 지괴의 충돌로 한반도가 어떻게 형성되었는지를 설명한다.

(2) 경기 육괴, 태백산 분지, 경상 분지, 영남 육괴를 이루는 암석의 종류와 생성된 지질 시대를 설명한다.

(3) 태백산 분지에 분포하는 고생대 지층에서 산출되는 지하자원인 석회암과 석탄, 고생대의 화석을 설명하고, 경상 분지에 퇴적된 지층(경상 누층군)의 지질 시대와 구성 암석 및 발견되는 화석을 설명한다.

예시 답안 (1) 중국과 한반도에 형성된 에클로자이트는 한중 지괴와 남중 지괴가 충돌하면서 만들어진 초고압 변성암으로, 한반도와 중국 대륙은 한중 지괴와 남중 지괴가 충돌하여 형성되었다는 사실을 지시한다. 즉, 중생대 백악기 초에 한중 지괴가 남중 지괴와 충돌하면서 아래로 쐐기처럼 파고들며 남중 지괴의 가장자리에 있던 퇴적물이 한중 지괴에 달라붙어 임진강대와 경기 육괴를 형성했다고 본다.

(2) B는 경기 육괴로, 선캄브리아 시대의 변성암 복합체로 이루어져 있고, C는 태백산 분지로, 고생대의 퇴적암인 조선 누층군과 평안 누층군이 분포하며, D는 경상 분지로, 중생대 퇴적암인 경상 누층군이 분포하고, E는 영남 육괴로서 선캄브리아 시대의 변성암이 분포한다.

(3) 태백산 분지인 C 지역에는 고생대 전기의 퇴적층인 조선 누층군과 고생대 후기의 퇴적층인 평안 누층군이 분포한다. 조선 누층군에서는 석회암이 산출되고 평안 누층군에서는 석탄(무연탄)이 산출된다. 조선 누층군에서는 삼엽충과 필석류, 두족류, 완족류, 코노돈트 등의 화석이 발견되고, 평안 누층군에서는 방추충, 산호, 완족류, 양치식물 등의 화석이 발견된다. D 지역에는 경상 누층군이 분포하며, 중생대 육상 퇴적암인 셰일, 사암, 역암과 화산 쇄설물이 퇴적되어 생성된 응회암 등으로 이루어져 있다. 경상 누층군에서 발견되는 화석은 공룡 발자국 화석, 공룡 알 화석, 새 발자국 화석과 담수 조개류 화석, 소철류 및 은행류의 식물 화석 등이다.

SiO₄ 사면체 → SiO_4 사면체

HIGHTOP

하이탑

과학 고수들의 필독서

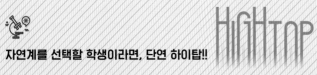

자연계를 선택할 학생이라면, 단연 하이탑!!

High Top

2권

지구과학 II

이 책의 구성과 특징

지금껏 선생님들과 학생들로부터 고등 과학의 바이블로 명성을 이어온 하이탑의 자랑거리는 바로,

- 기초부터 심화까지 이어지는 튼실한 내용 체계
- 백과사전처럼 자세하고 빈틈없는 개념 설명
- 내용의 이해를 돕기 위한 풍부한 자료
- 과학적 사고를 훈련시키는 논리정연한 문장

이었습니다. 이러한 전통과 장점을 이 책에 이어 담았습니다.

1 개념과 원리를 익히는 단계

●개념 정리

여러 출판사의 교과서에서 다루는 개념들을 체계적으로 다시 정리하여 구성하였습니다.

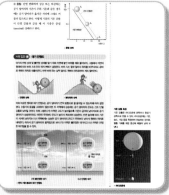

●시선 집중

중요한 자료를 더 자세히 분석하거나 개념을 더 잘 이해할 수 있도록 추가로 설명하였습니다.

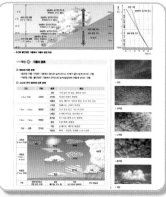

●시야 확장

심도 깊은 내용을 이해하기 쉽도록 원리나 개념을 자세히 설명하였습니다.

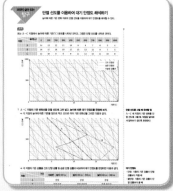

●탐구

교과서에서 다루는 탐구 활동 중에서 가장 중요한 주제를 선별하여 수록하고, 과정과 결과를 철저히 분석하였습니다.

●집중 분석

출제 빈도가 높은 주요 주제를 집중적으로 분석하고, 유제를 통해 실제 시험에 대비할 수 있도록 하였습니다.

●심화

깊이 있게 이해할 필요가 있는 개념은 따로 발췌하여 심화 학습할 수 있도록 자세히 설명하고 분석하였습니다.

● **개념 모아 정리하기**
각 단원에서 배운 핵심 내용을 빈칸에 채워 나가면서 스스로 정리하는 코너입니다.

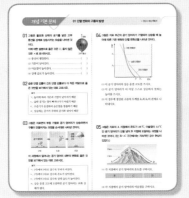

● **개념 기본 문제**
각 단원의 기본적이고 핵심적인 내용의 이해 여부를 평가하기 위한 코너입니다.

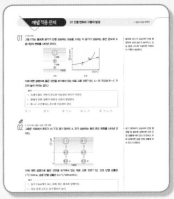

● **개념 적용 문제**
기출 문제 유형의 문제들로 구성된 코너입니다. '고난도 문제'도 수록하였습니다.

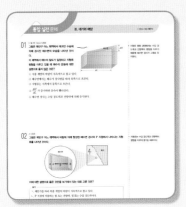

● **통합 실전 문제**
중단원별로 통합된 개념의 이해 여부를 확인함으로써 실전을 대비할 수 있도록 구성하였습니다.

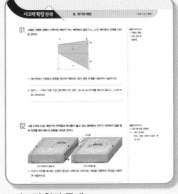

● **사고력 확장 문제**
창의력, 문제 해결력 등 한층 높은 수준의 사고력을 요하는 서술형 문제들로 구성하였습니다.

● **논구술 대비 문제**
논구술 시험에 출제되었거나, 출제 가능성이 높은 예상 문제로서, 답변 요령 및 예시 답안과 함께 제시하였습니다.

● **정답과 해설**
정답과 오답의 이유를 쉽게 이해할 수 있도록 자세하고 친절한 해설을 담았습니다.

66
하이탑은
과학에 대한 열정을 지닌 독자님의
실력이 더욱 향상되길 기원합니다.
99

Contents
이 책의 차례 — 지구과학

" 자세하고 짜임새 있는 설명과 수준 높은 문제로 실력의 차이를 만드는 High Top "

1권

고체 지구

대기와 해양

1

해수의 운동과 순환

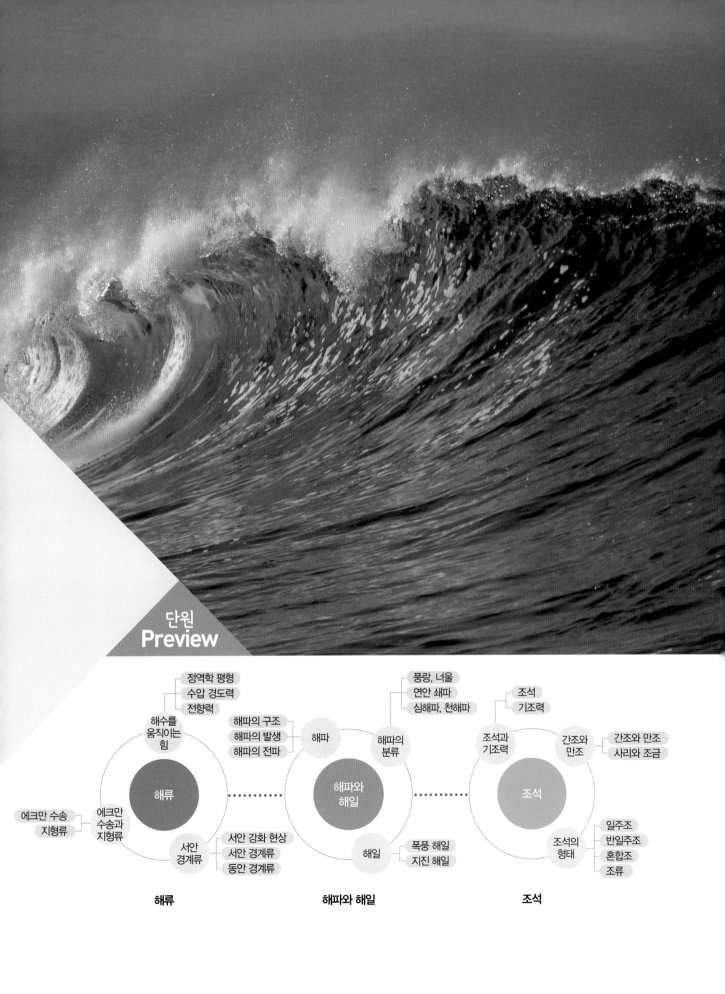

정역학 평형
수압 경도력
전향력

해수를
움직이는
힘

해파의 구조
해파의 발생
해파의 전파

해파

풍랑, 너울
연안 쇄파
심해파, 천해파

해파의
분류

조석
기조력

조석과
기조력

간조와
만조

간조와 만조
사리와 조금

해류

해파와
해일

조석

에크만 수송
지형류

에크만
수송과
지형류

서안
경계류

서안 강화 현상
서안 경계류
동안 경계류

해일

폭풍 해일
지진 해일

조석의
형태

일주조
반일주조
혼합조
조류

해류 **해파와 해일** **조석**

01 해류

학습 Point 해수를 움직이는 힘 > 에크만 수송과 지형류 > 서안 경계류와 동안 경계류

해수를 움직이는 힘

육지의 강물은 중력에 의해 움직이는 반면, 표층 해류는 바람과 해수면 경사 및 전향력의 영향으로 생성된다. 그러나 바람이 불지 않더라도 해류는 그 흐름을 계속 유지하는데, 이는 해수면 경사에 의한 수압 경도력과 지구 자전에 의한 전향력이 평형을 이루기 때문이다.

1. 연직 방향의 수압 경도력과 정역학 평형

(1) **수압:** 해수는 지구의 중력(mg)과 수압의 영향을 받는다. 밀도가 ρ, 깊이가 Z, 밑넓이가 A인 물기둥을 가정하면 수심 Z에서의 수압(P)는 다음과 같이 나타낼 수 있다.

$$수압: P = \frac{mg}{A} = \frac{\rho Vg}{A} = \frac{\rho AZg}{A} = \rho gZ \ (m: 물기둥의\ 질량,\ V: 물기둥의\ 부피)$$

(2) **정역학 평형:** 수심이 깊어질수록 수압이 증가하므로, 아래에 있는 해수가 받는 압력은 위쪽에 있는 해수가 받는 압력보다 크다. 해수에서는 아래에서 위로 작용하는 힘인 수압 경도력이 위에서 아래로 작용하는 중력과 평형을 이룬다. 이러한 상태를 정역학 평형 상태라고 하며, 정역학 평형 상태에서는 연직 방향으로의 해수의 이동이 발생하지 않는다.

해수에서는 수심이 깊어질수록 수압이 커지므로 수압 차이에 의한 수압 경도력이 아래에서 위쪽으로 작용하고, 해수의 무게에 의한 중력이 위에서 아래쪽으로 작용한다. 밀도가 ρ인 해수에서 수심 Z_1과 Z_2 사이에 있는 해수 덩어리에 작용하는 연직 방향의 수압 경도력은 $\frac{\Delta P}{\Delta Z}$이고 중력은 $-\rho g$이다. 해수는 수압 경도력과 중력이 평형을 이루는 정역학 평형 상태에 있으므로 다음과 같은 관계가 성립하며, 이를 정역학 방정식이라고 한다.

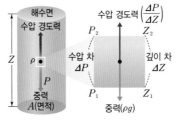

▲ **해수의 정역학 평형**

$$정역학\ 방정식: \frac{\Delta P}{\Delta Z} = -\rho g \ \Rightarrow \ \Delta P = -\rho g \Delta Z$$

정역학 방정식을 활용하여 수압의 연직 변화와 수압 경도력을 설명할 수 있다. 단, 여기에서 음($-$)의 부호는 수압 경도력과 중력의 방향이 반대임을 의미한다.

수심에 따른 수압 변화

해수의 밀도(ρ)를 약 $1030\ \text{kg/m}^3$, 중력 가속도(g)를 약 $9.80665\ \text{m/s}^2$이라고 할 때, 수심 $10\ \text{m}$에서 수압의 변화(ΔP)는 다음과 같다.

$-\rho g \Delta Z = -(1030\ \text{kg/m}^3)$
$\qquad \times (9.80665\ \text{m/s}^2) \times (-10\ \text{m})$
$\qquad \fallingdotseq 1.01 \times 10^5\ \text{N/m}^2 = 1기압$

즉, 수심이 $10\ \text{m}$ 깊어질 때마다 수압은 약 1기압씩 증가한다.

2. 수평 방향의 수압 경도력

정역학 평형 상태에 있는 해수는 연직 방향으로 잘 이동하지 않지만, 수평 방향으로 힘이 작용하면 쉽게 이동할 수 있다. 바람이 불어 해수가 이동하여 해수면 높이가 달라지거나, 해수면의 높이가 같더라도 해수의 밀도가 다르면 수평 방향의 수압 차가 발생한다. 그 결과 해수는 수압 경도력에 의해 수압이 높은 쪽에서 낮은 쪽으로 이동한다.

(1) **해수면 경사에 의한 수평 방향의 수압 경도력:** 밀도가 ρ로 일정한 해수에서 해수면이 경사져 있을 때, 수평 방향의 수압 경도력(P_H)은 다음과 같이 구할 수 있다.

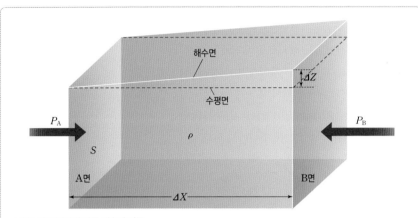

▲ **해수면의 경사에 따른 해수의 이동**

① A면에 작용하는 수압을 P_A, B면에 작용하는 수압을 P_B라고 하자. B면은 A면보다 해수면의 높이가 ΔZ만큼 높아서 그 만큼에 해당하는 물기둥의 질량으로 인해 수압이 높다($P_B > P_A$).

② 압력은 단위 면적에 작용하는 힘이므로, A면의 면적을 S라고 하면 A, B면의 수압차($\Delta P = P_A - P_B = -\rho g \Delta Z$)에 의해 수평 방향으로 작용하는 힘은 $\Delta F = \Delta P \times S$이다. $\Delta P = -\rho g \Delta Z$를 이용하면 단위 질량의 해수에 작용하는 수압 경도력(P_H)은 다음과 같이 나타낼 수 있다.

$$P_H = \frac{\Delta F}{m} \quad \text{(단, 해수의 질량}(m) = \rho \times S \times \Delta X)$$

$$= \frac{(\Delta P \times S)}{\rho \times S \times \Delta X} = \frac{1}{\rho} \cdot \frac{\Delta P}{\Delta X} = \frac{1}{\rho} \cdot \frac{-\rho g \Delta Z}{\Delta X} = -g \frac{\Delta Z}{\Delta X}$$

③ A면과 B면의 수압 차이로 인해 수압 경도력이 작용하여 해수는 B에서 A쪽으로 이동한다. 즉, 해수의 밀도가 일정할 때 수평 방향의 수압 경도력(P_H)은 수평 거리(ΔX)에 반비례하고 해수면의 높이 차(ΔZ)에 비례한다.

(2) 수압 경도력이 발생하는 경우

① 바람의 마찰력에 의해 해수가 이동하여 해수면 경사가 생길 때: 해수면이 높은 쪽에서 낮은 쪽으로 수압 경도력이 작용한다.

② 해수면 상에 작용하는 대기압의 차이가 있을 때: 고기압의 해수면은 낮고, 저기압의 해수면은 높으므로 저기압의 해수면 쪽에서 고기압의 해수면 쪽으로 수압 경도력이 작용한다.

수압 경도력과 기압 경도력

수압 경도력은 물기둥의 높이 차이에 의해 작용하는 힘으로, 대기에서 기압 차이에 의해 기압 경도력이 발생하는 원리와 같다. 수압 경도력에 의해 물은 수압이 높은 쪽에서 낮은 쪽으로 이동하고, 기압 경도력에 의해 공기는 기압이 높은 쪽에서 낮은 쪽으로 이동한다.

해수의 수온 차로 발생하는 수압 경도력은 그림과 같이 설명할 수 있다. 따뜻한 해수는 찬 해수보다 밀도가 작으므로 밑면에서 수압이 같을 때 따뜻한 해수의 해수면이 찬 해수의 해수면보다 높고, 등수압면 사이의 간격은 따뜻한 해수가 찬 해수보다 넓게 나타난다. 그러므로 어느 수심에서 수압을 비교하면 밀도가 작고 따뜻한 해수의 수압이 밀도가 크고 찬 해수의 수압보다 높으므로 따뜻한 해수에서 찬 해수 쪽으로 수압 경도력이 발생한다.

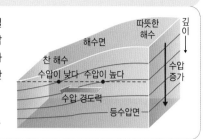

수온 차에 따른 해수의 이동 ▶

3. 전향력

(1) 전향력: 운동하는 물체에 힘이 작용하면 물체의 속력이나 방향이 변하고, 힘이 작용하지 않으면 물체의 운동 상태는 변하지 않는다. 회전계 안의 관찰자에게는 물체에 힘이 작용하지 않아도 물체의 운동 방향이 변하는 것처럼 보이는데, 이는 실제로 물체의 운동 방향이 변하는 것이 아니라 관찰자가 회전하고 있기 때문에 나타나는 현상이다. 자전하는 지구에서 나타나는 이러한 현상을 코리올리 효과라고 하고, 이때 작용하는 힘을 전향력이라고 한다.

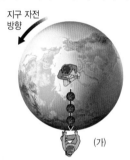
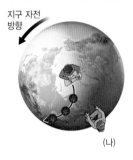

▲ **전향력의 원리(북반구)** 회전하는 계 위에서 공을 직선으로 굴리는 경우, 회전계 밖에 있는 관찰자에게 회전계 안의 사람 위치가 변하고 공이 직선으로 움직이는 것처럼 보이지만(가), 회전계 안에 있는 관찰자에게는 공의 방향이 휘어지는 것처럼 보인다(나).

(2) 전향력이 작용하는 방향: 북반구에서는 물체가 운동하는 방향의 오른쪽 직각 방향으로 작용하고, 남반구에서는 물체가 운동하는 방향의 왼쪽 직각 방향으로 작용하므로, 운동하는 물체는 전향력이 작용하는 방향으로 편향된다.

(3) 전향력의 크기: 물체의 속력을 v, 지구 자전 각속도를 Ω, 위도를 φ라고 하면, 단위 질량에 작용하는 전향력은 $C=2v\Omega\sin\varphi$이다. 즉, 전향력은 물체의 속력에 비례하고, 저위도에서 고위도로 갈수록 증가한다. 그러나 물체가 움직이지 않을 때($v=0$)나 위도가 0°인 곳($\sin 0°=0$)에서는 전향력의 크기가 0이 되어 전향력이 작용하지 않는다.

(4) 전향력의 역할: 전향력은 해류를 발생시키는 근본적인 힘은 아니지만, 해류가 발생하면 해류의 방향을 휘어지게 하는 역할을 한다.

지구 자전 각속도

위도(φ)에 따른 지구 자전 각속도는 $\Omega\sin\varphi$이다.

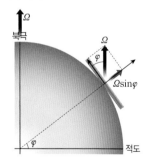

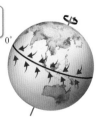

◀ **해수가 이동할 때 전향력으로 휘어지는 모습**

② 에크만 수송과 지형류

해류는 바람에 의해 발생하지만, 해류의 방향은 바람의 방향과 일치하지 않는다. 이는 자전하는 지구에서는 움직이는 물체에 전향력이 작용하므로 물체에 작용하는 힘과 전향력의 합력의 방향으로 물체가 움직이기 때문이다.

1. 에크만 수송

바람이 해수를 직접 움직이게 하는 것은 해수면에 한정되어 있지만, 바람이 일정한 방향으로 계속 불면 해수의 점성에 의해 상층에서 하층으로 마찰력이 전달되어서 표면으로부터 어느 정도의 깊이까지 해수의 운동이 일어나 해류가 발생한다. 이렇게 해수가 움직일 때는 바람과 해수면, 해수 간의 마찰력뿐만 아니라 지구 자전에 의한 전향력도 함께 작용한다.

(1) 에크만 수송: 1905년 스웨덴의 해양 물리학자 에크만은 북반구에서 일정한 방향으로 부는 바람에 대해 표층 해류가 오른쪽으로 45° 편향되어 흐른다는 사실을 알아내었다. 수심이 깊어짐에 따라 해수의 유속은 점점 감소하고 해수의 이동 방향은 점차 오른쪽(북반구)으로 편향되어, 어느 깊이에 이르러서는 표층 해수와 반대 방향으로 흐른다. 이때의 수심을 마찰 저항 심도라고 하며, 일반적으로 마찰 저항 심도는 수심 $100\,\mathrm{m} \sim 200\,\mathrm{m}$에 위치한다. 표면에서 마찰 저항 심도까지의 평균적인 해수의 흐름을 에크만 수송이라고 한다.

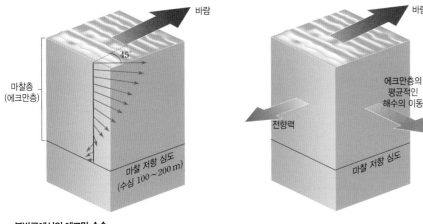

▲ 북반구에서의 에크만 수송

(2) 에크만 수송의 방향: 해수면 위에 지속적으로 부는 바람에 따른 마찰력으로 시작된 해수의 흐름은 전향력에 의해 북반구에서는 서서히 오른쪽으로 편향된다. 그 결과 북반구에서 마찰층(에크만층) 내의 전 깊이에 걸친 해수 수송의 총량인 에크만 수송은 풍향에 대하여 오른쪽 직각 방향을 이룬다.

(3) 에크만 나선: 해수 표층의 마찰력이 수심 아래로 전달되는 모습을 보면, 마치 나사가 돌아가는 것처럼 보인다. 즉 에크만층 내에서 해수가 흐르는 방향과 유속을 나타낸 화살표의 끝을 한 평면상에 투영하여 연결하면 하나의 나선 형태를 띠는데, 이를 에크만 나선이라고 한다.

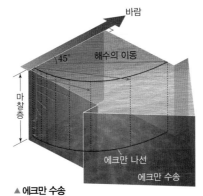

▲ 에크만 수송

에크만(V. W. Ekman, 1874～1954)
스웨덴의 해양 물리학자로, 난센의 관측선 프램호가 북극해를 표류할 때 발견한 현상을 해명하였는데, 그는 북극해에서 빙산이 바람의 방향에 대하여 20°～45° 오른쪽으로 흐르는 까닭을 이론적으로 설명하여 에크만 수송의 개념을 정립하였다.

마찰 저항 심도
표층 해류와 정반대 방향의 흐름이 나타나는 깊이를 마찰 저항 심도라고 하는데, 대체로 표면 유속의 $\dfrac{1}{23}$이 되는 깊이에 해당한다.

➡ 마찰 저항 심도$(D) = \dfrac{7.6v}{\sqrt{\sin\varphi}}$ $\begin{pmatrix} v\colon \text{풍속} \\ \varphi\colon \text{위도} \end{pmatrix}$

응력과 에크만 수송
해수면 위에 바람이 불면 바람과 해수 사이에 마찰력이 작용하여 바람의 속도가 느려지고 해수는 움직인다. 이렇게 바람이 해수에 주는 힘을 응력 또는 변형력이라고 한다. 북반구에서 표층의 해류는 풍향의 오른쪽 45° 방향으로 흐르며 수심이 깊어질수록 편향되는 각도는 증가하고 유속은 감소하여, 유속 벡터를 수심에 따라 그려 보면 나선형 구조를 나타낸다. 풍향에 평행인 유속 성분과 수직인 유속 성분을 수심에 따라 적분하여 바람에 의한 수송률을 계산하면, 오른쪽 수직 방향으로 수송이 일어남을 알 수 있다.

에크만 수송에 의해 해수가 수평 이동하여 발산하는 해역에서는 해수를 보충하기 위해 심층의 해수가 아래로부터 위로 올라오는데 이를 용승이라고 한다. 용승 해역에서는 심층의 차가운 해수에 의해 표층 수온이 낮아진다.

❶ **연안 용승**: 북반구 서해안에서 북풍 계열의 바람이 계속 불면 에크만 수송으로 표층 해수가 먼 바다로 이동해서 연안의 해수면이 상대적으로 낮아지고, 연안에서는 심층의 차가운 해수가 용승한다.

❷ **적도 용승**: 적도 부근의 해역에서는 적도를 경계로 동에서 서로 부는 무역풍에 의해 해수가 발산하여 용승이 일어나는데, 이를 적도 용승이라고 한다.

❸ **저기압(태풍)에 의한 용승**: 북반구에서 저기압이나 태풍 중심 부근에서는 강한 바람이 지속적으로 불어서 바람의 오른쪽 방향으로 에크만 수송이 일어난다. 따라서 저기압의 중심의 해수가 발산하여 용승이 일어난다.

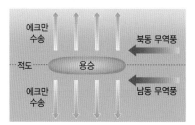

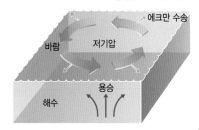

2. 지형류

에크만 수송으로 해수가 이동하면 해수면 경사가 생기고, 수압 차에 의해 수압 경도력이 발생하여 수압이 높은 곳에서 낮은 곳으로 해수가 움직인다. 이때 해수는 전향력에 의해 편향되고 수평 방향으로의 수압 경도력과 전향력이 평형을 이루는데, 이를 지형류 평형이라고 한다. 북반구(남반구)에서는 수압 경도력의 오른쪽(왼쪽) 직각 방향으로 해수가 흐르며, 이를 지형류라고 한다.

(1) 지형류 발생 과정(북반구)

① **수압 경도력 작용**: 해수면이 경사져 있으면 수압이 높은 고압부에서 수압이 낮은 저압부로 등수압선에 직각 방향으로 수압 경도력이 작용한다. 정지하고 있던 해수는 수압 경도력이 작용하는 방향으로 이동하기 시작한다.

② **전향력 작용**: 해수가 이동하기 시작하면 전향력이 작용하여 해수의 이동 방향이 점차 오른쪽으로 편향된다. 수압 경도력에 의해 해수의 유속이 점차 빨라지고 전향력은 더욱 커지면서 해수의 이동 방향이 오른쪽으로 계속해서 편향된다.

③ **지형류 발생**: 빨라진 유속에 비례해 커진 전향력은 수압 경도력과 크기가 같고 방향이 정반대로 되면서 두 힘이 평형을 이룬다. 그 결과 일정한 방향과 속력으로 흐르는 지형류가 발생한다.

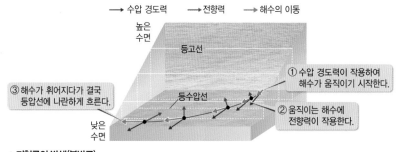

▲ **지형류의 발생(북반구)**

(2) 지형류의 방향과 유속

① **지형류의 방향**: 수압이 높은 곳에서 낮은 곳으로 수압 경도력이 작용할 때, 지형류는 등수압선을 따라 평행하게 나타난다. 이때 북반구에서 지형류는 수압 경도력의 오른쪽 직각 방향으로 나타난다. 남반구는 북반구와는 반대로 전향력의 작용 방향이 해수 이동 방향의 왼쪽이므로 지형류는 수압 경도력의 왼쪽 직각 방향으로 나타난다.

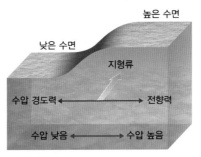

▲ **지형류(북반구)**

② **지형류의 유속(v)**: 지형류는 수압 경도력$\left(P_\mathrm{H} = g\dfrac{\varDelta Z}{\varDelta X}\right)$과 전향력($C = 2v\varOmega \sin\varphi$)이 평형을 이루어 흐르는 해류이므로, 지형류의 유속은 다음과 같이 구할 수 있다.

$$g\frac{\varDelta Z}{\varDelta X} = 2v\varOmega \sin\varphi$$

$$\text{지형류의 유속: } v = \frac{g}{2\varOmega \sin\varphi} \cdot \frac{\varDelta Z}{\varDelta X}$$

따라서 지형류의 유속은 위도(φ)가 낮을수록 해수면의 경사$\left(\dfrac{\varDelta Z}{\varDelta X}\right)$가 클수록 빠르고, 위도가 높을수록 해수면의 경사가 작을수록 느리다.

(3) 등수압선이 원형인 경우의 지형류

① **지형류의 발생**: 등수압선이 원형일 때 수압이 높은 중심부에서 바깥쪽으로 수압 경도력이 작용한다. 따라서 해수는 수압 경도력에 의해 중심부에서 바깥쪽으로 흐르기 시작하며 전향력에 의해 점차 오른쪽 방향으로 휘어진다(북반구). 이후 수압 경도력과 전향력이 평형을 이루면서 지형류가 발생한다.

② **지형류의 방향**: 수압 경도력이 중앙부의 해수를 흩어지게 하는 역할을 하지만, 수압 경도력과 전향력이 평형을 이루면서 지형류가 등수압선에 나란하게 흘러 해수면 중앙의 볼록한 모양이 유지될 수 있다. 결과적으로 북반구에서 등수압선이 원형일 때 지형류는 수압 경도력의 오른쪽 직각 방향으로 등수압선에 나란하게 흐른다. 남반구에서 등수압선이 원형인 경우에는 수압 경도력의 왼쪽 직각 방향으로 등수압선에 나란하게 지형류가 흐른다.

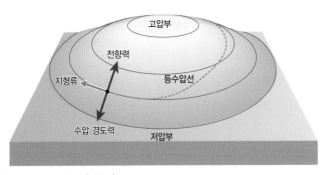

▲ **등수압선이 원형인 경우의 지형류(북반구)**

지형류 평형과 해수면 경사

수압 경도력과 전향력이 평형을 이룬 상태에서 흐르는 해류를 지형류라고 하며, 대양의 거의 모든 해류는 지형류 평형 상태에서 흐르고 있다. 지형류는 해수면의 경사에 의해 유지되지만, 지형류를 이루는 해수면의 경사는 $\dfrac{1}{100000}$로 매우 작다.

3. 대기 대순환과 지형류

해양에서 일정한 방향과 속력으로 흐르는 규모가 큰 흐름을 해류라고 하며, 그 중 바람에 의해 형성되는 해류를 표층 해류라고 한다. 따라서 표층 해류는 대기 대순환에 의한 바람의 분포와 매우 유사하게 나타난다.

(1) **북반구의 아열대 해역에서의 지형류 발생:** 위도 0°∼30°N의 북동 무역풍 지역에서는 에크만 수송에 의해 표층 해수가 북쪽으로 이동하고, 위도 30°N∼60°N의 편서풍 지역에서는 에크만 수송에 의해 표층 해수가 남쪽으로 이동한다. 따라서 위도 30°N 지역에서는 표층 해수가 수렴하여 해수면이 높아지고, 적도와 위도 60°N 지역에서는 해수면이 낮아진다. 이로 인해 위도 30°N에서 적도 방향과 위도 60°N 방향으로 각각 수압 경도력이 작용하고, 반대 방향으로 전향력이 작용하면서 두 힘이 평형을 이루어 지형류가 흐른다.

아열대 해양의 지형류
무역풍과 편서풍에 의한 에크만 수송으로 해수가 위도 30° 쪽으로 모이고, 이로 인해 발생한 수압 경도력과 전향력이 균형을 이루며 흐르는 해류이다.

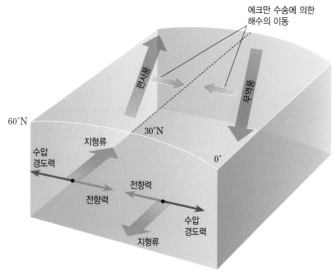

▲ **북태평양 아열대 지역에서 지형류의 발생**

(2) **표층 해류와 지형류:** 대부분의 세계 주요 표층 해류는 바람에 의한 에크만 수송에 따라 발생한 지형류의 특징을 가지므로 일정한 흐름과 해수면 경사를 유지하고 있다.

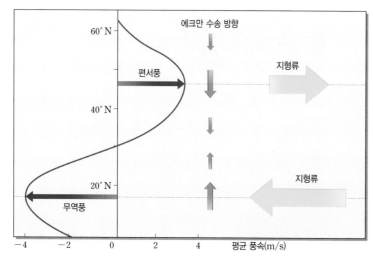

▲ **북태평양에서의 풍계와 에크만 수송의 방향에 따른 지형류의 방향(전향력만 고려한 경우)**

(3) **양쪽으로 대륙에 막혀 있는 경우의 지형류(북반구):** 무역풍대에서는 서쪽 방향으로 지형류가 발생하고, 편서풍대에서는 동쪽 방향으로 지형류가 발생한다. 아래 그림 (가)와 같이 무역풍대에서 형성된 지형류가 대륙에 막히면 북상하고, 편서풍대에서 형성된 지형류가 대륙에 막히면 남하한다. 그 결과 무역풍대에서는 에크만 수송에 의해 중위도 쪽으로 표층 해수가 이동하고, 편서풍대에서는 에크만 수송에 의해 저위도 쪽으로 표층 해수가 이동하여 대규모의 순환을 형성한다. 따라서 그림 (나)와 같이 에크만 수송에 의해 순환 중심부의 수위가 높아지며, 해수면의 경사는 지형류에 의해 유지된다.

북반구와 남반구에서의 지형류 방향
북반구에서 지형류는 수압 경도력의 방향에 대해 오른쪽 직각 방향으로 흐르지만, 남반구에서는 수압 경도력의 방향에 대해 왼쪽 직각 방향으로 흐른다.

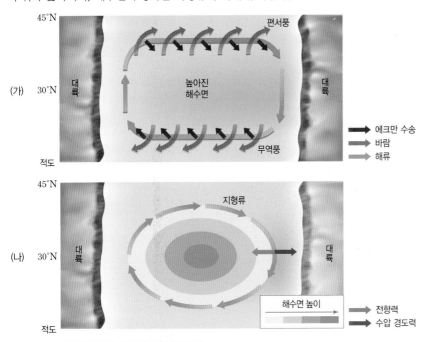

▲ **양쪽으로 대륙에 막혀 있는 경우의 지형류(북반구)**

(4) **대기 대순환과 지형류:** 대기 대순환에 의해 생성된 지형류는 표층 해류를 형성하며 순환 구조를 나타낸다. 이러한 해수의 표층 순환은 대체로 북반구와 남반구가 대칭을 이루며, 북반구에서는 시계 방향으로 순환하고, 남반구에서는 시계 반대 방향으로 순환한다.

실제 해양에서의 지형류
북태평양의 쿠로시오 해류, 북대서양의 멕시코만류, 그리고 우리나라 주변의 쓰시마 난류 등의 대규모 해류는 대부분 지형류에 해당한다.

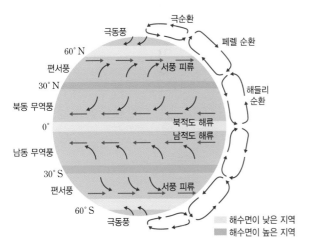

▲ **대륙이 없을 때 해수의 순환**

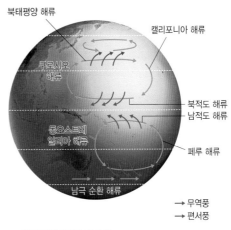

▲ **태평양에서의 해수의 순환**

③ 서안 경계류와 동안 경계류

북태평양 해류나 북적도 해류와 같이 동서 방향으로 흐르는 해류가 대륙에 막히면 남북 방향으로 흘러간다. 해류는 북반구의 아열대 해양에서는 시계 방향으로 순환하고 남반구의 아열대 해양에서는 시계 반대 방향으로 순환한다. 이러한 순환 중 대양의 서쪽을 흐르는 해류를 서안 경계류, 동쪽을 흐르는 해류를 동안 경계류라고 한다.

1. 서안 강화 현상

(1) **서안 강화 현상**: 1948년에 미국의 스토멜은 직사각형의 바다를 가정한 후, 가로축을 기준으로 하여 위로는 편서풍이 불고 아래로는 무역풍이 불 때의 해류의 모양을 계산하였다. 그 결과 대양 서안의 해수의 흐름이 동안의 흐름보다 뚜렷하게 강한 서안 강화 현상이 나타남을 알 수 있었다.

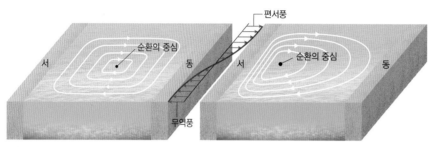

전향력이 일정할 때   전향력이 고위도로 갈수록 커질 때

▲ 스토멜의 서안 강화 현상 (북반구)

(2) **서안 강화 현상의 원리**

① **위도에 따른 전향력의 크기가 일정한 경우**: 에크만 수송에 의하여 무역풍대에서는 표층 해수가 북쪽으로 이동하고, 편서풍대에서는 표층 해수가 남쪽으로 이동하므로 두 지역 중간 부분의 해수면이 상승한다. 따라서 두 지역의 중간 부분에서 주변과의 높이 차로 인한 수압 경도력이 발생한다. 수압 경도력으로 해수가 움직이면 전향력이 작용하고, 전향력과 수압 경도력이 평형을 이루면서 지형류가 발생하여 해류의 순환이 동 – 서 방향으로 대칭적인 모습으로 나타난다.

② **실제 지구**: 실제 지구는 자전하므로 물체의 질량이 m, 물체의 속력이 v, 지구 자전 각속도가 Ω, 위도가 φ일 때 전향력 $C = 2mv\Omega \sin\varphi$가 작용한다. 북반구에서 표층 순환의 방향은 시계 방향이므로, 해양의 서쪽 경계(서안)에서는 저위도에서 고위도로 해류가 흐르고 동쪽 경계(동안)에서는 고위도에서 저위도로 해류가 흐른다. 전향력의 크기는 위도가 높아질수록 증가하기 때문에 똑같은 양의 해수가 흐른다고 가정하면 서쪽 경계에서는 해류의 폭이 좁고 유속이 빨라지며, 동쪽 경계에서는 해류의 폭이 넓고 유속이 느려진다. 그 결과 표층 순환의 중심이 서쪽으로 편향되고, 서쪽 지형류가 동쪽 지형류보다 유속이 빠르다. 이러한 현상을 서안 강화 현상이라고 한다.

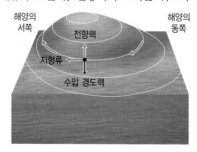

▲ 서안 강화 현상(북반구)

뭉크(Munk)의 실험

1950년 미국의 해양학자 및 지구물리학자 뭉크는 실제 관측된 바람의 분포를 사용하여 대양의 표층 순환을 실험으로 재현시켜 본 결과 북반구에 3개의 커다란 순환이 이루어짐을 알았다. 즉, 저위도의 열대 순환, 중위도의 아열대 순환, 고위도의 아한대 순환이 나타나는데, 3개의 순환에서는 순환의 중심이 모두 서쪽에 치우치며 이로 인해 서쪽을 흐르는 해류가 강해진다는 것을 밝혔다.

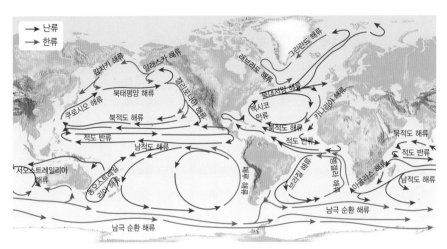

▲ 세계의 주요 표층 해류

2. 서안 경계류와 동안 경계류

서안 강화 현상에 의해 발생하는 해류를 서안 경계류라 하고, 대양의 동쪽에서 저위도 쪽으로 느리게 흐르는 해류를 동안 경계류라고 한다. 북반구의 대표적인 3개의 표층 순환(열대 순환, 아열대 순환, 아한대 순환)의 중심이 모두 서쪽으로 치우쳐 있다. 북반구 대양의 서쪽에는 쿠로시오 해류와 같은 서안 경계류가 분포하고, 동쪽에는 캘리포니아 해류와 같은 동안 경계류가 분포한다.

⑴ **서안 경계류와 동안 경계류의 예:** 서안 경계류에는 북태평양의 쿠로시오 해류, 북대서양의 멕시코 만류, 남태평양의 동오스트레일리아 해류, 남대서양의 브라질 해류 등이 있고, 대표적인 동안 경계류에는 북태평양의 캘리포니아 해류와 남태평양의 페루 해류가 있다.

⑵ **서안 경계류와 동안 경계류의 비교:** 서안 경계류는 폭이 좁고 유속이 빠르며 수심이 깊은 곳까지 나타나고, 따뜻한 해수를 극쪽으로 운반한다. 반면, 동안 경계류는 폭이 넓고 유속이 느리며 수심이 얕은 곳까지만 나타나고, 찬 해수를 적도 쪽으로 운반한다.

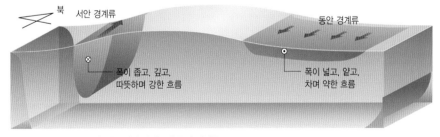

▲ 북태평양의 아열대 순환에서 서안 경계류와 동안 경계류

구분	서안 경계류	동안 경계류
폭과 깊이	좁고 깊다.(폭: 약 100 km, 깊이: 약 2 km)	넓고 얕다.(폭: 약 1000 km, 깊이 약 0.5 km)
유속	빠르다.	느리다.
유량	50 Sv~100 Sv 정도로 많다.	10 Sv~15 Sv 정도로 적다.
특징	• 연안 용승이 없거나 소량이다. • 고온·고염분의 해수	• 연안 용승이 잘 나타난다. • 저온·저염분의 해수

▲ 서안 경계류와 동안 경계류의 비교

남반구의 서안 경계류
남반구에서는 대륙의 분포나 지형의 영향 등으로 서안 경계류가 뚜렷하게 나타나지 않는다.

서안 경계류와 동안 경계류의 유속
북태평양의 서안을 따라 흐르는 쿠로시오 해류는 유속이 수십 cm/s이고, 동안을 따라 흐르는 캘리포니아 해류는 유속이 수 cm/s이다. 서안 경계류는 동안 경계류에 비해 유속은 약 15배까지 빠르고, 해류의 폭은 약 $\frac{1}{20}$ 배 정도로 좁으며, 깊이는 약 5배 정도 깊은 곳까지 나타난다.

해수의 운반 단위(Sv)
Sv는 Sverdrup의 약자로, 해류로 운반되는 물의 부피를 잴 때 사용하는 단위이다.
$$1 \, Sv = 10^6 \, m^3/s$$

수온 차에 의한 해수면 경사로 발생하는 지형류

지형류의 대부분은 바람에 의해 해수면 경사가 생기고 이로부터 발생하는 수압 경도력이 근본적인 힘이 되어 전향력과 평형을 이루면서 생성된다. 그런데 바람이 불지 않아도 해수면 경사가 생길 수가 있다. 해수의 수온이 높아지는 해역에서의 해수는 열팽창에 의해 해수면의 높이가 높아지므로 수압 경도력이 발생하며, 이것이 전향력과 평형을 이루면서 지형류가 발생한다. 멕시코 만류가 이렇게 생성된 대표적인 지형류이다.

1768년 미국의 과학자이자 정치가인 벤자민 프랭클린이 런던을 방문했을 때, "왜 영국에서 미국으로 보내는 우편물은 미국에서 영국으로 보내는 것보다 2주 정도 더 걸릴까?"라는 의문을 가졌다. 프랭클린은 미국 선박들의 항해 일지를 조사하였고, 오늘날 우리가 걸프 스트림(Gulf stream) 또는 멕시코 만류라고 부르는 해류를 알아내었다. 이 해류는 대서양 서쪽에서 매우 빠른 속도로 북상하여 대서양을 가로질러 동쪽으로 흐른다.

아래 그림은 멕시코 만류가 흐르는 해역의 동서 방향의 수온 단면을 나타낸 것이다. 같은 수심에서 서쪽이 동쪽보다 크게는 12 ℃ 정도 수온이 낮은데, 해수의 밀도는 수온이 낮을수록 크므로 염분이 같다면 서쪽은 동쪽보다 평균 밀도가 높다. 해저에서 양쪽의 수압이 같다고 가정하면 해수면의 높이는 해수의 밀도가 낮은 동쪽이 서쪽보다 높아야 하며, 동쪽에서 서쪽으로 갈수록 해수면의 높이가 낮아진다. 이와 같은 해수면의 경사는 동서 간의 수압 차를 발생시키는데, 표면에서 최대이고 수심이 깊어질수록 작아진다. 이러한 수압 차는 수압 경도력을 발생시켜 지형류를 형성하고, 이 지형류는 남쪽에서 북쪽으로 흐른다.

멕시코 만류의 동쪽에는 따뜻한 해수가 분포하며 서쪽에는 찬 해수가 분포한다. 이때 찬 해수에 비해 따뜻한 해수의 부피가 크므로 동쪽의 해수면이 상승하여 해수면은 찬 해수와 따뜻한 해수의 경계, 즉 수온이 급격히 변하는 곳에서 급격한 경사를 이룬다. 그러므로 흐름이 강한 해류는 찬 해수와 따뜻한 해수의 경계에서 발생하며, 지형류의 방향은 수압 경도력이 작용하는 방향의 오른쪽인 북쪽 방향(⊗)이다.

□ **멕시코 만류**

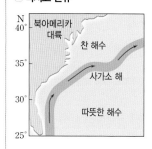

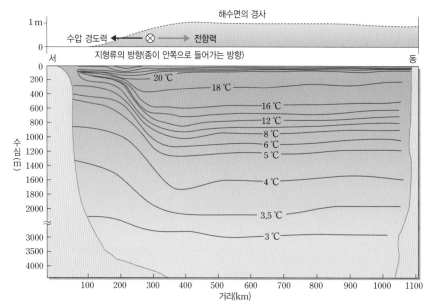

◀ **멕시코 만류가 흐르는 해역의 동-서 방향의 수온 분포** 멕시코 만류가 흐르는 해역에서 해안으로부터 150 km 지점과 400 km 지점의 연직 수온을 비교하면 400 km 쪽 해수의 수온이 높으므로 이곳의 해수가 열팽창되어 해수면이 더 높다. 따라서 그림과 같은 해수면 경사가 나타나고 이로 인해 표층 근처에서 동서 방향의 수압 차를 만들어 수압 경도력이 발생한다. 수압 경도력과 전향력이 평형을 이루어 해수는 수압 경도력의 오른쪽 90° 방향으로 흐른다.

01 해류

① 해수를 움직이는 힘

1 연직 방향의 수압 경도력과 정역학 평형 (**❶**)이 중력과 평형을 이루고 있는 상태로서, (**❷**) 방향으로 해수의 이동이 없다.

2 수평 방향의 수압 경도력

• 방향: (**❸**)이 높은 곳에서 낮은 곳으로 작용한다.

• 크기: 밀도가 일정한 경우 해수면의 (**❹**) 차가 클수록, 두 지점 사이의 (**❺**)가 가까울수록 수압 경도력은 크다.

3 전향력

• 지구의 (**❻**)에 의해 나타나는 가상적인 힘이다.

• 북반구에서는 물체의 운동 방향의 (**❼**) 직각 방향으로 작용한다.

• 전향력의 크기는 물체의 운동 속도에 (**❽**)하고, (**❾**)위도로 갈수록 커진다.

② 에크만 수송과 지형류

1 에크만 수송 해수면 위에서 바람이 지속적으로 불 때 북반구에서 바람 방향의 (**❿**) 직각 방향으로 나타나는 해수의 평균적인 흐름이다.

2 지형류

• 수압 경도력과 (**⓫**)이 평형을 이루었을 때를 지형류 평형이라고 하며, 이 상태에서 북반구에서는 (**⓬**)의 오른쪽 직각 방향으로 지형류가 발생한다.

• 지형류의 유속은 해수면의 (**⓭**)에 비례한다.

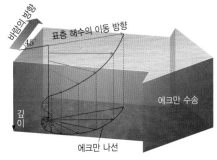

▲ **에크만 수송**

▲ **지형류(북반구)**

3 대기 대순환과 지형류 중위도 편서풍 대에서는 (**⓮**)쪽 방향으로 지형류가 발생하고, 저위도 무역 풍대에서는 (**⓯**)쪽 방향으로 지형류가 발생하여 (**⓰**) 방향으로의 아열대 순환이 생긴다.

③ 서안 경계류와 동안 경계류

1 서안 강화 현상 북반구에서 대양의 (**⓱**)쪽을 흐르는 해류의 세력이 강해지는 현상으로, 해수의 순환 중심이 (**⓲**)쪽으로 치우쳐 나타난다.

2 서안 경계류와 동안 경계류

• 서안 경계류는 동안 경계류보다 폭이 좁고, 깊이가 깊으며, 유량이 많고, 유속이 (**⓳**)다.

• 서안 경계류는 동안 경계류보다 수온과 염분이 높고, 용존 산소와 영양 염류가 (**⓴**)다.

• 북태평양에서 (**㉑**) 해류가 서안 경계류에 해당한다.

▲ **북태평양의 아열대 순환에서 동·서안 경계류**

01 그림은 정역학 평형 상태에 있는 물기둥에 작용하는 힘 A와 B를 나타낸 것이다.

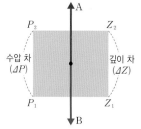

(1) 힘 A와 B의 명칭을 각각 쓰시오.

(2) 힘 A와 B의 크기를 비교하시오.

02 다음은 해수면의 경사가 있을 때 수압 경도력이 작용하는 모습과 수압 경도력의 크기에 대한 관계식을 나타낸 것이다.

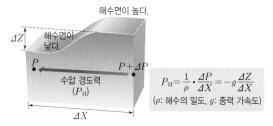

$$P_H = \frac{1}{\rho} \cdot \frac{\Delta P}{\Delta X} = -g \frac{\Delta Z}{\Delta X}$$
(ρ: 해수의 밀도, g: 중력 가속도)

이에 대한 설명으로 옳은 것은 ○, 옳지 <u>않은</u> 것은 ×로 표시하시오.

(1) 수압 경도력은 수압이 높은 곳에서 낮은 곳으로 작용한다. ·· ( )

(2) 해수면의 경사가 클수록 수압 경도력이 커진다.
·· ( )

(3) 두 지점 사이의 거리가 멀수록 수압 경도력이 커진다.
·· ( )

03 다음은 전향력에 대한 설명이다. 빈칸에 들어갈 알맞은 말을 쓰시오.

물체의 질량을 m, 속력을 v, 지구의 회전 각속도를 Ω, 위도를 φ라고 하면, 이 물체에 작용하는 전향력은 $2mv\Omega \sin \varphi$로 나타낸다. 전향력은 지구의 (㉠)에 의해 작용하는 힘으로, 북반구에서는 물체가 운동하는 방향의 (㉡) 직각 방향으로 작용한다. 전향력의 크기는 (㉢)에서 0이고, (㉣)위도로 갈수록 커진다.

04 그림은 북반구에서 해수의 에크만 수송을 모식적으로 나타낸 것이다.

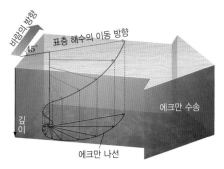

(1) 에크만 수송을 일으키는 힘 2가지를 쓰시오.

(2) 에크만 수송에 대한 설명으로 옳은 것만을 보기에서 있는 대로 고르시오.

보기
ㄱ. 표면 해수는 바람 방향의 오른쪽으로 45° 편향되어 흐른다.
ㄴ. 수심이 깊어질수록 유속이 느려진다.
ㄷ. 에크만 수송은 바람 방향의 오른쪽 90° 방향으로 나타난다.

05 그림은 북반구 어느 지역의 동쪽 해안에서 남풍이 계속 불고 있는 모습을 나타낸 것이다.

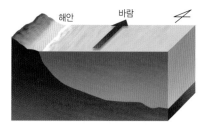

이 해안 지역에 나타날 수 있는 현상으로 옳은 것만을 보기에서 있는 대로 고르시오.

보기
ㄱ. 시간이 충분히 흐른 후 표층의 해수는 바람에 의해 해안을 따라 북쪽으로 흐른다.
ㄴ. 해안에서 바다 쪽으로 에크만 수송이 나타난다.
ㄷ. 해안에서 바다 쪽으로 갈수록 해수면이 높아져서 먼 바다에서 해안 쪽으로 수압 경도력이 작용한다.

06 그림은 북반구에서 지형류의 형성 과정을 나타낸 것이다.

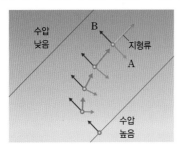

이에 대한 설명으로 옳은 것은 ○, 옳지 <u>않은</u> 것은 ×로 표시하시오.

(1) A는 전향력을 나타낸다. ························· ( )

(2) B는 수압 경도력을 나타낸다. ·················· ( )

(3) 해수를 움직이는 원동력은 수압 경도력이다. ··· ( )

(4) 해수에 작용하는 전향력은 항상 일정하다. ····· ( )

(5) 해수의 속도가 증가하면 수압 경도력이 증가한다.
·· ( )

07 그림은 북반구 어느 해역에서 지형류 평형을 이루고 있는 있는 해수의 모습을 나타낸 것이다.

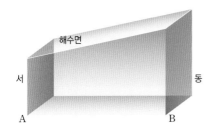

이에 대한 설명으로 옳은 것만을 보기에서 있는 대로 고르시오.

> 보기
> ㄱ. 수압 경도력은 B에서 A로 작용한다.
> ㄴ. 지형류는 북쪽으로 흐른다.
> ㄷ. 전향력은 A에서 B로 작용한다.
> ㄹ. 해수면의 경사가 커지면 지형류의 유속도 빨라진다.
> ㅁ. A와 B 사이의 거리가 멀어질수록 지형류의 유속이 빨라진다.

08 그림은 북태평양에서 지형류 평형을 이루고 있는 두 지점 P, Q에 각각 작용하는 힘 A와 B 및 C와 D를 나타낸 것이다.

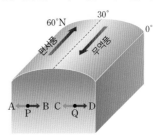

(1) 위도 30°N 해역의 수위가 높은 까닭은 ( )에 의한 해수의 이동 때문이다.

(2) A, B, C, D의 힘의 종류를 각각 쓰시오.

(3) P와 Q 지점에서의 지형류의 방향을 각각 쓰시오.

[09~10] 그림은 북반구 아열대 해양에서 무역풍과 편서풍에 의해 나타나는 표층 해수의 순환을 나타낸 것이다.

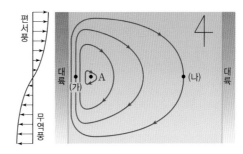

09 다음 글의 빈칸에 들어갈 말을 쓰시오.

> 아열대 순환의 중심(A)이 서쪽으로 치우치는 까닭은 고위도로 갈수록 ( )이 커지기 때문이다.

10 표는 (가)와 (나)에서 흐르는 해류의 특징을 비교한 것이다. 빈칸에 들어갈 알맞은 말을 쓰시오.

구분	(가)	(나)
단위 면적당 유량	많다.	적다.
깊이	깊다.	얕다.
폭	(㉠)	(㉢)
유속	(㉡)	(㉣)
성질	난류	한류

01 ❯ 에크만 수송

그림은 북반구 어느 해역에서 일정한 방향으로 바람이 지속적으로 불 때 표층 해수의 이동 방향을 나타낸 것이다.

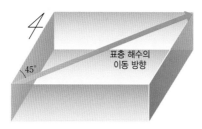

이에 대한 설명으로 옳은 것만을 보기에서 있는 대로 고른 것은?

보기
ㄱ. 북풍이 불고 있다.
ㄴ. 에크만 수송은 북동쪽으로 나타난다.
ㄷ. 수심이 깊어질수록 해수의 이동 방향이 시계 방향으로 바뀐다.

① ㄱ   ② ㄷ   ③ ㄱ, ㄴ   ④ ㄴ, ㄷ   ⑤ ㄱ, ㄴ, ㄷ

● 북반구 표층의 해수에서는 바람의 방향에 대하여 오른쪽으로 비스듬히 이동하며, 깊이에 따라 전향력의 영향으로 방향이 점점 더 바뀐다. 결과적으로 전체적인 해수의 이동은 바람에 대하여 오른쪽 직각 방향으로 나타나는데, 이를 에크만 수송이라고 한다.

02 ❯ 적도 부근에서의 에크만 수송

그림은 적도 부근 해역에서 무역풍의 방향과 해수의 이동을 나타낸 것이다.

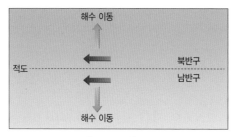

이에 대한 설명으로 옳은 것만을 보기에서 있는 대로 고른 것은?

보기
ㄱ. 수압 경도력은 해수의 이동 방향과 같은 방향으로 발생한다.
ㄴ. 에크만 수송은 적도를 기준으로 북반구와 남반구에서 반대 방향으로 일어난다.
ㄷ. 무역풍이 강해지면 해수의 이동이 더 활발해진다.

① ㄱ   ② ㄷ   ③ ㄱ, ㄴ   ④ ㄴ, ㄷ   ⑤ ㄱ, ㄴ, ㄷ

● 전향력은 물체의 이동에 대해 북반구에서는 오른쪽, 남반구에서는 왼쪽으로 작용한다. 따라서 에크만 수송도 북반구와 남반구에서 반대 방향으로 일어난다.

03 > 지형류의 특징

그림은 북반구의 위도가 같은 두 해역 (가), (나)에서 지형류 평형을 이루고 있을 때 해수면 경사를 나타낸 것이다.

수압 경도력은 해수면의 경사에 비례하며, 수압 경도력이 클수록 지형류의 속력이 빨라진다.

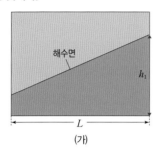
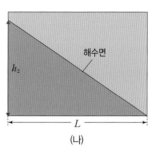

(가), (나) 해역의 지형류에 대한 설명으로 옳은 것만을 보기에서 있는 대로 고른 것은? (단, 수평 거리 L은 서로 같으며, $h_1 < h_2$이다.)

> **보기**
>
> ㄱ. 수압 경도력은 (가) 해역이 (나) 해역보다 작다.
> ㄴ. 두 해역의 지형류에 작용하는 전향력의 크기는 같다.
> ㄷ. 두 해역의 지형류는 서로 반대 방향으로 흐른다.

① ㄱ   ② ㄷ   ③ ㄱ, ㄴ   ④ ㄱ, ㄷ   ⑤ ㄱ, ㄴ, ㄷ

04 > 지형류의 형성

그림은 북반구에서 지형류가 발생하는 과정과 지형류에 작용하는 힘 A, B를 나타낸 것이다.

전향력은 움직이는 물체에 작용하는 힘으로서 북반구에서는 물체의 이동 방향에 대해 오른쪽 직각 방향으로 작용하며, 물체의 이동 속력이 빨라지면 전향력도 증가한다.

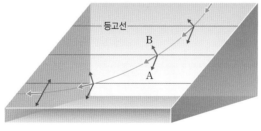

→ 해수의 이동

이에 대한 설명으로 옳은 것만을 보기에서 있는 대로 고른 것은? (단, 화살표는 힘이 작용하는 방향만을 의미하며, 힘의 크기와는 관계없다.)

> **보기**
>
> ㄱ. A는 해수면의 경사에 의해 생기는 힘이다.
> ㄴ. B는 해수의 이동에 따라 방향과 크기가 변한다.
> ㄷ. A와 B의 합력이 0이 되면 해수의 이동 방향과 유속이 일정해진다.

① ㄱ   ② ㄷ   ③ ㄱ, ㄴ   ④ ㄴ, ㄷ   ⑤ ㄱ, ㄴ, ㄷ

05 > 등수압선이 원형인 경우의 지형류
그림은 북반구 아열대 해역에서 해수면의 높이를 나타낸 모식도이다.

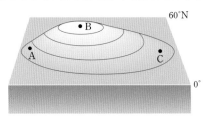

이에 대한 설명으로 옳은 것만을 보기에서 있는 대로 고른 것은? (단, A~C 지점은 모두 동일한 위도 상에 위치한다.)

> 보기
ㄱ. A에서 수압 경도력의 방향은 서쪽이다.
ㄴ. A, C에 작용하는 전향력의 방향과 크기는 모두 같다.
ㄷ. 지형류는 등수압선을 따라 시계 방향으로 흐른다.

① ㄱ   ② ㄷ   ③ ㄱ, ㄴ   ④ ㄱ, ㄷ   ⑤ ㄱ, ㄴ, ㄷ

• 해수면의 높이를 나타내는 등수압선이 원형을 이루는 경우에는 해수면의 경사를 따라 수압 경도력과 전향력이 평형을 이루어 등수압선과 평행하게 지형류가 발생한다.

06 > 에크만 수송에 의한 지형류
그림은 북태평양 해양에서 해수면 위로 부는 바람과 (가)와 (나)에서 지형류가 흐를 때 작용하는 힘 P, Q를 나타낸 것이다.
이에 대한 설명으로 옳은 것만을 보기에서 있는 대로 고른 것은?

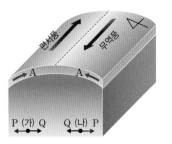

> 보기
ㄱ. A는 에크만 수송이 일어나는 방향이다.
ㄴ. P는 수압 경도력, Q는 전향력을 나타낸다.
ㄷ. (가)와 (나)에서 흐르는 지형류의 방향은 바람의 방향과 반대이다.

① ㄱ   ② ㄷ   ③ ㄱ, ㄴ   ④ ㄴ, ㄷ   ⑤ ㄱ, ㄴ, ㄷ

• 중위도 해양에서는 무역풍과 편서풍의 영향으로 중심부의 해수면이 상승하여 시계 방향으로의 지형류 순환이 나타난다.

07 〉해수면 경사와 지형류

그림 (가)는 북반구에서의 지형류 평형을, (나)는 북태평양에서의 지형류를 나타낸 것이다.

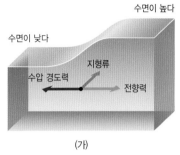

(가)

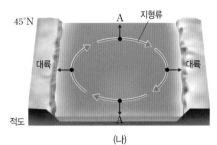

(나)

해수면 경사에 의해 지형류가 발생하면 수압 경도력과 전향력이 평형을 이루어 해수면 경사는 계속 유지된다.

이에 대한 설명으로 옳은 것만을 보기에서 있는 대로 고른 것은?

보기

ㄱ. (가)에서 지형류는 해수면의 경사를 유지시킨다.

ㄴ. (나)에서 힘 A는 지구 자전에 의해 생기는 힘이다.

ㄷ. (나)에서 해수면의 높이는 순환의 중심으로 갈수록 높아진다.

① ㄱ   ② ㄷ   ③ ㄱ, ㄷ   ④ ㄴ, ㄷ   ⑤ ㄱ, ㄴ, ㄷ

고난도
08 〉수온 차이에 의한 해수면 경사로 발생하는 지형류

그림은 북대서양에서의 연직 수온 단면도와 이로부터 계산한 해수면의 높이를 나타낸 것이다.

이에 대한 설명으로 옳은 것만을 보기에서 있는 대로 고른 것은? (단, 해수의 밀도는 수온에만 관계있고, 이 해역에 지속적인 바람은 불지 않았다고 가정한다.)

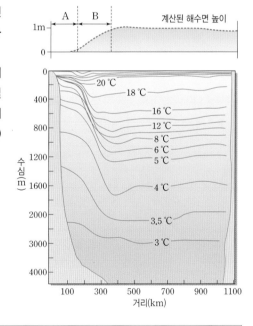

해수는 수온이 높아지면 열팽창에 의해 해수면이 상승한다. 이로 인해 해수면의 높이 차가 생기면 수압 경도력이 발생하여 지형류가 발생한다.

보기

ㄱ. 지형류는 A 해역의 아래에서 가장 빠르게 나타난다.

ㄴ. B 해역의 해수면 경사는 에크만 수송에 의해 나타난 것이다.

ㄷ. 수평 방향으로 수온 차가 클수록 지형류의 유속이 빠르게 나타난다.

① ㄱ   ② ㄷ   ③ ㄱ, ㄴ   ④ ㄴ, ㄷ   ⑤ ㄱ, ㄴ, ㄷ

09 ▶지형류

그림은 적도 부근 태평양에서 남북 방향으로 해수면의 상대적인 높이를 나타낸 모식도이다.

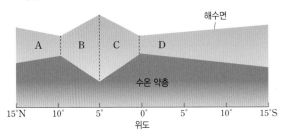

A~D 해역에 나타나는 지형류에 대한 설명으로 옳은 것만을 보기에서 있는 대로 고른 것은?

보기
ㄱ. 수압 경도력은 A보다 B에서 크다.
ㄴ. B에서는 동쪽으로 해류가 흐른다.
ㄷ. C와 D에서 지형류는 서로 같은 방향으로 흐른다.

① ㄱ   ② ㄷ   ③ ㄱ, ㄴ   ④ ㄴ, ㄷ   ⑤ ㄱ, ㄴ, ㄷ

• 북반구와 남반구에서는 전향력이 작용하는 방향이 서로 반대이기 때문에 지형류도 서로 반대 방향으로 나타난다. 수온 약층은 표층 아래에서 깊이에 따라 수온이 급격히 낮아지는 부분이다.

10 ▶서안 강화 현상

그림 (가)와 (나)는 북반구 대양에서 나타나는 표층 해수의 순환을 설명하는 2가지 모형을 나타낸 것이다.

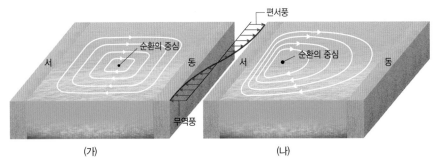

(가)   (나)

이에 대한 설명으로 옳은 것만을 보기에서 있는 대로 고른 것은?

보기
ㄱ. (가)는 위도에 따른 전향력의 크기가 일정한 경우이다.
ㄴ. (나)는 편서풍보다 무역풍이 강하기 때문에 나타나는 현상이다.
ㄷ. (가)는 해수면이 평탄하고, (나)는 순환의 중심부가 높게 나타난다.

① ㄱ   ② ㄷ   ③ ㄱ, ㄴ   ④ ㄴ, ㄷ   ⑤ ㄱ, ㄴ, ㄷ

• 고위도로 가면서 전향력이 증가하기 때문에 대륙의 서안을 따라 북상하는 지형류는 속도가 빨라진다. 이에 따라 아열대 순환의 중심이 서쪽으로 치우치면서 서안 강화 현상이 나타나게 된다.

11 ❯ 서안 강화 현상

그림은 북태평양에서 바람에 의한 표층 순환을 이론적으로 계산하여 나타낸 것이다.

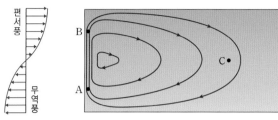

A~C에서 흐르는 지형류에 대한 설명으로 옳은 것만을 보기에서 있는 대로 고른 것은?

┌─ 보기 ───┐
ㄱ. 지형류에 작용하는 전향력은 B가 A보다 크다.

ㄴ. C는 B에 비해 유속이 느리다.

ㄷ. A와 B 사이의 지형류가 강화되면 순환의 중심은 동쪽으로 이동한다.
└──┘

① ㄱ   ② ㄷ   ③ ㄱ, ㄴ   ④ ㄴ, ㄷ   ⑤ ㄱ, ㄴ, ㄷ

• 서안 강화 현상은 고위도로 가면서 전향력이 증가하여 지형류의 유속이 빨라지기 때문에 나타나는 현상이다.

12 ❯ 세계의 주요 표층 해류

그림은 세계의 주요 표층 해류를 나타낸 것이다.

이에 대한 설명으로 옳은 것만을 보기에서 있는 대로 고른 것은?

┌─ 보기 ───┐
ㄱ. 중위도에서 해수의 순환은 대부분 무역풍과 편서풍의 영향을 받는다.

ㄴ. 멕시코 만류와 브라질 해류는 서안 경계류에 속한다.

ㄷ. 쿠로시오 해류는 캘리포니아 해류에 비해 단위 면적당 해수의 이동량이 적다.
└──┘

① ㄱ   ② ㄷ   ③ ㄱ, ㄴ   ④ ㄴ, ㄷ   ⑤ ㄱ, ㄴ, ㄷ

• 중위도 아열대 해수의 순환은 무역풍과 편서풍의 영향으로 형성되며, 북반구와 남반구 모두에서 서안 강화 현상이 나타난다.

02 해파와 해일

학습 Point   해파   >   해파의 분류   >   해일

1 해파

 040쪽

해파는 해수 표면에서 생긴 교란이 파동의 형태로 퍼져 나갈 때 일어나는 해수면의 주기적인 상승 또는 하강 운동으로서 파동의 모양과 특징을 나타낸다. 해파의 크기는 바람의 세기와 지속 시간, 영향을 주는 면적 등에 의해 결정된다. 해파는 대부분 바람이 불어 발생하지만 해저 지진이나 해저 화산 활동이 일어나 발생하기도 한다.

1. 해파의 구조

(1) **마루와 골:** 해파에서 파의 가장 높은 곳을 마루 또는 파봉이라 하고, 파의 가장 낮은 곳을 골 또는 파곡이라고 한다.

(2) **파고와 파장:** 해파의 마루에서 골까지의 수직적인 높이를 파고라 하며, 골에서 골 또는 마루에서 마루까지의 거리를 파장이라고 한다.

(3) **주기:** 해파의 마루나 골이 해수면의 한 점을 지나간 후, 다음 마루나 골이 지나갈 때까지의 시간을 주기라고 하는데, 주기는 보통 초 단위로 표시한다.

(4) **진동수:** 1초 동안에 한 지점을 몇 개의 파가 지나갔는지를 나타내는 값을 진동수라고 하는데, 이는 주기의 역수와 같다.

(5) **속력:** 운동하는 물체의 속력은 $\dfrac{\text{이동 거리}}{\text{걸린 시간}}$ 이므로, 해파의 속력은 $\dfrac{\text{파장}}{\text{주기}}$ 으로 나타낼 수 있다. 따라서 해파의 파장과 주기를 알면 해파의 전파 속력을 구할 수 있고, 해파의 속력은 파장이 길수록 대체로 빨라진다.

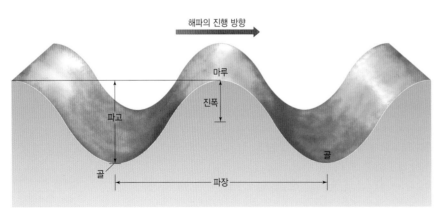

▲ **해파의 구조**

해류와 해파

해류와 해파는 모두 바람에 의하여 발생하는 것이지만, 해류는 물 입자가 해류와 함께 이동하는 현상으로서 전 지구적으로 거대한 양의 해수가 이동하는 반면, 해파는 물 입자가 이동하지 않고 같은 곳에 머물러 있으면서 에너지만을 전달하는 현상이다. 즉, 바다에서 파도를 관찰할 때 파도가 관측자에게 다가오는 것처럼 보이지만 실제로는 해수 입자가 궤도에 따라 상하 전후 운동을 할 뿐 해수는 이동하지 않는다.

2. 해파의 발생과 전파

(1) 해파에서 에너지의 전달: 해파의 에너지는 해수를 통해 전파되어 가며, 이러한 에너지의 전파는 물 입자들의 운동을 통하여 이루어진다. 해파가 진행될 때, 파와 에너지는 전달되지만 물 입자는 파의 진행에 따라 상하 전후 방향으로 왕복 운동만 할 뿐 이동하지 않는다.

(2) 해파에서 물 입자의 운동: 해파에서 물 입자의 운동은 대부분 파의 크기와 그 파가 지나온 해역의 수심에 따라 결정된다. 해파의 에너지는 원궤도를 그리며 물 입자에서 물 입자로 전달되는데, 해수면을 가로질러 파의 형태로 전달된다.

① **해파에 의한 물 입자의 운동:** 해파에 의한 물 입자의 원운동은 해수면에서뿐만 아니라 해수면 아래에서도 계속되며, 이때 원운동의 지름은 수심이 깊어질수록 급격히 감소한다. 실제로 수심이 깊은 곳의 경우, 수심이 파장의 $\frac{1}{2}$보다 깊어지면 물 입자의 운동은 거의 무시할 정도가 된다. 예를 들어 해수 표층에서 파장이 20 m인 해파가 지나갈 경우 수심 10 m보다 깊은 곳에 위치한 잠수부는 파도를 거의 느끼지 못한다. 실제 해양에서 해파의 대부분은 파장이 그리 길지 않기 때문에 파도에 의한 해수의 교란은 해수면 근처의 얕은 수심에 한정되어 나타난다.

② **물 입자의 운동 방향:** 마루에서 물 입자의 운동 방향은 파의 진행 방향과 같지만, 골에서의 물 입자의 운동 방향은 파의 진행 방향과 반대이다. 물 입자의 운동 속력이 깊이에 따라 감소하기 때문에 원궤도 상반부의 물 입자는 해파의 진행 방향을 따라 하반부의 되돌아오는 물 입자보다 빠른 속력으로 움직이므로 해파의 진행 방향으로 물 입자가 약간 이동한다.

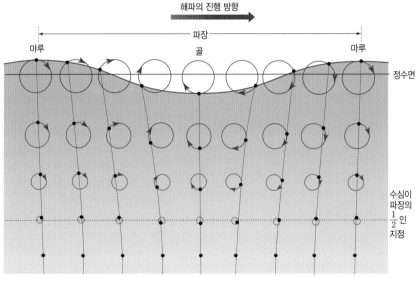

▲ 해파에서 물 입자의 운동

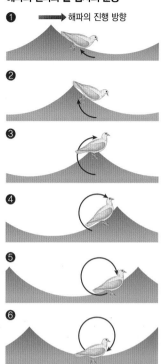

해파의 전파와 물 입자의 운동

물 위에 떠 있는 새는 물 입자의 상하 운동에 따라 거의 제자리에 머물러 있지만, 해파의 에너지는 해파의 진행 방향을 따라 왼쪽에서 오른쪽으로 전달된다.

시야확장 ➕ 스토크스 해류

물 입자의 운동 속도는 수심이 깊어짐에 따라 감소하므로, 물 입자가 원궤도 운동을 하는 동안 골보다 마루에서 빠른 속력으로 움직인다. 그 결과 물 입자는 완전히 닫힌 원을 그리며 돌아오지 못하고 해파의 진행 방향으로 아주 조금씩 전진하는데, 이를 스토크스 해류라고 한다.

2 해파의 분류

해수에 어떤 종류의 힘이 작용하는가에 따라 해수면에는 다양한 형태의 해파가 나타난다. 해파는 모양에 따라 풍랑, 너울, 연안 쇄파로 구분할 수 있고, 수심과 파장의 관계에 따라 심해파와 천해파로 구분할 수 있다.

1. 모양에 따른 해파의 분류

바람에 의해 형성되는 해파를 파랑(wave)이라고 한다. 파랑은 파도 간의 불규칙한 충돌로 인해서 발생하는 풍랑과 풍랑 지역으로부터 이동해 나가면서 형성되는 너울, 그리고 너울이 해안 가까이로 이동하면서 마루가 해안 쪽으로 넘어지면서 부서지는 연안 쇄파로 구분한다.

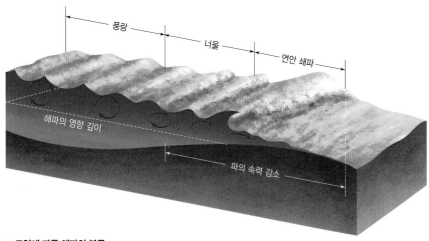

▲ 모양에 따른 해파의 분류

(1) **풍랑:** 먼 바다에서 비교적 강한 바람에 의해 직접적으로 발생한 해파를 풍랑(風浪, wind wave)이라고 한다.

① 풍랑은 마루가 뾰족하고 파장이 수 m ~ 수십 m, 주기는 수 초, 파고는 2 m ~ 5 m 정도인데, 해파의 마루는 바람의 영향으로 계속 솟아오르며 이에 따라 더욱 많은 에너지가 바다로 전파된다. 에너지가 해수면으로 계속 전파되어 파도가 더욱 커짐에 따라 물 입자의 원운동 궤적은 더욱 커지며, 이에 비례하여 파고와 파장, 주기 모두 증가한다.

② 바람이 부는 해역에는 서로 다른 파장, 파고, 주기를 가진 해파들이 동시에 존재하여 파봉이 불규칙한 파도를 형성하면서 해파가 계속해서 성장하는데, 풍랑은 바로 이러한 상태의 해파이다.

(2) **너울:** 해파가 풍랑 발생 해역을 벗어날 때는 비슷한 파속과 파장에 따라 스스로 분산되어 나간다. 이 과정에서 풍랑은 해파의 마루가 비교적 둥글고 규칙적인 형태로 변해 가는데, 이를 너울(swell)이라고 한다.

① 너울은 파장이 수십 m ~ 수백 m에 이르고, 주기는 5초 ~ 20초에 해당한다.

② 너울은 이동 속력이 빠르므로 먼 곳까지 빠르게 전파된다. 특히, 태풍 해역에서 발생한 너울은 태풍보다 빨리 전파되므로, 해안에 너울이 도착하면 근처 해역에 태풍이 접근하고 있음을 미리 알 수 있다.

풍랑 발생과 바람의 역할

풍랑은 바람에 의해 만들어진다. 이때 풍랑의 정도 즉, 파고는 풍속, 바람의 지속 시간, 풍역대 등의 요인에 따라 결정된다. 일반적으로 풍속이 클수록 풍랑은 커진다. 그러나 짧은 시간 동안 강한 바람이 분다고 커다란 풍랑이 만들어지지는 않는다. 비록 바람이 약하더라도 지속적으로 오랫동안 불면 파고는 점차 높아진다. 이때 바람이 지속적으로 부는 시간을 지속 시간이라고 하며, 같은 풍속이라도 지속 시간이 길수록 파고가 높아진다. 바람이 불기 시작한 곳에서 멀어질수록 파고는 점점 높아진다. 이것은 바람이 불어간 구간이 파고에 영향을 주고 있음을 알려 주며, 이때 바람이 불어간 구간을 풍역대라고 한다.

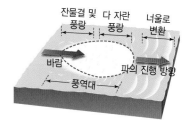

▲ 풍랑의 발달

파랑 발달의 3요소

• 풍속: 풍속은 풍랑의 발달에 매우 중요한 요소이다. 바람의 역학적 에너지가 지속적으로 해면에 전달되기 위해서는 파봉의 이동 속력보다 평균 풍속이 더 빨라야 한다.

• 지속 시간: 바람이 계속 부는 시간으로, 강한 바람이라도 지속 시간이 짧으면 큰 풍랑을 발생시키지 못한다.

• 풍역대: 바람의 방향이 변하지 않고 중단 없이 부는 영역이다.

풍랑과 너울

바람의 작용으로 형성된 풍랑은 여러 파장의 해파가 겹쳐진 것으로, 심해에서 발생하는 해파이다. 그런데 심해파의 속력은 파장에 비례하므로, 풍랑이 발생 지역에서 바람이 약한 지역으로 진행하면 파장이 짧고 속도가 느린 해파는 뒤쳐지거나 공기의 저항으로 소멸된다. 한편, 너울은 천해에서 발생하여 천해파의 특성을 지닌다. 따라서 해안에 접근함에 따라 파장이 짧아진다.

(3) **연안 쇄파:** 먼 바다에서 만들어진 해파가 해안으로 전파되면서 수심이 파장의 $\frac{1}{2}$ 이하인 해역을 지나면 파의 변형이 일어나고 결국 해안에서 부서지면서 그 형태와 에너지를 잃는데, 이것을 연안 쇄파(surf)라고 한다.

① **연안 쇄파의 발생:** 해파가 해안으로 접근하면서 수심이 파장의 $\frac{1}{2}$ 이하인 해역에 들어서면 해저면의 영향을 받는다. 이에 따라 물 입자의 운동 궤적은 원의 형태(아래 그림의 a)에서 점차 평평해져 타원 형태가 되며(그림의 b), 파의 에너지는 파장에 비해 수심이 얕은 곳으로 모이고 마루는 더욱 뾰족해진다. 해파가 연안으로 더 진행하면 수심이 매우 얕은 해파인 천해파의 성질을 띠어 해파의 속력이 수심에 비례하므로, 수심이 점점 얕아짐에 따라 앞서가는 파의 속력이 느려진다. 그러나 뒤따라오는 파는 원래의 속력으로 진행하므로, 해파의 주기는 변하지 않고 파장이 짧아져서 파고가 점점 높아진다(그림의 c, d).

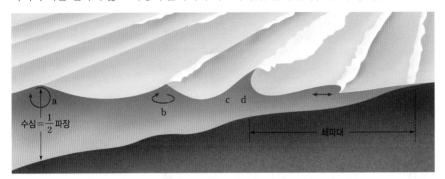

▲ **연안 쇄파의 발생과 소멸 과정**

② **연안 쇄파의 소멸:** 수심이 더욱 얕아지면 해저면과의 마찰로 인해 해파의 전파 속력이 더욱 느려지므로 마루에서의 물 입자의 운동은 앞서가던 물 입자의 운동에 겹쳐지고, 이 과정에서 에너지를 앞으로 전달한다. 그러나 수심이 매우 얕아져 해파의 전파 속력에 비하여 물 입자의 운동이 더욱 빨라지면 앞뒤로 진행하던 물 입자의 운동이 겹치는 현상은 일어날 수 없게 되고, 마루의 전파 속력이 해파의 속력보다 빨라져서 해파가 부서진다. 일반적으로 파고와 수심의 비가 3 : 4가 되면 해파가 부서지는데, 예를 들어 수심이 4 m일 때 파고가 3 m 이상이면 해파가 부서진다.

시선 집중 ★ 풍랑, 너울, 연안 쇄파의 비교

구분	풍랑	너울	연안 쇄파
형성 원인	먼 바다에서 강한 바람에 의해 직접 형성된 강제파	풍랑이 발생지로부터 멀리 전파되어 온 해파로, 바람에 관계없는 자유파	너울이 수심이 얕은 해안에서 파고가 높아져 부서지는 해파
주기	1초~10초	5초~20초	20초 이상
파장	수 m~수십 m	수십 m~수백 m	수십 m 이하
특징	마루가 뾰족하고 파장과 주기가 짧은 발달 단계의 해파	마루가 둥글고 파장이 긴 쇠약 단계의 해파	해저와의 마찰로 파속이 느려지고 파고가 높아져 파장이 짧아진 해파

천해파

수심이 파장의 $\frac{1}{20}$ 이하인 해역에서 나타나는 해파로서, 수심이 낮아질수록 해파의 전파 속력이 느려진다.

발생 원인에 따른 해파의 분류

해파는 발생 원인에 따라 자유파와 강제파로 구분된다. 자유파는 발생된 파랑이 아무런 외력의 영향을 받지 않고 해면 위를 전파해 나가는 경우이고, 강제파는 기파력이 계속되는 상태의 파도로 바람이 직접 일으킨 풍랑이나 기조력에 의해 유지되는 조석파가 그 예이다.

풍속(v)과 파고(H)의 관계

일반적으로 풍속이 증가하면 파고가 높아지는데, 풍속(v)에 의한 최대 파고(H_{max})는 다음과 같은 관계가 있다.

$$H_{max} = \frac{0.26v^2}{g} \quad (g: \text{중력 가속도})$$

따라서 풍속을 알면 해파의 최대 파고를 예보할 수 있다.

기파력(disturbing force)

기파력이란 파랑을 일으키는 힘이다. 풍랑(wind wave)의 경우 기파력은 바다 위를 부는 바람이 된다. 폭풍 해일이나 지진파 또는 급격한 대기압의 변동 등은 세이쉬*(seiche)의 기파력이 되고, 해저 지진에 의한 사태, 화산 분출, 단층 등은 지진 해일(쓰나미)의 기파력이 된다.

* 호수나 저수지, 항구 등과 같이 완전히 또는 부분적으로 밀폐된 물의 표면이 큰 너울이나 강풍의 영향을 받아 긴 주기로 진동하는 정상파를 세이쉬라고 한다.

2. 물리적 특성에 따른 해파의 분류

해파가 해수면을 따라 전파될 때, 해파의 특성은 수심과 파장에 따라 달라진다. 이는 해파가 해수면 아래에도 영향을 주기 때문인데, 수심이 깊어질수록 그 영향이 감소하다가 어느 깊이 이상에서는 영향을 미치지 못한다. 일반적으로 수심이 파장의 $\frac{1}{2}$보다 깊은 곳의 해수는 해파의 영향을 거의 받지 않으므로, 해파는 해저면과의 마찰의 영향을 받지 않는다. 그러나 수심이 파장의 $\frac{1}{2}$보다 얕은 곳의 해파는 해저면의 영향을 받아 해수의 물입자가 운동하므로, 해파는 해저면과의 마찰로 그 전파 속력이 느려진다.

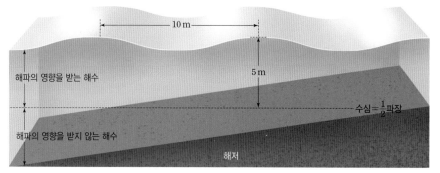

▲ **수심과 파장에 따른 해파의 변화** 해파의 파장이 10 m인 경우, 수심이 5 m보다 깊은 곳의 해수는 해파의 영향을 거의 받지 않는다. 그러나 이 해파가 해안으로 밀려오면서 수심이 5 m보다 얕아지면 해수가 해파의 영향을 받아서, 해저면과의 마찰로 해파의 속력이 느려진다. 수심이 점점 더 얕아져 해파가 해안에 도달하면 해파의 속력은 더 느려지고 파장이 짧아지며 파고가 높아져서 결국에는 해파가 부서진다.

이와 같이 해파의 전파 속력이 수심의 영향을 받는 정도는 파장과 수심의 관계에 따라 달라지므로, 해파는 그 파장과 수심의 비를 기준으로 심해파와 천해파 및 천이파로 구분한다.

⑴ **심해파**: 수심이 파장의 $\frac{1}{2}$보다 깊은 곳에서 해저면의 영향을 받지 않고 전파되는 해파를 심해파 또는 표면파라고 한다. 심해파는 물 입자가 원궤도를 그리며 운동하고, 수심이 깊어질수록 원궤도의 지름이 급격히 작아진다. 해수면에서는 원궤도의 지름이 파고와 같고, 수심이 파장의 $\frac{1}{2}$인 곳에서는 원궤도의 지름이 해수면에서의 약 $\frac{1}{23}$이며, 수심이 파장과 같은 곳에서는 원궤도의 지름이 해수면에서의 약 $\frac{1}{530}$이다. 따라서 해저면은 해파의 영향을 전혀 받지 않는다. 심해파의 전파 속력(파속)은 파장의 제곱근에 비례하며 수심과는 관계가 없다.

$$\text{심해파의 전파 속력: } v_\mathrm{d} = \sqrt{\frac{gL}{2\pi}} \quad (g: \text{중력 가속도, } L: \text{파장})$$

따라서 파장이 긴 심해파일수록 그 전파 속력이 빠르다. 심해파는 수심이 깊은 해수에서 나타나고 수심에 따라 물 입자의 운동이 급격히 감소하므로 심해파가 실제로 영향을 미치는 범위는 해수의 표면 일부에 불과하다. 따라서 심해파를 표면파(surface wave)라고도 한다.

해안 접근에 따른 해파의 변화
먼 바다에서 발생한 풍랑은 심해파의 특성을 나타내지만 풍랑이 해안에 접근함에 따라 너울이 되고 수심이 얕아져 천해파의 성격을 띠게 된다. 따라서 해파는 해저면과의 마찰에 의하여 파장이 짧아지고 파고가 높아진다.

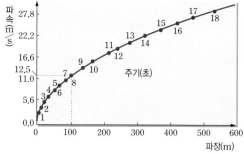

▲ **심해파의 파장-파속-주기 사이의 관계** 주기가 8초인 심해파는 100 m의 파장을 가지며, 파속은 약 12.5 m/s이다.

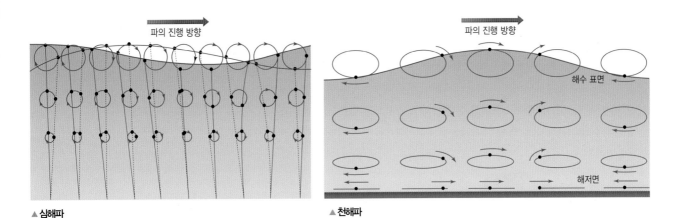

▲ 심해파   ▲ 천해파

(2) **천해파**: 수심이 파장의 $\frac{1}{20}$보다 얕은 바다에서 해파의 진행에 따른 물 입자의 운동이 해저면의 영향을 강하게 받는 해파를 천해파라고 한다. 천해파에서 물 입자는 타원 궤도 운동을 하며, 수심이 깊어질수록 타원 궤도의 모양이 납작해지다가 해저면에 이르면 해저면과의 마찰로 인해 물 입자가 왕복 운동을 한다. 천해파의 전파 속력은 다음의 관계에서 알 수 있듯이 수심의 제곱근에 비례하며, 파장과는 관계가 없다.

> 천해파의 전파 속력: $v_s = \sqrt{gh}$ (g: 중력 가속도, h: 수심)

따라서 해파가 수심이 얕은 해안에 접근하면, 해저면과의 마찰에 의하여 해파의 속력이 느려지고 파고는 높아진다.

특징	심해파(표면파)	천해파(장파)
분류 기준	$h > \frac{1}{2}L$	$h < \frac{1}{20}L$
물 입자 운동	원운동	타원 운동
수심에 따른 물 입자 운동	원의 크기가 작아짐	타원이 더욱 납작해짐
해저 마찰의 영향	없음	있음
파의 속력(v)	$v = \sqrt{\dfrac{gL}{2\pi}}$	$v = \sqrt{gh}$

▲ **심해파와 천해파의 비교**   (h: 수심, g: 중력 가속도, L: 파장, v: 파속)

(3) **천이파**: 심해파가 해안으로 전파되면서 수심이 파장의 $\frac{1}{2}$배~$\frac{1}{20}$배인 해역에서는 해파가 심해파와 천해파의 중간에 해당하는 성질을 띠는데, 이를 천이파라고 한다. 예를 들어 파장이 20 m인 해파는 수심 10 m인 해역부터 1 m인 해역까지는 천이파가 된다.

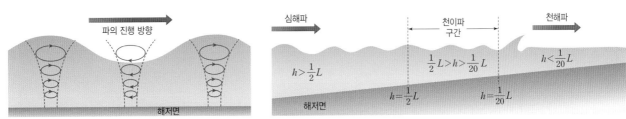

▲ **천이파의 물 입자 운동** 물 입자의 운동이 타원을 그리지만 수심이 깊어질수록 수평 운동의 폭이 줄어든다.

▲ **심해파, 천이파, 천해파**

천해파(장파)
천해파는 파장이 수심에 비해 크기 때문에 장파(long wave)라고도 불린다.

3. 해안에서 해파의 작용

(1) **해파의 굴절:** 풍랑이나 너울이 해안에 가까이 접근하면 천해파로 바뀌면서 진행 속도가 변한다. 천해파의 속력은 수심에 비례하기 때문에 수심이 깊은 곳은 해파의 속력이 빠르고 수심이 얕은 곳은 해파의 속력이 느려져서 해파의 전파 속력은 만보다 곶에서 먼저 느려진다. 이에 따라 해파가 굴절되어 해파의 진행 방향도 바뀌므로 마루를 연결한 선이 해안선에 평행하게 된다(파의 진행 방향은 해안선에 수직이다). 따라서 해파가 해안의 굴곡과 비슷하게 밀려온다.

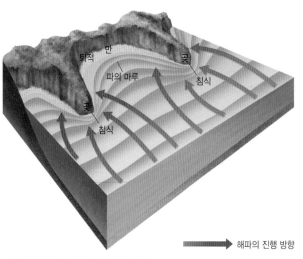

만: 해파의 에너지가 분산되어 퇴적 작용이 우세하게 일어난다.

곶: 해파의 에너지가 집중되어 침식 작용이 우세하게 일어난다.

→ 해파의 진행 방향

▲ **해안에서의 해파의 침식과 퇴적 작용**

(2) **해파에 의한 침식과 퇴적 작용:** 돌출부인 곶에는 에너지가 집중되어 해파에 의한 침식 작용이 우세하고, 만에서는 에너지가 분산되어 퇴적 작용이 우세하다. 그러므로 해파의 침식 작용이 우세한 곶은 큰 돌이나 자갈이 많은 절벽을 이루고, 해파의 퇴적 작용이 우세한 만은 고운 모래가 많이 퇴적되어 해수욕장으로 적합하다. 해안선은 해파의 작용에 의해 시간이 흐를수록 굴곡이 평탄해진다.

시야 확장 ➕ **연안류와 이안류**

해파가 연안으로 해안선과 직각 방향으로 전파되면 파의 성질이 변하는데, 이를 파랑류라고 한다. 파랑류에는 연안류와 이안류가 있다.

❶ 연안류

해파가 해안에 접근하면 수심이 얕아져 연안 쇄파가 되는데, 연안 쇄파에 의하여 해안 쪽으로 밀려온 많은 양의 해수는 반대로 밑바닥으로 흐르는 썰물이 되어 바다 쪽으로 되돌아가다가 장파가 연안 쇄파로 변하기 시작하는 선인 쇄파대 아래에 형성된 사구를 넘지 못하고 해안과 평행한 사구를 따라 흐른다. 이를 연안류라고 하며, 연안류에 의한 해수의 수송량은 파고가 높을수록, 해안의 법선과 이루는 각이 클수록 강해진다.

❷ 이안류

해안에서 멀어져 가는 해류로, 대체로 그 폭이 좁고 강하게 발달하는 것을 이안류라고 한다. 이안류는 사구가 잘 발달하지 않는 곳에서 발생하므로 해수가 바다 쪽으로 급히 빠져나가고 해류의 폭이 좁고 유속도 빠르다. 따라서 이안류가 흐르는 해안에서 수영하는 것은 위험하다.

▲ **연안류와 이안류**

③ 해일

폭풍이나 지진, 화산 폭발 등에 의하여 해수면이 비정상적으로 높아져 육지로 넘쳐 들어오는 현상을 해일(海溢, surge)이라고 한다. 즉, 해일은 밀물과 썰물이 주기적으로 반복되는 조석과는 달리 해수면의 높이가 어떤 원인에 의해 갑자기 크게 변하는 현상이다. 해일은 발생 원인에 따라 크게 폭풍 해일과 지진 해일로 구분한다.

1. 폭풍 해일

태풍, 허리케인 등과 같은 열대 저기압이나 대규모 온대성 저기압 등에 동반되는 강풍과 기압의 급격한 변동으로 인하여 해수면의 높이가 평상시보다 급격하게 높아져 육지로 넘쳐 들어오는 현상을 폭풍 해일(storm surge)이라고 한다.

(1) 폭풍 해일의 발생

① 낮은 기압: 해상에서 기압이 낮아지면 주위보다 해수면의 높이가 높아지는데, 기압이 1 hPa 낮아지면 해수면은 약 1 cm 높아진다. 만약 태풍의 중심 기압이 주위보다 40 hPa 정도 낮으면 태풍 중심 부근의 해수면은 40 cm 정도 높아진다.

② 강풍: 기압의 효과와 함께 강풍의 효과도 무시할 수 없는데, 강풍은 해수를 밀어 해수면을 높이는 역할을 한다. 특히 만조 때 강풍으로 해일이 발생하면 해수면이 더욱 높아진다.

(2) 폭풍 해일의 특징: 폭풍이나 강한 저기압에 의하여 해수면이 돔(dome) 형태로 부풀어 오르면, 이 해수의 돔이 폭풍과 함께 해안으로 오면서 수심이 얕아짐에 따라 해수면이 점점 더 높아지고, 해파에 의해 바닷물이 해안으로 밀려 들어온다. 폭풍 해일이 발생하면 해안의 해수면이 순간적으로 수 m 이상 높아지기도 하며, 해수가 폐쇄된 만이나 하구로 밀려들 때는 해수면이 이보다 더 높아지기도 한다. 또한 폭풍 해일이 발생했을 때 강한 해풍이나 만조가 겹친다면 해안 지역은 매우 위험해지는데, 만과 같이 폐쇄된 해역에서 폭풍에 앞선 많은 강우로 해수면이 평소보다 높아져 있다면 더욱 위험해진다.

(3) 해일 피해와 경보: 폭풍 해일이 발생하면 인명 피해뿐만 아니라 가옥이 침수되고 항만이 제 기능을 못하게 되며, 선박이 파손되어 석유나 독극물이 유출되는 등 각종 피해가 잇따른다. 해일의 발생으로 상당한 피해가 예상될 경우 기상청에서는 폭풍 해일 주의보와 폭풍 해일 경보를 발표한다.

기압
기압은 해수를 끌어올리는 작용을 한다. 대기압 1 hPa은 약 1 cm의 높이만큼의 물을 누르는 힘으로, 대기압 1 hPa에 해당하는 물기둥의 높이는 약 1 cm이다.

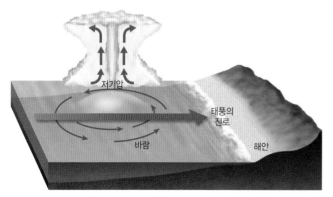

▲ **폭풍 해일의 발생과 피해 모습** 태풍 중심 부근의 낮은 저기압과 강한 바람에 의해 저기압의 중심부에서는 해수면이 높아지면서 물 언덕이 만들어진다. 높아진 해수면은 외해에서 태풍과 함께 이동하다가 수심이 얕은 해안으로 접근하면서 파고가 급격하게 높아지며 육지로 밀려든다.

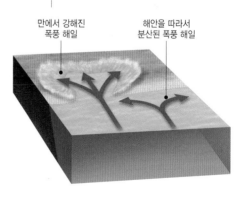

▲ **폭풍 해일과 피해** 폭풍 해일에 의해 만으로 들어온 해수는 육지로 막혀 있어 분산되지 못하기 때문에 해수면이 계속 높아지면서 피해가 증가한다.

2. 지진 해일

지진 해일은 해저 지진이나 해저 화산 폭발 등으로 해수면의 높이가 급격히 변할 때 형성되는 긴 파장의 천해파로, 쓰나미(tsunami)라고도 한다. 지진 해일은 해저에서 지진, 해저 화산 폭발, 단층 운동, 대륙에서 빙하의 붕괴 등이 발생할 때 일어난다.

(1) **지진 해일의 발생:** 해저에서 지진이나 화산 폭발 등으로 해수면의 높이가 급격히 변하면 파장이 매우 긴 파동이 형성된다. 마루가 중력에 의해 하강할 때는 해수의 관성으로 원래의 위치보다 더 아래로 내려가 해파의 골을 이룬다. 이렇게 진동하는 해수면은 진앙으로부터 사방으로 퍼져나가는 파동을 형성하며 해수면 변동에 의해 지진 해일이 발생한다.

(2) **지진 해일의 전파 속력**

① 지진 해일은 해파의 전파 속력이 최대 950 km/h, 파장이 200 km에 이른다. 따라서 대양에서는 파고가 그리 높지 않아 눈에 잘 띄지 않으나, 해안에 접근하면 수심이 얕아져 속력이 느려지면서 해수가 수 m~수십 m까지 급속하게 쌓여 매우 큰 파도가 해안을 덮친다.

② 지진 해일은 파장이 200 km나 되지만 심해파가 아닌 천해파인데, 그 까닭은 지진 해일의 파장 절반 이상에 해당하는 깊은 수심이 존재하지 않기 때문이다. 파장이 200 km이면 파장의 $\frac{1}{2}$은 100 km인데, 가장 깊은 수심이라도 11 km를 넘지 않으므로 지구상 어느 해역에서도 지진 해일의 $\frac{1}{2}$ 파장보다 수심이 깊을 수 없어서 모든 지진 해일은 천해파이다.

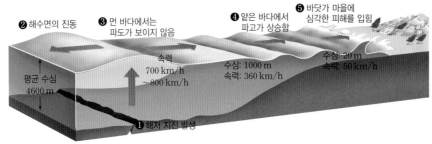

▲ **지진 해일의 발생 과정**

(3) **지진 해일의 진행:** 지진 해일은 발생지로부터 둥글게 퍼져 나간다. 지진 해일이 처음 발생했을 때는 물결의 높이가 높지 않고, 그 주기도 5분~20분으로 비교적 길기 때문에 바다에서 지진 해일이 선박 아래를 통과해도 거의 느끼지 못한다. 그러나 지진 해일이 해안으로 접근하면 주기는 그대로이지만 진행 속력이 감소하고 물결의 높이는 매우 높아진다. 지진 해일의 마루가 해안으로 접근할 때는 크고 빠른 밀물이 밀려오는 것처럼 보인다.

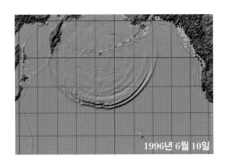

▲ **안드레아노프 섬 부근에서 발생한 지진 해일**

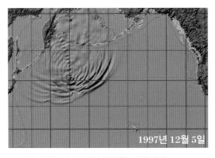

▲ **캄차카 반도 부근에서 발생한 지진 해일**

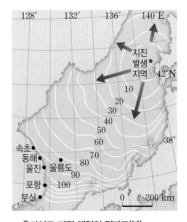

▲ **홋카이도 지진 해일의 전파도(분)**

⑷ 대표적인 지진 해일의 피해 사례: 지진 해일은 지진에 의해 발생하므로 대규모의 지진이 많이 발생하는 지역에서 잘 나타난다. 따라서 불의 고리라고 불리는 환태평양 지진대에서 발생하는 지진 해일이 가장 많으며, 이로 인해 태평양 연안 지역에 큰 피해가 발생한다.

① 2004년 12월 26일 오전 9시경 인도네시아 수마트라 해안에서 발생한 규모 9.3의 지진으로 인한 지진 해일은 인도네시아, 태국, 말레이시아는 물론 인도양을 가로질러 인도와 스리랑카 및 아프리카 해안에까지 엄청난 피해를 입혔는데, 해일의 파고는 진앙에서 가까운 곳은 최대 34 m에 이르렀고, 멀리 떨어진 해안에서도 9 m에 달했다. 이 해일로 인한 사망자는 약 28만 여 명에 달하는 것으로 집계되고 있다.

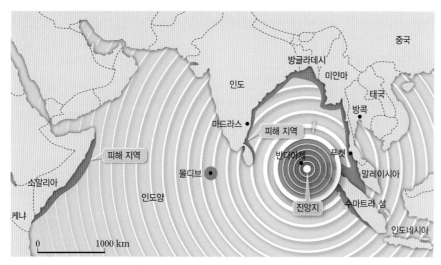

▲ **인도네시아 수마트라 지진 해일(2004년 12월 26일)**

② 2011년 3월 11일 오후 2시 46분쯤 일본 도호쿠 지역 센다이 인근 해저 약 24 km 지하에서 규모 9.0의 강진이 일어나 건물과 고속도로가 무너지고 사상자가 속출하는 큰 피해가 발생했다. 또한 지진의 영향으로 높이 10 m의 쓰나미가 태평양 연안 내륙을 덮쳐 엄청난 후속 피해가 속출했다. 이 지진은 일본 역사상 최대 규모의 지진으로, 이 지진과 쓰나미에 의해 약 5만여 명의 인명 피해가 생겼으며, 특히 후쿠시마 원자력 발전소가 파괴되어 방사능이 유출되는 사고가 발생하였다.

⑸ 지진 해일 피해 방지 노력: 폭풍 해일과 지진 해일은 조석과 같은 주기적 현상이 아니므로 예측하기 매우 어렵지만, 예보 또는 경보를 내려 피해를 최소화할 수 있다.

① 폭풍 해일의 경우는 태풍에 의해 발생하는 경우가 대부분이므로 태풍의 진로를 예측하여 이와 관련된 예보가 가능하다. 지진 해일은 대부분 해저 지진에 의해 발생하며, 이때 발생한 지진파의 속력이 해일보다 수십 배 빠르므로 지진 관측과 동시에 경보를 내려 어선과 주민들을 대피시킬 수 있다.

② 해일 피해에 대처하기 위해 방파제와 같은 구조물을 세우거나 대피소를 마련하고 있다. 일본에서 발생하는 지진으로 지진 해일이 일어나면 120분~160분만에 우리나라 동해안에 도달하여 피해를 줄 수 있다. 따라서 우리나라에서는 지진 해일 경보 시스템을 구축하고, 주요 지역마다 대피 안내문을 마련하여 지진 해일이 발생하였을 때 대처할 수 있게 안내하고 있다.

지진 해일의 관측 및 예보가 어려운 까닭

지진 해일은 발생할 때 최대 950 km/h에 이르는 매우 빠른 전파 속력과 200 km에 이르는 매우 긴 파장을 나타낸다. 따라서 지진 해일은 파고에 비해 파장이 엄청나게 길기 때문에 먼 바다에서는 그 파고가 눈에 잘 띄지 않을 뿐만 아니라 관측 장비로도 잘 잡히지 않는다. 지진 해일이 해안에 접근하면서 속력이 느려지고 파고가 수 m에서 수십 m까지 높아짐으로써 다른 해일에 비해 피해가 크게 나타난다.

운석 충돌에 의한 해일

우주 공간을 떠다니는 소행성이나 혜성이 지구의 대기권을 통과하여 바다에 떨어지면 큰 규모의 해일이 발생할 가능성이 있다. 만일 대형 운석이 태평양 같은 바다에 떨어진다면, 그로 인해 발생하는 해일은 지구 내부의 지진으로 발생하는 해일보다 규모가 수십 배~수백 배는 더 클 것으로 예상된다. 과학자들은 6500만 년 전인 중생대 말 공룡 멸종의 원인을 북아메리카 대륙 유카탄 반도 부근에서 발생한 소행성 충돌로 설명한다. 당시 엄청난 해일이 전 지구의 해안 지역을 덮쳐 내륙으로 수십 km 떨어진 곳까지 피해를 준 것으로 추정하고 있다. NASA는 이러한 사태에 대비해 지구 접근 천체 프로그램(Near Earth Object Program)을 운영하고 있으며, 실제로 그런 가능성이 나타나면 즉시 전 세계에 경보를 내려 대피하도록 함으로써 인류가 입게 될 피해를 최소화하려는 구상을 세우고 있다.

해파의 발생 및 전파

해파가 발생하는 원리를 알고 수심에 따른 천해파의 이동 속도 변화를 이해한다.

과정

그림은 해파의 특징과 해안으로 접근하는 천해파의 성질을 알아보기 위한 실험이다.

1 그림과 같이 한쪽 모퉁이에 경사면이 있는 긴 수조를 수평한 바닥에 놓은 후 경사면이 잠길 만큼 물을 채우고, 해파 발생판을 그림과 같이 천천히 왕복시키면서 해파를 발생시킨다. 수면 위에 스타이로폼 또는 알루미늄 조각을 띄워서 해파가 다가올 때 움직임을 관찰해 보자.

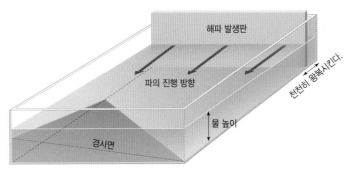

2 해파가 경사면을 지나기 전과 지날 때의 파의 속력과 모양 변화를 관찰해 보자.

3 해파가 경사면을 지날 때 해파의 이동 방향의 변화를 관찰하고, 해안의 만과 곶에서의 해파의 작용에 대해 설명해 보자.

● **탐구 과정 설명**

· 해파 발생판을 사용할 때에는 발생판 아래쪽이 수조에 닿게 놓은 후 수평으로 밀어 해파를 일으킨다.

· 해파의 전파 실험에서 해파 발생판을 지속적으로 흔들지 말고 수조의 물을 잔잔하게 한 후, 다시 반복하면서 관찰한다.

결과

1 해파 위에 놓인 스타이로폼 조각은 해파의 이동 방향으로 흘러가지 않는다.

➡ 해파 위에 스타이로폼 조각을 놓으면 해파를 따라 수평으로 이동하는 것이 아니라 일정한 범위 내에서 상하 또는 전후 운동을 하는 것을 볼 수 있다. 즉, 해파는 겉에서 보면 물 입자가 수평으로 이동하는 것처럼 보이지만 실제로는 물 입자가 에너지를 받으면 상하 또는 전후 운동을 하면서 원 또는 타원 궤도를 이루면서 에너지를 전파하는 과정에서 나타나는 현상이다.

2 해파가 경사면을 지나면서 속력이 느려지고 파고가 높아진다.

➡ 실험에서 만들어진 해파는 파장에 비해 수심이 얕은 천해파에 속한다. 천해파의 전파 속력은 수심에 비례하므로 경사면을 지나면서 해파의 이동 속력이 느려지고 에너지 보존에 의해 파고는 높아진다.

3 해파가 경사면을 지나면서 이동 방향은 경사판에 직각인 방향으로 변한다.

➡ 경사면이 해파의 전파 방향과 비스듬하게 놓여 있으므로 해파는 경사면에 대해 수심이 얕은 쪽부터 이동 속력이 느려져서 그 이동 방향이 경사면에 직각 방향을 유지하면서 휘어진다. 이로부터 해안가에서 천해파가 해안에 접근할 때 만보다 곶 부분의 수심이 먼저 얕아지므로 해파의 속력은 만 부분에서 빠르고 곶 부분에서 느려져서 해파의 굴절이 일어나는 현상을 설명할 수 있다.

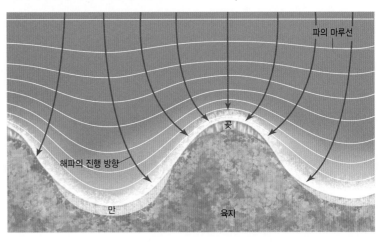

- 해파는 물 입자가 이동해가는 것이 아니라 전달되어온 에너지를 옆으로 전달할 때 나타나는 현상으로, 물이 일정한 방향으로 이동하는 해류와는 다르다.
- 실험에서 발생한 해파는 파장이 수심에 비해 큰 천해파이다. 얕은 바다에서 해파의 진행에 따른 물 입자의 운동이 해저면의 영향을 강하게 받아 천해파의 물 입자는 타원 궤도 운동을 하며, 이때 물 입자가 그리는 타원의 형태는 수심이 깊을수록 납작한 타원 형태를 이루고, 해저면에 이르면 해저의 마찰을 받아 왕복 운동을 한다.
- 천해파는 수심이 변해도 파의 주기가 변하지 않으므로, 천해파의 전파 속력은 수심에 비례한다.

$$v_s = \sqrt{gh} \quad (v_s: \text{천해파의 전파 속력}, g: \text{중력 가속도}, h: \text{수심})$$

따라서 해파가 수심이 얕은 해안에 접근하면 파의 속력은 느려지고 파고는 높아진다.
- 해안가에서 해파의 이동 방향은 수심이 얕아지는 지역으로 휘어지는데, 이는 수심이 얕아질수록 해파의 이동 속력이 느려지기 때문이다. 이로부터 해안에서 만보다 곶 부분에 해파가 더 많이 집중되는 현상을 설명할 수 있다.

---

01 그림은 해파의 발생 및 전파를 알아보는 실험을 나타낸 것으로, 수조에 물을 채우고 작은 스타이로폼 조각을 띄운 다음, 한쪽에서 수면을 쳐서 수면파를 발생시킨다.

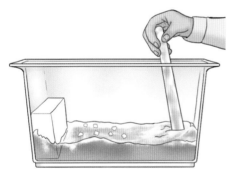

이에 대한 설명으로 옳은 것만을 보기에서 있는 대로 고른 것은? (단, 마찰은 없다고 가정한다.)

보기
ㄱ. 수면을 치면 물에 마루와 골 모양의 해파가 발생한다.
ㄴ. 스타이로폼 조각은 해파와 함께 왼쪽으로 흘러간다.
ㄷ. 해파에 의해 에너지가 이동한다.

① ㄱ ② ㄴ ③ ㄷ
④ ㄱ, ㄷ ⑤ ㄴ, ㄷ

02 그림은 어느 해파에서 물 입자가 운동하는 모습을 나타낸 것이다.

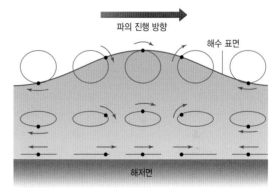

이에 대한 설명으로 옳은 것은?

① 파장이 수심의 $\frac{1}{20}$ 이하인 해파이다.
② 바람의 직접적인 영향으로 생성된다.
③ 물 입자가 타원 운동을 하면서 진행한다.
④ 주로 수심이 깊은 먼 바다에서 나타나는 해파이다.
⑤ 파의 전파 속력은 수심이 낮아질수록 느려진다.

02 해파와 해일

① 해파

1 **해파** 해수면의 주기적인 상승·하강 운동으로, 주로 바람에 의해 발생하며, 해저 지진, 폭풍, 해저 단층, 해저 화산 폭발 등에 의해서도 발생한다.

2 **해파의 요소**

• (❶　　　): 마루(골)와 마루(골) 사이의 수평 거리이다.

• 파고: 골(마루)에서 마루(골)까지의 높이이다.

• (❷　　　): 수면 위의 어떤 지점을 마루(골)가 지나간 후 다음 마루(골)가 지나갈 때까지 걸린 시간이다.

• 전파 속력: 해파의 파장과 주기를 알면 전파 속력을 구할 수 있다. ➡ 전파 속력 = (❸　　　)

3 **해파의 전파와 물 입자의 운동** 해파의 에너지는 해수를 통해 전파되어 가며, 이러한 에너지의 전파는 물 입자들의 운동을 통하여 이루어진다. 해파가 진행될 때, 파와 에너지는 전달되지만 물 입자는 파의 진행에 따라 상하 전후 방향으로 왕복 운동만 한다.

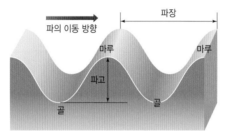

▲ 해파의 요소

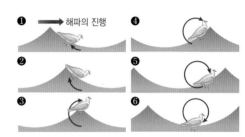

▲ 해파의 전파와 물 입자의 운동

② 해파의 분류

1 **모양에 따른 해파의 분류**

• (❹　　　): 먼 바다에서 비교적 강한 바람이 불 때 생성되는 해파로, 마루가 삼각형 모양으로 뾰족하다. 파고는 (❺　　　)이 클수록, 바람의 (❻　　　)이 길수록 크다.

• 너울: 풍랑이 발생한 지점을 벗어나 바람이 약한 지점으로 전파되어 온 해파로, 마루가 둥글고 파고는 낮으며, 풍랑보다 (❼　　　)과 주기가 길다.

• (❽　　　): 너울이 수심이 얕은 해안에 접근하면 해저와의 마찰로 파의 전파 속도가 느려지고 파장이 짧아지며 파고가 높아져서 파의 봉우리가 헤안 쪽으로 넘어지면서 부서지는 해파이다.

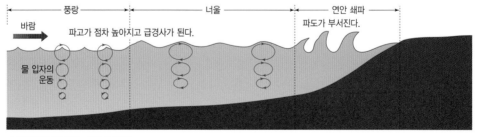

▲ 해안으로 접근하는 해파의 변화

2 파장과 수심에 따른 해파

- 심해파(표면파): 수심이 파장의 (❾   )보다 깊은 바다에서 진행하는 해파로, 해저면의 영향을 받지 않으므로 물 입자는 (❿   )운동을 한다. 파의 전파 속력은 (⓫   )이 길수록 빠르다.
- 천해파(장파): 수심이 파장의 (⓬   )보다 얕은 바다에서 진행하는 해파로, 해저면의 영향을 받으므로 물 입자는 (⓭   ) 운동을 한다. 수심이 깊어짐에 따라 타원의 모양이 더욱 납작해지고, 해저면에서는 수평 방향으로 (⓮   ) 운동을 하며, 파의 전파 속력은 (⓯   )이 얕을수록 느려진다.

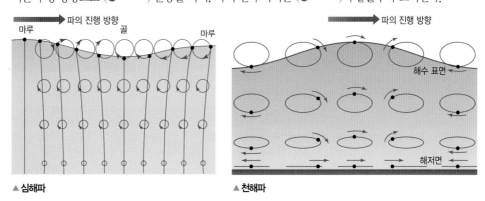

▲ 심해파   ▲ 천해파

3 해안에서 해파의 작용

- 해파의 전파 속력: (⓰   )가 해안에 접근할 때 만 부분보다 곶 부분의 수심이 먼저 얕아지므로 해파의 속력은 만 부분에서 빠르고 곶 부분에서 느려진다.
- 침식과 퇴적: 곶에서는 해파의 에너지가 집중되므로 (⓱   ) 작용이 활발하게 일어나고, 만에서는 해파의 에너지가 분산되므로 (⓲   ) 작용이 활발하게 일어난다.

❸ 해일

1 해일 (⓳   )이나 폭풍 등에 의해 생성된 큰 파도가 해안으로 접근하여 해수가 육지로 넘쳐 흐르는 현상이다.

2 폭풍 해일

- 원인: (⓴   )이나 대규모의 저기압이 접근할 때 낮은 중심 기압과 강한 바람에 의해 해수가 모이면서 해수면의 높이가 보통 때보다 현저하게 높아질 때 발생한다.
- 우리나라 남해안 지역에서 자주 발생하며, 태풍이 지날 때 (㉑   ) 시각과 겹치면 더 큰 피해를 준다.

3 지진 해일(쓰나미)

- 해저에서 발생한 화산 폭발, 단층 등의 갑작스런 해양 지각의 변동으로 해파가 발생한다.
- 수심에 비해 파장이 100 km～200 km 정도로 매우 길기 때문에 (㉒   )의 특징을 가진다.

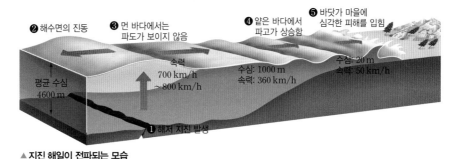

▲ 지진 해일이 전파되는 모습

01 그림은 해파의 구조를 나타낸 것이다.

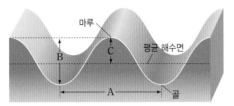

(1) A, B, C를 각각 무엇이라고 하는지 쓰시오.

(2) ㉠, ㉡에 들어갈 말을 쓰시오.

> • (㉠)는 1초 동안에 한 지점을 몇 개의 파가 지나갔는지를 나타내는 값이며, 주기의 역수와 같다.
> • 해파의 속력은 (㉡)으로 나타낼 수 있다.

02 해파의 특징에 대한 설명으로 옳은 것은 ○, 옳지 않은 것은 ×로 표시하시오.

(1) 해파는 물 입자가 일정한 방향으로 이동하는 현상이다. ·· ( )

(2) 해저 지진이나 화산 활동 등도 해파를 일으킬 수 있다. ·· ( )

(3) 해파의 에너지는 수심이 깊어질수록 작아진다. ·· ( )

(4) 해파가 해안에 접근하면 파고가 낮아진다. ····· ( )

03 해파가 강하게 발달하는 경우만을 보기에서 있는 대로 고르시오.

> ┌ 보기 ┐
> ㄱ. 풍속이 강해진다.
> ㄴ. 바람이 부는 시간이 길어진다.
> ㄷ. 바람이 부는 해역이 좁다.

04 그림은 모양이 다른 세 종류의 해파를 나타낸 모식도이다.

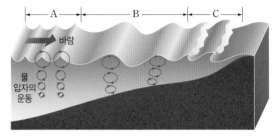

(1) 해파 A, B, C의 이름을 쓰시오.

(2) 다음 설명에 해당하는 해파의 종류를 A~C로 표시하시오.

> (가) 해저와의 마찰에 의해 유속이 느려지고 파고가 높아서 부서지는 해파 ·············· ( )
> (나) 바람에 의해 직접적으로 만들어진 해파 ( )
> (다) 마루가 둥글고 파장이 긴 쇠약 단계의 해파 ·· ( )

05 그림은 파장이 10 m인 해파와 해저의 모습을 나타낸 것이다.

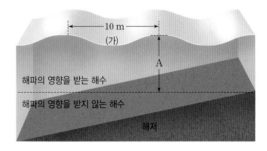

(1) A의 수심은 몇 m가 되는지 쓰시오.

(2) (가) 해역의 해파에 대한 설명으로 옳은 것만을 보기에서 있는 대로 고르시오.

> ┌ 보기 ┐
> ㄱ. 물 입자가 원운동을 한다.
> ㄴ. 수심이 파장의 $\frac{1}{2}$보다 깊다.
> ㄷ. 수심에 따라 입자의 운동이 급격히 줄어든다.

06 그림은 천해파가 A를 지나 해안으로 이동하는 모습을 나타낸 것이다.

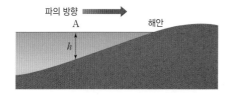

이때 나타나는 현상으로, 알맞은 것을 고르시오.

> (1) 파고는 (낮 / 높)아지며, 속력은 (느려 / 빨라)진다.
> (2) 해수의 연직 방향으로의 움직임이 (작아 / 커)진다.
> (3) 물 입자의 운동이 (원 / 타원)으로 바뀐다.

07 그림은 어떤 해파의 물 입자가 운동하는 모습을 나타낸 것이다.

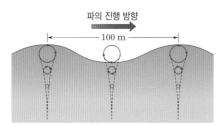

이 해파의 특징에 대한 설명으로 옳은 것만을 보기에서 있는 대로 고르시오.

> 보기
> ㄱ. 수심이 낮은 곳에서 나타나는 천해파이다.
> ㄴ. 해파의 영향이 표면에 집중되므로 표면파라고 한다.
> ㄷ. 해파의 전파 속력은 파장이 짧을수록 빠르다.

08 표는 심해파와 천해파를 비교한 것이다. ㉠~㉺에 들어갈 말을 쓰시오. (단, h는 수심, g는 중력 가속도, L은 파장이다.)

특징	심해파(표면파)	천해파(장파)
분류 기준	$h > \dfrac{1}{2}L$	(㉠)
물 입자 운동	원운동	(㉡)
수심에 따른 물 입자 운동	원의 크기가 (㉢)짐	타원이 더욱 납작해짐
해저 마찰의 영향	(㉣)	있음
파의 속력(v)	(㉤)	(㉥)

09 그림은 해파가 해안에 접근할 때 지형의 영향으로 진행 방향이 변하는 모습을 나타낸 것이다.

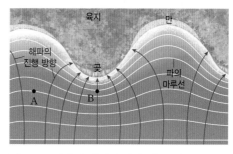

(1) A와 B 중 해파의 진행 속력이 더 큰 곳을 쓰시오.

(2) 다음은 곶과 만에서 일어나는 지질 현상이다. ㉠~㉢에 들어갈 말을 쓰시오.

> 해파가 진행하면서 해안에 가까워지면 해파의 전파 속력이 느려지면서 해파가 (㉠)에 집중된다. 따라서 곶에서는 해파에 의해 (㉡) 작용이 진행되고, 만에서는 (㉢) 작용이 우세하게 일어나 해안선은 단조로워진다.

10 폭풍 해일에 대한 설명으로 옳은 것은 ○, 옳지 <u>않은</u> 것은 ×로 표시하시오.

(1) 저기압은 해수면을 상승시킨다. ················· ( )

(2) 폭풍 해일은 해수면 상승과 강한 바람에 의해 발생한다. ································· ( )

11 지진 해일(쓰나미)을 일으킬 수 있는 원인으로 옳은 것만을 보기에서 있는 대로 고르시오.

> 보기
> ㄱ. 해저 지진   ㄴ. 해저 화산 폭발
> ㄷ. 해저 사태   ㄹ. 태풍

01 ❯ 해파의 분류

표는 수심이 **400 m**인 동해에서 서로 다른 날에 관측한 해파의 주기와 파장을 나타낸 것이다.

해파	주기(초)	파장(m)
풍랑	2	6
너울	10	160
쓰나미	600	120000

이에 대한 설명으로 옳은 것만을 보기에서 있는 대로 고른 것은?

보기

ㄱ. 풍랑과 너울은 천해파, 쓰나미는 심해파이다.

ㄴ. 해파의 전파 속력은 풍랑 > 너울 > 쓰나미이다.

ㄷ. 쓰나미는 해안에 가까워질수록 속력이 느려지고, 파고는 높아진다.

① ㄱ   ② ㄷ   ③ ㄱ, ㄴ   ④ ㄴ, ㄷ   ⑤ ㄱ, ㄴ, ㄷ

• 해파의 속력은 $\dfrac{파장}{주기}$으로 구할 수 있다. 심해파는 수심이 파장의 $\dfrac{1}{2}$ 보다 깊은 곳의 해파이다.

02 ❯ 해안으로 접근하는 해파의 변화

그림은 먼 바다에서 바람에 의하여 발생한 해파가 해안으로 전파될 때 물 입자의 운동을 나타낸 것이다.

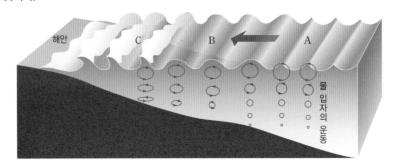

이에 대한 설명으로 옳은 것만을 보기에서 있는 대로 고른 것은?

보기

ㄱ. A에서 물 입자의 운동은 해저면의 영향을 거의 받지 않는다.

ㄴ. B에서 수심은 파장의 $\dfrac{1}{20}$보다 얕다.

ㄷ. C에서 해파의 속력이 느려지고 파고가 높아진다.

① ㄱ   ② ㄴ   ③ ㄱ, ㄷ   ④ ㄴ, ㄷ   ⑤ ㄱ, ㄴ, ㄷ

• 심해파의 전파 속력은 수심의 제곱근에 비례하므로, 수심이 얕아질수록 속력이 느려진다.

03 › 심해파

그림은 파장이 L이고, 속력이 V인 해파가 어느 해역을 지날 때 물 입자의 운동을 나타낸 것이다.

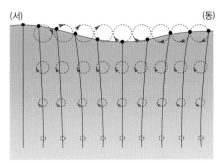

(서)　　　　　　　　(동)

이에 대한 설명으로 옳은 것만을 보기에서 있는 대로 고른 것은?

보기

ㄱ. 해파는 서쪽으로 이동하고 있다.

ㄴ. 이 해역의 수심은 $\dfrac{L}{2}$보다 깊다.

ㄷ. 이 해역에서 파장이 $4L$인 해파의 전파 속력은 $4V$이다.

① ㄱ　　　② ㄴ　　　③ ㄱ, ㄷ　　　④ ㄴ, ㄷ　　　⑤ ㄱ, ㄴ, ㄷ

> 해파의 마루에서는 해파의 진행 방향과 물 입자의 운동 방향이 같다. 심해파의 전파 속력은 $\sqrt{L}$에 비례한다.

04 › 심해파의 속력, 파장, 주기 관계

그림은 어느 해역에서 파장이 600 m 이하인 해파의 주기 및 파속의 관계를 나타낸 것이다.

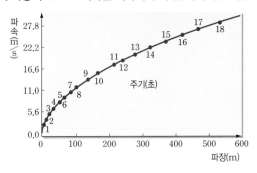

이에 대한 설명으로 옳은 것만을 보기에서 있는 대로 고른 것은?

보기

ㄱ. 이 해역의 수심은 300 m보다 깊다.

ㄴ. 모두 심해파의 성질을 나타낸다.

ㄷ. 긴 파장일수록 1초 동안 이 해역을 통과하는 해파의 개수가 많아진다.

① ㄱ　　　② ㄷ　　　③ ㄱ, ㄴ　　　④ ㄴ, ㄷ　　　⑤ ㄱ, ㄴ, ㄷ

> 심해파는 파장이 길수록 속력이 빠르다. 따라서 파장에 따라 해파의 속력(파속)이 달라진다는 것은 심해파임을 의미한다.

05 ❯천해파
그림은 어떤 해파가 발생하여 진행할 때 깊이에 따른 물 입자의 운동을 나타낸 것이다. 이에 대한 설명으로 옳은 것만을 보기에서 있는 대로 고른 것은? (단, 퇴적물은 물 입자의 운동에 의해서만 이동한다.)

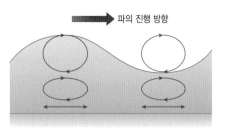

파의 진행 방향

• 천해파는 물 입자가 타원 운동을 하고, 수심이 깊어짐에 따라 납작한 타원이 되어 해저에서는 왕복 운동만 나타난다.

보기
ㄱ. 해안에서 먼 깊은 바다에서 주로 나타난다.
ㄴ. 해파의 골에서는 파의 진행 방향과 물 입자의 진행 방향이 반대가 된다.
ㄷ. 해저에서는 해파의 수평 운동에 의해 해저 퇴적물을 해안으로 이동시킨다.

① ㄱ   ② ㄴ   ③ ㄱ, ㄷ   ④ ㄴ, ㄷ   ⑤ ㄱ, ㄴ, ㄷ

06 ❯해파의 발생 원리
다음은 해안으로 접근하는 천해파의 성질을 알아보기 위한 실험 과정이다.

(가) 그림과 같이 한쪽 모퉁이에 경사면이 있는 긴 수조를 편평한 바닥에 놓고 경사면이 잠길 만큼 물을 채운다.
(나) 해파 발생판을 그림과 같이 천천히 왕복시키면서 해파를 발생시킨다.

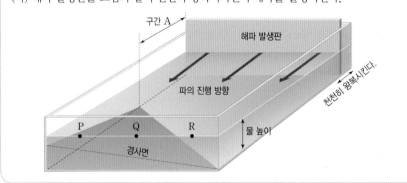

구간 A
해파 발생판
파의 진행 방향
천천히 왕복시킨다.
물 높이
P   Q   R
경사면

• 천해파는 물 입자가 타원 운동을 하고, 수심이 깊어짐에 따라 납작한 타원이 되어 해저에서는 왕복 운동만 나타난다.

이 실험에서 예상되는 결과로 옳은 것만을 보기에서 있는 대로 고른 것은? (단, 해파는 P, Q, R가 표시된 수조 벽면에 도착할 때까지 부서지지 않으며, 벽면에서의 반사파는 무시한다.)

보기
ㄱ. 구간 A까지는 해파의 진행 속력이 일정하다.
ㄴ. P, Q, R 중 해파가 가장 빨리 도착하는 곳은 R이다.
ㄷ. P, Q, R 중 파고가 가장 높아지는 곳은 P이다.

① ㄱ   ② ㄷ   ③ ㄱ, ㄴ   ④ ㄴ, ㄷ   ⑤ ㄱ, ㄴ, ㄷ

07 ▶ 심해파와 천해파

그림은 파장이 300 m인 해파가 해안으로 진행하는 모습을 나타낸 것이다.

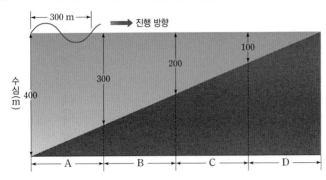

이에 대한 설명으로 옳은 것만을 보기에서 있는 대로 고른 것은?

보기

ㄱ. A에서 B로 가면서 해파의 속도는 감소한다.

ㄴ. 해저면이 해파의 영향을 받기 시작하는 곳은 C이다.

ㄷ. 해파가 C에서 D로 진행할수록 물 입자의 수평 운동보다 수직 운동이 활발해진다.

① ㄱ   ② ㄴ   ③ ㄱ, ㄷ   ④ ㄴ, ㄷ   ⑤ ㄱ, ㄴ, ㄷ

• 심해파의 속력은 파장의 제곱근에 비례하고 수심에는 영향을 받지 않는다. 심해파가 천해파로 바뀌면 해저의 영향으로 수직 운동이 작아져서 타원 운동을 한다.

08 ▶ 해파의 파장과 파속의 변화

고난도

그림은 수심이 다른 (가)와 (나) 해역에서 해파의 파장에 따른 파속을 나타낸 것이다.

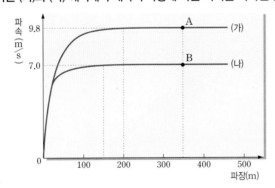

이에 대한 설명으로 옳은 것만을 보기에서 있는 대로 고른 것은? (단, 파장이 200 m 이상인 해파의 속력은 일정하다.)

보기

ㄱ. (가) 해역이 (나) 해역보다 수심이 깊다.

ㄴ. A는 심해파, B는 천해파의 성질을 나타낸다.

ㄷ. 해파의 주기는 A가 B보다 길다.

① ㄱ   ② ㄴ   ③ ㄱ, ㄷ   ④ ㄴ, ㄷ   ⑤ ㄱ, ㄴ, ㄷ

• 심해파의 파속은 파장의 제곱근에 비례하고, 천해파의 파속은 수심의 제곱근에 비례한다. 따라서 같은 해역에서 파장에 따라 파속이 변하지 않는다는 것은 천해파임을 의미한다.

09 〉해파의 작용

그림은 해파가 해안가에 접근할 때 파의 마루 부분을 선으로 연결하여 나타낸 것이다.

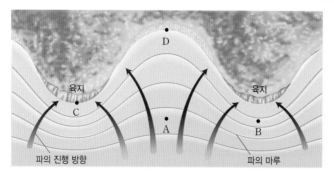

이에 대한 설명으로 옳은 것만을 보기에서 있는 대로 고른 것은?

보기
ㄱ. 해파의 속력은 A보다 B에서 더 빠르다.
ㄴ. 해파의 에너지는 D보다 C에 더 많이 도달한다.
ㄷ. C에서는 침식 작용이, D에서는 퇴적 작용이 우세하게 일어난다.

① ㄱ   ② ㄷ   ③ ㄱ, ㄴ   ④ ㄴ, ㄷ   ⑤ ㄱ, ㄴ, ㄷ

• 해파가 해안가에 접근하면 천해파의 성질을 띠므로 수심이 얕아짐에 따라 속도가 감소하여 곶으로 해파가 집중한다.

10 〉폭풍 해일

그림은 태풍에 의한 폭풍 해일의 발생 과정을 나타낸 것이다.

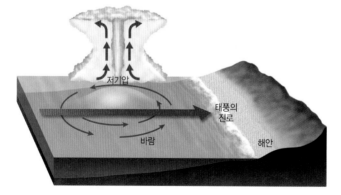

이에 대한 설명으로 옳은 것만을 보기에서 있는 대로 고른 것은?

보기
ㄱ. 태풍의 중심에서 해수면이 높아지는 것은 낮은 기압 때문이다.
ㄴ. 태풍의 강한 바람의 영향이 더해져서 높은 파고가 형성된다.
ㄷ. 폭풍 해일에 의한 피해는 간조가 나타날 때 더욱 커진다.

① ㄱ   ② ㄷ   ③ ㄱ, ㄴ   ④ ㄴ, ㄷ   ⑤ ㄱ, ㄴ, ㄷ

• 폭풍 해일은 중심 기압이 낮은 태풍에 의해 해수면이 상승한 상태로 해안에 접근하여 파고가 높아지는 해일이다.

11 > 지진 해일(쓰나미)

그림은 해저 단층 활동에 의해 발생한 해파가 전파되는 모습을 나타낸 것이다.

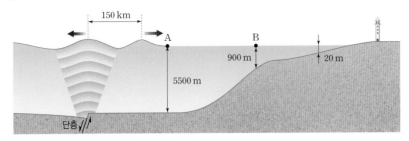

이 해파에 대한 설명으로 옳은 것만을 보기에서 있는 대로 고른 것은?

보기
ㄱ. 이 해파는 단층에서 나온 에너지를 해안으로 전달하는 역할을 한다.
ㄴ. A에서 표층의 물 입자는 원운동을 한다.
ㄷ. B를 통과하면 해파의 속력이 빨라진다.

① ㄱ   ② ㄷ   ③ ㄱ, ㄴ   ④ ㄴ, ㄷ   ⑤ ㄱ, ㄴ, ㄷ

• 지진 해일은 해저에서 지진이 발생했을 때 방출되는 에너지가 해파를 통해 이동하는 현상이며, 파장이 매우 길기 때문에 대부분 천해파에 속한다.

12 > 지진 해일의 발생 과정

그림은 지진 해일이 발생하여 해안가로 이동해가는 모습을 나타낸 것이다.

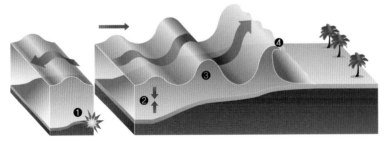

이에 대한 설명으로 옳은 것만을 보기에서 있는 대로 고른 것은?

보기
ㄱ. ❶에서 지진의 파동이 해수를 밀어 올리면서 해일이 발생한다.
ㄴ. ❷에서 ❸으로 이동하면서 속력이 느려지지만 파고는 높아진다.
ㄷ. ❹에서 파장이 짧아지고 파고가 높아지면서 해안가를 덮친다.

① ㄱ   ② ㄷ   ③ ㄱ, ㄴ   ④ ㄴ, ㄷ   ⑤ ㄱ, ㄴ, ㄷ

• 지진 해일은 해저 지진에 의해 밀어 올려진 해수가 해파를 생성하고, 이 해파가 해안으로 진행하여 파고가 높아지면서 나타난다.

03 조석

학습 Point   조석과 기조력 > 간조와 만조 > 조석의 형태

1 조석과 기조력

바닷물이 주기적으로 밀려왔다 빠져나가는 현상인 조석은 그 파장이 지구 둘레의 $\frac{1}{2}$에 해당하므로 모든 해파 중에서 파장이 가장 긴 파이다. 대양의 한가운데 떠 있는 사람에게는 조석이 느껴지지 않지만, 해안에 사는 사람에게는 조석의 영향이 매우 크고 중요한 역할을 한다.

1. 조석

(1) **조석과 조류:** 해수면이 하루에 약 두 번씩 주기적으로 높아졌다 낮아졌다 하는 현상을 조석이라 하고, 조석에 따라 일어나는 수평적인 해수의 흐름을 조류라고 한다. 조류의 세기는 지역에 따라 다르며, 조류의 방향은 조석 주기에 따라 몇 번씩 바뀐다.

① 밀물과 썰물: 먼 바다에서 해안으로 해수가 밀려오는 것을 밀물이라 하고, 해수가 해안에서 먼 바다로 빠져나가는 것을 썰물이라고 한다.

② 만조와 간조: 조석 현상에 의해 조석의 한 주기 중 해수면의 높이가 가장 높아졌을 때를 만조라 하고, 가장 낮아졌을 때를 간조라고 한다.

③ 조차: 만조와 간조 때 해수면의 높이 차를 조차라고 하며, 달과 태양과의 상대적인 위치에 따라 달라진다.

(2) **조석의 원인:** 지구 표면의 각 지점에 미치는 기조력이 다르기 때문이다.

(3) **조석 주기:** 만조에서 다음 만조, 간조에서 다음 간조까지의 시간으로, 약 12시간 25분이다. 이는 지구가 자전하는 동안 달도 지구 둘레를 지구 자전과 같은 방향으로 공전하고 있으므로 달이 같은 위치에 올 때까지 약 24시간 50분이 걸리기 때문이다.

만조와 간조의 정의

일반적으로 하루 중 해수면의 높이가 가장 높아졌을 때를 만조, 가장 낮아졌을 때를 간조라고 말하기도 한다. 그러나 조석 현상은 하루에 약 두 번 일어나므로, 밀물에서 썰물로 바뀔 때, 즉 조석의 한 주기 중 해수면이 가장 높아질 때를 만조라 하고, 썰물에서 밀물로 바뀔 때, 즉 조석의 한 주기 중 해수면이 가장 낮아질 때를 간조라고 정의하는 것이 적절하다.

바다 갈라짐 현상

해수면이 낮아지는 간조 시에 주변보다 해저 지형이 높은 곳이 해수면 위로 드러나는 현상으로, 평상시에는 육지와 떨어져 있는 섬이었다가 해수면이 낮아지는 간조 시에 해저면이 노출되면서 육지와 섬이 연결된다.

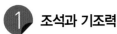

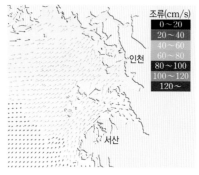

▲ 밀물

▲ 썰물

▲ 썰물이 일어난 후 간조 때(서산 간월암)

2. 기조력

(1) **기조력**: 지구에서 조석 현상을 일으키는 힘으로, 조석을 일으키는 주요 천체는 달과 태양이다. 기조력의 크기는 천체의 질량에 비례하고 지구에서 천체까지 거리의 세제곱에 반비례한다. 달의 질량은 태양에 비하면 매우 작지만 달과 지구 사이의 거리가 태양과 지구 사이의 거리보다 훨씬 가깝기 때문에 달에 의한 기조력은 태양에 의한 기조력보다 약 2배 크다. 따라서 지구의 조석 현상은 달의 영향을 더 많이 받고 있다.

$$기조력: T \propto \frac{GM}{r^3} \quad \left(\begin{array}{l} G\text{: 만유인력 상수, } M\text{: 천체(달 또는 태양)의 질량} \\ r\text{: 지구 중심에서 천체 중심까지의 거리} \end{array} \right)$$

만유인력

중력장 내의 두 물체 사이에서 서로 잡아당기는 힘이 나타나는데, 이를 만유인력이라고 한다. 두 물체 사이의 거리가 멀어지면 만유인력이 급격히 약해진다.

$$F = \frac{Gm_1 m_2}{r^2}$$

$$\left(\begin{array}{l} F\text{: 만유인력, } G\text{: 만유인력 상수} \\ m_1, m_2\text{: 두 물체의 질량} \\ r\text{: 두 물체 사이의 거리} \end{array} \right)$$

(2) **기조력의 원리**: 지구와 달은 서로 끌어당기고 있지만, 부딪치거나 멀리 날아가지 않는다. 이는 지구와 달 사이의 인력과 지구와 달이 공통 질량 중심 주위를 회전하면서 발생하는 원심력이 평형을 이루고 있기 때문에 안정된 궤도를 이루며 공전할 수 있는 것이다.

① **지구와 달의 공통 질량 중심**: 지구의 위성인 달은 지구 주위를 공전한다. 이때 지구의 질량은 달의 질량보다 약 80배 크므로 지구 – 달 계의 공통 질량 중심은 지구 표면에서 약 1650 km 깊이의 지구 내부에 있다. 즉, 지구와 달은 공통 질량 중심을 기준으로 서로 상대적으로 돌고 있으므로 지구의 중심도 지구와 달의 공통 질량 중심을 중심으로 원운동한다.

공통 질량 중심

두 천체가 서로의 중력장 안에서 계를 형성하고 공전 운동을 할 때, 그 사이에 기준이 되는 중심이다. 두 천체의 질량이 차이나면 공통 질량의 중심은 무거운 쪽으로 치우친다. 시소를 탈 때 무거운 사람은 가벼운 사람보다 앞에 위치해야 평형이 맞는 원리와 같다.

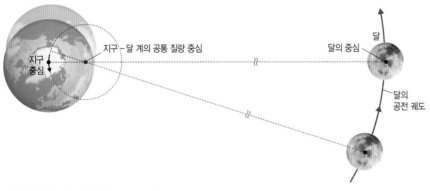

▲ **지구와 달의 공통 질량 중심**

② **지구와 달의 회전에 의한 원심력 발생**: 지구와 달이 공통 질량 중심을 중심으로 같이 회전하므로 지구상은 물론 지구 내부의 모든 지점은 달과 반대 방향으로 같은 크기와 주기의 원운동을 한다. 따라서 지구상의 어느 곳에서나 원심력의 크기와 방향은 달의 반대 방향으로 똑같이 나타난다.

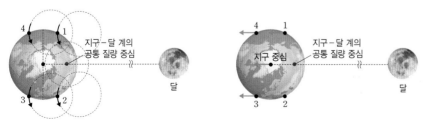

▲ **지구상 각 지점에서의 원운동**   ▲ **지구상 각 지점에서의 원심력**

③ 달에 의한 만유인력 발생: 달과 지구는 질량을 가지고 있기 때문에 서로 잡아당기는 만유인력이 작용한다. 만유인력은 두 물체의 질량의 곱에 비례하고 거리의 제곱에 반비례하므로 거리의 영향을 더 많이 받는다. 즉, 두 물체의 질량이 일정하다면 두 물체의 작용점 사이의 거리가 멀수록 만유인력은 감소한다. 따라서 오른쪽 그림에서 달과의 거리가 가까운 1, 2 지점에 작용하는 만유인력이 3, 4 지점에서보다 크다.

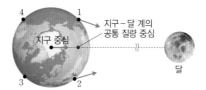

▲ **지구상 각 지점에서의 만유인력**

④ 달에 의한 기조력 발생: 기조력은 조석을 일으키는 힘으로서, 달과의 회전 운동으로 생기는 원심력과 지구와 달 사이에 작용하는 만유인력의 합력으로 나타난다. 아래 그림의 1, 2 지점에서는 달에 가까워 만유인력이 원심력보다 크므로 달 쪽으로 기조력이 작용하여 해수면이 높아지고, 3, 4 지점에서는 원심력이 만유인력보다 크므로 달의 반대쪽으로 기조력이 작용하여 해수면이 높아진다. 이러한 운동계에서 원심력과 만유인력의 관계에 따라 기조력은 천체의 질량에 비례하고 천체까지의 거리의 세제곱에 반비례한다.

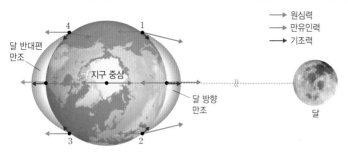

▲ **지구상 각 지점에서의 원심력과 만유인력의 합력** 달을 향한 쪽에서는 만유인력이 원심력보다 커서 기조력이 달 쪽으로 작용하지만, 반대쪽에서는 원심력이 만유인력보다 커서 기조력이 달의 반대쪽으로 작용한다. 따라서 만조는 달을 향한 쪽과 그 반대쪽에서 동시에 일어난다.

⑤ 기조력의 방향: 고체인 지구는 기조력에 의한 움직임이 크지 않지만, 유체인 대기와 바다의 움직임은 크다. 이 중에서 기조력에 의한 대기층의 높이 변화는 잘 알 수 없으나 해수면의 변화는 쉽게 알 수 있는데, 기조력의 영향이 미치면 달의 방향과 달의 반대 방향 두 곳에서 해수면이 상승한다. 지구 표면상의 어느 곳에서도 만유인력과 원심력의 크기가 같은 곳은 없고, 단지 지구 중심에서만 만유인력과 원심력이 정확히 그 크기가 같고 방향은 반대이다. 그 결과 기조력의 영향으로 달의 방향과 달의 반대 방향 두 곳에서 해수면이 부풀어 오른다. 이때 기조력에 의하여 부풀어 오른 해수면은 공전하는 달의 방향으로 계속 따라가면서 해수면의 변화를 일으킨다.

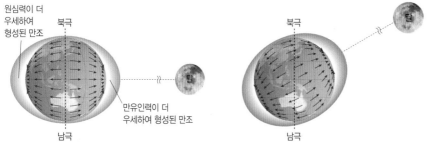

▲ **기조력의 방향** 기조력으로 부풀어 오른 해수면은 달을 따라간다. 달이 지구 적도면보다 북반구에 있을 때는 달을 따라 해수면이 북반구에서 부풀어 오르며, 원심력으로 인해 달의 반대쪽인 남반구에서도 부풀어 오른다.

기조력의 크기

$$기조력 \propto \frac{질량}{거리^3}$$

달의 기조력

기조력을 유발하는 두 힘의 크기 차이 때문에 지표면에서 해수의 높이가 달라진다.

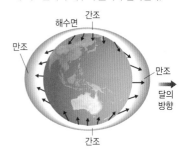

2 간조와 만조

탐구 060쪽

해수는 기조력에 의해 이동하므로 지구에서 달을 향한 쪽은 해수면이 높아지고, 다른 쪽은 해수면이 낮아진다. 이와 함께 지구의 자전에 의해 지구 표면에 나타나는 기조력의 크기가 시간에 따라 달라져 해수가 끊임없이 이동한다.

1. 간조와 만조

(1) **간조와 만조**: 조석의 한 주기 중 해수면이 가장 낮아질 때를 간조, 해수면이 가장 높아질 때를 만조라고 한다. 아래 그림에서 0시에 간조였던 섬은 6시 13분경에 만조가 되어 해수면에 잠기며, 12시 25분경에는 다시 간조가 되어 섬이 해수면 위로 드러난다. 또한 18시 38분경에는 달의 반대쪽에서 만조가 되며, 다음 날 약 0시 50분경에 간조가 된다.

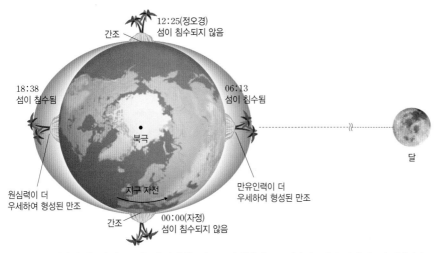

▲ **북극 상공에서 본 만조와 간조**　지구가 자전하는 하루 동안 섬에서는 두 번의 만조와 두 번의 간조가 나타난다.

(2) **조차**: 연속되는 만조와 간조 사이에 나타나는 해수면의 높이 차를 조차라고 한다.

(3) **조차의 크기**: 약 하루 동안 나타나는 조차는 지역에 따라 달라질 수 있다. 이는 지구의 자전축이 기울어져 달의 공전 궤도면과 지구의 적도면이 일치하지 않으므로 하루 동안 두 번 일어나는 만조와 간조 때 해수면의 높이가 똑같지 않기 때문이다.

① **달이 지구의 적도면에 위치할 때**: 지구의 자전축을 기준으로 양 옆으로 기조력이 똑같이 작용하므로 하루 동안 조차는 거의 같다.

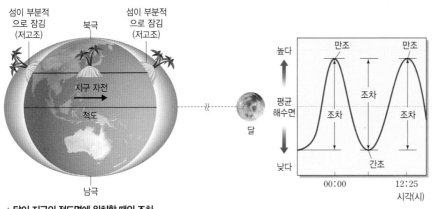

▲ **달이 지구의 적도면에 위치할 때의 조차**

조석 양상
기조력으로 생긴 조석은 두 개의 마루와 두 개의 골이 있는 전 지구적인 파동으로 볼 수 있다. 파동의 마루 부분이 만조에 해당하고, 파동의 골 부분이 간조에 해당한다.

조차의 크기
조차는 지구-달-태양의 상대적인 위치, 지구 자전축의 경사, 달과 태양까지의 거리 변화 외에도 해안선의 모양, 해저 지형, 수심 등의 영향을 받으므로 지역에 따라 그 크기가 달라질 수 있다. 대양에서는 조차가 매우 작고 해안에서도 조차가 약 2 m 이하인 곳이 많지만, 좁은 만이나 해협에서는 조차가 크게 나타난다.

② 달이 지구의 적도면에 위치하지 않을 때: 지구의 자전에 의해 만(간)조가 일어난 후 다음 만(간)조가 일어날 때 해수면 높이가 달라진다. 따라서 하루 동안 조차의 크기도 다르게 나타난다.

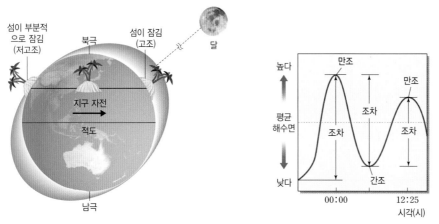

▲ **달이 지구의 적도면에 위치하지 않을 때의 조차**　지구상에서 같은 지역이라도 하루 동안 조차의 크기가 다르다.

(3) **조석 주기**: 만조(간조)에서 다음 만조(간조)까지 걸리는 시간으로 약 12시간 25분이다 (반일주조의 경우). 따라서 달의 조석은 매일 약 50분씩 늦어진다.

> 달의 삭망월은 약 29.5일이므로 12시간에 약 6°만큼 지구 주위를 공전한다.

> 아래 그림에서 달이 A″에 있을 때 지표상의 A와 A′ 지점은 만조이다. 따라서 A 지점이 12시간 자전하여 A′에 위치하면 다시 만조가 되어야 하지만 달은 12시간 동안 약 6.5°만큼 공전하여 B″에 위치한다. 따라서 A 지점은 A′을 지나 약 6° 더 자전한 B 지점에 위치하여야 다시 만조가 된다.

> 지구가 약 6.5° 자전하는 데 걸리는 시간은 약 25분이므로 반일주조의 경우 조석 주기는 약 12시간 25분이 된다.

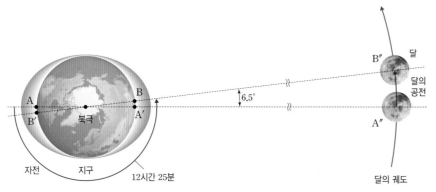

▲ **달의 공전과 조석 주기**　A와 A′은 처음 만조가 나타나는 위치이고, B와 B′은 지구가 반 바퀴 자전한 후 만조가 나타나는 위치이다.

반일주조
하루에 만조와 간조가 각각 두 번씩 일어나는 조석의 형태를 반일주조라고 한다.

조석 주기
지구가 하루 동안 1회 자전하는 동안 달도 같은 방향으로 지구 둘레를 약 13° 공전하므로 달이 같은 위치에 오려면 지구는 13° 더 자전해야 한다. 지구가 13° 더 자전하는 데 약 50분이 걸리므로 조석 주기는 약 12시간 25분이다.

조석 기준면(tidal datum)
조석의 높이를 재는 기준면을 조석 기준면이라고 한다. 조석 기준면은 조석의 형태 그래프에서 영점(0)에 해당한다. 이때 조석 기준면은 수 년 동안의 해수면 평균인 평균 해수면(mean sea level)에 설정된 것이 아니다. 미국의 경우 혼합조의 해안에서는 하루 동안 두 개의 저조 중 더 낮은 저조의 평균인 평균 저저조면(mean lower low water, MLLW)을 기준면으로 설정하며, 일주조의 해안에서는 모든 저조의 평균면인 평균 저조면(mean low water, MLW)을 기준면으로 설정한다. 우리나라의 경우 최저 저조면(App. LLW)을 조석 기준면으로 설정하며, 이는 해도에 기록되는 수심의 기준면과 같다.

2. 사리(대조)와 조금(소조)

조차는 약 15일을 주기로 커졌다 작아지는 현상을 반복하는데, 달의 위상이 망과 삭일 때 조차가 가장 크고, 상현이나 하현일 때 조차가 가장 작다. 이와 같이 조차가 가장 클 때를 사리 또는 대조, 가장 작을 때를 조금 또는 소조라고 한다.

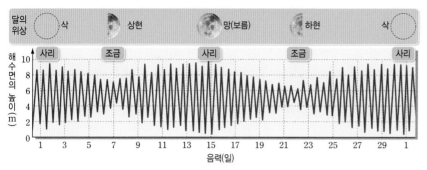

▲ 조석과 달의 위상(강화읍 외포리의 조석 곡선)

(1) **사리(대조)**: 지구, 달, 태양이 일직선상에 놓이면, 태양에 의한 기조력인 태양 조석과 달에 의한 기조력인 태음 조석이 합쳐져서 만조 때의 해수면은 더 높아지고 간조 때의 해수면은 더 낮아진다. 이러한 현상을 사리 또는 대조(大潮, spring tide)라고 하는데, 이때 조차가 가장 크며, 달의 모양이 삭 또는 망일 때에 해당한다.

▲ **사리(대조)일 때 지구, 달, 태양의 위치**

(2) **조금(소조)**: 태양과 달이 지구를 중심으로 직각을 이루면, 달에 의한 기조력이 태양에 의한 기조력에 의해 상쇄되어 가장 낮은 만조와 가장 높은 간조가 일어난다. 이러한 현상을 조금 또는 소조(小潮, neap tide)라고 하는데, 이때 조차가 가장 작고, 달의 모양이 상현 또는 하현일 때에 해당한다.

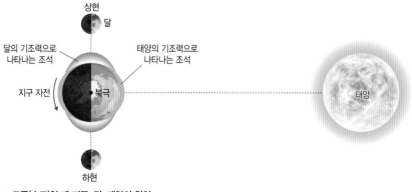

▲ **조금(소조)일 때 지구, 달, 태양의 위치**

태양과 달까지의 거리에 따른 조석의 변화

지구와 달의 공전 궤도는 각각 완전한 원이 아닌 타원 궤도이므로 지구에 대한 달과 태양의 거리도 가까워졌다 멀어졌다 한다. 달이 지구에서 가장 먼 원지점과 가장 가까운 근지점과의 차이는 약 30600 km이다. 기조력은 거리의 세제곱에 반비례하므로 근지점일 때 조석이 더 크다. 한편, 지구가 태양에 가장 가까운 근일점과 가장 먼 원일점의 차이는 약 370만 km이다. 그러므로 달과 태양의 적위가 거의 같고 지구가 근일점에 있을 때는 매우 큰 사리가 일어난다.

백중사리

일 년 중 음력 7월 보름날인 백중 무렵에 밀물의 수위가 가장 높아지는 상태를 백중사리라고 한다. 백중사리는 사리와 달의 근지점이 일치하는 때로, 근지점은 지구 둘레를 도는 달이 궤도 상에서 지구에 가장 가까워지는 위치를 의미하며, 일 년 중 음력 7월 15일 전후에 나타나는 것이 보통이다. 따라서 이와 같은 백중사리 때는 평소의 사리보다 조차가 크게 나타난다.

③ 조석의 형태

　조석의 형태는 대륙의 분포에 따라 달라진다. 즉, 지구가 자전하기 때문에 대륙의 분포에 따라 조석의 진행 방향이나 속력이 바뀌는 복잡한 운동을 한다. 예를 들어, 달이 뜬 곳의 바로 아래쪽에 육지가 위치한다면 이곳에서는 만조가 일어나지 못하고 주변 해안 지역에서 만조가 일어날 것이다. 몇 시간 후 달이 육지에서 멀어져 바다 위에 뜨면 바다에 새로운 만조가 일어나고 육지 주변은 간조로 바뀔 것이다.

1. 조석의 형태

지구의 적도와 달의 공전 궤도면이 일치하지 않고 위도와 대륙의 분포가 다르기 때문에 조석의 형태도 다양하게 나타나는데, 크게 세 가지로 구분할 수 있다.

(1) **일주조:** 하루에 한 번씩의 만조와 간조가 일어나는 현상을 일주조(日週潮, diurnal tide)라고 한다. 일주조의 조석 주기는 평균 24시간 50분이며, 주로 고위도 지역에서 잘 나타난다.

(2) **반일주조:** 하루에 두 번씩의 만조와 간조가 일어나는 현상을 반일주조(半日週潮, semidiurnal tide)라고 한다. 반일주조의 조석 주기는 평균 12시간 25분이며, 주로 적도 부근의 저위도 지역에서 잘 나타난다.

(3) **혼합조:** 반일주조와 일주조가 혼합된 조석을 혼합조(混合潮, mixed tide)라고 한다. 우리나라를 포함한 중위도 지역에서 잘 나타난다.

위도별 만조와 간조가 나타나는 횟수
지구 자전축의 경사로 달의 공전 궤도면이 지구의 적도면에 대해 기울어져 있기 때문에 위도에 따라 하루 동안 만조와 간조가 일어나는 횟수가 달라진다.

· 고위도 지역(1일 1회조): 1일에 1회씩의 만조와 간조가 나타난다.
　➡ 일주조

· 적도 지역(1일 2회조): 1일에 2회씩의 만조와 간조가 나타나고, 연속되는 두 만조나 간조 사이의 수위와 시간 간격이 같고, 두 번의 조차가 비슷하게 나타난다.
　➡ 반일주조

· 중위도 지역(혼합조): 1일에 2회씩의 만조와 간조가 나타나지만 연속되는 두 만조 또는 간조 사이의 시간 간격이 다르고, 두 번의 조차가 다르게 나타난다.
　➡ 혼합조

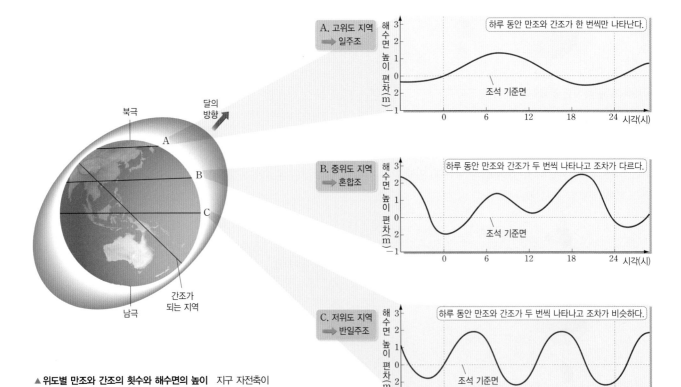

▲ **위도별 만조와 간조의 횟수와 해수면의 높이**　지구 자전축이 약 23.5° 기울어져 있기 때문에 위도에 따라 하루 동안 나타나는 만조와 간조의 횟수가 달라지고 해수면의 높이가 서로 다르다.

2. 조석 형태의 다양성

기조력으로 생긴 조석은 두 개의 마루와 두 개의 골이 있는 전 지구적인 파동이지만, 실제 해안에서는 지구의 자전과 대륙의 분포에 따라 복잡하게 나타난다. 우리나라는 삼면이 바다로 둘러싸여 있으며, 해안 지형이 복잡하기 때문에 서해와 남해, 동해에서의 조석 형태가 서로 다르게 나타나기도 한다.

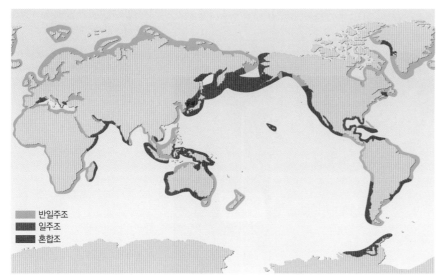

▲ **세계 해안의 조석 형태** 오스트레일리아 동해안, 북아메리카 동해안, 남아메리카 서해안과 동해안 일부, 아프리카 서해안 등에서는 반일주조가 나타나고, 알류샨 열도 부근에서는 일주조가 나타나며, 북아메리카 서해안과 남아메리카 서해안과 동해안 일부는 혼합조가 나타난다. 우리나라 주변 해안은 반일주조와 혼합조가 나타난다.

반일주조
일주조
혼합조

3. 조석파에 의한 해수의 이동: 조류

조석파에 의한 해수의 이동인 조류는 호수에 강한 바람이 불 때 물이 진동하는 현상인 세이쉬에서의 물의 움직임으로 설명할 수 있다.

(1) **세이쉬의 물의 움직임:** 호수의 양 끝에서의 수면이 오르내려도 호수 중앙에서의 수면 변화는 없다. 북반구에서 호수가 동서로 위치하면 전향력에 의해 호수 중앙부에서 동쪽으로 움직이는 물은 약간씩 오른쪽으로 휘어 남쪽으로 향한다. 만약 호수가 커서 물의 흐름이 많으면 호수의 물은 대부분 남쪽 호안을 따라 동쪽으로 이동한다. 반대로 호수의 물이 서쪽으로 움직일 때에는 전향력에 의해 물이 북쪽 호안을 따라 시계 반대 방향으로 쏠린다.

(2) **조석파에 의한 해수의 이동(조류):** 세이쉬와 마찬가지로, 조류도 해역의 오른쪽으로 쏠리려는 경향이 있다(북반구). 북반구에서 북쪽으로 움직이는 해수는 해양의 동쪽으로 쏠리고, 남쪽으로 움직이는 해수는 해양의 서쪽으로 쏠린다. 이러한 해수의 움직임에 기조력이 계속 가해지면 조석파의 마루는 마디를 중심으로 시계 반대 방향으로 움직인다.

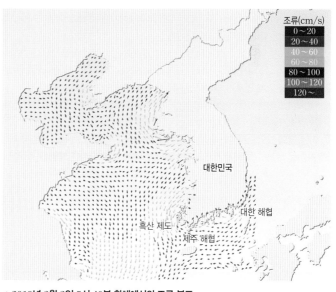

조류(cm/s)
0~20
20~40
40~60
60~80
80~100
100~120
120~

대한민국

대한 해협

흑산 제도

제주 해협

▲ **2019년 3월 3일 5시 40분 황해에서의 조류 분포**

실시간 조석 자료 해석

실시간으로 제공되는 조석 자료를 해석하여 조석과 관련된 여러 가지 현상을 설명하고 예보할 수 있다.

과정

국립해양조사원 누리집(http://www.khoa.go.kr)에서는 실시간으로 조석 예보를 하고 있는데, 다음은 2019년 3월 2일 인천 앞바다에서 측정한 예보 자료를 나타낸 것이다.

● 탐구 과정 설명
  - 만조와 간조가 일어나는 시각과 시간 간격을 파악한다.
  - 달의 모양으로부터 달, 태양, 지구의 상대적 위치를 파악하고, 이로부터 조차의 변화를 예측한다.

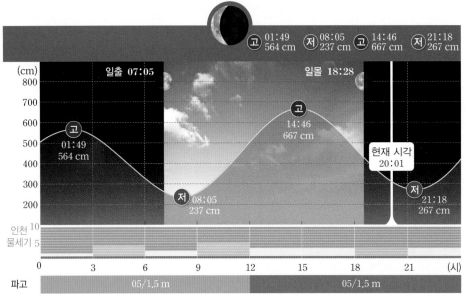

▲ 예측 자료

결과

1 이날 만조에서 다음 만조가 일어나는 시간 간격과 간조에서 다음 간조가 일어나는 시간 간격은 얼마인가?
➡ 만조에서 다음 만조는 12시간 57분, 간조에서 다음 간조는 13시간 13분 간격으로 나타났다.

2 이날 조석은 어떤 형태를 나타내는가?
➡ 만조에서 다음 만조가 일어나는 시간 간격이 간조에서 다음 간조가 일어나는 시간 간격보다 짧고, 두 번의 만조와 간조의 수위가 서로 다른 것으로 보아 혼합조에 가까운 조석 형태를 나타낸다고 할 수 있다.

3 다음날 첫 번째 만조가 나타나는 시각은 대략 언제인지 예측해 보자.
➡ 조석은 하루에 약 50분씩 늦어진다. 따라서 이날 첫 번째 만조 시각인 1시 49분보다 50분 늦은 2시 40분쯤 만조가 나타날 것이다.

4 이날 달의 모양으로부터 천체의 위치를 이해하고, 다음날 조차의 변화를 예측해 보자.
➡ 이날 달은 그믐달에 가깝고 다음날에는 더욱 삭에 가까운 모양을 띨 것이다. 즉, 이날보다 다음날 태양－달－지구의 배열이 일직선에 더 가까워지므로 만조와 간조의 차이인 조차가 더 커질 것이다.

정리

- 조석 주기는 만조(간조)에서 다음 만조(간조)까지의 시간으로, 약 12시간 25분이다. 그러나 이는 반일주조의 경우이고, 조석의 형태에 따라 조석 주기도 약간씩 달라진다.
- 지구가 서에서 동으로 한 바퀴 자전하는 동안(24시간) 달은 서에서 동으로 약 13°(약 50분씩) 공전한다. 따라서 달이 매일 똑같은 위치에 오기 위해서는 약 50분이 더 소요되므로 달의 조석도 매일 약 50분씩 늦어진다.

- 조석 주기가 약 12시간 25분인 까닭은 다음과 같다.
  ① 달의 공전 주기는 약 27.3일이므로 달은 하루에 약 13°만큼 지구 주위를 공전한다.
  ② 지구와 달의 위치가 전날과 같아지려면 지구가 약 13° 더 자전해야 하므로 약 50분이 더 걸린다.
  ③ 지구상에서 만조인 지점은 달을 마주 보는 곳과 그 반대편인데, 이 지점은 자전하여 12시간 후에는 반대편으로 간다. 지구가 반 바퀴 자전하는 동안 달도 약 6.5° 공전하므로 만조 뒤 다음 만조가 되기 위해서 지구는 12시간 자전한 후 약 25분을 더 자전해야 한다. 따라서 만조에서 다음 만조까지 걸리는 시간은 약 12시간 25분이고, 만조에서 다음날 만조까지 걸리는 시간은 약 24시간 50분이 된다.
- 조석 현상은 태양과 달의 기조력에 의해 생기는 현상으로, 조차가 가장 큰 사리일 때는 달의 모양이 삭 또는 보름(망)으로 태양, 지구, 달이 일직선상에 위치하고, 조차가 가장 작은 조금일 때는 달의 모양이 반달(상현, 하현)로 태양, 지구, 달이 직각을 이룬다.

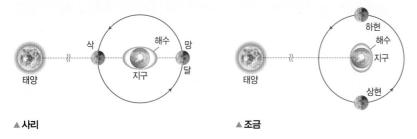

▲ 사리   ▲ 조금

> 정답과 해설 **172**쪽

탐구 확인 문제

01 조석 현상에 대한 설명으로 옳지 <u>않은</u> 것은?
  ① 조석을 일으키는 힘을 기조력이라고 한다.
  ② 만조는 대부분 달이 뜨기 시작할 때 나타난다.
  ③ 만조에서 다음 만조까지의 시간 간격을 조석 주기라고 한다.
  ④ 만조와 다음 간조 때의 해수면의 높이 차를 조차라고 한다.
  ⑤ 음력으로 한 달 동안 조차가 최소일 때를 조금(소조)이라고 한다.

02 조석 주기가 매일 약 50분씩 늦어지는 까닭은?
  ① 지구가 자전하는 동안 달이 공전하기 때문이다.
  ② 지구가 자전하는 동안 달이 자전하기 때문이다.
  ③ 지구가 공전하는 동안 달이 공전하기 때문이다.
  ④ 지구가 공전하는 동안 달이 자전하기 때문이다.
  ⑤ 지구의 자전축이 약 23.5° 기울어져 있기 때문이다.

03 그림은 태양, 지구, 달의 상대적 위치를 나타낸 것이다.

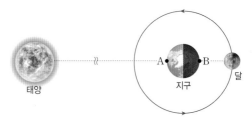

이에 대한 설명으로 옳지 <u>않은</u> 것은?
  ① 이때 A 지점에는 간조, B 지점에는 만조가 나타난다.
  ② 이날은 조차가 최대가 되는 사리에 해당한다.
  ③ B 지점에서는 달이 보름달로 관측된다.
  ④ 달에 의한 기조력이 태양에 의한 기조력보다 크다.
  ⑤ 이때 A 지점과 B 지점에 작용하는 기조력의 크기는 같다.

기조력의 크기와 방향

달에 의한 기조력은 달에 의한 만유인력과 지구 – 달의 회전계에 의해 나타나는 원심력의 합력이다. 지구 – 달의 회전계에 나타나는 원심력은 지구상의 모든 곳에서 달과 반대 방향으로 같은 크기로 나타나고, 만유인력은 달을 향한 방향으로 거리에 따라 다르게 나타난다. 이 두 합력을 벡터값으로 구하면 기조력의 크기와 방향을 알 수 있다.

달에 의한 기조력(T)의 영향으로 달을 향한 방향(A)과 달의 반대 방향(B) 두 곳에서 해수면이 높아진다. 이때 두 곳에 작용하는 기조력의 크기는 같고 방향은 반대이다. 그림과 같이 지구와 달은 공통 질량 중심(CM) 주위를 달의 공전 주기인 약 27.3일을 주기로 하여 공전하므로, 지구상의 모든 지점에서는 크기와 방향이 같은 원심력(F_O)이 작용한다. 그런데 지구의 중심(O)에서는 원심력과 지구 – 달 사이의 만유인력(f_O)의 크기가 같다.

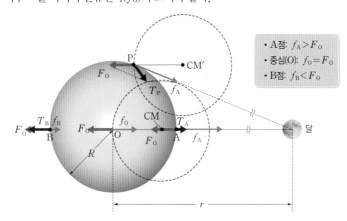

- A점: $f_A > F_O$
- 중심(O): $f_O = F_O$
- B점: $f_B < F_O$

지구 반지름을 R, 지구 중심에서 달 중심까지의 거리를 r, 달의 질량을 m이라고 하면 다음과 같은 관계식이 성립한다(G: 만유인력 상수).

- 지구 중심에서 단위 질량에 작용하는 달의 만유인력(f_O) = 원심력(F_O) = $\dfrac{Gm}{r^2}$

- 달을 향한 A 지점에서 단위 질량에 작용하는 달의 만유인력(f_A) = $\dfrac{Gm}{(r-R)^2}$

- 달의 반대 방향 B 지점에서 단위 질량에 작용하는 달의 만유인력(f_B) = $\dfrac{Gm}{(r+R)^2}$

❶ 달을 향한 A 지점에서의 기조력

달에 의한 기조력은 달의 만유인력과 원심력의 합력으로 나타내므로

$$A \text{ 지점에서의 기조력}(T_A) = f_A - F_O = \frac{Gm}{(r-R)^2} - \frac{Gm}{r^2} = Gm\left[\frac{1}{(r-R)^2} - \frac{1}{r^2}\right]$$

$$= Gm\left[\frac{r^2 - (r-R)^2}{r^2(r-R)^2}\right] = Gm\left(\frac{2rR - R^2}{r^4 - 2r^3R + r^2R^2}\right)$$

여기서 $r \gg R$이므로, $2rR - R^2 ≒ 2rR$, $r^4 - 2r^3R + r^2R^2 ≒ r^4$이다.

따라서 $T_A ≒ \dfrac{Gm \cdot 2rR}{r^4} = \dfrac{2GmR}{r^3}$이다.

□ **근사식을 이용한 T_A의 계산**

$$T_A = \frac{Gm}{(r-R)^2} - \frac{Gm}{r^2}$$

$$= Gm\left[\frac{1}{(r-R)^2} - \frac{1}{r^2}\right]$$

$$\frac{1}{(r-R)^2} = \frac{1}{r^2} \times \frac{1}{\left(1 - \dfrac{R}{r}\right)^2}$$

$$≒ \frac{1}{r^2} \times \left(1 + \frac{2R}{r}\right)$$

$$T_A = Gm\left[\frac{1}{r^2}\left(1 + \frac{2R}{r}\right) - \frac{1}{r^2}\right]$$

$$= \frac{2GmR}{r^3}$$

❷ 달의 반대 방향인 B 지점에서의 기조력

B 지점에서의 기조력(T_B) $= f_B - F_O = \dfrac{Gm}{(r+R)^2} - \dfrac{Gm}{r^2}$

$$= Gm\left[\dfrac{1}{(r+R)^2} - \dfrac{1}{r^2}\right] = Gm\left[\dfrac{r^2-(r+R)^2}{r^2(r+R)^2}\right]$$

$$= Gm\left(\dfrac{-2rR-R^2}{r^4+2r^3R+r^2R^2}\right) = -Gm\left(\dfrac{2rR+R^2}{r^4+2r^3R+r^2R^2}\right)$$

여기서 $r \gg R$이므로, $2rR+R^2 \fallingdotseq 2rR$, $r^4+2r^3R+r^2R^2 \fallingdotseq r^4$이다.

따라서 $T_B \fallingdotseq \dfrac{-Gm \cdot 2rR}{r^4} = -\dfrac{2GmR}{r^3}$이다.

즉, 달을 향한 A 지점의 기조력은 $T_A = \dfrac{2GmR}{r^3}$이고, 달의 반대 방향인 B 지점에서의 기조력은 $T_B = -\dfrac{2GmR}{r^3}$이므로 A 지점과 B 지점에서 기조력의 크기는 같고, 방향은 반대임을 알 수 있다. 따라서 지구상에서 기조력에 의한 해수면 높이는 다음 그림과 같이 나타난다.

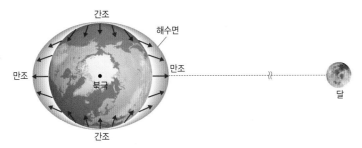

▲ 기조력의 크기에 따른 해수면 높이 분포

만조 때

간조 때

▲ 만조와 간조 때의 해수면 차이(간월도)

□ 근사식을 이용한 T_B의 계산

$$T_B = \dfrac{Gm}{(r+R)^2} - \dfrac{Gm}{r^2}$$

$$= Gm\left[\dfrac{1}{(r+R)^2} - \dfrac{1}{r^2}\right]$$

$$\dfrac{1}{(r+R)^2} = \dfrac{1}{r^2} \times \dfrac{1}{\left(1+\dfrac{R}{r}\right)^2}$$

$$\fallingdotseq \dfrac{1}{r^2} \times \left(1 - \dfrac{2R}{r}\right)$$

$$T_B = Gm\left[\dfrac{1}{r^2}\left(1-\dfrac{2R}{r}\right) - \dfrac{1}{r^2}\right]$$

$$= -\dfrac{2GmR}{r^3}$$

1 조석과 기조력

1 조석
- 해수면이 하루에 약 두 번씩 주기적으로 상승·하강하는 현상을 (❶   )이라고 한다.
- 먼 바다에서 해안으로 해수가 밀려오는 것을 (❷   ), 해수가 해안에서 먼 바다로 빠져나가는 것을 (❸   )이라고 한다.
- 조석 현상에 의해 조석의 한 주기 중 해수면의 높이가 가장 높아졌을 때를 (❹   ), 가장 낮아졌을 때를 (❺   )라고 한다.
- 만조와 간조 때 해수면의 높이 차를 (❻   )라고 한다.
- 조석의 원인: 지구 표면의 각 지점에 미치는 기조력이 다르기 때문이다.

2 기조력
- 지구에서 (❼   ) 현상을 일으키는 힘을 기조력이라고 한다.
- 기조력의 크기는 천체의 질량에 비례하고 지구에서 천체까지 거리의 (❽   )에 반비례한다.
- 기조력은 태양과 달의(❾   )과 지구 – 달의 회전계에 의한 (❿   )의 합력이다.

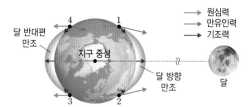

▲ 지구상 각 지점에서의 기조력

2 간조와 만조

1 간조와 만조
- 조석의 한 주기 중 해수면이 가장 낮아졌을 때를 (⓫   ), 해수면이 가장 높아졌을 때를 (⓬   )라고 한다. 연속되는 만조와 간조 사이에 나타나는 해수면의 높이 차를 (⓭   )라고 한다.

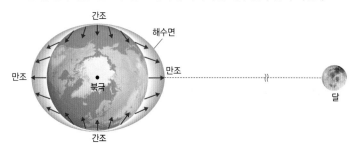

- 하루 동안 나타나는 조차는 지역에 따라 달라질 수 있다. 이는 지구의 자전축이 기울어져 달의 (⓮   )과 지구의 (⓯   )이 일치하지 않기 때문이다.
- 조석 주기: 만조(간조)에서 다음 만조(간조)까지의 시간을 (⓰   )라고 하며, 약 12시간 25분이다.(반일주조의 경우)

- 조석 주기가 약 25분씩 늦어지는 까닭은 지구가 (**⑰**   )하는 동안 달도 지구 둘레를 지구 자전과 같은 방향으로 (**⑱**   )하기 때문이다.

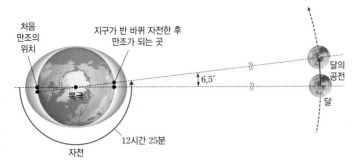

2 사리(대조)와 조금(소조)

- 조차는 약 (**⑲**   )을 주기로 커졌다 작아지는 현상을 반복한다.
- 달의 위상이 망 또는 (**⑳**   )일 때 조차가 가장 크고, 상현이나 (**㉑**   )일 때 조차가 가장 작다.
- 조차가 가장 클 때를 (**㉒**   ) 또는 대조, 가장 작을 때를 (**㉓**   ) 또는 소조라고 한다.

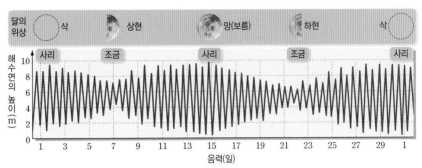

▲ **조석과 달의 위상(강화읍 외포리의 조석 곡선)**

③ 조석의 형태

1 일주조 하루에 (**㉔**   ) 번씩의 만조와 간조가 나타나는 형태로, 주로 (**㉕**   )위도 지역에서 잘 나타난다.

2 혼합조 반일주조와 일주조가 혼합된 형태로, 연속되는 두 만조나 간조 사이의 시간 간격과 해수면 높이가 다르며, (**㉖**   )위도 지역에서 잘 나타난다.

3 반일주조 하루에 (**㉗**   ) 번씩의 만조와 간조가 나타나는 형태로, 주로 적도 부근의 저위도 지역에서 잘 나타난다.

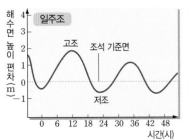

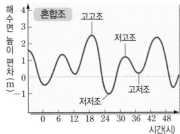

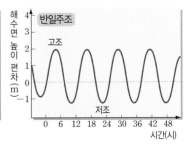

01 조석과 조차에 대한 설명으로 옳은 것은 ○, 옳지 <u>않은</u> 것은 ✕로 표시하시오.

(1) 조석의 한 주기 중 해수면의 높이가 가장 높아졌을 때를 간조라고 한다. ····························· ( )

(2) 만조와 간조 때의 해수면의 높이 차를 조차라고 한다. ···························· ( )

(3) 조석을 일으키는 힘을 기조력이라고 한다. ····· ( )

(4) 만조에서 다음 간조까지의 시간을 조석 주기라고 한다. ···························· ( )

(5) 조차가 최소일 때를 조금이라고 한다. ········· ( )

02 다음은 달과 태양에 의한 기조력의 관계식을 나타낸 것이다.

$$T \propto \frac{GM}{r^3}$$

$$\begin{pmatrix} T: \text{기조력}, \ G: \text{만유인력 상수} \\ M: \text{천체(달 또는 태양)의 질량} \\ r: \text{지구 중심에서 천체 중심까지의 거리} \end{pmatrix}$$

이에 대한 설명으로 옳은 것만을 보기에서 있는 대로 고르시오.

보기
ㄱ. 천체의 질량이 클수록 기조력이 커진다.
ㄴ. 천체까지의 거리가 멀수록 기조력은 작아진다.
ㄷ. 태양은 달보다 질량이 크지만 지구로부터의 거리가 훨씬 멀어 기조력은 더 작다.

03 그림은 지구와 달이 공통 질량 중심을 중심으로 회전할 때 **A** 지점에 작용하는 원심력을 나타낸 것이다.

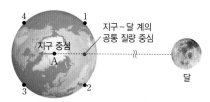

이때 **1~4** 지점에 작용하는 원심력의 크기와 방향을 화살표로 그리시오.

04 그림에서 **a~c**는 달에 의해 지구상의 **A**지점에 작용하는 힘과 기조력을 나타낸 것이다.

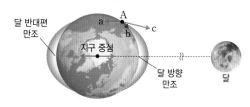

a~c에 해당하는 힘의 종류를 각각 쓰시오.

05 ( ) 안에 들어갈 말을 쓰시오.

조석 주기가 약 25분씩 늦어지는 까닭은 지구가 자전하는 동안 달이 (   )하기 때문이다.

06 그림은 태양, 지구, 달의 상대적인 위치를 나타낸 것이다. (단, 태양과 달에 의한 기조력만 고려하고, 지형에 의한 영향과 해수의 관성은 무시한다.)

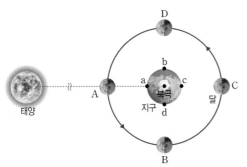

(1) 달이 A의 위치에 있을 때 지구에서 만조가 나타나는 곳과 간조가 나타나는 곳을 a~d에서 골라 쓰시오.

(2) 지구에서 사리가 일어날 때와 조금이 일어날 때 달의 위치를 A~D에서 골라 쓰시오.

(3) 달이 A에서 B로 이동할 때 나타나는 현상으로 옳은 것만을 보기에서 있는 대로 고르시오.

> 보기
> ㄱ. 만조와 간조가 나타나는 시각이 점점 느려진다.
> ㄴ. 기조력이 감소한다.
> ㄷ. 조차가 감소한다.

07 그림은 A 지역에 달이 남중했을 때의 해수면의 모습을 나타낸 것이다.

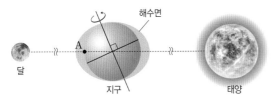

A 지역의 조석에 대한 설명으로 옳은 것만을 보기에서 있는 대로 고르시오. (단, 현재 A 지역에는 만조가 나타났다.)

> 보기
> ㄱ. 다음 만조는 약 12시간 25분 후에 나타난다.
> ㄴ. 다음 만조의 높이는 현재와 같다.
> ㄷ. 이날은 조금에 해당한다.

08 그림은 인천 앞바다에서 약 11일 동안 해수면의 높이를 측정한 자료를 나타낸 것이다.

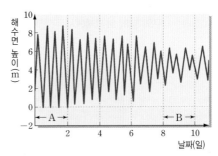

이에 대한 설명으로 옳은 것만을 보기에서 있는 대로 고르시오.

> 보기
> ㄱ. A 시기에 달은 반달 모양이었다.
> ㄴ. 하루에 평균 두 번씩의 간조와 만조가 나타난다.
> ㄷ. B 시기는 음력으로 15일경에 해당한다.

09 그림은 어느 날 동일 경도상에 있는 두 지역에서의 시간에 따른 해수면의 높이 변화를 나타낸 것이다.

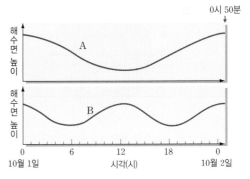

(1) A, B와 같은 조석의 형태를 각각 무엇이라고 하는지 쓰시오.

(2) A, B와 같은 조석의 형태는 각각 저위도, 중위도, 고위도 중 어디에서 주로 나타나는지 쓰시오.

01 ❯ 지구와 달의 회전계

그림은 지구와 달의 회전계에서 두 천체의 상대적 위치를 나타낸 것이다.

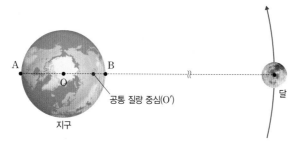

● 회전계는 두 천체의 공통 질량 중심을 중심으로 서로 회전한다.

이에 대한 설명으로 옳은 것만을 보기에서 있는 대로 고른 것은?

보기
ㄱ. 달의 공전 궤도의 중심은 지구의 중심인 O이다.
ㄴ. 달이 공전함에 따라 지구도 O′을 중심으로 회전 운동한다.
ㄷ. 지구상에서의 원운동은 B에서보다 A에서 더 크게 나타난다.

① ㄱ   ② ㄴ   ③ ㄱ, ㄷ   ④ ㄴ, ㄷ   ⑤ ㄱ, ㄴ, ㄷ

02 ❯ 기조력

그림은 지구상의 한 지점 P점에 작용하는 기조력(T)과 여러 가지 힘을 나타낸 것이다.

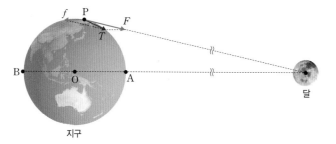

● 기조력은 달에 의한 만유인력과 원심력의 합력으로서 만유인력은 거리의 제곱에 반비례하고, 원심력의 크기는 지구상에서의 위치에 관계없이 모두 같다.

이에 대한 설명으로 옳은 것만을 보기에서 있는 대로 고른 것은?

보기
ㄱ. T의 크기는 A에서 최대, B에서 최소이다.
ㄴ. 힘 f의 크기와 방향은 지구상의 모든 곳에서 같다.
ㄷ. 힘 F의 크기는 A에서 최대, B에서 최소로 나타난다.

① ㄱ   ② ㄷ   ③ ㄱ, ㄴ   ④ ㄴ, ㄷ   ⑤ ㄱ, ㄴ, ㄷ

03 > 사리와 조금

그림은 태양, 지구, 달의 상대적 위치를 나타낸 것이다.

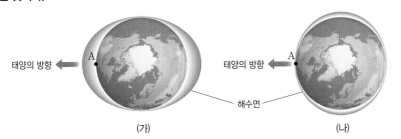

이에 대한 설명으로 옳은 것만을 보기에서 있는 대로 고른 것은?

보기
ㄱ. A에서는 간조, B에서는 만조가 나타난다.
ㄴ. 이날은 음력으로 15일경에 해당한다.
ㄷ. 이날 이후로 일주일 동안 조차는 계속 증가한다.

① ㄱ   ② ㄴ   ③ ㄱ, ㄷ   ④ ㄴ, ㄷ   ⑤ ㄱ, ㄴ, ㄷ

• 만조는 달을 향한 쪽과 반대쪽에서 동시에 나타난다.

04 > 사리와 조금

그림 (가)는 보름달이 관측될 때 해수면이 부푼 모양을, (나)는 약 7일 후 해수면의 모양을 나타낸 것이다.

태양의 방향 ← A

태양의 방향 ← A

해수면

(가)   (나)

이에 대한 설명으로 옳은 것만을 보기에서 있는 대로 고른 것은?

보기
ㄱ. (가) 시기보다 (나) 시기에 조차가 작다.
ㄴ. (나) 시기에 하현달이 관측된다.
ㄷ. A에서 기조력은 (가)보다 (나)일 때 더 크다.

① ㄱ   ② ㄷ   ③ ㄱ, ㄴ   ④ ㄴ, ㄷ   ⑤ ㄱ, ㄴ, ㄷ

• 달이 태양과 일직선을 이룰 때 조차가 가장 크고, 지구를 중심으로 태양과 달이 직각을 이룰 때 조차가 가장 작다.

05 〉조석과 달의 위상
그림은 태양, 지구, 달의 상대적 위치 변화를 나타낸 것이다.

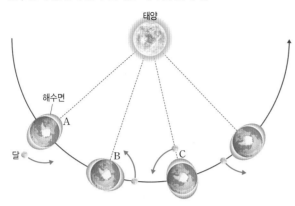

A~C 위치에서의 조석에 대한 설명으로 옳은 것만을 보기에서 있는 대로 고른 것은?

보기
ㄱ. A 위치에서 달의 위상은 보름달이며 사리가 나타난다.
ㄴ. B 위치에서는 조차가 최소이다.
ㄷ. A에서 C까지 걸린 시간은 음력으로 한 달에 해당한다.

① ㄱ   ② ㄷ   ③ ㄱ, ㄴ   ④ ㄴ, ㄷ   ⑤ ㄱ, ㄴ, ㄷ

06 〉조차
그림은 상현달이 관측된 어느 날 우리나라 남해에서 해수면 높이 변화를 나타낸 것이다.

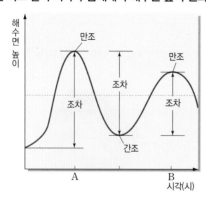

이에 대한 설명으로 옳은 것만을 보기에서 있는 대로 고른 것은?

보기
ㄱ. A는 낮 12시이다.
ㄴ. A와 B일 때 조차가 다른 것은 달이 공전했기 때문이다.
ㄷ. 다음날 첫 번째 만조가 일어날 때의 조차는 이날 첫 번째 만조가 일어날 때의 조차보다 더 크다.

① ㄱ   ② ㄷ   ③ ㄱ, ㄴ   ④ ㄴ, ㄷ   ⑤ ㄱ, ㄴ, ㄷ

• 달의 위상이 보름달이나 삭일 때 사리가 나타나고, 상현달이나 하현달일 때 조금이 나타난다.

• 달의 공전 궤도면이 지구의 적도면과 일치하지 않기 때문에 지구상의 위치에 따라 하루 동안 일어나는 만조의 높이가 달라진다.

그림은 2019년 4월 10일 국립해양조사원에서 발표한 인천 앞바다에서의 조석 예보이다.

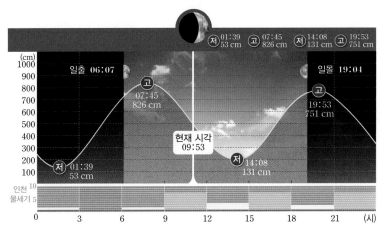

> 간조에서 만조가 될 때는 밀물이 생긴다. 또한 조석 주기는 하루에 약 50분씩 늦어지므로 조석 그래프는 하루에 약 50분씩 오른쪽으로 이동한다.

이에 대한 설명으로 옳은 것만을 보기에서 있는 대로 고른 것은?

보기
ㄱ. 이날 새벽 6시경에 밀물이 나타났다.
ㄴ. 다음날 7시 45분에 해수면 높이는 826 cm보다 높아질 것이다.
ㄷ. 다음날 조차는 이날보다 작아질 것이다.

① ㄴ ② ㄷ ③ ㄱ, ㄴ ④ ㄱ, ㄷ ⑤ ㄱ, ㄴ, ㄷ

08 ▶ 조석 현상
표는 우리나라 인천에서 2019년 5월 15~21일 사이의 조석 예보표를 나타낸 것이다.

05.15(수)	05.16(목)	05.17(금)	05.18(토)	05.19(일)	05.20(월)	05.21(화)
고 01:39 699 cm	고 02:44 773 cm	고 03:36 840 cm	고 04:21 886 cm	고 05:04 909 cm	고 05:54 912 cm	저 00:10 23 cm
저 07:53 192 cm	저 09:00 140 cm	저 09:55 95 cm	저 10:43 70 cm	저 11:27 65 cm	저 12:08 78 cm	고 06:22 900 cm
고 14:10 768 cm	고 15:06 808 cm	고 15:54 835 cm	고 16:37 845 cm	고 17:17 839 cm	고 17:55 823 cm	저 12:46 105 cm
저 20:36 151 cm	저 21:28 90 cm	저 22:13 44 cm	저 22:55 19 cm	저 23:34 13 cm	—:— — cm	고 18:31 799 cm

> 사리는 달, 지구, 태양이 일직선상에 놓일 때 나타나므로 달은 보름달이나 삭으로 관측된다. 일주조는 하루 동안 한 번의 만조와 한 번의 간조가 일어나는 조석 현상이다.

이에 대한 설명으로 옳은 것만을 보기에서 있는 대로 고른 것은?

보기
ㄱ. 우리나라의 조석 형태는 일주조에 해당한다.
ㄴ. 이 시기에 사리가 나타났다.
ㄷ. 19일경에는 상현달이 관측되었다.

① ㄱ ② ㄴ ③ ㄱ, ㄷ ④ ㄴ, ㄷ ⑤ ㄱ, ㄴ, ㄷ

고난도

09 ▶ 조석 현상

2019년 3월 21일부터 24일까지 '진도 신비의 바닷길 축제'가 열렸다. 그림은 바닷길이 열리는 원리를, 표는 이 기간 동안 간조가 나타나는 시각과 조위(해수면 높이)를 나타낸 것이다.

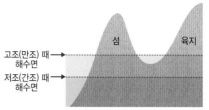

바닷길이 열리려면 조차가 커서 간조 때 해수면이 매우 낮아져야 한다. 조차가 클 때는 간조 때 해수면이 더욱 낮아지고 만조 때 해수면이 더욱 높아진다.

일정			오전		오후	
월	일	요일	시각	조위	시각	조위
3	21	목	05 : 30	−35	18 : 30	−6
	22	금	06 : 10	−37	18 : 40	−15
	23	토	06 : 50	−22	19 : 10	−12
	24	일	07 : 40	6	19 : 50	2

이에 대한 설명으로 옳은 것만을 보기에서 있는 대로 고른 것은?

> 보기
>
> ㄱ. 이 기간 동안 사리가 나타났다.
> ㄴ. 22일 밤에는 상현달이 관측되었다.
> ㄷ. 이 기간 동안 만조 때도 평상시보다 수위가 낮았다.

① ㄱ   ② ㄷ   ③ ㄱ, ㄴ   ④ ㄴ, ㄷ   ⑤ ㄱ, ㄴ, ㄷ

10 ▶ 조석

그림은 서해안 어느 지역의 해수면 높이 변화와 간조와 만조 시각을 나타낸 것이다.

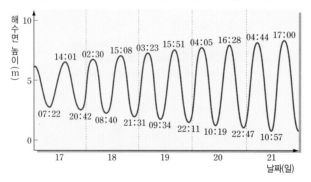

달의 위상이 상현달이나 하현달에서 각각 보름달이나 삭으로 진행할 때 조차가 커진다. 조석이 매일 약 50분씩 늦어져도 만조와 만조, 간조와 간조가 일어나는 시각의 간격은 변하지 않는다.

이 기간에 일어난 변화로 옳은 것만을 보기에서 있는 대로 고른 것은?

> 보기
>
> ㄱ. 조차가 증가했다.
> ㄴ. 달이 반달 모양에 가까워졌다.
> ㄷ. 밀물과 썰물이 지속되는 시간이 모두 증가했다.

① ㄱ   ② ㄷ   ③ ㄱ, ㄴ   ④ ㄴ, ㄷ   ⑤ ㄱ, ㄴ, ㄷ

11 ▶사리와 조금

그림은 서해안 어느 지역에서 일정 기간 동안 관측한 해수면의 높이 변화를 나타낸 것이다.

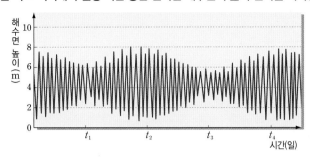

이에 대한 설명으로 옳은 것만을 보기에서 있는 대로 고른 것은?

> **보기**
>
> ㄱ. t_1일 때 달의 위상은 삭이다.
>
> ㄴ. t_2일 때 태양, 달, 지구가 일직선상에 위치하였다.
>
> ㄷ. t_1과 t_3 사이의 시간 간격은 음력으로 약 한 달에 해당한다.

① ㄱ   ② ㄴ   ③ ㄷ   ④ ㄴ, ㄷ   ⑤ ㄱ, ㄴ, ㄷ

• 음력으로 한 달 동안 망, 하현, 삭, 상현이 모두 나타나므로, 한 달 동안 사리와 조금이 각각 두 번씩 나타난다.

고난도
12 ▶조석의 형태

그림 (가)는 동일 경도상에 위치한 두 지역 A, B에 달이 남중했을 때 해수면의 모습을, (나)의 P, Q는 이 두 지역에서의 시간에 따른 해수면 높이 변화를 순서 없이 나타낸 것이다.

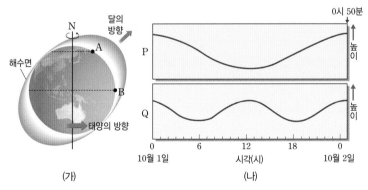

(가)   (나)

이날 A와 B 지역에 나타난 조석 현상에 대한 설명으로 옳은 것만을 보기에서 있는 대로 고른 것은?

> **보기**
>
> ㄱ. A 지역은 P에 해당하고, B 지역은 Q에 해당한다.
>
> ㄴ. A 지역에 만조가 나타날 때 B 지역에는 간조가 나타난다.
>
> ㄷ. A와 B 지역 모두 만조에서 다음 만조가 나타나는 시각은 약 50분씩 늦어진다.

① ㄱ   ② ㄷ   ③ ㄱ, ㄴ   ④ ㄴ, ㄷ   ⑤ ㄱ, ㄴ, ㄷ

• 일주조는 하루 동안 한 번의 만조와 한 번의 간조가 일어나는 조석 현상으로 주로 고위도 지역에서 나타난다.

2

대기의 운동과 순환

01 단열 변화와 구름의 발생

학습 Point 단열 변화 ＞ 푄 ＞ 대기 안정도와 구름 ＞ 안개

 단열 변화

일반적으로 물체에 열을 가하면 내부 에너지가 증가해서 온도가 높아진다. 그런데 열을 가하지 않아도 물체를 압축하거나 팽창시키면 내부 에너지가 변화하면서 물체의 온도가 변하는데, 이를 단열 변화라고 한다.

1. 단열 변화

지상에서 높은 곳으로 갈수록 기압은 점점 낮아지므로, 상승하거나 하강하는 공기 덩어리는 기압 변화로 인해 팽창하거나 압축된다. 이 과정에서 공기 덩어리의 내부 에너지가 감소하거나 증가하여 기온이 변하는데, 이렇게 공기 덩어리가 주변과의 열 교환 없이 팽창하거나 압축되어서 기온이 변하는 현상을 단열 변화(adiabatic change)라고 한다.

(1) **단열 팽창**: 공기 덩어리가 상승하면 주위 기압이 낮아지므로 팽창한다. 이때 공기 덩어리는 내부 에너지를 이용하여 외부에 일을 한 것이므로, 공기 덩어리가 외부에 일을 한 만큼 내부 에너지가 감소하여 온도가 낮아진다. 이렇게 공기 덩어리가 상승하면서 팽창하여 기온이 낮아지는 것을 단열 팽창(adiabatic expansion)이라고 한다.

(2) **단열 압축**: 공기 덩어리가 하강하면 주위 기압이 높아지므로 압축된다. 이때 외부에서 공기 덩어리에 일을 하는 것이므로, 공기 덩어리가 외부에서 일을 받은 만큼 공기 덩어리의 내부 에너지가 증가하여 온도가 높아진다. 이렇게 공기 덩어리가 하강하면서 압축되어 기온이 높아지는 것을 단열 압축(adiabatic compression)이라고 한다.

단열 과정

단열 과정은 주위 환경과 완전히 차단되어 열적으로 고립된 계에서 일어나는 이상적인 상황을 가정한 것이다. 공기는 열전도율이 낮아서 상승하거나 하강해도 주위 공기와의 열 교환이 거의 일어나지 않는다. 따라서 공기 덩어리가 상승 또는 하강하면서 온도가 변하는 것은 팽창이나 압축에 의한 것이므로, 단열 과정으로 볼 수 있다.

공기 덩어리의 온도

공기 덩어리의 온도는 내부 공기 분자의 평균 운동 에너지에 비례한다. 즉, 공기 분자의 평균 속력이 클수록 기온이 높다. 이를 수식으로 나타내면 다음과 같다.

$$\frac{3}{2}kT = \frac{1}{2}mv^2$$

(k: 볼츠만 상수로, 1.38×10^{-23} J/K이다.)

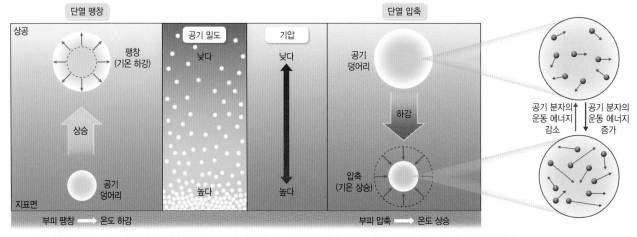

▲ **공기의 상승과 하강에 따른 단열 변화** 상승(하강)하는 공기 덩어리는 부피가 팽창(압축)되면서 단열 변화에 따라 기온이 하강(상승)한다.

2. 단열 변화에서 기온과 이슬점의 변화

공기 덩어리가 상승 또는 하강하며 단열 변화할 때 높이에 따라 기온이 변하는 정도를 단열 감률이라고 하며, 단열 감률은 수증기의 포화 여부에 따라 다르다.

(1) 건조 단열 감률: 수증기로 포화되지 않은 공기 덩어리, 즉 불포화 상태인 공기 덩어리가 상승하면 단열 팽창하여 높이 1 km마다 기온이 약 10 ℃씩 낮아진다. 이처럼 불포화 공기 덩어리가 주위와의 열 교환 없이 상승 또는 하강하면서 일어나는 기온 변화를 건조 단열 변화라 하고, 이때의 기온 변화율을 건조 단열 감률이라고 한다. ➡ 1 ℃/100 m

(2) 습윤 단열 감률: 상대 습도가 100 %인 공기, 즉 포화 상태인 공기 덩어리가 상승하면 수증기가 응결하면서 숨은열을 방출하므로 기온 감률이 건조 단열 감률보다 작다. 포화 공기가 상승하면 평균적으로 높이 1 km마다 기온이 약 5 ℃씩 낮아지는데, 이를 습윤 단열 감률이라고 한다. 기온과 기압에 따라 포화 수증기량이 달라져서 수증기가 응결할 때 방출하는 숨은열의 양이 다르므로 습윤 단열 감률은 고도가 낮을수록, 기온이 높을수록 작아진다. ➡ 약 0.5 ℃/100 m

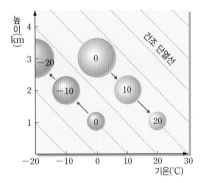

▲ **건조 단열 감률** 불포화 공기가 상승(하강)하면 100 m마다 기온이 1 ℃씩 낮아진다(높아진다).

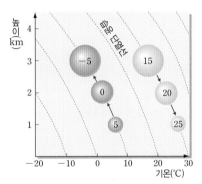

▲ **습윤 단열 감률** 포화 공기가 상승(하강)하면 100 m마다 기온이 약 0.5 ℃씩 낮아진다(높아진다).

(3) 이슬점 감률: 불포화 공기 덩어리가 상승하면 단열 팽창하여 온도가 건조 단열 감률에 따라 낮아져서 내부의 수증기압이 감소한다. 따라서 공기 덩어리가 상승할수록 수증기가 응결하기 어려워져서 이슬점이 낮아지며, 이를 이슬점 감률이라고 한다. 불포화 공기와 포화 공기의 이슬점 감률은 다른데, 불포화 공기는 1 km 상승할 때마다 이슬점이 2 ℃씩 낮아지며(0.2 ℃/100 m), 포화 공기는 1 km 상승할 때마다 이슬점이 5 ℃씩 낮아지므로(0.5 ℃/100 m) 이슬점 감률이 습윤 단열 감률과 같다.

(4) 단열 선도: 상승 또는 하강하며 단열 변화하는 공기 덩어리의 온도와 이슬점 변화를 분석하기 위해 건조 단열선, 습윤 단열선, 이슬점 감률선 등을 함께 나타낸 그래프를 단열 선도라고 한다. 지상에서 불포화 공기가 상승할 때, 이 공기의 지상에서의 기온을 지나는 건조 단열선과 이슬점을 지나는 이슬점 감률선의 교점의 높이에서 수증기가 응결하기 시작한다.

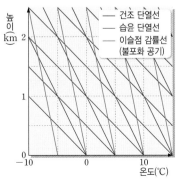

▲ **단열 선도**

상대 습도, 절대 습도, 이슬점

- 상대 습도(%)= $\dfrac{\text{현재 수증기량}}{\text{포화 수증기량}} \times 100$

- 절대 습도: 단위 부피에 포함된 수증기의 질량(현재 수증기량)

- 이슬점: 상대 습도가 100 %에 도달하여 수증기가 물방울로 응결하기 시작할 때의 기온

- 불포화 공기는 온도가 이슬점보다 높아서 상대 습도가 100 % 미만이고, 포화 공기는 온도와 이슬점이 같아서 상대 습도가 100 %이다.

숨은열(잠열)

물이 상태 변화할 때 필요한 열을 숨은열 또는 잠열이라고 하며, 기화열, 융해열, 승화열 등이 이에 해당한다.

- 융해열 : 0 ℃ 얼음 → 0 ℃ 물(336 J/g)

- 기화열 : 100 ℃ 물 → 100 ℃ 수증기(2260 J/g)

물질이 상태 변화할 때는 외부에서 열을 가해도 상태 변화에 열을 소모하므로 온도는 변하지 않는다.

3. 상승 응결 고도

(1) **상승 응결 고도**: 불포화된 공기 덩어리가 상승할 때 포화 상태에 도달하여 응결이 일어나기 시작하는 높이를 상승 응결 고도라고 한다. 상승 응결 고도(H)는 상승한 공기의 온도(T)와 이슬점(T_d)이 같아지는 높이로, 이 높이에서 상대 습도가 100 %에 도달하여 포화 상태가 되므로 수증기가 응결하여 구름이 만들어지기 시작한다. 공기 덩어리가 상승 응결 고도 이상으로 계속 상승하면 단열 팽창하여 포화 상태(상대 습도 100 %)를 유지하면서 습윤 단열 감률로 기온이 낮아지고 수증기가 응결하며 절대 습도가 낮아진다.

(2) **상승 응결 고도의 계산**: 지표면에서 상승하기 시작하는 공기의 기온과 이슬점을 각각 T와 T_d라고 하면, 건조 단열 감률(1 ℃/100 m)과 이슬점 감률(0.2 ℃/100 m)을 이용하여 상승 응결 고도(H)를 다음과 같이 구할 수 있다.

$$T - \frac{1.0\,℃}{100\,\text{m}} \times H = T_d - \frac{0.2\,℃}{100\,\text{m}} \times H \implies H(\text{m}) = 125(T - T_d)$$

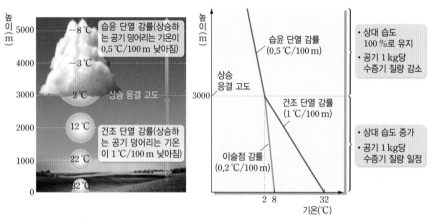

▲ 단열 상승 시 기온 변화

상승 응결 고도를 결정하는 값
지표면에서의 기온과 이슬점의 차이가 클수록 높은 고도에서 구름이 생성되고, 그 차이가 작을수록 낮은 고도에서 구름이 생성된다.

2 푄

우리나라의 봄과 초여름에는 태백산맥을 넘어서 불어오는 고온 건조한 높새바람에 의해 농토와 농작물이 말라 피해가 발생하기도 한다. 이처럼 산을 넘어온 공기가 고온 건조해지는 현상을 푄이라고 하며, 높새바람은 푄의 일종이다.

1. 푄

산 사면을 타고 공기가 상승할 때는 단열 팽창으로 건조 단열 감률과 이슬점 감률을 따라 기온과 이슬점이 각각 낮아지고, 상승 응결 고도에 이르면 수증기가 응결하여 구름이 만들어져 비가 내리며 습윤 단열 감률을 따라 기온과 이슬점이 낮아진다. 이후 공기 덩어리가 산을 넘어 하강할 때는 단열 압축으로 건조 단열 감률을 따라 기온이 높아지고, 이슬점 감률을 따라 이슬점이 높아진다. 그 결과 산을 넘어 온 공기는 산을 넘기 전보다 고온 건조한 상태가 되는데, 이러한 현상을 푄이라고 한다.

우리나라의 높새바람
우리나라에서 태백산맥을 넘는 공기 덩어리에 의해 푄의 일종인 높새바람이 자주 발생한다. 동해에서 수증기를 공급받은 습윤한 공기가 태백산맥을 넘을 때 동쪽 지방에 비를 내린 후, 서쪽 지방에서는 고온 건조한 바람이 분다. 이 바람을 높새바람이라고 하며, 오호츠크해 기단의 영향을 받는 늦봄에서 초여름에 걸쳐 나타난다.

2. 푄에 의한 기온과 이슬점 변화

집중 분석 090쪽

지표에서 기온 30 ℃, 이슬점 22 ℃인 공기 덩어리가 높이 2000 m인 산을 넘을 때의 기온과 이슬점 변화는 다음과 같다.

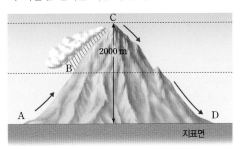
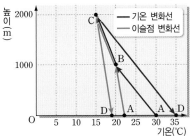

▲ 푄의 원리

(1) **A → B 과정:** 공기 덩어리가 상승하면서 불포화 상태로 단열 팽창하므로 기온(T)은 건조 단열 감률(1 ℃/100 m)에 따라 낮아지고 이슬점(T_d)은 이슬점 감률(0.2 ℃/100 m)에 따라 낮아진다. 이 공기의 상승 응결 고도(H)는 다음과 같이 구할 수 있다.

$$H=125(T-T_d)=125\times(30-22)=1000(m)$$

상승 응결 고도(1000 m)인 B 지점에서는 기온(T)과 이슬점(T_d)이 20 ℃로 같아지고 상대 습도는 100 %가 되므로 수증기가 응결하여 구름이 생성되기 시작한다.

$$T=30-\left(1000\times\frac{1.0}{100}\right)=20(℃), \quad T_d=22-\left(1000\times\frac{0.2}{100}\right)=20(℃)$$

(2) **B → C 과정:** 공기 덩어리가 포화 상태로 단열 팽창하므로 기온이 습윤 단열 감률(0.5 ℃/100 m)에 따라 낮아지면서 비가 내리고, 이슬점도 습윤 단열 감률에 따라 낮아진다. 높이 2000 m인 산 정상인 C 지점에서의 기온과 이슬점은 다음과 같다.

$$T=20-\left(1000\times\frac{0.5}{100}\right)=15(℃), \quad T_d=20-\left(1000\times\frac{0.5}{100}\right)=15(℃)$$

(3) **C → D 과정:** 공기 덩어리가 산을 넘어 하강하면 불포화 상태로 단열 압축되므로 기온은 건조 단열 감률에 따라, 이슬점은 이슬점 감률에 따라 높아진다. 그 결과 산맥을 넘어온 D 지점에서의 기온과 이슬점은 다음과 같다.

$$T=15+\left(2000\times\frac{1.0}{100}\right)=35(℃), \quad T_d=15+\left(2000\times\frac{0.2}{100}\right)=19(℃)$$

산을 넘어온 D 지점의 공기는 A 지점에서보다 기온은 5 ℃ 높아지고 이슬점은 3 ℃ 낮아진다. 즉, 푄이 발생하면 공기는 고온 건조해진다.

푄과 비그늘 사막
푄이 장기간 지속되는 경우에는 풍하측에 건조한 사막이 형성되는데, 이렇게 생성된 사막을 비그늘 사막이라고 한다. 히말라야 산맥에 가로막힌 몽골의 고비사막과 중국의 타클라마칸사막이 비그늘 사막의 대표적인 예이다.

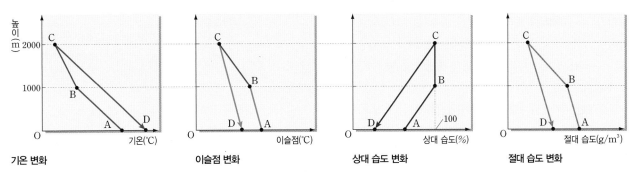

▲ 푄에 의한 공기 덩어리의 물리량 변화

3 대기 안정도와 구름

상승하거나 하강하는 공기 덩어리는 단열 변화하며 온도가 변한다. 이때 공기 덩어리의 온도가 주위 온도보다 높으면 상승하고 주위 온도보다 낮으면 하강한다. 이와 같은 공기의 연직 운동은 대기 안정도에 의해 결정된다.

1. 대기 안정도

(탐구) 088쪽

(1) 대기 안정도

① 안정: 단열 변화하며 상승한 공기 덩어리가 주위보다 온도가 낮은 경우에는 공기 덩어리의 밀도가 상대적으로 커서 원래의 고도로 하강하고, 하강한 공기 덩어리가 주위보다 온도가 높은 경우에는 공기 덩어리의 밀도가 상대적으로 작아서 원래의 고도로 상승한다. 이렇게 기온 감률이 단열 감률보다 작아서 공기 덩어리를 연직 방향으로 움직일 때 제자리로 돌아가려는 경향을 나타내면 이 기층은 안정(stable)하다고 한다.

• 공기 덩어리의 운동: h_0에 있는 불포화 공기가 h_1으로 상승하면 건조 단열 감률로 기온이 변하므로 주위보다 온도가 낮아서 원래의 위치로 되돌아온다. 반면 h_2로 하강한 공기 덩어리는 주위보다 온도가 높아서 다시 원래의 위치(h_0)로 되돌아온다.

• 안정한 대기에서는 연직 운동이 활발하지 않으므로 대기 오염 물질의 농도가 높아지고, 구름이 생기면 수평으로 발달한 층운형 구름이 생성된다.

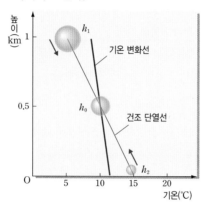
▲ 안정한 상태

② 불안정: 단열 변화하며 상승한 공기 덩어리가 주위보다 온도가 높은 경우에는 공기 덩어리의 밀도가 상대적으로 작아서 계속 상승하고, 하강한 공기 덩어리가 주위보다 온도가 낮은 경우에는 공기 덩어리의 밀도가 상대적으로 커서 계속 하강한다. 이렇게 기층의 기온 감률이 단열 감률보다 커서 공기 덩어리를 연직 방향으로 움직였을 때 제자리로 돌아가지 않고 계속 상승하거나 하강하려고 하면 이 기층은 불안정(unstable)하다고 한다.

• 공기 덩어리의 운동: h_0에 있는 불포화 공기가 h_1으로 상승하면 건조 단열 감률로 기온이 낮아지므로 주위보다 온도가 높아서 계속 상승한다. 반면 h_2로 하강한 공기 덩어리는 주위보다 온도가 낮아서 계속 하강하다가 지면에서 멈춘다.

• 불안정한 대기에서는 연직 운동이 활발하게 일어나므로 대기 오염 물질이 잘 확산되며, 구름이 생기면 수직으로 발달한 적운형 구름이 생성된다.

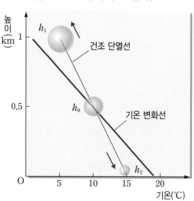
▲ 불안정한 상태

기층의 안정도와 연기의 확산 양상

• 안정한 상태

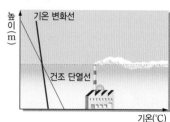

• 불안정한 상태

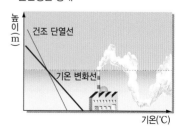

③ 중립: 단열 변화하며 상승 또는 하강하는 공기 덩어리의 기온이 주위 기온과 같은 경우에는 공기 덩어리가 옮겨간 자리에 그대로 머물러 있으려고 한다. 이렇게 기층의 기온 감률이 단열 감률과 같을 때 이 기층은 중립(neutral) 상태라고 한다.

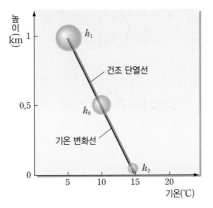

▲ 중립 상태

시선 집중 ★ **대기 안정도**

대기의 안정 상태 및 불안정 상태를 알기 위해 지면에 놓인 바위를 예로 설명할 수 있다. 그림에서 지면의 형태에 따라 바위 A와 B의 위치 변화가 결정된다. 바위 A는 힘껏 밀어서 위치를 바꾸더라도 곧바로 원래의 위치로 되돌아오지만, 바위 B는 살짝 밀어도 원래의 위치로부터 계속 멀어진다.

▲ 안정한 상태   ▲ 불안정한 상태

이와 비슷한 원리로 대기 안정도는 공기 덩어리가 연직 방향으로 잘 움직일 수 있는지에 따라 결정된다. 수증기의 응결을 고려하지 않는다면, 두 지역에서 상승하는 공기 덩어리의 온도는 건조 단열 감률로 낮아질 것이다. 아래 그림의 (가) 지역은 고도가 높아질수록 기온이 급격히 낮아지므로 공기 덩어리가 상승하더라도 여전히 주위보다 온도가 높아서 계속하여 상승한다. 반면 높이에 따라 기온이 서서히 낮아지는 (나) 지역에서는 상승한 공기 덩어리의 온도가 주위보다 낮아서 원래의 위치로 내려온다. 따라서 공기 덩어리의 움직임으로 보아 (가) 지역은 불안정한 대기이고 (나) 지역은 안정한 대기임을 알 수 있다.

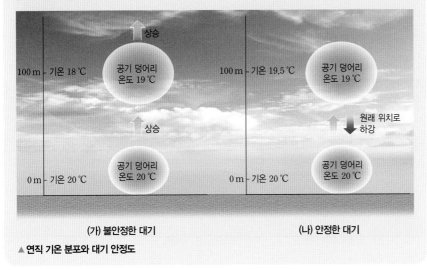

▲ 연직 기온 분포와 대기 안정도

기온 감률 측정

기온 감률은 라디오존데 관측이나 항공기 관측으로 얻을 수 있다. 라디오존데는 기온, 습도, 기압 등을 측정하여 전송하는 장치로, 헬륨 기체를 채운 풍선에 매달아 날려 보낸다.

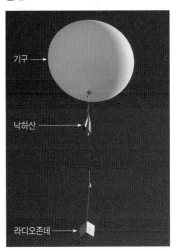

▲ 라디오존데

(2) **대기 안정도의 유형:** 대기 안정도는 기온 감률과 단열 감률을 비교하여 판단할 수 있다. 상승하는 공기 덩어리의 온도가 주위의 기온보다 낮으면 안정하고, 주위의 기온보다 높으면 불안정하다.

① **절대 안정:** 기층의 기온 감률이 습윤 단열 감률보다 작을 때는 포화 상태이거나 불포화 상태인 공기 덩어리 모두 강제로 상승하면 주위보다 기온이 낮고, 강제로 하강하면 주위보다 기온이 높아서 제자리로 돌아오려 한다. 이렇게 공기 덩어리의 포화 여부와 관계없이 안정한 기층의 상태를 절대 안정이라고 한다.

② **절대 불안정:** 기층의 기온 감률이 건조 단열 감률보다 클 때는 포화 상태이거나 불포화 상태인 공기 덩어리 모두 상승하면 주위보다 기온이 높아서 계속 상승하려 하고, 하강하면 주위보다 기온이 낮아서 계속 하강하려고 한다. 이렇게 공기 덩어리의 포화 여부와 관계없이 불안정한 기층의 상태를 절대 불안정이라고 한다.

③ **조건부 불안정:** 기층의 기온 감률이 건조 단열 감률보다는 작고 습윤 단열 감률보다는 클 때는 수증기의 포화 여부에 따라 기층의 안정도가 달라진다. 공기 덩어리가 불포화 상태에서는 안정하고 포화 상태에서는 불안정하므로, 상승 응결 고도까지는 강제로 상승되어야 하고, 공기 덩어리가 수증기로 포화되는 상승 응결 고도에서부터는 자발적으로 상승한다. 이러한 기층의 상태를 조건부 불안정이라고 한다.

기온 감률
기층에서 높이 올라갈수록 기온이 낮아지는 비율로, 대류권에서의 평균적인 기온 감률은 약 6.5 ℃/km이다.

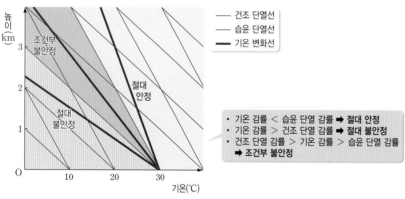

▲ **대기 안정도의 유형**

• 기온 감률 < 습윤 단열 감률 ➡ 절대 안정
• 기온 감률 > 건조 단열 감률 ➡ 절대 불안정
• 건조 단열 감률 > 기온 감률 > 습윤 단열 감률
  ➡ 조건부 불안정

(3) **역전층:** 대류권에서는 일반적으로 고도가 높을수록 기온이 낮아지지만, 고도가 높을수록 기온이 높아지는 경우도 있다. 이렇게 대류권 내에서 고도가 높아질수록 기온이 높아지는 경우를 기온 역전이라 하고, 기온 역전이 일어난 공기층을 역전층이라고 한다. 역전층은 절대 안정한 경우에 해당하며, 바람이 약한 맑은 날 새벽에 지표면의 복사 냉각 등의 요인으로 형성된다.

역전층과 대기 오염
역전층이 형성되면 대기가 매우 안정하여 오염 물질이 확산되지 못하므로 대기 오염이 심해진다.

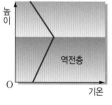

복사 역전층

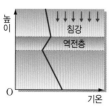

침강 역전층

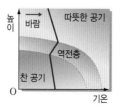

한랭형 전선 역전층

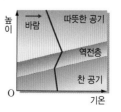

온난형 전선 역전층

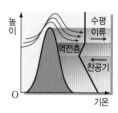

이류 역전층

▲ **역전층의 종류**

① **복사 역전층**: 낮 동안 태양 복사 에너지로 가열되었던 지표면이 해가 진 후 빠르게 냉각되면서 지표면 근처의 공기가 냉각되는 반면, 상부의 공기는 여전히 따뜻하여 기온 역전이 일어난다. 이러한 복사 역전은 바람이 거의 없는 맑은 날 새벽에 주로 일어나고, 지표 부근의 기온이 낮아지면서 복사 안개가 발생하기도 한다.

② **침강 역전층**: 고기압 중심의 하강 기류에서는 단열 압축으로 기온이 상승하는데, 이때 상층에서 침강하는 공기가 하층의 공기보다 기온이 더 높아져서 침강하는 공기와 하층의 공기 사이에 역전층이 형성될 수 있다.

③ **전선 역전층**: 한랭 전선과 온난 전선에서 모두 상층의 기온이 하층의 기온보다 높은데, 전선이 한곳에 오래 머물러 있는 경우에 전선 경계면에서 역전층이 형성될 수 있다.

④ **이류 역전층**: 따뜻한 공기가 찬 공기 위를 지나갈 때 두 공기의 경계면을 중심으로 형성되는 역전층으로 따뜻한 공기가 산을 넘어갈 때 형성된다.

2. 구름의 생성

구름은 여러 가지 과정을 거쳐 만들어지는데, 주로 공기 덩어리가 상승할 때 만들어진다. 공기 덩어리가 상승하면 단열 팽창으로 기온이 낮아지고, 공기 덩어리의 온도가 이슬점에 도달하는 상승 응결 고도에서 수증기가 물방울로 응결하기 시작하여 구름이 생성된다.

(1) 공기의 상승과 구름의 생성: 자연 상태에서 구름이 만들어지려면 지표면에서 공기가 상승해야 한다. 즉, 공기 덩어리는 지표면이 태양 복사 에너지를 받아 부분적으로 가열(부등 가열)될 때 가벼워져 상승하고, 바람에 의해 산이나 언덕의 사면을 타고 올라가기도 한다. 또 찬 공기와 따뜻한 공기가 만나는 전선면에서 따뜻한 공기가 상승하기도 하고, 찬 공기가 따뜻한 공기를 파고들면서 따뜻한 공기가 상승하기도 한다. 저기압 중심과 같이 공기가 수렴할 때도 공기 덩어리가 상승한다.

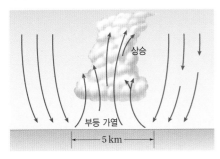

국지적으로 가열(부등 가열)되어 상승하는 공기

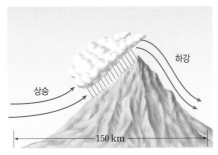

산 사면을 타고 상승하는 공기

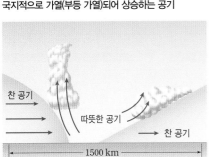

전선면에서 상승하는 공기

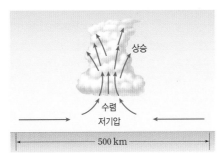

저기압에서 수렴하여 상승하는 공기

▲ 공기가 상승하며 구름이 생성되는 경우

전선면에서 발생하는 구름
온대 저기압의 온난 전선면을 따라 층운형 구름(권층운, 고층운, 난층운 등)이 생기고, 한랭 전선면에서는 적운형 구름(적운, 적란운)이 생긴다.

(2) 대기 안정도와 구름의 형태

① 절대 안정한 경우(기온 감률<습윤 단열 감률): 기층이 절대 안정한 경우 공기 덩어리가 강제로 상승하면 공기 덩어리의 기온이 건조 단열 감률로 낮아지다가 상승 응결 고도에 도달한 이후 습윤 단열 감률로 낮아진다. 상승 응결 고도에서 생성된 구름은 주위보다 온도가 낮아서 밀도가 크므로 계속 하강하려는 경향을 나타내고, 그 결과 수평으로 넓게 퍼져 층운형 구름이 만들어진다.

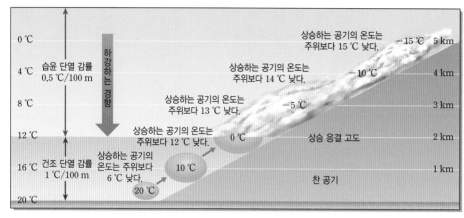 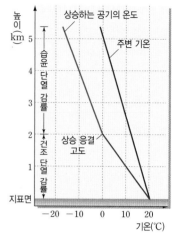

▲ 절대 안정한 기층에서 구름의 생성 과정

② 절대 불안정한 경우(기온 감률>건조 단열 감률): 기층이 절대 불안정한 경우에 상승하는 공기 덩어리는 항상 주위 공기보다 온도가 높아서 계속 상승하는 경향을 보인다. 이때 공기 덩어리의 기온은 건조 단열 감률로 낮아지다가 상승 응결 고도에 도달한 이후 습윤 단열 감률로 낮아진다. 상승 응결 고도에서 구름이 생성된 후에도 주위보다 온도가 높아서 계속 스스로 상승하는 경향을 보이므로 적운형 구름이 만들어진다.

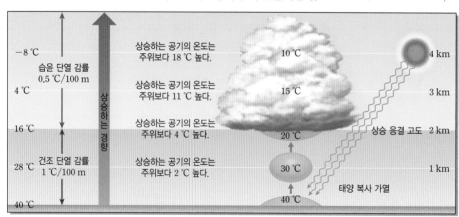 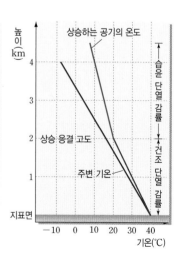

▲ 절대 불안정한 기층에서 구름의 생성 과정

③ 조건부 불안정한 경우(습윤 단열 감률<기온 감률<건조 단열 감률): 기층이 조건부 불안정한 경우에 공기 덩어리가 강제로 상승하면 공기 덩어리의 기온이 건조 단열 감률로 낮아지다가 상승 응결 고도에 도달한 이후 습윤 단열 감률로 낮아진다. 상승 응결 고도에서 구름이 생성된 후에는 주위보다 기온이 높아서 스스로 상승하는 경향을 보이므로 적운형 구름이 만들어진다.

자유 대류 고도
불포화 공기 덩어리가 강제로 단열 상승하여 포화된 후 계속 상승하다가 주위보다 온난해지는 고도로, 공기 덩어리는 이 고도에서부터 자유롭게 상승한다.

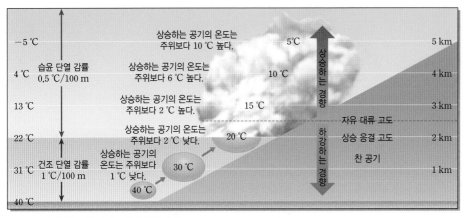

-5 ℃

4 ℃ 습윤 단열 감률 0.5 ℃/100 m

13 ℃

22 ℃

31 ℃ 건조 단열 감률 1 ℃/100 m

40 ℃

상승하는 공기의 온도는 주위보다 10 ℃ 높다. 5℃ — 5 km

상승하는 공기의 온도는 주위보다 6 ℃ 높다. 10 ℃ — 4 km

상승하는 공기의 온도는 주위보다 2 ℃ 높다. 15 ℃ — 3 km

자유 대류 고도

상승하는 공기의 온도는 주위보다 2 ℃ 낮다. 20 ℃ — 상승 응결 고도 2 km

찬 공기

상승하는 공기의 온도는 주위보다 1 ℃ 낮다. 30 ℃ — 1 km

40 ℃

상승하는 경향 / 하강하는 경향

▲ 조건부 불안정한 기층에서 구름의 생성 과정

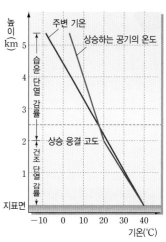

주변 기온 / 상승하는 공기의 온도

습윤 단열 감률 / 건조 단열 감률

상승 응결 고도

지표면

-10 0 10 20 30 40
기온(℃)

시야 확장 ➕ 구름의 종류

❶ 형태에 따른 분류
- 층운형 구름: 안정한 기층에서 옆으로 넓게 퍼지고 두께가 얇아 밝게 보이는 구름
- 적운형 구름: 불안정한 기층에서 연직으로 높게 발달하며 어둡게 보이는 구름

❷ 고도와 연직 범위에 따른 분류

고도	구분	종류	특징
6 km 이상	상층운	권운	가장 높이 떠 있음, 대부분 빙정
		권적운	빙정과 과냉각 물방울
		권층운	빙정, 햇무리·달무리 현상, 온난 전선 상공
2 km ~ 6 km	중층운	고적운	양떼구름, 날씨가 흐려짐
		고층운	온난 전선 접근, 가는 비 동반
		난층운	두꺼워 어두움, 연속적인 비
0 km ~ 2 km	하층운	층적운	부드러운 회색 조각, 물방울
		층운	흐린 회색, 물방울
지상 ~ 상층	연직운	적운	뭉게구름, 대부분 물방울
		적란운	회색 ~ 검정색, 번개와 소나기 동반

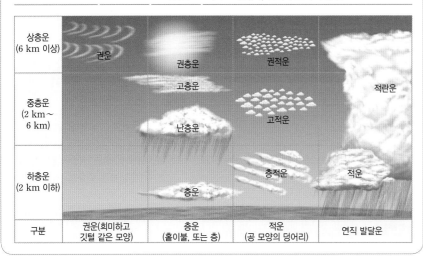

상층운 (6 km 이상)	권운	권층운	권적운	적란운
중층운 (2 km ~ 6 km)		고층운 난층운	고적운	
하층운 (2 km 이하)		층적운 층운		적운
구분	권운(희미하고 깃털 같은 모양)	층운 (홑이불, 또는 층)	적운 (공 모양의 덩어리)	연직 발달운

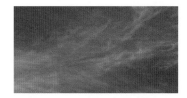

▲ 권운

▲ 권적운

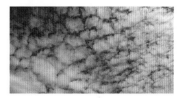

▲ 고적운

▲ 층적운

▲ 적운

4 안개

별이 밝게 빛나는 맑은 밤이 지나고 새벽이 되었을 때, 앞을 볼 수 없을 정도로 짙은 안개가 끼어 있는 경우가 자주 발생한다. 이 안개는 지면의 복사 냉각으로 발생한 것으로, 해가 뜨면 안개가 금방 걷히면서 날씨가 맑아진다.

1. 안개의 종류
안개는 지표 부근에서 수증기가 응결하여 생성된 작은 물방울이 떠 있는 현상으로, 공기의 냉각 또는 수증기량 증가에 의해 발생한다. 공기의 냉각으로 발생하는 안개에는 복사 안개, 이류 안개, 활승 안개가 있고, 수증기의 증발로 발생하는 안개에는 전선 안개, 증발 안개가 있다.

2. 안개의 생성 원인
(1) 공기의 냉각으로 발생하는 안개: 지표 부근의 공기가 냉각되어 기온이 이슬점 아래로 내려갈 때 발생하는 안개로, 복사 안개, 이류 안개, 활승 안개가 있다.

① **복사 안개:** 복사 냉각에 의해 지표 및 그 부근 공기의 온도가 낮아져서 이슬점 아래로 내려가 수증기가 응결하여 발생하는 안개를 복사 안개(radiation fog)라고 한다. 복사 안개는 맑은 날 바람이 없고 상대 습도가 높은 새벽에 잘 생성되며, 해가 뜨면 대기보다 지표가 더 빨리 가열되어 기온이 높아지면서 물방울이 증발하여 몇 시간 안에 사라진다.

복사 안개 발생

해가 진 후 지표면에서 복사 에너지가 방출되며 지표가 냉각되고, 지표 부근의 공기 하부가 냉각된다.

지표 부근의 공기의 온도가 이슬점 아래로 내려가면 수증기가 응결하여 안개가 발생한다.

▲ 복사 안개의 생성 과정

▲ 복사 안개

② **이류 안개:** 수증기를 포함한 따뜻한 공기가 차가운 지표면이나 수면 위를 통과할 때 공기의 하부층이 냉각되어 수증기가 응결하면서 발생하는 안개를 이류 안개(advection fog)라고 한다. 해안 지방이나 해상에서 발생하는 해무가 이에 속한다. 이류 안개는 낮에도 발생하며, 이류 안개가 발생하려면 $2\,\text{m/s} \sim 3\,\text{m/s}$의 적당한 풍속이 필요하다.

이류 안개 발생

온난 습윤한 공기가 차가운 지표면이나 수면 위를 통과하면 공기의 하부층이 냉각된다.

차가운 해수면

▲ 이류 안개의 생성 과정

▲ 이류 안개

안개와 구름의 차이
안개와 구름은 외형과 구조가 같지만, 생성 원인과 장소가 다르다. 구름은 공기가 상승할 때 단열 냉각되어 발생하고, 안개는 지표 부근에서 공기가 냉각되거나 수증기가 추가되어 포화될 경우에 발생한다.

복사 안개가 생성되기 좋은 조건
- 구름이 없고 바람이 거의 없는 안정한 대기 상태로서 습도가 높을수록 복사 안개가 잘 발생한다.
- 수증기가 빠져나가기 힘든 분지 지역에서 잘 발생한다.

맑은 날에 복사 안개가 잘 생기는 까닭
맑은 날일수록 지표에서 방출하는 복사 에너지가 원활히 빠져나갈 수 있어서 지표가 많이 냉각되므로 복사 안개가 잘 발생한다. 복사 안개와 관련하여 '아침 짙은 안개는 날씨가 맑을 징조이다'라는 속담이 있다.

해무
우리나라에서는 해수면 온도보다 기온이 높은 4~10월에 해무가 발생한다. 특히, 황해안은 조석 간만의 차이가 커서 해수면 온도의 일교차가 크기 때문에 공기와 수면의 온도 차로 인해 해무가 발생할 가능성이 크다. 해무는 복사 안개와 달리 낮에도 발생하며 매우 맑은 날보다는 남풍이 불고 층운이 형성되어 있는 날에 발생 빈도가 더 높다.

③ 활승 안개: 상대적으로 습윤한 공기가 산 사면이나 완만하게 경사진 지형을 따라 상승할 때 단열 팽창으로 냉각되어 기온이 이슬점 아래로 내려가면서 수증기가 응결하여 발생하는 안개를 활승 안개(upslope fog)라고 한다.

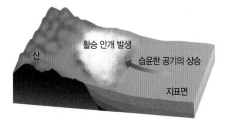

▲ 활승 안개의 생성 과정

▲ 활승 안개

(2) **수증기량 증가에 의해 발생하는 안개:** 증발로 인해 공기 중에 수증기량이 증가하여 포화 상태가 될 때 발생하는 안개로, 증발 안개와 전선 안개가 있다.

① 증발 안개: 차갑고 불포화된 공기가 따뜻한 수면 위로 이동하면서 수면에서 증발한 수증기가 찬 공기에 의해 냉각되어 포화될 때 생성되는 안개를 증발 안개(evaporation fog)라고 한다. 이때 공기의 아래쪽부터 가열되므로 불안정해져서 연직 혼합에 의해 안개를 흩어져 사라지게 하는 작용이 동시에 일어난다. 따라서 증발 안개가 발생하려면 온도 차가 매우 커야 한다. 겨울철 한랭한 지방에서 맑은 날 새벽녘에 호수나 하천의 수면 위에 김같이 서리는 김안개(steam fog)도 증발 안개에 속한다.

② 전선 안개: 온난 습윤한 공기가 상대적으로 차고 건조한 공기 위로 올라가는 전선 경계에서 발생하는 안개를 전선 안개(frontal fog)라고 한다. 온난 전선에서 따뜻한 공기가 전선면을 타고 상승할 때, 단열 팽창으로 냉각되어 구름이 생기고 비가 내린다. 이 빗방울이 전선면 아래쪽의 찬 공기 중으로 떨어지면서 증발한 수증기로 공기가 포화되어 안개가 발생한다. 전선 안개는 이슬비와 같은 약한 비가 지속적으로 내리는 추운 날에 자주 발생하는데, 그 까닭은 강한 비가 내리거나 바람이 세게 불면 찬 공기를 통과하는 빗방울이 증발하기 어렵고 안개가 발생해도 바람에 의해 빠르게 분산되기 때문이다.

전선 안개의 다른 형태
· 전선을 따라서 따뜻한 공기와 찬 공기가 혼합될 때 따뜻한 공기에서 증발한 수증기가 응결하여 발생하는 안개
· 전선이 통과한 후 강수로 습해진 지표면에서 수증기가 증발하고, 복사 냉각으로 응결하여 발생하는 안개

▲ 증발 안개의 생성 과정

▲ 전선 안개의 생성 과정

공기의 냉각에 의한 안개	복사 안개	복사 냉각에 의해 지표면의 기온이 하강할 때 생성
	이류 안개	온난 습윤한 공기가 차가운 지표로 이동할 때 생성 (예: 해무)
	활승 안개	지형을 따라 공기가 상승하여 냉각되면서 생성
수증기량 증가에 의한 안개	증발 안개	찬 공기가 따뜻한 수면 위를 지날 때 물이 증발하여 생성
	전선 안개	온난 전선 부근에서 약한 비가 내려 수증기가 증발할 때 생성

▲ 안개의 유형과 발생 원리

단열 선도를 이용하여 대기 안정도 해석하기

높이에 따른 기온 변화 자료와 단열 선도를 이용하여 대기 안정도를 해석할 수 있다.

과정

표는 A~C 지점에서 높이에 따른 기온(℃) 분포를 나타낸 것이고, 그림은 단열 선도를 나타낸 것이다.

지점＼높이(m)	0	100	200	300	400	500	600	700	800	900	1000
A	14	13	12	11	10	9	8	7	6	5	4
B	16	17	18	19	17	15	13	11	9	7	5
C	12	10	8	6	9	11	13	12	11	10	9

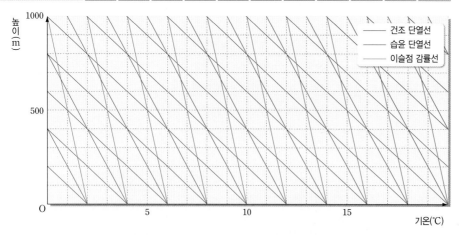

1 **A~C 지점의 기온 변화선을 단열 선도에 그려 넣고, 불포화 공기의 대기 안정도를 판정해 보자.**

➡ 각 지점의 높이에 따른 기온을 점으로 찍고 선으로 이어 기온 변화선을 그리면 다음과 같다.

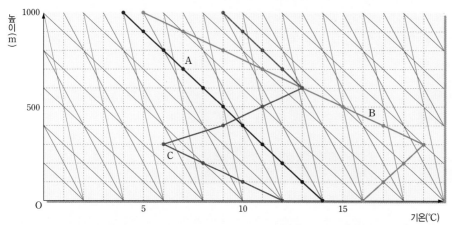

➡ 각 지점의 기온 감률을 단열 감률과 비교하여 불포화 공기의 대기 안정도를 판정하면 다음과 같다.

지점＼구간	지표면~높이 300 m	높이 300 m~600 m	높이 600 m~900 m
A	중립	중립	중립
B	절대 안정	절대 불안정	절대 불안정
C	절대 불안정	절대 안정	중립

단열 선도를 그릴 때 유의할 점
A~C 세 지점의 기온 변화를 단열 선도에 그릴 때, 색깔을 달리해서 알아보기 쉽도록 표현한다.

대기 안정도
· 안정: 기층의 기온 감률이 단열 감률보다 작을 때
· 불안정: 기층의 기온 감률이 단열 감률보다 클 때
· 중립: 기층의 기온 감률이 단열 감률과 같을 때

2 지표면의 A~C 지점에서 수증기로 포화되지 않은 공기 덩어리와 포화된 공기 덩어리가 강제로 상승할 때, 높이 200 m에서 주변 기온과 공기 덩어리의 온도를 비교하여 대기 안정도를 판정해 보자. (단, 지표면의 각 지점에서 공기 덩어리의 온도는 주변 기온과 같다.)

➡ 불포화 공기는 건조 단열 감률(1 ℃/100 m)에 따라, 포화 공기는 습윤 단열 감률(0.5 ℃/100 m)에 따라 온도가 변하므로 각 지점에서 200 m까지 공기 덩어리가 강제로 상승할 때 온도 변화는 다음과 같다.

• 대기 안정도의 유형
• 습윤 단열 감률 > 기온 감률
➡ 절대 안정
• 건조 단열 감률 < 기온 감률
➡ 절대 불안정
• 건조 단열 감률 > 기온 감률 >
  습윤 단열 감률
➡ 조건부 불안정

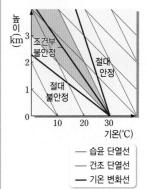

— 습윤 단열선
— 건조 단열선
— 기온 변화선

지점	구분	온도(℃)			공기 덩어리 온도 − 주변 기온	공기 덩어리의 움직임	대기 안정도	
		0 m	200 m에서 공기 덩어리 온도	200 m에서 주변 기온				
A	불포화	14	$14-1\times\dfrac{200}{100}=12$	12	$12-12=0$	없음	중립	조건부 불안정
	포화	14	$14-0.5\times\dfrac{200}{100}=13$	12	$13-12=1$	상승	불안정	
B	불포화	16	$16-1\times\dfrac{200}{100}=14$	18	$14-18=-4$	하강	안정	절대 안정
	포화	16	$16-0.5\times\dfrac{200}{100}=15$	18	$15-18=-3$	하강	안정	
C	불포화	12	$12-1\times\dfrac{200}{100}=10$	8	$10-8=2$	상승	불안정	절대 불안정
	포화	12	$12-0.5\times\dfrac{200}{100}=11$	8	$11-8=3$	상승	불안정	

➡ A 지점의 공기 덩어리를 강제로 상승시킬 때 불포화 상태인 경우는 중립, 포화 상태인 경우는 불안정하므로 조건부 불안정하다. B 지점의 공기 덩어리는 불포화 상태인 경우와 포화 상태인 경우 모두 강제로 상승시켰을 때 안정하므로 절대 안정하다. C 지점의 공기 덩어리는 불포화 상태일 때와 포화 상태일 때 모두 강제로 상승시켰을 때 불안정하므로 절대 불안정하다.

정리

• 수증기로 포화되지 않은 공기는 100 m 상승할 때마다 온도가 1 ℃씩 낮아지는 건조 단열선을 따라 움직이고, 포화된 공기는 100 m 상승할 때마다 온도가 0.5 ℃씩 낮아지는 습윤 단열선을 따라 움직인다.
• 공기 덩어리를 강제로 상승시키면 단열 팽창으로 온도가 낮아지는데 주변 기온이 더 높으면 공기 덩어리가 원래의 위치로 하강하며, 이러한 대기의 상태를 안정하다고 한다. 반면, 공기 덩어리를 강제로 상승시킬 때 주변 기온이 더 낮으면 공기 덩어리는 계속 상승하고, 이러한 대기의 상태를 불안정하다고 한다.

탐구 확인 문제

〉 정답과 해설 176쪽

01 다음은 높이에 따른 기온 분포를 나타낸 것이다. 불포화 공기의 경우에 가장 불안정한 기층은?

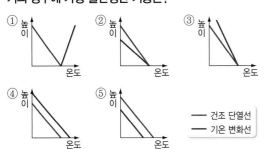

— 건조 단열선
— 기온 변화선

02 그림은 구름이 없는 A와 B 지역의 높이에 따른 기온 분포를 나타낸 것이다.
이에 대한 설명으로 옳은 것만을 보기에서 있는 대로 고른 것은?

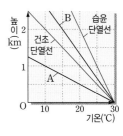

보기
ㄱ. A는 절대 불안정한 기층이다.
ㄴ. B에서 불포화된 공기는 연직 운동이 활발하다.
ㄷ. 기온 감률은 B가 A보다 크다.

① ㄱ   ② ㄴ   ③ ㄷ
④ ㄱ, ㄷ   ⑤ ㄴ, ㄷ

푄

우리나라에서는 늦은 봄부터 초여름까지 동해안을 지나 태백산맥을 넘어오는 고온 건조한 높새바람이 분다. 높새바람은 푄의 일종으로, 산을 넘기 전후의 기온과 이슬점 변화는 건조 단열 변화와 습윤 단열 변화로 설명할 수 있다. 푄과 관련된 문제는 시험에 자주 출제되는 만큼 공기가 산을 넘으면서 어떤 변화를 겪는지 구간별로 이해하고 있어야 한다.

지표면에서 기온이 25 °C이고 이슬점이 17 °C인 공기가 높이 2000 m인 산을 만나서 강제로 상승하였다. 이렇게 산을 넘은 공기의 기온과 이슬점 변화를 각 구간별로 살펴 보자.

❶ A → B 과정: 산을 오르기 시작하여 상승 응결 고도까지

• **기온 변화:** 지표에서 기온이 25 °C이고 이슬점이 17 °C인 불포화 상태의 공기 덩어리가 산 사면을 타고 올라가면 주변 기압이 낮아짐에 따라 단열 팽창하여 기온이 낮아진다. 이 공기 덩어리는 불포화 상태이므로 기온이 건조 단열 감률(1 °C/100 m)로 낮아진다.

• **이슬점 변화:** 불포화 공기 덩어리가 상승하면 단열 팽창하여 기온이 낮아지고 단위 부피당 수증기량이 감소하므로 이슬점이 이슬점 감률(0.2 °C/100 m)로 낮아진다.

• **상승 응결 고도:** 건조 단열 감률과 이슬점 감률의 차이로 인해 공기가 상승함에 따라 기온(T)과 이슬점(T_d)의 차이가 감소하고, 기온과 이슬점이 같아지는 상승 응결 고도에서 응결하기 시작하여 구름이 생성된다. 상승 응결 고도에서는 공기가 포화 상태이므로 상대 습도가 100 %이다.

$$상승 응결 고도: H = 125(T - T_d) = 125 \times (25 - 17) = 1000\,(\text{m})$$

• **B 지점에서의 기온과 이슬점:** A 지점에서 B 지점까지 기온과 이슬점 변화는 다음과 같이 구할 수 있으며, 상승 응결 고도인 B 지점에서는 기온과 이슬점이 같아진다.

$$기온: T = 25 - \left(1000 \times \frac{1.0}{100}\right) = 15\,(°C) \qquad 이슬점: T_d = 17 - \left(1000 \times \frac{0.2}{100}\right) = 15\,(°C)$$

푄의 어원

푄(Fohn)은 라틴어의 favonivs에서 유래하는데 '서풍'이란 뜻이 있다. 푄은 습윤한 바람이 산맥을 넘을 때 고온 건조해지는 현상을 말하는 것으로 푄은 원래 알프스 산지의 풍하측(산을 넘어온 쪽)에 나타나는 고온 건조한 국지풍의 명칭이었으나, 이러한 현상이 세계 도처에서 발견되므로 현재는 일반적으로 산지의 풍하측에서 불어 내리는 고온 건조한 바람을 모두 포함하는 용어가 되었다. 크게 알프스 지역의 푄과 북아메리카 로키산맥의 치누크(chinook) 등이 알려져 있으며 우리나라에서는 높새바람이 대표적이다.

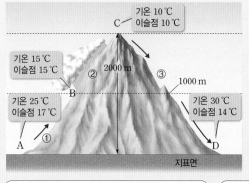

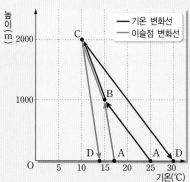

① A → B 과정
• 불포화 상태로 단열 팽창
• 기온: 건조 단열 감률(1 °C/100 m)에 따라 하강
• 이슬점: 이슬점 감률(0.2 °C/100 m)에 따라 하강
• B 지점: 기온과 이슬점이 같아지는 상승 응결 고도(1000 m) → 응결 시작

② B → C 과정
• 포화 상태로 단열 팽창
• 기온과 이슬점 모두 습윤 단열 감률(0.5 °C/100 m)에 따라 하강
• 상대 습도가 100 %로 일정하고, 응결한 수증기가 모두 비로 내림.

③ C → D 과정
• 불포화 상태로 단열 압축
• 기온: 건조 단열 감률(1 °C/100 m)에 따라 상승
• 이슬점: 이슬점 감률(0.2 °C/100 m)에 따라 상승
• D 지점: A 지점에 비해 기온은 5 °C 상승, 이슬점은 3 °C 하강

❷ B → C 과정: 상승 응결 고도에서부터 산 정상까지

- **기온 변화:** 상승 응결 고도인 B 지점에서부터 산 정상까지 공기가 상승하면서 단열 팽창하여 기온이 낮아진다. 수증기가 응결할 때 숨은열을 방출하므로, 포화 상태의 공기는 건조 단열 감률보다 비율이 작은 습윤 단열 감률($0.5\,°C/100\,m$)로 기온이 낮아진다.

- **이슬점 변화:** B 지점에서 포화 상태가 된 공기는 산 정상인 C 지점까지 포화 상태가 유지되므로 상대 습도가 100 %이고, 이슬점은 기온과 같이 습윤 단열 감률에 따라 낮아진다.

- **응결과 강수:** 공기가 상승하면서 기온과 이슬점이 낮아지며, 공기가 포화 상태이므로 수증기가 응결하여 구름이 생성되어 비가 내린다(이때 응결한 수증기가 모두 비로 내렸다).

- **산 정상(C 지점)에서의 기온과 이슬점:** B 지점에서 C 지점까지 기온과 이슬점은 모두 습윤 단열 감률로 낮아지며, 산 정상인 C 지점에서의 기온과 이슬점은 다음과 같이 구할 수 있다.

$$기온=이슬점:\ T=T_d=15-\left(1000\times\frac{0.5}{100}\right)=10(°C)$$

❸ C → D 과정: 산을 넘어 내려올 때

- **기온 변화:** 공기가 하강하면 단열 압축으로 기온이 상승하므로, 산 정상에서 포화 상태였던 공기는 기온이 상승하여 불포화 상태가 되고, 산을 내려오는 동안 건조 단열 감률($1\,°C/100\,m$)에 따라 기온이 높아진다.

- **이슬점 변화:** 공기가 하강하면 단열 압축되므로, 단위 부피당 수증기량이 증가하여 이슬점이 높아진다. 산을 내려오는 동안 이슬점 감률($0.2\,°C/100\,m$)에 따라 이슬점이 높아진다.

$$기온:\ T=10+\left(2000\times\frac{1.0}{100}\right)=30(°C)$$

$$이슬점:\ T_d=10+\left(2000\times\frac{0.2}{100}\right)=14(°C)$$

- 공기가 산을 넘기 전에 비해 기온은 5 °C 높아졌고, 이슬점은 3 °C 낮아졌다. 즉 산을 넘은 공기는 고온 건조해졌다.

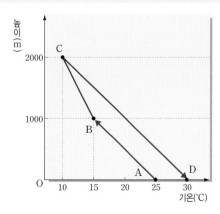

유제

그림은 산을 넘어 내려온 공기 덩어리의 온도 변화를 나타낸 것이다.
이 공기 덩어리에 대한 설명으로 옳은 것만을 보기에서 있는 대로 고른 것은?

> 보기
> ㄱ. A~B 구간에서는 단열 팽창한다.
> ㄴ. B~C 구간에서는 수증기가 응결한다.
> ㄷ. C~D 구간에서는 상대 습도가 높아진다.

① ㄱ　　　　② ㄴ　　　　③ ㄷ
④ ㄱ, ㄴ　　　⑤ ㄱ, ㄴ, ㄷ

> 정답과 해설 **176**쪽

푄이 일어나기 위한 조건
산을 넘는 동안 반드시 구름이 생성되고 비가 내려야 하므로 산 정상의 높이가 상승 응결 고도보다 높아야 한다.

푄과 농사 피해
봄에 높새바람이 불면 영서 지방에는 이상 고온 현상이 나타나고 산불이 자주 발생하며, 초여름에 높새바람이 불면 농작물이 말라 버리기도 한다. 강희맹의 『금양잡록』에서 높새바람을 다음과 같이 표현하고 있는 것으로 보아 조선 시대 이전부터 높새바람을 인식하고 있던 것으로 추정된다.
"영동 사람들은 농사철에 동풍이 불기를 바라고 호서·경기·호남 사람들은 동풍을 싫어하고 서풍이 불기를 바란다. 이러한 까닭은 그 바람이 산을 넘어 불어오기 때문이다. 그래서 동쪽이 산으로 막혀 있는 경기 지방에서는 동풍에 의한 피해가 매우 커서 심할 때는 물고랑이 마르고 식물이 타 버린다. 피해가 적을 때도 벼 잎과 이삭이 너무 빨리 마르기 때문에 벼 이삭이 싹트자마자 오그라들어 자라지 않는다."

01 단열 변화와 구름의 발생

2. 대기의 운동과 순환

① 단열 변화

1 단열 변화 공기 덩어리가 주위와 열 교환 없이 팽창하거나 압축되어 공기 덩어리의 온도가 변하는 현상을 말한다.
- 단열 팽창: 공기 덩어리가 상승하면 주위 기압이 낮아져서 팽창하고, 외부에 일을 한만큼 내부 에너지가 감소하므로 공기 덩어리의 온도가 (❶   )아진다.
- 단열 압축: 공기 덩어리가 하강하면 주위 기압이 높아지므로 압축되고, 외부에서 일을 받은만큼 내부 에너지가 증가하므로 공기 덩어리의 온도가 (❷   )아진다.

2 단열 변화에서 기온과 이슬점의 변화
- 건조 단열 감률: 불포화 상태의 공기 덩어리가 상승(하강)할 때 단열 팽창(압축)하여 기온이 낮아지는(높아지는) 비율로, (❸   )℃/100 m이다.
- 습윤 단열 감률: 포화 상태의 공기 덩어리가 상승하면 단열 팽창하여 기온이 낮아지는데, 수증기가 응결하면서 숨은열을 방출하므로 기온이 낮아지는 비율이 건조 단열 감률보다 작은 (❹   )℃/100 m 이다.
- 이슬점 감률: 공기가 상승하여 단열 팽창하면 단위 부피에 포함된 (❺   )이 감소하여 이슬점이 낮아진다. 불포화 공기의 이슬점 감률은 (❻   )℃/100 m이다.

3 상승 응결 고도 불포화 공기 덩어리가 상승할 때 (❼   ) 상태가 되어 응결하기 시작되는 높이로, 상승한 공기의 온도와 이슬점이 같아진다. 상승 응결 고도는 다음과 같이 계산할 수 있다.

> 상승 응결 고도(m)=(❽   )×(지표에서의 기온−지표에서의 이슬점)

② 푄

1 푄 높은 산을 넘어온 공기가 산을 넘기 전에 비해 고온 건조해지는 현상이다.
- 우리나라에서 늦은 봄~초여름에 걸쳐 동해에서 태백산맥을 넘어오는 북동풍인 (❾   )바람은 푄의 일종이다.

2 푄에 의한 기온과 이슬점 변화
- 공기가 산 사면을 타고 상승할 때는 (❿   )에 따라 기온이 낮아지다가 상승 응결 고도에서부터 (⓫   )에 따라 기온이 낮아진다.
- 공기가 산을 넘어 하강할 때는 (⓬   )에 따라 기온이 높아진다.

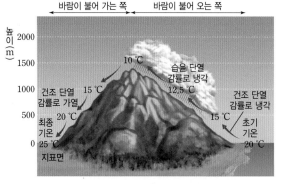

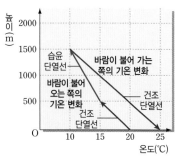

❸ 대기 안정도와 구름

1 대기 안정도
- 안정: 기온 감률이 단열 감률보다 (⓭   )서 공기 덩어리를 연직 방향으로 움직일 때 제자리로 돌아가려는 경향을 나타내며, (⓮   )형 구름이 생성된다.
- 불안정: 기온 감률이 단열 감률보다 (⓯   )서 공기 덩어리를 연직 방향으로 움직일 때 제자리로 돌아가지 않고 계속 상승하거나 하강하며, (⓰   )형 구름이 생성된다.
- 중립: 기온 감률이 단열 감률과 같아서 상승 또는 하강한 공기 덩어리가 옮겨간 자리에 머무른다.

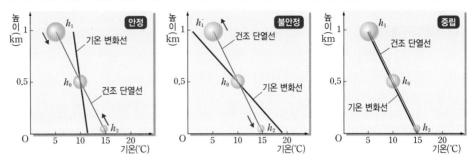

- 대기 안정도의 유형: 기온 감률과 단열 감률을 비교하여 판단할 수 있는데, 상승하는 공기 덩어리의 온도가 주위의 기온보다 낮은 고도에서는 안정하고, 주위의 기온보다 높은 고도에서는 불안정하다.

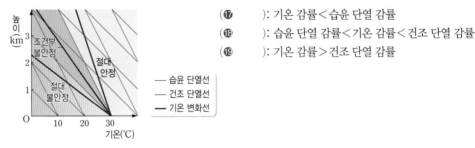

- (⓱   ): 기온 감률 < 습윤 단열 감률
- (⓲   ): 습윤 단열 감률 < 기온 감률 < 건조 단열 감률
- (⓳   ): 기온 감률 > 건조 단열 감률

- (⓴   ): 고도가 높을수록 기온이 높아지는 공기층으로, 절대 안정한 경우에 해당한다.

2 구름의 생성 공기가 상승 응결 고도까지 상승하면 구름이 생성된다. 구름은 지표면이 국지적으로 가열될 때, 공기가 산 사면이나 전선면 또는 저기압에서 상승할 때 생성될 수 있다. 안정한 기층에서는 (㉑   ) 구름이 생성되고, 불안정한 기층에서는 (㉒   ) 구름이 생성된다.

❹ 안개

1 안개 지표 부근에서 수증기가 응결하여 생성된 작은 물방울이 떠 있는 현상으로, 공기의 냉각 또는 (㉓   ) 증가에 의해 발생한다.

2 안개의 종류와 생성 원인

냉각에 의한 안개	복사 안개	복사 냉각에 의해 지표면의 기온이 하강할 때 생성
	(㉔)	온난 습윤한 공기가 차가운 지표로 이동할 때 생성 (예: 해무)
	활승 안개	지형을 따라 공기가 상승하여 냉각되면서 생성
수증기량 증가에 의한 안개	증발 안개	따뜻한 수면에서 물이 증발할 때 생성
	(㉕)	온난 전선 부근에서 약한 비가 내려 수증기가 증발할 때 생성

01 그림은 불포화 상태의 공기를 넣은 고무 풍선을 강제로 상승시키는 모습을 나타낸 것이다.

이에 대한 설명으로 옳은 것은 ○, 옳지 <u>않은</u> 것은 ×로 표시하시오.

(1) 풍선이 팽창한다. ································· (   )

(2) 기온이 낮아진다. ································· (   )

(3) 이슬점이 높아진다. ······························ (   )

(4) 상대 습도가 높아진다. ·························· (   )

02 습윤 단열 감률이 건조 단열 감률보다 더 작은 까닭으로 옳은 것만을 보기에서 있는 대로 고르시오.

보기
ㄱ. 높이에 따라 기온과 기압이 낮아지기 때문
ㄴ. 수증기가 응결하며 숨은열을 방출하기 때문
ㄷ. 상승하는 공기가 주위의 공기와 섞이기 때문

03 그림은 지표면의 부등 가열로 공기 덩어리가 상승하면서 구름이 만들어지는 과정을 순서대로 나타낸 것이다.

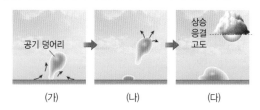

(가)   (나)   (다)

이 과정에서 일어나는 공기 덩어리 내부의 변화로 옳은 것만을 보기에서 있는 대로 고르시오.

보기
ㄱ. (가)에서 (다)로 갈수록 부피가 커진다.
ㄴ. (가)에서 (다)로 갈수록 온도가 낮아진다.
ㄷ. (가)에서 (다)로 갈수록 상대 습도가 높아진다.
ㄹ. 상승 응결 고도에 도달하면 공기 덩어리는 포화 상태가 된다.
ㅁ. (가)의 공기 덩어리에 수증기량이 많을수록 상승 응결 고도가 높아진다.

04 그림은 지표면 부근의 공기 덩어리가 가열되어 상승할 때 공기 덩어리와 주변 기온 변화를 나타낸 것이다.

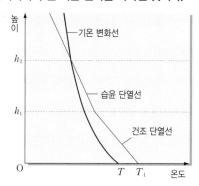

(1) 이 공기 덩어리의 상승 응결 고도를 쓰시오.

(2) 이 공기 덩어리가 더 이상 스스로 상승하지 못하는 높이를 쓰시오.

(3) 이 경우에 생성된 구름의 두께를 h_1과 h_2의 관계로 나타내시오.

05 그림은 지표의 A 지점에서 온도가 20 ℃, 이슬점이 12 ℃인 공기 덩어리가 산을 넘어 D 지점에 도달하는 과정을 나타낸 것이다. (단, B∼C 구간에서는 응결한 수증기가 모두 비로 내렸다.)

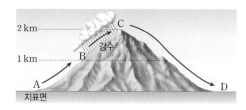

(1) B∼D 지점에서 공기 덩어리의 온도를 구하시오.

B	C	D

(2) B∼D 지점에서 공기 덩어리의 이슬점을 구하시오.

B	C	D

06 그림은 어느 지역의 높이에 따른 기온 분포와 건조 단열선을 나타낸 것이다.

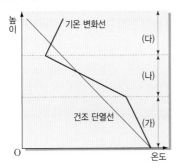

(가)~(다) 중 안정한 기층과 불안정한 기층을 각각 고르시오.

(1) 안정한 기층

(2) 불안정한 기층

07 그림은 어느 지역의 높이에 따른 기온 분포와 건조 단열선을 나타낸 것이다.

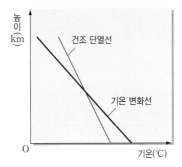

이러한 날 대기의 특징으로 옳은 것은 ○, 옳지 <u>않은</u> 것은 ×로 표시하시오.

(1) 기층이 불안정하다. ···························· ( )

(2) 적운형 구름이 발달한다. ····················· ( )

(3) 기온 감률이 건조 단열 감률보다 작다. ········ ( )

(4) 짙은 안개가 끼거나 스모그 현상이 발생한다. - ( )

08 그림은 어느 지역의 높이에 따른 기온 분포를 나타낸 것이다. 지표면 부근에서 나타날 수 있는 현상으로 옳은 것만을 보기에서 있는 대로 고르시오.

보기
ㄱ. 역전층이 형성되었다.
ㄴ. 강한 상승 기류가 형성된다.
ㄷ. 구름이 많은 흐린 날의 기온 분포이다.
ㄹ. 일사량이 많은 맑은 낮의 기온 분포이다.
ㅁ. 차가운 지면에 의한 냉각으로 안개가 발생한다.

09 지표면의 공기 덩어리가 상승하여 구름이 만들어질 수 있는 경우로 옳은 것만을 보기에서 있는 대로 고르시오.

보기
ㄱ. 지표면에서 공기가 가열되는 경우
ㄴ. 산 사면을 따라 공기가 상승하는 경우
ㄷ. 고기압 중심과 같이 공기가 발산하는 경우
ㄹ. 전선면을 타고 따뜻한 공기가 상승하는 경우

10 그림은 어떤 안개의 생성 원리를 나타낸 것이다.

(1) 이 안개의 종류를 쓰시오.

(2) 빈칸에 알맞은 말을 써 넣으시오.

이 안개는 수증기를 포함한 따뜻한 공기가 차가운 지면이나 수면 위를 통과할 때 공기의 하부층이 (㉠)되어 수증기가 (㉡)하면서 생성되는 안개이다.

01 ▶단열 변화

그림 (가)는 불포화 공기가 단열 상승하는 모습을, (나)는 이 공기가 상승하는 동안 온도와 수증기압의 변화를 나타낸 것이다.

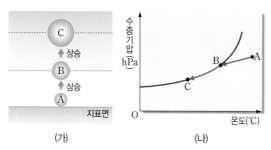

(가)   (나)

이에 대한 설명으로 옳은 것만을 보기에서 있는 대로 고른 것은? (단, A~B 구간과 B~C 구간의 높이 차이는 같다.)

보기
ㄱ. A에서 B로 가면서 온도와 이슬점의 차이가 커진다.
ㄴ. B에서 포화 상태가 되면서 구름이 생성된다.
ㄷ. B~C 구간에서는 온도와 이슬점이 같다.

① ㄱ   ② ㄷ   ③ ㄱ, ㄴ   ④ ㄴ, ㄷ   ⑤ ㄱ, ㄴ, ㄷ

• 불포화 공기가 상승하면 단열 팽창하여 상대 습도가 높아지고, 상승 응결 고도에 도달하면 포화되어 구름이 생성된다.

02 ▶건조 단열 감률과 습윤 단열 감률

그림은 지표에서 온도가 25 °C인 공기 덩어리 A, B가 상승하는 동안 온도 변화를 나타낸 것이다.

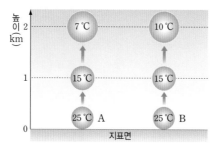

이에 대한 설명으로 옳은 것만을 보기에서 있는 대로 고른 것은? (단, 건조 단열 감률은 1 °C/100 m, 습윤 단열 감률은 0.5 °C/100 m이다.)

보기
ㄱ. 지상에서 높이 1 km까지 A는 포화, B는 불포화 상태이다.
ㄴ. 상승 응결 고도는 A가 B보다 높다.
ㄷ. 지상에서 이슬점은 B가 A보다 높다.

① ㄱ   ② ㄷ   ③ ㄱ, ㄴ   ④ ㄴ, ㄷ   ⑤ ㄱ, ㄴ, ㄷ

• 공기 덩어리가 상승하며 단열 팽창할 때, 불포화 상태이면 건조 단열 감률에 따라 온도가 변하고 포화 상태이면 습윤 단열 감률에 따라 온도가 변한다.

03
> 상승 응결 고도

그림은 지표면이 불균등하게 가열되어 상승하는 공기 덩어리의 높이에 따른 기온 변화를 나타낸 것이다.

이에 대한 설명으로 옳은 것만을 보기에서 있는 대로 고른 것은? (단, 높이 2 km~3 km 구간에서 구름이 생성되었고, 건조 단열 감률은 1 ℃/100 m, 습윤 단열 감률은 0.5 ℃/100 m, 이슬점 감률은 0.2 ℃/100 m이다.)

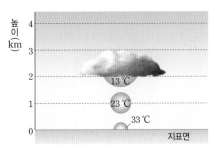

보기
┌───
ㄱ. 지표면에서 공기 덩어리의 이슬점은 17 ℃이다.
ㄴ. 높이 2 km~3 km에서 공기 덩어리의 온도는 일정하다.
ㄷ. 높이 3 km 이상에서 주변 기온은 8 ℃보다 낮다.

① ㄱ   ② ㄷ   ③ ㄱ, ㄴ   ④ ㄴ, ㄷ   ⑤ ㄱ, ㄴ, ㄷ

> 구름이 생성되는 구간에서 공기 덩어리는 습윤 단열 감률에 따라 온도가 변하고, 온도가 주변 기온보다 낮아질 때까지 상승한다.

04
> 단열 선도

그림은 어느 지역의 높이에 따른 기온 변화를 나타낸 것으로, A는 지표면의 부등 가열로 형성된 공기 덩어리이며 이슬점은 16 ℃이다.

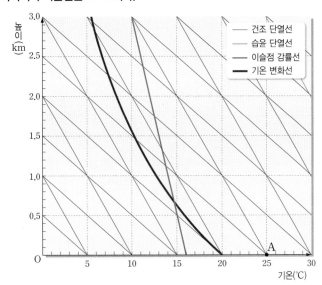

이에 대한 설명으로 옳은 것만을 보기에서 있는 대로 고른 것은?

보기
┌───
ㄱ. 지표에서 공기 덩어리 A는 주변 공기보다 가벼워서 상승한다.
ㄴ. 공기 덩어리 A의 상승 응결 고도는 1 km이다.
ㄷ. 공기 덩어리 A에서 생성되는 구름은 높이 3 km까지 발달한다.

① ㄱ   ② ㄷ   ③ ㄱ, ㄴ   ④ ㄴ, ㄷ   ⑤ ㄱ, ㄴ, ㄷ

> 상승 응결 고도는 공기 덩어리의 온도와 이슬점이 같아지는 높이다. 상승 응결 고도 이상부터는 습윤 단열 감률에 따라 온도가 낮아지며, 공기 덩어리의 온도가 주변 기온과 같아지면 공기 덩어리는 상승을 멈춘다.

05 ﹥뛴
그림 (가)는 ㉠ 지점의 공기가 산을 넘으며 ㉡~㉢ 사이에서 구름이 발생하고 비가 내리는 모습을, (나)는 ㉠ 지점에서의 온도와 수증기압을 나타낸 것이다.

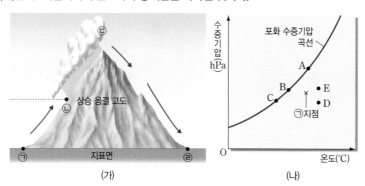

(가)   (나)

이 공기의 ㉡~㉣ 지점에서 온도와 수증기압의 변화를 A~E 중에서 골라 순서대로 옳게 나열한 것은?

① A → B → E   ② A → C → E   ③ B → C → D

④ B → C → E   ⑤ C → D → E

> 불포화 공기가 상승하면 단열 팽창하여 상대 습도가 높아지고, 상승 응결 고도에 도달하면 포화되어 수증기가 응결한다.

06 ﹥높새바람
그림은 높새바람이 분 어느 날 같은 시각에 강원도 횡성군과 강릉시의 기온과 이슬점을 나타낸 것이다.
이날 두 지역의 날씨에 대한 설명으로 옳은 것만을 보기에서 있는 대로 고른 것은? (단, 괄호 안의 숫자는 평년값이다.)

기온(℃): 9.9(11.2)
이슬점(℃): 6.3(4.8)

B 강릉시

동 해

태백산맥

A 횡성군

기온(℃): 14.8(10.7)
이슬점(℃): 5.4(4.3)

> 뛴은 산을 오르는 공기가 포화되어 비를 내린 후 산을 내려가면서 단열 압축에 의해 고온 건조한 성질로 바뀌는 현상이다.

┌ 보기 ─────────────────────
│ ㄱ. 강릉시는 날씨가 맑았고, 횡성군에는 비가 내렸다.
│ ㄴ. 강릉시에서는 동해에서 육지 쪽으로 바람이 불었다.
│ ㄷ. 공기가 산을 넘어 내려오는 지역은 공기의 단열 압축에 의해 기온이 상승하였다.
└──────────────────────────

① ㄱ   ② ㄴ   ③ ㄱ, ㄷ   ④ ㄴ, ㄷ   ⑤ ㄱ, ㄴ, ㄷ

07 〉푄에 의한 기온과 습도 변화

그림은 공기 덩어리가 산을 넘으며 A∼D 지점을 통과할 때 단열 변화에 따른 온도와 상대 습도의 변화를 나타낸 것이다.

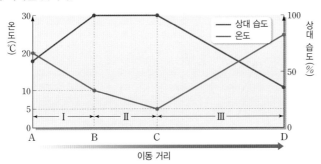

이에 대한 설명으로 옳은 것만을 보기에서 있는 대로 고른 것은? (단, 공기 덩어리가 산을 넘는 과정에서 구름이 생성되어 강수 현상이 나타났다.)

> 보기 ─────────────────────────────

ㄱ. 산의 높이는 1000 m이다.

ㄴ. 강수 현상은 Ⅱ 구간에서 나타났다.

ㄷ. Ⅲ 구간에서는 수증기량이 감소하여 상대 습도가 낮아진다.

① ㄱ   ② ㄴ   ③ ㄱ, ㄷ   ④ ㄴ, ㄷ   ⑤ ㄱ, ㄴ, ㄷ

• 상승 응결 고도까지는 건조 단열 감률에 따라 공기 덩어리의 온도가 낮아지고, 공기 덩어리가 상승 응결 고도 이상으로 상승할 때는 습윤 단열 감률에 따라 온도가 낮아진다.

08 〉대기 안정도

그림은 어느 지역의 높이에 따른 기온 변화와 건조 단열 변화선을 나타낸 것이다.

이에 대한 설명으로 옳은 것만을 보기에서 있는 대로 고른 것은?

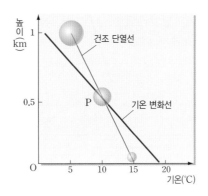

> 보기 ─────────────────────────────

ㄱ. 기층이 불안정하여 공기의 연직 운동이 활발하다.

ㄴ. 이 지역은 날씨가 맑거나 층운형 구름이 생성될 수 있다.

ㄷ. P 지점의 공기를 강제로 상승 또는 하강시키면 다시 제자리로 되돌아온다.

① ㄱ   ② ㄷ   ③ ㄱ, ㄴ   ④ ㄴ, ㄷ   ⑤ ㄱ, ㄴ, ㄷ

• 기온 감률이 단열 감률보다 크면 기층은 불안정하다. 불안정한 기층에서는 공기의 연직 운동이 활발하게 일어난다.

09 > 대기 안정도와 구름의 생성

그림 (가)와 (나)는 서로 다른 두 지역의 지상에서 불포화 공기 덩어리를 강제로 상승시킬 때 공기 덩어리와 주변 기온 변화를 나타낸 것이다.

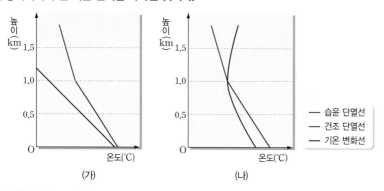

(가)   (나)

이에 대한 설명으로 옳은 것만을 보기에서 있는 대로 고른 것은?

> 보기

ㄱ. 상승 응결 고도는 (가)보다 (나)가 높다.

ㄴ. 구름의 두께는 (가)가 (나)보다 두껍다.

ㄷ. 높이 1 km 이상에서 (가)는 (나)보다 연직 운동이 활발하다.

① ㄱ   ② ㄷ   ③ ㄱ, ㄴ   ④ ㄴ, ㄷ   ⑤ ㄱ, ㄴ, ㄷ

- 상승하는 공기 덩어리의 기온은 상승 응결 고도에서부터 습윤 단열 감률에 따라 낮아지며, 공기 덩어리의 온도가 주변 기온보다 낮아질 때까지 상승하며 구름이 형성된다.

10 > 대기 안정도의 판정

그림은 어느 지역의 높이에 따른 기온 변화를 단열 선도에 나타낸 것이다.

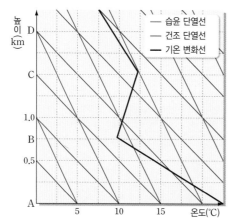

이에 대한 설명으로 옳은 것만을 보기에서 있는 대로 고른 것은?

> 보기

ㄱ. A~B 구간에서는 공기의 연직 운동이 활발하다.

ㄴ. B~C 구간에서 포화된 공기 덩어리는 연직 운동이 활발하다.

ㄷ. C~D 구간에서 포화된 공기 덩어리는 매우 안정하다.

① ㄱ   ② ㄷ   ③ ㄱ, ㄴ   ④ ㄴ, ㄷ   ⑤ ㄱ, ㄴ, ㄷ

- 기층의 기온 감률이 단열 감률보다 작으면 안정하고, 기온 감률이 단열 감률보다 크면 불안정하다.

11 ▶대기 안정도

다음은 기온의 연직 분포와 대기의 안정도를 알아보는 실험 과정을 나타낸 것이다.

[실험 과정]

(가) 눈금실린더 A에는 더운물을 넣고, 위쪽에 얼음을 채운 작은 비커를 넣는다. 눈금실린더 B에는 얼음을 넣고, 위쪽에 더운물을 넣은 작은 비커를 넣는다.

(나) 눈금실린더 안에 3개의 온도계를 높이를 달리 하여 설치하고, 약 3분 후 온도를 측정한다.

(다) 눈금실린더 아랫부분에 향 연기를 각각 넣어 연기가 움직이는 모습을 관찰한다.

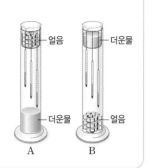

이 실험에 대한 설명으로 옳은 것만을 보기에서 있는 대로 고른 것은?

보기

ㄱ. A에서보다 B에서 향 연기의 상하 운동이 활발하게 나타난다.

ㄴ. A 내부는 불안정한 기층, B 내부는 안정한 기층에 해당한다.

ㄷ. A는 증발 안개, B는 복사 안개의 형성 과정을 설명할 수 있다.

① ㄱ   ② ㄷ   ③ ㄱ, ㄴ   ④ ㄴ, ㄷ   ⑤ ㄱ, ㄴ, ㄷ

• 증발 안개는 따뜻한 수면에서 증발한 수증기가 차가운 공기에 의해 냉각되어 포화될 때 발생하는 안개이다. 복사 안개는 맑은 날 밤에 복사 냉각으로 차가워진 지표면에 의해 기층의 하부가 냉각되어 수증기가 응결하여 발생하는 안개이다.

12 ▶대기 안정도와 역전층

그림은 어느 지역에서 새벽 6시(06시)부터 오후 3시(15시)까지 높이에 따른 기온 분포를 나타낸 것이다.

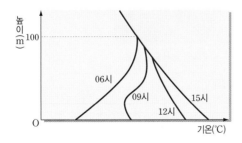

이에 대한 설명으로 옳은 것만을 보기에서 있는 대로 고른 것은?

보기

ㄱ. 이날 새벽에는 복사 냉각에 의한 안개가 나타날 가능성이 높다.

ㄴ. 09시 이후부터는 지표면이 가열되어 공기의 연직 운동이 활발해진다

ㄷ. 이와 같은 기온 분포의 변화는 구름이 많고 흐린 날에 주로 나타난다.

① ㄱ   ② ㄷ   ③ ㄱ, ㄴ   ④ ㄴ, ㄷ   ⑤ ㄱ, ㄴ, ㄷ

• 맑은 날 밤에는 지표에서 지구 복사 에너지가 잘 방출되어 지표 부근의 기온이 낮아지므로 새벽에 복사 안개가 발생할 확률이 높다.

02 대기를 움직이는 힘과 바람

학습 Point   기압과 정역학 평형 〉   바람에 작용하는 힘 〉   바람의 종류

 기압과 정역학 평형

공기는 지표면 $1\,cm^2$에 약 $1\,kg$의 무게로 지면을 누르고 있는데, 이 힘을 기압이라고 한다. 우리의 머리 위로 약 $300\,kg$의 공기의 무게가 작용하고 있지만 우리는 이러한 무게를 느끼지 못하는데, 이는 우리 몸에서 외부로 밀어내는 힘과 대기압이 평형을 이루기 때문이다.

1. 기압

(1) **기압:** 지구를 둘러싸고 있는 공기의 무게가 단위 넓이를 수직으로 누르는 힘의 크기를 대기압 또는 기압이라고 한다. 1기압은 약 $76\,cm$ 높이의 수은 기둥의 무게가 단위 면적을 누르는 힘과 같다. 수은 기둥 $76\,cm$의 무게는 물 기둥 약 $10.34\,m$ 높이의 무게와 같으며, 해수면부터 대기 최상단까지 단면적이 $1\,m^2$인 공기 기둥의 무게는 약 $10132.5\,kg$이다.

① **기압의 측정:** 토리첼리는 기압의 크기를 최초로 측정하였다. 길이 $1\,m$의 유리관에 수은을 가득 채운 후 유리관을 거꾸로 세워 수은이 담긴 수조에 넣었을 때, 유리관을 기울이거나 유리관의 굵기를 다르게 하여도 수은 기둥의 높이는 약 $76\,cm$에서 변하지 않았다. 이 실험을 통하여 대기압은 높이가 약 $76\,cm$인 수은 기둥을 밀어 올리는 힘과 같다는 것을 알아내었다.

② **기압의 단위:** 과거에는 기압의 단위로 mmHg, Torr, mb(밀리바)가 쓰였으나, 현재는 SI 단위계인 hPa(헥토파스칼)이 주로 쓰인다. $1\,hPa$은 $1\,m^2$의 면적에 $100\,N$의 힘이 작용할 때의 압력으로, 1기압은 약 $1013\,hPa$에 해당한다.

▲ **기압의 크기 측정 실험**

(그림 라벨: 진공, 수은 기둥의 압력, 대기압, $76\,cm$, 수은)

> 1기압 = $76\,cm$의 수은 기둥에 의한 압력 = $76\,cmHg$ = 약 $10.34\,m$ 물 기둥에 의한 압력
> = $1013 \times 10^3\,dyne/cm^2$ = $1013\,hPa$ = $1.013 \times 10^5\,N/m^2$

(2) **기압의 보정(해면 기압):** 기압은 측정 시각과 장소에 따라 그 값이 달라지므로 관측 값을 그대로 비교할 수 없다. 따라서 측정 기압을 기온은 $0\,°C$, 중력은 위도 $45°$의 값, 고도는 해수면의 값으로 환산하여 보정하며, 이를 해면 기압이라고 한다.

(3) **기압의 변화:** 연직 방향으로는 높이 올라감에 따라 공기의 밀도가 감소하므로 기압이 낮아지고, 수평 방향으로는 시간과 장소에 따라 기압이 변한다.

진공 펌프를 사용하여 물을 약 $10\,m$ 이상 퍼 올릴 수 없는 까닭

수은 대신에 밀도가 수은의 $\frac{1}{13.6}$배인 물을 사용한다면 대기압에 의해 밀어 올려지는 물의 높이는 $76\,cm \times 13.6 = 1033.6\,cm$가 된다. 이것은 진공 펌프를 이용할 때 물을 수면에서 최대한 약 $10\,m$ 정도 끌어올릴 수 있으며, 그 이상은 끌어올릴 수 없음을 뜻한다.

hPa: 헥토(heto)+파스칼(Pascal)
$1\,Pa$은 $1\,m^2$에 $1\,N$의 힘이 작용할 때의 압력($1\,N/m^2$)을 의미하는데, 대기에 적용하기에는 크기가 너무 작아서 100을 나타내는 접두어 헥토(h)를 붙여 hPa(헥토파스칼) 단위($10^2\,N/m^2$)로 사용한다.

dyne
물리학에서 힘의 단위의 하나로 $1\,dyne$은 $10^{-5}\,N$과 같다.

2. 정역학 평형

(1) 정역학 평형: 연직 방향의 기압 차이에 의해 위쪽으로 작용하는 기압 경도력과 공기의 무게에 의해 아래로 작용하는 중력이 평형을 이루면서 연직 방향 운동이 일어나지 않는 힘의 평형 상태를 정역학 평형이라고 한다.

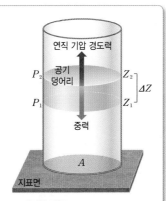

▲ 정역학 평형

그림과 같이 공기 덩어리가 상승하지 않고 한 곳에 정지하고 있다면, 이 공기 덩어리에는 상승하려고 하는 힘과 똑같은 크기의 힘이 아래쪽으로 작용해야 한다.

① Z_1에서의 압력을 P_1, Z_2에서의 압력을 P_2라 하고, 공기 기둥의 밑면적을 A라고 하면, 압력 (P)는 단위 면적에 작용하는 힘이므로 $P = \dfrac{F}{A}$이다.

② 위로 향하려는 힘은 밑면과 윗면에 작용하는 힘의 차, 즉 $(P_1 - P_2)A$이고, 아래로 향하려는 힘은 공기 기둥의 질량(m)에 중력 가속도(g)를 곱한 값이다.

③ 공기 덩어리가 정지해 있으므로, $(P_1 - P_2)A = mg$가 된다. 즉, 공기 덩어리는 위로 향하려는 연직 기압 경도력과 아래로 향하려는 중력이 평형을 이루는 정역학 평형 상태에 있는 것이다.

④ 공기 덩어리의 밀도를 ρ, 높이 차를 ΔZ라 하면, $(P_1 - P_2)A = \rho g(Z_2 - Z_1)A$이므로 $(P_1 - P_2) = \rho g \Delta Z$이다. $(P_1 - P_2)$는 기압 차이며, 위로 향할수록 감소하므로 $(P_1 - P_2) = -\Delta P$를 적용하면 다음과 같은 관계가 성립한다.

$$\Delta P = -\rho g \Delta Z$$

이를 정역학 방정식이라고 한다. 정역학 방정식은 공기에서뿐만 아니라 모든 유체에서 성립한다.

(2) 고도와 기압: 대기에서 서로 다른 높이에서의 기압 차는 그 사이의 공기층의 무게에 비례하므로 정역학 방정식을 이용하면 높이에 따른 기압의 변화를 알 수 있다. 즉, Z_1에서의 기압을 P_1, Z_2에서의 기압을 P_2, 두 층 사이의 공기의 밀도를 ρ, 두께를 ΔZ라고 하면, Z_2에서의 기압은 다음과 같이 나타낼 수 있다.

$$P_2 = P_1 - \rho g \Delta Z$$

① 기층의 밀도가 클수록 높이에 따른 기압 변화가 크고, 반대로 공기의 밀도가 작을수록 기압 변화가 작다. 찬 공기는 따뜻한 공기보다 밀도가 크므로 따뜻한 공기층보다 찬 공기층에서 높이에 따른 기압 변화가 크다.

② 지상에서의 기압은 대략 1000 hPa 정도이지만, 5 km 상공에서는 약 540 hPa, 10 km 상공에서는 약 260 hPa이다. 높이 올라갈수록 공기의 밀도가 급격히 감소하므로, 높이에 따라 기압은 지수 함수적으로 감소한다. 대체로 높이가 대략 5 km 높아질때마다 기압은 절반 정도로 감소한다.

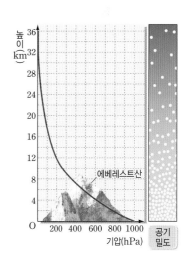

▲ 높이에 따른 기압의 변화

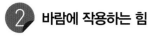

바람에 작용하는 힘

대기가 이동하는 현상을 바람이라고 하는데, 바람에 작용하는 힘에는 기압 경도력, 전향력, 구심력 또는 원심력, 마찰력 등이 있다.

1. 기압 경도력(P_H)

(1) 기압 경도력: 지표면에서의 온도에 의해 대기의 밀도가 달라지므로 각 지점에 따라 기압이 다르다. 이때 기압이 높은 곳의 공기는 기압이 낮은 곳으로 이동하는데, 이와 같이 두 지점 사이의 기압의 차이에 의해 나타나는 힘을 기압 경도력이라고 한다.

(2) 수평 방향의 기압 경도력의 크기

그림과 같이 수평 방향으로 나란한 두 개의 등압선 사이의 공기 덩어리에 작용하는 기압 경도력(P_H)의 크기를 알아보자. 이때 연직 방향으로는 정역학 평형 상태를 유지하여 공기의 상하 이동은 없다고 가정한다.

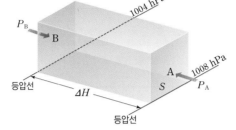

▲ **기압 경도력의 크기**

① 직육면체인 공기 덩어리의 A면과 B면에 대하여 주변의 공기가 작용하는 압력은 각각 P_A와 P_B이고, A면과 B면의 단면적을 S라고 할 때, 공기의 부피는 $S \cdot \Delta H$이다. P_A가 P_B보다 크므로 이 공기 덩어리는 두 압력의 차이 $(P_A - P_B)$에 비례하는 힘을 받아 기압이 높은 곳에서 낮은 쪽으로 움직이는데, 이 힘이 기압 경도력(P_H)이다.

② 압력은 단위 면적에 작용하는 힘이므로, 이때 작용하는 기압 경도력(P_H)의 크기는 압력의 차이에 단면적을 곱한 값으로 $P_H = (P_A - P_B) \times S$와 같다. 여기에 뉴턴 운동 제2법칙에서 힘 $F = ma$ (m: 질량, a: 가속도)를 적용하면 밀도$= \dfrac{질량}{부피}$이므로 질량$=$밀도$\times$부피이다. 따라서 직육면체 안의 공기 덩어리의 질량을 m, 공기의 밀도를 ρ라고 하면 $m = \rho \cdot S \cdot \Delta H$이므로 기압 경도력($P_H$)은 다음과 같이 나타낼 수 있다.

$$P_H = (\rho \cdot S \cdot \Delta H) \times a = (P_A - P_B) \times S$$

③ 위의 식을 힘의 가속도 a에 대하여 정리하면 $a = (P_A - P_B) \times \dfrac{S}{\rho \cdot S \cdot \Delta H}$이고, $(P_A - P_B)$를 ΔP로 나타내면 $a = \dfrac{1}{\rho} \times \dfrac{\Delta P}{\Delta H}$이다.

$F = ma$에서 질량이 단위 질량이면 $F = a$이다. 이 힘을 단위 질량의 공기에 작용하는 수평 방향의 기압 경도력 P_H라고 정의하면 다음과 같다.

$$P_H = \frac{1}{\rho} \cdot \frac{\Delta P}{\Delta H} \quad \left(\begin{array}{l} \Delta P\text{: 두 지점 사이의 기압 차} \\ \Delta H\text{: 두 지점 사이의 거리 차} \end{array} \right)$$

밀도가 일정할 때 기압 경도력(P_H)의 크기는 두 지점 사이의 기압 차(ΔP)에 비례하고 두 지점 사이의 거리 차(ΔH)에 반비례한다.

(3) 기압 경도력의 방향: 연직 등압면 분포에서 기압 경도력은 기압이 높은 곳에서 낮은 곳으로 등압선에 직각 방향으로 작용한다. 연속된 등압선의 입체 구조에서 기압 경도력은 연직 기압 경도력과 수평 기압 경도력으로 나누어진다. 이때 연직 기압 경도력은 중력과 정역학 평형 상태를 이루며 상쇄되므로, 결과적으로 공기 덩어리에 작용하는 힘은 수평 기압 경도력만 남는다. 따라서 대기는 수평 기압 경도력의 방향으로 수평 운동을 한다.

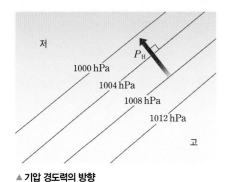

▲ 기압 경도력의 방향

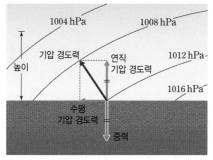

▲ 연속된 등압선의 입체 구조에서의 기압 경도력

2. 전향력(C)

(1) 전향력: 자전하고 있는 지구의 북극에서 적도 쪽으로 공을 던진다고 가정해 보자. 이것을 지구 밖에서 보면 공은 똑바로 운동하는 것처럼 보이지만, 북극에 있는 사람이 볼 때에는 공이 운동 방향에 대하여 오른쪽으로 편향된 것처럼 보인다. 이와 같은 원리로 공기가 기압 경도력에 의해 이동하면, 이 공기 덩어리는 지구 자전에 의해 이동하는 방향이 휘어진다. 이때 공기 덩어리에 작용한 힘을 전향력이라고 한다.

(2) 전향력의 크기: 단위 질량의 공기 덩어리가 속력 v로 운동하는 경우 공기 덩어리에 작용하는 전향력(C)의 크기는 다음과 같다.

$$C = 2v\Omega \sin \varphi \quad (v: \text{속력}, \ \Omega: \text{지구 자전 각속도}, \ \varphi: \text{위도})$$

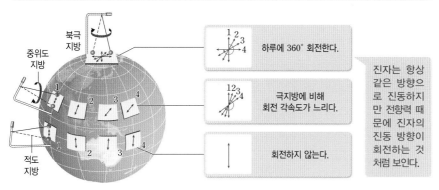

▲ **위도별 지표면의 회전 각속도** 지구의 자전으로 인한 지표면의 회전 각속도는 저위도로 갈수록 느려진다.

(3) 전향력이 작용하는 방향: 북반구에서는 물체의 운동 방향에 대해 오른쪽 직각 방향으로 작용하고, 남반구에서는 물체의 운동 방향에 대해 왼쪽 직각 방향으로 작용한다.

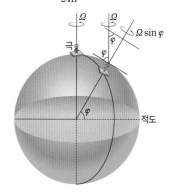
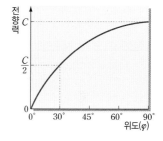
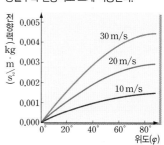

3. 구심력(F_c)

(1) **구심력과 원심력:** 돌을 실에 매어 돌리면 돌은 회전 중심으로부터 떨어져 나가려는 힘을 받는다. 그러나 실을 잡고 있는 사람이 돌이 떨어져 나가려는 것을 중심 쪽으로 당김으로 써 회전 운동은 계속된다. 이와 같이 원운동을 하는 물체에서 원의 중심으로부터 밖으로 나가려는 가상의 힘을 원심력이라고 한다. 한편, 줄에 매달려서 원운동을 하는 물체는 계속해서 운동 방향이 변하는데, 이렇게 운동 방향이 계속 변하려면 중심을 향해 작용하는 힘이 있어야 한다. 이때 작용하는 힘을 구심력이라고 한다.

(2) **구심력의 크기와 방향:** 물체가 v의 속도로 반지름 r인 원 주위를 돌 때, 단위 질량당 구심력(F_c)의 크기는 다음과 같다.

$$F_c = \frac{v^2}{r}$$

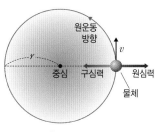

▲ 구심력과 원심력

구심력의 방향은 원운동의 중심을 향하고, 원심력은 구심력과 크기가 같고 방향이 반대이다. 바람의 방향이 곡선일 때 운동 방향을 곡선으로 휘게 하는 구심력이 작용한다.

원심력
구심력에 의해 생기는 가상의 힘이다. 예를 들어 자전거를 탄 사람이나 회전하는 자동차 안에 있는 사람은 외부로 향하는 힘을 받는 것처럼 느끼는데, 이때 실제로 작용한 힘은 구심력이며, 밖으로 나가려는 힘을 느낀 것이 원심력이다.

4. 마찰력(F_r)

(1) **마찰력:** 물체의 운동 방향과 반대 방향으로 작용하여 물체의 운동 속도를 감소시키는 힘을 마찰력이라고 한다. 일반적으로 유체의 마찰은 움직이는 유체와 고체면 사이에 나타나는데, 고체면이 매끄러울수록 작고 거칠수록 커진다. 바람이 지표 가까이에서 불 때나 해류가 해안이나 해저에 가까워지면 마찰력을 받는다.

① **마찰력의 방향:** 마찰력은 두 물체 사이의 접촉면을 따라 물체의 운동을 방해하는 힘으로, 풍향과 반대 방향으로 작용한다.

② **마찰력의 크기:** 지표면이 거칠수록, 지표면에 가까울수록, 풍속이 빠를수록 마찰력이 커진다. 따라서 마찰력은 지표면 부근에서 크고 높이 올라갈수록 감소하며, 대기와의 마찰력의 크기는 산악 지대>평야>해수면이다.

(2) **대기 경계층:** 지표 근처에서 부는 바람은 지표면의 기복이나 굴곡, 건물 등에 의해 마찰력의 영향을 받는다. 마찰력은 대체로 지표면에서 약 $1\,km$ 높이까지 작용하는데, 마찰력이 대기에 영향을 미치는 층을 대기 경계층이라고 한다. 대기 경계층 이상의 높이에서는 지표의 마찰력의 영향을 받지 않으므로 자유 대기라고 한다. 지표면의 거칠기에 따라 대기 경계층의 높이는 달라지고, 상층으로 갈수록 마찰력의 크기가 작아지므로 풍속이 빨라진다. 예를 들어 산악 지형은 평지나 해양에서보다 대기 경계층이 높은 곳에 분포한다.

마찰력의 방향

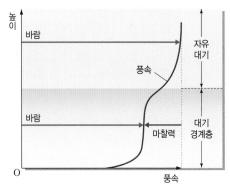

▲ **마찰력과 풍속의 연직 분포** 대기 경계층에서는 마찰력의 영향으로 자유 대기에서보다 풍속이 느리다.

3 바람의 종류

집중 분석 112쪽

지표면과의 마찰을 무시할 수 있는 높이 약 1 km 이상에서 부는 바람을 상공풍이라 하고, 그 이하에서 부는 바람을 지상풍이라고 한다. 상층에서는 마찰력의 영향을 받지 않으므로 일반적으로 지상에서보다 바람이 더 빠르게 분다. 상층에서는 지균풍과 경도풍이, 지상에서는 지상풍이 분다.

1. 지상 일기도와 상층 일기도

(1) **지상 일기도:** 바람을 일으키는 근본적인 힘은 기압의 차이에 의해 나타나는 기압 경도력이다. 지상의 관측소에서는 바람의 특성을 파악하기 위해 기압을 관측하는데, 이때 관측한 기압은 관측소의 높이가 다르므로 다른 곳과 비교하기 어렵다. 따라서 각 관측소에서 관측한 기압은 해면에서의 기압으로 보정하여 평면 일기도에 표시하는데, 이를 지상 일기도라고 한다.

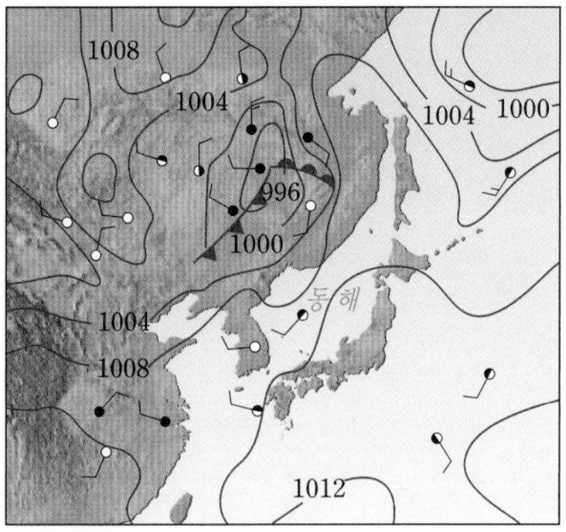

▲ 지상 일기도

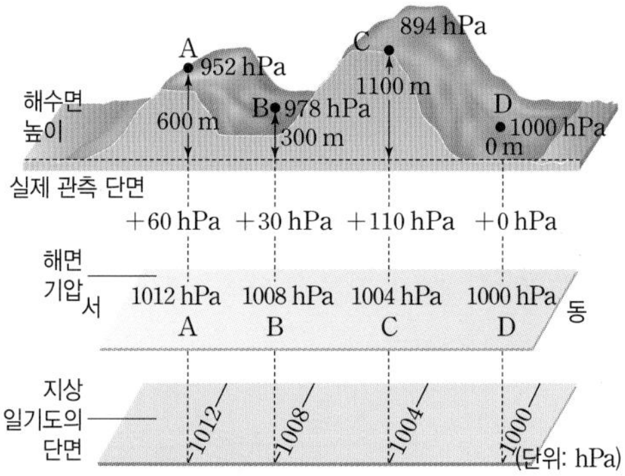

▲ 지상 일기도에 기압을 표현하는 방법

(2) **상층 일기도:** 상층 일기도는 지상 일기도와 다르게 특정한 높이에서 측정한 기압을 나타내는 것이 아니라, 각 지역의 상공에서 일정한 기압(500 hPa)을 나타내는 높이를 등고선으로 나타낸 일기도이다.

① 아래 그림 (가)는 상층 일기도의 예로서, 일기도에 나타낸 선은 등압선이 아닌 등고선이다. 즉, 그림 (가)에서 X−Y의 단면을 따라 a∼c가 위치한 곳은 기압이 500 hPa인 곳으로서 이를 입체적으로 나타내면 그림 (나)와 같다.

② 상층 일기도에서 고도가 높은 지점(a)은 기압이 높고, 고도가 낮은 지점(c)은 기압이 낮은 것을 뜻하므로, 등고선이 높은 쪽에서 낮은 쪽으로 기압 경도력이 작용한다.

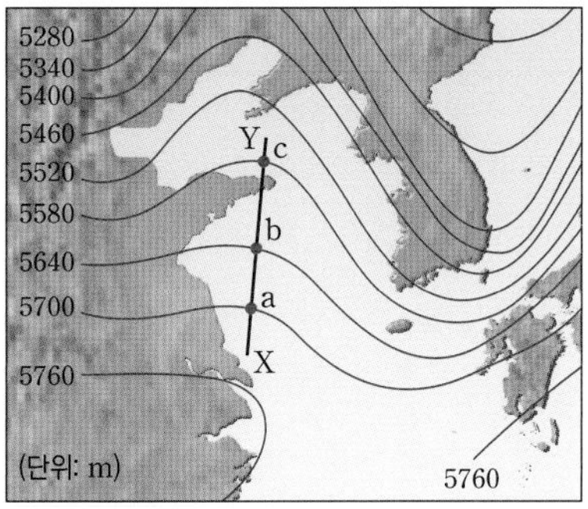

(가)

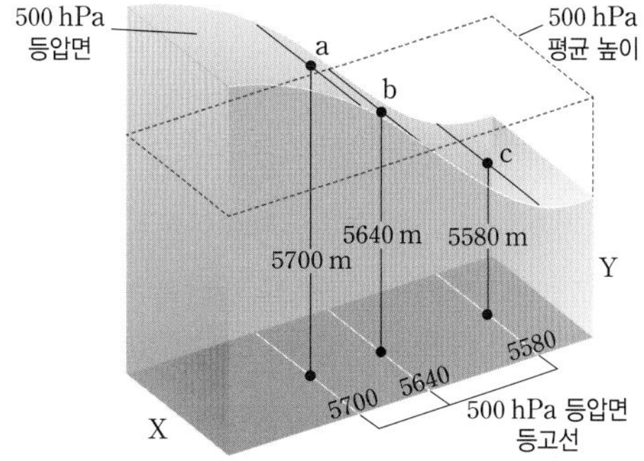

(나)

▲ **상층 일기도(500 hPa 일기도)** 500 hPa 등압면의 고도가 같은 점을 선으로 연결하여 나타낸 일기도이다.

지상 일기도와 상층 일기도

지상 일기도는 해면 기압상 같은 기압의 지점을 연결한 등압선으로 나타낸 것이고, 상층 일기도는 등압면의 고도를 측정하여 값이 같은 지점을 연결한 등고선으로 나타낸 것이다.

2. 상층에서 부는 바람(상공풍)

(1) **지균풍**: 높이 1 km 이상의 상층에서 등압선이 직선일 때 기압 경도력과 전향력이 평형을 이루어 등압선에 나란하게 부는 바람이다.

① **지균풍이 부는 원리(북반구)**: 등압선이 직선일 때 수평 방향으로 기압 차가 생기면 기압 경도력이 작용하여 정지해 있던 공기 덩어리가 등압선에 직각 방향으로 운동하기 시작한다. 움직이는 공기 덩어리에 전향력이 작용하여 오른쪽으로 휘어지고, 풍속이 증가하면서 전향력도 증가하므로 풍향이 더 오른쪽으로 휘어진다. 마침내 전향력과 기압 경도력이 평형을 이루면 바람은 일정한 속력으로 등압선과 평행하게 분다.

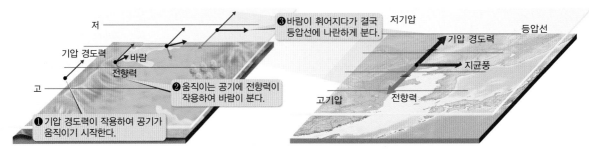

▲ **북반구에서 부는 지균풍** 지균풍은 등압선에 나란하게 분다.

② **지균풍의 풍향**: 북반구에서 지균풍은 기압 경도력에 대하여 오른쪽 직각 방향으로 불고, 남반구에서는 기압 경도력에 대하여 왼쪽 직각 방향으로 분다.

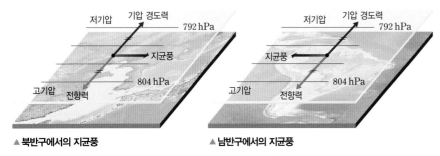

▲ **북반구에서의 지균풍**   ▲ **남반구에서의 지균풍**

③ **지균풍의 풍속**: 지균풍이 불 때는 기압 경도력과 전향력이 평형을 이루므로 지균풍의 풍속은 다음과 같이 나타낼 수 있다.

$$\frac{1}{\rho} \cdot \frac{\Delta P}{\Delta H} = 2v\Omega \sin \varphi \quad (\Delta P\text{: 기압 차이, } \Delta H\text{: 등압선 간격})$$

$$v = \frac{1}{2\rho\Omega \sin \varphi} \cdot \frac{\Delta P}{\Delta H} \quad \text{(단위 질량당)}$$

따라서 지균풍의 풍속(v)은 위도(φ)와 밀도(ρ)가 같은 공기에서는 기압 경도력에 비례하고, 등압선의 간격이 좁을수록 빠르다. 그러나 상층 일기도에는 등압선이 아닌 등고선으로 표시되어 있으므로 정역학 방정식 $\Delta P = -\rho g \Delta Z$를 적용하고, ΔZ를 높이의 차이인 Δh로 바꾸면($-\Delta Z = \Delta h$) 지균풍의 풍속은 다음과 같이 나타낼 수 있다.

$$v = \frac{g}{2\Omega \sin \varphi} \cdot \frac{\Delta h}{\Delta H}$$

즉, 상층 일기도에서 지균풍의 풍속은 위도가 낮을수록, 두 지점의 높이 차가 클수록, 두 등고선의 간격이 좁을수록 빠르다.

(2) **경도풍**: 높이 1 km 이상의 상층에서 등압선이 원형일 때 등압선에 나란하게 원형으로 부는 바람이다.

① 경도풍이 부는 원리(북반구): 상층 대기에서 등압선이 원형인 경우, 기압 경도력과 전향력의 차이가 구심력으로 작용하여 등압선에 나란하게 원형으로 바람이 분다.

• 북반구에서 중심이 저기압인 경우(저기압성 경도풍): 원형 등압선의 중심 방향으로 기압 경도력이 작용하고, 전향력은 바깥쪽으로 작용한다. 이때 기압 경도력이 전향력보다 크므로 두 힘의 차이가 구심력으로 작용하여 바람이 휘어진다. 그 결과 기압 경도력에 대해 오른쪽 직각 방향인 시계 반대 방향으로 바람이 분다. ➡ 기압 경도력 − 전향력 = 구심력

• 북반구에서 중심이 고기압인 경우(고기압성 경도풍): 원형 등압선의 바깥쪽으로 기압 경도력이 작용하고, 중심 방향으로 전향력이 작용한다. 이때 전향력이 기압 경도력보다 크므로 두 힘의 차이가 구심력으로 작용하여 등압선에 나란하게 시계 방향으로 바람이 분다.

➡ 전향력 − 기압 경도력 = 구심력

② 경도풍의 풍향(북반구): 북반구에서 저기압인 경우 등압선에 나란하게 시계 반대 방향으로 불며, 고기압인 경우 등압선에 나란하게 시계 방향으로 분다.

③ 경도풍의 풍속: 전향력은 풍속에 비례하므로 다른 조건이 같다면 전향력이 더 큰 고기압성 경도풍의 풍속이 저기압성 경도풍보다 빠르다. 즉, 기압 경도력이 일정할 때 풍속은 고기압성 경도풍 > 지균풍 > 저기압성 경도풍이다.

구심력

물체가 원운동을 하려면 구심력이 작용해야 한다. 경도풍에서는 기압 경도력과 전향력의 차이가 구심력으로 작용한다.

남반구에서의 경도풍

▼ **북반구에서 부는 경도풍**

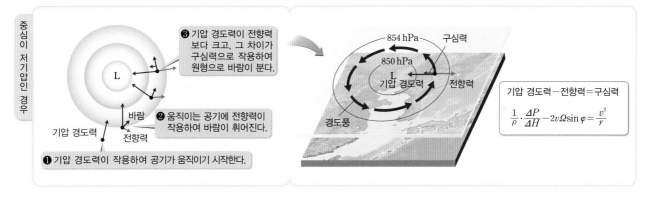

중심이 저기압인 경우

❸ 기압 경도력이 전향력보다 크고, 그 차이가 구심력으로 작용하여 원형으로 바람이 분다.

❷ 움직이는 공기에 전향력이 작용하여 바람이 휘어진다.

❶ 기압 경도력이 작용하여 공기가 움직이기 시작한다.

기압 경도력 바람 전향력

854 hPa 구심력
850 hPa
L 기압 경도력 전향력
경도풍

기압 경도력 − 전향력 = 구심력

$$\frac{1}{\rho} \cdot \frac{\Delta P}{\Delta H} - 2v\Omega\sin\varphi = \frac{v^2}{r}$$

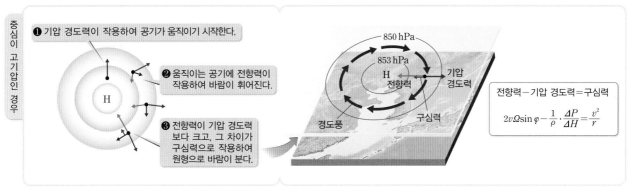

중심이 고기압인 경우

❶ 기압 경도력이 작용하여 공기가 움직이기 시작한다.

❷ 움직이는 공기에 전향력이 작용하여 바람이 휘어진다.

❸ 전향력이 기압 경도력보다 크고, 그 차이가 구심력으로 작용하여 원형으로 바람이 분다.

850 hPa
853 hPa
H 기압 경도력
전향력
경도풍 구심력

전향력 − 기압 경도력 = 구심력

$$2v\Omega\sin\varphi - \frac{1}{\rho} \cdot \frac{\Delta P}{\Delta H} = \frac{v^2}{r}$$

3. 지상에서 부는 바람(지상풍)

(1) **지상풍**: 지표면과의 마찰의 영향이 나타나는 높이 1 km 이하에서 부는 바람이다. 지상 풍은 마찰력에 의해 등압선에 비스듬하게 불며, 지표면의 상태에 따라 비스듬한 각도가 달라진다. 즉, 지상풍은 전향력과 마찰력의 합력이 기압 경도력과 평형을 이루며 등압선을 사선으로 가로질러 분다.

$$\overrightarrow{기압 \ 경도력} = \overrightarrow{전향력} + \overrightarrow{마찰력}$$

① **지상풍이 부는 원리**: 지표면 부근에서 부는 바람은 지표면과의 마찰로 인해 풍속이 느려지고 이에 따라 전향력의 크기도 작아진다. 그 결과 기압 경도력과 전향력이 평형을 이루지 못한다. 전향력과 마찰력의 합력이 기압 경도력과 평형을 이루면 바람은 고압부에서 저압부 쪽으로 등압선과 경각(θ)만큼의 각을 이루며 분다.

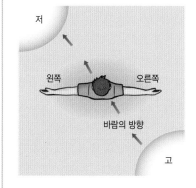

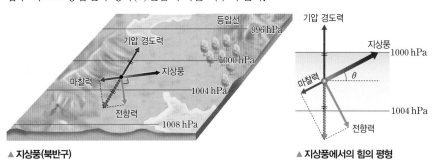

▲ **지상풍(북반구)**   ▲ **지상풍에서의 힘의 평형**

② **지상풍의 풍향**: 지상풍은 등압선과 약 $10°\sim45°$의 각을 이루며 불고, 마찰력이 감소할수록 풍향은 등압선에 평행해진다. 이때 지상풍이 등압선과 이루는 각을 경각(θ)이라고 하며, 지표면의 마찰력이 클수록 경각이 증가한다. 마찰력이 작은 해양에서는 $10°\sim20°$, 마찰력이 큰 산악 지방에서는 $20°\sim45°$의 경각을 이룬다.

③ **지상풍의 풍속**: 기압 경도력이 같은 경우 마찰력이 작을수록 지상풍의 풍속이 빠르다.

(2) **등압선이 원형일 때의 지상풍**: 등압선이 원형일 경우에는 바람에 작용하는 모든 힘, 즉 기압 경도력, 전향력, 마찰력이 평형을 이루어 바람이 분다.

① **중심이 저기압인 경우**: 북반구(남반구)에서 시계 반대 방향(시계 방향)으로 바람이 불어 들어간다.

② **중심이 고기압인 경우**: 북반구(남반구)에서 시계 방향(시계 반대 방향)으로 바람이 불어 나간다.

지상풍과 상공풍의 풍속
지상풍은 지표면의 마찰 때문에 상공풍인 지균풍이나 경도풍보다 풍속이 느리다.

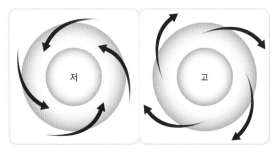

▲ **북반구에서 등압선이 원형일 때의 지상풍**

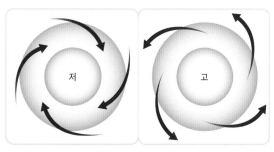

▲ **남반구에서 등압선이 원형일 때의 지상풍**

(3) **마찰 고도와 대기 경계층:** 지표면에서 상공으로 올라갈수록 마찰력이 감소하므로 풍속이 증가하고, 경각이 점점 작아진다. 이러한 변화를 수평면에 투영하여 화살표의 끝을 연결하면 나선이 그려지는데, 이를 에크만 나선이라고 한다. 풍향은 점차 등압선에 나란한 방향으로 바뀌어 마찰력이 영향을 미치지 않는 높이가 되면 바람은 지균풍과 같은 상공풍이 된다. 풍향이 등압선 방향과 같아지는 높이까지 지표면의 마찰이 영향을 미치므로 그 높이를 마찰 고도라고 한다. 지표에서 마찰 고도까지의 공기층이 대기 경계층(마찰층), 마찰 고도 이상의 공기층이 자유 대기에 해당한다.

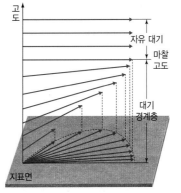

▲ **마찰 고도와 대기 경계층(북반구)**

(4) **고도에 따른 풍속의 변화:** 상층으로 올라갈수록 기압 경도력은 강해지고, 이에 따라 전향력의 크기도 증가한다. 북반구에서 마찰력이 작용하는 대기 경계층에서는 위로 올라갈수록 바람의 방향이 시계 방향으로 회전하다가 자유 대기에 들어가면 등압선에 나란하게 되고, 풍향의 변화가 없다. 풍속은 고도가 높아질수록 빨라져서 대류권 계면 근처에서 가장 빠르게 분다.

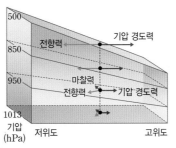

▲ **고도에 따른 풍속의 변화**

시선 집중 ★ **지상 일기도와 상층 일기도의 비교(북반구)**

지상 일기도

공기가 이동할 때 지형지물이나 지표면에 의한 마찰력이 작용하므로 바람이 등압선과 각을 이룬다.

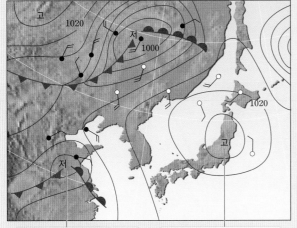

저기압 주변에서 바람은 시계 반대 방향으로 불어 들어간다.

고기압 주변에서 바람은 시계 방향으로 불어 나간다.

상층 일기도

마찰력이 작용하지 않으므로 기압 경도력과 전향력이 평형을 이루어 바람이 등압선과 나란하게 분다.

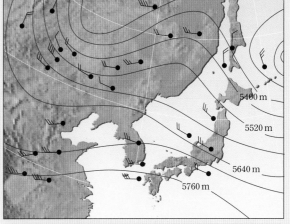

지표면 부근의 바람은 등압선과 각을 이루어 불어 나가거나 불어 들어가는 반면, 상공에서의 바람은 등압선과 거의 평행하게 나타난다.

바람이 부는 원리

높이 1 km 이상의 상공에서 부는 상공풍은 등압선에 평행하게 불며, 등압선이 직선일 때 부는 지균풍과 등압선이 원형일 때 부는 경도풍으로 나눌 수 있다. 높이 1 km 이하에서는 지표면과의 마찰로 인해 등압선을 가로질러 지상풍이 분다. 지균풍, 경도풍과 지상풍에 관한 문항이 자주 출제되므로, 이 바람이 부는 원리를 정리해 보자.

❶ 지균풍

높이 1 km 이상에서 등압선이 직선으로 나타날 때 등압선에 나란하게 부는 바람이다.

① 기압 차로 인해 등압선에 수직으로 기압 경도력이 작용하여 공기 덩어리가 움직이기 시작한다.
② 공기 덩어리가 움직이는 방향의 오른쪽 수직으로 전향력이 작용하여(북반구) 바람이 오른쪽으로 점점 휘어진다.
③ 기압 경도력과 전향력이 평형을 이루면 등압선에 나란하게 일정한 속력으로 바람이 분다. 지균풍의 풍속은 $v = \dfrac{1}{2\Omega \sin \varphi} \cdot \dfrac{\Delta P}{\Delta H}$ 또는 $v = \dfrac{g}{2\Omega \sin \varphi} \cdot \dfrac{\Delta h}{\Delta H}$ 로 나타낸다.

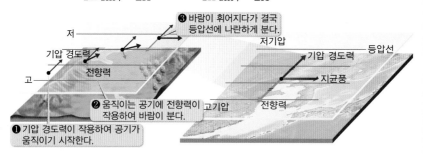

남반구에서 부는 지균풍

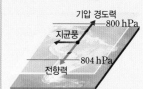

남반구에서는 기압 경도력에 대하여 왼쪽 직각 방향으로 바람이 분다.

❷ 경도풍

높이 1 km 이상에서 등압선이 원형일 때 등압선에 나란하게 원형으로 부는 바람이다.

① 중심이 저기압인 경우 원형 등압선의 중심 방향으로 기압 경도력이 작용하여 공기가 움직이기 시작한다.
② 공기 덩어리가 움직이는 방향의 오른쪽 수직으로 전향력이 작용하여(북반구) 바람이 오른쪽으로 점점 휘어진다.
③ 기압 경도력이 전향력보다 크므로 '기압 경도력 − 전향력 = 구심력'으로 작용하여 등압선에 나란하게 시계 반대 방향(북반구)으로 바람이 분다.

고기압성 경도풍

전향력은 풍속에 비례하므로, 다른 조건이 같다면 전향력이 더 큰 고기압성 경도풍이 저기압성 경도풍보다 풍속이 빠르다. 북반구에서 중심이 고기압일 때 부는 경도풍은 다음 그림과 같다.

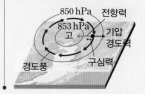

④ 중심이 고기압인 경우에는 전향력이 기압 경도력보다 크므로 '전향력 − 기압 경도력 = 구심력'으로 작용하여 등압선에 나란하게 시계 방향(북반구)으로 바람이 분다.

❸ 지상풍

지표면과의 마찰의 영향이 나타나는 높이 1 km 이하의 대기 경계층에서 부는 바람이다.

① 기압 차로 인해 등압선에 수직으로 기압 경도력이 작용하여 공기 덩어리가 움직이기 시작한다.
② 공기 덩어리가 움직이는 방향의 오른쪽 수직으로 전향력이 작용하여(북반구) 바람이 점점 오른쪽으로 휘어진다.
③ 지표면과의 마찰로 인해 풍속이 느려지고, 그 결과 전향력이 감소한다.
④ 등압선이 직선인 경우: 전향력과 마찰력의 합력이 기압 경도력과 평형을 이루면 등압선과 약 10°~45°의 각(경각)을 이루며 저기압 쪽으로 바람이 분다.

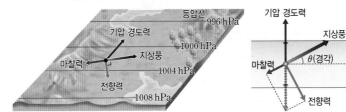

⑤ 등압선이 원형인 경우: 기압 경도력, 전향력, 마찰력이 평형을 이루어 바람이 분다.

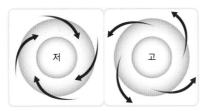

▲ 북반구에서 등압선이 원형일 때 부는 지상풍   ▲ 남반구에서 등압선이 원형일 때 부는 지상풍

지상풍과 마찰력
• 기압 경도력, 위도 등의 조건이 같을 때 지상풍은 지표면과의 마찰 때문에 상공풍인 지균풍이나 경도풍보다 풍속이 느리다. 기압 경도력이 같은 경우, 마찰력이 작을수록 풍속이 증가한다.
• 마찰력이 클수록 경각이 증가하고, 마찰력이 감소할수록 풍향은 등압선에 평행해진다.

〉정답과 해설 **180**쪽

그림 (가)와 (나)는 높이 1 km 이하에서 부는 지상풍을 나타낸 것이다.
이 바람이 부는 위치와 중심 기압을 옳게 짝 지은 것은?

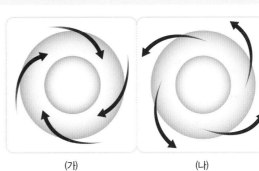

(가)   (나)

	(가)의 위치	(가)의 중심 기압	(나)의 위치	(나)의 중심 기압
①	북반구	저기압	북반구	고기압
②	북반구	고기압	남반구	고기압
③	북반구	저기압	남반구	저기압
④	남반구	고기압	북반구	저기압
⑤	남반구	저기압	남반구	고기압

02 대기를 움직이는 힘과 바람

① 기압과 정역학 평형

1 기압 공기의 무게에 의한 압력으로 단위 면적을 수직으로 누르는 힘이다.
- 1기압 = 76 cm의 (❶   ) 기둥에 의한 압력 = 76 cmHg = (❷   ) hPa = 1.013×10^5 N/m²

2 정역학 평형 연직 방향의 (❸   ) 차이에 의해 위쪽으로 작용하는 기압 경도력과 아래쪽으로 작용하는 (❹   )이 평형을 이룬 상태로, 공기의 연직 방향 운동이 거의 일어나지 않는다.

$$\Delta P = -\rho g \Delta Z \ (\rho: \text{두 층 사이의 밀도}, \ g: \text{중력 가속도}, \ \Delta Z: \text{높이 차})$$

② 바람에 작용하는 힘

1 기압 경도력(P_H) 두 지점 사이의 기압 차이에 의해 발생하는 힘이다.

$$P_H = \frac{1}{\rho} \cdot \frac{\Delta P}{\Delta H} \quad \left(\begin{array}{l} \Delta P: \text{두 지점 사이의 기압 차} \\ \Delta H: \text{두 지점 사이의 거리 차} \end{array} \right)$$

- 크기: 두 지점 사이의 기압 차가 (❺   )수록, 거리 차가 (❻   )수록 커진다.
- 방향: 기압이 (❼   )은 곳에서 (❽   )은 곳으로, 일기도에서 (❾   )에 직각 방향으로 작용한다.

2 전향력(C) 지구의 (❿   )에 의해 나타나는 가상적인 힘으로, 단위 질량당 전향력의 크기는 $C = 2v\Omega \sin \varphi$ (v: 운동 속도, Ω: 지구 자전 각속도, φ: 위도)이다.
- 방향: 북반구에서는 물체가 운동하는 방향의 (⓫   )쪽 직각 방향으로 작용하고, 남반구에서는 물체가 운동하는 방향의 (⓬   )쪽 직각 방향으로 작용한다.
- 크기: 운동하는 물체의 속도가 빠를수록 전향력이 커지고, 위도가 (⓭   )을수록 커진다. 정지한 물체, 그리고 적도(위도 0°)에서는 전향력이 작용하지 않는다.

3 구심력(F_C) 물체가 원운동을 할 수 있도록 원의 중심 방향으로 작용하는 힘으로, 단위 질량당 구심력의 크기는 $F_C = \dfrac{v^2}{r}$ (v: 속도, r: 원의 반지름)이다.
- 방향: 구심력은 원운동의 중심을 향하며, 반대 방향으로 크기가 같은 가상의 힘인 (⓮   )이 나타난다.

4 마찰력 지표면 가까이에서 운동하는 공기에 작용하며, 지표면이나 공기 자체의 마찰에 의해 운동을 방해하는 힘이다.
- 방향: (⓯   )의 반대 방향으로 작용한다.
- 크기: 지표면이 거칠수록, 지표면에 가까울수록, 풍속이 빠를수록 커진다.

③ 바람의 종류

1 지상 일기도와 상층 일기도
- 지상 일기도: (⑯   ) 기압이 같은 지점을 연결한 등압선으로 나타낸 일기도이다.
- 상층 일기도: 같은 기압이 나타나는 고도를 측정하여 이를 연결한 (⑰   )으로 나타낸 일기도이다.

2 상층에서 부는 바람(상공풍)
- 지균풍: 높이 1 km 이상의 상층에서 등압선이 직선으로 나란할 때 부는 바람이다.
  - ㉠ 작용하는 힘: 기압 경도력과 (⑱   )이 평형을 이룬다.
  - ㉡ 풍향: 북반구의 경우 (⑲   )의 오른쪽 직각 방향으로 분다.
  - ㉢ 풍속: 기압 경도력이 (⑳   )수록 빠르고, 기압 경도력의 크기가 같은 경우에는 (㉑   )위도 지방일수록 빠르다.

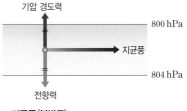

▲ **지균풍(북반구)**

- 경도풍: 높이 1 km 이상의 상층 대기에서 등압선이 원형일 때 부는 바람이다.
  - ㉠ 작용하는 힘: 기압 경도력, 전향력, (㉒   )
  - ㉡ 풍향(북반구): 중심부가 저기압일 때 (㉓   ) 방향으로, 고기압일 때 (㉔   ) 방향으로 등압선과 나란하게 분다.
  - ㉢ 풍속: 기압 경도력의 크기가 같은 경우, 중심부가 고기압일 때는 저기압일 때보다 전향력이 크므로 풍속이 더 빠르다.
  - ㉣ 중심부가 저기압일 때 작용하는 힘의 크기: 전향력 = 기압 경도력 (㉕   ) 구심력
  - ㉤ 중심부가 고기압일 때 작용하는 힘의 크기: 전향력 = 기압 경도력 (㉖   ) 구심력

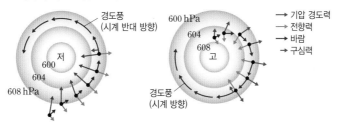

▲ **경도풍(북반구)**

3 지상에서 부는 바람(지상풍) 지표면의 마찰력이 작용하는 높이 1 km 이하의 대기 경계층에서 부는 바람이다.
- 작용하는 힘: 전향력과 (㉗   )의 합력이 기압 경도력과 평형을 이룬다.
- 풍향: 마찰력 때문에 등압선과 비스듬하게 고기압 쪽에서 저기압 쪽으로 분다. ➡ (㉘   )이 클수록 등압선과 바람이 이루는 각 θ(경각)는 커진다.
- 풍속: 등압선의 간격이 (㉙   )을수록, 마찰력이 (㉚   )을수록 빠르다.
- 등압선이 원형일 때의 지상풍: 마찰력이 작용하지 않는 상공에서는 바람이 등압선과 나란하게 불지만, 마찰력이 작용하는 지상에서는 바람이 등압선에 비스듬하게 분다.

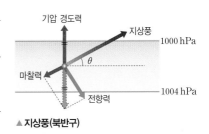

▲ **지상풍(북반구)**

01 기압에 대한 설명으로 옳은 것은 ○, 옳지 <u>않은</u> 것은 ×로 표시하시오.

(1) 1기압은 수은 기둥 76 cm의 압력과 같다. ····· (   )

(2) 기압의 단위는 hPa을 사용한다. ··············· (   )

(3) 기압의 크기는 공기의 밀도에 따라 수시로 변한다.

·· (   )

(4) 1013 hPa보다 기압이 높을 때를 고기압, 낮을 때를 저기압이라고 한다. ·· (   )

02 정역학 평형에 대한 설명으로 옳은 것만을 보기에서 있는 대로 고르시오.

보기
ㄱ. 중력과 연직 기압 경도력이 평형을 이루는 상태이다.
ㄴ. 정역학 평형 상태에서는 공기의 수평 이동이 나타나지 않는다.
ㄷ. 대기뿐만 아니라 해수에도 적용된다.

03 그림은 높이에 따른 기압의 변화를 나타낸 것이다.

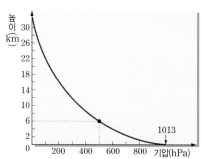

이에 대한 설명으로 옳은 것만을 보기에서 있는 대로 고르시오.

보기
ㄱ. 높이에 따라 기압이 감소한다.
ㄴ. 높이 6 km 아래에 공기의 절반 이상이 분포한다.
ㄷ. 기압은 측정 높이 아래에 있는 공기의 양에 따라 변한다.

04 지구상에서 부는 바람에 작용하는 힘만을 보기에서 있는 대로 고르시오.

보기
ㄱ. 기압 경도력   ㄴ. 전향력   ㄷ. 마찰력
ㄹ. 구심력   ㅁ. 탄성력

05 그림은 두 등압선과 그 위의 두 지점 A, B를 나타낸 것이다.

이에 대한 설명으로 옳은 것만을 보기에서 있는 대로 고르시오.

A   1020 hPa

B   1008 hPa

보기
ㄱ. 기압 경도력은 A에서 B로 등압선에 직각 방향으로 작용한다.
ㄴ. A와 B 사이의 거리가 멀수록 기압 경도력은 작아진다.
ㄷ. A와 B에서의 기압 차이가 클수록 기압 경도력은 커진다.

06 그림은 지상에서 높이에 따른 풍속의 변화를 나타낸 것이다.

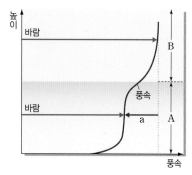

(1) 풍속의 변화를 기준으로 대기층을 구분한 A층과 B층의 명칭을 쓰시오.

(2) A층의 평균 높이는 얼마인지 쓰시오.

(3) a는 바람에 작용하는 힘으로, 이 힘은 무엇인지 쓰시오.

07 그림은 어느 날 우리나라 주변의 지상 일기도를 나타낸 것이다.

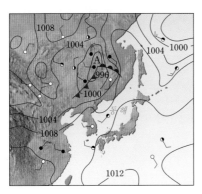

이에 대한 설명으로 옳은 것만을 보기에서 있는 대로 고르시오.

보기

ㄱ. 등압선은 기압이 같은 지점을 연결한 선이다.

ㄴ. 지상 일기도의 기압은 해면을 기준으로 보정한 값이다.

ㄷ. 등압선이 원형인 경우에 중심 기압이 높으면 고기압, 중심 기압이 낮으면 저기압이다.

ㄹ. A는 고기압이다.

08 그림은 상층 일기도(500 hPa 등고선도)를 나타낸 것이다.

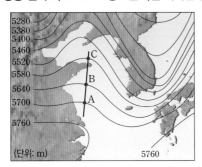

A, B, C 각 위치의 지상 5640 m 높이에서 기압의 크기를 부등호로 비교하시오.

09 그림은 북반구 상층 대기의 기압 배치를 나타낸 것이다.

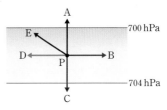

(1) P점에 있는 공기의 이동 방향을 쓰시오.

(2) P점에 작용하는 힘을 A~E에서 고르고 힘의 종류를 쓰시오.

10 그림은 상층 대기에서 등압선이 원형일 때 부는 바람과 각 바람에 작용하는 힘 A, B, C를 나타낸 것이다.

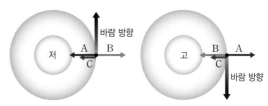

(1) A는 기압이 (　　　)은 곳에서 (　　　)은 곳으로 작용하므로 (　　　)이다.

(2) B는 바람의 방향에 대하여 오른쪽 직각 방향으로 작용하므로 (　　　)반구에서 나타나는 (　　　)이다.

(3) C는 원운동할 때 원의 중심으로 나타나는 (　　　)이다.

11 그림은 지상의 P점에 작용하는 힘 A, B, C와 바람의 방향을 나타낸 것이다.

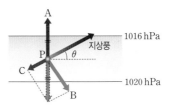

(1) 힘 A, B, C의 종류를 쓰시오.

(2) 지상의 P점에서 높이 올라가면 풍향은 (　　　) 방향으로 휘고, 풍속은 (　　　)한다.

01 　▶기압의 측정

그림은 수은을 이용하여 기압을 측정하는 실험을 나타낸 것이다.

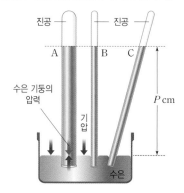

이에 대한 설명으로 옳은 것만을 보기에서 있는 대로 고른 것은?

> **보기**
> ㄱ. 각 유리관의 끝이 진공이 아닐 경우 수은 기둥의 높이는 P보다 낮아진다.
> ㄴ. 각 유리관 안에 들어 있는 수은의 총 무게는 대기압과 같다.
> ㄷ. 기압이 높아지면 P의 높이는 $B > C > A$의 순서가 된다.

① ㄱ 　　　　② ㄷ 　　　　③ ㄱ, ㄴ 　　　　④ ㄴ, ㄷ 　　　　⑤ ㄱ, ㄴ, ㄷ

> 수은 기둥이 단위 면적에 작용하는 힘은 일정하므로 유리관의 굵기나 기울기에 관계없이 수은 기둥의 높이는 같다.

02 　▶정역학 평형

그림은 정역학 평형 상태를 이루고 있는 공기 덩어리의 모습을 나타낸 것이다.

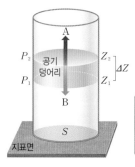

P_1: Z_1에서의 압력
P_2: Z_2에서의 압력
ΔZ: 두 층 사이의 높이 차
S: 공기 기둥의 밑면적

이에 대한 설명으로 옳은 것만을 보기에서 있는 대로 고른 것은?

> **보기**
> ㄱ. A는 연직 기압 경도력, B는 중력이다.
> ㄴ. A와 B의 크기가 같은 상태이다.
> ㄷ. S가 커지면 B의 크기가 증가하여 공기 덩어리는 하강한다.

① ㄱ 　　　　② ㄷ 　　　　③ ㄱ, ㄴ 　　　　④ ㄴ, ㄷ 　　　　⑤ ㄱ, ㄴ, ㄷ

> 정역학 평형 상태는 유체에 작용하는 힘들의 크기는 같고 방향이 반대일 경우 힘들의 합력이 0이 되어 유체가 움직이지 않는 상태이다.

03 › 기압 경도력의 크기

그림은 수평 방향으로 나란한 두 개의 등압선 사이에 존재하는 직육면체의 공기 덩어리에 작용하는 압력을 나타낸 것으로, ΔS는 A면과 B면의 면적이다.

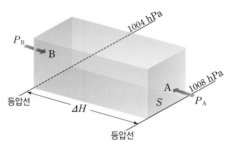

이에 대한 설명으로 옳은 것만을 보기에서 있는 대로 고른 것은?

> 보기 ─────────────────────────────
> ㄱ. P_A가 P_B보다 크다.
> ㄴ. ΔH가 클수록 기압 경도력은 작아진다.
> ㄷ. S가 클수록 기압 경도력은 커진다.

① ㄱ   ② ㄷ   ③ ㄱ, ㄴ   ④ ㄴ, ㄷ   ⑤ ㄱ, ㄴ, ㄷ

• 기압 경도력은 두 지점 사이의 기압 차에 비례하고, 거리에 반비례한다.

04 › 기압 경도력의 방향

그림은 연속된 등압선의 입체 구조에서 정역학 평형 상태를 이루고 있는 P 지점의 공기 덩어리에 작용하는 기압 경도력과 여러 가지 힘을 나타낸 것이다.

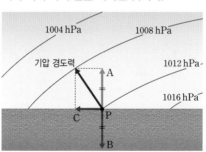

이에 대한 설명으로 옳은 것만을 보기에서 있는 대로 고른 것은?

> 보기 ─────────────────────────────
> ㄱ. A와 B의 크기는 같다.
> ㄴ. C의 크기는 기압 경도력의 크기에 비례한다.
> ㄷ. 지상에서 공기 덩어리는 C 방향으로 이동한다.

① ㄱ   ② ㄷ   ③ ㄱ, ㄴ   ④ ㄴ, ㄷ   ⑤ ㄱ, ㄴ, ㄷ

• 정역학 평형 상태에서는 연직 방향으로 힘의 합력이 0이 되어 작용하는 힘의 수평 성분만 남는다.

05 〉지균풍

그림은 어느 지역의 상공에서 부는 지균풍의 형성 과정을 나타낸 것이다.

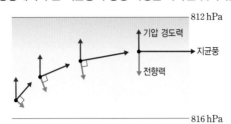

이에 대한 설명으로 옳은 것만을 보기에서 있는 대로 고른 것은?

---보기---

ㄱ. 이 지역은 북반구에 위치한다.

ㄴ. 지균풍이 생성되는 동안 기압 경도력은 점차 증가한다.

ㄷ. 전향력이 기압 경도력과 평형을 이루면서 풍향이 등압선에 나란하게 된다.

① ㄱ ② ㄴ ③ ㄱ, ㄷ ④ ㄴ, ㄷ ⑤ ㄱ, ㄴ, ㄷ

• 지균풍은 기압 경도력과 전향력이 평형을 이룰 때 등압선에 나란하게 부는 바람이다.

06 〉전향력

그림 (가)와 (나)는 우리나라 어느 관측소 상공의 고도가 다른 두 지점에서 불고 있는 바람을 나타낸 것이다.

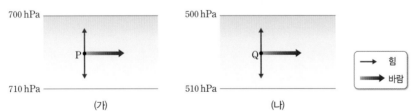

이에 대한 설명으로 옳은 것만을 보기에서 있는 대로 고른 것은? (단, 등압선의 간격은 같으며, 바람의 화살표의 길이는 풍향만 나타낸다.)

---보기---

ㄱ. (가)는 (나)보다 고도가 높은 곳이다.

ㄴ. 공기의 밀도는 (가)보다 (나)에서 크다.

ㄷ. 풍속은 P 지점보다 Q 지점에서 더 빠르다.

① ㄱ ② ㄷ ③ ㄱ, ㄴ ④ ㄴ, ㄷ ⑤ ㄱ, ㄴ, ㄷ

• 지균풍의 풍속은 $v = \dfrac{g}{2\Omega \sin \varphi} \cdot \dfrac{\Delta h}{\Delta H}$ 이므로 같은 장소에서 등압선의 간격(ΔH)이 같으면 두 지점의 고도 차(Δh)에 비례한다.

07 › 바람에 작용하는 힘

그림은 북반구의 어느 지역에 분포하는 공기 기둥의 모습을 등압면과 등고선의 관계를 이용하여 나타낸 것으로, 이 지역에는 지균풍이 불고 있다.

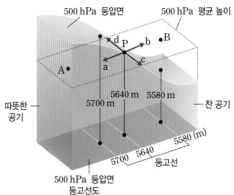

이에 대한 설명으로 옳은 것만을 보기에서 있는 대로 고른 것은?

> 보기
>
> ㄱ. A 지점이 B 지점보다 기압이 높다.
>
> ㄴ. P 지점에 작용하는 힘 a는 기압 경도력, b는 전향력이다.
>
> ㄷ. P 지점에서는 c 방향으로 지균풍이 발생한다.

① ㄱ   ② ㄴ   ③ ㄱ, ㄷ   ④ ㄴ, ㄷ   ⑤ ㄱ, ㄴ, ㄷ

기압은 관측하는 위치를 기준으로 그 위에 존재하는 대기가 누르는 힘이다. 따라서 등압면의 높이가 높은 곳이 낮은 곳보다 기압이 높다.

08 › 바람의 종류

그림은 북반구 중위도 어느 지방의 등압면을 나타낸 것이다.

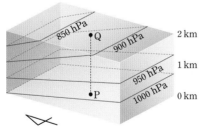

이에 대한 설명으로 옳은 것만을 보기에서 있는 대로 고른 것은? (단, P 지점은 지표이고, Q 지점은 2 km 상공이다.)

> 보기
>
> ㄱ. P 지점에서는 남서풍이, Q 지점에서는 서풍이 나타난다.
>
> ㄴ. 풍속은 P 지점에서보다 Q 지점에서 더 빠르다.
>
> ㄷ. P 지점에서 Q 지점으로 올라가면서 풍향은 시계 방향으로 변한다.

① ㄱ   ② ㄷ   ③ ㄱ, ㄴ   ④ ㄴ, ㄷ   ⑤ ㄱ, ㄴ, ㄷ

지상에서는 마찰력이 존재하고 대기의 밀도가 높기 때문에 상층에서보다 풍속이 낮다.

09 〉상층 일기도

그림은 어느 날 우리나라 주변 상층에서 500 hPa 등압면의 등고선과 그 위의 지점 A∼C를 나타낸 것이다.

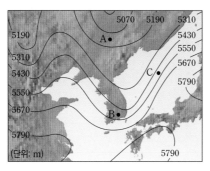

(단위: m)

A∼C 지점에서 부는 바람에 대한 설명으로 옳은 것만을 보기에서 있는 대로 고른 것은?

보기

ㄱ. A에서는 시계 반대 방향으로 경도풍이 분다.

ㄴ. 풍속은 C에서보다 B에서 더 빠르다.

ㄷ. C에서는 공기가 수렴한다.

① ㄱ   ② ㄴ   ③ ㄱ, ㄷ   ④ ㄴ, ㄷ   ⑤ ㄱ, ㄴ, ㄷ

• 등압선이 원형인 경우 중심으로 향하는 구심력이 작용하여 공기 덩어리는 등압선을 따라 원운동 한다.

10 〉상층에서 부는 바람

그림은 4 km 상공에서 등압선이 원형일 때 공기 덩어리 P에 작용하는 힘 A∼C를 나타낸 것이다.

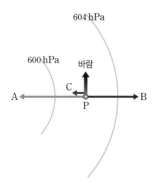

이에 대한 설명으로 옳은 것만을 보기에서 있는 대로 고른 것은?

보기

ㄱ. A에서 C를 뺀 값은 B와 평형을 이룬다.

ㄴ. C는 공기 덩어리가 등압선을 따라 원운동하게 하는 힘이다.

ㄷ. 이 바람은 남반구에서 저기압일 때 발생하는 경도풍이다.

① ㄱ   ② ㄷ   ③ ㄱ, ㄴ   ④ ㄴ, ㄷ   ⑤ ㄱ, ㄴ, ㄷ

• 등압선이 원형인 경우는 중심으로 작용하는 힘의 일부가 구심력으로 작용한다. 따라서 중심으로 향하는 힘에서 구심력을 뺀 값이 반대로 작용하는 힘과 평형을 이룬다.

11 ❯ 지상풍과 지균풍

그림은 북반구의 어느 지역에서 지표면과 2 km 상공에서 부는 바람에 작용하는 여러 가지 힘을 나타낸 것이다.

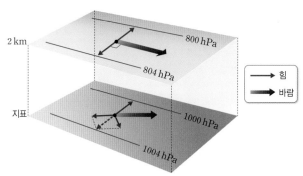

2 km
800 hPa
804 hPa

→ 힘
⇒ 바람

지표
1000 hPa
1004 hPa

이에 대한 설명으로 옳은 것만을 보기에서 있는 대로 고른 것은? (단, 지표면과 상공에서 두 등압선의 간격은 같다.)

┌── 보기 ───┐
│ ㄱ. 지표면에서는 마찰력과 전향력의 합력이 기압 경도력과 평형을 이룬다. │
│ ㄴ. 상공으로 갈수록 마찰력이 감소하고, 기압 경도력과 전향력이 증가한다. │
│ ㄷ. 상공으로 가면서 바람의 방향이 시계 방향으로 바뀐다. │
└──┘

① ㄱ   ② ㄴ   ③ ㄱ, ㄷ   ④ ㄴ, ㄷ   ⑤ ㄱ, ㄴ, ㄷ

• 지표에서 상공으로 갈수록 마찰력이 감소하므로 전향력이 증가하여 풍속이 커지고, 풍향도 전향력이 작용하는 방향으로 휘어지게 된다.

12 ❯ 경도풍과 지상풍

그림 (가), (나)는 북반구의 동일 위도에서 등압선이 원형일 때 부는 바람을 나타낸 것이다. (단, 등압선 사이의 기압 차와 간격은 같으며, 화살표는 바람의 방향만을 의미한다.)

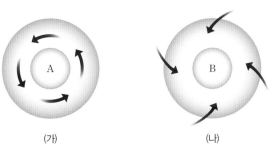

(가)   (나)

이에 대한 설명으로 옳은 것만을 보기에서 있는 대로 고른 것은?

┌── 보기 ───┐
│ ㄱ. (가) 바람에 작용하는 기압 경도력과 전향력의 크기는 같다. │
│ ㄴ. (가)는 자유 대기에서 부는 바람이고, (나)는 대기 경계층에서 부는 바람이다. │
│ ㄷ. A와 B는 모두 저기압이다. │
└──┘

① ㄱ   ② ㄷ   ③ ㄱ, ㄴ   ④ ㄴ, ㄷ   ⑤ ㄱ, ㄴ, ㄷ

• 경도풍에서는 구심력이 작용하므로 기압 경도력과 전향력의 크기가 다르다.

03 편서풍 파동과 대기 대순환

학습 Point   편서풍 파동   >   대기 대순환   >   대기 순환의 규모와 종류

1 편서풍 파동

중위도에서의 기상 변화를 해석하기 위해서는 지상 일기도에서의 저기압, 고기압과 같은 기압 배치의 정확한 작성이 가장 중요하다. 이러한 지상 기압 배치는 종관 규모로서 대기 대순환에 의해 형성되는 편서풍 파동과 밀접한 관련이 있다.

1. 편서풍 파동

(1) **편서풍의 생성:** 중위도 상공에서는 서쪽에서 동쪽으로 부는 지속적인 바람이 나타나는데, 이는 대기 대순환에 의해 생성된 편서풍이다.

① 모든 위도에서의 지상 기압이 같다고 가정하고 고위도와 저위도 지역에서 높이에 따른 기압 차를 생각해 보자. 고위도 지역의 찬 공기는 저위도 지역의 따뜻한 공기보다 밀도가 더 크므로 높이 올라갈수록 기압은 따뜻한 공기보다 찬 공기에서 급격히 낮아진다.

② 저위도 지역의 공기는 온난하고 고위도 지역의 공기는 한랭하므로 기층의 두께는 한랭한 기층보다 온난한 기층이 더 두껍다. 지상의 기압이 같더라도 상층에서 온난한 지역은 고기압, 한랭한 지역은 저기압이 되므로 기압 경도력은 저위도에서 고위도 쪽으로 작용하며 상층으로 갈수록 점점 커진다.

③ 기압 경도력이 전향력과 평형을 이루면서 북반구 상층에서는 기압 경도력의 오른쪽 직각 방향으로 지균풍, 즉 편서풍이 불며, 높이 올라갈수록 기압 차가 커지므로 편서풍의 풍속이 증가한다.

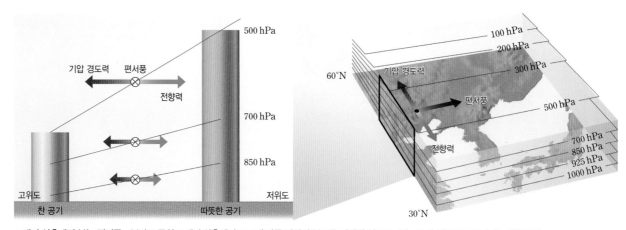

▲ **대기 상층에서 부는 편서풍** 북반구 중위도 대기 상층에서 고도에 따른 바람의 분포를 나타낸 것으로, ⊗는 종이 안쪽으로 들어가는 방향이다.

(2) **편서풍 파동의 발달 과정:** 저위도와 고위도의 온도 차로 중위도 상공에서 발생한 편서풍은 지구 자전의 영향을 받아 남북 방향으로 굽이치면서 파장이 수천 km에 이르는 파동을 형성하여 서에서 동으로 이동하는데, 이를 편서풍 파동이라고 한다. 중위도 지방 상공에서 편서풍이 생성되면서(아래 그림의 ❶) 남북 간의 온도 차에 의해 파동이 발달하기 시작한다(그림의 ❷). 파동의 초기 단계에서는 진폭이 작지만, 발달 단계를 거치면서 진폭이 커지며 파동의 일부가 분리되기 시작한다(그림의 ❸). 이렇게 분리된 파동은 북쪽에 따뜻한 공기의 고기압, 남쪽에 찬 공기의 저기압을 형성한다(그림의 ❹). 고기압과 저기압이 소멸하면 다시 초기 단계(그림의 ❶)로 되돌아가는 주기적인 변화를 하는데, 그 주기는 약 3주에 해당한다.

① **편서풍 파동의 풍속:** 편서풍 파동의 풍속은 상층으로 갈수록 증가하여 대류권 계면 부근에서 가장 크다.

② **편서풍 파동의 역할:** 편서풍 파동의 주기적인 생성 과정을 통해 저위도의 따뜻한 공기는 고위도로, 고위도의 차가운 공기는 저위도로 이동하면서 남북 간의 열에너지 수송이 이루어진다. 또한, 편서풍 파동은 중위도에서의 온대 저기압의 발생에도 큰 영향을 미친다.

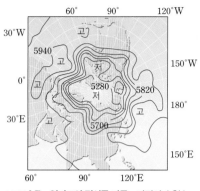

▲ **500 hPa 일기도의 편서풍 파동** 파장이 수천 km인 3개~6개의 편서풍 파동이 지구 둘레를 감싸며 움직이는 모습을 확인할 수 있다.

회전 수조를 이용한 편서풍 파동 실험
회전 원통 실험 장치의 가장 안쪽 원통에는 얼음물, 가운데 원통에는 실온의 물, 가장 바깥쪽 원통에는 뜨거운 물을 넣고 원통을 시계 반대 방향으로 회전시킨다.

· 회전 속도가 느릴 때: 수조를 천천히 회전시키면 온도 차로 인해 중간 원통의 물이 서서히 상승하고 하강하는 흐름이 생긴다.

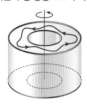

· 회전 속도가 빠를 때: 회전 속도가 빨라지면 수평 방향으로의 파동이 발달한다.

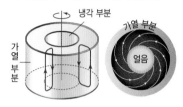

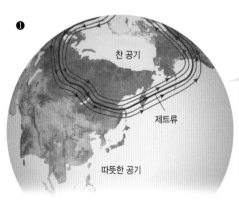

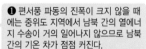

❶ 편서풍 파동의 진폭이 크지 않을 때에는 중위도 지역에서 남북 간의 열에너지 수송이 거의 일어나지 않으므로 남북 간의 기온 차가 점점 커진다.

❷ 남북 간의 기온 차가 커지면 편서풍 파동이 발달하기 시작한다.

❸ 남북 방향으로 파동이 더 커지면서 성장하고, 파동의 일부가 분리되기 시작한다.

❹ 저기압이 떨어져 나가면서 편서풍 파동의 진폭은 좁아진다. 이때 떨어져 나온 공기 덩어리로 남북 간의 에너지 불균형이 해소된다.

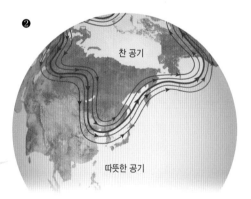

▲ **편서풍 파동의 발달 과정**

(3) **제트류:** 편서풍 파동 내에서 축이 되는 좁고 강한 흐름을 제트류라고 한다. 제트류는 대기 상층의 좁은 영역에서 50 m/s～80 m/s에 달하는 빠른 풍속을 나타내며, 아열대 제트류와 한대 전선 제트류가 있다.

① **아열대 제트류:** 위도 30° 지역 상공은 온도 차에 의해 같은 높이의 위도 60° 지역보다 기압이 높다. 따라서 위도 30° 지역의 상공 대류권 계면 부근에서 위도 60° 지역과 기압 차가 커서 빠른 흐름이 발생하는데, 이 지역에 나타나는 제트류를 아열대 제트류라고 한다. 주로 남북 간의 온도 차가 큰 겨울철에 더 강해진다.

② **한대 전선 제트류:** 위도 60° 부근에서 찬 공기와 따뜻한 공기가 만나 한대 전선대가 형성되는데, 남북 간 온도 차가 매우 크므로 그 상공의 기압 경도력이 매우 커서 제트류가 발생한다. 이를 한대 전선 제트류라고 하며 남북으로 큰 파동을 이루면서 지구 둘레를 회전한다. 한대 전선 제트류는 남북 간의 기온 차가 큰 겨울철에 강하게 나타나며, 그 위치도 겨울에 남하하고 여름에 북상한다. 한대 전선 제트류는 지상 기압계에 에너지를 공급하고 이동 방향에 영향을 주기 때문에 중위도 지역의 날씨에 중요한 역할을 한다.

제트류
· 저위도 지방이 따뜻하고 고위도 지방이 차갑기 때문에 서풍의 속력이 높이에 따라 증가하여 제트류가 생성된다.
· 대륙과 해양의 온도 차이가 큰 아시아 대륙과 북아메리카 대륙의 동안에 특히 강한 제트류가 발생한다.

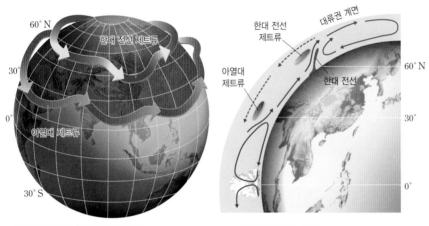

▲ 한대 전선 제트류와 아열대 제트류   ▲ 제트류가 생기는 위치

③ **계절에 따른 제트류의 위치 변화:** 남북 간의 온도 차가 큰 겨울철에 제트류의 세기가 강해지며, 겨울철에는 고위도의 찬 기단이 강해져서 제트류의 위치가 저위도로 남하한다. 이와 같은 제트류의 세기와 위치 변화는 여름철보다 겨울철에 남북 간의 기온 차가 크기 때문에 발생한다.

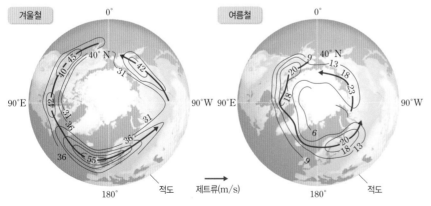

▲ 계절에 따른 제트류의 위치와 풍속 변화

2. 편서풍 파동과 중위도 지상의 기압 배치

탐구 136쪽

(1) 편서풍 파동과 지상 일기도: 상층에서 발달한 편서풍 파동은 남북 간의 열 교환에 중요한 역할을 하며, 지상의 고기압과 저기압을 발생시키는 원인이 된다.

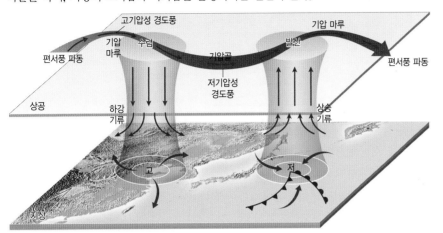

▲ **상층의 편서풍 파동과 지상 일기도(북반구)**

① **기압 마루와 기압골:** 상층 일기도에서 등고선이 고위도 지방으로 올라간 부분, 즉 편서풍 파동이 북쪽(북반구)으로 올라간 부분을 기압 마루라고 하며, 등고선이 저위도 지방으로 내려간 부분, 즉 파동이 남쪽(북반구)으로 내려간 부분을 기압골이라고 한다.

② **공기의 수렴과 발산:** 편서풍 파동의 기압 마루에서는 고기압성 경도풍이, 기압골에서는 저기압성 경도풍이 부는데, 고기압성 경도풍이 저기압성 경도풍보다 풍속이 빠르므로 기압골에서보다 기압 마루에서 풍속이 빠르다. 그 결과 기압 마루와 그 동쪽의 기압골 사이에서는 공기가 수렴하고, 기압골과 그 동쪽의 기압 마루 사이에서는 공기가 발산한다.

③ **지상의 고기압과 저기압:** 상층 대기에서 공기가 수렴하는 곳의 지상에서는 하강 기류가 나타나므로 고기압이 형성되어 공기가 발산한다. 반대로 상층 대기에서 공기가 발산하는 곳의 지상에서는 상승 기류가 나타나므로 저기압이 형성되어 공기가 수렴한다. 상층의 기압골이 편서풍 파동에 의해 서쪽에서 동쪽으로 이동하므로 지상의 온대 저기압도 서쪽에서 동쪽으로 이동한다. 따라서 일기 예보를 할 때에는 상층 대기의 파동과 그 이동 상태를 파악하는 것이 매우 중요하다.

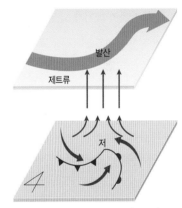

▲ **제트류와 지상 저기압의 관계(북반구)** 제트류에 의한 상층 대기의 발산은 상승 운동을 유도하여 지상에 저기압을 더욱 발달시킨다.

시선 집중 ★ **편서풍 파동에서 공기의 수렴과 발산**

편서풍 파동에서 공기의 운동은 기압 마루에서는 고기압성 경도풍, 기압골에서는 저기압성 경도풍으로 해석할 수 있다.

- 고기압성 경도풍은 전향력과 기압 경도력의 차이가 구심력으로 작용한다(전향력−기압 경도력=구심력). 저기압성 경도풍은 기압 경도력과 전향력의 차이가 구심력으로 작용한다(기압 경도력−전향력=구심력).
- 기압 경도력이 같으면 저기압성 경도풍보다 고기압성 경도풍에서 전향력이 크고, 전향력은 속도의 함수이므로 고기압성 경도풍이 저기압성 경도풍보다 풍속이 빠르다.

- 편서풍 파동에서 공기가 기압 마루(A)에서 기압골(C)로 이동할 때는 풍속이 점점 느려지므로 중간(B)에서 공기가 수렴하고, B의 연직 아래 지상에서는 고기압이 형성된다.
- 반대로, 공기가 기압골(C)에서 기압 마루(E)로 이동할 때는 풍속이 점점 빨라지므로 중간(D)에서 공기가 발산하고, D의 연직 아래 지상에서는 저기압이 형성된다.

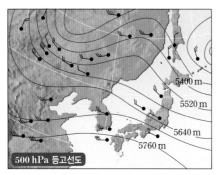
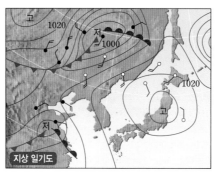

▲ 상층 일기도와 지상 일기도(북반구)

(2) **상층 일기도와 지상 일기도**: 500 hPa 등고선도를 보면 편서풍이 등고선을 따라 파동을 그리며 흐르고 있다. 편서풍 파동에서는 찬 북서풍이 서서히 남하하여 남쪽에서 가열된다. 이 가열된 공기는 따뜻한 남서풍이 되어 서서히 북상하여 냉각된다. 이와 같이 북반구에서 편서풍 파동은 열을 북쪽으로 수송하는 역할을 한다. 500 hPa 등고선도를 작성한 같은 날, 같은 시각의 지상 일기도에는 온난 공기와 한랭 공기가 만나서 만들어진 전선을 가진 온대 저기압이 나타난다. 500 hPa 등고선도와 지상 일기도를 비교하면, 온대 저기압은 편서풍 파동의 남서 기류 아래에 위치한다. 즉, 편서풍 파동의 기압골에서 기압 마루로 이어지는 중간에서 공기가 발산하므로 이곳의 지상에서는 상승 기류가 생겨 저기압이 형성되는 것이다.

2 대기 대순환

대기 대순환은 수 주일에서 수년에 걸쳐 일어나는 지구 규모의 운동이다. 지구를 둘러싸고 있는 대기는 지구와 함께 회전하고 있다. 그러나 지형이나 온도 분포 등이 불규칙하여 대기의 회전 방향이나 속도가 변하므로 대기의 순환은 불규칙하게 나타난다.

1. 지구의 열수지

(1) 지구가 받는 태양 복사 에너지의 양

① 태양 상수(I): 지구 대기 바깥에서 태양 광선에 수직인 $1\ cm^2$의 면적이 1분 동안 받는 태양 에너지의 양을 태양 상수라고 하며, 그 값은 $2\ cal/cm^2 \cdot min$이다. 그러나 실제 지표가 받는 태양 에너지의 양은 대기에 의한 흡수, 반사, 산란 등으로 태양 상수보다 적다.

② 태양으로부터 지구가 받는 에너지: 지구는 구형이지만 햇빛이 쓸고 지나가는 면은 원이다. 지구 반지름을 R, 태양 상수를 I라고 하면, 1분 간 지구에 도달하는 태양 에너지는 $\pi R^2 I$가 된다. 이 에너지가 전 지표면에 고르게 퍼진다면, 지표면 $1\ cm^2$당 1분 동안 받는 평균 태양 복사 에너지양(E)은 다음과 같다.

$$E = \frac{1분\ 동안\ 지구가\ 받는\ 총\ 태양\ 복사\ 에너지양}{지구의\ 전체\ 표면적}$$
$$= \frac{\pi R^2 I}{4\pi R^2} = \frac{I}{4} \fallingdotseq 0.5(cal/cm^2 \cdot min)$$

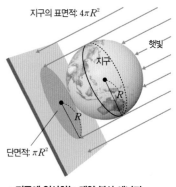

지구의 표면적: $4\pi R^2$

햇빛

지구

R

R

단면적: πR^2

▲ 지구에 입사하는 태양 복사 에너지

(2) **지구의 복사 평형:** 지구는 태양으로부터 흡수하는 복사 에너지의 양과 같은 양의 복사 에너지를 방출하여 연평균 기온이 일정하게 유지되는데, 이를 지구의 복사 평형이라고 한다.

① 지구에 입사하는 태양 복사 에너지의 양을 100 %라고 할 때, 그 중 45 %는 지표면에 흡수되고, 25 %는 지구 대기에 흡수된다. 나머지 30 %는 지표면과 구름에서 반사되거나 대기 중에서 산란되어 우주 공간으로 방출되는데, 이를 반사율(알베도)이라고 한다. 따라서 실제 지구가 흡수하는 태양 복사 에너지 양은 70 %이다.

② 지표면에서 대기로 방출하는 에너지는 지표면 복사에 의해 100 %, 대류와 전도에 의해 8 %, 수증기의 숨은열에 의해 21 %가 되는데, 대기는 지표면으로 88 %를 재방출한다. 또한 대기는 20 %의 태양 복사 에너지를 흡수하여 총 66 %의 에너지를 우주 공간으로 방출한다. 한편, 지구는 지표에서 직접 대기권 밖으로 4 %의 에너지를 방출하므로 합해서 70 %의 지구 복사 에너지를 방출함으로써 지구는 복사 평형을 이루고 있는 것이다.

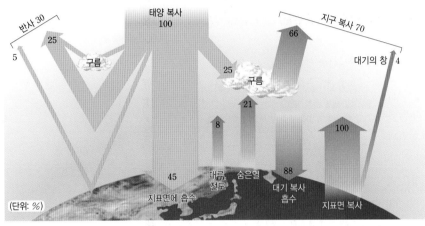

▲ **지구의 열수지** 지구에 입사하는 태양 복사 에너지 100 % 중 70 %만 지표면과 대기에 흡수된다.

(3) **위도별 에너지의 분포:** 위도 약 38°를 경계로 하여 저위도 지방에서는 복사 에너지의 과잉이 나타나고, 고위도 지방에서는 복사 에너지의 부족이 나타난다. 하지만 저위도의 기온이 계속 높아지거나 고위도의 기온이 계속 낮아지지는 않는데, 이는 저위도의 과잉 에너지가 고위도로 이동하여 열평형이 이루어지기 때문이다. 지구에서는 대기와 해수의 운동을 통하여 저위도 지역에서 남는 에너지를 고위도 지역에 공급함으로 위도에 따른 에너지 불균형을 해소한다. 이 과정에서 지구의 에너지 평형이 이루어지고 지구 전체의 연평균 기온이 비교적 일정하게 유지된다.

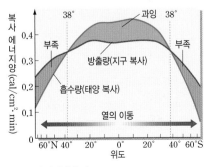

▲ **위도별 에너지 수지**

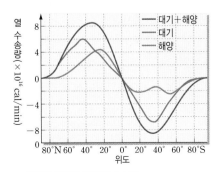

▲ **대기와 해양에 의한 열 수송량**

거리에 따른 태양 복사 에너지의 양

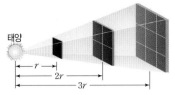

빛은 직진하므로 거리가 r, $2r$, $3r$인 세 판에 입사하는 태양 복사 에너지양은 서로 같다. 세 판의 면적비가 1 : 4 : 9이므로, 세 판의 동일한 면적에 입사하는 태양 복사 에너지양의 비는 9 : 4 : 1이다. 그러므로 태양 상수는 태양으로부터의 거리의 제곱에 반비례하여 감소한다. 즉, 태양으로부터 1 AU 떨어진 지구에서 태양 상수가 I이므로 태양으로부터의 거리가 r(AU)인 행성에서의 태양 상수$(I_r) = \dfrac{I}{r^2}$이다.

2. 대기 대순환

지구 규모의 열에너지 이동을 일으키는 가장 규모가 큰 순환을 대기 대순환이라고 한다. 대기 대순환이 일어나는 주된 원인은 위도에 따른 복사 에너지의 불균형이고, 대기 대순환에 의하여 저위도의 남는 에너지가 고위도로 운반된다.

⑴ **단일 세포 순환 모형:** 최초의 대기 순환 모형은 1686년 영국의 천문학자 핼리에 의해 처음으로 제안되었고, 그 후 1735년 해들리에 의해 개선된 모형으로, 지구가 자전하지 않는다고 가정했을 때의 대기 대순환 모형이다.

① 지구는 구형이므로 저위도 지방일수록 태양 복사 에너지가 많이 입사하여 고위도 지방과 온도 차가 생긴다. 그러므로 저위도의 따뜻한 공기는 상승하고, 지구 자전에 의한 영향도 없으므로 이 공기는 양극으로 이동하여 극 부근에서 하강하는 하나의 큰 열대류 순환을 이룰 것이다. 결국 북반구의 지상에는 계속 북풍만 불고, 남반구의 지상에는 계속 남풍만 분다.

▲ **지구가 자전하지 않을 때의 대기 대순환 모형(단일 세포 순환 모형)** 북반구와 남반구에 각각 한 개씩의 열대류 순환 세포가 분포한다.

② 단일 세포 순환은 지구상에는 존재하지 않는데, 그 까닭은 지구 자전에 의한 영향을 고려하지 않았기 때문이다. 실제로는 열적 순환에 의해 형성된 순환이 지구 자전에 의한 전향력의 영향을 받아 여러 개의 순환 세포를 이루고 있다.

⑵ **대기 대순환 모형:** 해들리의 대기 순환 모형은 지상 기압 관측이 광범위하게 수행되면서 1856년 페렐에 의해 크게 수정되고 보완되어 3개의 순환 세포 모형으로 바뀌었다.

위도 60°~90° 사이인 극순환에서는 극 지역에서 차가운 지표면 때문에 하강 기류가 생겨 극고압대가 형성되고 위도 60° 부근에서 한랭한 극동풍과 온난한 편서풍이 만나 한대 전선대를 형성한다. 위도 60° 부근에서 형성되는 한대 전선의 파동으로 중위도 지역은 날씨 변화가 심하다.

해들리 순환과 극순환 사이에 있는 페렐 순환은 위도 30°~60°에서 해들리 순환과 극순환의 영향으로 역학적으로 만들어지는 간접 순환이다.

적도와 위도 30° 사이인 해들리 순환에서는 적도에서 가열된 공기가 상승하여 지상에서는 열대 수렴대를 형성하고, 극을 향해 이동하던 공기가 위도 25°~35° 사이에서 냉각과 전향력의 영향으로 하강하여 중위도 고압대를 형성한다. 중위도 고압대의 공기는 단열 압축되어 건조하기 때문에 이 지역에 큰 사막이 많이 분포한다.

▲ **대기 대순환 모형(페렐의 3세포 순환 모형)**

① 해들리 순환

• 적도 부근의 공기가 태양 복사 에너지에 의해 가열되어 밀도가 작아져 상승하면 지표면에는 저기압이 형성되어 주위로부터 공기가 모여든다. 적도 지방에 공기가 수렴하는 곳을 열대 수렴대라고 하며, 이곳에서 상승한 공기는 양극을 향하여 이동하는데, 이 공기는 고위도로 가면서 편향되어 상공의 편서풍이 되고, 점차 냉각되어 위도 30° 부근에 이르면 밀도가 커져 공기가 하강하여 이 지역에 아열대 고압대(중위도 고압대)를 형성한다.

• 아열대의 고기압에서 불어나오는 공기가 지표면을 따라 적도 지방과 고위도 지방으로 이동하면서 편향되어 위도 0°~30° 사이에서는 무역풍을, 위도 30°~60° 사이에서는 편서풍을 형성한다. 이렇게 적도 지방에서 상승한 공기가 중위도에서 하강하여 다시 적도 지방으로 되돌아오는 거대한 열대류를 해들리 순환 또는 열대 순환이라고 한다.

② 극순환과 페렐 순환

• 해들리 순환에 의해 중위도에서 하강한 공기의 일부는 극을 향하여 이동하면서 편서풍을 형성한다. 편서풍은 극지방에서 남하하는 한랭한 극동풍과 위도 60° 부근에서 만나는데, 이때 온난한 공기가 한랭한 공기 위로 올라가며 한대 전선대를 형성한다. 한대 전선대에서는 공기의 상승과 하강에 따른 운동 에너지에 의해 상공의 공기가 더욱 더 극지방으로 이동한다. 그 결과 상공에서는 극지방까지도 편서풍이 분다.

• 한대 전선대를 거쳐 극지방에 도달한 공기는 하강하여 지표를 따라 저위도 지방으로 이동하며 편향되어 극동풍을 이룬다. 따라서 위도 60°와 90° 사이에서 하나의 순환 세포를 형성하는데, 이를 극순환이라고 한다. 한대 전선대에서 상승한 공기의 일부는 저위도로 이동하면서 또 하나의 순환 세포를 형성하는데, 이를 페렐 순환이라고 한다.

(3) **직접 순환과 간접 순환**: 저위도의 해들리 순환과 고위도의 극순환은 온도 차에 의한 열적 순환으로 직접 순환이라고 하며, 페렐 순환은 양쪽 순환에 의해 간접적으로 생기므로 간접 순환이라고 한다. 직접 순환은 그 흐름이 강한 반면, 간접 순환은 흐름이 약하고 규모도 작다. 그러나 실제로 지구상에서 일어나고 있는 대기 대순환의 모습은 지형이나 지상의 온도 분포 등의 영향으로 대기 대순환 모형에서보다 훨씬 복잡하게 일어난다. 다만, 북동 무역풍과 남동 무역풍이 수렴하는 열대 수렴대는 비교적 뚜렷하게 나타난다.

해들리 순환과 열대 수렴대

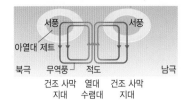

남·북반구에서 나타나는 하층 바람(무역풍)은 적도 부근에서 수렴하여 다시 상승한다. 이때 무역풍이 해상을 지나면서 수송해 온 수증기가 응결하여 구름이 만들어지고 숨은열이 방출된다. 따라서 해들리 순환이 수렴하는 적도 부근은 동서로 구름의 띠가 나타나는데, 이를 열대 수렴대(ITCZ)라고 한다. 열대 수렴대에서 방출되는 숨은열은 공기를 가열하여 상승시키므로 해들리 순환을 유지하는 역할을 한다. 해들리 순환에 의해 극 방향으로 향하는 흐름은 전향력이 작용하여 점차 서풍으로 변한다. 이 바람은 남·북위 30° 부근에서 강한 서풍으로 나타나는데, 이를 아열대 제트류라고 한다.

페렐(Wiliam Ferrel, 1817~1891)

미국의 기상학자로, 자전하는 지구에서 대기 순환은 해들리 순환, 페렐 순환, 극순환의 세 가지 순환 세포를 이룬다고 하였다.

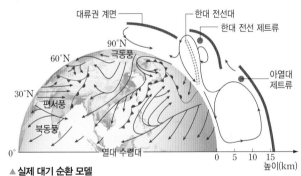

▲ **실제 대기 순환 모델**

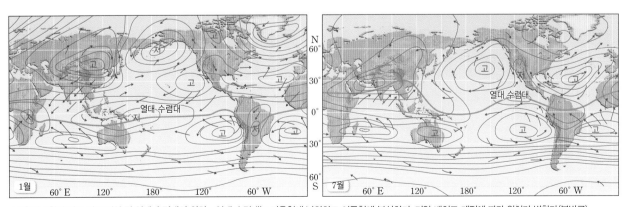

▲ **1월과 7월의 평균 지표 기압 및 열대 수렴대의 위치**   열대 수렴대는 겨울철에 남하하고 여름철에 북상하며, 기압 배치도 계절에 따라 위치가 변한다(북반구).

3 대기 순환의 규모와 종류

지구의 대기는 다양한 크기와 형태로 끊임없이 움직이고 있는데, 대기의 운동은 날씨와 기후 변화를 일으키면서 지구상의 생명체가 살아가는 데 크고 작은 영향을 미친다. 이러한 대기 운동의 공간적인 크기와 주기를 대기 순환의 규모라고 한다.

1. 대기 순환의 규모

(1) 대기 순환의 규모

① 대기 순환의 공간 규모와 시간 규모: 대기의 순환은 수평적으로는 몇 mm 정도의 크기에서부터 지구 둘레와 같은 크기까지, 연직적으로는 지표면에서부터 대류권 계면까지 다양한 규모로 나타난다. 그리고 이에 상응하는 시간 규모 또한 수 초 미만의 짧은 시간에서부터 몇 개월 또는 몇 년까지 다양하게 나타난다.

• 공간 규모: 대기 운동의 수평적인 규모를 말한다. 적운, 뇌우와 같이 독립된 현상은 이 현상이 일어나는 폭을 수평 규모로 하고, 온대 저기압과 같이 유사 현상이 줄지어 나타날 때는 인접한 현상까지의 거리를 수평 규모로 한다.

• 시간 규모: 대기의 운동이 발생하여 소멸하는 데까지 걸리는 시간이다.

② 대기 순환 규모의 종류와 특성

• 대기 순환은 공간 규모가 클수록 시간 규모도 크고, 큰 규모 순환일수록 연직 규모보다 수평 규모가 훨씬 크다.

• 미규모와 중간 규모의 순환에서는 전향력의 영향이 나타나지 않으나, 대기 순환 규모가 커질수록 전향력의 영향을 많이 받는다.

• 소규모 운동은 수직 운동의 크기에 따라 특성이 결정되며, 대규모 운동은 수평 운동의 크기에 따라 특성이 결정된다.

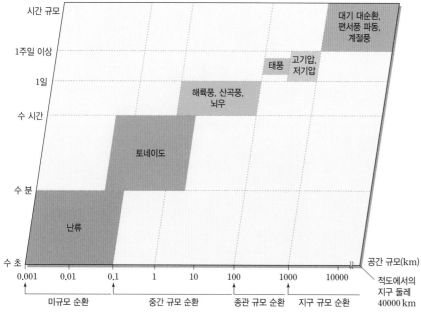

▲ 대기 순환의 공간 규모와 시간 규모

종관 규모
종관 규모란 한 눈으로 파악할 수 있는 규모를 넘어 여러 지역에서 관찰해야 그 규모를 파악할 수 있다는 의미가 있으며, 매일 매일의 일기를 좌우하는 고기압, 저기압, 태풍이 이에 속하므로 일기 예보에 가장 크게 영향을 미친다.

구분	공간 규모	시간 규모	대기 순환의 예	특성
미규모	수평 규모가 0.1 km 미만	수 초 ~ 수 분	난류, 회오리바람, 소규모 토네이도	전향력의 영향이 무시됨.
중간 규모	수평 규모가 수 ~ 수백 km	수 분 ~ 수 시간	해륙풍, 산곡풍, 뇌우	전향력의 영향이 무시됨.
종관 규모	수평 규모가 수백 ~ 수천 km	수 일 ~ 수 주일	고기압, 저기압, 태풍	전향력의 영향을 받으며, 날씨에 큰 영향을 미침.
지구 규모	수평 규모가 수천 km 이상	수 주일 ~ 수 개월, 연중	계절풍, 편서풍 파동, 대기 대순환	전향력의 영향을 받으며, 날씨의 계절적인 특징을 좌우함.

▲ **대기 순환 규모의 종류와 특성**

(2) 대기 순환의 원인: 대기 순환은 지표면의 불균등 가열, 지표면과의 마찰, 지구의 자전, 대기 중 수증기의 상태 변화 등의 영향을 받아 나타난다. 이 중 주된 원인은 지표면의 불균등 가열이다.

① 열적 순환

• 지표면의 불균등 가열에 의해 두 지역 간에 온도 차가 발생해서 나타나는 순환을 열적 순환이라고 한다. ▶ (예) 산곡풍, 해륙풍, 대기 대순환의 해들리 순환과 극순환 등

• 대기가 순환하는 동안 대기에는 지구 자전에 의한 전향력이 작용하지만 중간 규모 이하의 작은 순환에서는 그 영향이 크지 않고, 대규모의 순환에서는 영향이 크게 나타난다. 특히 대기 대순환에서는 전향력의 영향 때문에 열적 순환이 아닌 또 다른 순환이 나타난다.

② 열적 순환의 과정

• 등압면이 지표면에 나란할 때: A와 B 두 지점의 기온이 같고 등압면의 높이가 같으면 대기의 운동은 없다.

• 등압면이 지표면에 나란하지 않을 때: B 지점의 공기가 가열되면, 온도가 높아진 공기는 밀도가 감소하므로 등압면 간격이 넓어져 B와 B′ 사이의 등압면 수직 거리가 증가한다. 따라서 같은 높이인 A′과 B′ 사이에 수평 방향의 기압 차가 발생한다. 그러므로 고압부인 B′에서 저압부인 A′으로 기압 경도력이 작용하여 공기가 이동한다. 이 공기의 이동으로 B 지점은 기압이 감소하고 A 지점은 기압이 증가한다. 따라서 하층에서는 A에서 B로 공기가 이동하여 열대류 운동이 생긴다. 결과적으로 지표면의 부등 가열에 의한 두 지점 간의 온도 차로 기압 차가 발생하면 그림과 같이 B → B′ → A′ → A → B로 열대류 운동이 발생한다.

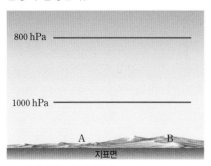

▲ **등압면이 지표에 나란할 때**

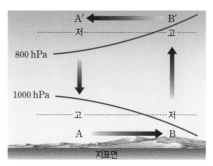

▲ **등압면이 지표에 나란하지 않을 때**

지표면의 불균등 가열이 생기는 까닭

위도에 따른 태양 복사 에너지의 차이, 지표면의 상태 차이, 해발 고도 차이 등에 의해 불균등 가열이 생긴다.

열적 순환에서 등압면의 기울기

연직 단면에서 등압선이 기울어져 있으면 등압선의 경사 방향으로 바람이 분다. 경사가 급할수록 풍속이 강해진다.

2. 대기 순환의 종류

(1) 미규모의 순환

① 난류: 높이 1 km 이하의 대기 경계층 내에서 지표면의 부등 가열과 지표면의 기복이나 건물 등에 의한 마찰력이 작용하여 발생한 복잡하고 불규칙한 대기의 흐름이다. 대기가 불안정하고, 지표면의 마찰력이 클수록, 풍속이 빠를수록 강하게 나타난다. 난류는 지표면의 열, 수증기, 대기의 오염 물질 등을 대기 중으로 확산시키는 역할을 한다. 상층으로 갈수록 열대류와 지표의 마찰에 의한 영향이 크게 감소하면서 난류는 규칙적인 층류로 바뀐다. 층류는 지상 1 km 이상의 자유 대기에서 나타난다.

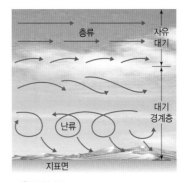

▲ 층류와 난류

② 토네이도: 매우 강한 회오리바람으로, 지상이 국부적으로 가열되어 발달한 강한 저기압 중심부의 상승 기류로 발생한다. 토네이도는 뇌우와 관련되어 잘 발생하는데, 지름이 수 m~수백 m까지 다양하고, 가늘고 긴 깔때기 모양의 소용돌이가 나타나며, 중심의 기압이 낮아서 위험하다. 이때 중심 부근에서는 하강 기류가 생기는데, 이는 나선형으로 회전하면서 올라가는 상승 기류를 보충하기 위한 것이다.

(2) 중간 규모의 순환

① 해륙풍: 해안 지방에서 육지와 바다의 비열 차이에 의해 하루를 주기로 부는 바람으로, 복사열의 출입이 활발한 구름이 없는 맑은 날에 잘 나타난다.

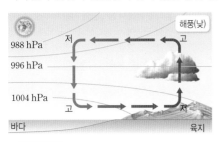

▲ 해풍과 육풍

② 산곡풍: 산간 지방에서 산과 골짜기의 지형 차이에 의해 하루를 주기로 부는 바람으로, 낮에는 곡풍이 불고 밤에는 산풍이 분다.

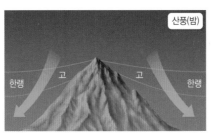

▲ 산곡풍

③ 뇌우: 온난 다습한 공기의 강한 상승에 의해 적란운이 발달하면서 천둥과 번개를 동반하거나 소나기가 내리는 현상을 뇌우라고 한다.

토네이도

토네이도의 중심부에는 강한 상승 기류가 있으므로 집을 날려버리거나 달리고 있는 자동차를 들어 올리기도 한다. 토네이도의 중심 기압은 측정이 불가능할 정도이며, 풍속은 100 m/s~200 m/s에 이른다.

(3) 종관 규모의 순환

① **고기압**: 주위보다 기압이 높은 곳을 고기압이라고 한다. 고기압은 발생 장소에 따라 온난 고기압(키 큰 고기압)과 한랭 고기압(키 작은 고기압)으로 구분한다.

• **온난 고기압**: 위도 30° 부근에서 수렴된 공기가 하강하면서 단열 압축되어 형성되는 고기압으로, 북태평양 고기압이 전형적인 예이다.

• **한랭 고기압**: 겨울철 고위도 지역의 대륙에서 냉각된 공기가 지표면에 쌓여 중심부의 기온이 주위보다 낮아지면서 형성되는 고기압으로, 시베리아 고기압이 전형적인 예이다.

② **저기압**: 온대 저기압과 열대 저기압으로 구분한다.

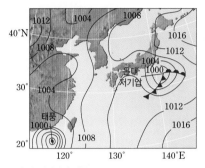
▲ 온대 저기압과 태풍

• **온대 저기압**: 고위도 지방의 찬 공기와 저위도 지방의 따뜻한 공기가 만나는 중위도 지역에서 발생하는 저기압으로, 전선을 동반한다.

• **열대 저기압**: 위도 5°~25° 열대 해상에서 열대 저기압이 발생하고, 중심 부근 최대 풍속이 17 m/s 이상일 때 태풍이라고 한다.

(4) 지구 규모의 순환

① **편서풍 파동**: 편서풍 파동은 지구 규모로 나타나는 대기 순환이다. 남북 간 기온 차가 커지면 진폭이 큰 편서풍 파동이 나타난다. 진폭이 큰 편서풍 파동으로 상층에 발산이 일어나면 지상에 강한 저기압이 형성된다. 이러한 결과로 찬 공기가 저위도로 이동하고, 더운 공기가 고위도로 이동하여 위도별 에너지의 불균형을 해소하는 역할을 한다. 이와 같은 변화는 약 3주를 주기로 일어난다.

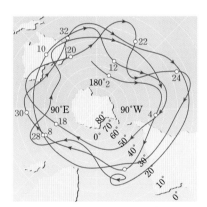
▲ **편서풍 파동** 뉴질랜드 상공 12 km에 열기구를 띄운 다음 이동 경로를 추적한 것으로, 숫자는 기구를 띄운 후 경과한 일수를 나타낸다(남반구).

② **계절풍**: 대기 대순환과 편서풍 파동과 같은 대기 대순환의 규모로 일어나는 또 다른 순환이 계절풍이다. 계절풍은 육지와 해양의 비열 차에 의해 일어나기 때문에 여름에는 바람이 해양에서 대륙으로 불고, 겨울에는 바람이 대륙에서 해양으로 불게 된다. 이와 같이 계절에 따라 기압의 배치가 달라서 풍향이 반대로 바뀌는 바람을 계절풍이라고 한다.

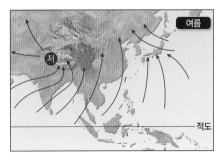
▲ 북반구의 계절풍

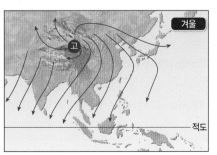

고기압의 종류

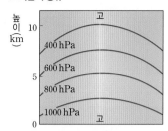
▲ 온난 고기압(키 큰 고기압)

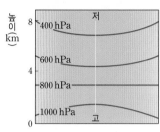
▲ 한랭 고기압(키 작은 고기압)

편서풍 파동 및 제트류와 관련지어 상층 일기도 해석하기

상층 일기도를 분석하여 편서풍 파동과 제트류의 모습을 찾고 지상의 기압 배치와의 연관성을 찾을 수 있다.

과정

그림 (가)~(다)는 2019년 3월 18일 200 hPa, 500 hPa 등고선도와 지상에서의 일기도이다.

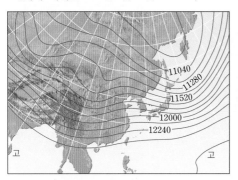

(가) 200 hPa 등고선도

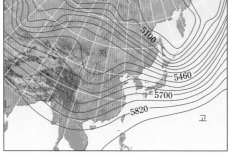

(나) 500 hPa 등고선도

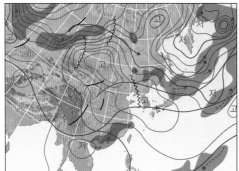

(다) 지상 일기도

[지상 일기도의 해석 방법]
- 지상 일기도에서 붉은색 화살표는 상층 200 hPa~300 hPa에서 부는 상층 제트류이다.
- 검은색 지그재그 선과 검은색 곡선은 각각 500 hPa에서의 기압 마루와 기압골을 표현한 것이다.
- 보라색 화살표와 보라색 영역은 하층 제트류를 나타낸다. 지표면의 영향을 덜 받는 약 850 hPa 등고선도에서 부는 바람에 해당한다.

1 (가)에서 제트류가 불 것으로 예상되는 지역을 찾아서 붉은색으로 표시하고, 그 결과를 (다)의 붉은색 선과 비교한다.

2 (나)에서 기압골과 기압 마루의 위치를 찾고, (다)에 나타난 기압골과 기압 마루와 일치하는지 비교한다.

3 (다)에서 우리나라 주변의 고기압과 저기압이 위치한 지역을 (나)에서 찾아 공기가 수렴, 또는 발산하는지 판단한다.

결과

1 (가)에서 제트류는 등압선이 조밀한 곳에서 등압선과 평행하게 서에서 동으로 분다.

2 상층 일기도(500 hPa 등고선도)에서 등고선이 저위도 지방으로 내려간 부분, 즉 편서풍 파동이 남쪽으로 내려간 부분이 기압골이고, 등고선이 고위도 지방으로 올라간 부분, 즉 편서풍 파동이 북쪽으로 올라간 부분이 기압 마루이다.

3 (다)에서 우리나라 주변에 고기압이 나타나는 지역의 상공은 기압 마루의 동쪽 부분으로서 공기가 수렴하고, 저기압이 나타나는 지역의 상공은 기압골의 동쪽으로서 공기가 발산한다.

● 고층 일기도를 해석하는 또 다른 까닭

- 고층 일기도의 분석은 운량과 대기 안정도를 평가하는 가장 핵심적인 요인이다.

- 대기가 단열 변화한다고 가정할 때, 500 hPa에서의 온도 값은 지표에서 어떤 온도 값으로 환원되므로 12시간 후의 서울의 기온을 알기 위해서는 12시간 후에 서울 상공을 지날 공기 덩어리의 500 hPa에서의 온도 값을 알면 예상할 수 있다. 상공에서의 기상 요소들은 지표와는 달리 쉽게 변화하지 않기 때문에 대개는 1 ℃~2 ℃ 오차 안에서 예상할 수 있다.

- 편서풍 파동은 편서풍대 상공에서 바람이 남북으로 굽이치면서 서쪽에서 동쪽으로 부는 것을 말하며, 이러한 파동은 지상의 기압 배치에도 영향을 준다.
- 상층 대기에서 공기가 수렴하면 하강 기류가 나타나므로 지상에서는 고기압이 형성된다. 반대로 상층 대기에서 공기가 발산하면 상승 기류가 나타나므로 지상에서는 저기압이 형성된다.
- 상층의 기압골이 편서풍 파동에 의해 서쪽에서 동쪽으로 이동하므로 지상의 온대 저기압도 서쪽에서 동쪽으로 이동한다. 따라서 상층 대기의 파동과 이동 상태는 지상의 일기 변화에 큰 영향을 미치므로 일기 예보를 할 때는 상층 대기 상태를 파악하는 것이 중요하다.

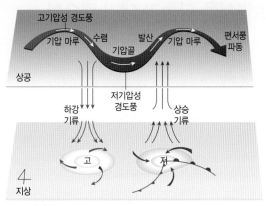

▲ 편서풍 파동과 지상의 고기압과 저기압

탐구 확인 문제

> 정답과 해설 183쪽

01 그림은 북반구 중위도 상층의 편서풍 파동을 나타낸 것이다.

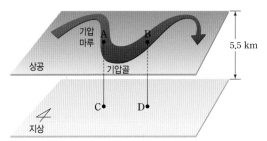

이에 대한 설명으로 옳은 것만을 보기에서 있는 대로 고른 것은?

보기
ㄱ. A에서는 공기가 발산하고, B에서는 공기가 수렴한다.
ㄴ. C에서는 고기압이 발달하고, D에서는 저기압이 발달한다.
ㄷ. 편서풍 파동은 남북 간에 열을 수송하는 역할을 한다.

① ㄱ   ② ㄴ   ③ ㄱ, ㄷ
④ ㄴ, ㄷ   ⑤ ㄱ, ㄴ, ㄷ

02 그림 (가)는 제트류의 종류를, (나)는 제트류가 생기는 위치를 나타낸 것이다.

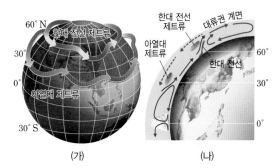

(가)   (나)

이에 대한 설명으로 옳은 것만을 보기에서 있는 대로 고른 것은?

보기
ㄱ. 제트류는 남북 간의 온도 차가 큰 곳의 상층에서 나타난다.
ㄴ. 제트류는 편서풍 파동의 중심에 나타나는 풍속이 강한 바람이다.
ㄷ. 제트류는 여름철보다 겨울철에 더 저위도에서 나타난다.

① ㄱ   ② ㄷ   ③ ㄱ, ㄴ
④ ㄴ, ㄷ   ⑤ ㄱ, ㄴ, ㄷ

03 편서풍 파동과 대기 대순환

1 편서풍 파동

1 편서풍 파동
- 편서풍은 중위도 상공에서 서쪽에서 동쪽으로 부는 지속적인 바람이다.
- 기압 경도력이 (❶   )과 평형을 이루면서 북반구 상층에서는 기압 경도력의 오른쪽 직각 방향으로 (❷   ), 즉 편서풍이 불며, 상공으로 갈수록 편서풍의 풍속이 (❸   )진다.
- 편서풍이 부는 중위도의 상층 대기에서 남북 방향으로 굽이치면서 서에서 동으로 이동하는 큰 흐름이 생기는데, 이를 편서풍 파동이라고 한다.
- 풍속: 편서풍 파동의 풍속은 상층으로 갈수록 증가하여 (❹   ) 부근에서 가장 크다.
- 역할: 남북 간의 (❺   )에너지 수송에 중요한 역할을 하며, 중위도 지상의 (❻   )에 영향을 미친다.
- 편서풍 파동 내에서 축이 되는 좁고 강한 흐름을 제트류라고 한다. 제트류는 대기 상층의 좁은 영역에서 $50\,\text{m/s} \sim 80\,\text{m/s}$에 달하는 빠른 풍속을 나타낸다.

2 편서풍 파동과 중위도 지상의 기압 배치
- 공기의 수렴과 발산: 기압 마루의 동쪽으로 기압골 사이에서는 상층 공기가 (❼   )하고, 기압골의 동쪽으로 기압 마루 사이에서는 상층 공기가 (❽   )한다.
- 온대 저기압과의 관계: 편서풍 파동의 기압골을 중심으로 지상의 동쪽에 (❾   )기압이 형성되고, 지상의 서쪽에 (❿   )기압이 형성된다.

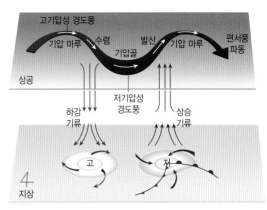

▲ 상층의 편서풍 파동과 지상의 고기압과 저기압

2 대기 대순환

1 지구의 열수지
- 지구가 받는 태양 복사 에너지양: (⓫   )(R: 지구 반지름, I: 태양 상수)
- 지구는 태양으로부터 받는 태양 복사 에너지의 양과 지구에서 우주로 방출하는 지구 복사 에너지의 양이 같은 복사 평형 상태를 이루고 있다.
- 위도에 따른 에너지 분포: 저위도의 과잉 에너지는 대기와 (⓬   )의 순환에 의해 에너지가 부족한 고위도로 이동함으로써 지구는 전체적으로 열평형을 이룬다.

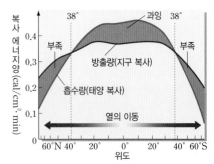

위도별 에너지 수지 ▶

2 대기 대순환

- 대기 대순환의 역할: 저위도의 과잉 에너지를 열과 수증기의 형태로 고위도로 운반하는 역할을 한다.
- 단일 세포 순환 모형: 지구가 (⓭   )하지 않을 때의 대기 대순환 모형
- 대기 대순환 모형: 위도별 태양 복사 에너지의 차이와 지구 자전에 의한 (⓮   )의 영향으로 3개의 순환 세포가 형성된다.

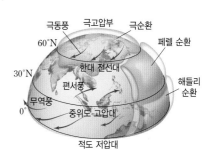

해들리 순환	위도 30° 부근의 중위도 고압대에서 지표로 하강한 공기 중 일부가 지표를 따라 적도로 이동하면서 (⓯)이 불고, 적도에서 위도 30° 사이에 순환 세포를 형성한다.
페렐 순환	위도 30° 부근에서 지표로 하강한 공기 중 일부가 극 쪽으로 이동하면서 (⓰)이 불고, 위도 60° 부근의 (⓱)에서 상승하여 다시 위도 30° 부근으로 돌아오는 순환 세포를 형성한다.
극순환	위도 60° 부근에서 상승한 공기의 일부가 극으로 이동하여 위도 60°와 90° 사이에서 순환 세포를 형성한다.

- (⓲   ) 순환: 온난 공기의 상승과 한랭 공기의 하강에 의해서 생기는 순환 ➡ 해들리 순환과 극순환
- (⓳   ) 순환: 해들리 순환과 극순환 사이에서 역학적으로 형성된 순환 ➡ 페렐 순환(중위도)

③ 대기 순환의 규모와 종류

1 대기 순환의 규모

구분	시간 규모	대기 순환의 예	특성
미규모	수 초 ~ 수 분	난류, 회오리바람, 소규모 토네이도	전향력의 영향이 무시됨
중간 규모	수 분 ~ 수 시간	해륙풍, 산곡풍, 뇌우	전향력의 영향이 무시됨
종관 규모	수 일 ~ 수 주일	고기압, 저기압, 태풍	전향력의 영향을 받으며 날씨에 큰 영향을 미침
지구 규모	수 주일 ~ 수 개월, 연중	계절풍, 무역풍, 편서풍, 대기 대순환	날씨의 계절적인 특징을 좌우함

2 대기 순환의 종류

- 미규모의 순환
  - ㉠ 난류: 마찰층 내에서 지표면의 부등 가열과 지표면의 마찰 때문에 발생한 복잡하고 불규칙한 대기의 흐름
  - ㉡ 토네이도: 깔때기 모양의 매우 강한 회오리바람
- 중간 규모의 순환
  - ㉠ 해륙풍: 해안 지방에서 육지와 바다의 비열 차이에 의해 하루를 주기로 부는 바람
  - ㉡ 산곡풍: 산과 골짜기의 지형 차이에 의해 하루를 주기로 부는 바람
  - ㉢ 뇌우: 온난 다습한 공기의 강한 상승으로 (⓴   )이 발달하면서 천둥과 번개를 동반한 소나기가 내림.
- 종관 규모의 순환
  - ㉠ 고기압: 주위보다 기압이 높은 곳
  - ㉡ 저기압: 주위보다 기압이 낮은 곳으로, 온대 저기압과 (㉑   ) 저기압이 있다.
- 지구 규모의 순환
  - ㉠ 편서풍 파동: 중위도 상공의 편서풍 지대에서 지구 규모로 나타나는 대기 순환이다.
  - ㉡ 계절풍: 육지와 해양의 (㉒   ) 차에 의해 계절에 따른 기압 배치 변화로 풍향이 반대로 바뀌는 바람

01 그림은 북반구 중위도의 위도가 다른 두 지점 a와 b에서 부등 가열에 의해 나타난 공기 기둥의 모습과 두 지점 사이의 상공에서 작용하는 힘 A, B와 바람 P를 나타낸 것이다.

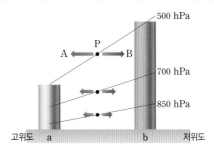

이에 대한 설명으로 옳은 것은 ○, 옳지 <u>않은</u> 것은 ×로 표시하시오.

(1) a 지역은 b 지역보다 온도가 낮다. ………… ( )

(2) 같은 높이에서 기압은 a 지역이 b 지역보다 높다.
………………………………………… ( )

(3) A는 기압 경도력이고, B는 전향력이다. …… ( )

(4) P에서는 동풍 계열의 바람이 분다. ………… ( )

02 그림 (가)는 편서풍 파동의 생성 원리를 알아보는 회전 원통 실험 장치를, (나)는 실험 결과를 나타낸 것이다.

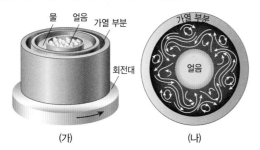

이에 대한 설명으로 옳은 것만을 보기에서 있는 대로 고르시오.

보기
ㄱ. (가)의 얼음은 고위도, 가열 부분은 저위도에 해당한다.
ㄴ. (가)에서 원통의 회전은 지구의 자전을 의미한다.
ㄷ. (나)에서 파동은 지구에서 편서풍 파동에 해당한다.

03 그림 (가)와 (나)는 편서풍 파동의 발달 과정 중 일부를 나타낸 것이다.

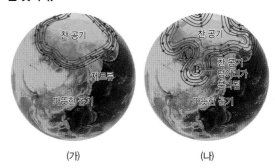

(가)   (나)

빈칸에 들어갈 알맞은 말을 쓰시오.

처음에는 그림 (가)와 같이 파동이 만들어지는데, 이때에는 저위도와 고위도 사이의 ( ) 수송이 거의 일어나지 않으므로 남북 간의 온도 차가 점점 벌어진다. 온도 차가 커지면 그림 (나)와 같이 파동의 진폭이 커지면서 파동의 일부가 분리되어 A에는 ( )기압이, B에는 ( )기압이 만들어지면서 저위도와 고위도 사이의 ( ) 수송이 일어난다.

04 그림은 북반구 상층의 편서풍 파동을 나타낸 것이다.

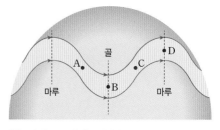

이에 대한 설명으로 옳은 것만을 보기에서 있는 대로 고르시오.

보기
ㄱ. 풍속은 B에서 가장 빠르고, D에서 가장 느리다.
ㄴ. A에서는 공기가 수렴하고, C에서는 공기가 발산한다.
ㄷ. A의 지상에는 고기압, C의 지상에는 저기압이 발달한다.

05 그림은 복사 평형을 이루고 있는 지구의 열수지를 나타낸 것이다.

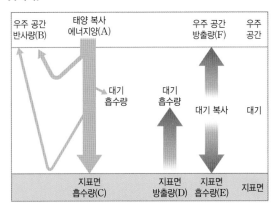

( ) 안에 들어갈 알맞은 말을 쓰시오.

(1) 빙하의 면적이 감소하면 B가 ( )한다.

(2) A−B = ( )이다.

(3) 대기 중 이산화 탄소 농도가 증가하면 E가 ( )한다.

06 그림은 대기 대순환의 연직 단면을 나타낸 것이다.

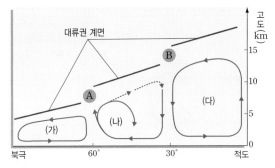

(1) (가)~(다)의 특징을 써서 표를 완성하시오.

구분	(가)	(나)	(다)
순환의 이름	극순환	㉠	㉡
순환의 종류	㉢	간접 순환	㉣
지상에서 부는 바람	극동풍	㉤	㉥

(2) A와 B에 나타나는 제트류의 이름을 쓰시오.

07 대기 순환 규모의 종류와 특성에 대한 설명 중 옳은 것은 ○, 옳지 **않은** 것은 ×로 표시하시오.

(1) 대기 순환은 공간 규모가 클수록 시간 규모가 크다. ·· ( )

(2) 큰 규모 순환일수록 수평 규모보다 연직 규모가 훨씬 크다. ·· ( )

(3) 미규모 순환과 중간 규모 순환에서는 전향력을 무시할 수 있다. ·· ( )

(4) 대기 순환의 규모가 커질수록 전향력의 영향을 많이 받는다. ··· ( )

(5) 소규모 운동은 수평 운동의 크기에 따라, 대규모 운동은 수직 운동의 크기에 따라 특성이 결정된다. ·· ( )

08 그림 (가)는 하루 중 해안 지역에서 부는 바람을, (나)는 우리나라 주변에서 어느 계절에 부는 바람을 나타낸 것이다.

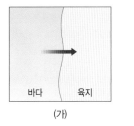
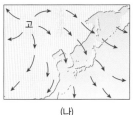

이에 대한 설명으로 옳은 것만을 보기에서 있는 대로 고르시오.

보기
ㄱ. (가)는 해풍, (나)는 계절풍이다.
ㄴ. (가)와 (나) 모두 육지와 해양의 비열 차 때문에 발생한다.
ㄷ. (가)보다 (나)의 규모와 지속 시간이 더 크다.

01 ▶고도에 따른 기압의 분포

그림은 북반구 중위도의 위도가 다른 두 지점 (가)와 (나)에서 1000 hPa과 500 hPa 등압면 사이의 밑면적이 같은 공기 기둥의 모습을 나타낸 것이다.

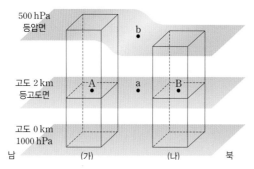

이에 대한 설명으로 옳은 것만을 보기에서 있는 대로 고른 것은? (단, 중력 가속도는 일정하다.)

보기

ㄱ. (가) 지점은 (나) 지점보다 지상 기온이 높다.

ㄴ. 고도 2 km에서 A와 B 지점의 기압은 같다.

ㄷ. 풍속은 a에서보다 b에서 더 빠르게 나타난다.

① ㄱ　　② ㄴ　　③ ㄱ, ㄷ　　④ ㄴ, ㄷ　　⑤ ㄱ, ㄴ, ㄷ

• (가) 지역이 (나) 지역에 비해 등압면의 높이가 높은 까닭은 가열되어 공기가 팽창했기 때문이다. 이와 같은 경우 같은 높이에서 다른 지역에 비해 기압이 높게 나타난다.

02 ▶편서풍 파동과 회전 원통 실험

그림 (가)는 지구 대기 순환의 원리를 알아보기 위한 회전 원통 실험 장치를, (나)의 A와 B는 실험 결과를 나타낸 것이다.

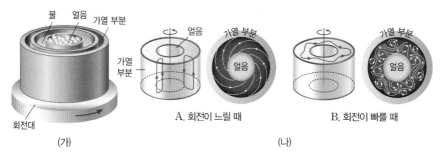

이 실험 결과에 대한 설명으로 옳은 것만을 보기에서 있는 대로 고른 것은?

보기

ㄱ. (가)의 얼음은 지구에서 고위도, 가열 부분은 저위도에 해당한다.

ㄴ. (나)의 A는 간접 순환인 페렐 순환의 생성 원리를 설명한다.

ㄷ. (나)의 B에 나타난 파동은 중위도 지표면을 따라 부는 편서풍의 생성 원리에 해당한다.

① ㄱ　　② ㄴ　　③ ㄱ, ㄷ　　④ ㄴ, ㄷ　　⑤ ㄱ, ㄴ, ㄷ

• 냉각과 가열에 의해 대류가 일어나는 순환은 직접 순환이고, 다른 순환과의 마찰에 의해 강제적으로 일어나는 순환은 간접 순환이다.

03

> 편서풍 파동과 중위도 지상의 기압 배치

그림은 북반구 중위도 상층의 편서풍 파동을 나타낸 것이다.

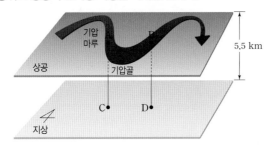

이에 대한 설명으로 옳은 것만을 보기에서 있는 대로 고른 것은?

보기

ㄱ. A에서는 공기가 발산하고, B에서는 공기가 수렴한다.

ㄴ. 지상에서는 C에서 D 방향으로 바람이 분다.

ㄷ. 기압 마루에서 기압골로 가면서 풍속이 증가한다.

① ㄱ　　　　② ㄴ　　　　③ ㄱ, ㄷ　　　　④ ㄴ, ㄷ　　　　⑤ ㄱ, ㄴ, ㄷ

- 편서풍 파동에서 풍속은 기압 마루에서 가장 빠르고, 기압골에서 가장 느리게 나타난다.

고난도
04

> 편서풍 파동의 변동

그림은 어느 날 북반구 중위도 상공 500 hPa 등압면에서의 편서풍 파동을 나타낸 것이다.

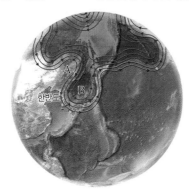

이에 대한 설명으로 옳은 것만을 보기에서 있는 대로 고른 것은? (단, A와 B는 모두 500 hPa 등압면에 위치한다.)

보기

ㄱ. A에는 고기압성 소용돌이가, B에는 저기압성 소용돌이가 발달한다.

ㄴ. 한반도 동쪽 해상에는 고기압이 발달한다.

ㄷ. 앞으로 A 공기는 남하하고, B의 공기가 북상하여 우리나라는 따뜻해진다.

① ㄱ　　　　② ㄷ　　　　③ ㄱ, ㄴ　　　　④ ㄴ, ㄷ　　　　⑤ ㄱ, ㄴ, ㄷ

- 편서풍 파동에서 기압골에 분포하는 차가운 공기는 파동이 발달할수록 남하하다가 떨어져 나가고, 기압 마루의 남쪽에 분포하는 따뜻한 공기는 북쪽으로 계속 이동하다가 떨어져 나감으로써 남북 간 열 교환에 기여한다.

05 ＞ 제트류

그림 (가)와 (나)는 북반구에서 겨울철과 여름철의 위도와 고도에 따른 풍속(m/s)의 연직 단면을 나타낸 것으로, 실선은 서풍, 점선은 동풍이다.

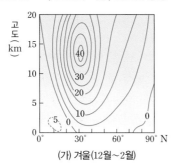
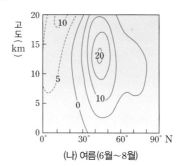

(가) 겨울(12월~2월)　　　　　(나) 여름(6월~8월)

이에 대한 설명으로 옳은 것만을 보기에서 있는 대로 고른 것은?

> 보기
>
> ㄱ. 지표면에서 저위도에는 동풍, 중위도에는 서풍이 분다.
> ㄴ. 제트류는 여름보다 겨울에 더 높은 위도에서 나타난다.
> ㄷ. 제트류의 풍속은 겨울이 여름보다 강하다.

① ㄱ　　　② ㄴ　　　③ ㄱ, ㄷ　　　④ ㄴ, ㄷ　　　⑤ ㄱ, ㄴ, ㄷ

• 제트류의 중심은 편서풍 파동에서 풍속이 최대인 곳으로, 여름에는 한대 지역의 상공에, 겨울에는 아열대 지역의 상공에 나타난다.

06 고난도 ＞ 상층 일기도와 지상 일기도

그림 (가)와 (나)는 각각 우리나라 주변의 어느 날 같은 시각의 상층 일기도(500 hPa 등고선도)와 지상 일기도를 나타낸 것이다.

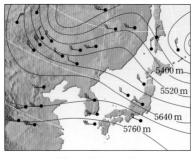
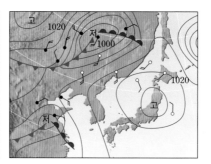

(가) 500 hPa 등고선도　　　　　(나) 지상 일기도

이에 대한 설명으로 옳은 것만을 보기에서 있는 대로 고른 것은? (단, A는 500 hPa, B와 C는 지표에 위치한다.)

> 보기
>
> ㄱ. A와 B는 저기압, C는 고기압이 나타난다.
> ㄴ. B의 상층은 편서풍 파동에서 기압골의 동쪽에 해당한다.
> ㄷ. C의 상층에서는 수평으로 공기의 발산이 나타난다.

① ㄱ　　　② ㄷ　　　③ ㄱ, ㄴ　　　④ ㄴ, ㄷ　　　⑤ ㄱ, ㄴ, ㄷ

• 중위도에서 상층의 편서풍 파동은 파동의 위치와 풍속의 변화에 의해 지상의 기압 배치에 영향을 준다.

07 ❯ 지구의 열수지

그림은 지구가 복사 평형을 이루고 있을 때 지구 전체의 열수지 평균값을 나타낸 것이다.

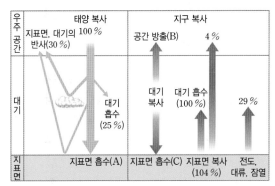

이에 대한 설명으로 옳은 것만을 보기에서 있는 대로 고른 것은?

보기

ㄱ. A는 지구가 태양으로부터 흡수한 총 에너지의 비율이다.

ㄴ. B는 66 %이다.

ㄷ. C가 증가하면 B는 감소한다.

① ㄱ   ② ㄴ   ③ ㄱ, ㄷ   ④ ㄴ, ㄷ   ⑤ ㄱ, ㄴ, ㄷ

> • 지구가 전체적으로 복사 평형을 이루기 위해서는 지표, 대기, 우주 공간에서 출입하는 열수지가 각각 평형을 이루고 있어야 한다.

08 ❯ 위도에 따른 지구의 복사 평형

그림은 북반구의 위도에 따른 태양 복사 에너지 흡수량과 지구 복사 에너지 방출량을 나타낸 것이다.

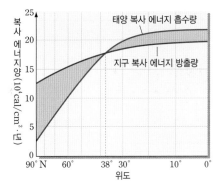

이에 대한 설명으로 옳은 것만을 보기에서 있는 대로 고른 것은?

보기

ㄱ. 위도에 따른 에너지의 변화는 태양 복사 에너지가 지구 복사 에너지보다 크다.

ㄴ. 위도 약 38° 부근은 흡수량과 방출량이 같으므로 에너지의 이동이 나타나지 않는다.

ㄷ. 대기와 해수의 순환은 위도에 따른 에너지의 불균형을 해소하는 역할을 한다.

① ㄱ   ② ㄴ   ③ ㄱ, ㄷ   ④ ㄴ, ㄷ   ⑤ ㄱ, ㄴ, ㄷ

> • 위도에 따른 에너지의 불균형은 지구가 구형이기 때문에 위도에 따라 입사하는 태양 복사 에너지의 차이 때문에 나타난다.

09 ▶대기 대순환
그림은 대기 대순환을 구성하는 3개의 순환 A~C와 지상에서의 풍향을 나타낸 것이다.

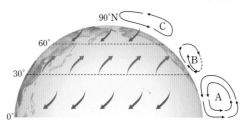

이에 대한 설명으로 옳지 <u>않은</u> 것은?

① 적도 부근의 지상에서는 수렴대가 형성된다.

② 적도 부근은 저압대, 위도 30° 부근은 고압대를 형성한다.

③ A와 C는 각각 가열과 냉각에 의해 형성되는 직접 순환이다.

④ B와 C의 경계에는 한대 전선대가 분포한다.

⑤ 제트류는 순환 B의 중심부에서 가장 강하게 발달한다.

• 편서풍 파동은 온도 차이가 큰 각 순환의 경계에서 잘 나타난다. 제 트류는 편서풍 파동의 중심에 나 타나는 풍속이 강한 흐름이다.

10 ▶대기 순환 규모
그림은 여러 가지 대기 순환의 시간 규모와 공간 규모를 나타낸 것이다.

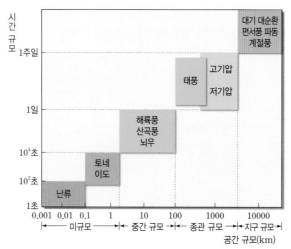

• 대기 순환의 공간 규모는 시간 규 모와 비례 관계이고, 규모가 큰 순 환은 규모가 작은 순환을 발생시 키거나 변형을 줄 수 있다.

이에 대한 설명으로 옳은 것만을 보기에서 있는 대로 고른 것은?

보기
ㄱ. 공간 규모가 클수록 시간 규모가 크다.

ㄴ. 공간 규모가 클수록 전향력의 영향을 적게 받는다.

ㄷ. 공간 규모가 큰 순환은 규모가 작은 순환에 영향을 미칠 수 있다.

① ㄱ   ② ㄷ   ③ ㄱ, ㄴ   ④ ㄱ, ㄷ   ⑤ ㄴ, ㄷ

11 〉해륙풍
그림은 여름철 어느 맑은 날 우리나라 동해의 어느 해안가에서 하루 동안 측정한 풍속의 변화를 나타낸 것이다.

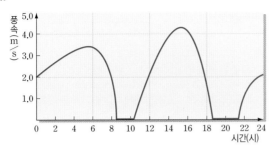

이에 대한 설명으로 옳은 것만을 보기에서 있는 대로 고른 것은?

보기
ㄱ. 해풍이 육풍보다 강하게 불었다.
ㄴ. 육지와 바다의 비열 차이 때문에 나타나는 현상이다.
ㄷ. 15시에는 육지에서 바다로 바람이 불었다.
ㄹ. 열적 대류에 의한 직접 순환에 속한다.

① ㄱ, ㄴ   ② ㄴ, ㄷ   ③ ㄱ, ㄴ, ㄷ   ④ ㄱ, ㄴ, ㄹ   ⑤ ㄴ, ㄷ, ㄹ

• 해륙풍은 육지와 해양의 비열 차이에 의해 대류가 발생하여 생기는 바람으로서 가열과 냉각에 의해 직접적으로 일어나는 순환이다.

12 〉고기압의 종류
그림은 어느 계절에 흔히 볼 수 있는 우리나라 부근의 일기도를 나타낸 것이다.

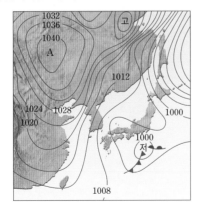

고기압 A에 대한 설명으로 옳은 것만을 보기에서 있는 대로 고른 것은?

보기
ㄱ. 대기 대순환의 하강 기류에 의해 형성된다.
ㄴ. 대류권 상층까지 발달하는 키 큰 고기압에 해당한다.
ㄷ. 우리나라의 겨울철에 북서 계절풍을 불게 하는 고기압이다.

① ㄱ   ② ㄷ   ③ ㄱ, ㄴ   ④ ㄴ, ㄷ   ⑤ ㄱ, ㄴ, ㄷ

• 겨울철에는 서고동저형의 기압 배치가 우세하게 나타나며, 이때 시베리아 근처에서는 차가운 대륙의 영향으로 하강 기류가 나타나 고기압이 형성된다.

01 > 에크만 수송과 지형류
그림은 북반구 어느 해역에서 에크만 수송에
의해 경사진 해수면의 모습을 나타낸 것이
다.
이 해역에서 해수의 밀도가 일정하고 지형류
평형을 이루고 있을 때 해수의 운동에 대한
설명으로 옳지 않은 것은?

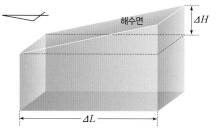

① 서풍 계열의 바람이 지속적으로 불고 있다.

② 해수면에서는 해수가 경사면을 따라 북쪽으로 흐른다.

③ 지형류는 서쪽에서 동쪽으로 흐른다.

④ $\dfrac{\Delta H}{\Delta L}$가 증가하면 유속이 빨라진다.

⑤ 해수면 경사는 수압 경도력과 전향력에 의해 유지된다.

> 지형류 평형 상태에서는 수압 경
도력과 전향력이 평형을 이루기
때문에 해수면 경사가 그대로 유
지된다.

02 > 지형류
그림은 북반구 어느 해역에서 바람에 의해 형성된 해수면 경사와 P 지점의 지형류에 작용하
는 힘 A, B를 나타낸 것이다.

이에 대한 설명으로 옳은 것만을 보기에서 있는 대로 고른 것은?

> 보기
ㄱ. 해안가를 따라 북풍 계열의 바람이 지속적으로 불고 있다.
ㄴ. P 지점에 작용하는 힘 A는 전향력, 힘 B는 수압 경도력이다.
ㄷ. 이 해역에서는 남쪽에서 북쪽으로 난류가 흐르고 있다.

① ㄱ   ② ㄷ   ③ ㄱ, ㄴ   ④ ㄴ, ㄷ   ⑤ ㄱ, ㄴ, ㄷ

> 지형류는 수압 경도력과 전향력이
평형을 이루어 생기는 해류이다.

03

03 ❯ 지형류
그림은 지형류가 흐르는 태평양 적도 부근에서 남북 방향의 해수면 높이를 나타낸 것이다.

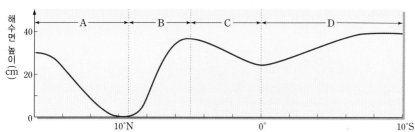

A~D 해역에서 나타나는 지형류에 대한 설명으로 옳은 것만을 보기에서 있는 대로 고른 것은?

> **보기**
>
> ㄱ. A에서는 동 → 서, B에서는 서 → 동으로 흐른다.
> ㄴ. B에서보다 C에서 지형류의 유속이 느리다.
> ㄷ. C와 D에서의 지형류는 같은 방향으로 흐른다.

① ㄱ   ② ㄷ   ③ ㄱ, ㄴ   ④ ㄴ, ㄷ   ⑤ ㄱ, ㄴ, ㄷ

지형류는 북반구에서는 수압 경도력의 오른쪽 직각 방향으로 흐르고, 남반구에서는 수압 경도력의 왼쪽 직각 방향으로 흐른다.

04 ❯ 수온 차이에 의한 해수면 경사로 발생하는 지형류
그림은 중위도 편서풍대에 속하는 일본 열도 동쪽 해역의 해수면 경사와 깊이에 따른 수온 분포를 나타낸 것이다.

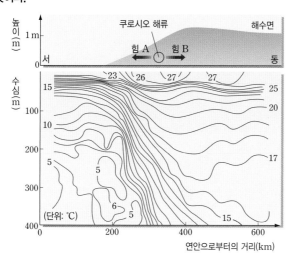

이에 대한 설명으로 옳은 것만을 보기에서 있는 대로 고른 것은?

> **보기**
>
> ㄱ. 쿠로시오 해류는 해수면 경사에 의해 발생하는 지형류이다.
> ㄴ. 쿠로시오 해류는 편서풍이 강해지거나 동서 간 수온 차가 클수록 유속이 빨라진다.
> ㄷ. 해수면 경사가 증가할수록 힘 A는 커지고, 힘 B는 작아진다.

① ㄱ   ② ㄷ   ③ ㄱ, ㄴ   ④ ㄴ, ㄷ   ⑤ ㄱ, ㄴ, ㄷ

수온에 의해서도 해수면 경사가 생긴다. 수온이 높은 쪽은 열팽창에 의해 수위가 높아짐으로써 수온이 낮은 쪽으로 수압 경도력이 발생하게 된다.

05 ❯ 서안 경계류와 동안 경계류

그림은 북태평양의 아열대 순환을 이루는 경계류 A, B를 해수면 경사와 함께 나타낸 것으로, 짙은 음영은 해류가 존재하는 영역이다.

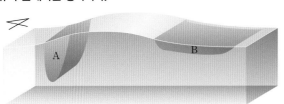

이에 대한 설명으로 옳은 것만을 보기에서 있는 대로 고른 것은?

> 보기
>
> ㄱ. A는 북쪽으로, B는 남쪽으로 흐른다.
>
> ㄴ. A는 B보다 유속이 빠르다.
>
> ㄷ. 같은 위도에서 A와 B에 작용하는 전향력은 같다.

① ㄱ   ② ㄷ   ③ ㄱ, ㄴ   ④ ㄴ, ㄷ   ⑤ ㄱ, ㄴ, ㄷ

• 전향력의 크기는 유속에 비례하고, 위도가 높을수록 증가한다.

06 ❯ 해파와 물 입자의 운동

그림은 어느 해역의 해파와 물 입자의 운동을 나타낸 것이다.

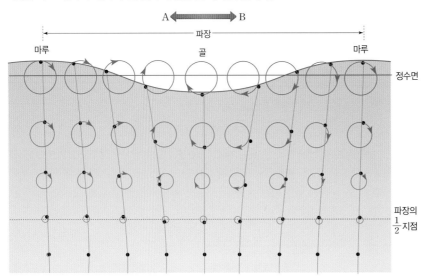

이에 대한 설명으로 옳지 <u>않은</u> 것은?

① 해파의 진행 방향은 B 방향이다.

② 수심이 깊은 곳에서 나타나는 심해파이다.

③ 물 입자는 해파와 함께 같은 방향으로 이동한다.

④ 해수면에서 물 입자가 운동하는 궤도의 지름이 파고이다.

⑤ 수심이 깊어짐에 따라 해파의 에너지는 감소한다.

• 해파는 물 입자를 통해 에너지를 전달하는 현상으로 물 입자는 원 또는 타원 운동을 한다.

07 ▶ 해파의 굴절

그림은 파장이 6000 m인 해파가 먼 바다에서 동쪽으로 진행하는 모습을 나타낸 것이다.

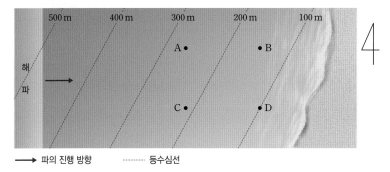

→ 파의 진행 방향 ······· 등수심선

A~D 지점을 통과하는 해파에 대한 설명으로 옳은 것만을 보기에서 있는 대로 고른 것은?

> **보기**
>
> ㄱ. A와 C에서는 심해파, B와 D에서는 천해파가 나타난다.
> ㄴ. 해파의 전파 속도는 A>C>B>D의 순이다.
> ㄷ. 해파는 해안에 다가갈수록 북동쪽으로 진행한다.

① ㄱ   ② ㄴ   ③ ㄱ, ㄴ   ④ ㄴ, ㄷ   ⑤ ㄱ, ㄴ, ㄷ

• 천해파의 전파 속도는 수심에 비례하므로 해안에 다가갈수록 해파의 속도가 느려진다.

08 ▶ 해일

그림 (가)와 (나)는 서로 다른 원인으로 발생하는 해일을 나타낸 것이다.

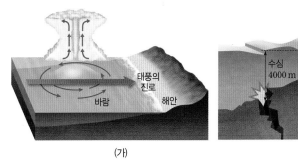

(가)   (나)

이에 대한 설명으로 옳은 것만을 보기에서 있는 대로 고른 것은?

> **보기**
>
> ㄱ. (가)는 태양 복사 에너지, (나)는 지구 내부 에너지가 주된 에너지원이다.
> ㄴ. (가)는 기압 차, (나)는 해저 지진 등에 의해 해수면이 상승한다.
> ㄷ. (가)는 너울, (나)는 풍랑의 특성을 띠는 파도가 나타난다.

① ㄱ   ② ㄷ   ③ ㄱ, ㄴ   ④ ㄴ, ㄷ   ⑤ ㄱ, ㄴ, ㄷ

• 폭풍 해일은 주로 태풍에 의해 발생하며, 지진 해일은 해저의 단층이나 화산 활동 등에 의해 발생한다. 풍랑은 바람에 의해 직접 발생한 해파이다.

09 › 조석

그림은 경도가 같고 위도가 다른 세 지역 A∼C에서 달이 남중했을 때, 달의 기조력에 의해 발생하는 조석을 나타낸 것이다.

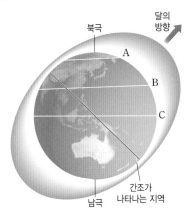

이에 대한 설명으로 옳은 것만을 보기에서 있는 대로 고른 것은?

보기
ㄱ. A에서 C로 갈수록 일주조의 특징이 잘 나타난다.
ㄴ. B에서 다음 만조 때 해수면의 높이는 현재보다 낮을 것이다.
ㄷ. A∼C 모두 만조(간조)에서 다음 만조(간조)가 일어나는 시각은 매일 늦어진다.

① ㄱ　　　② ㄷ　　　③ ㄱ, ㄴ　　　④ ㄴ, ㄷ　　　⑤ ㄱ, ㄴ, ㄷ

• 일주조는 하루에 한 번의 간조와 만조가 일어나는 현상으로, 고위도 지역에서 잘 나타난다.

10 › 조석 주기

그림은 우리나라 서해안 어느 지역의 해수면 높이 변화와 간조와 만조 시각을 나타낸 것이다.

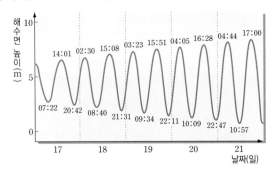

이 기간에 일어난 변화에 대한 설명으로 옳은 것만을 보기에서 있는 대로 고른 것은? (단, 17일은 음력 9일에 해당한다.)

보기
ㄱ. 조금에서 사리로 변하고 있다.
ㄴ. 달이 보름달 모양에 가까워졌다.
ㄷ. 만조에서 다음 만조가 일어나는 주기가 점점 길어지고 있다.

① ㄱ　　　② ㄷ　　　③ ㄱ, ㄴ　　　④ ㄴ, ㄷ　　　⑤ ㄱ, ㄴ, ㄷ

• 만조(간조)에서 다음 만조(간조)가 일어나는 시각은 달의 공전으로 매일 늦어지지만, 조석 주기가 길어지는 것은 아니다.

11 ▶ 지진 해일

그림은 해저 단층에 의해 발생한 해파가 육지로 전파되는 모습을 나타낸 것이다.

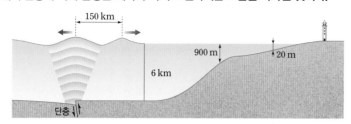

이 해파에 대한 설명으로 옳은 것만을 보기에서 있는 대로 고른 것은?

보기
ㄱ. 깊은 바다에서 생성된 심해파이다.
ㄴ. 물 입자는 장반경이 매우 긴 타원 운동을 한다.
ㄷ. 육지로 다가가면서 해파의 전파 속도가 느려진다.

① ㄱ   ② ㄷ   ③ ㄱ, ㄴ   ④ ㄴ, ㄷ   ⑤ ㄱ, ㄴ, ㄷ

• 심해파와 천해파는 수심과 파장의 상대적인 비율에 의해 구분된다. 즉, 깊은 바다에서 생성된 해파라도 파장이 상대적으로 길면 천해파이다.

12 ▶ 푄 현상

그림은 A 지점에서 불포화 공기 덩어리가 해발 고도 2000 m인 산을 넘어가는 모습을 나타낸 것이다.
공기 덩어리가 A에서 D로 이동하는 과정에서 나타나는 변화로 옳은 것만을 보기에서 있는 대로 고른 것은? (단, B 지점에서부터 구름이 생성되어 산의 정상 C까지 상승하는 동안 강수가 있었다.)

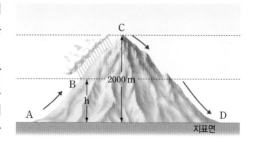

보기
ㄱ. A에서 C까지 단열 팽창에 의해 기온이 계속 하강한다.
ㄴ. A에서 기온과 이슬점의 차이가 클수록 h는 낮아진다.
ㄷ. C에서 D까지 이슬점은 일정하고 기온이 상승하여 건조해진다.

① ㄱ   ② ㄷ   ③ ㄱ, ㄴ   ④ ㄴ, ㄷ   ⑤ ㄱ, ㄴ, ㄷ

• 공기가 단열 압축되면 공기의 내부 온도와 이슬점이 모두 상승하는데, 이슬점의 상승률보다 공기 내부 온도의 상승률이 더 크다.

13 〉대기의 안정도
그림 (가)~(다)는 맑은 날 어느 지역에서 2시간 간격으로 측정한 고도에 따른 기온 변화를 나타낸 것이다.

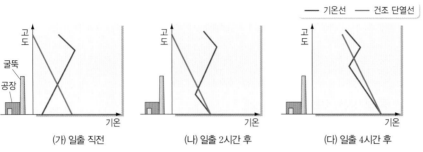

— 기온선　— 건조 단열선

(가) 일출 직전　　(나) 일출 2시간 후　　(다) 일출 4시간 후

이에 대한 설명으로 옳은 것만을 보기에서 있는 대로 고른 것은?

> **보기**
>
> ㄱ. (가)일 때 복사 안개가 발생할 수 있다.
>
> ㄴ. (나)일 때 지표 부근에서는 대류 현상이 나타난다.
>
> ㄷ. (다)일 때는 (가)일 때보다 지상의 오염 농도가 심하다.

① ㄱ　　② ㄷ　　③ ㄱ, ㄴ　　④ ㄴ, ㄷ　　⑤ ㄱ, ㄴ, ㄷ

● 지표면이 복사 냉각되면 기층 하부의 온도가 상부의 온도보다 낮아지는 안정한 기층이 형성된다.

14 〉기압과 바람
그림은 북반구 어느 지역의 등압면 분포를 나타낸 것이다.

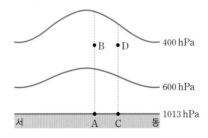

400 hPa

600 hPa

1013 hPa

서　A　C　동

A~D의 공기에 대한 설명으로 옳은 것만을 보기에서 있는 대로 고른 것은? (단, B와 D는 높이가 같다.)

> **보기**
>
> ㄱ. 공기의 밀도는 A가 C보다 크다.
>
> ㄴ. 기압은 B보다 D에서 더 높다.
>
> ㄷ. B에서는 남쪽 방향으로 지균풍이 분다.

① ㄱ　　② ㄷ　　③ ㄱ, ㄴ　　④ ㄴ, ㄷ　　⑤ ㄱ, ㄴ, ㄷ

● 북반구에서 지균풍은 기압 경도력이 작용하는 방향에 대하여 오른쪽 직각 방향으로 나타난다.

15 ❯지균풍

그림은 북반구에서 **500 hPa** 등압면 등고선도를 나타낸 것이다.

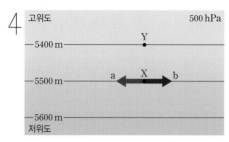

이에 대한 설명으로 옳은 것만을 보기에서 있는 대로 고른 것은? (단, X, Y는 동일 경도 상에 있으며, 위도별 중력 가속도의 차이는 무시한다.)

> 보기
> ㄱ. 기압 경도력은 X에서 Y쪽으로 작용한다.
> ㄴ. X에서는 b 방향으로 지균풍이 분다.
> ㄷ. 5500 m에서의 기압은 X보다 Y에서 더 높다.

① ㄱ   ② ㄷ   ③ ㄱ, ㄴ   ④ ㄴ, ㄷ   ⑤ ㄱ, ㄴ, ㄷ

• 기압은 높이 올라갈수록 낮아지며, 기압 경도력은 같은 높이에서 두 지점 사이의 기압 차에 의해 발생하는 힘이다.

16 ❯편서풍 파동과 제트류

그림은 북반구 대기 대순환의 일부와 상층의 제트류를 나타낸 것이다.

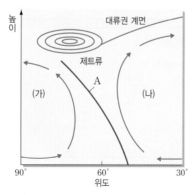

이에 대한 설명으로 옳은 것만을 보기에서 있는 대로 고른 것은?

> 보기
> ㄱ. (가)는 직접 순환, (나)는 간접 순환이다.
> ㄴ. 제트류는 서쪽에서 동쪽으로 분다.
> ㄷ. A는 따뜻한 공기가 찬 공기 위로 올라가면서 형성된 아열대 전선대이다.

① ㄱ   ② ㄷ   ③ ㄱ, ㄴ   ④ ㄴ, ㄷ   ⑤ ㄱ, ㄴ, ㄷ

• 위도 60° 부근에서는 고위도의 찬 공기가 남쪽에서 북상하는 따뜻한 공기 밑을 파고들면서 한대 전선대를 형성한다.

01 그림은 지형류 평형이 이루어진 북반구 어느 해역에서 밀도가 ρ_1, ρ_2인 해수층의 단면을 나타낸 것이다.

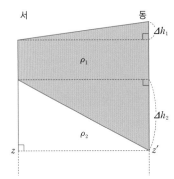

(1) 해수면에서 지형류의 방향을 해수에 작용하는 힘의 평형 관계를 이용하여 서술하시오.

(2) 깊이 $z-z'$에서 수평 수압 경도력이 0인 경우, Δh_1과 Δh_2의 비를 해수의 밀도(ρ_1, ρ_2)의 비로 나타내시오.

KEY WORDS
• 지형류 평형
• 수압 경도력
• 전향력

02 그림 (가)와 (나)는 북반구의 무역풍과 편서풍이 불고 있는 해역에서 전향력이 일정할 때와 전향력이 고위도로 갈수록 커질 때의 해수의 순환을 나타낸 것이다.

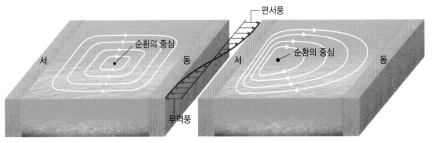

(가) 전향력이 일정할 때   (나) 전향력이 고위도로 갈수록 커질 때

(1) (나)에서 해수 순환의 중심이 서쪽으로 치우치는 까닭을 전향력의 특성을 이용하여 서술하시오.

(2) 해수 순환의 서쪽에서 북상하는 해류의 특징을 서술하시오.

KEY WORDS
(1) 위도에 따른 전향력
(2) • 서안 경계류
• 유속, 유량, 해류의 종류, 폭과 깊이

03 그림은 북반구 해역에서 파장과 수심에 따른 해파의 속도 분포를 나타낸 것이다.

KEY WORDS
• 해파의 속도
• 수심과 파장

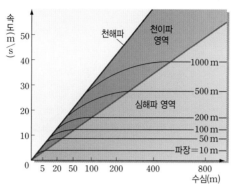

(1) 천해파와 심해파의 속도에 영향을 주는 것이 무엇인지 각각 서술하시오.

_____

(2) 심해파가 천해파로 바뀔 때의 변화와 이때 해파의 속도에 영향을 주는 것이 무엇인지 서술하시오.

_____

04 그림은 지구 – 달의 회전계에서 지구상의 각 지점에 작용하는 힘의 크기와 방향을 나타낸 것이다. (단, O는 지구 중심, CM은 지구와 달의 공통 질량 중심이다.)

KEY WORDS
• 공통 질량 중심
• 달의 인력, 원심력, 기조력

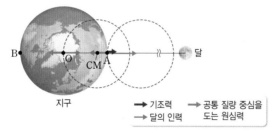

달을 향한 A 지점에 만조가 나타날 때, 반대편에 있는 B 지점에서도 만조가 나타난다. B 지점에 작용하는 힘의 크기와 방향을 다음 조건에 맞게 그리시오.

• (조건 1) B 지점에서 공통 질량 중심을 설정하고, 원운동의 궤적을 그리시오.
• (조건 2) B 지점에서의 원심력과 달의 인력의 크기를 O점에서의 크기와 상대적으로 비교하여 그린 후 기조력의 크기와 방향을 정하여 그리시오.

05 그림은 우리나라에서 동풍이 불며 공기가 태백산맥을 넘을 때 기온 변화를 나타낸 것이다.

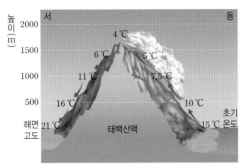
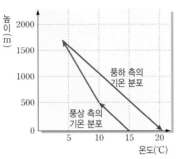

KEY WORDS
· 푄 현상
· 상승 응결 고도
· 숨은열

(1) 500 m 높이에서 정상까지 구름이 생기고 강수 현상이 있었다. 이 자료로 알 수 있는 산 정상의 높이는 얼마인지 서술하시오.

(2) 구름이 생성된 구간에서의 온도 변화율은 구름이 없는 구간에서의 온도 변화율보다 작게 나타난다. 그 까닭을 서술하시오.

06 그림 (가)~(라)는 어느 맑은 날 새벽 6시부터 2시간 간격으로 측정한 높이에 따른 기온 분포를 순서 없이 나열한 것이다.

KEY WORDS
· 복사 냉각
· 대기의 안정도
· 안개

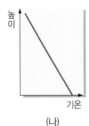
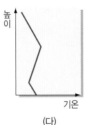
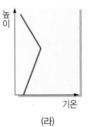

(가)　　　　(나)　　　　(다)　　　　(라)

(1) 높이에 따른 기온 분포를 시간 순서대로 나열하고, 그 까닭을 간단히 서술하시오.

(2) 이날 새벽에 안개가 생겼다면 어떤 종류의 안개인지 쓰고, 이 안개의 생성부터 소멸까지의 과정을 서술하시오.

07 그림은 북반구 상층 대기의 저기압과 고기압에서 경도풍이 생성되는 과정을 나타낸 것이다.

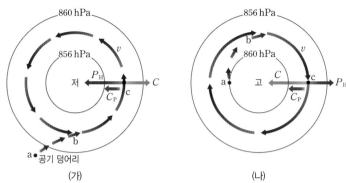

(가)   (나)

(1) 경도풍에 작용하는 힘 P_H, C, C_P가 각각 무엇인지 쓰고, 저기압과 고기압에서 c 지점에 작용하는 힘의 평형 관계를 P_H, C, C_P로 각각 표시하시오.

_____

(2) 모든 조건이 같다면 저기압에서보다 고기압에서의 경도풍의 풍속이 더 빠르다. 그 까닭을 서술하시오.

_____

08 그림은 북반구 편서풍 파동에서 상층 공기의 이동 모습과 지상에서의 기압 배치를 나타낸 것이다.

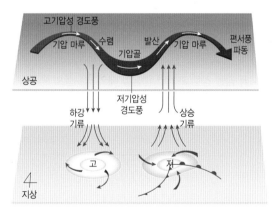

(1) 기압 마루에서 기압골 사이에서는 공기가 수렴하고, 기압골에서 기압 마루의 사이에서는 공기가 발산하는 까닭을 서술하시오.

_____

(2) 지상에서의 기압 배치가 시간에 따라 이동하는 방향과 그 까닭을 서술하시오.

_____

예시 문제

다음 제시문을 읽고 물음에 답하시오.

> 바람의 종류에는 크게 세 가지가 있다. 마찰력을 무시할 수 있는 고도 약 1 km 이상에서 부는 바람에는 지균풍과 경도풍이 있고, 지표면의 마찰력의 영향을 받으며 부는 바람에는 지상풍이 있다.
>
> 지균풍은 기압 경도력과 전향력이 평형을 이루며 등압선에 나란히 부는 바람이고, 경도풍은 등압선이 원형으로 나타날 때 기압 경도력, 전향력 및 구심력이 평형을 이루면서 등압선에 나란하게 부는 바람이다. 저기압 중심일 때의 경도풍에서는 기압 경도력이 전향력보다 크고, 고기압 중심일 때의 경도풍에서는 전향력이 기압 경도력보다 크다. 따라서 경도풍에서는 기압 경도력과 전향력의 차이가 구심력으로 작용한다.
>
> 한편 고도 약 1 km보다 낮은 곳에서 지표면의 마찰력의 영향을 받아서 부는 지상풍은 기압 경도력, 전향력 및 마찰력이 평형을 이루며 등압선에 대하여 비스듬히 부는 바람이다.

1 지균풍의 풍속(v)을 나타내는 식을 유도하고, 위도(φ)에 따라 어떻게 변하는지 서술하시오. (단, 지구 자전 각속도는 Ω, 공기의 밀도는 ρ, 기압 경도력은 $\dfrac{1}{\rho} \cdot \dfrac{\Delta P}{\Delta H}$이다.)

2 기압 경도력, 공기의 질량 및 위도가 같을 경우 고기압 중심일 때의 경도풍의 풍속과 저기압 중심일 때의 경도풍의 풍속 중 어느 것이 더 빠른지를 힘의 평형 관계를 들어 서술하시오.

3 지상풍에서는 풍향이 등압선에 대하여 비스듬히 경각을 이루며 분다. 지상풍에 작용하는 기압 경도력, 전향력, 마찰력의 힘의 평형 관계를 그림으로 나타내고, 마찰력이 바람에 미치는 영향과 지표의 상태에 따라 경각이 어떻게 달라지는지 서술하시오.

• 출제 의도
바람의 종류와 바람에 작용하는 힘을 파악하고, 지균풍의 풍속과 고기압과 저기압에서의 경도풍의 풍속 및 지상풍에서의 경각을 서술하는 능력을 평가한다.

문제 해결 과정

1 전향력의 크기와 기압 경도력이 평형을 이룬다는 식으로부터 지균풍의 풍속을 유도한다.

2 고기압 중심일 때의 힘의 평형 관계와 저기압 중심일 때의 힘의 평형 관계에서 풍속에 관계되는 전향력이 어느 경우가 더 큰지를 설명한다.

3 지상풍에서 기압 경도력, 전향력 및 마찰력이 어떻게 평형을 이루는지를 그림으로 나타내고, 육지와 바다에서 마찰력이 어느 경우가 큰지를 설명한다.

예시 답안

1 위도가 φ인 곳에서 단위 질량의 공기에 작용하는 전향력(C)의 크기는 $C = 2v\Omega\sin\varphi$이고, 두 지점의 기압 차를 ΔP, 두 지점의 수평 거리 차이를 ΔH라고 하면 수평 기압 경도력 (P_H) $= \dfrac{1}{\rho} \cdot \dfrac{\Delta P}{\Delta H}$이다. 지균풍은 기압 경도력과 전향력이 평형을 이루면서 부는 바람이므로 $2v\Omega\sin\varphi = \dfrac{1}{\rho} \cdot \dfrac{\Delta P}{\Delta H}$이다. 여기서 지균풍의 풍속($v$)은 $v = \dfrac{1}{2\Omega\rho\sin\varphi} \times \dfrac{\Delta P}{\Delta H}$가 된다. 따라서 지균풍의 풍속은 $\sin\varphi$에 반비례하므로 기압 경도력이 같다면 저위도에서 고위도로 갈수록 느려진다.

2 고기압 중심일 때 경도풍에서는 중심으로 향하는 전향력이 기압 경도력보다 커서 전향력의 일부가 구심력으로 작용한다. 따라서 힘의 평형 관계는 '전향력−기압 경도력=구심력'이 되므로 '전향력=기압 경도력+구심력'이 된다. 그러나 저기압 중심일 때는 중심으로 작용하는 기압 경도력이 전향력보다 커서 기압 경도력의 일부가 구심력으로 작용한다. 따라서 힘의 평형 관계는 '기압 경도력−전향력=구심력'이 되므로 '전향력=기압 경도력−구심력'이 된다. 그러므로 기압 경도력의 크기가 같으면 전향력은 고기압 중심일 때가 저기압 중심일 때보다 크다. 전향력이 크다는 것은 그만큼 풍속이 빠르다는 것을 의미하므로 고기압 중심일 때의 경도풍 풍속이 저기압 중심일 때의 경도풍의 풍속보다 빠르다.

3 지상풍이 불 때 힘의 평형 관계는 오른쪽 그림과 같이 마찰력과 전향력의 합력이 기압 경도력과 평형을 이루면서 바람이 등압선에 비스듬히 분다. 마찰력은 풍향과 반대 방향으로 작용하여 풍속을 감소시키고 풍향을 변하게 한다. 마찰력은 지표의 상태에 따라 달라지는데, 육지는 지표면의 기복이 심하므로 마찰력이 커서 경각이 $20°{\sim}45°$로 나타나고 해상에서는 마찰력이 작아서 경각이 $10°{\sim}20°$로 나타난다.

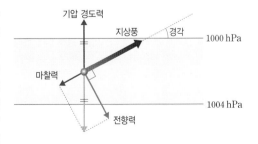

실전 문제

▷ 정답과 해설 **194**쪽

1 다음 제시문을 읽고 물음에 답하시오.

> 해류는 일정한 방향으로 흐르는 지속적인 해수의 이동이다. 표층 해수는 바람에 의해 이동하는데, 바람이 불지 않더라도 해류는 흐름을 계속 유지한다. 이것은 어떻게 설명할 수 있을까?
>
> 바람에 의한 에크만 수송으로 표층 해수가 이동하면 해수면에 경사가 생기게 되고, 해수면의 경사는 내부에 수압 경도력을 발생시켜 해수가 이동하게 된다. 이렇게 이동하기 시작한 해수는 마침내 수압 경도력과 전향력이 평형(지형류 평형)을 이루면서 흐르게 되는데 이 해류를 지형류라고 한다. 해양의 거의 모든 해류는 지형류 평형 상태에서 흐르고 있는데, 북태평양의 쿠로시오 해류나 북대서양의 멕시코 만류는 가장 대표적인 지형류에 해당한다. 그림은 멕시코 만류의 동서 방향의 수온 분포를 깊이에 따라 나타낸 것이다. 이것을 보면 오른쪽에는 따뜻한 해수가 분포하고 있고, 왼쪽에는 찬 해수가 분포하고 있다. 그리고 따뜻한 해수와 찬 해수의 경계, 즉 수온이 급격히 변하는 곳에서 급격한 경사를 이루고 있다.

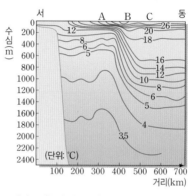

▲ 멕시코 만류의 연직 수온 분포

(1) 멕시코 만류의 해수면 높이는 해안에서 동쪽으로 가면서 어떻게 변하며, 그 까닭은 무엇인지 서술하시오.

(2) 위 단면도에서 해류의 방향은 어느 쪽이며, 그 까닭은 무엇인지를 설명하고, 해류의 속도가 가장 빠른 부분은 A~C 중 어디이며, 그 까닭은 무엇인지를 서술하시오.

(3) 대한 해협을 통과하여 동해로 들어가는 쓰시마 난류도 지형류 평형 상태를 유지하며 흐르고 있다. 쓰시마 난류가 1 m/s의 속도로 흐른다면 부산과 일본 해안의 해수면 높이(ΔZ)는 어느 쪽이 얼마나 높은지 풀이 과정과 함께 서술하시오. (단, 대한 해협의 폭(ΔX)은 200 km이고, 해수의 밀도는 1000 kg/m³이며, 대한 해협의 위도(φ)는 35 °N, sin 35° = 0.57, 중력 가속도(g)는 10 m/s², 지구 자전 각속도(Ω)는 7.27×10^{-5} rad/s이다.)

(4) 멕시코 만류와 쿠로시오 해류는 서안 경계류에 해당한다. 서안 경계류가 형성되는 까닭과 서안 경계류의 특징을 서술하시오.

답안

• 출제 의도
지형류가 흐르는 까닭을 파악하고, 지형류인 멕시코 만류의 특징과 대한 해협을 흐르는 쓰시마 난류의 특징을 서술하는 능력을 평가한다.

• 문제 해결을 위한 배경 지식
• 수온이 높은 쪽이 낮은 쪽보다 해수면이 더 높다. 따라서 수온이 높은 쪽에서 낮은 쪽으로 수압 경도력이 작용한다.
• 해류는 수압 경도력의 직각 방향으로 흐르고, 수온 차가 큰 곳은 밀도 차가 커서 수압 경도력이 크게 작용한다.
• 지형류는 수압 경도력과 전향력이 평형을 이루는 상태에서 흐르는 해류이다.
• 전향력은 고위도로 갈수록 증가하므로 아열대 순환의 중심은 서쪽으로 치우치고, 서안 강화 현상이 나타나는 것이 특징이다.

2 다음 제시문을 읽고 물음에 답하시오.

• 출제 의도
달과 태양에 의한 기조력의 크기를 비교하고, 달을 향한 쪽과 달의 반대쪽에서 나타나는 기조력의 크기가 같고 방향이 반대임을 설명할 수 있다.

바닷가의 해수면이 하루에 두 번씩 주기적으로 높아졌다 낮아졌다 하는 현상을 조석이라고 하고, 이에 따라 흐르는 해수의 수평 방향의 흐름을 조류라고 한다. 이와 같은 조석 현상을 일으키는 힘을 기조력이라고 하는데, 기조력은 지구와 천체의 질량에 비례하고 지구와 천체 사이의 거리의 세제곱에 반비례한다. 지구의 기조력에 영향을 미치는 천체는 달과 태양인데, 달에 의한 기조력이 태양에 의한 기조력보다 크다.

달에 의한 기조력은 그림과 같이 나타나는데, 기조력은 지구와 달이 공통 질량 중심을 축으로 원운동하기 때문에 생기는 원심력과 지구와 달 사이에 작용하는 만유 인력의 합력으로 나타난다. 지구의 중심에서는 달의 인력과 원심력의 크기가 같으므로 기조력이 없고, 달을 향한 쪽(A)에서는 원심력보다 달의 인력이 크므로 기조력이 달 쪽을 향하고, 달의 반대쪽(B)에서는 달의 인력보다 원심력이 크기 때문에 달의 반대쪽으로 기조력이 작용한다. 이때 A와 B에서 작용하는 기조력의 크기는 같고 방향은 반대이다. 따라서 달 쪽과 달의 반대쪽에서는 만조가 나타나고, 그 사이에 있는 양쪽 지역(C, D)에서는 간조가 나타난다.

(1) 태양의 질량은 지구의 약 33만 배이고 지구에서 태양까지의 거리는 약 1억 5천만 km이며, 달의 질량은 지구의 약 0.012배이고 지구에서 달까지의 거리는 약 38만 km이다. 달에 의한 기조력은 태양에 의한 기조력의 몇 배인지 풀이 과정과 함께 서술하시오.

• 문제 해결을 위한 배경 지식
• 천체의 기조력 $\propto \dfrac{(천체의\ 질량)}{(거리)^3}$
• 기조력 = 만유 인력 + 원심력,
만유 인력 = $\dfrac{GMm}{d^2}$ 이며,
지구 중심에서의 원심력 + 달의 만유 인력 = 0이다.

(2) 지구 중심에서 달 중심까지의 거리를 d, 지구의 반지름을 R, 지구의 질량을 M, 달의 질량을 m이라고 할 때, A점에서의 기조력(T_A)의 크기와 B점에서의 기조력(T_B)의 크기는 같고 방향이 반대임을 풀이 과정과 함께 서술하시오. (단, 공통 질량 중심 주위를 회전하는 원심력은 지구 중심에 미치는 달의 인력과 같다.)

답안

부록

II 대기와 해양

1. 해수의 운동과 순환

01 해류

개념 모아 정리하기 　　　　　　　　　　　021쪽

❶ 수압 경도력　　❷ 연직　　❸ 수압　　❹ 높이　　❺ 거리
❻ 자전　　❼ 오른쪽　　❽ 비례　　❾ 고　　❿ 오른쪽
⓫ 전향력　　⓬ 수압 경도력　　⓭ 경사　　⓮ 동　　⓯ 서
⓰ 시계　　⓱ 서　　⓲ 서　　⓳ 빠르　　⓴ 적　　㉑ 쿠로시오

개념 기본 문제 　　　　　　　　　　　022쪽

01 (1) A: 수압 경도력, B: 중력　(2) A＝B　　**02** (1) ○　(2) ○
(3) ×　　**03** ㉠ 자전　㉡ 오른쪽　㉢ 적도　㉣ 고　　**04** (1) 마찰
력, 전향력　(2) ㄱ, ㄴ, ㄷ　　**05** ㄴ, ㄷ　　**06** (1) ○　(2) ○
(3) ○　(4) ×　(5) ×　　**07** ㄱ, ㄴ, ㄷ, ㄹ　　**08** (1) 에크만 수송
(2) A: 수압 경도력, B: 전향력, C: 전향력, D: 수압 경도력　(3) 그림
참조　　**09** 전향력　　**10** ㉠: 좁다, ㉡: 빠르다, ㉢: 넓다, ㉣: 느리다

01 (1) 해수에서는 수심이 깊어질수록 수압이 커지므로 수압 차
에 의해 생기는 연직 수압 경도력은 아래에서 위로 작용한다.
따라서 수압은 P_1이 P_2보다 크므로 수압 경도력은 P_1에서
P_2 방향으로 작용하는 A이다. 해수의 무게에 의한 중력은
위에서 아래로 작용하므로 B에 해당한다.
(2) 해수의 정역학 평형 상태는 해수의 깊이에 따른 수압 차
때문에 생기는 힘인 수압 경도력과 해수에 작용하는 중력이
평형을 이루는 상태이다.

02 (1) 수압 경도력은 수압이 높은 곳에서 낮은 곳으로 작용한다.
(2) 해수면의 경사가 클수록 수압 차이가 커지므로 수압 경도
력이 커진다.
(3) 수압 경도력은 두 지점 사이의 거리(ΔX)에 반비례한다.

03 전향력은 지구의 자전에 의해 생기는 힘으로 운동하는 물체
의 속력과 위도에 비례한다. 따라서 속력이 큰 물체일수록 작
용하는 전향력은 커지고, 위도가 0°인 적도에서 전향력은 0
이고 고위도로 갈수록 증가한다. 한편, 전향력이 작용하는
방향은 북반구에서는 물체가 운동하는 방향의 오른쪽 직각
방향이고, 남반구에서는 왼쪽 직각 방향이다.

04 (1) 에크만 수송은 해수면에서 부는 바람과의 마찰력에 의해
표층 해수가 움직이고, 움직이는 해수에 전향력이 작용하면
서 일어나는 현상이다.
(2) ㄱ. 해수면 위에서 바람이 계속 불면 북반구에서 표층 해
수는 바람 방향의 오른쪽으로 45° 편향되어 흐른다.
ㄴ. 수심이 깊어질수록 해수의 마찰에 의해 유속이 느려진다.
ㄷ. 전향력에 의해 수심이 깊어질수록 해수의 이동 방향이 오
른쪽으로 편향되어 흐른다. 결과적으로 마찰 저항 심도까지
의 해수의 총량은 바람 방향의 오른쪽 90° 방향으로 이동하
는데, 이를 에크만 수송이라고 한다.

05 ㄴ. 에크만 수송은 북반구에서 바람 방향의 오른쪽 직각 방
향으로 일어난다.
ㄷ. 에크만 수송이 지속적으로 일어나면 해안에서 먼 바다 쪽
으로 갈수록 해수면이 높아지므로, 먼 바다에서 해안 쪽으로
수압 경도력이 발생한다.
바로 알기 ㄱ. 표층 해수는 바람 방향의 오른쪽으로 45° 편향되어 흐
른다.

06 (1), (2) 수압이 높은 곳에서 낮은 곳으로 수압 경도력이 작용
하여 물이 움직이고, 전향력이 작용하여 물의 흐름이 점점 오
른쪽으로 편향된다. 움직이는 해수는 수압 경도력에 의해 유
속이 점점 빨라지고 전향력도 더욱 커진다. 전향력(A)이 수압
경도력(B)과 평형을 이루면 지형류가 형성된다.
(3) 해수가 움직이지 않을 때는 속력이 0이므로 전향력도 0이
다. 따라서 해수를 초기에 움직이는 원동력은 수압 차에 의한
수압 경도력이다.
(4) 전향력은 물체의 속력에 비례하므로, 해수의 속력이 빨라
질수록 전향력도 커진다.
(5) 수압 경도력은 두 지점 사이의 수압 차에 비례하고 거리에
반비례하므로 수압이나 거리의 변화가 없으면 변하지 않는다.

07 ㄱ, ㄴ 북반구에서 지형류는 수압 경도력이 작용하는 방향(B → A)에 대하여 오른쪽 직각 방향으로 흐른다. 따라서 지형류는 북쪽으로 흐른다.

ㄷ. 지형류에서 전향력은 수압 경도력과 반대 방향으로 평형을 이루므로 A에서 B로 작용한다.

ㄹ. 해수면의 경사가 커지면 수압 경도력이 증가하고 이에 따라 전향력도 증가하므로 지형류의 유속이 빨라진다.

바로 알기 ㅁ. A와 B 사이의 거리가 멀어지면 수압 경도력이 작아지고 이에 따라 전향력도 감소하므로 지형류의 유속이 느려진다.

08 (1) 위도 30° 해역의 수위가 높은 까닭은 편서풍과 무역풍에 의해 표층 해수가 바람 방향의 오른쪽으로 이동하는 에크만 수송 때문이다.

(2) 수압 경도력은 수압이 높은 곳에서 낮은 곳으로 작용하므로 A와 D이고, 전향력은 수압 경도력과 반대 방향으로 평형을 이루므로 B와 C이다.

(3) 지형류는 P에서는 동쪽으로, Q에서는 서쪽으로 흐른다. 지형류가 흐르는 방향은 결과적으로 표면에서 부는 바람의 방향과 같아진다.

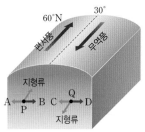

09 북반구에서 표층 순환의 방향은 시계 방향이므로, 대양의 서쪽 경계(서안)에서는 저위도에서 고위도로 해류가 흐르고 동쪽 경계(동안)에서는 고위도에서 저위도로 해류가 흐른다. 전향력의 크기는 위도가 높아질수록 증가하므로 대양의 서쪽 경계에서는 해류의 폭이 좁고 유속이 빨라지며, 동쪽 경계에서는 해류의 폭이 넓고 유속이 느려진다. 그 결과 유속이 빠르고 폭이 좁은 서안 경계류가 나타난다.

10 서안 경계류(가)는 동안 경계류(나)에 비해 유속이 빠르기 때문에 해류의 폭이 좁고 깊이가 깊으며, 단위 면적당 통과하는 유량도 많다. 서안 경계류는 저위도에서 고위도로 이동하므로 난류의 성질을 띠며, 반대 방향인 동안 경계류는 한류의 성질을 띤다.

개념 적용 문제 024쪽

01 ②	02 ④	03 ④	04 ⑤	05 ④	06 ③
07 ③	08 ②	09 ⑤	10 ①	11 ③	12 ③

01 ㄷ. 에크만 수송에서는 전향력의 작용으로 해수의 이동 방향이 점점 오른쪽으로 편향되어 수심이 깊어질수록 해수의 이동 방향이 시계 방향으로 바뀐다.

바로 알기 ㄱ. 표층 해수가 북동쪽으로 이동하고 있으므로 남에서 북으로 부는 남풍이 불고 있음을 알 수 있다.

ㄴ. 에크만 수송은 에크만층(마찰층) 내의 해수의 이동 총량을 의미하며, 북반구에서는 바람의 방향에 대하여 오른쪽 직각 방향을 이룬다. 따라서 에크만 수송은 동쪽으로 나타난다.

02 ㄴ. 에크만 수송은 북반구에서는 바람의 방향에 대하여 오른쪽으로 일어나고, 남반구에서는 왼쪽으로 일어난다.

ㄷ. 에크만 수송은 해수 표면에서 부는 바람에 의해 일어난다. 따라서 무역풍이 강해지면 에크만 수송이 강해지므로 해수의 이동이 더 활발해진다.

바로 알기 ㄱ. 해수가 이동하는 쪽으로 수위가 높아지므로, 수압 경도력은 해수의 이동 방향과 반대 방향으로 나타난다.

03 ㄱ. 수압 경도력의 크기는 두 지점 사이의 수압 차에 비례하고 거리에 반비례한다. 따라서 해수면 경사가 작은 (가) 해역이 (나) 해역보다 수압 차가 작으므로 수압 경도력이 더 작다.

ㄷ. 북반구에서 지형류는 수압 경도력이 작용하는 방향에 대해 오른쪽 직각 방향으로 흐른다. 따라서 두 지역에서 지형류 방향은 서로 반대이다.

바로 알기 ㄴ. 지형류는 수압 경도력과 전향력이 평형을 이루기 때문에 수압 경도력이 커지면 전향력도 크게 나타난다. 따라서 (나) 해역은 (가) 해역보다 지형류에 작용하는 전향력이 크다.

04 ㄱ. A는 등고선에 직각 방향으로 작용하는 것으로 보아 해수면의 경사에 의해 발생하는 수압 경도력이다.

ㄴ. B는 전향력으로, 해수의 이동 방향에 대하여 오른쪽 직각 방향으로 작용하고 힘의 크기는 해수의 이동 속력에 비례한다. 따라서 해수가 수압 경도력과 평형을 이룰 때까지는 작용하는 방향이 시계 방향으로 변하고, 크기도 계속 증가한다.

ㄷ. 지형류에 작용하는 힘은 수압 경도력과 전향력이므로 두 힘이 평형을 이루면 지형류의 속력과 방향은 더 이상 변하지 않는다.

05 ㄱ. 수평 방향의 수압 경도력은 해수면 높이 차에 의해 발생하므로 해수면이 높은 B에서 A와 C 방향으로 각각 작용한다.

ㄷ. 수압 경도력과 전향력이 평형을 이루면 지형류는 등수압선을 따라 시계 방향으로 흐른다.

바로 알기 ㄴ. 지형류는 수압 경도력과 전향력이 평형을 이루며 나타나는 해류이다. 따라서 수압 경도력은 등고선의 경사가 급한 B에서 A 방향이 등고선의 경사가 완만한 B에서 C 방향보다 크므로 전향력도 C보다 A에서 더 크게 작용하고, 경사 방향이 서로 반대이므로 전향의 방향도 서로 반대이다.

06 ㄱ. 북반구에서 에크만 수송은 바람 방향의 오른쪽 직각 방향으로 나타난다. 따라서 편서풍대에서는 남쪽으로, 무역풍대에서는 북쪽으로 에크만 수송이 일어나 두 바람의 경계 지역에서 해수면이 높게 나타난다.

ㄴ. 편서풍과 무역풍의 경계 지역에서는 에크만 수송에 의해 해수면이 높아져서 각각 해수면이 낮은 쪽인 P 방향으로 수압 경도력이 작용하고 이와 반대 방향인 Q 방향으로 전향력이 작용하는데, 수압 경도력과 전향력이 평형을 이루어 지형류가 발생한다.

바로 알기 ㄷ. 북반구에서 지형류는 수압 경도력이 작용하는 방향에 대하여 오른쪽 직각 방향으로 나타난다. 따라서 (가)에서는 동쪽으로, (나)에서는 서쪽으로 지형류가 발생하며, 이는 각각 해수면 위로 부는 바람의 방향과 같다.

07 ㄱ. 지형류는 수압 경도력과 전향력이 평형을 이루면서 흐르는 해류로, 지형류 평형에 의해 해수면 경사가 유지된다.

ㄷ. 북반구에서 지형류의 흐름이 시계 방향으로 나타나는 것은 중심에서 바깥쪽으로 수압 경도력이 작용한다는 것이다. 따라서 해수면의 높이는 순환의 중심으로 갈수록 높아진다.

바로 알기 ㄴ. 순환의 중심에서 바깥쪽으로 작용하는 힘 A는 수압 경도력이며, 전향력은 수압 경도력과 반대 방향인 순환의 중심 쪽으로 작용한다.

08 ㄷ. 수평 방향으로 해수면 높이 차가 생긴 까닭은 수온 차에 의한 해수의 열팽창 때문이다. 수온 차가 클수록 해수면 높이 차가 커져서 수압 경도력이 증가하므로, 지형류의 유속도 빨라진다.

바로 알기 ㄱ. 해수면 경사가 가장 큰 곳에서 수압 경도력이 가장 크므로, B 해역의 아래에서 지형류의 유속이 가장 빠르다.

ㄴ. 이 해역에서 해수면의 경사가 나타나는 까닭은 연안과 먼 바다의 수온 차에 의해 상대적으로 수온이 높은 먼 바다의 해수가 팽창하여 연안보다 해수면이 높아졌기 때문이다.

09 ㄱ. 수압 경도력의 크기는 해수면의 경사에 비례한다. 따라서 해수면의 경사가 더 큰 B가 A보다 수압 경도력이 크다.

ㄴ. 북반구에서 지형류는 수압 경도력이 작용하는 방향의 오른쪽 직각 방향으로 흐른다. B에서는 수압 경도력이 북쪽으로 작용하므로, 동쪽으로 지형류가 흐른다.

ㄷ. C에서는 수압 경도력이 남쪽으로 작용하고, D에서는 수압 경도력이 북쪽으로 작용한다. 북반구에서 지형류는 수압 경도력의 오른쪽 직각 방향으로 흐르고, 남반구에서 지형류는 수압 경도력의 왼쪽 직각 방향으로 흐른다. 따라서 C와 D에서 모두 동쪽에서 서쪽으로 흐르는 지형류가 나타난다.

10 ㄱ. (가)는 순환의 중심이 대양의 가운데에 위치하고 순환이 대칭을 이루므로, 위도에 따른 전향력의 크기 변화가 없는 경우의 표층 해수의 순환 모형이다.

바로 알기 ㄴ. (나)에서 순환의 중심이 서쪽으로 편향되어 나타나는 까닭은 고위도로 갈수록 전향력이 커지면서 대양의 서쪽 경계(서안)에서 해류의 폭이 좁아지고 유속이 빨라지기 때문이다.

ㄷ. (가)와 (나) 모두 시계 방향의 순환이 나타나기 위해서는 순환의 중심부가 높아서 바깥쪽으로 수압 경도력이 작용해야 한다.

11 ㄱ. 전향력의 크기는 위도가 높아질수록 증가한다. 따라서 저위도인 A보다 고위도인 B에 작용하는 전향력이 더 크다.

ㄴ. C에서는 남하하는 해류에 작용하는 수압 경도력이 B에서보다 작으므로 유속이 느리다.

바로 알기 ㄷ. 순환의 중심이 서쪽으로 편향되는 까닭은 대양의 서쪽에서 북상하는 해류의 유속이 빠르기 때문이다. 따라서 A와 B 사이의 지형류가 강화되면 순환의 중심은 주어진 그림에서보다 더 서쪽으로 이동한다.

12 ㄱ. 중위도 아열대 해수의 순환은 무역풍과 편서풍의 영향으로 형성된 것이다.

ㄴ. 멕시코 만류는 북반구 대서양의 아열대 순환 중 대양의 서쪽을 흐르는 서안 경계류이고, 브라질 해류는 남반구 대서양의 아열대 순환 중 대양의 서쪽을 흐르는 서안 경계류이다.

바로 알기 ㄷ. 서안 경계류인 쿠로시오 해류는 동안 경계류인 캘리포니아 해류에 비해 폭이 좁고 유속이 빠르며, 단위 면적당 해수의 이동량이 많다.

02 해파와 해일

탐구 확인 문제　041쪽

01 ④　　**02** ⑤

01 ㄱ, ㄷ 수면을 치면 에너지가 전달되면서 파동이 형성되며, 물 입자의 운동으로 마루와 골 모양의 해파가 발생하여 에너지를 주변으로 이동시킨다.

바로 알기 ㄴ. 물에 에너지가 전달되면 물 입자는 일정한 범위 내에서 상하 전후 운동만 한다. 따라서 스타이로폼 조각은 해파와 함께 상하 전후 운동만 할 뿐 수평으로는 이동하지 않는다.

02 ⑤ 천해파의 전파 속력은 수심에 비례하기 때문에 해안에 접근할수록 느려진다.

바로 알기 ①, ④ 수심이 깊어짐에 따라 물 입자의 운동이 납작해지는 것으로 보아 해저의 영향을 받는 천해파로, 수심이 파장의 $\frac{1}{20}$보다 얕은 바다에서 진행하는 해파이다.

②, ③ 천해파는 바람에 의해 직접 생성된 풍랑과는 달리 먼 바다에서 전달되는 에너지에 의해 발생하며, 물 입자가 직접 이동하는 것이 아니라 타원 운동을 하며 에너지만 전달하는 역할을 한다.

개념 모아 정리하기　042쪽

❶ 파장　❷ 주기　❸ $\frac{\text{파장}}{\text{주기}}$　❹ 풍랑　❺ 풍속　❻ 지속

시간　❼ 파장　❽ 연안 쇄파　❾ $\frac{1}{2}$　❿ 원　⓫ 파장

⓬ $\frac{1}{20}$　⓭ 타원　⓮ 왕복　⓯ 수심　⓰ 천해파　⓱ 침식

⓲ 퇴적　⓳ 해저 지진　⓴ 태풍　㉑ 만조　㉒ 천해파

개념 기본 문제　044쪽

01 (1) A: 파장, B: 파고, C: 진폭　(2) ㉠: 진동수, ㉡: $\frac{\text{파장}}{\text{주기}}$
02 (1) ×　(2) ○　(3) ○　(4) ×　　**03** ㄱ, ㄴ　　**04** (1) A: 풍랑, B: 너울, C: 연안 쇄파　　(2) (가): C, (나): A, (다): B
05 (1) 5 m　(2) ㄱ, ㄴ, ㄷ　　**06** (1) 높, 느려　(2) 작아　(3) 타원
07 ㄴ　　**08** ㉠: $h < \frac{1}{20}L$, ㉡: 타원 운동, ㉢: 작아, ㉣: 없음, ㉤: $\sqrt{\frac{gL}{2\pi}}$, ㉥: $\sqrt{gh}$　　**09** (1) A　(2) ㉠: 곶, ㉡: 침식, ㉢: 퇴적
10 (1) ○　(2) ○　　**11** ㄱ, ㄴ, ㄷ

---

01 (1) A는 골에서 골까지의 길이로서 파장에 해당한다. B는 골에서 마루까지의 높이로서 파고, C는 평균 해수면에서 마루까지의 높이로서 진폭에 해당한다.

(2) 1초 동안 한 지점을 몇 개의 파가 지나갔는지를 나타내는 값을 ㉠ 진동수라고 하며, 이는 주기의 역수와 같다.

움직이는 물체의 속력은 $\frac{\text{거리}}{\text{시간}}$이므로 해파의 속력은 ㉡ $\frac{\text{파장}}{\text{주기}}$으로 나타낼 수 있다.

02 (1) 해파는 물 입자가 상하 전후 방향으로 왕복 운동하면서 에너지를 전달하는 현상으로, 일정한 방향으로 물이 이동하는 해류와 차이가 있다.

(2) 대부분의 해파는 바람에 의해 발생하며 일부는 해저 화산의 폭발이나 해저 지진에 의해서도 발생한다.

(3), (4) 표면에서 발생한 해파는 수심이 깊어짐에 따라 에너지가 감소하고, 해안에 접근할수록 파고가 높아져 부서진다.

03 ㄱ, ㄴ 해파는 주로 바람에 의해 발생하므로 풍속이 강할수록, 바람이 부는 시간이 길수록 강하게 발달한다.

바로 알기 ㄷ. 바람이 부는 해역이 좁으면 일정한 크기 이상으로 해파가 발달하지 않는다.

04 바람에 의해 직접적으로 발생하여 마루가 뾰족하게 발달한 해파를 풍랑(A)이라 하고, 풍랑의 에너지가 전달되어 파장이 길어지고 마루와 골이 둥근 쇠약 단계의 해파를 너울(B)이라고 한다. 해파가 연안으로 접근하면 해저와의 마찰에 의해 유속이 느려지고 파고가 높아져 부서지는데, 이를 연안 쇄파(C)라고 한다.

05 (1) 일반적으로 해파의 영향을 받지 않는 수심은 파장의 $\frac{1}{2}$이 되는 깊이부터이다. 따라서 파장이 10 m인 경우에는 파장의 $\frac{1}{2}$인 수심 5 m보다 깊은 곳에서는 해파의 영향이 나타나지 않는다.

(2) (가) 구간은 수심이 파장의 $\frac{1}{2}$보다 깊으므로 심해파에 해당한다. 따라서 물 입자는 원궤도를 그리며 운동하고, 수심이 깊어짐에 따라 원궤도의 지름이 급격히 작아진다.

06 해파가 해안으로 접근하면 수심이 낮아져 천해파의 특성을 나타낸다. 따라서 물 입자가 해저면의 영향을 받아 물 입자의 연직 방향으로의 움직임이 작아져 타원 운동을 하게 된다. 한편, 해수 표면에서는 해파가 해안에 접근할수록 속력이 느려지고 이에 따라 파장이 짧아져서 파고가 높아진다.

07 ㄴ. 심해파는 수심이 깊어질수록 물 입자의 운동이 급격히 감소하여 대부분 표면에서만 영향이 나타나기 때문에 표면파라고도 한다.

바로 알기 ㄱ. 물 입자가 원운동을 하고 수심이 깊어질수록 원운동 궤도의 지름이 급격하게 감소하는 것으로 보아 수심이 파장의 $\frac{1}{2}$보다 큰 심해파임을 알 수 있다.

ㄷ. 심해파의 전파 속력은 파장이 길수록 빠르다.

08 심해파는 수심이 파장의 $\frac{1}{2}$보다 깊은 경우에 나타나고, 천해파는 수심이 파장의 $\frac{1}{20}$보다 얕은 경우에 나타난다. 심해파는 해저 마찰의 영향이 없으므로 물 입자가 원운동을 하고, 천해파는 해저 마찰의 영향으로 물 입자가 타원 운동을 한다. 심해파의 전파 속력은 파장이 길수록 빨라지고, 천해파는 수심이 얕을수록 느려진다.

09 (1) 해파가 해안에 접근하면 수심이 얕아지므로 천해파의 성질을 띤다. 천해파는 수심이 얕아질수록 속력이 느려지기 때문에 해파의 전파 속력은 B보다 A에서 더 빠르다.

(2) 해파가 해안에 접근하면 천해파의 성질을 띠고, 수심이 얕아짐에 따라 해파의 속력은 느려진다. 따라서 곶에서는 해파의 속력이 주변에 비해 느려지므로 해파의 에너지는 곶에 집중된다. 이에 따라 곶에서는 해파에 의해 침식 작용이 진행되고, 상대적으로 해파의 에너지가 분산되는 만에서는 퇴적 작용이 우세하게 일어나 해안선이 단조로워진다.

10 (1), (2) 폭풍 해일은 태풍이나 저기압에 의해 높아진 해수면이 태풍과 함께 이동하다가 해안에 도달하여 해수면이 내려가면서 발생한다. 따라서 폭풍 해일은 저기압에 의한 해수면 상승과 강한 바람에 의해 발생한다.

11 ㄱ, ㄴ, ㄷ 지진 해일은 해저에서 지진 또는 화산 폭발이 일어나거나, 해저 경사면을 타고 퇴적물이 흘러내리는 사태가 발생할 때 에너지가 해수로 전달되면서 나타난다.

바로 알기 ㄹ. 태풍에 의해 일어나는 해일은 폭풍 해일이다.

개념 적용 문제　　　　　　046쪽

01 ②	02 ③	03 ②	04 ③	05 ②	06 ⑤
07 ②	08 ①	09 ④	10 ③	11 ①	12 ⑤

01 ㄷ. 쓰나미는 천해파이므로 해안에 가까워질수록 속력이 느려지고, 파고는 높아진다.

바로 알기 ㄱ. 심해파는 수심이 파장의 $\frac{1}{2}$보다 깊은 곳에서 나타나고, 천해파는 수심이 파장의 $\frac{1}{20}$보다 얕은 곳에서 나타난다. 따라서 수심이 400 m인 해역에서 파장이 6 m와 160 m인 해파는 심해파에 속하고, 파장이 120000 m인 해파는 파장의 $\frac{1}{20}$이 6000 m이므로 천해파에 속한다. 따라서 풍랑과 너울은 심해파, 쓰나미는 천해파의 특징을 나타낸다.

ㄴ. 해파의 속력은 $\frac{파장}{주기}$이므로, 풍랑은 3 m/s, 너울은 16 m/s, 쓰나미는 200 m/s이다. 따라서 해파의 속력은 쓰나미>너울>풍랑이다.

02 ㄱ. A에서 물 입자가 원운동을 하는 것으로 보아 심해파이며, 수심에 따라 물 입자의 운동이 급격히 작아진다는 것은 해저면의 영향을 거의 받지 않는다는 것을 의미한다.

ㄷ. C에서는 천해파이므로 해안에 접근하면서 해파의 속력이 느려지고 파고는 높아진다.

바로 알기 ㄴ. B에서 수심이 깊어질수록 물 입자의 운동 궤도가 납작한 타원이 되면서 그 장반경이 감소하는 것으로 보아 천이파에 해당함을 알 수 있다. 천이파는 수심이 파장의 $\frac{1}{20}$보다 깊고 $\frac{1}{2}$보다 얕은 곳에서 나타난다.

03 ㄴ. 물 입자의 운동이 원을 이루며 수심에 따라 크기가 급격히 작아지는 것은 심해파임을 의미한다. 따라서 이 해역의 수심은 $\frac{L}{2}$보다 깊다.

바로 알기 ㄱ. 해파에서 물 입자의 운동 방향이 마루에서는 해파의 진행 방향과 같고, 골에서는 물 입자의 운동 방향과 해파의 진행 방향이 반대이다. 따라서 이 해파는 서에서 동으로 이동하고 있다.

ㄷ. 심해파의 전파 속력은 $\sqrt{L}$에 비례한다. 따라서 이 해역에서 $4L$인 해파의 속력은 $2V$이다.

04 ㄱ. 파장이 길어질수록 해파의 속력이 빨라지는 것은 심해파의 특징이다. 심해파는 수심이 파장의 $\frac{1}{2}$보다 깊은 곳에서 나타나는데, 주어진 자료에서 파장이 600 m인 해파도 심해파에 속하므로 이 해역의 수심은 600 m의 $\frac{1}{2}$인 300 m보다 깊다.

ㄴ. 천해파는 파장에 관계없이 수심이 같으면 전파 속력이 같다. 심해파는 파장이 길수록 전파 속력이 빠르므로 주어진 자료의 해파는 모두 심해파의 성질을 나타낸다.

바로 알기 ㄷ. 파장이 길수록 주기도 증가한다. 주기가 증가한다는 것은 진동수가 작아진다는 것을 의미하므로, 긴 파장일수록 1초 동안 발생하는 해파의 개수는 적어진다.

05 ㄴ. 해파의 골에서는 해파의 진행 방향과 물 입자의 진행 방향이 반대로 나타나고, 마루에서는 해파의 진행 방향과 물 입자의 진행 방향이 일치한다.

바로 알기 ㄱ. 해파의 물 입자의 운동이 타원인 것으로 보아 수심이 해저면의 영향을 받는 천해파이다.

ㄷ. 천해파는 해저에서 수평 왕복 운동을 하므로 해저 퇴적물은 해저에서 일정한 거리 안에서 왕복 운동만 하게 된다. 따라서 해파에 의해 해저 퇴적물이 해안으로 이동하지는 못한다.

06 ㄱ. 천해파는 파장에 비해 수심이 낮은 해파로서, 전파 속력은 수심의 제곱근에 반비례한다. 따라서 수심이 변하지 않는 구간 A까지는 해파의 전파 속력이 일정하다.

ㄴ. 천해파는 수심이 낮아지면 전파 속력이 느려진다. 따라서 구간 A가 끝나면서 경사면이 가장 먼저 나타나는 P에 해파가 가장 늦게 도착하고, 경사면이 가장 나중에 나타나는 R에 해파가 가장 빨리 도착한다.

ㄷ. 천해파는 수심이 낮아지면 파장이 짧아지면서 파고가 높아진다. 따라서 도착 지점의 수심이 가장 낮은 P에서 파고가 가장 높게 나타날 것이다.

07 ㄴ. 해저면이 해파의 영향을 받기 시작하는 곳은 수심이 파장의 $\frac{1}{2}$인 150 m가 속한 C이다.

바로 알기 ㄱ. A에서 B까지는 수심이 파장의 $\frac{1}{2}$보다 깊으므로 심해파의 성질을 유지한다. 따라서 파장의 변화가 없으므로 A에서 B까지는 해파의 속력 변화도 나타나지 않는다.

ㄷ. 해파가 C에서 D로 진행하면 천해파의 성질이 우세해지므로 해저면의 영향을 받아 물 입자의 수직 운동이 약해져서 납작한 타원 운동을 하게 된다.

08 ㄱ. (가)와 (나) 두 해역 모두 파장이 약 150 m보다 짧은 파는 파장에 따라 파속이 증가하고, 200 m 이상인 파는 일정하게 나타나는 것으로 보아 파장이 200 m 이상인 해파는 두 해역에서 모두 천해파의 성질을 띤다는 것을 알 수 있다. 따라서 파장이 약 350 m인 A와 B는 각 해역에서 천해파에 속하며 천해파의 속력은 수심의 제곱근에 비례하므로 파속이 큰 (가) 해역의 수심이 (나) 해역보다 깊다.

바로 알기 ㄴ. (가)와 (나) 해역에서 각각 파장이 약 200 m 이상인 해파들의 속력이 모두 일정하다는 것은 두 해역에서 각각 해파의 파장이 200 m 이상인 해파는 천해파임을 의미한다. 따라서 각 해역에서 A와 B는 모두 천해파에 속한다.

ㄷ. 해파의 주기는 $\frac{파장}{파속}$이고, 두 파의 파장이 같으므로 해파의 주기는 파속이 큰 A가 B보다 짧다.

09 ㄴ. 해파가 해안에 접근하면 수심의 차이에 의해 곶으로 굴절하므로 곶(C)에서는 해파가 집중되고, 만(D)에서는 해파가 분산되어 해파의 영향이 작아진다.

ㄷ. C에서는 침식 작용이 우세하게 일어나고, D에서는 퇴적 작용이 우세하게 일어난다.

바로 알기 ㄱ. 해파가 해안가로 접근해 오면 해파는 천해파의 성질을 띠게 되어 해파의 속력은 수심이 얕아짐에 따라 느려진다. 따라서 수심은 육지에서 가까운 B가 A보다 얕으므로 해파의 속력은 B보다 A에서 더 빠르다.

10 ㄱ. 태풍은 중심 기압이 매우 낮기 때문에 태풍의 중심에서는 해수면이 높아진다.

ㄴ. 폭풍 해일은 높아진 해수면과 함께 태풍의 강한 바람의 영향으로 높은 파고를 형성한다.

바로 알기 ㄷ. 폭풍 해일은 높아진 해수면에 의해 나타나는데, 해수면이 높아지는 만조와 겹치거나 바다에서 육지로 바람이 부는 해풍이 더해지면 해수면의 상승 효과가 커져 폭풍 해일에 의한 피해가 커진다.

11 ㄱ. 해저에서 단층이 일어날 때 에너지가 방출되는데, 이 에너지가 해수를 통해 전달되는 현상이 지진 해일이다. 따라서 이 해파는 단층에서 나온 에너지를 해안으로 전달하는 역할을 한다.

바로 알기 ㄴ. 지진 해일의 파장이 150 km로서 매우 길기 때문에 천해파이다. 따라서 A에서 표층의 물 입자는 타원 운동을 한다.

ㄷ. B를 통과하면 수심이 낮아지므로 해파의 속력이 느려진다.

12 ㄱ. ❶에서 지진의 파동이 해수를 밀어 올리면서 지진의 에너지를 해수로 이동시키는 과정에서 해일이 발생한다.

ㄴ. 지진 해일은 대체로 파장이 매우 길어서 천해파에 해당한다. 따라서 ❷에서 ❸으로 이동하면서 수심이 낮아지기 때문에 속력이 느려지지만 파고는 높아진다.

ㄷ. 지진 해일이 해안에 가까워지면(❹) 파장이 짧아지고 파고가 높아져 부서지면서 해안가를 덮친다.

03 조석

탐구 확인 문제   061쪽

01 ②   **02** ①   **03** ①

01 ① 달과 태양에 의해 조석을 일으키는 힘을 기조력이라고 한다.

③ 조석 주기는 만조(간조)에서 다음 만조(간조)까지의 시간으로, 약 12시간 25분이다.

④ 만조와 간조 때의 해수면의 높이 차를 조차라고 한다.

⑤ 기조력이 최대가 될 때는 지구, 달, 태양이 일직선상에 놓일 때로서 조차가 가장 큰 사리가 나타난다. 반대로 지구를 중심으로 달과 태양이 직각을 이룰 때는 조차가 최소인 조금이 나타난다.

바로 알기 ② 달의 고도가 가장 높을 때 만조가 나타나고, 달이 뜰 때는 달의 고도가 가장 낮아 간조가 나타난다.

02 지구가 자전하는 동안 달도 지구 둘레를 지구 자전과 같은 방향으로 공전하기 때문에 조석 주기는 하루에 약 50분씩 늦어진다.

03 ②, ③ 기조력이 최대가 될 때는 태양, 지구, 달이 일직선상에 놓일 때로서 만조와 간조 때의 해수면의 높이 차가 가장 큰 사리가 나타나며, 이때 달은 삭이나 망(보름달)의 위상이다.

④ 기조력은 지구와 달, 지구와 태양의 만유인력에 의해 일어난다. 달의 질량은 태양에 비해 매우 작지만 달과 지구 사이의 거리가 태양과 지구 사이의 거리보다 훨씬 가까우므로 기조력은 태양보다 달에 의한 영향이 더 크다.

⑤ 지구와 달은 서로 공통 질량 중심을 중심으로 회전하므로 달을 향한 쪽(B 지점)과 반대 방향(A 지점)에 작용하는 기조력의 크기는 같다.

바로 알기 ① A와 B 지점에서 기조력의 방향은 반대이고, 크기는 같으므로 모두 만조가 나타난다.

개념 모아 정리하기   064쪽

❶ 조석   ❷ 밀물   ❸ 썰물   ❹ 만조   ❺ 간조
❻ 조차   ❼ 조석   ❽ 세제곱   ❾ 인력   ❿ 원심력
⓫ 간조   ⓬ 만조   ⓭ 조차   ⓮ 공전 궤도면   ⓯ 적도면
⓰ 조석 주기   ⓱ 자전   ⓲ 공전   ⓳ 15일   ⓴ 삭
㉑ 하현   ㉒ 사리   ㉓ 조금   ㉔ 한   ㉕ 고   ㉖ 중   ㉗ 두

01 (1) × (2) ○ (3) ○ (4) × (5) ○   **02** ㄱ, ㄴ, ㄷ

03 해설 참조   **04** a: 원심력, b: 기조력, c: 만유인력   **05** 공전

06 (1) 만조: a와 c, 간조: b와 d   (2) 사리: A와 C, 조금: B와 D

(3) ㄱ, ㄴ, ㄷ   **07** ㄱ   **08** ㄴ   **09** (1) A: 일주조, B: 반일주조

(2) A: 고위도, B: 저위도

01 (1) 조석의 한 주기 중 해수면의 높이가 높아졌을 때를 만조라고 하고, 낮아졌을 때를 간조라고 한다.

(2), (5) 만조와 간조 때의 해수면의 높이 차를 조차라고 하며, 조차가 최대일 때를 사리, 최소일 때를 조금이라고 한다.

(3) 달과 태양의 인력인 기조력에 의해 만조와 간조가 생기는 현상을 조석이라고 한다.

(4) 조석 주기는 만조(간조)에서 다음 만조(간조)까지 걸리는 시간이다.

02 ㄱ, ㄴ 기조력은 달 또는 태양의 질량에 비례하고, 거리의 세 제곱에 반비례한다.

ㄷ. 태양에 비해 질량이 작은 달에 의한 기조력이 태양에 의한 기조력보다 2배 더 크다. 기조력은 질량보다 거리의 영향이 더 크기 때문에 질량이 매우 작지만 지구로부터의 거리가 훨씬 가까운 달에 의한 기조력이 태양의 기조력보다 더 크다.

03 지구와 달이 공통 질량 중심을 중심으로 같이 회전하므로 지구상은 물론 지구 내부의 모든 점들은 달과 반대 방향으로 같은 크기와 주기의 원운동을 한다. 따라서 지구상의 모든 지점에서 원심력의 크기와 방향은 아래 그림에서와 같이 달의 반대 방향으로 똑같이 나타난다.

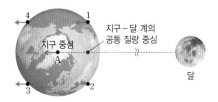

04 지구의 어떤 점에서의 기조력은 달의 만유인력(c)과 지구−달 공통 질량 중심을 중심으로 원운동하면서 생기는 원심력(a)의 합력이다. 따라서 원심력과 달의 인력의 합력인 b가 기조력이다.

05 조석 주기가 약 25분씩 늦어지는 까닭은 지구가 자전하는 동안 달이 약 13°씩 공전하므로 전날과 같은 위치가 되기 위해서는 지구가 약 13°에 해당하는 시간인 50분을 더 자전해야 하기 때문이다.

06 (1) 만조는 달을 향한 지역(a)과 그 반대 방향(c)에서 동시에 나타나고, 간조는 달과 직각 방향을 이루는 두 지역(b, d)에서 나타난다.

(2) 사리는 조차가 가장 클 때로, 태양, 지구, 달이 일직선상에 놓일 때(A, C) 나타난다. 조금은 조차가 가장 작을 때로 태양과 달이 직각 방향으로 배열될 때(B, D) 나타난다. 따라서 사리는 달의 위상이 삭이나 보름달(망)일 때 나타나고, 조금은 달의 위상이 반달(상현 또는 하현)일 때 나타난다.

(3) 지구가 자전하는 동안 달이 공전하기 때문에 만조와 간조가 일어나는 시각은 조금씩 늦어진다. 달이 A에서 B로 이동하는 동안 사리에서 조금으로 바뀌므로 기조력이 감소하여 조차도 감소한다.

07 ㄱ. 다음 만조는 달의 반대편에 위치하는 약 12시간 25분후에 나타난다.

바로 알기 ㄴ. 다음 만조가 나타나는 위치는 달의 공전 궤도면과의 경사 때문에 그림과 같이 현재의 위치보다 높은 곳에 위치하므로 만조의 높이는 현재보다 낮아진다.

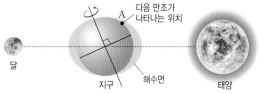

ㄷ. 이날 달과 태양이 일직선상에 위치하므로 조차가 큰 사리가 나타난다.

08 ㄴ. 2일 동안 약 네 번의 만조와 간조가 나타나므로 하루에 두 번씩의 간조와 만조가 나타난다.

바로 알기 ㄱ. A에서 B 시기로 가면서 조차가 작아진다는 것은 망(보름달)이나 삭에서 반달 모양으로 바뀐다는 것을 의미한다. 따라서 A 시기에 달의 위상은 망(보름달)이나 삭이었다.

ㄷ. B 시기는 조금이 나타나므로 음력으로 7일~8일 또는 22일~23일경에 해당한다.

09 (1) A는 하루에 한 번의 만조와 한 번의 간조가 일어나는 것으로 보아 일주조에 해당한다. B는 하루에 두 번의 만조와 두 번의 간조가 일어나는 것으로 보아 반일주조에 해당한다.

(2) 조석 주기의 형태가 다른 까닭은 지구의 적도면이 달의 공전 궤도면에 대해 약 28.5° 기울어져 있으므로, 위도에 따라 하루 동안 만조와 간조가 일어나는 횟수는 달라지기 때문이다. 따라서 적도에 가깝게 위치한 저위도 지역에서는 반일주조, 고위도 지역에서는 일주조가 주로 나타난다.

개념 적용 문제   068쪽

| 01 ② | 02 ④ | 03 ② | 04 ③ | 05 ③ | 06 ② |
| 07 ④ | 08 ② | 09 ① | 10 ① | 11 ② | 12 ① |

---

01 ㄴ. 지구와 달의 회전계에서 달이 지구 중심(O)을 중심으로 공전하는 것이 아니라 지구와 달의 공통 질량 중심(O′)을 중심으로 서로 회전한다.

바로 알기 ㄱ. 지구와 달의 회전 운동에서의 중심은 지구와 달의 공통 질량 중심(O′)이다.

ㄷ. 지구에서의 모든 점은 지구와 달의 회전계에 속하므로 공통 질량 중심을 중심으로 회전한다. 따라서 지구에서의 모든 점들의 원운동의 크기와 방향이 모두 같다.

02 ㄴ. 힘 f는 지구와 달의 공통 질량 중심을 중심으로 원운동하면서 작용하는 원심력으로 그 크기와 방향은 지구상의 어디에서나 동일하다.

ㄷ. 힘 F는 달에 의한 만유인력으로 거리의 제곱에 반비례한다. 따라서 F의 크기는 달에서 가장 가까운 A에서 최대이고, 달에서 가장 먼 B에서 최소로 나타난다.

바로 알기 ㄱ. T는 만유인력(F)과 원심력(f)의 합력인 기조력이다. 힘 f는 어느 곳에서나 방향과 크기가 일정하지만 힘 F는 A로 갈수록 커지고, B로 갈수록 작아지기 때문에 기조력 T는 A와 B에서 최대가 된다.

03 ㄴ. 달의 위상이 보름달이므로 음력으로 15일경에 해당한다.

바로 알기 ㄱ. 기조력은 달을 향한 쪽(B)과 반대쪽(A)에서 최대가 된다. 따라서 A와 B에서 모두 만조가 나타난다.

ㄷ. 현재 태양 – 지구 – 달이 일직선상에 있으므로 사리가 나타난다. 따라서 이날 이후로 일주일 동안 조차는 감소한다.

04 ㄱ. (가)는 조차가 큰 사리이고, (나)는 조차가 작은 조금이다. 따라서 (가)에서 (나)로 이동하면서 조차가 감소한다.

ㄴ. (가)에서 보름달이었으므로 7일 후인 (나)에서 달은 하현달로 관측된다.

바로 알기 ㄷ. A 지점에서 기조력은 태양과 달이 일직선에 놓인 (가)일 때 가장 크고, 지구를 중심으로 태양과 달이 직각을 이룬 (나)일 때 가장 작다.

05 ㄱ. A 위치에서는 태양 – 지구 – 달이 일직선상에 놓여 있으므로 달의 위상은 보름달이고, 기조력이 가장 크므로 사리가 나타난다.

ㄴ. B 위치에서는 지구를 중심으로 태양과 달이 직각을 이루므로 조차가 최소인 조금이 나타난다.

바로 알기 ㄷ. 달의 위치로 판단하면 달이 반 바퀴 공전한 것이므로 A에서 C까지 걸린 시간은 음력으로 보름(약 15일)에 해당한다.

06 ㄷ. 달의 위상이 상현일 때 조차가 가장 작은 조금이 나타난다. 따라서 상현달 이후부터 보름달까지는 조차가 계속 커진다.

바로 알기 ㄱ. A 시간 때 만조가 나타난다는 것은 달이 남중하거나 그 반대쪽에 위치할 때이다. 따라서 상현달이 남중하는 때는 초저녁이므로 A 시간은 초저녁 6시 또는 새벽 6시일 것이다.

ㄴ. A와 B일 때 조차가 다른 까닭은 지구의 자전축이 기울어져 달의 공전 궤도면과 지구의 적도면이 일치하지 않으므로 지구의 자전에 의해 위치가 달라지면서 기조력이 변하기 때문이다.

07 ㄱ. 밀물은 간조에서 만조가 되는 과정에서 해수가 해안으로 밀려오는 현상이다. 따라서 이날 새벽 6시경에는 밀물이 나타났다.

ㄷ. 이날 달의 위상은 삭을 지나 상현달이 되기 전이므로 기조력은 감소하고 있다. 따라서 다음날 조차는 이날보다 작아질 것이다.

바로 알기 ㄴ. 다음날 만조는 이날보다 약 50분 늦게 나타날 것이다. 따라서 다음날 같은 시각인 7시 45분에 해수면의 높이는 만조가 되지 않았으므로 826 cm보다 낮아질 것이고, 상현달에 더 가까운 모양이 되므로 만조 때 해수면의 높이도 이날보다 낮을 것이다.

08 ㄴ. 15일부터 19일까지 조차가 증가하다가 21경부터 조차가 감소하는 것으로 보아 이 시기에 조차가 최대인 사리가 나타났음을 알 수 있다.

바로 알기 ㄱ. 우리나라는 하루 동안 각각 두 번씩 간조와 만조가 나타나고 하루 중 조차가 다르게 나타나므로 우리나라의 조석 형태는 혼합조에 해당한다. 일주조는 하루 동안 간조와 만조가 한 번씩만 나타난다.

ㄷ. 19일경에는 조차가 크게 나타나는 것으로 보아 사리이므로 달은 삭이나 보름달에 가까운 모양으로 관측되었다고 판단할 수 있다.

09 ㄱ. 일반적으로 수심이 낮은 곳이 뭍으로 드러나려면 간조 때 해수면이 많이 낮아야 한다. 간조 때 해수면이 많이 낮으려면 만조 때 해수면도 많이 높아야 하므로, 조차가 클 때인 사리가 나타날 때 바닷길이 열린다.

바로 알기 ㄴ. 22일은 사리 부근이다. 사리 때에는 태양과 달이 일직선상에 놓이므로 달의 위상은 보름달이거나 삭이었을 것이다.

ㄷ. 이 기간에 사리가 나타났으므로, 이 기간에는 만조 때 수위가 평상시보다 높았을 것이다.

10 ㄱ. 조차는 연속되는 만조와 간조 사이에 나타나는 해수면의 높이 차로, 이 기간 동안 조차가 커졌다.

바로 알기 ㄴ. 조차가 가장 작은 때는 달의 위상이 상현이나 하현일 때이고, 보름이나 삭일 때 조차가 가장 크게 나타난다. 따라서 조차가 커졌다는 것은 상현에서 망(보름), 또는 하현에서 삭으로 달의 위상이 변했다는 것을 의미한다.

ㄷ. 조석이 주기적으로 나타나는 까닭은 지구의 자전과 달의 공전에 의해 달의 상대적 위치가 계속 변하기 때문이다. 따라서 지구의 자전 속도와 달의 공전 속도의 변화가 없는 한 밀물과 썰물이 일어나는 주기는 거의 변하지 않으므로 밀물과 썰물이 지속되는 시간은 일정하다. 단, 달과 태양의 상대적 위치에 따라 조석차만 달라질 뿐이다.

11 ㄴ. t_2일 때 조차가 큰 사리가 나타나므로 태양, 달, 지구가 일직선상에 위치한다.

바로 알기 ㄱ. t_1일 때는 조금이므로 달의 위상이 상현 또는 하현이다.

ㄷ. t_1과 t_3일 때는 조금, t_2와 t_4일 때는 사리가 나타나며, 조금은 달의 위상이 상현과 하현, 사리는 달의 위상이 망과 삭일 때 나타난다. 따라서 t_1과 t_3는 상현에서 하현, 또는 하현에서 상현까지 걸린 시간이므로 음력으로 보름에 해당한다.

12 ㄱ. 달의 공전 궤도면이 지구의 적도면과 일치하지 않기 때문에 위도에 따라 조석의 형태가 달라지는데, A 지역은 위도가 높기 때문에 달의 방향을 향할 때만 만조가 나타나고, 반대 방향에 있을 때는 간조가 나타나므로 만조와 간조가 하루에 한 번씩만 일어나는 일주조의 조석 형태(P)를 나타낸다. 반면, B 지역은 달을 향할 때와 반대 방향에 있을 때의 기조력이 비슷하게 작용하므로 반일주조인 Q의 조석 형태를 나타낸다.

바로 알기 ㄴ. 달을 향한 곳에서는 만조가 일어나므로 동일 경도상에 있는 지역은 만조가 나타나는 시각이 비슷하다.

ㄷ. 지구가 자전하는 동안 달이 공전하므로 조석 주기는 하루에 약 50분씩 늦어진다. A 지역은 일주조, B 지역은 반일주조이므로 만조에서 다음 만조가 일어나는 시각은 A 지역은 약 50분씩 늦어지고, B 지역은 약 25분씩 늦어진다.

2. 대기의 운동과 순환

01 단열 변화와 구름의 발생

01 ②　　**02** ①

01 ② 건조 단열선의 기울기가 기온 변화선의 기울기보다 작은 경우에는 기온 감률이 건조 단열 감률보다 커서 불포화 공기의 경우에 기층이 불안정한 상태이다.

바로 알기 ① 역전층으로서, 매우 안정한 기층이다.
③ 건조 단열선의 기울기가 기온 변화선의 기울기보다 큰 경우에는 기온 감률이 건조 단열 감률보다 작아서 기층이 안정한 상태이다.
④, ⑤ 건조 단열선의 기울기와 기온 변화선의 기울기가 같은 중립 상태의 기층이다.

02 ㄱ. 기온 변화선의 기울기가 건조 단열선의 기울기보다 큰 경우(A)에는 절대 불안정이라 한다.

바로 알기 ㄴ. 기온 변화선의 기울기가 습윤 단열선의 기울기보다 작은 경우를 절대 안정이라고 한다. 기온 변화선의 기울기가 건조 단열선의 기울기보다 작고 습윤 단열선의 기울기보다 큰 경우(B)는 조건부 불안정이라고 하며, 불포화 공기는 안정하지만 포화 공기는 불안정하다.
ㄷ. 높이에 따른 기온 변화는 B가 A보다 작으므로, 기온 감률은 B가 A보다 작다.

유제 ④

유제 ㄱ. 불포화 공기 덩어리가 상승할 때(A~B 구간)는 단열 팽창하며 기온이 건조 단열 감률에 따라 하강한다.
ㄴ. 공기 덩어리가 상승 응결 고도부터 산 정상까지 상승할 때(B~C 구간)는 수증기가 응결하여 포화 상태가 되며, 기온과 이슬점 모두 습윤 단열 감률에 따라 하강한다.
바로 알기 ㄷ. 공기 덩어리가 산을 넘어 하강할 때는 불포화 상태로 단열 압축되며, 기온은 건조 단열 감률에 따라 상승하고 이슬점은 이슬점 감률에 따라 상승하므로 상대 습도가 낮아진다.

❶ 낮　❷ 높　❸ 1　❹ 0.5　❺ 수증기량　❻ 0.2
❼ 포화　❽ 125　❾ 높새　❿ 건조 단열 감률
⓫ 습윤 단열 감률　⓬ 건조 단열 감률　⓭ 작아　⓮ 층운
⓯ 커　⓰ 적운　⓱ 절대 안정　⓲ 조건부 불안정
⓳ 절대 불안정　⓴ 역전층　㉑ 층운형　㉒ 적운형
㉓ 수증기량　㉔ 이류 안개　㉕ 전선 안개

01 (1) ○ (2) ○ (3) × (4) ○　**02** ㄴ　**03** ㄱ, ㄴ, ㄷ, ㄹ
04 (1) h_1 (2) h_2 (3) $h_2 - h_1$　**05** (1) B: 10 ℃, C: 5 ℃, D: 25 ℃
(2) B: 10 ℃, C: 5 ℃, D: 9 ℃　**06** (1) (가), (다) (2) (나)
07 (1) ○ (2) ○ (3) × (4) ×　**08** ㄱ, ㅁ　**09** ㄱ, ㄴ, ㄹ
10 (1) 이류 안개 (2) ⊙: 냉각, ⓒ: 응결

01 (1) 풍선이 상승하면 주변 기압이 낮아지므로 풍선이 팽창한다.
(2), (4) 풍선이 상승하면 풍선 내부는 단열 팽창으로 기온이 낮아지고 수증기량은 변함없으므로 상대 습도가 높아진다.
(3) 이슬점은 단위 부피 당 수증기량에 따라 결정된다. 풍선 내부의 수증기량은 변함없고 부피가 팽창하면 이슬점이 낮아진다.

02 건조 단열 감률은 불포화 공기가 상승할 때 단열 팽창하며 온도가 낮아지는 비율이고, 습윤 단열 감률은 포화 공기가 상승할 때 단열 팽창하며 온도가 낮아지는 비율이다.
ㄴ. 습윤 단열 감률이 건조 단열 감률보다 작은 까닭은 공기가 포화된 상태에서 단열 팽창하며 온도가 낮아지면 수증기가 응결하고, 이때 숨은열이 방출되므로 건조한 공기가 팽창할 때보다 기온 감률이 작기 때문이다.

03 ㄱ, ㄴ, ㄷ (가)에서 (다)로 가면서 공기 덩어리가 상승하면 주변 기압이 감소하므로 공기 덩어리는 단열 팽창하여 내부 온도가 낮아지고 상대 습도가 높아진다.
ㄹ. 공기 덩어리의 내부 온도가 이슬점에 도달하여 포화되면 응결하여 구름이 형성되는데, 이 높이가 상승 응결 고도이다.
바로 알기 ㅁ. 공기 덩어리에 수증기가 많다는 것은 이슬점이 높다는 것을 의미한다. 즉, 수증기가 적은 공기 덩어리보다 수증기가 많은 공기 덩어리는 더 낮은 높이에서 포화되어 구름이 생기므로 상승 응결 고도는 더 낮다.

04 (1) 공기 덩어리가 포화되어 온도와 이슬점이 같아지는 높이가 상승 응결 고도이며, 불포화 공기 덩어리가 상승 응결 고도까지 상승할 때는 건조 단열 감률에 따라 온도가 변하고, 상승 응결 고도 이후부터는 습윤 단열 감률에 따라 온도가 변한다. 따라서 상승 응결 고도는 단열 변화선이 건조 단열선에서 습윤 단열선으로 변하는 h_1이다.

(2) 공기 덩어리는 그 온도가 주변 기온보다 높을 때 스스로 상승하므로 온도가 주변 기온보다 낮아지는 h_2에서부터는 더 이상 스스로 상승하지 못한다.

(3) 구름은 상승 응결 고도(h_1)에서 생성되기 시작하여 공기 덩어리가 더 이상 스스로 상승하지 못하는 높이(h_2)까지 생성되므로 구름의 두께는 $h_2 - h_1$이다.

05 지표에서 온도가 20 ℃, 이슬점이 12 ℃인 공기 덩어리의 상승 응결 고도는 $125 \times (20-12) = 1000$ (m)이다. A~B 구간에서는 불포화 상태이므로 공기 덩어리의 온도는 건조 단열 감률(1 ℃/100 m)로 이슬점은 이슬점 감률(0.2 ℃/100 m)로 낮아진다. B~C 구간에서는 포화 상태이므로 온도와 이슬점은 모두 습윤 단열 감률(0.5 ℃/100 m)로 낮아진다. C~D 구간은 불포화 상태이므로 온도는 건조 단열 감률에 따라, 이슬점은 이슬점 감률에 따라 높아진다.

(1) A~B 구간에서는 건조 단열 감률에 따라 공기 덩어리의 온도가 낮아져서 B 지점에서의 온도는 $20 - \dfrac{1}{100} \times 1000 = 10$(℃)이다. B~C 구간에서는 포화 상태로 상승하므로 습윤 단열 감률에 따라 온도가 낮아져서 C 지점에서의 온도는 $10 - \dfrac{0.5}{100} \times 1000 = 5$(℃)이다. C~D 구간에서는 불포화 상태로 하강하므로 온도는 건조 단열 감률에 따라 높아져서 D 지점에서 $5 + \dfrac{1}{100} \times 2000 = 25$(℃)이다.

(2) A~B 구간에서는 불포화 상태이므로 이슬점은 이슬점 감률로 낮아져서 B 지점에서 $12 - \dfrac{0.2}{100} \times 1000 = 10$(℃)이다.

B~C 구간에서는 포화 상태이므로 이슬점은 습윤 단열 감률로 낮아져서 C 지점에서 $10 - \dfrac{0.5}{100} \times 1000 = 5$(℃)이다.

C~D 구간에서는 불포화 상태이므로 이슬점은 이슬점 감률에 따라 높아져서 D 지점에서 $5 + \dfrac{0.2}{100} \times 2000 = 9$(℃)이다.

06 기온 감률이 단열 감률보다 작은 (가)와 (다) 기층은 안정하고, 기온 감률이 단열 감률보다 큰 (나) 기층은 불안정하다.

07 (1) 기온 감률이 건조 단열 감률보다 크므로 불안정하다.

(2) 불안정한 기층에서는 연직 방향으로 대류가 활발하므로 적운형의 구름이 잘 나타난다.

(3) 기온 변화선의 기울기가 건조 단열선의 기울기보다 크므로 기온 감률이 건조 단열 감률보다 크다. (단, 높이에 따른 기온 변화 그래프이므로 기울기의 기준은 세로축이다.)

(4) 불안정한 기층에서는 대류가 활발하므로 안개나 스모그 현상이 잘 나타나지 않는다.

08 대류권에서 높이에 따라 기온이 높아지는 기층을 역전층이라고 하며, 역전층은 절대 안정하고, 바람이 약한 맑은 날 새벽에 지표면의 복사 냉각 등으로 형성된다.

ㄱ. 지표면 부근에서 높이에 따라 기온이 높아지므로 역전층이 형성되었다.

ㅁ. 역전층이 형성되면 기층이 절대 안정한 상태이므로 안개가 잘 발생한다.

바로 알기 ㄴ. 역전층은 절대 안정하므로 강한 상승 기류가 형성될 수 없다.

ㄷ, ㄹ 역전층은 맑은 날 밤의 복사 냉각으로 지표 온도가 낮아진 새벽이나 오전 중에 잘 형성된다.

09 ㄱ, ㄴ, ㄹ 지표면이 가열되거나, 전선면이나 산 사면을 타고 공기가 이동하는 경우에는 공기가 자연적으로 상승한다.

바로 알기 ㄷ. 고기압 중심에서는 하강 기류가 형성되므로 공기가 상승하지 않는다.

10 수증기를 포함한 따뜻한 공기가 차가운 지면이나 수면 위를 통과할 때 공기의 하부층이 냉각되어 수증기가 응결되면서 생성되는 안개를 이류 안개라고 한다.

01 ㄴ. B는 공기의 온도가 낮아지면서 포화 수증기압 곡선에 도달하여 포화되면서 수증기의 응결로 구름이 생성된다.

ㄷ. B~C 구간에서는 공기가 계속 포화 상태를 유지하므로 공기의 온도와 이슬점이 같다.

바로 알기 ㄱ. A~B 구간에서 공기의 온도는 건조 단열 감률로 낮아지고 이슬점은 이슬점 감률로 낮아진다. 건조 단열 감률이 이슬점 감률보다 크므로, 온도가 이슬점보다 더 많이 낮아져서 온도와 이슬점의 차이가 감소하다가 B에서 온도와 이슬점이 같아지면서 포화된다.

02 지상에서 높이 1 km까지는 A, B 모두 온도가 10 ℃ 낮아졌고, 1 km~2 km 구간에서 A의 온도는 8 ℃ 낮아졌고 B의 온도는 5 ℃ 낮아졌다.

ㄴ. 상승 응결 고도는 공기가 포화 상태에 이르는 높이로서, 그 이상 상승하면 습윤 단열 감률에 따라 온도가 낮아진다. 1 km~2 km 구간에서 A의 온도가 8 ℃ 낮아졌으므로 이 구간에 상승 응결 고도가 분포하고, B의 온도는 5 ℃ 낮아졌으므로 1 km 높이에서 포화된 것을 알 수 있다.

ㄷ. 상승 응결 고도는 지상에서 공기 덩어리의 온도와 이슬점의 차이가 작을수록 낮게 나타난다. B가 A보다 상승 응결 고도가 낮으므로 지상에서 이슬점은 B가 A보다 높다.

바로 알기 ㄱ. A의 상승 응결 고도는 1 km~2 km 사이에 분포하고, B의 상승 응결 고도는 1 km이다. 따라서 높이 1 km에서 A는 불포화, B는 포화 상태이다.

03 ㄱ. 지상에서 공기 덩어리의 온도가 T, 이슬점이 T_d일 때 상승 응결 고도(H)는 $H = 125(T - T_d)$(m)이다. 주어진 공기 덩어리의 지상에서의 온도가 33 ℃이고 상승 응결 고도가 2 km이므로 이슬점은 다음과 같다.

$$T_d = T - \frac{H}{125} = 33 - \frac{2000}{125} = 33 - 16 = 17(℃)$$

바로 알기 ㄴ. 높이 2 km~3 km에서 구름이 형성된 것은 공기 덩어리가 이 구간에서는 계속 상승하였음을 의미한다. 이 구간에서 공기 덩어리는 포화 상태이므로 습윤 단열 감률에 따라 온도가 낮아진다.

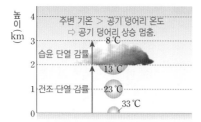

04 ㄱ. 높이에 따른 기온 분포는 기온 변화선에서 알 수 있다. 즉, 지표에서 주변 기온은 20 ℃이고, 공기 덩어리 A의 온도는 25 ℃이므로 공기 덩어리의 온도가 주변보다 높아서 가벼우므로 이 공기 덩어리는 상승한다.

ㄷ. 공기 덩어리의 온도는 높이 2 km부터 습윤 단열 감률에 따라 낮아져서 3 km에서는 8 ℃이다. 구름이 3 km까지 생성된 까닭은 3 km 이상에서는 공기 덩어리의 온도가 주변 기온보다 낮기 때문이므로, 3 km 이상에서 주변 기온이 8 ℃보다 높은 것을 알 수 있다.

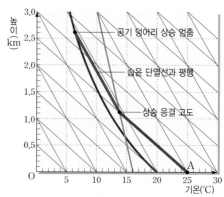

바로 알기 ㄴ. 상승하는 공기 덩어리 A의 온도는 건조 단열선을 따라 낮아지고, 이슬점은 이슬점 감률선을 따라 낮아진다. 상승하는 공기 덩어리의 온도가 이슬점과 만나는 높이가 상승 응결 고도이므로, 주어진 자료에서는 1 km 보다 높은 곳에서 나타난다.

ㄷ. 공기 덩어리 A가 상승 응결 고도에 도달하면 구름이 생성되며, 이 고도에서부터 습윤 단열 감률에 따라 온도가 낮아지며 상승하다가 그 온도가 주변 기온보다 낮아지는 높이 약 2.6 km에서 상승을 멈춘다. 따라서 구름은 그 이상으로 발달하지 못한다.

05 ㉠에서 상승하는 공기는 건조 단열 감률에 따라 온도가 낮아지다가 상승 응결 고도인 ㉡에서 포화 상태(B)가 된다. ㉡~㉢ 구간에서 상승하는 공기는 포화 상태로 단열 팽창하므로 포화 수증기압 곡선을 따라 온도가 낮아진다(B → C). ㉢에서 하강하는 공기는 온도가 계속 높아지고, ㉣에 이르면 ㉠에서의 온도보다 더 높아진다(E). 따라서 ㉡~㉣ 지점에서의 온도와 수증기압은 'B → C → E' 순으로 변한다.

06 ㄴ, ㄷ 강릉시보다 횡성군의 기온이 높은 까닭은 공기가 태백 산맥을 넘어오면서 단열 압축되어 기온이 상승하는 현상인 푄이 발생했기 때문이다. 즉, 강릉시에서는 동해에서 육지 쪽으로 동풍이 분다.

바로 알기 ㄱ. 푄이 일어날 때 강수 현상은 산 사면을 타고 올라갈 때 나타난다. 따라서 이날 강릉시에는 강수 현상이 나타났을 것이고, 횡성군에서는 단열 압축에 따라 날씨가 맑았을 것이다.

07 ㄴ. 공기 덩어리의 기온 감률이 Ⅰ 구간과 Ⅱ 구간의 경계에서 작아지는 것은 건조 단열 감률에서 습윤 단열 감률로 바뀌었음을 나타내므로 강수 현상은 Ⅱ 구간에서 나타났다.

바로 알기 ㄱ. Ⅰ 구간에서는 불포화 상태로 건조 단열 감률(1 ℃/100 m)에 따라 온도가 10 ℃가 낮아졌으므로 약 1000 m 상승한 것이고, Ⅱ 구간에서는 포화 상태로 습윤 단열 감률(0.5 ℃/100 m)에 따라 온도가 약 5 ℃ 낮아졌으므로 약 1000 m 상승한 것이다. 따라서 산의 높이는 약 2000 m이다.

ㄷ. Ⅲ 구간에서는 산 사면을 타고 공기 덩어리가 하강하면서 단열 압축되어 온도가 높아진다. 이 구간에서 상대 습도가 낮아지는 까닭은 공기의 온도가 높아져서 포화 수증기압이 증가했기 때문이다.

08 ㄱ. 기온 감률(기온 변화선의 기울기)이 건조 단열 감률(건조 단열선의 기울기)보다 크므로 이 기층은 불안정하고, 공기의 연직 운동이 활발하다. 높이에 따른 기온 변화 그래프에서 기울기의 기준은 세로축임에 유의한다.

바로 알기 ㄴ. 이 기층은 불안정하므로 공기의 연직 운동이 활발하여 상승 기류에 의해 적운형 구름이 생성되는 흐린 날씨일 가능성이 높다.

ㄷ. P 지점의 공기가 상승 또는 하강할 때 공기 덩어리의 온도는 건조 단열선을 따라 변화한다. 이때 기층이 불안정하므로 공기 덩어리가 상승하면 주변보다 온도가 높아서 계속 상승하고, 하강하면 주변보다 온도가 낮아서 계속 하강한다.

09 ㄴ. (가)와 (나) 모두 상승 응결 고도가 1 km이므로 이 높이에서 구름이 생성된다. (가)에서는 상승 응결 고도에서 공기의 온도가 주변보다 높으므로 계속 상승하면서 구름이 만들어지는 반면, (나)에서는 상승 응결 고도 이상 올라갈수록 공기의 온도가 주변보다 낮아지므로 더 이상 상승하지 못하여 1 km 부근에서 층운형 구름이 형성된다. 따라서 구름의 두께는 (가)가 (나)보다 두껍다.

ㄷ. 기층의 안정도는 단열선의 기울기와 기온 변화선의 기울기를 비교하여 판정한다. 높이 1 km 이상에서 (가)는 기온 변화선의 기울기가 단열선의 기울기보다 크므로 불안정하고, (나)는 기온 변화선의 기울기가 단열선의 기울기보다 작으므로 안정하다. 따라서 (가)가 (나)보다 공기의 연직 운동이 활발하다.

바로 알기 ㄱ. 상승 응결 고도에서는 건조 단열선이 습윤 단열선으로 바뀐다. 따라서 (가), (나) 모두 상승 응결 고도는 1 km이다.

10 기층의 안정도는 단열 감률과 기온 감률을 비교하여 판정한다. 기온 감률이 단열 감률보다 크면 불안정, 기온 감률이 단열 감률보다 작으면 안정하다.

ㄱ. A~B 구간은 기온 감률이 건조 단열 감률과 습윤 단열 감률보다 크므로 절대 불안정한 상태이다. 따라서 공기의 연직 운동이 활발하게 일어난다.

바로 알기 ㄴ. B~C 구간에서는 기온 감률이 건조 단열 감률과 습윤 단열 감률보다 작으므로 절대 안정한 상태이다. 따라서 이 구간에서는 공기의 연직 운동이 거의 일어나지 않는다.

ㄷ. 포화된 공기 덩어리의 온도는 습윤 단열 감률로 변화한다. 따라서 C~D 구간은 습윤 단열 감률이 기온 감률보다 작으므로 불안정한 상태이다.

11 ㄴ. A의 내부 공기는 하층보다 상층의 온도가 낮으므로 대류가 일어나는 불안정한 상태이고, B의 내부 공기는 상층이 하층보다 온도가 높아서 공기의 연직 운동이 일어나기 어려운 안정한 상태에 해당한다.

ㄷ. 증발 안개는 따뜻한 물에서 증발한 수증기가 위쪽의 차가운 공기에 의한 냉각으로 발생하는 것으로, A에서 나타나는 응결 현상의 원리와 같다. 복사 안개는 맑은 날 밤에 복사 냉각으로 차가워진 지표면에 의해 기층 하부가 냉각되어 수증기가 응결하여 발생하는 것으로, B에서 나타나는 응결 현상으로 설명할 수 있다.

바로 알기 ㄱ. A는 불안정한 상태이고 B는 안정한 상태이므로 향 연기의 상하 운동은 B에서보다 A에서 활발하게 나타난다.

12 ㄱ. 복사 안개는 맑은 날 밤에 복사 냉각으로 차가워진 지표면에 의해 수증기가 응결하여 발생하는 안개이다. 따라서 이날 새벽 6시경에 지면의 온도가 내려간 것은 복사 냉각에 의한 것으로서 복사 안개가 나타날 가능성이 높다.

ㄴ. 이날 9시 이후부터 지면에 가까운 부분의 공기 온도가 높아지는 것은 태양이 지표면을 가열했기 때문이며, 이로 인해 기층이 불안정하게 되어 공기의 연직 운동이 활발해지기 시작한다.

바로 알기 ㄷ. 새벽에 지면의 온도가 낮아지려면 밤 동안 지표에서 지구 복사 에너지가 대기 중으로 잘 방출되어야 한다. 따라서 이러한 온도 분포의 변화가 나타나려면 구름이 없는 맑은 날이어야 한다. 구름이 많은 날에는 구름이 보온 역할을 하므로 지구 복사 에너지가 잘 빠져나가지 못한다.

02 대기를 움직이는 힘과 바람

유제 ⑤

유제 (가)는 시계 방향으로 바람이 불어 들어오므로 남반구에서 중심이 저기압일 때 부는 지상풍이고, (나)는 시계 반대 방향으로 바람이 불어 나가므로 남반구에서 중심이 고기압일 때 부는 지상풍이다.

개념 모아 정리하기 114쪽

❶ 수은　❷ 1013　❸ 기압　❹ 중력　❺ 클

❻ 작을　❼ 높　❽ 낮　❾ 등압선　❿ 자전

⓫ 오른　⓬ 왼　⓭ 높　⓮ 원심력　⓯ 풍향

⓰ 해면　⓱ 등고선　⓲ 전향력　⓳ 기압 경도력

⓴ 클　㉑ 저　㉒ 구심력　㉓ 시계 반대　㉔ 시계

㉕ −　㉖ +　㉗ 마찰력　㉘ 마찰력　㉙ 좁　㉚ 작

개념 기본 문제 116쪽

01 (1) ○　(2) ○　(3) ○　(4) ×　**02** ㄱ, ㄷ　**03** ㄱ, ㄴ

04 ㄱ, ㄴ, ㄷ, ㄹ　**05** ㄱ, ㄴ, ㄷ　**06** (1) A: 대기 경계층,
B: 자유 대기　(2) 1 km　(3) 마찰력　**07** ㄱ, ㄴ, ㄷ

08 A>B>C　**09** (1) B　(2) A: 기압 경도력, C: 전향력

10 (1) 높, 낮, 기압 경도력　(2) 북, 전향력　(3) 구심력

11 (1) A: 기압 경도력, B: 전향력, C: 마찰력　(2) 시계, 증가

01 (1) 수은 기둥 76 cm가 누르는 압력을 1기압으로 정의한다.
(2) 기압의 단위는 hPa(헥토파스칼)을 사용한다.
(3) 기압은 공기가 누르는 힘으로 시간과 장소에 따른 공기의 밀도 변화에 따라 달라진다.
(4) 고기압과 저기압은 상대적인 값으로서 주위보다 기압이 높은 곳을 고기압, 주위보다 기압이 낮은 곳을 저기압이라고 한다.

02 ㄱ. 연직 방향의 기압 차에 의해 위쪽으로 작용하는 기압 경도력과 아래쪽으로 작용하는 중력이 평형을 이루어 연직 방향 운동이 거의 일어나지 않는 상태를 정역학 평형이라고 한다.
ㄷ. 정역학 평형 상태는 해수와 같은 유체에도 적용된다.
바로 알기 ㄴ. 정역학 평형 상태는 연직 방향으로 힘이 평형을 이루는 상태이며, 정역학 평형 상태에서 수평 방향으로 기압 차가 생기면 공기의 수평 방향으로의 이동은 가능하다.

03 ㄱ. 기압은 관측 위치의 위쪽에 있는 공기가 누르는 힘이므로 높이 올라갈수록 공기의 양이 감소하여 기압이 낮아진다.
ㄴ. 기압의 크기는 공기의 양을 의미한다. 따라서 높이 6 km에서의 기압이 지상에서의 기압의 절반보다 작다는 것은 6 km 아래에 공기의 절반 이상이 분포함을 의미한다.
바로 알기 ㄷ. 기압은 공기가 누르는 힘이므로 측정 높이 위에 있는 공기의 양에 따라 변한다.

04 ㄱ, ㄴ, ㄷ, ㄹ 바람에 작용하는 힘에는 기압의 차이에 의해 공기를 움직이게 하는 기압 경도력, 원운동을 하는 바람에 작용하는 구심력, 지구상의 움직이는 물체에 작용하는 전향력, 공기와 지표면 사이에 작용하는 마찰력 등이 있다.
바로 알기 ㅁ. 탄성력은 탄성이 있는 물체가 외부의 힘에 의해 변형된 후 원래의 위치로 돌아가려고 하는 힘으로서 바람과는 관련이 없다.

05 ㄱ. 기압 경도력은 기압이 높은 곳(A)에서 낮은 곳(B)으로 작용한다.
ㄴ, ㄷ 기압 경도력은 두 지점 사이의 기압 차가 클수록, 거리가 가까울수록 크게 나타난다.

06 (1), (2) 지표면에 가까운 곳에서 부는 바람은 지면과의 마찰에 의한 영향을 받지만, 높이 약 1 km 이상에서는 지표면과의 마찰에 의한 영향이 거의 나타나지 않는다. 이에 따라 높이 약 1 km를 기준으로 아랫부분을 대기 경계층, 윗부분을 자유 대기라고 부른다.
(3) 바람의 방향과 반대 방향으로 작용하는 힘은 지표면과의 마찰력이다.

07 ㄱ, ㄴ 일기도에서 등압선은 기압이 같은 지점을 연결한 선이고, 기압은 측정한 값을 해면에서의 기압으로 보정하여 나타낸다.

ㄷ. 등압선이 원형인 경우에 중심 기압이 높으면 고기압, 중심 기압이 낮으면 저기압이다.

바로 알기 ㄹ. A는 주위보다 기압이 낮으므로 저기압이다.

08 기압은 측정 위치의 위쪽에 있는 공기가 누르는 힘이다. 따라서 높이가 높을수록 기압은 낮아지고, 높이가 낮을수록 기압이 높아진다. A에서는 5700 m에서 500 hPa을 나타내므로 A의 연직 하방으로 5640 m에서는 500 hPa보다 기압이 높다. C에서는 5580 m에서 500 hPa이므로 5640 m에서는 500 hPa보다 기압이 낮다. 따라서 같은 높이에서 기압은 A가 가장 크고, C가 가장 낮다.

09 (1) 북반구에서 상층 대기에 작용하는 힘은 기압 경도력과 전향력이다. 기압 경도력은 기압이 높은 곳에서 낮은 곳(A 방향)으로 작용하고, 전향력은 기압 경도력과 반대 방향(C 방향)에서 평형을 이룬다. 이때 바람은 기압 경도력의 오른쪽 직각 방향(B 방향)으로 분다.
(2) P점에 작용하는 힘은 기압 경도력(A)과 전향력(C)이다.

10 (1) 기압 경도력은 항상 기압이 높은 곳에서 낮은 곳으로 작용하므로 A는 기압 경도력이다.
(2) 경도풍에서 전향력은 기압 경도력과 반대 방향으로 작용하므로 B는 전향력이고, B가 바람 방향에 오른쪽 직각으로 작용하였으므로 북반구이다.
(3) C는 바람이 등압선을 따라 원형으로 불게 작용하는 구심력이다.

11 (1) 지상에서 부는 바람인 지상풍은 기압 경도력과 전향력 이외에 지면과의 마찰력이 작용한다. 기압 경도력은 기압이 높은 곳에서 낮은 곳으로 작용하며, 북반구에서 전향력은 바람의 방향에 대하여 오른쪽 직각 방향으로 작용하고, 마찰력은 바람의 방향과 반대 방향으로 작용한다. 결과적으로 전향력(B)과 마찰력(C)의 합력이 기압 경도력(A)과 평형을 이루어 바람은 지면과 일정한 각도(θ)를 이루면서 분다.

(2) 지상의 P점에서 높이 올라가면 마찰력이 감소한다. 지상풍은 전향력과 마찰력의 합력이 기압 경도력과 평형을 이루므로 마찰력이 감소하면 전향력은 커지면서 시계 방향으로 바뀌고 풍속이 증가한다.

01 ㄱ. 각 시험관의 끝이 진공이 아닐 경우 유리관 속에 들어 있는 공기의 압력 때문에 수은 기둥의 높이는 P보다 낮아진다.

바로 알기 ㄴ. ㄷ 기압은 지표의 단위 면적당 공기가 누르는 힘으로, 각 유리관에 들어 있는 수은 기둥이 단위 면적에 작용하는 힘과 같다. 따라서 유리관의 굵기나 기울기가 달라도 수은면에서 연직 방향의 높이 P는 모두 같다. 그러나 각 유리관 안에 있는 수은의 총 무게는 유리관의 굵기 또는 기울기에 따라 달라지므로 대기압과는 다르다.

02 ㄱ. P_1은 P_2보다 기압이 높으므로 기압이 높은 곳에서 낮은 곳으로 향하는 힘인 A는 연직 기압 경도력이고, 그 반대 방향인 지표면을 향하는 힘 B는 중력이다.
ㄴ. 기압 경도력인 A와 중력 B의 크기가 같으므로 공기가 상하 방향으로 움직이지 않는 정역학적 평형 상태이다.

바로 알기 ㄷ. 기압이나 중력은 단위 면적당 작용하는 힘이므로 각각의 힘이 작용하는 면적인 S가 변해도 작용하는 힘의 크기는 변화가 없다.

03 ㄱ. P_A는 1008 hPa이고 P_B는 1004 hPa이므로 P_A가 P_B보다 크다.
ㄴ. 기압 경도력은 기압이 작용하는 두 지점 사이의 기압 차(ΔP)에 비례하고, 거리(ΔH)에 반비례한다. 따라서 ΔH가 클수록 기압 경도력은 작아진다.

바로 알기 ㄷ. 기압 경도력은 단위 면적당 작용하는 힘이므로 작용하는 면적의 크기와는 관련이 없다. 따라서 S가 커져도 기압 차와 두 지점 사이의 거리의 변화가 없으면 기압 경도력은 같다.

04 ㄱ. 정역학 평형 상태이므로 P점에 연직 방향으로 작용하는 힘 A와 B의 크기는 같다.

ㄴ. C는 기압 경도력의 수평 성분으로서 기압 경도력의 크기가 커질수록 커진다.

ㄷ. 정역학 평형 상태에서는 연직 방향으로 힘이 평형을 이루므로 지상에서 공기 덩어리는 기압 경도력의 수평 성분인 C 방향으로 이동한다.

05 ㄱ. 북반구에서 지균풍은 기압 경도력이 작용하는 방향에 대하여 오른쪽 직각 방향으로 분다.

ㄷ. 전향력은 물체의 속력이 0일 때는 작용하지 않으며, 크기는 풍속에 비례한다. 따라서 기압 경도력에 의해 공기가 움직이면 전향력이 작용하여 풍속이 증가하며, 전향력에 의해 풍향은 점점 오른쪽으로 편향된다. 기압 경도력이 전향력과 평형을 이루면 등압선과 나란하게 일정한 속력으로 지균풍이 분다.

바로 알기 ㄴ. 기압 경도력은 두 지점 사이의 기압 차와 거리의 변화가 없으면 변하지 않는다. 즉, 두 등압선 사이에서는 기압 경도력의 크기와 작용하는 방향은 일정하다.

06 ㄷ. 상층에서 지균풍의 풍속은 $v = \dfrac{g}{2\Omega \sin \varphi} \cdot \dfrac{\varDelta h}{\varDelta H}$이다. 이때 $\varDelta h$는 두 등압선의 고도 차이로서, 기압이 낮은 상층일수록 고도 차이가 크다. 따라서 풍속은 P보다 Q에서 더 빠르다.

바로 알기 ㄱ. 고도가 높아질수록 기압이 낮아진다. 따라서 기압이 낮은 (나)가 (가)보다 고도가 높은 곳이다.

ㄴ. 공기의 밀도는 고도가 높을수록 작아진다. 즉 기압이 높은 (가) 지점이 (나) 지점보다 고도가 낮고 공기의 밀도가 크다.

07 ㄱ. 기압은 지면에 가까울수록 높아진다. 따라서 A 지점은 500 hPa 등압면보다 아래에 있으므로 500 hPa보다 기압이 높고, B 지점은 500 hPa 등압면보다 높은 곳에 있으므로 500 hPa보다 기압이 낮다.

ㄷ. P 지점에서는 기압이 높은 A에서 B로 기압 경도력이 작용하므로 북반구에서 지균풍은 기압 경도력의 오른쪽 직각 방향인 c 방향으로 발생한다.

바로 알기 ㄴ. P 지점에 작용하는 힘 a는 전향력이고, b는 기압 경도력이다.

08 ㄱ. 등압면의 기울기가 남에서 북으로 경사져 있으므로 같은 높이에서 기압은 남쪽이 북쪽보다 높다. 따라서 기압 경도력은 남에서 북으로 발생하고, 바람은 기압 경도력의 오른쪽 방향으로 나타난다. 마찰력이 작용하지 않는 Q에서는 지균풍인 서풍이 나타나고, 지표에서는 마찰력이 작용하므로 P점에서는 지상풍인 남서풍이 분다.

ㄴ. 지상에서는 마찰력이 작용하므로 풍속은 마찰력이 작용하지 않는 상층에서 더 빠르다.

ㄷ. P에서 Q로 올라가면 마찰력이 감소하기 때문에 전향력이 증가하여 풍향은 전향력이 작용하는 오른쪽 방향으로 휘어진다. 따라서 상층으로 갈수록 풍향은 시계 방향으로 바뀐다.

09 ㄱ. 북반구 지역의 상층에서 등압선이 원형이고 중심이 저기압인 경우에는 등압선을 따라 시계 반대 방향으로 경도풍이 분다.

바로 알기 ㄴ. 상층 일기도에서 저기압성 경도풍의 풍속은 등압선의 간격이 조밀할수록 빠르고 위도가 높을수록 빠르므로 B보다 C에서 더 빠르다.

ㄷ. B에서 C쪽으로 바람이 불며 B보다 C에서 풍속이 더 빠르므로 C에서는 공기가 발산한다.

10 ㄱ, ㄴ 북반구에서 등압선이 원형이고 중심 기압이 저기압인 경우에는 기압 경도력(A)이 저기압의 중심으로 작용하고, 그 반대 방향으로 전향력(B)이 작용한다. 이때 기압 경도력이 전향력보다 크게 나타나는데 그 차이만큼의 힘이 구심력(C)으로 작용하여 바람은 등압선에 나란하게 분다. 따라서 저기압성 경도풍은 기압 경도력과 구심력의 차이가 전향력과 평형을 이루어 부는 바람이다.

바로 알기 ㄷ. 바람의 방향에 대하여 전향력이 오른쪽으로 작용하고 있으므로 이 바람은 북반구에서 저기압일 때 발생하는 경도풍이다.

11 ㄱ. 지표에서는 지면과의 마찰에 의해 발생하는 마찰력과 바람의 오른쪽 방향으로 작용하는 전향력의 합력이 기압 경도력과 평형을 이루어 등압선에 대하여 사선 방향으로 부는 지상풍이 나타난다.

ㄴ. 상공으로 갈수록 마찰력이 감소하기 때문에 풍속이 증가하여 전향력이 증가한다. 또한, $P_{\mathrm{H}} = \dfrac{1}{\rho} \cdot \dfrac{\varDelta P}{\varDelta H}$에서 공기의 밀도가 감소하므로 기압 경도력이 증가한다.

ㄷ. 상공으로 갈수록 마찰력이 감소하고 전향력이 증가하므로 바람은 전향력이 작용하는 방향인 오른쪽으로 편향된다. 따라서 상공으로 가면서 바람의 방향은 시계 방향으로 바뀐다.

12 ㄴ. (가)는 바람이 등압선과 평행하게 부는 것으로 보아 지표면과의 마찰력이 없는 상공인 자유 대기에서 부는 경도풍이고, (나)는 바람이 등압선에 사선 방향으로 부는 것으로 보아 지표면과의 마찰력이 작용하는 대기 경계층에서 부는 지상풍이다.

ㄷ. 북반구에서 등압선이 원형인 경우 중심 기압이 저기압일 때 바람은 시계 반대 방향으로 불고, 중심 기압이 고기압일 때는 시계 방향으로 바람이 분다. 따라서 A와 B는 모두 저기압이다.

바로 알기 ㄱ. (가)는 경도풍으로서 기압 경도력이 전향력보다 크고, 기압 경도력과 전향력의 차이만큼의 힘이 구심력으로 작용하여 바람이 등압선에 나란하게 원형으로 불게 된다.

03 편서풍 파동과 대기 대순환

탐구 확인 문제 137쪽

01 ④　　02 ⑤

01 ㄴ. A에서 수렴한 공기가 하강하는 곳인 C에는 고기압이 형성되고, B에서 공기가 발산함에 따라 공기의 상승 운동이 일어나는 D에는 저기압이 형성된다.

ㄷ. 편서풍 파동은 저위도의 따뜻한 공기가 고위도로 이동하여 섞이게 함으로써 남북 간에 열을 수송하는 역할을 한다.

바로 알기 ㄱ. 편서풍 파동에서 풍속은 기압 마루에서 가장 빠르고, 기압골에서 가장 느리다. 따라서 기압 마루에서 기압골로 이동하는 중간 위치(A)에서는 공기가 수렴하고, 기압골에서 기압 마루로 이동하는 중간 위치(B)에서는 공기가 발산한다.

02 ㄱ, ㄴ 편서풍 파동은 남북 간의 온도 차이와 지구의 자전에 의해 발생하며, 편서풍 파동의 중심에는 풍속이 매우 큰 바람이 나타나는데, 이를 제트류라고 한다. 따라서 제트류는 남북 간의 온도 차가 큰 한대 전선대 또는 아열대 전선대의 상층에 나타난다.

ㄷ. 제트류의 위치는 계절에 따라 변하는데, 겨울철에는 여름철보다 남북 간의 기온 차가 커서 제트류가 여름철보다 저위도에서 나타난다.

개념 모아 정리하기 138쪽

❶ 전향력　❷ 지균풍　❸ 커(또는 빨라)　❹ 대류권 계면
❺ 열　❻ 기압 배치　❼ 수렴　❽ 발산　❾ 저
❿ 고　⓫ $\pi R^2 I$　⓬ 해수　⓭ 자전　⓮ 전향력
⓯ 무역풍　⓰ 편서풍　⓱ 한대 전선대　⓲ 직접
⓳ 간접　⓴ 적란운　㉑ 열대　㉒ 비열(열용량)

개념 기본 문제 140쪽

01 (1) ○　(2) ×　(3) ○　(4) ×　　**02** ㄱ, ㄴ, ㄷ
03 에너지(또는 열), 고, 저, 에너지(또는 열)　　**04** ㄴ, ㄷ
05 (1) 감소　(2) F　(3) 증가　　**06** (1) ㉠: 페렐 순환,
㉡: 해들리 순환, ㉢: 직접 순환, ㉣: 직접 순환, ㉤: 편서풍, ㉥: 무역풍
(2) A: 한대 전선 제트류, B: 아열대 제트류　　**07** (1) ○　(2) ×
(3) ○　(4) ○　(5) ×　　**08** ㄱ, ㄴ, ㄷ

01 (1) 지면의 기온이 낮을수록 공기가 수축하므로 공기 기둥의 높이가 낮아지고, 지면의 기온이 높을수록 공기가 팽창하므로 공기 기둥의 높이가 높아진다. 따라서 공기 기둥의 높이가 낮은 a 지역은 b 지역보다 온도가 낮다.

(2) 기압은 측정 위치의 위쪽에 있는 공기가 누르는 힘이다. 따라서 a 지역은 수축에 의해 공기가 아래쪽에 많이 분포하고, b 지역은 팽창에 의해 공기가 위쪽에도 많이 분포하므로 같은 높이에서 기압은 a 지역보다 b 지역이 높다.

(3) 같은 높이에서 기압은 b 지역이 a 지역보다 더 높다. 따라서 P점에서 A는 기압이 높은 곳에서 낮은 곳으로 작용하는 기압 경도력이고, 반대 방향인 B로 전향력이 작용한다.

(4) 북반구에서 지균풍은 기압 경도력에 대하여 오른쪽 직각 방향으로 분다. 풍향은 바람은 불어오는 방향을 기준으로 나타내기 때문에 주어진 자료의 P에서는 서풍 계열의 바람이 분다.

02 ㄱ. 편서풍 파동은 중위도 상공에서 서쪽에서 동쪽으로 큰 파동을 이루면서 부는 바람이다. 편서풍 파동은 위도에 따른 온도 차와 지구의 자전에 의한 전향력의 영향을 받아 생성된다.

ㄴ. 실험에서 가운데 부분의 얼음은 지구의 고위도 지방, 가열 부분은 지구의 저위도 지방에 해당하며, 원통의 회전은 지구의 자전을 의미한다.

ㄷ. 처음에는 중간 원통의 물이 연직 방향으로 대류하다가 원통이 회전하면서 원통의 회전 방향과 나란하게 파동이 나타나는데, 이것이 편서풍 파동에 해당한다.

03 편서풍 파동이 발달하면 고위도의 찬 공기가 파동의 일부에서 떨어져 나와 저위도로 이동하고, 저위도의 따뜻한 공기가 고위도로 이동함으로써 에너지 수송이 일어나서 남북 간의 열평형에 기여한다. 편서풍 파동의 따뜻한 공기(A)는 시계 방향으로 회전하므로 고기압을 형성하고, 찬 공기(B)는 시계 반대 방향으로 회전하므로 저기압을 형성한다.

04 ㄴ. A는 공기가 기압 마루에서 기압골로 이동하는 위치로, 풍속이 느려지면서 공기가 수렴한다. C는 공기가 기압골에서 기압 마루로 이동하는 위치로, 풍속이 빨라지면서 공기가 발산한다.

ㄷ. A에서는 공기가 수렴하기 때문에 하강 기류가 나타나므로 지상에는 고기압이 발달하고, C에서는 공기가 발산하기 때문에 지상에는 저기압이 발달한다.

바로 알기 ㄱ. 편서풍 파동의 풍속은 골(B)을 지날 때 가장 느리고, 마루(D)를 지날 때 가장 빠르다.

05 (1) B는 지구에 입사한 태양 복사 에너지 중에서 지구 대기 또는 지면에 의해 반사 또는 산란되어 지구에 흡수되지 않은 에너지이다. 따라서 빙하의 면적이 감소하면 B가 감소한다.

(2) 복사 평형은 지구가 태양으로부터 흡수하는 에너지의 양(A－B)과 지구에서 우주로 방출하는 에너지의 양(F)이 같아서 지구의 온도가 비교적 일정하게 유지되는 현상이다.

(3) 대기 중 이산화 탄소 농도가 증가하면 대기에 흡수되는 에너지양이 증가하므로 대기에서 지표로 재방출하는 E가 증가한다.

06 (1) 해들리 순환과 극순환은 온도 차에 의한 대류로 발생하는 직접 순환이고, 중위도의 페렐 순환은 두 순환에 의해 역학적으로 발생하는 간접 순환이다.

(2) 중위도 상공의 각 순환의 경계에서는 서쪽에서 동쪽으로 흐르는 강한 흐름이 나타나는데, 이를 제트류라고 한다. 위도 60° 지역의 상공에서는 한대 전선 제트류(A), 위도 30° 지역의 상공에서는 아열대 제트류(B)가 나타난다.

07 (1) 대기 순환은 공간 규모가 클수록 시간 규모가 커서 수명이 길다.

(2) 대기 순환 규모는 공간 규모가 클수록 수평 규모가 연직 규모보다 크게 나타난다. 즉, 공간 규모가 클수록 지상에 영향을 미치는 면적이 넓어진다.

(3) 미규모와 중간 규모는 일기도에 나타나지 않으며, 전향력은 무시할 정도로 약하게 작용한다.

(4) 대기 순환 규모가 커질수록 전향력의 영향을 많이 받는다.

(5) 소규모 운동은 수직 운동의 크기에 따라, 대규모 운동은 수평 운동의 크기에 따라 그 특성이 결정된다.

08 ㄱ. 바다와 육지에서 국지적으로 하루를 주기로 생기는 바람을 해륙풍(가)이라 하고, 계절에 따라 풍향이 바뀌는 바람을 계절풍(나)이라 한다.

ㄴ. 해륙풍과 계절풍은 모두 육지와 해양의 비열 차에 의해 발생한다.

ㄷ. 해륙풍보다 계절풍의 규모가 훨씬 크므로, 영향을 미치는 면적과 지속 시간은 계절풍이 해륙풍보다 크게 나타난다.

01 ㄱ. 500 hPa 등압면이 (나) 지점에서보다 (가) 지점에서 높게 나타나는 것은 가열로 인해 공기의 부피가 팽창했기 때문이다. 따라서 기온은 (가) 지점이 (나) 지점보다 높다.

ㄷ. 풍속은 기압 경도력이 클수록 빠르게 나타난다. 상공으로 갈수록 (가)와 (나) 두 지점의 등고도면의 기압 차이가 커지므로 풍속은 a에서보다 b에서 더 크게 나타난다.

바로 알기 ㄴ. (가) 지점은 (나) 지점에 비해 온도가 높아 공기가 팽창한 상태이다. 따라서 고도 2 km에서 두 지점 위에 쌓인 공기는 A 지점이 B 지점보다 더 많기 때문에 A 지점이 기압도 더 크게 나타난다.

02 ㄱ. 실험 장치의 얼음과 가열 부분은 지구에서 각각 온도가 낮은 고위도 지방, 온도가 높은 저위도 지방의 환경을 설계한 것이다.

바로 알기 ㄴ. 원통의 회전이 느릴 때는 얼음에 가까운 부분의 물은 차가워져 하강하고, 가열 부분의 물은 따뜻해져서 상승하는 대류 현상이 우세하게 나타난다. 이렇게 열대류에 의해 일어나는 순환을 직접 순환이라고 하며, 해들리 순환과 극순환이 이에 해당한다.

ㄷ. B에 나타난 파동은 중위도 상공에서 서쪽에서 동쪽으로 부는 편서풍 파동에 해당한다.

03 ㄴ. 편서풍 파동의 A 부분에서는 공기가 수렴하고, B 부분에서는 공기가 발산하므로 A의 지상에서는 하강 기류, B의 지상에서는 상승 기류가 생긴다. 따라서 C에는 고기압, D에는 저기압이 분포하므로 바람은 C에서 D 방향으로 분다.

바로 알기 ㄱ. 편서풍 파동에서 풍속은 기압 마루를 통과할 때 가장 빠르고, 기압골을 지날 때 느려진다. 따라서 A에서는 공기가 수렴하고, B에서는 공기가 발산한다.

ㄷ. 편서풍 파동의 기압 마루에서 기압골로 가면서 풍속이 감소한다.

04 ㄱ. 편서풍 파동은 중위도 상공에서 서쪽에서 동쪽으로 이동하므로 A에는 시계 방향으로의 고기압성 소용돌이가, B에는 시계 반대 방향으로의 저기압성 소용돌이가 발달한다.

바로 알기 ㄴ. 편서풍 파동에서 기압골의 동쪽에서는 공기가 발산하므로 이곳의 지상에서는 상승 기류가 발달하여 저기압이 형성된다.

ㄷ. 편서풍 파동이 발달하면 남북 방향으로의 파동이 더 커져서 따뜻한 A 공기는 북상하고, 차가운 B 공기는 남하하여 남북 간 에너지의 교환이 일어난다. 따라서 앞으로 우리나라는 남하하는 B 공기의 영향으로 춥다가 파동이 동쪽으로 이동하면서 기온이 상승할 것으로 예상된다.

05 겨울철의 제트류(가)는 풍속이 세고, 여름철보다 저위도에 위치한다. 여름철의 제트류(나)는 풍속이 약하고, 겨울철보다 고위도에 위치한다.

ㄱ. 저위도 지방의 지표에서는 북동 무역풍, 중위도 지방의 지표에서는 편서풍이 분다.

ㄷ. 제트류의 풍속은 극지방의 찬 공기가 발달하는 겨울이 여름보다 강하다.

바로 알기 ㄴ. 북반구의 겨울철에는 극지방의 찬 공기가 강해져서 여름철보다 더 남하하므로 제트류는 더 낮은 위도에서 나타난다.

06 ㄱ. A는 편서풍 파동의 기압골 부분으로서 바람의 방향이 시계 반대 방향인 것으로 보아 저기압이 나타나고, B는 전선을 동반하고 바람이 시계 반대 방향으로 불어 들어가는 것으로 보아 저기압, C는 중심에서 바깥쪽으로 바람이 시계 방향으로 불어 나가는 것으로 보아 고기압이다.

ㄴ. B는 저기압으로서 상승 기류가 나타난다. 이는 상층에 있는 편서풍 파동에서 B에 해당하는 위치가 기압골의 동쪽에 해당하여 공기가 발산하기 때문에 지상에서는 상승 기류가 나타나는 것이다.

바로 알기 ㄷ. C는 고기압으로서, C의 상층에 있는 편서풍 파동에서 수평으로 공기가 수렴하기 때문에 상층에서 지상으로 하강 기류가 나타난다.

07 ㄴ. B는 지구의 대기가 우주로 방출하는 에너지로서 지표에서 방출하는 에너지 4 %와 합쳐서 태양으로부터 흡수한 에너지 70 %와 같아야 복사 평형을 이룰 수 있다. 따라서 B는 66 %로 변하지 않는다.

바로 알기 ㄱ. A는 지구가 태양으로부터 받은 총 에너지 중에서 지표면이 흡수한 에너지의 비율이다. 지구가 흡수한 태양 에너지는 대기가 흡수한 에너지와 지표면이 흡수한 에너지의 합이다.

ㄷ. C가 증가해도 지구가 복사 평형을 이루기 위해서는 B의 양은 변함이 없어야 한다. C가 증가하는 경우는 지표면에서 방출하는 에너지를 대기가 많이 흡수하여 다시 지표면으로 재복사하는 과정을 통해 일어나며, B의 양은 변함이 없기 때문에 지구의 온도가 올라가는 지구 온난화가 진행된다.

08 ㄱ. 위도에 따라 태양빛의 입사각이 다르므로 위도에 따른 에너지의 변화는 지구에서 방출하는 지구 복사 에너지보다 태양 복사 에너지가 더 크게 나타난다.

ㄷ. 대기와 해수의 순환은 저위도의 과잉 에너지를 고위도로 이동시켜 지구의 열적 불균형을 해소하는 역할을 한다.

바로 알기 ㄴ. 위도 약 38° 부근을 기준으로 고위도는 에너지 부족이 나타나고, 저위도는 에너지 과잉이 나타난다. 이러한 남북 간 에너지의 불균형을 해소하기 위해 에너지의 이동이 일어나므로 과잉과 부족의 경계인 위도 약 38°에서 대기와 해수에 의한 에너지의 이동이 가장 활발하게 나타난다.

09 A는 해들리 순환, B는 페렐 순환, C는 극순환이다.

①, ② 해들리 순환에 의해 적도 부근의 지상에서는 수렴대가 형성되어 상승 기류에 의한 저압대가 만들어진다. 위도 30° 지역에서는 해들리 순환과 페렐 순환에 의해 하강 기류가 발생하여 고압대가 형성된다.

③ 해들리 순환과 극순환은 직접 순환이고, 페렐 순환은 간접 순환이다.

④ 각 순환의 경계에서는 온도 차에 의해 전선대와 강한 바람이 형성되는데, 해들리 순환과 페렐 순환의 경계에서는 아열대 전선대가 형성되고, 페렐 순환과 극순환의 경계에서는 한대 전선대가 형성된다.

바로 알기 ⑤ 제트류는 온도 차가 큰 각 순환의 경계에서 상공에 나타나는 강한 바람이다.

10 ㄱ. 일반적으로 공간 규모가 크면 지속되는 시간이 길게 나타난다.

ㄷ. 태풍이 나타날 때 작은 회오리바람과 같은 난류도 많이 발생하듯이 공간 규모가 큰 순환은 규모가 작은 순환에 영향을 미친다.

바로 알기 ㄴ. 공간 규모가 클수록 지구 자전의 영향을 더 크게 받으며, 공간 규모가 작을수록 전향력의 영향을 적게 받는다.

11 ㄱ. 낮에는 바다에서 육지로 해풍이 불고, 밤에는 육지에서 바다로 육풍이 분다. 낮에 부는 해풍의 풍속이 밤에 부는 육풍보다 빠른 것으로 보아, 해풍이 육풍보다 강하게 불었다.

ㄴ. 해륙풍은 육지보다 바다의 비열이 더 커서 낮에는 육지가 더 가열되고, 밤에는 육지가 상대적으로 더 냉각되어 하루를 주기로 풍향이 바뀌는 현상이다.

ㄹ. 해륙풍은 육지와 해수의 비열 차이에 의한 열적 대류로 발생하므로 직접 순환에 속한다.

바로 알기 ㄷ. 15시에는 바다에서 육지 쪽으로 해풍이 불었다.

12 ㄷ. A는 우리나라 북쪽 대륙에서 차가운 공기의 하강에 의해 만들어진 시베리아 고기압으로서, 겨울철에 북서 계절풍으로 우리나라에 영향을 준다.

바로 알기 ㄱ. 시베리아 고기압은 고위도에 위치한 시베리아의 차가운 지면에 의해 냉각된 공기가 하강하면서 형성된다. 대기 대순환의 하강 기류에 의해 형성되는 고기압은 중위도에서 무역풍과 편서풍의 경계에서 나타난다.

ㄴ. 차가운 지면의 냉각으로 생성되는 한랭 고기압(키 작은 고기압)은 온난 고기압(키 큰 고기압)보다 연직 규모가 작다. 대류권 상층까지 발달하는 키 큰 고기압의 대표적 예는 중위도에서 생성되는 북태평양 고기압이다.

통합 실전 문제

01 ②	02 ③	03 ⑤	04 ③	05 ③	06 ③
07 ②	08 ③	09 ④	10 ③	11 ④	12 ①
13 ③	14 ②	15 ③	16 ③		

01 ① 에크만 수송은 북반구에서 바람의 오른쪽 직각 방향으로 나타난다. 남쪽 해수면의 경사가 더 높은 것은 서풍 계열의 바람에 의해 에크만 수송이 남쪽으로 일어났기 때문이다.

③ 지형류는 해수면 경사에 의해 발생하는 수압 경도력과 그 반대 방향으로 작용하는 전향력이 평형을 이루는 상태에서 흐르는 해류이다. 이 해역에서 수압 경도력은 남쪽에서 북쪽으로, 전향력은 북쪽에서 남쪽으로 작용한다. 따라서 지형류는 북반구에서 수압 경도력이 작용하는 방향의 오른쪽 직각 방향으로 나타나므로 서쪽에서 동쪽으로 흐른다.

④ 해수면 경사$\left(\dfrac{\Delta H}{\Delta L}\right)$가 증가하면 수압 경도력이 커지므로 유속이 빨라진다.

⑤ 지형류 평형 상태에서는 수압 경도력과 전향력이 평형을 이루기 때문에 해수면 경사가 유지된다.

바로 알기 ② 지형류 평형 상태에서는 수압 경도력과 전향력이 평형을 이루어 해수면의 경사가 유지되므로 해수면에서 물이 경사면을 따라 흘러내리지 않는다.

02 ㄱ. 해수면의 경사가 해안가에서 바다 쪽으로 높게 나타나는 것은 에크만 수송이 서쪽으로 일어났음을 의미하므로 해안가를 따라 북풍 계열의 바람이 지속적으로 불고 있음을 알 수 있다.

ㄴ. 해수면 경사가 나타나면 해수면이 높은 쪽에서 낮은 쪽으로 수압 경도력(B)이 작용하고, 그 반대 방향으로 작용하는 전향력(A)이 평형을 이루면서 지형류가 발생한다.

바로 알기 ㄷ. 북반구에서 지형류는 수압 경도력이 작용하는 방향에 대하여 오른쪽 직각 방향으로 흐른다. 따라서 이 해역에는 북쪽에서 남쪽으로 흐르는 한류가 나타난다.

03 ㄱ. 북반구에서 지형류는 수압 경도력에 대해 오른쪽 직각 방향으로 흐른다. 수압 경도력은 해수면이 높은 쪽에서 낮은 쪽으로 작용하므로, A에서는 수압 경도력이 북쪽에서 남쪽으로 작용하여 지형류가 동쪽에서 서쪽으로 흐르고, B에서는 수압 경도력이 남쪽에서 북쪽으로 작용하여 지형류가 서쪽에서 동쪽으로 흐른다.

ㄴ. 지형류의 유속은 $v = \dfrac{g}{2\Omega \sin\varphi} \cdot \dfrac{\Delta h}{\Delta H}$이고, B와 C 해역은 저위도 지방이므로 $\sin\varphi \simeq \varphi$로 근사하면 지형류의 유속은 해수면 경사($\Delta Z$)에 비례하고 위도($\varphi$)에 반비례한다. 해수면 경사는 B에서 약 35 cm, C에서 약 10 cm이며, B와 C의 중심 부분의 위도는 각각 2.5°N, 7.5°N이다. 따라서 지형류의 유속은 B 해역에서보다 C 해역에서 느리다.

ㄷ. 지형류는 북반구에서는 수압 경도력에 대해 오른쪽 직각 방향으로, 남반구에서는 수압 경도력에 대해 왼쪽 직각 방향으로 흐른다. C에서는 수압 경도력이 북쪽에서 남쪽으로 작용하므로 지형류가 동쪽에서 서쪽으로 흐르고, D에서는 수압 경도력이 남쪽에서 북쪽으로 작용하므로 지형류가 동쪽에서 서쪽으로 흐른다. 따라서 C와 D에서 지형류는 같은 방향으로 흐른다.

04 ㄱ. 쿠로시오 해류는 바람과 해수의 열팽창으로 높아진 해수면 경사에 의해 발생하는 지형류이다.

ㄴ. 이 해역에서 해수면 경사가 생기는 것은 바람과 해수의 열팽창이 원인이다. 즉, 중위도에서 북동쪽으로 부는 편서풍에 의해 에크만 수송이 동쪽으로 나타남으로써 동쪽 해수면이 높아지고, 또 연안보다 먼 바다로 가면서 수온이 높기 때문에 해수의 열팽창에 의해 동쪽 해수면이 높아진다. 이렇게 높아진 해수면에 의해 수압 경도력이 작용하고 그 반대 방향으로 전향력이 작용하여 평형을 이루면 지형류가 발생하는데, 이 해류가 쿠로시오 해류이다. 따라서 편서풍이 강해지거나 동서 간 수온 차가 클수록 해수면의 경사가 커지므로 지형류인 쿠로시오 해류의 유속이 빨라진다.

바로 알기 ㄷ. 해수면 경사가 증가할수록 수압 경도력인 힘 A가 커지고, 이에 따라 해수의 유속이 빨라지므로 전향력인 힘 B도 커진다.

05 ㄱ. A는 서안 경계류로서, 수압 경도력이 서쪽으로 작용하므로 해류는 북쪽으로 흐른다. B는 동안 경계류로서, 수압 경도력이 동쪽으로 작용하므로 해류는 남쪽으로 흐른다.

ㄴ. 서안 경계류인 A는 동안 경계류인 B보다 해류의 폭이 좁고 유속이 빠르다.

바로 알기 ㄷ. 전향력은 해류의 유속에 비례하므로 같은 위도에서도 유속이 더 빠른 A에 작용하는 전향력이 B에 작용하는 전향력보다 크다.

06 ① 해파의 진행 방향은 마루에서 물 입자의 진행 방향과 같다. 따라서 해파는 B 방향(왼쪽에서 오른쪽)으로 진행한다.

② 심해파는 수심이 파장의 $\frac{1}{2}$보다 깊은 해역에서 진행하는 해파로서 물 입자의 운동이 원형을 이루며 수심이 깊어질수록 물 입자의 운동이 급격히 작아진다.

④ 파고는 골에서 마루까지의 수직 높이로서, 물 입자의 원운동 궤도의 지름에 해당한다.

⑤ 수심이 깊어짐에 따라 물 입자의 운동 크기가 감소하는 것은 해수와의 마찰에 의해 표면에서 전달되는 해파의 에너지가 감소함을 의미한다.

바로 알기 ③ 해파의 에너지는 해파의 진행 방향을 따라 전달되지만, 물 입자는 원 궤도를 그리며 상하 전후 방향으로 왕복 운동을 하여 처음의 위치로 되돌아올 뿐, 해파를 따라 진행하지 않는다.

07 ㄴ. A~D 지점에서 해파는 모두 천해파의 성질을 띠므로 수심이 낮을수록 해파의 전파 속력이 느려진다. 따라서 해파의 전파 속력은 A>C>B>D의 순이다.

바로 알기 ㄱ. 이 해파의 파장이 6000 m이므로 수심이 파장의 $\frac{1}{20}$인 300 m보다 얕은 해역에서 천해파의 성질을 띤다. 따라서 이 해파는 A~D 모든 지점에서 천해파의 성질을 띤다.

ㄷ. A~D 지점에서 모두 천해파의 성질을 띠므로 해파의 전파 속력은 수심이 낮을수록 느려지며, 300 m 등수심선을 지나면서 해파의 진행 방향이 등수심선에 수직인 남동쪽으로 꺾이고, 이후 같은 방향으로 진행한다.

08 ㄱ. (가)는 태풍에 의해 발생하는 폭풍 해일이며, 태풍은 수증기가 응결하며 방출하는 열에 의해 생성되므로 폭풍 해일의 주된 에너지원은 태양 복사 에너지이다. (나)는 지진 해일이며, 해저에서 단층이나 지층의 함몰 등에 의해 발생하므로 지구 내부 에너지가 근원 에너지원이다.

ㄴ. (가)에서 해수면이 상승하는 까닭은 태풍의 중심 기압이 낮기 때문이며, (나)에서는 해저 단층이나 지층의 함몰에 의해 해수가 밀려 올라가면서 해수면이 상승한다.

바로 알기 ㄷ. 바람에 의해 직접 발생한 해파를 풍랑이라 하고, 풍랑이 발생지를 벗어나 멀리 전파되어 온 해파를 너울이라고 한다. 너울은 마루가 둥글고 파고가 낮으며 파장과 주기가 긴 해파이다. (가)의 경우 태풍의 영향권에서는 풍랑이 우세하게 나타나고, 태풍이 지나간 다음에는 연안에 너울성 파도가 나타난다. (나)의 경우 해저 지진에 의한 에너지가 전달되어 해파가 생성되므로 대부분 너울성 해파가 나타난다.

09 ㄴ. B는 중위도 지역으로서 혼합조가 우세하게 나타난다. 혼합조에서는 만조와 간조가 하루에 두 번 나타나는데, 하루 중 만조와 다음 만조의 높이가 각각 다르게 나타난다. 주어진 그림을 보면, B에서 현재 만조가 나타나고, 12시간 25분 후에는 B의 위치가 반대편으로 가서 만조가 나타나므로 현재보다 만조 때의 해수면 높이는 더 낮게 나타난다.

ㄷ. 지구가 자전하는 동안 달도 지구 둘레를 공전하기 때문에 A~C 모두 만조(간조)에서 다음 만조(간조)가 일어나는 시각은 매일 늦어진다.

바로 알기 ㄱ. 하루에 한 번씩의 만조와 간조가 일어나는 현상을 일주조라고 하는데, 주로 고위도 지역에서 잘 나타난다. 저위도 지역에서는 하루에 두 번씩의 만조와 간조가 일어나는 반일주조가 뚜렷하게 나타난다. 따라서 고위도인 A에서 저위도인 C로 갈수록 반일주조의 특징이 잘 나타난다.

10 ㄱ. 조석 차가 가장 작을 때를 조금이라 하고, 가장 클 때를 사리라고 한다. 따라서 측정 기간 동안 조금에서 사리로 변하고 있다.

ㄴ. 조금은 지구를 기준으로 달과 태양이 직각 방향으로 배열될 때, 사리는 달, 태양, 지구가 일직선상에 배열될 때 나타난다. 따라서 관측 시기 동안 조금에서 사리로 변해 가고, 17일이 음력 9일에 해당하므로 달이 상현달 모양에서 보름달 모양으로 변하는 시기에 해당한다.

바로 알기 ㄷ. 달이 같은 위치에 올 때까지 약 24시간 50분이 걸리므로 만조는 매일 약 50분씩 늦게 일어난다. 그러나 만조에서 만조 또는 간조에서 간조가 일어나는 주기는 약 12시간 25분으로 변함이 없다.

11 ㄴ. 지진 해일은 수심이 파장의 $\frac{1}{20}$보다 작은 천해파로서 물 입자는 타원 운동을 한다.

ㄷ. 지진 해일은 천해파이기 때문에 전파 속력은 수심이 얕을 수록 느려진다.

바로 알기 ㄱ. 지진 해일의 파장이 150 km이므로 수심이 파장의 $\frac{1}{20}$인 7.5 km보다 얕은 6 km에서는 천해파에 해당한다.

12 ㄱ. 공기가 상승하면 단열 팽창에 의해 기온이 낮아지는데, 불포화 공기(A → B 구간)는 100 m마다 1 ℃씩, 포화 공기 (B → C)는 100 m마다 0.5 ℃씩 기온이 낮아진다.

바로 알기 ㄴ. h는 상승하는 공기에서 응결이 일어나는 상승 응결 고도이다. 상승 응결 고도는 지상에서의 기온과 이슬점의 차이에 비례 하므로 A에서 기온과 이슬점의 차이가 클수록 h는 높아진다.

ㄷ. C에서 D까지는 단열 압축에 의해 이슬점과 기온이 모두 상승한 다. 그러나 이슬점의 상승률(0.2 ℃/100 m)보다 기온의 상승률(1 ℃ /100 m)이 더 크기 때문에 D에 도달하면 A 지점보다 기온과 이슬점 의 차이가 커져 상대 습도가 낮아진다(건조해진다).

13 ㄱ. 복사 안개는 복사 냉각으로 지면의 온도가 가장 낮아질 때 잘 발생하며, 이때 고도가 높아질수록 기온이 높아지는 역 전층이 형성된다. 따라서 복사 안개는 해가 뜨기 전인 새벽에 잘 나타난다.

ㄴ. (나)일 때는 해가 떠서 지표 부근이 먼저 가열되어 지표 부근의 역전층이 소멸되기 시작한다. 따라서 지표 부근에서 는 대류 현상이 나타나면서 복사 안개가 서서히 사라진다.

바로 알기 ㄷ. (다)일 때 지상에서 굴뚝 위까지 기층이 불안정한 상태 가 되어 (가)일 때보다 공기의 대류가 활발해지므로 지상의 오염 농도 가 낮아진다.

14 ㄷ. 등압면의 높이가 D보다 B에서 높으므로 같은 높이인 B 와 D에서의 기압은 B가 D보다 높다. 따라서 기압 경도력이 B에서 D쪽으로 작용하고, 북반구이므로 상공에서는 기압 경도력의 오른쪽 직각 방향인 남쪽으로 지균풍이 분다.

바로 알기 ㄱ. A의 위쪽으로 등압면이 높게 나타나는 것은 A의 온 도가 주변보다 높기 때문이다. 따라서 공기의 밀도는 온도가 높은 A 가 C보다 작다.

ㄴ. 등압면의 높이가 B의 위쪽으로 높게 나타나는 것은 B와 높이가 같은 D에서보다 B에서의 기압이 더 높은 것을 의미한다.

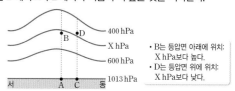

• B는 등압면 아래에 위치: X hPa보다 높다.
• D는 등압면 위에 위치: X hPa보다 낮다.

15 ㄱ. Y 지점보다 X 지점의 500 hPa 높이가 더 높으므로 같 은 높이에서 기압은 X 지점이 Y 지점보다 높다. 따라서 기 압 경도력은 X에서 Y 쪽으로 작용한다.

ㄴ. X에서는 기압 경도력이 Y 방향으로 작용하고 북반구이 므로 바람은 기압 경도력의 오른쪽 직각 방향인 b 방향으로 등압선과 나란하게 분다.

바로 알기 ㄷ. 5500 m에서 X 지점은 500 hPa이고, Y 지점은 기 압이 500 hPa보다 낮다. 따라서 5500 m에서 기압은 X보다 Y에서 더 낮다.

16 ㄱ. 대류권 계면의 높이는 저위도일수록 높게 나타난다. (가) 는 고위도에서 나타나는 극순환, (나)는 중위도에 나타나는 페렐 순환에 해당한다. 극순환은 극지방의 찬 공기가 하강하 다가 위도 60° 부근에서 가열되어 상승하는 직접 순환이고, 페렐 순환은 간접 순환이다.

ㄴ. 극순환과 페렐 순환이 만나는 경계의 상공에서는 한대 전 선대가 형성되고 서쪽에서 동쪽으로 부는 편서풍 파동이 발 달한다. 편서풍 파동의 중심에는 풍속이 강한 제트류가 나타 난다.

바로 알기 ㄷ. A는 극지방의 차가운 공기가 하강하여 지면을 따라 이동하다가 찬 공기가 따뜻한 공기를 파고들면서 형성되는 한대 전선 대이다.

01 (1) 수압 경도력은 해수면이 높은 곳에서 낮은 곳으로 작용하고, 반대 방향으로 전향력이 작용하여 두 힘이 평형을 이루면 지형류가 나타난다. 지형류의 방향은 수압 경도력이 작용하는 방향에 대하여 북반구에서는 오른쪽 직각 방향, 남반구에서는 왼쪽 직각 방향으로 나타난다.

(2) 수평 수압 경도력은 두 지점 사이의 물기둥의 수압 차이 때문에 나타나는데, 수압은 물의 밀도와 높이에 비례한다. 즉, 해수의 밀도를 ρ, 중력 가속도를 g, 물기둥의 높이를 h라고 하면 물기둥에 의해 나타나는 각 지점에서의 수압은 $\rho g h$로 나타낼 수 있으며, 물의 밀도가 다를 경우 각 높이에 해당하는 수압을 구해서 더하면 전체 수압을 구할 수 있다.

(모범 답안) (1) 해수면이 동쪽이 서쪽보다 높으므로 동쪽에서 서쪽으로 수압 경도력이 발생한다. 기압 경도력의 반대쪽으로 전향력이 작용하고, 두 힘이 평형을 이루면 북반구에서 수압 경도력이 작용하는 방향의 오른쪽 직각 방향인 북쪽으로 지형류가 흐른다.

(2) 수평 수압 경도력이 0인 것은 z와 z'에 작용하는 수압이 같다는 것을 의미한다. 물기둥의 높이 Δh_1과 Δh_2의 사이는 물의 밀도와 높이가 같아서 작용하는 수압이 같으므로 무시할 수 있으므로 나머지 물에서 작용하는 수압을 비교한다. z에 작용하는 수압과 z'에 작용하는 수압이 같으므로,

$\rho_2 \Delta h_2 = \rho_1 \Delta h_1 + \rho_1 \Delta h_2$

$\Rightarrow \rho_1 \Delta h_1 = \Delta h_2 (\rho_2 - \rho_1)$

$\therefore \Delta h_1 : \Delta h_2 = (\rho_2 - \rho_1) : \rho_1$로 나타낼 수 있다.

	채점 기준	배점(%)
(1)	각 힘의 방향과 평형 관계를 설명하고, 지형류의 방향을 옳게 서술한 경우	50
	지형류의 방향만 옳게 서술한 경우	30
(2)	수식의 풀이 과정과 결과가 모두 옳은 경우	50
	수식의 풀이 과정만 옳은 경우	30

02 (1) 지구가 자전하므로, 표층 순환의 중심이 서쪽으로 치우치는 까닭은 전향력과 관련이 있다. 전향력은 고위도로 갈수록 커지며, 움직이는 물체의 속력이 빠를수록 증가한다. 따라서 해수의 이동 속력이 위도에 따라 달라짐으로써 순환의 구조는 비대칭으로 바뀌게 된다.

(2) 대양의 서쪽에서 북상하는 서안 경계류의 유속은 대양의 동쪽에서 남하하는 동안 경계류보다 빠르다. 서안 경계류는 저위도에서 고위도로 이동하므로 난류의 성격을 띠며 속력이 빠르고 해류의 폭이 좁게 나타난다.

(모범 답안) (1) 단위 질량당 전향력은 물체의 속력이 v, 위도가 φ일 때, $C = 2v\Omega \sin\varphi$이므로 고위도로 갈수록 증가한다. 북반구에서 표층 순환은 시계 방향으로 흐르므로, 해양의 서쪽 경계(서안)에서는 저위도에서 고위도로 해류가 흐르고 동쪽 경계(동안)에서는 고위도에서 저위도로 해류가 흐른다. 전향력의 크기는 위도가 높아질수록 증가하기 때문에 똑같은 양의 해수가 흐른다고 가정하면 서쪽 경계에서는 해류의 폭이 좁고 유속이 빨라지며, 동쪽 경계에서는 해류의 폭이 넓고 유속이 느려진다. 그 결과 표층 순환의 중심이 서쪽으로 편향되고, 서쪽 지형류가 동쪽 지형류보다 유속이 빠른 서안 강화 현상이 나타난다.

(2) 위도에 따라 전향력의 크기가 다르므로 대양의 서쪽 해안에서는 빠르게 북상하는 서안 경계류가 나타난다. 서안 경계류는 저위도에서 고위도로 북상하므로 난류의 성격을 띤다. 또한 해류의 폭이 좁고 깊으며, 유속이 빠르기 때문에 단위 면적당 해수의 유량도 많다.

	채점 기준	배점(%)
(1)	서안 경계류가 생기는 까닭을 전향력의 변화로 설명하고, 위도에 따른 해류의 속도 변화로 순환의 중심이 서쪽으로 이동한다고 서술한 경우	50
	전향력에 대한 설명이 없이 서안을 흐르는 해류의 속도가 빨라서 순환의 중심이 서쪽으로 이동한다는 것만 서술한 경우	30
(2)	서안 경계류의 유속, 폭과 깊이, 유량, 난류 등의 요소를 모두 옳게 서술한 경우	50
	서안 경계류의 4가지 특성 중 1개 틀릴 때마다 10 % 씩 감점	-10 %씩

03 (1) 천해파는 파장이 수심에 비해 긴 해파로서 천해파의 속력은 $\sqrt{\text{깊이}}$에 비례하고 파장에는 영향을 받지 않는다. 심해파는 파장에 비해 수심이 깊은 곳에서 나타나는 해파로서 심해파의 속력은 $\sqrt{\text{파장}}$에 비례하고 수심에는 영향을 받지 않는다.

(2) 심해파가 천해파로 바뀔 때 천이파가 되면서 속력이 감소하다가 파장의 $\frac{1}{20}$인 수심이 되면 천해파가 된다. 천해파가 된 이후에는 해파의 속력은 수심이 얕아짐에 따라 감소한다.

모범 답안 (1) 심해파 영역에서는 수심에 관계없이 해파의 속력이 일정하고, 단지 파장이 클수록 속력이 크게 나타나는 것으로 보아 심해파의 파장은 속력에 영향을 주지만 수심은 영향을 주지 않는다. 천해파 영역에서는 파장에 관계없이 해파의 속력이 수심이 얕아짐에 따라 일정하게 감소하는 것으로 보아 천해파의 속력은 수심에 영향을 받음을 알 수 있다.

(2) 심해파는 수심에 관계없이 파장에 따라 일정한 속력을 유지하다가 수심이 낮아지면 천이파 영역을 거쳐서 수심이 얕아짐에 따라 속력이 감소하는 천해파가 된다. 따라서 심해파에서 천해파로 바뀔 때 해파의 속력에 영향을 주는 것은 수심이다.

	채점 기준	배점(%)
(1)	심해파와 천해파의 속력에 영향을 주는 요소를 모두 옳게 서술한 경우	50
	두 개의 파 중 한 개만 옳게 서술한 경우	30
(2)	심해파에서 천해파로 바뀔 때의 변화를 설명하고 해파의 속력에 영향을 주는 요인을 옳게 서술한 경우	50
	심해파에서 천해파로 바뀔 때 영향을 주는 요인만 기술하고, 변화 과정을 설명하지 않은 경우	30

04 지구-달의 회전계에서 지구상의 모든 점들은 지구-달의 공통 질량 중심을 중심으로 회전 운동을 한다. 따라서 각 점들의 원운동의 크기가 같으므로 이를 기준으로 원운동의 반지름을 측정하여 B점에서의 원운동을 그려준다. 따라서 B점에서 원심력의 방향과 크기는 다른 지점에서와 같고, 달을 향한 방향으로 나타나는 달의 인력은 달과의 거리에 반비례하므로 다른 지점에 비해 작게 나타난다. 결과적으로 B점에서의 기조력은 원심력이 인력보다 크기 때문에 달과 반대 방향으로 나타난다.

모범 답안

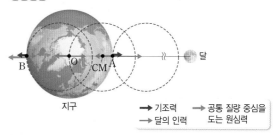

채점 기준	배점(%)
B에서 원운동 궤적을 옳게 그리고, 작용하는 힘의 방향과 크기를 옳게 표시한 경우	50
각 요소들 중 1개 틀릴 때마다 10 %씩 감점	−10 %씩

05 (1) 상승 응결 고도까지는 건조 단열 감률에 의해 온도가 하강하고, 상승 응결 고도에서부터 산 정상까지는 습윤 단열 감률에 의해 온도가 내려간다. 산 정상에서의 온도가 4 ℃이므로 높이 500 m에서 10 ℃인 공기가 습윤 단열 감률에 의해 몇 m를 상승해야 하는지를 계산하면 된다.

(2) 포화된 공기는 온도가 하강하면 수증기가 응결하는데, 수증기에서 물로 응결될 때는 에너지를 방출하기 때문에 온도의 감소폭이 작게 나타난다.

모범 답안 (1) 상승 응결 고도에서 공기는 포화되어 산 정상까지 계속 구름이 생겼으므로 이 구간에서 공기는 습윤 단열 감률에 의해 온도가 감소한다. 상승 응결 고도가 500 m이고, 산 정상에서의 온도가 4 ℃이므로 500 m~산 정상까지의 높이를 x라 하면 500 m에서 산 정상까지의 온도 변화는 다음과 같은 관계식이 성립한다.

$$4\,℃ = 10\,℃ - \frac{0.5\,℃}{100\,\text{m}} \times x\,\text{m}$$

$$\therefore x = 1200\,\text{m}$$

따라서 산 정상의 높이는 1700 m이다.

(2) 공기가 포화된 상태에서는 습윤 단열 감률(0.5 ℃/100 m)에 의해 온도가 하강하는데, 건조 단열 감률(1 ℃/100 m)에 비해 온도의 감소율이 작다. 이는 포화된 상태에서 공기의 온도가 하강하면 응결이 일어남과 함께 숨은열이 방출되어 온도의 감소폭을 줄이기 때문이다.

	채점 기준	배점(%)
(1)	풀이 과정과 결과가 모두 맞은 경우	50
	풀이 과정만 맞은 경우	30
(2)	숨은열의 방출로 인해 온도의 감소가 작아짐을 옳게 서술한 경우	50
	숨은열의 용어가 빠진 경우	30

06 (1) 새벽에는 밤 사이 복사 냉각에 의해 지표면 부근의 기온이 상부의 기온보다 낮아지는 역전층이 형성된다. 해가 뜨면서 지표면이 먼저 가열되어 온도가 상승하다가 낮이 되어 지표면이 충분히 가열되면 역전층은 사라진다. 이러한 현상은 지구 복사의 방출이 활발한 맑은 날에 잘 나타난다.

(2) 복사 냉각에 의해 생기는 안개는 복사 안개로서 밤사이 복사 냉각에 의해 온도가 낮아진 지표면이 대기의 수증기를 응결시켜 주로 새벽에 나타난다. 복사 안개는 해가 떠서 지표면이 가열되면 지표면의 기온이 상승하면서 사라지게 된다.

(모범 답안) (1) 시간에 따른 온도 분포의 변화는 (라) → (다) → (가) → (나)이다. 새벽에는 밤 사이 지구 복사의 활발한 방출에 의해 복사 냉각이 되어 지표면 부근의 기온이 상부의 기온보다 낮아지는 역전층이 생성된다. 이후 해가 뜨면 지표면이 가열되면서 지표면에 가까운 대기부터 기온이 상승하여 역전층은 사라진다.

(2) 지표면의 복사 냉각에 의해 생성되는 안개는 복사 안개이다. 복사 안개는 새벽에 지표면의 복사 냉각으로 지표면과 가까운 대기의 수증기를 응결시켜 나타나며, 아침에 해가 뜨면 지표면이 먼저 가열되어 지표면과 가까운 공기가 불포화되면서 안개는 사라진다.

	채점 기준	배점(%)
(1)	시간에 따른 온도 분포의 변화 순서가 맞고, 그 까닭을 시간에 따라 옳게 서술한 경우	50
	시간에 따른 온도 분포의 변화 순서가 맞고, 그 까닭을 설명하지 못한 경우	30
(2)	안개의 종류를 옳게 쓰고, 복사 안개의 생성 원인을 옳게 서술한 경우	50
	안개의 종류만 옳게 쓰고, 안개의 생성 과정이 틀린 경우	30

07 (1) 경도풍은 등압선이 원형일 때 등압선과 나란하게 원형을 그리며 부는 상층의 바람으로, 기압 경도력과 전향력, 구심력이 작용한다. 기압 경도력은 기압이 높은 곳에서 낮은 곳으로 작용하며, 그 반대 방향으로 전향력이 작용한다. 구심력은 원운동에서 중심으로 향하는 힘이다.

(2) 고기압성 경도풍에서는 원운동의 중심 방향으로 작용하는 전향력이 기압 경도력보다 크고, 그 차이만큼의 힘이 구심력으로 작용하여 바람이 시계 방향으로 원운동하게 된다. 전향력은 속도에 비례하므로 전향력이 증가하면 풍속이 증가한다.

(모범 답안) (1) 경도풍에 작용하는 힘에는 기압 경도력(P_H), 전향력(C), 구심력(C_P)이 있다. 저기압과 고기압에서 c 지점에 작용하는 힘의 평형 관계는 다음과 같다.

(가) 저기압: P_H(기압 경도력) $-$ C_P(구심력) $=$ C(전향력)

(나) 고기압: C(전향력) $-$ C_P(구심력) $=$ P_H(기압 경도력)

(2) 고기압에서는 전향력이 기압 경도력보다 크고, 그 차이만큼의 힘이 구심력으로 작용한다. 반대로 저기압에서는 기압 경도력이 전향력보다 크고 그 차이만큼이 구심력으로 작용한다. 전향력은 풍속에 비례하므로 다른 조건이 같다면 전향력이 더 큰 고기압에서의 풍속이 저기압에서보다 빠르게 나타난다.

	채점 기준	배점(%)
(1)	경도풍에 작용하는 힘의 종류를 옳게 서술하고, 기압에 따른 힘의 평형 관계를 옳게 표현한 경우	50
	힘의 종류 또는 힘의 평형 관계 중 하나만 맞은 경우	30
(2)	기압에 따른 힘의 크기 관계를 비교하고, 전향력이 큰 고기압에서 풍속이 빠르다는 것을 서술한 경우	50
	기압에 따른 힘의 크기 관계를 설명하지 않은 경우	30

08 (1) 기압 마루에서는 고기압성 경도풍의 성질을 띠고, 기압골에서는 저기압성 경도풍의 성질을 띤다. 일반적으로 고기압성 경도풍에서는 저기압성 경도풍보다 풍속이 강하게 나타난다.

(2) 지상에서의 기압 배치는 상층 공기의 수렴과 발산의 영향을 받는다. 따라서 상층의 공기가 이동함에 따라 지상의 공기 및 기압 배치도 이동하게 된다.

(**모범 답안**) (1) 북반구 편서풍 파동의 기압 마루에서는 시계 방향으로 바람이 부는 고기압성 경도풍의 성질을 띠고, 기압골에서는 시계 반대 방향으로 바람이 부는 저기압성 경도풍의 성질을 띤다. 고기압성 경도풍은 저기압성 경도풍보다 전향력이 크기 때문에 풍속도 더 강하게 나타난다. 따라서 기압 마루에서 기압골로 이동하는 공기는 중간에서 수렴 현상이 나타나고, 기압골에서 기압 마루로 이동하는 공기는 중간에서 발산 현상이 나타난다.

(2) 지상의 기압 배치는 상층에서 공기의 수렴 또는 발산 현상과 관련이 있다. 즉 상층에서 공기가 수렴하는 곳의 지상에서는 하강 기류에 의해 고기압이 형성되며, 상층에서 공기가 발산하는 곳의 지상에서는 상승 기류가 나타나 저기압이 형성된다. 따라서 상층의 편서풍 파동이 서에서 동으로 이동하면 지상의 기압 배치도 함께 이동하는 것이다.

	채점 기준	배점(%)
(1)	공기의 수렴과 발산 현상을 기압 마루와 기압골에서의 풍속이 차이가 나는 까닭으로 서술한 경우	50
	기압 마루와 기압골에서 풍속이 차이가 나는 까닭에 대한 설명이 없는 경우	30
(2)	지상의 기압 배치는 상층에서 공기의 수렴과 발산의 영향을 받기 때문에 편서풍 파동의 이동에 따라 지상의 기압 배치도 이동함을 모두 서술한 경우	50
	편서풍 파동의 이동에 따라 지상의 기압 배치도 이동한다는 것만 서술한 경우	30

실전 문제

1 (1) 에크만 수송과 표면 수온의 분포에 따른 해수면의 높이를 설명한다.

(2) 해수면의 높이에 따른 수압 경도력의 방향을 말하고 해류의 방향을 설명하며, 수온의 차이가 큰 구역에서 밀도 차이가 커서 수압 경도력이 크게 작용한다는 것을 설명한다.

(3) 수압 경도력과 전향력이 평형을 이룬다는 식으로부터 해수면의 높이 차를 계산하는 과정을 제시한다.

(4) 아열대 순환에서 서안 강화 현상이 생기는 원리와 서안 경계류의 특징을 설명한다.

예시 답안 (1) 에크만 수송에 의해 표층 해수는 오른쪽(동쪽)으로 이동하고, 또 해안에서 동쪽으로 멀어질수록 수온이 높아지는 분포이므로 해수면은 해안 쪽이 낮고 먼 바다 쪽이 높은 경사가 된다.

(2) 해수면이 높은 먼 바다 쪽에서 해안 쪽으로 수압 경도력이 작용하여 전향력과 평형을 이루게 되므로 해류는 수압 경도력에 직각 방향인 북쪽(지면의 안쪽 방향)으로 흐른다. 그리고 수온의 연직 분포에서 수온 차이가 큰 구역에서 밀도 차이가 크므로 수압 경도력도 커져서 해류는 빠르게 흐르게 되므로 B 구역의 유속이 가장 빠르다.

(3) 지형류 평형의 원리를 이용하여 해수면의 경사와 유속의 관계를 설명할 수 있다. 쓰시마 난류는 대한 해협을 통과하여 동해로 들어가기 때문에 수압 경도력은 일본 쪽에서 부산 쪽으로 작용한다. 따라서 부산 쪽 해안보다 일본 쪽 해안 해수면의 높이가 더 높다. 지형류 평형의 관계식을 이용하면 다음과 같이 해수면의 높이 차(ΔZ)를 구할 수 있다.

$2v\Omega \sin \varphi = g\dfrac{\Delta Z}{\Delta X}$ (단위 질량당)에서

$\Delta Z = 2v\Omega \sin \varphi \times \dfrac{\Delta X}{g}$ 이다.

유속(v) = 1 m/s, 지구 자전 각속도(Ω) = 7.27×10^{-5} rad/s,

$\sin 35° = 0.57$, 중력 가속도(g) = 10 m/s² 이므로

$\Delta Z = 2 \times 1 \text{(m/s)} \times 7.27 \times 10^{-5} \text{ rad/s} \times 0.57 \times \dfrac{2 \times 10^5 \text{(m)}}{10 \text{(m/s}^2\text{)}} ≒ 1.66 \text{(m)}$이다.

즉, 일본 쪽의 해수면은 부산 쪽의 해수면보다 약 1.66 m 낮다.

(4) 무역풍과 편서풍에 의해서 형성되는 아열대 순환은 북반구에서는 시계 방향으로 순환한다. 만약 전향력이 일정하다면 순환의 중심이 대양의 중앙에 위치하는 대칭형 순환이 일어난다. 그런데 전향력은 고위도로 갈수록 증가하므로 순환의 중심이 서쪽으로 치우치고, 또 대양의 서쪽에 대륙이 분포하므로 해수가 대양의 서쪽에 모이게 되어 서안 강화 현상이 생긴다. 이로 인해 대양의 서쪽을 흐르는 서안 경계류는 남에서 북으로 흐르는 난류로서 폭이 좁고, 빠르고, 깊게 흐르는 특징이 나타난다.

2 (1) 기조력은 조석 현상을 일으키는 힘으로, 지구의 조석을 일으키는 주요 천체는 달과 태양이다. 기조력의 크기가 천체의 질량에 비례하고 천체까지의 거리의 세제곱에 반비례하는 관계를 이용하여 달에 의한 기조력과 태양에 의한 기조력의 크기를 수식으로 나타내어 비교하고, 달에 의한 기조력이 태양에 의한 기조력보다 약 2배 크다는 것을 서술한다.

(2) 기조력은 지구와 달 사이에 작용하는 만유인력과 지구−달 회전계의 원심력의 합력임을 이용하여 달을 향한 쪽과 달의 반대쪽에 작용하는 기조력의 크기를 각각 수식으로 나타내어 비교한다. 즉, 달을 향한 쪽에서는 만유인력의 크기가 원심력의 크기보다 커서 '기조력=만유인력−원심력'이고, 달의 반대쪽에서는 만유인력의 크기가 원심력의 크기보다 작아서 '기조력=원심력−만유인력'임을 이용하여 두 지점에서의 기조력의 크기를 계산한다. 그 결과 두 기조력의 크기가 같고 방향이 반대임을 서술한다.

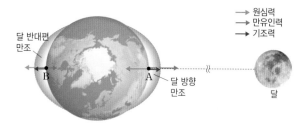

예시 답안 (1) 기조력의 크기(T)는 천체의 질량에 비례하고, 천체까지의 거리의 세제곱에 반비례하므로 지구의 질량을 M이라 하면

• 달에 의한 기조력($T_\text{달}$) = $\dfrac{0.012\,M}{(3.8 \times 10^5)^3}$

• 태양에 의한 기조력($T_\text{태양}$) = $\dfrac{3.3 \times 10^5\,M}{(1.5 \times 10^8)^3}$

$\dfrac{T_\text{달}}{T_\text{태양}} = \dfrac{0.012\,M}{(3.8 \times 10^5)^3} \div \dfrac{3.3 \times 10^5\,M}{(1.5 \times 10^8)^3} ≒ 2.2$(배)

따라서 달에 의한 기조력의 크기는 태양에 의한 기조력의 크기의 약 2.2배이다.

(2) A점의 단위 질량에 작용하는 달의 인력을 f_A, 원심력을 F_O, 기조력을 T_A, 지구 반지름을 R, 달까지의 거리를 d, 지구의 질량을 M, 달의 질량을 m이라 하면

• A점에서의 달의 인력: $f_A = \dfrac{GMm}{(d-R)^2}$

• 지구 중심에서의 원심력: F_O = 달의 인력(f_O) = $\dfrac{GMm}{d^2}$

(단, G: 만유 인력 상수)

달을 향한 쪽인 A점에 작용하는 만유인력의 크기가 원심력의 크기보다 커서 '기조력=만유인력−원심력'이고, 달의 반대쪽인 B점에 작용하는 만유인력의 크기가 원심력의 크기보다 작아서 '기조력=원심력−만유인력'이므로

- A점에서의 기조력: $T_A = f_A - F_O$

$$= \frac{GMm}{(d-R)^2} - \frac{GMm}{d^2}$$

$$= \frac{GMm(2dR - R^2)}{d^2(d-R)^2} \quad (\leftarrow d \gg R, \ d-R \fallingdotseq d)$$

$$\fallingdotseq \frac{2GMmRd}{d^4}$$

$$= \frac{2GMmR}{d^3}$$

- B점에서의 기조력: $T_B = f_B - F_O$

$$= \frac{GMm}{(d+R)^2} - \frac{GMm}{d^2}$$

$$= -\frac{GMm(2dR + R^2)}{d^2(d+R)^2} \quad (\leftarrow d \gg R, \ d+R \fallingdotseq d)$$

$$\fallingdotseq \frac{-2GMmR}{d^3}$$

따라서 달을 향한 쪽인 A점에 작용하는 기조력(T_A)과 달의 반대쪽인 B점에 작용하는 기조력(T_B)의 크기는 같고 방향은 반대임을 알 수 있다.